ÈS LE BAC ?

s sont mes goûts ?

Quelles sont mes aptitudes ?

Je n'ai pas de préférence
ou j'hésite.

Études longues
ou courtes ?

Quelles sont mes forces
et mes faiblesses ?

émarches possibles :
s (au niveau de la licence pro ou du master).
en première année.
sent souvent des moteurs de recherche.

- Demandez leurs avis
  à vos professeurs.
- Rencontrez les conseillers
  d'orientation-psychologues.

ROUVER ?

Études l........ ns

À l'université

coles

**Licence
professionnelle :**
plôme universitaire
rmettant d'accéder
u marché du travail.

Licence :
diplôme universitaire
destiné à la poursuite
d'études.

Master : deuxième
étape du LMD
(Licence, Master,
Doctorat). S'obtient
en deux ans
après la licence.

Grandes écoles :
(écoles de commerce,
École normale
supérieure (ENS),
Institut d'Étude
Politique (IEP), etc.)

Sélectif :
sur dossier,
après un BTS,
un DUT
ou une L2.

Non sélectif.

Sélectif soit
en M1,
soit en M2 :
sur dossier,
après une licence.

Sélectif :
sur concours, soit après
le Bac, soit à l'issue
de deux années en classe
préparatoire aux grandes
écoles (CPGE).

➡ Suite à la fin du manuel

sciences économiques & sociales

T le ES

COLLECTION
Sous la direction de
J.-P. LEBEL et A. RICHET

Sous la direction de
Jean-Paul Lebel et **Adeline Richet**

Carole Bernier
Florence Constantin
Patrice Croizer
Sarah Daubin
Mary David
Stany Grelet
Jean-Philippe Jallageas
Laurent Le Guen
Sandrine Leloup
Marielle Motais
Françoise Rault
Jean-Louis Suc

Professeurs de sciences
économiques et sociales

hachette
ÉDUCATION

Les auteurs remercient chaleureusement leur éditeur, Richard Migné, ainsi que Christine Lorec et Erwan Le Roho, les relecteurs pédagogiques, Barbara Pilley, Anne-Danielle Naname, Laure Gros, Jean-François Joubert, Patricia Antresangle, Beata Gierasimczyk et son équipe, HL3M, Jean-Luc Maniouloux, Brigitte Hammond pour leur disponibilité et leurs compétences. Ils tiennent également à remercier Pierre Maura, responsable du manuel numérique, pour sa précieuse collaboration.

Maquette : Anne-Danielle Naname
Couverture : Anne-Danielle Naname
Mise en page : Patricia Antresangle pour Médiamax
Graphiques : Beata Gierasimczyk, Jean-Luc Maniouloux
Iconographie : Brigitte Hammond
Relecture : Jean-François Joubert

Pour Hachette Éducation, le principe est d'utiliser des papiers composés de fibres naturelles, renouvelables, recyclables, fabriquées à partir de bois issus de forêts qui adoptent un système d'aménagement durable. En outre, Hachette Éducation attend de ses fournisseurs de papier qu'ils s'inscrivent dans une démarche de certification environnementale reconnue.

ISBN : 978-2-01-135559-1
© HACHETTE LIVRE, 2012. 43 quai de Grenelle, F 75 905 Paris Cedex 15. France.

AVANT-PROPOS

Les auteurs de ce manuel vous proposent un ouvrage adapté au nouveau programme de SES en Terminale, ainsi qu'à la nouvelle organisation du lycée. Vous y trouverez un ensemble d'outils au service de votre enseignement, permettant de répondre aux besoins de vos élèves.

Organisation du manuel

- **Les acquis de Première**, figurant au programme officiel et indispensables à sa compréhension, sont travaillés sous forme d'**activités de révision** présentes en introduction de chaque thème du programme. Les corrections en fin de manuel permettent à l'élève d'effectuer en autonomie ce travail de révision.

- **Les nouvelles épreuves du Bac** font l'objet de sujets complets à la fin de chaque chapitre : une **dissertation** et une **épreuve composée** en trois parties portant toutes **sur le chapitre concerné** – de façon à ce qu'aucun point du programme ne soit négligé. La construction d'épreuves composées abordant plusieurs champs du programme pourra alors se faire en croisant différents chapitres.

- **Des fiches d'aide au travail personnel**, utilisables pendant l'heure d'**accompagnement personnalisé**, visent à faciliter l'autonomie des élèves et leur appropriation des méthodes essentielles, non seulement pour réussir au baccalauréat, mais aussi pour poursuivre des études supérieures.

- **Un schéma bilan** récapitule de façon synthétique l'essentiel de chaque chapitre.

- **Une page d'autoévaluation**, corrigée en fin de manuel, facilite l'assimilation des notions du programme.

- **Trois séries de fiches (Notion, Outil, Bac)** permettent de faire le point sur les notions et les techniques essentielles à la maîtrise des connaissances.

- **Le lexique** fournit toutes les définitions des acquis de Première, des notions au programme de Terminale et des mots-clés des chapitres.

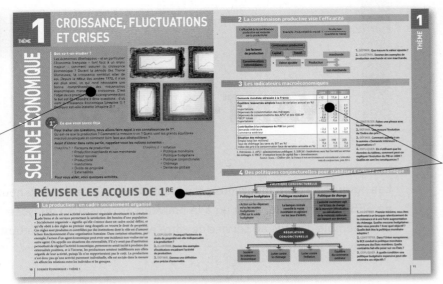

Présentation
des 7 thèmes
du programme.

Les acquis
de 1re figuran[t]
au programm[e]
sont présente[s]
sous forme
d'activités
de révision.

SENSIBILISATION

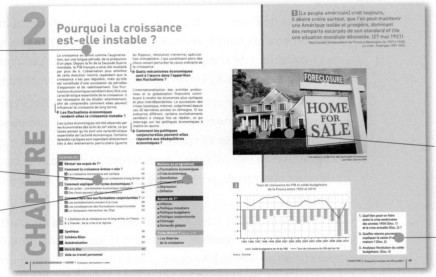

La
problématique
générale
du chapitre.

Un plan détaillé.

Les notions
au programme.

Trois
documents
d'accès
immédiat.

Trois questio[ns]
permettent
de réagir
sur le sujet
du chapitre.

DOCUMENTS

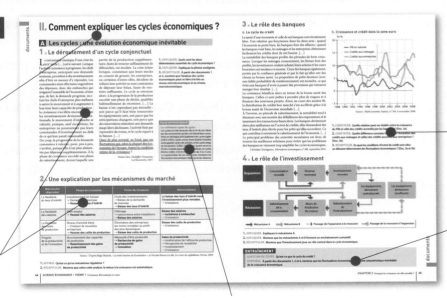

Une
organisation
en double page.

Une grande
variété de
documents.

Les
questions
suivent
une démar[che]
progressive[.]

Une questi[on]
de cours et
une synthè[se]
pour s'entra[îner.]

Des rubriques « Repères », « Définition », « Pour approfondir »,
« Ne pas confondre », pour faciliter l'apprentissage des connaissances.

Des notions et des savoir-faire explicites.

Un TD Méthode et un TD Analyse par chapitre.

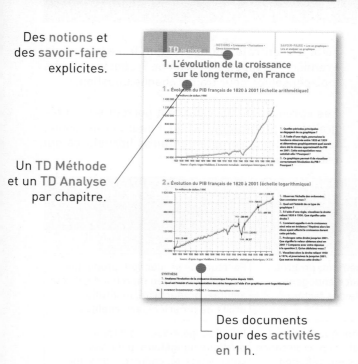

Des documents pour des activités en 1 h.

La synthèse reprend les articulations du chapitre.

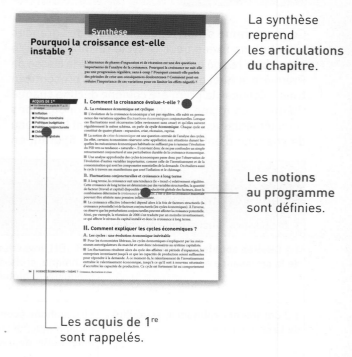

Les notions au programme sont définies.

Les acquis de 1re sont rappelés.

Une dissertation
✚ Une épreuve composée en trois parties portant toutes sur le chapitre concerné, de façon ce qu'aucun point du programme ne soit négligé
✚ Un sujet d'oral (à partir du chapitre 12).

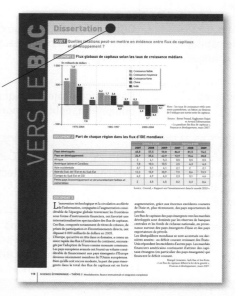

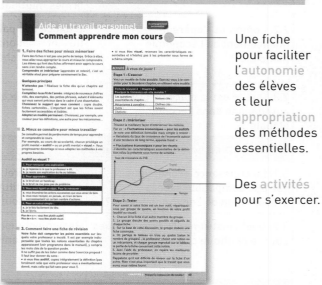

Une fiche pour faciliter l'autonomie des élèves et leur appropriation des méthodes essentielles.

Des activités pour s'exercer.

5

Ce programme s'inscrit dans le cadre des grandes orientations fixées pour le cycle terminal dans le préambule rédigé pour le programme de la classe de Première auquel on se reportera. Il est présenté en trois colonnes : la première colonne décline chaque thème sous forme de questions ; les indications complémentaires explicitent et délimitent le contenu de chacune d'entre elles ; les notions figurant en colonne centrale, de même que les « acquis de Première », rappelés en colonne 3, sont les notions indispensables pour traiter chaque question.

Les épreuves du baccalauréat portent sur l'intégralité du programme tel qu'il figure ci-dessous ; les indications complémentaires bornent ce qui est exigible.

Thèmes et questionnements	Notions au programme	Acquis de Première
Science économique *(durée indicative : 80 heures)*		
1. Croissance, fluctuations et crises		
1.1 Quelles sont les sources de la croissance économique ?	PIB, IDH, investissement, progrès technique, croissance endogène, productivité globale des facteurs	Facteurs de production, production marchande et non marchande, valeur ajoutée, productivité, institutions, droits de propriété, externalités
1.2 Comment expliquer l'instabilité de la croissance ?	Fluctuations économiques, crise économique, désinflation, croissance potentielle, dépression, déflation	Inflation, politique monétaire, politique budgétaire, politique conjoncturelle, chômage, demande globale
2. Mondialisation, finance internationale et intégration européenne		
2.1. Quels sont les fondements du commerce international et de l'internationalisation de la production ?	Avantage comparatif, dotation factorielle, libre-échange et protectionnisme, commerce intra-firme, compétitivité-prix et hors-prix, délocalisation, externalisation, firmes multinationales	Gains à l'échange, spécialisation, échange marchand
2.2. Comment s'opère le financement de l'économie mondiale ?	Balance des paiements, flux internationaux de capitaux, devises, marché des changes, spéculation	Offre, demande, banque centrale, fonctions de la monnaie, taux d'intérêt
2.3. Quelle est la place de l'Union européenne dans l'économie globale ?	Euro, union économique et monétaire	Banque centrale, politique budgétaire, politique monétaire
3. Économie du développement durable		
3.1. La croissance économique est-elle compatible avec la préservation de l'environnement ?	Capital naturel, physique, humain, social et institutionnel, biens communs, soutenabilité	Externalités, biens collectifs, capital social
3.2. Quels instruments économiques pour la politique climatique ?	Réglementation, taxation, marché de quotas d'émission	Externalités, institutions marchandes, droits de propriété, offre et demande, allocation des ressources, défaillances du marché
Sociologie *(durée indicative : 50 heures)*		
1. Classes, stratification et mobilité sociales		
1.1. Comment analyser la structure sociale ?	Classes sociales, groupes de statut, catégories socioprofessionnelles	Groupe social

Thèmes et questionnements	Notions au programme	Acquis de Première
1.2. Comment rendre compte de la mobilité sociale ?	Mobilité intergénérationnelle/intragénérationnelle, mobilité observée, fluidité sociale, déclassement, capital culturel, paradoxe d'Anderson	Groupe d'appartenance, groupe de référence, socialisation anticipatrice, capital social
2. Intégration, conflit, changement social		
2.1. Quels liens sociaux dans des sociétés où s'affirme le primat de l'individu ?	Solidarité mécanique/organique, cohésion sociale	Socialisation, capital social, sociabilité, anomie, désaffiliation, disqualification, réseaux sociaux
2.2. La conflictualité sociale : pathologie, facteur de cohésion ou moteur du changement social ?	Conflits sociaux, mouvements sociaux, régulation des conflits, syndicat	Groupe d'intérêt, conflit

Regards croisés *(durée indicative : 40 heures)*

1. Justice sociale et inégalités		
1.1. Comment analyser et expliquer les inégalités ?	Inégalités économiques, inégalités sociales	Salaire, revenu, profit, revenus de transfert
1.2. Comment les pouvoirs publics peuvent-ils contribuer à la justice sociale ?	Égalité, équité, discrimination, méritocratie, assurance/assistance, services collectifs, fiscalité, prestations et cotisations sociales, redistribution, protection sociale	État providence, prélèvements obligatoires, revenus de transfert
2. Travail, emploi, chômage		
2.1 Comment s'articulent marché du travail et organisation dans la gestion de l'emploi ?	Taux de salaire réel, coût salarial unitaire, salaire d'efficience, salaire minimum, contrat de travail, conventions collectives, partenaires sociaux, segmentation du marché du travail, normes d'emploi	Salaire, marché, productivité, offre et demande, prix et quantité d'équilibre, preneur de prix, rationnement, asymétries d'information, hiérarchie, coopération, conflit, institutions marchandes
2.2. Quelles politiques pour l'emploi ?	Flexibilité du marché du travail, taux de chômage, taux d'emploi, qualification, demande anticipée, équilibre de sous-emploi, salariat, précarité, pauvreté	Chômage, productivité, demande globale, politique monétaire, politique budgétaire, rationnement

Savoir-faire applicables aux données quantitatives et aux représentations graphiques
L'enseignement des sciences économiques et sociales doit conduire à la maîtrise de savoir-faire quantitatifs, qui ne sont pas exigés pour eux-mêmes, mais pour exploiter des documents statistiques ou pour présenter sous forme graphique une modélisation simple des comportements économiques ou sociaux.

Calcul, lecture, interprétation
• Proportions, pourcentages de répartition (y compris leur utilisation pour transformer une table de mobilité en tables de destinée et de recrutement)
• Moyenne arithmétique simple et pondérée
• Évolutions en valeur et en volume
• Propensions moyenne et marginale à consommer et à épargner
• Élasticité comme rapport d'accroissements relatifs
• Écarts et rapports interquantiles
• Mesures de variation : coefficient multiplicateur, taux de variation, indices simples et pondérés

Lecture et interprétation
• Corrélation et causalité
• Tableaux à double entrée
• Taux de croissance moyen
• Médiane, écart-type
• Élasticité-prix de la demande et de l'offre, élasticité-revenu de la demande, élasticité de court terme et élasticité de long terme
• Représentations graphiques : courbes de Lorenz, histogrammes, diagrammes de répartition, représentation des séries chronologiques, y compris les graphiques semi-logarithmiques
• Représentation graphique de fonctions simples (offre, demande, coût) et interprétation de leurs pentes et de leurs déplacements.

SOMMAIRE

SCIENCE ÉCONOMIQUE

THÈME 1 • Croissance, fluctuations et crises
Réviser les acquis de 1re   10

CHAPITRE 1
D'où vient la croissance ?   **12**
I. Qu'est-ce que la croissance économique ?   14
II. Comment expliquer la croissance ?   20
III. Quel est le rôle du progrès technique
dans la croissance ?   24
Travaux dirigés   28
Synthèse   30
Autoévaluation   33
Vers le bac   34
Savoir prendre des notes   37

CHAPITRE 2
Pourquoi la croissance est-elle instable ?   **38**
I. Comment la croissance évolue-t-elle ?   40
II. Comment expliquer les cycles économiques ?   44
III. Comment faire face aux fluctuations
conjoncturelles ?   48
Travaux dirigés   54
Synthèse   56
Autoévaluation   59
Vers le bac   60
Comment apprendre mon cours   63

THÈME 2 • Mondialisation, finance internationale et intégration européenne
Réviser les acquis de 1re   64

CHAPITRE 3
**Comment expliquer l'internationalisation
de l'économie ?**   **66**
I. Pourquoi les échanges internationaux
se sont-ils développés ?   68
II. L'échange international est-il toujours
avantageux ?   74
III. Pourquoi la production de biens et de services
s'est-elle internationalisée ?   78
Travaux dirigés   86
Synthèse   88
Autoévaluation   91
Vers le bac   92
Travailler avec Internet   95

CHAPITRE 4
Comment l'économie mondiale est-elle financée ? **96**
I. Comment les échanges extérieurs sont-ils
comptabilisés ?   98
II. Quel est le rôle des monnaies dans l'échange
international ?   102
III. Comment expliquer les flux internationaux
de capitaux ?   108
Travaux dirigés   112
Synthèse   114
Autoévaluation   117
Vers le bac   118
Comprendre et répondre à une consigne   121

CHAPITRE 5
**Quelle est la place de l'Union européenne
dans l'économie globale ?**   **122**
I. En quoi l'intégration européenne est-elle
une expérience originale ?   124
II. L'Union monétaire, un atout face
à la mondialisation ?   128
III. Est-il possible de coordonner les politiques
macroéconomiques au niveau de l'UE ?   132
Travaux dirigés   138
Synthèse   140
Autoévaluation   143
Vers le bac   144
Comment présenter une copie ?   147

THÈME 3 • Économie et développement durable
Réviser les acquis de 1re   148

CHAPITRE 6
**La croissance est-elle compatible avec
la préservation de l'environnement ?**   **150**
I. Qu'est-ce que le bien-être ?   152
II. Quelles sont les limites écologiques
de la croissance ?   156
III. Qu'est-ce que le développement durable ?   160
Travaux dirigés   166
Synthèse   168
Autoévaluation   171
Vers le bac   172
S'exercer à répondre sans paraphraser   175

CHAPITRE 7
**Quels instruments économiques
pour la politique climatique ?**   **176**
I. Pourquoi mener une politique climatique ?   178
II. Quels sont les instruments des politiques
climatiques ?   184
Travaux dirigés   192
Synthèse   194
Autoévaluation   197
Vers le bac   198
Maîtriser les connecteurs logiques   201

SOCIOLOGIE

THÈME 4 • Classes, stratification et mobilité sociales
Réviser les acquis de 1re   202

CHAPITRE 8
Comment analyser la structure sociale ?   **204**
I. Quelle est la dynamique de la structure sociale ? 206
II. La structure sociale contemporaine fait-elle
disparaître les classes sociales ?   212
Travaux dirigés   218
Synthèse   220
Autoévaluation   223
Vers le bac   224
Réaliser une fiche de lecture   227

CHAPITRE 9
Comment étudier la mobilité sociale ? **228**
I. Qu'est-ce que la mobilité sociale ? 230
II. Quels sont les déterminants
de la mobilité sociale ? 236
Travaux dirigés 242
Synthèse 244
Autoévaluation 247
Vers le bac 248
Savoir exploiter l'actualité 251

**THÈME 5 • Intégration, conflit,
changement social**
Réviser les acquis de 1re 252
CHAPITRE 10
**Quels liens sociaux dans les sociétés
contemporaines ?** **254**
I. Qu'est-ce que le lien social ? 256
II. La cohésion sociale est-elle menacée par
l'évolution du rôle des instances d'intégration ? 260
III. Comment les liens sociaux se recomposent-ils
dans une société d'individus ? 266
Travaux dirigés 270
Synthèse 272
Autoévaluation 275
Vers le bac 276
Préparer l'oral 279

CHAPITRE 11
Comment analyser les conflits sociaux ? **280**
I. Quelles mutations les conflits sociaux
ont-ils connues ? 282
II. Le conflit est-il un moment de rupture
du lien social ? 286
III. Dans quelle mesure les conflits
contribuent-ils au changement social ? 290
Travaux dirigés 294
Synthèse 296
Autoévaluation 299
Vers le bac 300
Dernières révisions avant le bac 303

REGARDS CROISÉS

THÈME 6 • Justice sociale et inégalités
Réviser les acquis de 1re 304
CHAPITRE 12
Comment analyser et expliquer les inégalités ? **306**
I. Quelles formes les inégalités peuvent-elles
prendre ? 308
II. Des sociétés de plus en plus inégalitaires ? 316
Travaux dirigés 322
Synthèse 324
Autoévaluation 327
Vers le bac 328

CHAPITRE 13
**Comment les pouvoirs publics peuvent-ils
contribuer à la justice sociale ?** **332**
I. Une société juste est-elle une société
d'égaux ? 334

II. Comment l'État peut-il contribuer
à la justice sociale ? 338
III. L'intervention de l'État est-elle
toujours efficace ? 342
Travaux dirigés 348
Synthèse 350
Autoévaluation 353
Vers le bac 354

THÈME 7 • Travail, emploi, chômage
Réviser les acquis de 1re 358
CHAPITRE 14
Comment fonctionne le marché du travail ? **360**
I. Le marché du travail est-il un marché
de concurrence pure et parfaite ? 362
II. Le marché du travail est-il une construction
sociale ? 368
Travaux dirigés 374
Synthèse 376
Autoévaluation 379
Vers le bac 380
CHAPITRE 15
Quelles politiques pour l'emploi ? **384**
I. Pourquoi des politiques de l'emploi
sont-elles nécessaires ? 386
II. Quels sont les objectifs pour les politiques
de l'emploi ? 390
III. Quels sont les enjeux sociaux des politiques
de l'emploi ? 396
Travaux dirigés 400
Synthèse 402
Autoévaluation 405
Vers le bac 406

FICHES NOTION

Fiche 1 Les théories de la croissance 410
Fiche 2 La détermination du taux de change 412
Fiche 3 Strates et classes sociales 414
Fiche 4 Les grandes transformations sociales 416
Fiche 5 Les théories de la justice sociale 418
Fiche 6 Emploi, activité, chômage 420
Fiche 7 Les théories du chômage 422

FICHES OUTIL

Fiche 1 Qu'est-ce qu'une proportion ? 424
Fiche 2 Moyenne, médiane et écart-type 425
Fiche 3 Les mesures de variation 427
Fiche 4 Mesurer les propensions 429
Fiche 5 Les élasticités 430
Fiche 6 Mesurer et représenter les inégalités 432
Fiche 7 Lire les graphiques 434

FICHES BAC

Fiche 1 Les épreuves et le choix du sujet 438
Fiche 2 La dissertation 439
Fiche 3 L'épreuve composée 441

Corrigés autoévaluation 442

Corrigés révision acquis de 1re 446

Lexique 451

CROISSANCE, FLUCTUATIONS ET CRISES

SCIENCE ÉCONOMIQUE

Que va-t-on étudier ?

Les économies développées – et en particulier l'économie française – font face à un enjeu majeur : comment assurer la croissance économique ? Durant la période des Trente Glorieuses, la croissance semblait aller de soi. Depuis le début des années 1970, il n'en est plus ainsi, ce qui rend nécessaire une bonne compréhension des mécanismes économiques menant à la croissance. C'est l'objet de ce premier thème du programme dont le but est de répondre à deux questions : d'où vient la croissance économique (chapitre 1) ? Pourquoi est-elle instable (chapitre 2) ?

Ce que vous savez déjà

Pour traiter ces questions, nous allons faire appel à vos connaissances de 1re.
Qu'est-ce que la production ? Comment la mesure-t-on ? Quels sont les grands équilibres macroéconomiques et comment faire face aux déséquilibres ?

Avant d'entrer dans cette partie, rappelez-vous les notions suivantes :

Chapitre 1
- Facteurs de production
- Production marchande et non marchande
- Valeur ajoutée
- Productivité
- Institutions
- Droits de propriété
- Externalités

Chapitre 2
- Inflation
- Politique monétaire
- Politique budgétaire
- Politique conjoncturelle
- Chômage
- Demande globale

Pour vous aider, voici quelques activités.

RÉVISER LES ACQUIS DE 1RE

➡ Réponses p

1 La production : un cadre socialement organisé

La production est une activité socialement organisée aboutissant à la création de biens et de services permettant la satisfaction des besoins d'une population. « Socialement organisée » signifie qu'elle s'exerce dans un cadre social défini, et qu'elle obéit à des règles au premier rang desquels on trouve le droit de propriété. Ces règles sont produites et contrôlées par des institutions dont le rôle est d'assurer le bon fonctionnement d'une organisation humaine. Dans certaines situations, par exemple, l'action d'un agent économique peut avoir une incidence non voulue sur un autre agent. On appelle ces situations des externalités. S'il n'y avait pas d'institution permettant de réguler l'activité économique, personne ne serait incité à produire des externalités positives, et à l'inverse, les producteurs seraient indifférents aux effets négatifs de leur activité, puisqu'ils n'en supporteraient pas le coût. La production n'est donc pas qu'une activité purement individuelle, elle est sociale dans la mesure où affecte les relations entre les individus et les groupes.

1. EXPLIQUER. **Pourquoi l'existence de droits de propriété est-elle indispensable à la production ?**

2. ILLUSTRER. **Donnez des exemples d'institutions encadrant l'activité de production.**

3. DÉFINIR. **Donnez une définition plus précise d'externalité.**

2 La combinaison productive vise l'efficacité

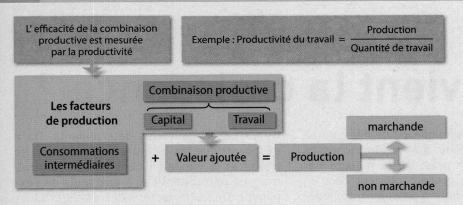

1. DÉFINIR. Que mesure la valeur ajoutée ?

2. ILLUSTRER. Donnez des exemples de production marchande et non marchande.

3 Les indicateurs macroéconomiques

	2009	2010	2011[1]
Demande mondiale adressée à la France	– 12	11,6	6,9
Équilibre ressources-emplois (taux de variation annuel en %)			
PIB	– 2,6	1,4	2,1
Importations	– 10,6	8,3	6,9
Dépenses de consommation des ménages	0,1	1,3	1,2
Dépenses de consommations des APU[2] et des ISBLM[3]	2,4	1,2	0,9
FBCF[4] totale	– 8,8	– 1,4	3,8
Exportations	– 12,2	9,4	5,3
Contribution à la croissance du PIB (en point)			
Demande intérieure	– 2,4	1,3	2,7
Commerce extérieur	– 0,2	0,1	– 0,6
Situation des ménages			
Emploi total (en milliers)	– 227	198	225
Taux de chômage (au sens du BIT en %)	9,6	9,3	9,6
Indice des prix à la consommation (taux de variation annuelle en %)	0,1	1,5	2,2

1. Prévisions. 2. APU : administrations publiques. 3. ISBLM : Institutions sans but lucratif au service des ménages. 4. FBCF : Formation brute de capital fixe = Investissement.

Source : Insee, « Chiffres-clés : la France et son environnement international » (extraits), note de conjoncture, juin 2011.

1. CONSTATER. Faites une phrase avec les données en rouge.

2. DÉFINIR. Que mesure l'évolution de l'indice des prix ?

3. DÉFINIR. Comment appelle-t-on la somme « Demande intérieure + Exportations » ?

4. EXPLIQUER. En n'utilisant que les données du tableau, comment peut-on expliquer l'évolution du PIB en 2009 ? Quelles en sont les conséquences ?

4 Des politiques conjoncturelles pour stabiliser l'activité économique

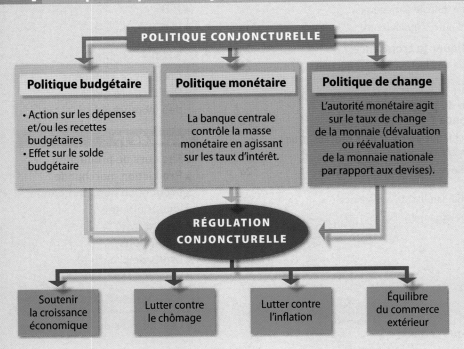

1. ILLUSTRER. Premier ministre, vous êtes confronté à un brusque ralentissement de la croissance et à une forte augmentation du chômage. Quelles mesures budgétaires allez-vous prendre ? Avec quel objectif ? Quelle doit être la politique monétaire adaptée ?

2. CONSTATER. Dans l'Union européenne, la BCE conduit la politique monétaire commune des États membres. Quelle contrainte fait-elle peser sur ces États ?

3. EXPLIQUER. À quelle condition une politique budgétaire expansive peut-elle atteindre ses objectifs ?

THÈME 1

11

CHAPITRE 1

D'où vient la croissance ?

La croissance économique est définie comme l'augmentation de la masse de richesses produites dans un pays. On la mesure par l'augmentation du produit intérieur brut en volume. Elle a permis d'améliorer considérablement les conditions de vie des populations. On pourrait croire que la croissance est un phénomène simple et éternel qui se répand progressivement sur toute la planète en apportant partout la prospérité. Pourtant les économistes se posent de nombreuses questions à son propos. Est-elle synonyme de bien-être ? La mesure-t-on correctement ? Pourquoi est-elle apparue dans certains pays et pas dans d'autres à un moment précis de l'histoire de l'humanité ?

> **Qu'est-ce que la croissance économique ?**

Pour entretenir la croissance économique, dont les effets positifs sont innombrables,

il faut en connaître les déterminants. On a découvert que les facteurs de production (le travail et le capital) jouent un rôle central, mais ne permettent pas à eux seuls de l'expliquer. Un autre facteur décisif (la productivité) intervient pour générer la croissance économique.

> **Comment expliquer la croissance économique ?**

Les gains de productivité, qui constituent un déterminant essentiel de la croissance économique, sont une conséquence du progrès technique. Or, le progrès technique est un phénomène complexe qui a de nombreux effets contrastés. Il est important de bien l'étudier pour être capable de le maîtriser et peut-être de provoquer son apparition, dans le but de stimuler la croissance économique.

> **Quel est le rôle du progrès technique dans la croissance ?**

SOMMAIRE

Réviser les acquis de 1re	10
I Qu'est-ce que la croissance économique ?	14
A Un phénomène récent et inégal	14
B Un phénomène difficile à mesurer	16
C La nécessité d'autres indicateurs	18
II Comment expliquer la croissance ?	20
A La mobilisation des facteurs de production	20
B L'efficacité des facteurs de production	22
III Quel est le rôle du progrès technique dans la croissance ?	24
A Le progrès technique au cœur d'un processus de destruction créatrice	24
B Progrès technique et croissance endogène	26
TD 1. Maîtriser les indicateurs de croissance	28
TD 2. L'indice de développement humain	29
Synthèse	30
Schéma Bilan	32
Autoévaluation	33
Vers le Bac	34
Aide au travail personnel	37

Notions au programme

- Travail
- Capital
- PIB
- IDH
- Investissement
- Progrès technique
- Croissance endogène
- Productivité globale des facteurs

Acquis de 1re

- Facteurs de production
- Production marchande
- Production non marchande
- Valeur ajoutée
- Productivité
- Institutions
- Droits de propriété
- Externalités

Fiche Notion 1 (voir p. 410)

- Les théories de la croissance

Incendie de forêt dans la vallée du Têt près de Perpignan, 2005.

2 « Au Kerala, le portable a la pêche »

La pêche est une industrie essentielle au Kerala [une région côtière de l'Inde du Sud]. Les pêcheurs de sardines sortent en mer très tôt, et ramènent leur pêche sur les marchés en gros, qui se tiennent sur les plages entre 5 heures et 8 heures du matin. Avant l'introduction du téléphone mobile, ils devaient décider auparavant sur quelle plage débarquer. [...] Et, comme le poisson ne se conserve pas, s'ils ne trouvaient pas d'acheteurs, ils devaient jeter leur marchandise. Inversement, si trop peu de poissons étaient à vendre, les acheteurs repartaient les mains vides. [...] [Aujourd'hui], les pêcheurs peuvent utiliser le téléphone pour vendre leur pêche aux acheteurs potentiels avant de débarquer. [...] Robert Jensen, un économiste de Harvard, [...] montre que, dès l'introduction d'une [antenne] dans une région, [...] le gaspillage (5 à 6 % de la pêche avant) disparaît. Il en conclut que l'introduction du téléphone conduit à une augmentation de 8 % du profit des pêcheurs, et d'une réduction du prix de 4 %, ce qui augmente aussi le bien-être des consommateurs. Un exemple aussi remarquable qu'inattendu du pouvoir de la technologie !

Source : Esther Duflo, professeure au Massachusetts Institute of Technology et à l'École d'économie de Paris, liberation.fr, 2 octobre 2006.

3 Les principaux employeurs aux États-Unis en 1960 et 2010

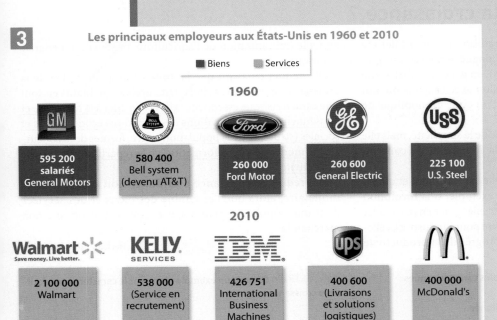

■ Biens ■ Services

1960

GM	Bell System	Ford	GE	USS
595 200 salariés General Motors	580 400 Bell system (devenu AT&T)	260 000 Ford Motor	260 600 General Electric	225 100 U.S. Steel

2010

Walmart	KELLY SERVICES	IBM	UPS	McDonald's
2 100 000 Walmart	538 000 (Service en recrutement)	426 751 International Business Machines	400 600 (Livraisons et solutions logistiques)	400 000 McDonald's

Source : Bureau of Labor Statistics, 2010.

1. Quels effets positifs un incendie de forêt peut-il avoir sur le PIB ?

2. Comment l'introduction du téléphone portable peut-elle stimuler la croissance en Inde ?

3. Comment le progrès technique peut-il expliquer les transformations de l'emploi aux États-Unis ?

I. Qu'est-ce que la croissance économique ?

A Un phénomène récent et inégal

1. Une croissance récente

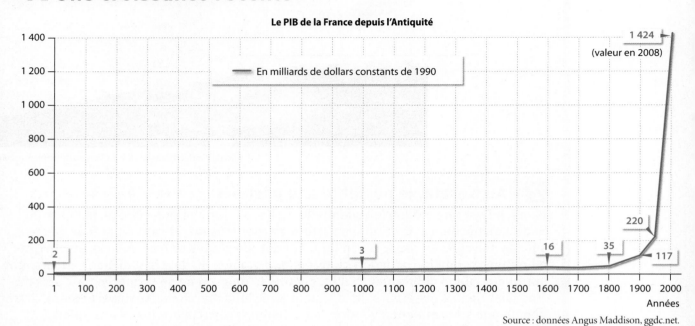

Le PIB de la France depuis l'Antiquité

En milliards de dollars constants de 1990

1 424 (valeur en 2008)

220

117

16   35

2   3

Années

Source : données Angus Maddison, ggdc.net.

1. EXPLIQUER. Pourquoi préfère-t-on mesurer l'évolution du PIB en dollars constants plutôt qu'en dollars courants ?

2. CONSTATER. Utilisez un indicateur pertinent de variation pour présenter l'évolution du PIB entre l'an zéro et 1800, puis entre 1800 et 2008.

3. EXPLIQUER. Quelle est l'origine de cette croissance récente ?

2. Qu'est-ce que la croissance ?

La croissance économique est traditionnellement définie comme l'accroissement, sur une longue période, d'un agrégat de production (ou de dimension), en général le PIB. Cette définition permet d'éviter la confusion avec l'expansion, qui correspond à la phase ascendante d'un cycle économique de courte période.

Cette définition a sans doute le mérite de la simplicité, mais elle ne permet de rendre compte ni de la complexité du concept, ni de ses limites :

– elle néglige les interactions dont elle est le résultat et qui en font un phénomène cumulatif. Par exemple, si la révolution agricole a permis la révolution industrielle (grâce en particulier au fait qu'elle libère de la main-d'œuvre pour l'industrie), celle-ci en retour favorise de nouveaux progrès de la productivité

agricole (mécanisation de l'agriculture, production d'engrais chimiques…).

– elle ne met en avant que la dimension quantitative de la croissance, alors que ses effets structurels et qualitatifs en sont une caractéristique essentielle : elle est en effet à la fois cause et conséquence de modifications des structures économiques et sociales (structure de la population active, formes de la concurrence, modes de vie, déformation de la répartition sectorielle de l'activité…) ;

– elle réduit la croissance à sa dimension marchande et monétaire, alors que l'ensemble des biens et des services dont une population peut disposer a aussi une origine non marchande.

Hachette Éducation, 2012.

1. CONSTATER. Quelles sont les principales caractéristiques de la croissance ?

2. EXPLIQUER. Expliquez la phrase soulignée.

3. ILLUSTRER. Donnez un exemple montrant le caractère cumulatif de la croissance.

3. Une croissance inégale dans le temps et dans l'espace

La croissance économique dans le monde depuis 1820

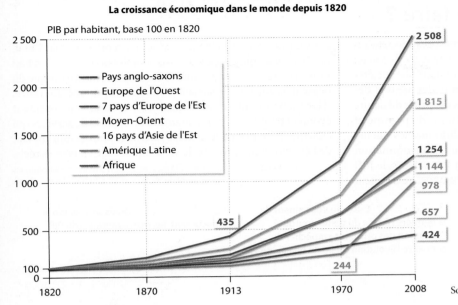

PIB par habitant, base 100 en 1820

Légende :
- Pays anglo-saxons
- Europe de l'Ouest
- 7 pays d'Europe de l'Est
- Moyen-Orient
- 16 pays d'Asie de l'Est
- Amérique Latine
- Afrique

Valeurs 2008 : 2 508 ; 1 815 ; 1 254 ; 1 144 ; 978 ; 657 ; 424
Valeur 1913 : 435
Valeur 1970 : 244

Années : 1820 - 1870 - 1913 - 1970 - 2008

Source : données Angus Maddison, ggdc.net.

1. CONSTATER. Ce graphique montre-t-il que le PIB par habitant était approximativement le même dans toutes les zones en 1820 ?

2. CALCULER. Utilisez un coefficient multiplicateur pour présenter l'évolution du PIB par habitant dans les pays d'Europe de l'Ouest, entre 1820 et 2008.

3. CONSTATER. Comparez les données de l'Afrique et des pays anglo-saxons, en 2008.

4. CONSTATER. Peut-on dire que les pays d'Asie sont ceux qui ont connu la plus forte croissance depuis 1970 ? Et depuis 1820 ?

4. Des écarts de richesses

Revenu national brut par habitant en 2010
En $

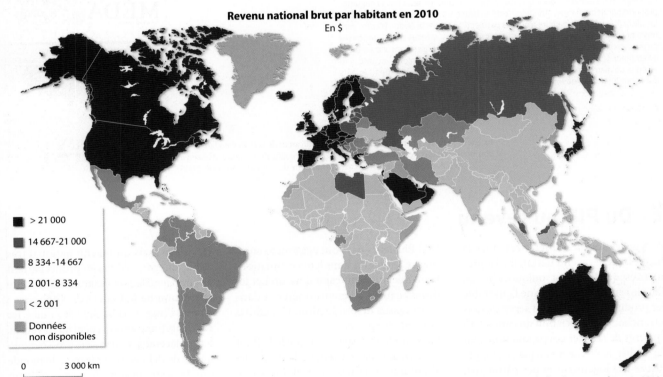

Légende :
- > 21 000
- 14 667-21 000
- 8 334-14 667
- 2 001-8 334
- < 2 001
- Données non disponibles

0   3 000 km

Source : Pnud, « Rapport sur le développement humain 2010 ».

1. CONSTATER. Exprimez la situation de la France sans utiliser le terme « revenu ».

2. CONSTATER. Classez les différents groupes de pays présentés au document précédent en fonction de leur niveau de revenu par habitant.

3. EXPLIQUER. Quelle relation peut-on établir entre les données de ce document et celles du document 3 ?

ENTRAÎNEMENT

QUESTION DE COURS. Quelles sont les principales caractéristiques de la croissance ?

SYNTHÈSE. À partir des documents 1, 3 et 4, montrez que la croissance n'est pas un phénomène uniforme.

documents

B Un phénomène difficile à mesurer

1. Le PIB : pour quoi faire ?

L'une des raisons pour lesquelles les mesures monétaires des performances économiques et des niveaux de vie en sont venues à jouer un rôle aussi important dans nos sociétés réside dans le fait que l'évaluation monétaire des biens et des services permet d'additionner aisément des quantités de nature très différente. Si l'on connaît les prix du jus de pomme et ceux des lecteurs de DVD, on peut en additionner les valeurs et établir des états de la production et de la consommation exprimés en un seul et même chiffre. […] Par ailleurs, le PIB englobe l'ensemble des biens finaux de l'économie, qu'ils soient consommés par les ménages, par les entreprises ou par l'État. Les évaluer au moyen de leurs prix semblerait donc être un bon moyen de rendre compte sous la forme d'un chiffre unique du degré d'aisance d'une société à un moment donné. En outre, fixer les prix à un niveau donné tout en observant comment évoluent dans le temps les quantités de biens et de services qui constituent le PIB peut sembler rationnel pour établir un état de l'évolution des niveaux de vie d'une société en termes réels.

« Rapport de la Commission sur la mesure des performances économiques et du progrès social », rapport Stiglitz, 2009.

1. EXPLIQUER. Pourquoi peut-on établir une relation entre PIB et niveau de vie ?

2. EXPLIQUER. Dites, en vous aidant de la dernière phrase du texte, pourquoi l'évolution des prix peut empêcher de connaître l'évolution réelle du niveau de vie.

3. RÉCAPITULER. Quels sont, selon le document, les trois avantages du PIB ?

POUR APPROFONDIR

Comment mesure-t-on le PIB ?

Le PIB est calculé en additionnant les valeurs ajoutées des unités de production résidentes. La prise en compte des valeurs ajoutées évite en effet de comptabiliser plusieurs fois les biens et services utilisés comme consommations intermédiaires par d'autres entreprises. Par exemple, en additionnant la production d'un boulanger et celle d'un restaurateur qui lui achète du pain, on compte deux fois la baguette produite par le boulanger, alors que cette richesse n'a été produite qu'une fois ! Le calcul préalable des valeurs ajoutées permet d'éviter cette erreur. D'autre part, on comptabilise la valeur ajoutée des unités résidentes, qu'elles soient françaises ou non. Par contre, on ne comptabilise pas celle des entreprises françaises situées à l'étranger. L'Insee calcule le PIB aux prix du marché de la manière suivante : PIB aux prix du marché = somme des valeurs ajoutées des unités résidentes + impôts sur la production − subventions.

La question de la pertinence du PIB comme indicateur de la richesse a fait l'objet de nombreux travaux depuis les années 1990. La sociologue Dominique Méda en a, en particulier, fait l'un des axes principaux de sa réflexion – ici en 2008.

2. Du PIB au revenu

Quelles sont les différences entre le PIB et le revenu national ? La première est que le PIB est toujours « brut », dans le sens où il additionne l'ensemble des productions de biens et services, sans retrancher la dépréciation du capital qui a permis de réaliser ces productions. En particulier, le PIB ne prend pas en compte l'usure des logements et des bâtiments, des équipements et des ordinateurs, etc. L'Insee réalise pourtant des estimations minutieuses de cette dépréciation, qui sont évidemment imparfaites, mais qui ont le mérite d'exister. En 2008, le total est estimé à 270 milliards d'euros, pour un PIB de 1 950 milliards d'euros, d'où un produit intérieur net de 1 680 milliards.

[…] Plusieurs pays ont également commencé à intégrer dans leurs estimations la dépréciation du capital naturel et les dégâts causés à l'environnement dans le processus de production. Ces efforts doivent être poursuivis.

La seconde différence est que le PIB est « intérieur », dans le sens où l'on cherche à mesurer les richesses produites sur le territoire intérieur du pays considéré, sans se préoccuper de leur destination finale, et en particulier sans se préoccuper des flux de profits et de salaires entre pays. Par exemple, un pays dont l'ensemble des entreprises et du capital productif serait possédé par des actionnaires étrangers pourrait fort bien avoir un PIB très élevé mais un revenu national très faible, une fois déduits les profits partant à l'étranger. Dans la France de 2008, cette correction ne fait guère de différence : d'après l'Insee et la Banque de France, les résidents français possèdent au travers de leurs placements financiers grosso modo autant de richesses dans le reste du monde que le reste du monde en possède en France. Le revenu national est donc quasiment identique au produit intérieur net (1 690 milliards). Mais il en va tout autrement dans de nombreux pays, et pas seulement dans les pays pauvres, comme le montre le cas irlandais.

Thomas Piketty, « Retour au revenu national », *Libération*, 6 octobre 2009.

1. DÉFINIR. Que signifie « brut » dans le PIB ?

2. RÉCAPITULER. La croissance du PIB est-elle nécessairement source d'amélioration de la situation des populations ?

3. Revenu national net en pourcentage du PIB

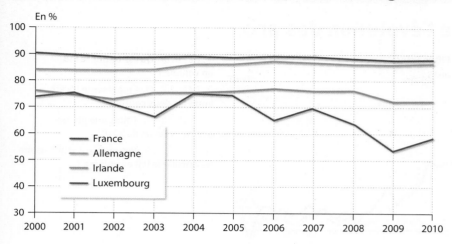

En %

Source : Eurostat.

1. CONSTATER. Faites une phrase avec la valeur de l'Irlande en 2010.

2. EXPLIQUER. Comment peut-on expliquer l'existence d'un écart entre le revenu national net et le PIB dans tous les pays ?

3. EXPLIQUER. Comment peut-on expliquer l'évolution des données du Luxembourg ?

4. Mesurer la consommation réelle des ménages

Pour être exhaustifs, les revenus et la consommation des ménages doivent également inclure les services en nature fournis par l'État, tels que les services subventionnés, notamment de santé et d'éducation. [...] Pour prendre un exemple, si des services médicaux exactement semblables sont offerts dans un cas par le secteur public et dans un autre par le secteur privé, la comparaison du revenu disponible est [...] faussée. Si l'on ajoute les transferts sociaux en nature que les ménages reçoivent de l'État [ce qu'on appelle les imputations] [...], le revenu disponible ajusté des ménages fait bien apparaître une égalité entre les deux cas.

En France et en Finlande, par exemple, les principales imputations s'élèvent à environ un tiers du revenu disponible ajusté des ménages, alors qu'elles dépassent à peine 20 % aux États-Unis. En l'absence d'imputations, les niveaux de vie des ménages français et finlandais seraient donc sous-estimés par rapport aux États-Unis. Les transferts sociaux en nature concernent essentiellement les services de santé et d'éducation, le logement subventionné, les installations sportives et de loisirs, et toutes les autres prestations fournies aux populations à un faible coût ou gratuitement.

« Rapport de la Commission sur la mesure des performances économiques et du progrès social », rapport Stiglitz, 2009.

1. DÉFINIR. Quelle relation peut-on établir entre revenu disponible, prélèvements obligatoires et services en nature fournis par l'État ?

2. EXPLIQUER. Pourquoi le revenu disponible est-il sous-estimé dans les pays où les transferts sociaux en nature sont importants ?

5. Le PIB ne prend pas en compte le travail non rémunéré

Le travail non rémunéré dans les pays de l'OCDE[1]

En % du PIB, méthode du coût de remplacement[2]

1. EXPLIQUER. Pourquoi le travail non rémunéré n'est-il pas comptabilisé dans le PIB ?

2. ILLUSTRER. Donnez des exemples de travail non rémunéré.

3. CONSTATER. Faites une phrase avec la donnée de la France.

4. EXPLIQUER. Pourquoi est-il difficile d'intégrer le travail non rémunéré dans le PIB ?

Source : OCDE, Panorama de la société 2011 – Les indicateurs sociaux de l'OCDE.

1. Les chiffres s'appuient sur les estimations de l'emploi du temps de la population âgée de 15 à 64 ans sur la période 1998-2009, et ne tiennent compte que des activités principales.
2. Le travail domestique non rémunéré est évalué à l'aide du coût salarial horaire moyen du pays pour les activités informelles.

ENTRAÎNEMENT

QUESTION DE COURS. Pourquoi le PIB est-il un indicateur imparfait ?

SYNTHÈSE. À partir des documents 2, 3 et 4, montrez que le PIB ne permet pas de rendre compte de l'évolution des niveaux de vie.

documents

C La nécessité d'autres indicateurs

1. Prendre en compte l'évolution des prix

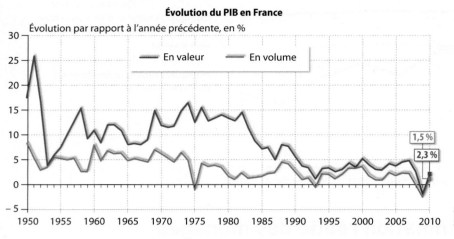

Évolution du PIB en France

Évolution par rapport à l'année précédente, en %

— En valeur   — En volume

Champ : France.
Source : Insee, comptes nationaux – base 2005.

1. DÉFINIR. Qu'est-ce que le PIB en volume ?

2. DÉFINIR. Que représente l'écart entre les deux courbes ?

3. CONSTATER. Faites une phrase avec les valeurs de 2010.

4. EXPLIQUER. Pourquoi est-il nécessaire de calculer le PIB en volume ?

2. Comparer les pouvoirs d'achat

Pour une comparaison plus précise, il convient d'utiliser des facteurs de conversion spaciaux pour compenser les différences de niveaux de prix entre les pays. Les parités de pouvoir d'achat (PPA) font partie de ces facteurs qui convertissent des indicateurs économiques exprimés dans des monnaies nationales en une monnaie commune fictive, appelée « standard de pouvoir d'achat (SPA) ». Les PPA sont donc utilisées pour convertir le PIB et d'autres agrégats économiques (par exemple, les dépenses de consommation pour certains groupes de produits) de différents pays en volumes de dépenses comparables, qui sont ensuite exprimés en unités SPA.

Sous leur forme la plus simple, les PPA représentent le rapport entre les prix pour un même bien ou service dans différents pays exprimés dans leur monnaie nationale (par exemple, un pain coûte 2,25 euros en France, 1,98 euro en Allemagne, etc.). Du point de vue de la répartition du PIB, l'utilisation de SPA au lieu d'euros aboutit à un lissage, car les pays avec un PIB par habitant très élevé affichent en règle générale aussi un niveau de prix relativement élevé.

Source : Insee.

1. EXPLIQUER. Pourquoi faut-il compenser les différences de niveaux de prix entre les pays ?

2. EXPLIQUER. Expliquez la phrase soulignée.

3. Comparaison prix courant et SPA

Pays	PIB au prix courant				PIB en SPA			
	2008	2009	2010	2011	2008	2009	2010	2011
Belgique	346 130	340 398	354 378	370 436,4	309 799,8	298 463,8	315 381,1	327 230,5
Danemark	235 133	223 985,3	235 608,7	241 126,4	171 069,3	159 409,6	171 667,5	174 708,1
Allemagne	2 473 800	2 374 500	2 476 800	2 567 082,8	2 382 869,7	2 224 647,7	2 352 851,8	2 451 781,8
Irlande	179 989,8	160 595,9	155 992,3	156 109,2	147 887,8	133 871,2	139 397	142 776,2
Espagne	1 087 749	1 047 831	1 051 342	1 074 940,5	1 180 931,6	1 112 892,9	1 127 796,4	1 153 213
France	1 933 195	1 889 231	1 932 801,5	1 987 699,4	1 713 157,1	1 639 459,4	1 704 215,1	1 745 525,2
Italie	1 575 143,9	1 526 790,4	1 556 028,6	1 586 209	1 561 078,6	1 469 876,8	1 488 424,4	1 509 275,5
Pays-Bas	594 481	571 145	588 414	607 435,2	551 778,8	511 824,5	539 087,5	559 491,1
Autriche	282 746	274 818,2	286 197,3	300 891,3	259 304,8	244 796,4	258 370,8	270 194,3
Portugal	171 983,1	168 503,6	172 571,2	171 632,4	207 113,5	199 838,7	207 848,2	209 124,5
Finlande	185 651	173 267	180 253	190 257,4	158 174,5	144 259,3	151 146,7	158 650,3

Source : Eurostat.

1. CALCULER. Calculez l'écart de PIB entre la France et le Portugal, en 2011, selon les deux modes d'évaluation. Comment peut-on interpréter la différence ?

2. EXPLIQUER. Les données de ce document confirment-elles la phrase soulignée du document 2 ?

3. ILLUSTRER. Montrez, à partir d'exemples du tableau, l'intérêt de calculer le PIB en SPA.

4. Mesurer le développement humain

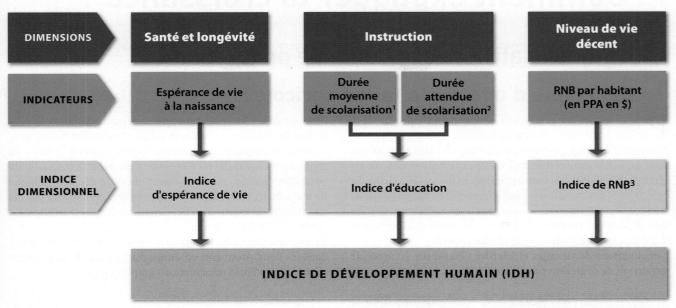

DIMENSIONS	Santé et longévité	Instruction		Niveau de vie décent
INDICATEURS	Espérance de vie à la naissance	Durée moyenne de scolarisation[1]	Durée attendue de scolarisation[2]	RNB par habitant (en PPA en $)
INDICE DIMENSIONNEL	Indice d'espérance de vie	Indice d'éducation		Indice de RNB[3]
	INDICE DE DÉVELOPPEMENT HUMAIN (IDH)			

1. Durée de scolarisation des individus âgés de 25 ans.
2. Durée de scolarisation prévue pour les enfants d'âge scolaire.
3. L'indice de RNB est calculé à partir de revenu national brut, mesuré en parité de pouvoir d'achat (PPA).

Source : Pnud.

1. CONSTATER. Sur quelle dimension de l'IDH le PIB exerce-t-il une influence directe ?

2. EXPLIQUER. Montrez que le PIB ne permet pas à lui seul de rendre compte du développement humain.

5. Le revenu suffit-il à mesurer la pauvreté ?

Le revenu n'est pas un indicateur parfait de la pauvreté. Une solution plus directe consiste à examiner si un ménage peut satisfaire ses besoins essentiels.

Un logement surpeuplé, un chauffage insuffisant, des choix alimentaires restreints et des impayés sur des postes importants de dépenses des ménages sont des exemples de « pauvreté de conditions de vie ». La proportion de la population ne pouvant satisfaire ces besoins essentiels est similaire à celle observée pour la pauvreté monétaire, ce qui n'a rien de surprenant. Elle atteint 5 à 6 % de la population dans les pays nordiques et 12 à 20 % dans les pays du sud de l'Europe, en Australie, aux États-Unis et au Japon. Mais la pauvreté des conditions de vie dépend aussi du niveau du revenu moyen du pays.

Plus de 23 % de la population en Hongrie, en Pologne et en République slovaque sont en situation de pauvreté de conditions de vie, ce qui ne ressort pas des statistiques de pauvreté monétaire.

Pour les personnes âgées, la probabilité de ne pas satisfaire certains besoins essentiels est plus faible que pour la population d'âge actif. De plus, les personnes âgées ont généralement un plus grand patrimoine financier. Au total, ces facteurs signifient

Un paysan hongrois est-il pauvre ?

que les estimations monétaires de la pauvreté des personnes âgées exagèrent la pauvreté des conditions de vie dans cette catégorie de la population.

« Pauvreté monétaire et pauvreté de conditions de vie », OCDE, *Croissance et inégalités*, 2008.

1. DÉFINIR. Quelles sont les deux définitions de la pauvreté proposées par ce texte ?

2. EXPLIQUER. Expliquez la phrase soulignée.

3. EXPLIQUER. À partir de l'exemple des personnes âgées (dernier paragraphe), montrez que les deux formes de pauvreté ne coïncident pas forcément.

ENTRAÎNEMENT

QUESTION DE COURS. Quelles sont les dimensions de la croissance nécessitant de nouveaux indicateurs ?

SYNTHÈSE. À l'aide des documents 4 et 5, montrez comment la croissance est une condition d'amélioration des conditions de vie.

documents

II. Comment expliquer la croissance ?

A La mobilisation des facteurs de production

1. L'exemple d'une exploitation agricole

Pour comprendre le concept de fonction de production, considérons une exploitation agricole dont nous supposerons pour simplifier qu'elle ne produit que du blé et n'utilise que deux inputs, la terre et le travail. Cette exploitation agricole est gérée par un couple que nous appellerons Georges et Martha. Ils embauchent des travailleurs pour effectuer le travail physique de la ferme, et nous supposerons que tous les travailleurs potentiels sont de la même qualité – ils ont tous la même compétence et la même capacité à effectuer le travail agricole.

L'exploitation de Georges et Martha s'étend sur 10 acres de terrain ; ils ne disposent pas d'autres terrains, et ils sont pour le moment dans l'incapacité d'augmenter ou de diminuer la taille de leur exploitation en vendant, achetant ou louant des terrains. La terre est ce que les économistes appellent un input fixe – un input dont la quantité est fixée et ne peut pas être modifiée. En revanche, Georges et Martha sont libres de décider combien de travailleurs embaucher. On appelle le travail fourni par ces travailleurs un input variable – un input dont la quantité peut être modifiée par la firme. […]

La fonction de production pour Georges et Martha est donnée dans les deux premières colonnes du tableau ; le diagramme reprend les mêmes informations graphiquement.

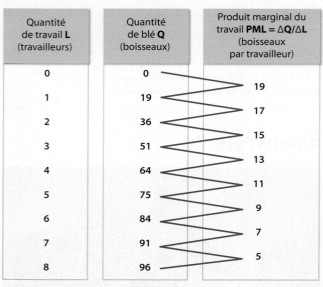

Quantité de travail L (travailleurs)	Quantité de blé Q (boisseaux)	Produit marginal du travail $PML = \Delta Q/\Delta L$ (boisseaux par travailleur)
0	0	
		19
1	19	
		17
2	36	
		15
3	51	
		13
4	64	
		11
5	75	
		9
6	84	
		7
7	91	
		5
8	96	

1. DÉFINIR. Qu'est-ce qu'un input ?

2. DÉFINIR. Qu'est-ce que le « produit marginal du travail » ?

Source : Paul Krugman et Robin Wells, *Microéconomie*, De Boeck, 2009.

3. EXPLIQUER. Quel est l'intérêt d'une fonction de production ?

2. La fonction de production

Les économistes utilisent souvent une fonction de production pour décrire la relation qui existe entre la quantité des éléments utilisés dans la production (appelés intrants[1]) et le résultat de cette production (output). Par exemple, on utilise Y pour noter le résultat de la production, L la quantité de travail et K la quantité de capital physique utilisée pour produire. Nous obtenons alors : $Y = F(K,L)$. F est la fonction qui décrit comment les facteurs combinés aboutissent à la production. Dans le cas classique, on considère que si on double simultanément la quantité de travail et de capital, on double la production. On parle de rendements d'échelle constants.

On a donc : $2Y = F(2K,2L)$.

Cela signifie que pour obtenir une production deux fois plus élevée, il faut accumuler deux fois plus de facteurs.

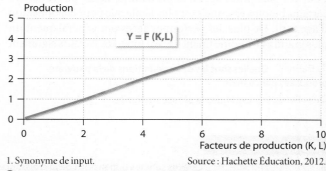

1. CONSTATER. Combien d'unités de facteurs faut-il mobiliser pour obtenir une production égale à 3 ?

2. CALCULER. Vérifiez que les rendements d'échelle sont bien constants.

1. Synonyme de input.

Source : Hachette Éducation, 2012.

3. EXPLIQUER. De quelle(s) manière(s) peut-on accroître la quantité du facteur travail ?

3. De l'investissement à la croissance

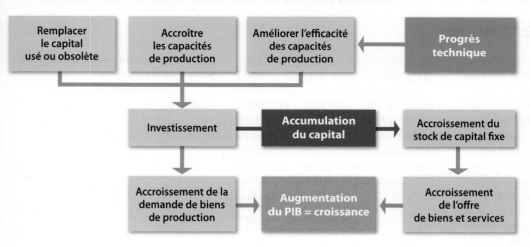

1. DÉFINIR. Qu'est-ce que l'accumulation de capital ?

2. EXPLIQUER. L'investissement agit sur la croissance à la fois par l'offre et par la demande. Laquelle de ces deux voies est prise en compte dans la fonction de production ? (Voir doc. 2)

4. La quantité de facteurs n'explique pas tout

Évolution du PIB et des facteurs de production en France depuis 1980

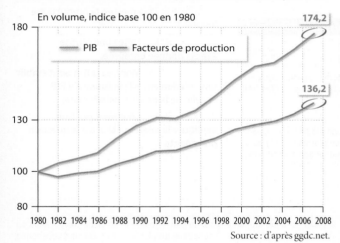

Source : d'après ggdc.net.

POUR APPROFONDIR **L'investissement**

L'investissement est l'acquisition de biens durables devant être utilisés pendant plus d'un an dans le processus de production. Il est mesuré par la FBCF (formation brute de capital fixe). La première composante de la FBCF, **l'investissement productif**, correspond à l'investissement des entreprises destiné à produire des biens et des services. **L'investissement public** est la deuxième composante de l'investissement, et consiste en dépenses d'équipements réalisées par les administrations publiques. Enfin, **l'investissement des ménages** est constitué de l'achat de logements neufs et de l'investissement productif des entreprises individuelles (comptabilisées avec les ménages). On distingue trois formes d'investissement, en fonction de l'objectif poursuivi : **l'investissement de capacité** permet d'accroître le stock de capital pour produire davantage ; **l'investissement de modernisation** a pour objectif d'augmenter la productivité ; tandis que **l'investissement de remplacement** (ou de renouvellement) sert à renouveler les équipements devenus usés ou obsolètes (dépassés techniquement).

1. CONSTATER. Faites une phrase avec les données de 2007.

2. EXPLIQUER. Si la production avait suivi la fonction de production du document 2, comment aurait-elle augmenté entre 1980 et 2007 ?

5. Ce qui reste inexpliqué

	1981-1990	1991-2000	2001-2007
Contribution du travail (quantité et qualification)[1]	0,17	0,51	0,49
Contribution du capital (stock)	0,71	0,77	0,83
Résidu	1,51	0,62	0,45
Taux de croissance du PIB (en %)	2,39	1,9	1,77

1. Lecture des contributions : entre 1981 et 1990, en France, l'augmentation du stock et de la qualité du facteur travail a contribué à augmenter le PIB de 0,17 % par an. Source : d'après ggdc.net.

1. CONSTATER. Faites une phrase avec chacune des données entourées.

2. EXPLIQUER. Montrez que l'accumulation des facteurs de production ne suffit pas à expliquer la croissance économique des années 2000.

3. CALCULER. Comment les données de la ligne « résidu » ont-elles été obtenues ?

DÉFINITIONS **Croissance intensive et croissance extensive**

La croissance extensive correspond à l'augmentation de la production obtenue par l'accumulation des facteurs. Les fonctions de production traditionnelles illustrent bien ce type de croissance (voir Doc. 2). Si le doublement de la quantité de facteurs permet, au mieux, de doubler la production, alors on parle de croissance extensive car on ne peut augmenter la richesse produite que par l'augmentation (l'extension) de la masse de facteurs de production.

Par contre, **la croissance est intensive** si l'augmentation de la quantité produite s'explique par la plus grande productivité des facteurs et non par une augmentation de leur quantité. L'expression « croissance intensive » prend tout son sens lorsque des machines plus performantes permettent de produire davantage tout en réduisant les dépenses en travail et en capital.

ENTRAÎNEMENT

QUESTION DE COURS. Quel est le rôle de l'investissement dans la croissance économique ?

SYNTHÈSE. Montrez que la croissance ne peut être exclusivement expliquée par l'accroissement des facteurs de production. (Doc 3, 4 et 5)

documents

B L'efficacité des facteurs de production

1. Le résidu expliqué

Il est possible de déterminer l'importance relative des différents facteurs responsables de la croissance. […] Solow et d'autres à sa suite montrèrent comment expliquer la croissance grâce à l'accumulation du travail, l'augmentation du niveau d'instruction moyen de la population active, l'augmentation du stock et de la qualité des machines, etc. Supposez maintenant que l'addition de toutes ces contributions aboutisse à un résultat inférieur au taux de croissance réel de l'économie. Nous pouvons en déduire que le résidu inexpliqué correspond à une augmentation de la productivité [globale] des facteurs utilisés ; ce qui signifie qu'on peut obtenir une production supérieure à ce qu'on obtenait auparavant sans augmenter la quantité des facteurs de production utilisés. […] Les économistes évoquent souvent le progrès technique lorsqu'ils parlent de cette augmentation.

Traduit de Partha Dasgupta,
Economics, A Very Short Introduction,
Oxford University Press, 2007.

1. DÉFINIR. Qu'est-ce que la productivité globale des facteurs ?

2. EXPLIQUER. Expliquez la phrase soulignée.

2. Évolutions du PIB et de la productivité du travail en France

Taux de croissance annuels moyens, en %

	1890-1913	1913-1950	1950-1973	1973-1980	1980-2004
PIB	1,9	0,9	5	2,7	2
Productivité horaire	1,9	1,9	5,1	3,1	2,3

Source : Gilbert Cette, Yusuf Kocoglu et Jacques Mairesse, « Un siècle de croissance comparée de la productivité du travail en France, au Royaume-Uni et aux États-Unis », juillet 2006.

NE PAS CONFONDRE **Production et productivité**

La même production peut être obtenue avec une productivité faible ou bien avec une productivité élevée. Dans le premier cas, il faut beaucoup de travailleurs peu efficaces (avec une faible productivité) pour obtenir la production désirée, alors que dans le second cas, on peut obtenir cette production avec un petit nombre de travailleurs efficaces (productifs).

1. DÉFINIR. Que mesure la productivité horaire ?

2. CONSTATER. Faites une phrase avec la donnée entourée.

3. CONSTATER. Montrez qu'on peut établir une relation entre l'évolution du PIB et celle de la productivité horaire.

4. EXPLIQUER. Comment peut-on expliquer la relation établie à la question précédente ?

POUR APPROFONDIR

Productivité globale des facteurs et productivité apparente du travail
La **productivité globale des facteurs** correspond à l'efficacité des facteurs de production considérés comme un tout. Si la production augmente plus vite que le stock global des facteurs utilisés (stock de travail et stock de capital), alors on peut dire que la productivité globale des facteurs augmente. Les facteurs deviennent plus efficaces.
On peut aussi essayer de mesurer l'efficacité de chacun des facteurs pris isolément. On parle alors de **productivité apparente des facteurs**. Par exemple, on compare l'augmentation de la production à l'augmentation du stock de travail. Si la production augmente plus vite que le stock de travail, alors on peut dire que les travailleurs sont devenus plus efficaces. On peut penser que ces progrès sont dus uniquement à une amélioration des caractéristiques de la main-d'œuvre (qualification, motivation, organisation, etc.). Mais cela n'est vrai qu'en apparence. Cette augmentation de l'efficacité des travailleurs peut aussi s'expliquer par une amélioration liée au capital (plus d'équipements, des machines plus performantes, etc.). C'est pourquoi on parle de « productivité apparente » du travail.

3. Évolution de la productivité à long terme

	Taux de croissance annuel moyen, en %, sur la période 1890-2004			Niveau, en % du niveau des États-Unis			
				1890		2004	
	France	Royaume-Uni	États-Unis	France	Royaume-Uni	France	Royaume-Uni
Productivité du travail par emploi	2,1	1,5	1,8	48,2	96,1	89,2	73,8
Productivité du travail par heure	2,7	1,9	2,2	45,9	99,9	107,1	80,8
Productivité globale des facteurs	2,1	1,2	1,7	51,6	161,6	103,1	101,4

Source : Gilbert Cette, Yusuf Kocoglu et Jacques Mairesse, « Un siècle de croissance comparée de la productivité du travail en France, au Royaume-Uni et aux États-Unis », juillet 2006. Calculs des auteurs.

1. CONSTATER. Présentez les données de la France en 1890.

2. CONSTATER. Dans lequel des trois pays étudiés la productivité globale des facteurs était-elle la plus élevée en 1890 ? en 2004 ?

3. EXPLIQUER. Expliquez, grâce aux données du document, le changement dans la hiérarchie des niveaux de productivité.

4. Gains de productivité et besoins fondamentaux

Imaginons une histoire. Cinq paysans propriétaires cultivent une terre, aidés chacun par un ouvrier agricole. En travaillant tous longtemps et péniblement, ils arrivent, bon an mal an, à nourrir leurs dix familles. Survient une fée. D'un coup de baguette, elle rend leur terre plus riche, y fait couler une rivière qui l'irrigue naturellement. Dorénavant, les cinq paysans sont à eux seuls, capables de produire de quoi nourrir les dix familles. [...] Oui, mais comme les ouvriers sont devenus inutiles, les propriétaires ne veulent plus partager !

La fée revient. D'instinct, elle accomplit une nouvelle merveille : elle apprend aux ouvriers sans travail à faire des tissus et les pourvoit en fils et métiers à tisser. Bientôt, ils peuvent tisser de quoi vêtir largement dix familles… Ils échangent, auprès de leurs anciens maîtres, des tissus contre les denrées dont ils manquent. [...] En augmentant la productivité de quelques-uns, on peut, en moins de temps, couvrir les besoins déjà satisfaits… et donc libérer des travailleurs pour satisfaire de nouveaux besoins… Ravie, la fée contemple le tableau final.

Un paysan suffit à nourrir dix familles, un ouvrier à les vêtir, un autre fabrique leurs meubles, tandis qu'un autre encore répare les machines désormais utilisées par tous. Du coup, le cinquième a appris la médecine, le sixième instruit leurs enfants, le septième, une fois la semaine, fait le clown pour les distraire ; le huitième tranche les disputes qui ne manquent pas d'apparaître ; le neuvième tient leurs comptes à tous ; et le dernier, le plus affable, a été élu maire de la communauté.

Anton Brender, *La France face à la mondialisation*, La Découverte, coll. « Repères », 1998.

1. DÉFINIR. Dans quelles proportions le premier passage de la fée fait-il augmenter la productivité ?

2. RÉCAPITULER. Quelle phrase du document permet de résumer l'ensemble ?

3. EXPLIQUER. Comment, d'après ce texte, peut-on expliquer l'évolution de la répartition des emplois dans les différents secteurs ?

5. Les effets des gains de productivité sur la croissance

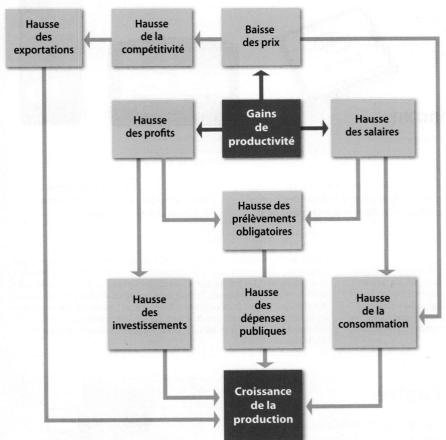

1. EXPLIQUER. Explicitez chacun des trois effets directs des gains de productivité.

2. RÉCAPITULER. Par quels mécanismes les gains de productivité agissent-ils sur la croissance ?

Source : d'après Jean-Marie Albertini, Éliane Coiffier et Michèle Guiot, « Pourquoi le chômage », *Cahiers français*, n° 279, 1997.

ENTRAÎNEMENT

QUESTION DE COURS. Quel est le rôle de la productivité dans l'explication de la croissance ?

SYNTHÈSE. À partir des documents 2 et 4, montrez quels sont les effets des gains de productivité.

documents

III. Quel est le rôle du progrès technique dans la croissance ?

A Le progrès technique au cœur d'un processus de destruction créatrice

1. L'innovation technologique : expression du progrès technique

a. Les différents types d'innovation

L'innovation technologique de procédé correspond à l'adoption de méthodes de production nouvelles ou sensiblement améliorées. Ces méthodes peuvent impliquer des modifications portant sur l'équipement ou l'organisation de la production. Elles permettent [...] d'augmenter le rendement dans la production de produits existants. Elles peuvent [...] conférer davantage de souplesse à la production, abaisser les coûts ou bien encore réduire les déchets [...]. De manière générale, l'entreprise qui introduit une innovation de procédé vise à obtenir des avantages de coût afin d'accroître ses parts de marché ou ses profits pour les produits concernés. Un produit technologiquement nouveau est un produit dont les caractéristiques ou les utilisations prévues présentent des différences significatives par rapport à ceux produits antérieurement. [...] Un produit technologiquement amélioré est un produit existant dont les performances sont sensiblement augmentées ou améliorées. L'innovation de produit vise à créer de nouveaux marchés, sur lesquels l'entreprise innovante sera temporairement en situation de monopole.

Insee, « L'économie française, 2006 ».

b. Nouveaux procédés ou nouveaux produits ?

Une nouvelle technologie pour produire des cellules photovoltaïques à un prix nettement plus bas.

Le processeur Intel I7 dont la cadence (vitesse) atteint 3 333 MHz. Le processeur Intel de 1978 était cadencé à 4,77 MHz.

Société de vente par Internet créée en 1995.

L'iPhone 4s d'Apple (2011). Le premier téléphone mobile a été créé par Motorola en 1983.

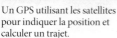

Un GPS utilisant les satellites pour indiquer la position et calculer un trajet.

1. DÉFINIR. Distinguez les deux principales formes de l'innovation décrites dans le document.

2. ILLUSTRER. Rattachez chacun des exemples présentés à une des formes d'innovation décrites dans le document a.

3. EXPLIQUER. Par quels mécanismes l'innovation permet-elle d'augmenter les profits des entreprises ?

> **POUR APPROFONDIR**
>
> **Inventions, innovations et grappes d'innovations**
> L'**invention** au sens large correspond à la découverte de phénomènes, propriétés ou lois de la physique qui jusqu'à présent n'avaient pas été reconnus. L'invention améliore donc la connaissance de la nature, mais n'a pas forcément d'application immédiate (moteur à explosion, pénicilline, génome humain, etc.). L'**innovation** correspond à l'application d'une idée nouvelle destinée à obtenir un avantage sur le marché (nouveau produit, nouveau procédé de production, nouvelle organisation du travail, etc.).
>
> Joseph Aloïs Schumpeter explique que les innovations ont tendance à apparaître en **grappe**. Cela signifie qu'au lieu d'apparaître de façon isolée, de nombreuses innovations voient le jour au cours d'une période assez courte, notamment parce qu'elles sont liées entre elles. Par exemple, certaines innovations radicales ou majeures (qui bouleversent complètement les usages), comme le microprocesseur ou le téléphone portable, ont donné naissance à de nombreuses innovations incrémentales ou mineures, qui en sont la conséquence directe (SMS, connexion 3G, télépaiement, etc.).

2. D'une innovation à l'autre

[Dans les années 1970], où la pellicule était encore de mise dans les appareils photo, Kodak charge l'un de ses ingénieurs de produire un appareil dont les composants – parmi lesquels un CCD [capteur électronique d'image] –, seront entièrement électroniques. Le défi est relevé par Steve Sasson qui, en 1978, dépose le premier brevet relatif à un appareil photo numérique. [...] L'histoire en question est par ailleurs non dénuée d'ironie dans la mesure où Kodak fait partie des entreprises qui ont le plus souffert du passage au numérique et qui ont le moins bien su négocier ce virage. La fin de l'argentique (marquée par le déclin de la vente de

Prototype de l'appareil photo numérique par Kodak.

pellicules et de papier) a en effet conduit le géant américain de la photo à fermer de nombreuses usines dans le monde et à réorienter ses activités au moyen d'un programme de restructuration qui s'est soldé par la suppression de 30 000 emplois et une facture s'élevant à 3,8 milliards de dollars… Il faut dire que Kodak semblait n'avoir « aucune idée » de ce qui pourrait découler de ce prototype qui nécessitait 23 secondes pour enregistrer un cliché sur une cassette et qui obligeait ensuite à utiliser un lecteur externe pour la lecture des images… Pour reprendre les propos de Steve Sasson :

« Après avoir montré sur un écran de télévision quelques photos réalisées avec notre appareil numérique, les questions commencèrent à affluer. Quel est l'intérêt si on ne peut regarder ses photos que sur une télé ? Dans quel endroit stocke-t-on nos photos, si elles ne sont pas sur du papier ? Depuis cette époque, beaucoup de choses ont changé. Les ordinateurs personnels, l'Internet, le haut débit, les imprimantes personnelles ne représentent que quelques-uns des changements. »

Clubic.com
et pluggedin.kodak.com.

Appareil photo numérique actuel.

1. CONSTATER. Quels sont les effets de l'apparition de la photo numérique sur l'entreprise Kodak ?

2. EXPLIQUER. Montrez que le développement du numérique est associé à d'autres innovations.

3. Innovation et destruction créatrice

En fait, l'impulsion fondamentale qui met et maintient en mouvement la machine capitaliste est imprimée par les nouveaux objets de consommation, les nouvelles méthodes de production et de transport, les nouveaux marchés, les nouveaux types d'organisation industrielle – tous les éléments créés par l'initiative capitaliste.

[…] le contenu des budgets ouvriers, disons de 1760 à 1940, n'a pas simplement grossi sur la base d'un assortiment constant, mais il s'est constamment modifié du point de vue qualitatif. De même, l'histoire de l'équipement productif d'une ferme typique, à partir du moment où furent rationalisés l'assolement, les façons culturales et l'élevage jusqu'à aboutir à l'agriculture mécanisée contemporaine – débouchant sur les silos et les voies ferrées – ne diffère pas de l'histoire de l'équipement productif de l'industrie métallurgique, depuis le four à charbon de bois

jusqu'à nos hauts-fourneaux contemporains, ou de l'histoire de l'équipement productif d'énergie, depuis la roue hydraulique jusqu'à la turbine moderne, ou de l'histoire des transports, depuis la diligence jusqu'à l'avion. L'ouverture de nouveaux marchés nationaux ou extérieurs et le développement des organisations productives […] constituent d'autres exemples du même processus de mutation industrielle […] qui révolutionne incessamment de l'intérieur la structure économique, en détruisant continuellement ses éléments vieillis et en créant continuellement des éléments neufs. Ce processus de destruction créatrice constitue la donnée fondamentale du capitalisme : c'est en elle que consiste, en dernière analyse, le capitalisme et toute entreprise capitaliste doit, bon gré mal gré, s'y adapter.

Joseph Aloïs Schumpeter, *Capitalisme, socialisme et démocratie* (1942), Payot, 1990.

1. DÉFINIR. Qu'est-ce que la destruction créatrice ?

2. CONSTATER. Quels sont les différents types d'innovation recensés par Schumpeter dans le texte ?

3. ILLUSTRER. Donnez un exemple de chaque type d'innovation.

4. EXPLIQUER. Pour chaque exemple trouvé à la question précédente, déterminez quels sont les « éléments vieillis » qui ont été détruits.

4. Des effets contrastés

Le progrès technologique est le moteur de la croissance économique, des gains de productivité et de l'élévation des niveaux de vie à long terme. Dans le même temps, l'apparition et la diffusion d'idées, de produits nouveaux et de techniques de production à travers l'ensemble de l'économie engendrent un processus de « destruction créatrice ». Si les technologies nouvelles détruisent des emplois dans certains secteurs d'activité, surtout des emplois peu qualifiés, elles en créent dans d'autres secteurs exigeant des qualifications différentes. Vu dans une perspective historique, ce processus entraîne une création nette d'emplois, à mesure que de nouvelles branches d'activité prennent le relais des anciennes et que les travailleurs adaptent leurs compétences à la transformation et à l'expansion de la demande. Aujourd'hui, la rapidité du changement technologique et le profond mouvement de restructuration à l'œuvre dans les économies de l'OCDE conduisent certains à associer la technologie au chômage et à la détresse sociale. Le progrès technologique n'est cependant pas le coupable en soi. Son impact sur l'emploi au niveau de l'ensemble de l'économie

a toutes les chances d'être positif, si les mécanismes par lesquels la technologie se traduit en emplois ne sont pas contrariés par des déficiences des systèmes de formation et d'innovation et par des rigidités pesant sur les marchés de produits, du travail et des capitaux. Pour réaliser pleinement l'effet potentiel du progrès technologique dans l'amélioration de la productivité, de la croissance et de la création d'emplois à l'échelle de toute l'économie, les gouvernements doivent faire en sorte que les politiques d'innovation et de diffusion de la technologie soient partie intégrante de leur politique économique.

OCDE, *Technologie, productivité et création d'emplois : Politiques exemplaires,* Édition 1998, La stratégie de l'OCDE pour l'emploi, Éditions OCDE.

1. CONSTATER. Selon ce texte, le progrès technique détruit-il l'emploi ?

2. EXPLIQUER. Expliquez la phrase soulignée.

3. RÉCAPITULER. Montrez que les effets du progrès technique sur l'emploi sont à la fois quantitatifs et qualitatifs.

ENTRAÎNEMENT

QUESTION DE COURS. Qu'est-ce que le progrès technique ?

SYNTHÈSE. À partir des documents 1, 2 et 4, développez et illustrez la notion de « destruction créatrice ».

documents

B Progrès technique et croissance endogène

1. La théorie de la croissance endogène

Comment expliquer que la croissance en France, entre 1950 et 1970, puisse être de 5 % chaque année, alors que le nombre de travailleurs augmente de moins de 1 % ? [...] La réponse, c'est Robert Solow, un économiste américain (prix Nobel en 1987), qui va la donner : ce résidu est dû au progrès technique. Ce dernier tombe du ciel et permet d'améliorer l'efficacité de chacun des deux facteurs [...]. Cette idée d'un progrès technique exogène (c'est-à-dire venant féconder de l'extérieur l'efficacité du travail et du capital) n'était, il faut bien le dire, qu'à moitié satisfaisante. D'abord parce qu'elle faisait de la croissance le fruit du hasard. [...] Dans les années 1980, la théorie de la croissance endogène est venue bouleverser cette analyse. Dans cette théorie, [...] plus on investit, plus la croissance tend à augmenter [...]. Pourquoi en est-il ainsi ? Parce qu'un investissement supplémentaire engendre toute une série d'effets positifs au bénéfice de la collectivité. Il peut s'agir d'investissement dans le domaine de la formation, de la recherche ou de l'infrastructure. Les effets positifs tiennent au fait que, dans la plupart des cas, grâce à ces investissements, le niveau des connaissances progresse, un savoir-faire nouveau ou existant est développé. [...] Le progrès technique ne tombe plus du ciel : il est issu de ces investissements qui produisent de l'efficacité accrue, non seulement au bénéfice de celui qui investit, mais aussi de tous.

« Mais d'où vient la croissance ? », Denis Clerc, *Alternatives économiques*, n° 129, juillet 1995.

1. DÉFINIR. À quelle notion peut-on associer le terme « efficacité » (9e ligne) ?

2. EXPLIQUER. Pourquoi la réponse de Solow constitue-t-elle un progrès seulement limité de la science économique ?

3. EXPLIQUER. En quoi les théories de la croissance endogène constituent-elles un progrès à la fois théorique et pratique (pour les dirigeants politiques) ?

2. Le rôle de l'État dans l'innovation

a. Investir dans la recherche fondamentale

Le développement d'un programme de recherche fondamentale peut mener à la conception de nouveaux outils qui trouveront ensuite des applications inattendues. [...] Le laser est un pur produit de la recherche fondamentale en physique, dans ce qu'elle a de plus abstrait : la mécanique quantique. Aujourd'hui, ses applications couvrent tous les domaines de la science, de l'industrie à la médecine, de la transmission par fibres optiques à la chirurgie de l'œil ou du système digestif, sans oublier la gravure des vidéodisques. [...] Les grandes découvertes du XXᵉ siècle, telles que le noyau atomique, les propriétés de la lumière et de la matière, les gènes et leur fonctionnement, ont façonné la société actuelle par leurs applications (énergie nucléaire, imagerie médicale, organismes génétiquement modifiés, robotique, etc.). Par exemple, les ordinateurs et les téléphones mobiles, indispensables aujourd'hui, sont des conséquences de la miniaturisation des composants électroniques commencée dans les années 1960, suite à l'invention du transistor en 1947. Cette invention résultait elle-même des découvertes de la physique quantique des années 1930. En sciences du vivant, de multiples objets, dont l'étude ne présentait a priori aucune application pratique, ont permis de concevoir de nouveaux traitements. C'est ainsi qu'en étudiant les levures, les embryons d'oursin ou d'amphibiens, il a été possible de comprendre les processus régulateurs du cycle cellulaire et la façon dont ces mécanismes sont pervertis dans les cancers.

René Bimbot et Isabelle Martelly, « La recherche fondamentale, source de tout progrès », *La revue pour l'histoire du CNRS*, n° 24, automne 2009.

b. La recherche fondamentale publique

Le Cern, l'Organisation européenne pour la recherche nucléaire, est l'un des plus grands et des plus prestigieux laboratoires scientifiques du monde. Il a pour vocation la physique fondamentale, la découverte des constituants et des lois de l'Univers. Il a été fondé en 1954 et est financé par vingt pays européens.

1. EXPLIQUER. Pour quelles raisons une entreprise privée n'a-t-elle pas intérêt à engager un programme de recherche fondamentale ?

2. ILLUSTRER. Montrez, avec l'exemple de la physique quantique, comment la recherche fondamentale peut générer des externalités positives.

3. EXPLIQUER. Comment peut-on expliquer l'existence d'un organisme tel que le Cern ?

3. Croissance, capital humain et développement

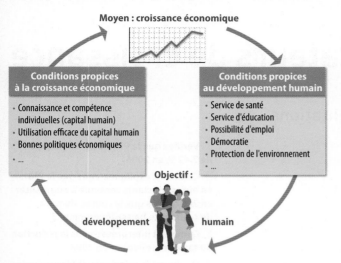

Moyen : croissance économique

Conditions propices
à la croissance économique
- Connaissance et compétence individuelles (capital humain)
- Utilisation efficace du capital humain
- Bonnes politiques économiques
- ...

Conditions propices
au développement humain
- Service de santé
- Service d'éducation
- Possibilité d'emploi
- Démocratie
- Protection de l'environnement
- ...

Objectif :

développement humain

Pour être viable, la croissance économique doit constamment tirer parti des fruits du développement humain, tels que l'amélioration des connaissances et compétences de la main-d'œuvre, ainsi que les possibilités de les mettre à profit, sous forme d'emplois plus nombreux et de meilleure qualité, de conditions plus propices à l'essor d'activités nouvelles, et de processus plus démocratiques à tous les échelons de la prise de décisions. À l'inverse, une croissance économique rapide peut être interrompue dans son élan par un développement humain peu dynamique.

Source : Banque mondiale.

1. DÉFINIR. Qu'est-ce que le capital humain ?

2. EXPLIQUER. Pourquoi le capital humain est-il une condition propice à la croissance économique ?

3. EXPLIQUER. Montrez que croissance et développement humain sont à l'origine d'un processus cumulatif.

4. Évolution de la dépense intérieure de recherche et développement

En millions d'euros	2005	2006	2007	2008	2009[1]	2010[2]
Dépense intérieure de recherche et développement (Dird)	36 228	37 904	39 303	41 066	42 685	43 633
Exécution par les administrations[3]	13 725	13 994	14 550	15 305	16 344	16 949
Exécution par les entreprises	22 503	23 911	24 753	25 761	26 341	26 684
Part des entreprises dans la Dird (en %)	62,1	63,1	63	62,7	61,7	61,2
Part de la Dird dans le PIB (en %)	2,1	2,1	2,07	2,12	2,26	2,26

1. Données semi-définitives. 2. Données estimées. 3. Administrations publiques et privées. Champ : France.   Source : Sies, insee.fr.

1. DÉFINIR. Qu'est-ce que la Dird ?

2. CONSTATER. Présentez les données de 2010.

3. CONSTATER. Comment la part des administrations dans la Dird a-t-elle évolué depuis 2006 ?

5. Innovation et droit de propriété intellectuelle

a. Le brevet : une mesure de l'effort d'innovation

Après une année 2009 contrastée, le nombre de dépôts de brevets par les entreprises françaises repart à la hausse en 2010 et progresse de 4,7 %. [...]
« La propriété industrielle est un élément fondamental des stratégies d'innovation des entreprises. [...] », a déclaré Christine Lagarde, Ministre de l'Économie, des Finances et de l'Industrie. « Les entreprises françaises, y compris les PME, ont déposé plus de 12 400 brevets en 2010, soit une augmentation de 4,7 % par rapport à 2009. [...] », a précisé Yves Lapierre, directeur général de l'Inpi. [...]
Parmi les 20 premiers déposants de brevets, outre les principaux groupes industriels français, figurent trois organismes de recherche : le Commissariat à l'énergie atomique et aux énergies alternatives (CEA), le Centre national de la recherche scientifique (CNRS) et l'IFP-Énergies nouvelles.

Inpi, communiqué de presse, 22 mars 2011.

1. DÉFINIR. Qu'est-ce qu'un brevet ? (Doc. a)

2. CONSTATER. Les entreprises sont-elles les seules à déposer des brevets ? (Doc. a)

b. Un moteur de la croissance

L'innovation n'aide pas uniquement l'économie à prospérer ; elle est aussi indispensable pour relever les grands défis auxquels l'humanité est confrontée au XXIe siècle : assurer la sécurité alimentaire, maîtriser le changement climatique, prendre en charge le vieillissement démographique et améliorer la santé des populations. En favorisant la diversité culturelle, elle joue, en outre, un rôle essentiel dans la qualité de vie au quotidien. Les DPI sont des droits de propriété, qui protègent la valeur ajoutée générée par l'économie européenne de la connaissance, sous l'impulsion de ses créateurs et inventeurs. [...]
Pour créer un cercle vertueux des DPI, ces derniers doivent bénéficier d'une politique qui favorise l'innovation, laquelle attire à son tour l'investissement. De nouveaux produits et services voient alors le jour, qui suscitent une nouvelle demande chez les consommateurs et créent ainsi de la croissance et des emplois.

Commission européenne, mai 2011.

3. EXPLIQUER. Pourquoi l'innovation est-elle indispensable ? (Doc. b)

4. RÉCAPITULER. Montrez que les droits de propriété intellectuelle sont un élément indispensable des politiques d'innovation ? (Doc. a et b)

ENTRAÎNEMENT

QUESTION DE COURS. Montrez que la croissance est le résultat de l'accumulation des différentes formes de capital.

SYNTHÈSE. À partir des documents 2, 3 et 4, montrez que l'État joue un rôle essentiel dans la croissance.

documents

1. Maîtriser les indicateurs de croissance

1. Une même évolution, deux représentations

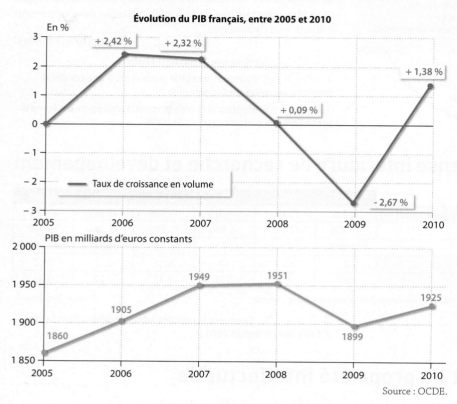

Évolution du PIB français, entre 2005 et 2010

Source : OCDE.

1. Vérifiez que le PIB a bien augmenté de 2,42 % en 2006.

2. Comment expliquez-vous que le PIB en euros constants continue à augmenter en 2007, alors que la courbe du taux de croissance baisse légèrement ?

3. Comment interprétez-vous la réduction du taux de croissance en 2008 ?

4. Quelle est la principale différence entre le taux de croissance de 2009 et celui des autres années ?

5. Recopiez le texte ci-dessous et complétez-le à l'aide des informations des deux documents ci-contre.

En 2006, le PIB de la France a augmenté de … % en volume.
En 2007, il a continué à augmenter à peu près au même … .
Le … de … s'est donc stabilisé. Par contre, en 2008, le taux de croissance a … à un niveau proche de 0 %, ce qui signifie que le PIB a … mais qu'il n'a pas … . Seules les données de l'année 2009 montrent une baisse du PIB en volume, car le taux de croissance est … .

2. Le PIB depuis 1960

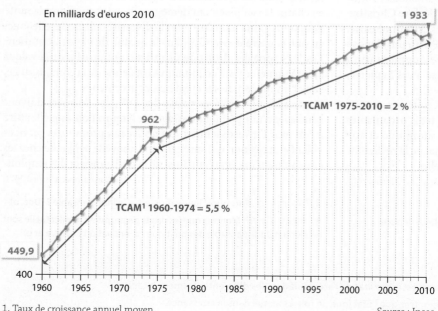

1. Taux de croissance annuel moyen.

Source : Insee.

1. Montrez à l'aide d'un coefficient multiplicateur que la variation du PIB a été à peu près la même sur les périodes 1960-1975 et 1975-2010.

2. À quelle évolution en pourcentage ces coefficients multiplicateurs correspondent-ils ?

3. Faites une phrase avec chacun des TCAM indiqués sur le graphique.

4. Pourquoi les TCAM sont-ils différents, alors que les coefficients multiplicateurs sont pratiquement identiques ?

2. L'indice de développement humain

1. L'IDH : un indicateur alternatif

DÉFINITION

L'IDH (indice de développement humain)
Il s'agit d'un indicateur compris entre 0 et 1 permettant de mesurer le niveau de développement d'un pays en fonction de l'état de santé, du niveau d'instruction et du niveau de vie de sa population. Chaque dimension du développement humain donne lieu à une évaluation (entre 0 et 1). L'IDH est calculé en faisant la moyenne géométrique de ces trois évaluations.

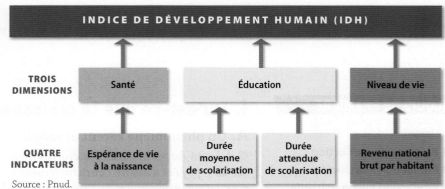

Source : Pnud.

Rang IDH	Pays	IDH	Espérance de vie à la naissance (en années)	Durée moyenne de scolarisation	Durée attendue de scolarisation	Revenu national brut par habitant (en dollars PPA constants 2005)	Rang RNB par habitant
1	Norvège	0,943	81,1	12,6	17,3	47 557	7
20	France	0,884	81,5	10,6	16,1	30 462	24
51	Cuba	0,776	79,1	9,9	17,5	5 416	103
92	Turquie	0,699	74	6,5	11,8	12 246	67
134	Inde	0,547	65,4	4,4	10,3	3 468	124
186	Niger	0,295	54,7	1,4	4,9	641	182

Source : Pnud, « Rapport sur le développement humain 2011 ».

1. Précisez chacun des éléments qui explique le meilleur classement de la Norvège par rapport à la France selon l'IDH ?

2. Montrez qu'on peut établir un lien entre le classement selon l'IDH et le classement selon le RNB par habitant.

3. Comment peut-on expliquer ce lien ?

4. Montrez, à l'aide de Cuba et de la Turquie, que la relation entre RNB par habitant et IDH n'est pas automatique.

2. Les limites de l'IDH

Le Pnud (Programme des Nations unies pour le développement) [...] a souligné d'emblée les limites de l'IDH comme mesure du progrès. En effet, aussi emblématique qu'il soit, l'IDH ne permet que de situer « en moyenne » un pays ou une communauté sur une échelle de progrès. [...] Une moyenne de revenu, par exemple, ne dit pas si tous disposent de la même somme ou si un petit nombre accapare toute la fortune pendant que le plus grand nombre survit dans une misère absolue. [...] L'IDH ne permet pas non plus de donner l'alerte lorsqu'un danger est en vue – tel que l'épuisement de ressources naturelles essentielles [...] Ainsi, les rapports se sont petit à petit enrichis d'une batterie d'indicateurs complémentaires tels que l'indicateur de la pauvreté humaine (IPH), qui mesure la proportion de personnes sujettes à diverses exclusions ou limites (chômage, espérance de vie réduite, illettrisme, etc.) ; [...] ou l'indicateur sexospécifique de développement humain, qui ajuste la valeur de l'IDH en fonction des inégalités de genre en matière de santé, d'instruction et de revenu. Il eût été possible d'intégrer dans l'IDH, au prix de quelques partis pris discutables, ces divers éléments ainsi que d'autres [...]. Mais si le classement des pays y eût peut-être gagné en pertinence, il n'y aurait eu pour autant aucun gain de lisibilité. [...] C'est pourquoi le Pnud a choisi de juxtaposer un certain nombre [d'indicateurs] plutôt que de les fusionner, optant ainsi pour l'élaboration d'un tableau de bord.

Jean Fabre (directeur adjoint du Pnud de 1998 à 2008), La richesse autrement, *Alternatives économiques*, Poche n° 48, mars 2011.

1. Quelles sont, d'après le document, les trois dimensions du développement qui sont négligées par l'IDH ?

2. Pourquoi le Pnud a-t-il préféré présenter une batterie d'indicateurs plutôt qu'un seul indicateur synthétique ?

3. Activité informatique. Rendez-vous à la page suivante du Pnud : http://hdr.undp.org/fr/donnees/construire/. Vous y construirez vos propres indicateurs de développement. Comparez ensuite vos nouveaux classements avec ceux de l'IDH et du revenu par habitant.

D'où vient la croissance ?

La croissance est un phénomène difficile à mesurer et à expliquer. Apparue relativement récemment (au moment de la révolution industrielle), elle a depuis fait l'objet de nombreuses analyses et théories. Les économistes se sont en particulier interrogés sur son origine, autant pour en comprendre les mécanismes que pour trouver les moyens d'en maîtriser les évolutions.

ACQUIS DE PREMIÈRE

➡ Voir Réviser les acquis de 1re, p. 10 et Lexique

- Facteurs de production
- Production marchande
- Production non marchande
- Valeur ajoutée
- Productivité
- Institutions
- Droits de propriété
- Externalités

I. Qu'est-ce que la croissance économique ?

A. Un phénomène récent et inégal

À la fin du XVIIIe siècle, la croissance économique est apparue subitement dans certains pays et a assuré l'enrichissement et l'amélioration des conditions de vie des populations concernées.

Mais ce phénomène s'est avéré instable et n'a pas concerné tous les pays, de sorte que les inégalités se sont creusées. Pour espérer stabiliser et généraliser la croissance, il a fallu l'étudier : la définir, la mesurer, l'expliquer.

B. Un phénomène difficile à mesurer

La mesure de la croissance s'effectue grâce au PIB. Depuis des décennies, cet agrégat est utilisé pour évaluer la croissance, mesurer les niveaux de vie et faire des comparaisons internationales.

Mais le PIB présente d'énormes inconvénients de plus en plus dénoncés par les économistes. Dans certains cas, il conduit à surestimer les richesses produites, les revenus distribués et le niveau de satisfaction réel des besoins de la population, tandis que dans d'autres, il les sous-estime.

On s'est aussi aperçu que la croissance peut s'accompagner d'une détérioration des conditions de vie, alors qu'on la croyait jusqu'alors synonyme de progrès. En effet, elle n'empêche pas forcément, et parfois même accentue, les inégalités, la détérioration de l'environnement, sans même améliorer l'état de santé ou le niveau d'instruction.

C. La nécessité d'autres indicateurs

Certains défauts du PIB ont pu être corrigés en utilisant des techniques de calcul appropriées. C'est ainsi que les évolutions en volume ou la parité des pouvoirs d'achat permettent de réduire les distorsions provoquées par les différences de prix.

Cependant, ces corrections indispensables ne permettent pas de surmonter toutes les insuffisances du PIB. C'est pourquoi d'autres agrégats, comme le revenu national ou la consommation effective, ont été créés pour compléter l'information donnée par le PIB.

Mais la multiplication des agrégats a le défaut de rendre les comparaisons plus difficiles et l'analyse plus complexe. On se tourne donc de plus en plus vers des indicateurs synthétiques qui ont l'avantage de combiner les informations de différentes données pour les résumer en un seul chiffre. C'est pourquoi l'IDH est de plus en plus utilisé comme un indicateur complémentaire au PIB.

II. Comment expliquer la croissance ?

A. La mobilisation des facteurs de production

■ Malgré ces réserves, les économistes restent convaincus que la croissance économique apporte de nombreux bienfaits qui justifient la volonté de la prolonger. Mais pour y parvenir, il faut d'abord comprendre son origine et expliquer ses mécanismes.

■ On sait que le travail et le capital sont combinés pour créer de la richesse. En accumulant ces facteurs de production, notamment grâce à l'investissement, on crée les conditions de la croissance. Les fonctions de production qu'on utilise traditionnellement pour simuler et prévoir la croissance illustrent très bien cette logique.

■ Cependant, ces fonctions de production se sont révélées insuffisantes, car la croissance n'est pas le simple résultat de l'accumulation des facteurs de production.

B. L'efficacité des facteurs de production

■ La croissance s'explique aussi largement par une amélioration de l'efficacité qui est mesurée par la productivité globale des facteurs.

■ Grâce aux gains de productivité, la population devient capable de produire plus de biens et de services, et de libérer une partie de la main-d'œuvre pour satisfaire de nouveaux besoins.

■ Ils permettent aussi de baisser les prix et de distribuer plus de revenus aux agents. En agissant ainsi positivement sur l'offre et sur la demande, les gains de productivité ont permis d'assurer une croissance équilibrée.

III. Quel est le rôle du progrès technique dans la croissance ?

A. Le progrès technique au cœur d'un processus de destruction créatrice

■ Les gains de productivité sont le plus souvent le résultat du progrès technique, c'est-à-dire de l'amélioration des connaissances que les hommes ont des lois de la nature appliquées à la production. Ce progrès technique doit lui-même être étudié et compris pour être reproduit. Il a certaines propriétés, prend certaines formes et peut aussi avoir des effets secondaires.

■ Joseph Aloïs Schumpeter nous a beaucoup apporté dans le domaine de la connaissance du progrès technique. On sait par exemple qu'il prend la forme d'innovations mises en œuvre par les entreprises pour améliorer leur situation sur le marché.

■ On sait aussi que le progrès technique n'est pas « un long fleuve tranquille » qui alimenterait la croissance de façon continue. Au contraire, il est très instable et a des effets secondaires violents. Tout en créant les conditions de la croissance, il transforme l'économie et la société, déstabilise les entreprises dans un perpétuel mouvement de destruction créatrice.

B. Progrès technique et croissance endogène

■ Les économistes ont donc fait d'énormes progrès en découvrant le « gène » de la croissance, que constitue le progrès technique. Mais cette découverte serait sans grand intérêt, si l'on devait se contenter d'attendre que le progrès technique « tombe du ciel » pour stimuler la croissance.

■ Les théoriciens de la croissance endogène ont montré que nous ne sommes pas condamnés à attendre la croissance comme un bienfait de la providence. Les pouvoirs publics peuvent faire des choix, notamment en matière d'investissement, pour faire naître la croissance, en particulier lorsque le libre fonctionnement du marché n'y parvient pas.

NOTIONS AU PROGRAMME

PIB
Le produit intérieur brut est un indicateur utilisé pour mesurer la richesse créée en une année dans une économie. On le calcule en additionnant les valeurs ajoutées de toutes les unités de production résidentes.

IDH
L'indicateur de développement humain est un indicateur, compris entre 0 et 1, mesurant le niveau de développement d'un pays à partir de trois critères : niveau de vie, état de santé et niveau d'instruction.

Travail
Facteur de production constitué des ressources en main-d'œuvre mobilisées par les unités de production pour transformer les consommations intermédiaires en biens ou services.

Capital
Facteur de production constitué des éléments matériels mobilisés par les unités de production pour produire.

Facteurs de production
Éléments combinés par les unités de production pour transformer les consommations intermédiaires en biens ou services.

Productivité globale des facteurs
Efficacité des facteurs de production pris dans leur ensemble. Elle se mesure par la quantité produite grâce à une unité de facteurs composée, à la fois, de travail et de capital.

Progrès technique
Amélioration de la connaissance que les hommes ont des lois de la nature appliquées à la production.

Destruction créatrice
Processus au cours duquel les éléments périmés sont détruits sous l'effet des innovations.

Croissance endogène
Théorie visant à montrer que le progrès technique est le moteur principal de la croissance et qu'il peut être stimulé par des décisions publiques appropriées.

Investissement
Achat de biens d'équipement durables destinés à être utilisés pendant au moins un an dans le processus de production.

Synthèse (suite)

SCHÉMA BILAN

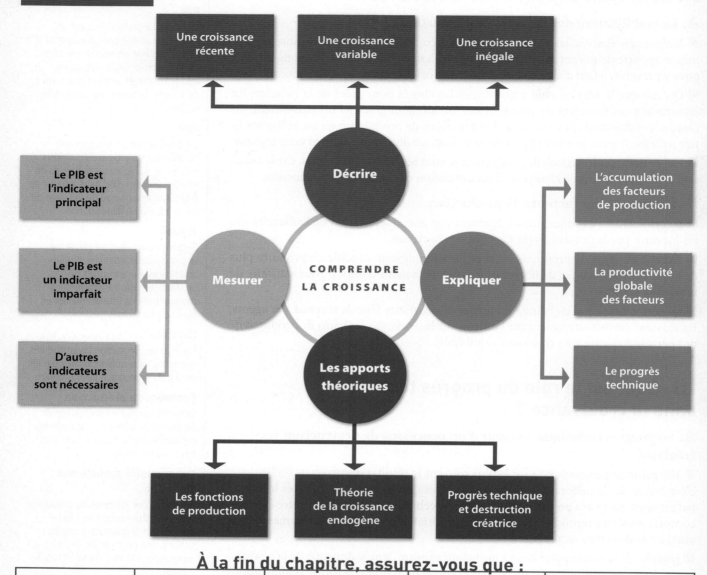

| Une croissance récente | Une croissance variable | Une croissance inégale |

Décrire

COMPRENDRE LA CROISSANCE

Mesurer — **Expliquer**

Les apports théoriques

Le PIB est l'indicateur principal

Le PIB est un indicateur imparfait

D'autres indicateurs sont nécessaires

L'accumulation des facteurs de production

La productivité globale des facteurs

Le progrès technique

Les fonctions de production

Théorie de la croissance endogène

Progrès technique et destruction créatrice

À la fin du chapitre, assurez-vous que :

| ➔ Vous êtes capable de définir la croissance économique. | ➔ Vous êtes capable de présenter l'intérêt et les limites du PIB comme indicateur de performance d'un pays. | ➔ Vous êtes capable de dire pourquoi le modèle de croissance de base a dû être amélioré. | ➔ Vous connaissez le vocabulaire et les caractéristiques du progrès technique. | ➔ Vous êtes capable de dire pourquoi l'intervention de l'État peut être justifiée pour stimuler l'apparition du progrès technique. |

POUR ALLER PLUS LOIN

Livres
- Dominique Guellec et Pierre Ralle, *Les nouvelles théories de la croissance*, La Découverte, coll. « Repères », 2003.
- Denis Clerc, *Déchiffrer l'économie*, La Découverte, coll. « Grands repères », 2011 (17ᵉ édition).

Sites
- www.cndp.fr/stat-apprendre/insee (Apprendre avec l'Insee)
- www.pnud.org (Programme des Nations unies pour le développement)

Film
- *Slumdog Millionaire*, un film de Danny Boyle, 2008.

autoévaluation

1 Compléter un texte

Variable • L'espace • Forte • Pays en développement • XIXᵉ siècle • Niveau de vie • Récent • Négatif • Émergents • Croissance du PIB

La croissance économique est un phénomène ... dans l'histoire de l'humanité puisqu'elle a démarré au début du ... . Elle n'a pas été continue mais plutôt ..., le taux de ... pouvant rester durablement élevé pendant certaines périodes et faible, voire même ..., à d'autres moments. Enfin, la croissance a aussi été variable dans ... . Certains pays, qu'on appelle pays industrialisés, en ont profité très tôt et bénéficient aujourd'hui d'un niveau de richesse élevé. D'autres, notamment les nouveaux pays industrialisés ou plus récemment les pays ..., ont connu une croissance tardive mais ... qui leur permet d'entrevoir un rattrapage du ... des pays industrialisés. Cependant, un nombre assez important de ... n'ont que très peu bénéficié des bienfaits de la croissance économique, ce qui maintient leur population dans une situation d'insécurité et parfois de dénuement.

2 Vrai ou faux ?

1. Le PIB sert à mesurer la production de richesses dans une économie en une année.

2. Le PIB ne comptabilise pas les activités illégales.

3. Le PIB ne comptabilise pas les activités de simple réparation.

4. Le PIB mesure les revenus que les habitants perçoivent réellement.

5. Le PIB comptabilise les activités domestiques.

3 Associer une notion à sa définition

Modèle de croissance traditionnel • Croissance endogène • Modèle de Solow • Investissement • Résidu

1. Permet d'accumuler du facteur capital pour augmenter la production.

2. Modèle dans lequel la production augmente proportionnellement à l'accumulation des facteurs de production.

3. Écart constaté entre les prévisions du modèle de base et la croissance économique constatée.

4. Modèle dans lequel l'écart entre la croissance réelle et la croissance due à l'accumulation des facteurs est comblé par un progrès technique exogène (« tombé du ciel »).

5. Modèle dans lequel le rythme du progrès technique, et donc de la croissance, s'explique par les choix des agents, notamment l'État et les entreprises.

4 QCM

Plusieurs réponses peuvent être exactes.

1. Le PIB
- **a.** ☐ est la production internationale brute.
- **b.** ☐ mesure la richesse possédée par les habitants d'un pays.
- **c.** ☐ augmente tous les ans depuis le début du XIXᵉ siècle.
- **c.** ☐ mesure de manière imparfaite la richesse créée dans un pays en une année.

2. L'IDH
- **a.** ☐ est l'investissement à dimension humaine.
- **b.** ☐ est un indicateur synthétique.
- **c.** ☐ tient compte du PIB par habitant.
- **d.** ☐ permet de mesurer la croissance économique.

3. La destruction créatrice
- **a.** ☐ est le résultat du progrès technique.
- **b.** ☐ correspond aux effets positifs des catastrophes sur le PIB.
- **c.** ☐ peut être illustrée par la faillite de Kodak et le développement de Pixmania.

4. L'investissement
- **a.** ☐ est habituellement mesuré par la FBCF.
- **b.** ☐ correspond au stock de capital présent dans les entreprises.
- **c.** ☐ peut entraîner la croissance par accumulation du capital.
- **d.** ☐ peut entraîner une hausse de la productivité.

➡ Voir les réponses p. 442.

Dissertation

SUJET Analysez l'intérêt du PIB par habitant comme indicateur des performances économiques et sociales.

DOCUMENT 1

Le produit intérieur brut (PIB) est le principal agrégat mesurant l'activité économique. Il correspond à la somme des valeurs ajoutées nouvellement créées par les unités productrices résidentes une année donnée, évaluées au prix du marché.

Il donne une mesure des richesses nouvelles créées chaque année par le système productif et permet des comparaisons internationales.

Le produit intérieur brut est publié à prix courants et en volume aux prix de l'année précédente chaînés. Son évolution en volume (c'est-à-dire hors effet de prix) mesure la croissance économique.

Les grands agrégats économiques associés au PIB sont le revenu national brut (RNB), la capacité ou le besoin de financement de la nation, les grandes composantes de l'équilibre entre les éléments de l'offre (PIB, importations) et de la demande (consommation, investissement, exportations), la ventilation des facteurs de production (emploi, stock de capital) par secteurs institutionnels (entreprises, ménages, administrations publiques considérés comme producteurs de richesses) et la valeur ajoutée qu'ils génèrent.

Source : Insee.

DOCUMENT 2 **Évolution du PIB et quelques indicateurs en France (indices base 100 en 1995)**

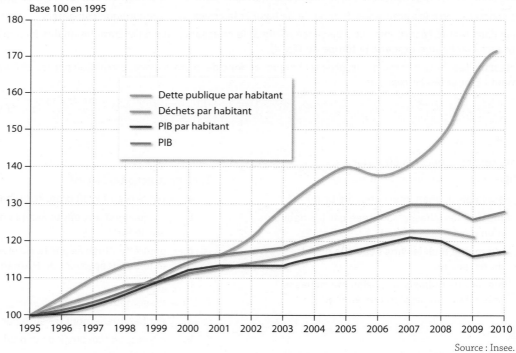

Source : Insee.

Classement selon l'IDH	Pays	IDH	Espérance de vie à la naissance	Durée de scolarisation attendue	PIB par habitant (en dollars PPA)
4	États-Unis	0,91	78,5	16	45 989
15	Corée du Sud	0,897	80,6	16,9	27 100
20	France	0,884	81,5	16,1	33 674
25	Luxembourg	0,867	80	13,3	83 820
30	Émirats arabes unis	0,846	76,5	13,3	57 744
101	Chine	0,687	73,5	11,6	6 828
146	Bangladesh	0,5	68,9	8,1	1 416
170	Côte d'Ivoire	0,4	55,4	6,3	1 701
186	Niger	0,295	54,7	4,9	690

Source : Pnud, « Rapport sur le développement humain 2011 ».

POUR VOUS AIDER

Ce que signifie « Analyser »

On vous demande d'analyser l'intérêt du PIB. En partant de vos connaissances, adoptez une démarche simple : décrivez le contenu de l'indicateur, montrez ensuite quel est l'objectif recherché, puis ce qu'il ne prend pas ou mal en compte. Après cela, vous pourrez lire et utiliser les documents.

Conseil : le verbe « analyser » a un sens assez large. Le plus souvent, il peut être remplacé par « s'interroger ». Analyser un phénomène consiste à le décomposer en plusieurs éléments essentiels. C'est décrire le phénomène étudié, voir quelles évolutions il a connu, puis fournir des explications.

Épreuve composée (entraînement Chapitre 1)

PARTIE 1 Mobilisation des connaissances

QUESTION 1 (3 points) : Qu'est-ce que la théorie de la croissance endogène ?

QUESTION 2 (3 points) : En quoi l'IDH (indicateur de développement humain) constitue-t-il une amélioration par rapport au PIB par habitant ?

PARTIE 2 Étude d'un document

QUESTION (4 points) : Vous présenterez ce document puis expliquerez les écarts de croissance entre la France et les Etats-Unis.

Évolution du PIB, de l'emploi et de la productivité en France et aux États-Unis

TCAM en volume		1960-1975	1990-2005
États-Unis	PIB	3,1	2,9
	Emploi total	1,7	1,1
	Productivité par tête	1,4	1,8
France	PIB	4,8	1,8
	Emploi total	0,6	0,6

Source : données OCDE.

PARTIE 3 Raisonnement s'appuyant sur un dossier documentaire

SUJET (10 POINTS) : Comment les politiques publiques en matière de recherche et développement peuvent-elles stimuler la croissance économique ?

DOCUMENT 1 Dépenses de R&D et croissance

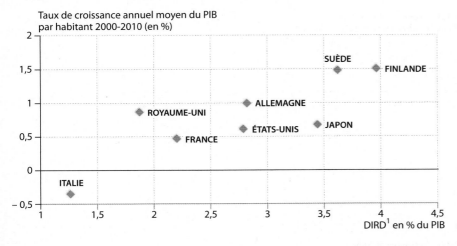

1. Demande intérieure de recherche et développement – données 2008 pour les États-Unis et le Japon, 2009 pour les autres.

Source : données OCDE.

DOCUMENT 2 Financement des dépenses de R&D, en 2009

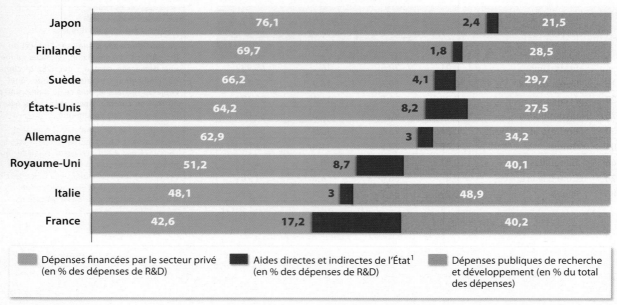

	Dépenses financées par le secteur privé (en % des dépenses de R&D)	Aides directes et indirectes de l'État[1] (en % des dépenses de R&D)	Dépenses publiques de recherche et développement (en % du total des dépenses)
Japon	76,1	2,4	21,5
Finlande	69,7	1,8	28,5
Suède	66,2	4,1	29,7
États-Unis	64,2	8,2	27,5
Allemagne	62,9	3	34,2
Royaume-Uni	51,2	8,7	40,1
Italie	48,1	3	48,9
France	42,6	17,2	40,2

1. Les aides directes correspondent aux subventions versées par l'État aux entreprises, alors que les aides indirectes correspondent à des réductions d'impôts pour les entreprises qui investissent dans le R&D.

Source : données OCDE, 2011.

DOCUMENT 3 L'aide publique à la R&D

Le crédit d'impôt recherche (CIR), [réduction d'impôts pour les entreprises qui investissent dans la recherche et le développement] [...] a un coût estimé à environ 4 milliards d'euros par an [...]. De nombreuses études ont mis en évidence le lien entre les dépenses de recherche et développement (R&D) et la croissance économique à long terme des nations. [...] Il s'agit de savoir si la marche normale des entreprises, sans soutien public, permet d'atteindre spontanément l'optimum économique et social. Les études menées sur ce sujet montrent que tel n'est pas le cas. En effet, l'activité de R&D des entreprises engendre des « externalités positives ». [...] En conséquence, [...] les entreprises tendent à sous-investir par rapport à ce qui serait souhaitable du point de vue de la société.

Rapport du Sénat sur le bilan de la réforme et l'évaluation de la politique du crédit d'impôt recherche, mai 2010.

POUR VOUS AIDER

Bien comprendre la consigne

Comment les politiques publiques en matière de recherche et développement peuvent-elles stimuler la croissance économique ?
Ici le mot qui indique l'opération à conduire est « comment ». « Comment » signifie de quelle manière, par quels mécanismes, avec quels moyens ? La réponse peut apparaître alors sous forme de deux questions :
– Quelles sont les différentes formes d'intervention de l'État en matière de recherche et développement ?
– Par quels mécanismes les dépenses de recherche et développement peuvent-elles accélérer la croissance ?

Conseil : Partez de la question posée, pour ne pas vous tromper de sujet. La consigne « comment » invite à bien mettre en évidence la relation entre deux phénomènes, et non à la remettre en cause.

Savoir prendre des notes

1. Qu'est-ce qu'une bonne prise de notes ?

- Elle doit contenir l'essentiel du cours.
- Elle doit pouvoir être revue et comprise longtemps après le cours (pensez aux révisions).
- Elle doit vous permettre de vous approprier le cours.

2. Un apprentissage est nécessaire

- On écrit cinq fois moins vite que l'on parle : il faut donc apprendre à trier ce que l'on note.
- Il faut être capable de prendre des notes tout en écoutant et en comprenant le cours.
- Il existe des techniques qui ne s'improvisent pas.

Quelques principes

- **Préparez votre prise de notes**. Vous devez savoir à l'avance quel en sera l'organisation : mise en page (il y a différents niveaux de titre, sachez comment vous allez différencier les parties des sous-parties, etc.) ; code couleurs (comment différencier les définitions, surligner les notions importantes, mettre en évidence les points essentiels...).
- **Pendant le cours**. Restez concentré ; ne cherchez pas à tout noter, mais ne vous limitez pas au plan ; hiérarchisez les informations (définitions, explications, illustrations, anecdotes...) de façon à distinguer l'essentiel de l'accessoire ; utilisez des abréviations pour les mots les plus courants, des signes pour les relations logiques... (Voir activités ci-contre)
- **Complétez** la prise de note rapidement **après le cours** : si possible le soir même, c'est là que vous allez « peaufiner » la présentation, pour la rendre la plus claire possible ; c'est là aussi que vous allez repérer ce qui vous manque (une définition, un paragraphe...), ou ce que vous n'avez pas bien compris : dès le cours suivant, interrogez votre professeur.
- **Revenez** sur votre prise de notes **une ou deux semaines plus tard** : à distance, vous repérerez mieux ce qui vous manque.

3. Conseils généraux

À éviter

→ Prendre le cours au mot à mot.
→ Les abréviations incompréhensibles.

Important

→ Utiliser le manuel pour compléter la prise de notes.
→ Faire des renvois aux documents étudiés.

Pour progresser encore

→ Entraînez-vous ! Par exemple, en prenant en notes le journal à la télévision ou à la radio.

ACTIVITÉ À vous de jouer !

1. Accroître sa vitesse d'écriture en utilisant des signes et abréviations

Complétez le tableau ci-dessous.

Expressions SES	Notations
Capital	......
Consommation	......
Croissance	......
Développement	......
Emploi	......
Épargne	......
Exportations	......
Importations	......
Investissement	......
Prix	......
Production	......
Productivité	......
Profit	......
Revenu	......
Salaire	......
Société	......

Expressions courantes	Notations
......	tjs
......	js
......	m̂
......	bcp
......	Gal
......	càd
......	Rq

Connecteurs logiques	Notations
Somme, totalité	......
Rien, vide, absence	......
Différent, n'est pas	......
Ressemble	......
Est supérieur à, l'emporte sur	......
Variation	......
Entraîne	......
Appartient à, fait partie de	......

2. Transcrire ce texte en prise de notes efficace

S&P estime que la récession pourrait prendre fin en 2012. La zone euro devrait progressivement sortir de sa légère récession au cours du second semestre de cette année et en 2013, a déclaré, jeudi 2 février, Standard & Poor's, lors de la présentation de son rapport sur l'économie de la région. « Les pays du cœur de l'Europe devraient mener le retour à la croissance, les autres pays membres réalisant des performances divergentes », a déclaré Jean-Michel Six, responsable de la recherche économique sur la zone EMEA (Europe, Moyen-Orient, Afrique) pour l'agence de notation. « Dans le cadre de notre scénario de base pour 2012-2013, que nous avons actualisé fin 2011, nous prévoyons une croissance stable dans la zone euro en 2012 et de 1 % en 2013 », a-t-il dit.

S&P assigne une probabilité de 60 % à ce scénario, contre 40 % pour un scénario alternatif prévoyant un retour en récession (« double dip »). S&P voit essentiellement trois facteurs déterminants : l'évolution de la demande des pays émergents dans les trimestres à venir, la réaction des consommateurs européens aux incertitudes renouvelées, telles que la hausse du chômage et les inquiétudes concernant la crise de la dette souveraine, et enfin la capacité des gouvernements et surtout de la Banque centrale européenne à rétablir la confiance des investisseurs dans les marchés de capitaux au cours des trimestres à venir.

« Nous pensons que la balance continue à pencher en faveur d'une récession limitée et d'un lent retour à la croissance, bien que les risques d'un avenir plus morose n'aient pas faibli », a déclaré Jean-Michel Six.

lemonde.fr, 2 février 2012.

Pourquoi la croissance est-elle instable ?

La croissance se définit comme l'augmentation, sur une longue période, de la production d'un pays. Depuis la fin de la Seconde Guerre mondiale, le PIB français a ainsi été multiplié par plus de 6. L'observation plus attentive de cette évolution montre cependant que la croissance n'est pas régulière, mais qu'elle est constituée d'une succession de périodes d'expansion et de ralentissement. Ces fluctuations économiques semblent donc être une caractéristique essentielle de la croissance. Il est nécessaire de les étudier attentivement, afin de comprendre comment elles peuvent influencer la croissance de long terme.

> **Les fluctuations économiques rendent-elles la croissance instable ?**

Les cycles économiques ont été observés par les économistes dès la fin du XIXᵉ siècle, ce qui laisse penser qu'ils sont une caractéristique essentielle de l'activité économique. Certains épisodes cycliques sont cependant directement liés à des événements particuliers (guerre du Kippour, révolution iranienne, spéculation immobilière…) qui constituent alors des chocs venant perturber le cours ordinaire de la croissance.

> **Quels mécanismes économiques sont à l'œuvre dans l'apparition des fluctuations ?**

L'internationalisation des activités productives et la globalisation financière contribuent à rendre les économies plus cycliques et plus interdépendantes. La succession des crises (asiatique, internet, subprimes) depuis ces 20 dernières années en témoigne. Si les scénarios diffèrent, certains enchaînements semblent à chaque fois se répéter, ce qui interroge sur les politiques économiques à mettre en œuvre.

> **Comment les politiques conjoncturelles peuvent-elles répondre aux déséquilibres économiques ?**

SOMMAIRE

Réviser les acquis de 1ʳᵉ — 10

I Comment la croissance évolue-t-elle ? — 40
- **A** La croissance économique est cyclique — 40
- **B** Fluctuations conjoncturelles et croissance à long terme — 42

II Comment expliquer les cycles économiques ? — 44
- **A** Les cycles : une évolution économique inévitable — 44
- **B** Des chocs peuvent affecter la croissance — 46

III Comment faire face aux fluctuations conjoncturelles ? — 48
- **A** Les enchaînements menant à la crise — 48
- **B** Les conséquences des fluctuations conjoncturelles — 50
- **C** La nécessaire intervention de l'État — 52

TD 1. L'évolution de la croissance sur le long terme, en France — 54
TD 2. L'Irlande : de la crise à la reprise — 55

Synthèse — 56
Schéma Bilan — 58
Autoévaluation — 59
Vers le Bac — 60
Aide au travail personnel — 63

Notions au programme
- Fluctuations économiques
- Crise économique
- Désinflation
- Croissance potentielle
- Dépression
- Déflation

Acquis de 1ʳᵉ
- Inflation
- Politique monétaire
- Politique budgétaire
- Politique conjoncturelle
- Chômage
- Demande globale

Fiche Notion 1 (voir p. 410)
- Les théories de la croissance

1 [Le peuple américain] croit toujours, il désire croire surtout, que l'on peut maintenir une Amérique isolée et prospère, dominant des remparts escarpés de son *standard of life* une situation mondiale dénivelée. (27 mai 1931)

Paul Claudel (ambassadeur de France à Washington de 1927 à 1933),
La crise : Amérique, 1927-1932.

2

Une maison à vendre (For sale) après saisie (Foreclosure) aux États-Unis en 2009.

3

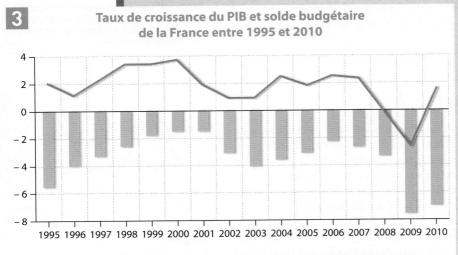

Taux de croissance du PIB et solde budgétaire de la France entre 1995 et 2010

Solde budgétaire (en % du PIB) — Taux de croissance du PIB réel (en %)

Source : Eurostat.

1. Quel lien peut-on faire entre la crise américaine des années 1930 (Doc. 1) et la crise actuelle (Doc. 2) ?

2. Quelles raisons peuvent expliquer la saisie d'une maison ? (Doc. 2)

3. Analysez l'évolution du solde budgétaire. (Doc. 3)

I. Comment la croissance évolue-t-elle ?

A La croissance économique est cyclique

1. Le retour des cycles

Les économistes passent donc l'essentiel de leurs journées à scruter le ciel pour y chercher des hirondelles qui signaleraient la fin de ce terrible hiver conjoncturel et le retour de la croissance. Quelques vols auraient été observés en Chine et aux États-Unis, mais pas en assez grand nombre pour pouvoir assurer que les beaux jours sont revenus.

La crise des subprimes a en tout cas mis fin à une grande illusion, celle qui voulait que l'économie mondiale ne connaisse plus de saisons, qu'elle ne soit plus soumise à des cycles. Cette théorie merveilleuse, née à la fin du xxᵉ siècle, expliquait que grâce aux gains de productivité procurés par les nouvelles technologies, à l'éradication de l'inflation, à l'entrée en scène des grands pays émergents avec leurs milliards de nouveaux consommateurs, l'économie mondiale était promise à une expansion continue et infinie, sans soubresauts majeurs. La crise financière asiatique de 1998 et le krach des valeurs Internet de 2000 avaient à peine ébranlé la conviction, qu'une nouvelle ère s'était ouverte, faite de croissance perpétuelle, et que nous vivions en direct, sans vraiment nous en rendre compte, la fin – heureuse – de l'histoire économique. Avec la faillite de Lehman Brothers, avec les PIB des pays industrialisés reculant dans des proportions jamais vues depuis les années 1930, cette thèse aussi séduisante qu'enthousiasmante a vécu. Les cycles sont de retour, et avec eux, les grands économistes qui les ont étudiés et modélisés. Dans les bibliothèques, on consulte à nouveau leurs ouvrages que la poussière avait recouverts.

Pierre-Antoine Delhommais,
« Les quatre saisons du capitalisme »,
Le Monde, 14 avril 2009.

1. CONSTATER. Quelles sont les deux thèses présentées dans ce texte ?

2. EXPLIQUER. Que sous-entend le titre de l'article (« Les quatre saisons du capitalisme ») ?

2. Évolution du PIB en volume (France, 1960-2009)

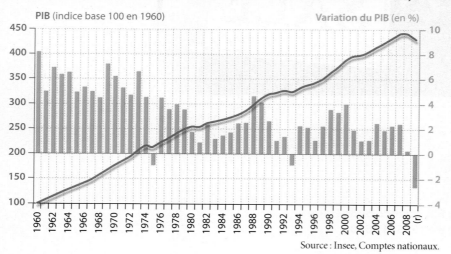

Source : Insee, Comptes nationaux.

1. CALCULER. Calculez le coefficient multiplicateur du PIB entre 1960 et 1972, puis entre 1972 et 2002. Que constate-t-on ?

2. CONSTATER. Quelle est la caractéristique commune à 1975, 1993 et 2009 ?

3. RECAPITULER. Repérez les principales périodes caractérisant l'évolution du PIB en distinguant long terme et court terme.

> **DÉFINITIONS**
> **Ralentissement de la croissance et diminution du PIB**
> La diminution du taux de croissance du PIB signifie que la croissance ralentit, mais le PIB continue de croître. Alors que le PIB diminue, son taux de variation devient négatif.

3. Qu'est-ce qu'un cycle ?

La « définition » du cycle économique la plus citée dans la littérature économique a été proposée par Burns et Mitchell en 1946 : « Les cycles économiques désignent un type de fluctuations qui affectent l'activité générale des pays dans lesquels la production est essentiellement le fait d'entreprises privées. Un cycle est constitué d'expansions qui se produisent à peu près au même moment dans de nombreuses branches de l'activité, expansions qui sont suivies par des phases de récessions, des contractions et des reprises, qui affectent elles aussi l'ensemble des activités économiques, les reprises débouchant sur la phase d'expansion du cycle suivant. Cette suite de phases n'est pas périodique (au sens strict du terme) mais seulement récurrente ; la durée des cycles d'affaires varie entre plus d'un an et dix ou douze ans… ».

Économie et statistique n° 359-360, 2002.

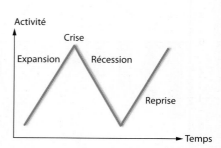

1. EXPLIQUER. Expliquez la phrase soulignée.

2. RÉCAPITULER. Retrouvez dans le document 2 les phases du cycle présentées par le graphique (ci-dessus).

4 ▪ Cycle et crise

Qu'il existe un mouvement alterné de hausse et de ralentissement, voire de recul, de l'activité économique, c'est un fait sur lequel les observations empiriques laissent peu de place au doute. Mais quand parle-t-on de cycle ? Et quand parle-t-on de crise ? Partons des cycles pour lesquels les économistes distinguent deux approches. La première, en vogue dans la période récente, y voit les effets d'une succession de chocs exogènes perturbant, de manière transitoire, l'équilibre du sentier de croissance à long terme. Les chocs pétroliers de 1974 et 1979 ont constitué un *choc d'offre* négatif ; l'introduction de nouvelles technologies dans les années 1990 a relevé durablement (aux États-Unis) la tendance des gains de productivité et aurait constitué un *choc d'offre* positif. Une autre perspective consiste à rechercher des mécanismes expliquant le mouvement cyclique de manière endogène. On distingue alors des approches relevant de temporalités différentes allant des cycles conjoncturels courts aux cycles longs (« à la Kondratieff »). <u>Dans tous ces cas, on cherche à expliciter comment la phase ascendante du cycle provoque dans l'économie des tensions croissantes culminant au point haut du cycle et qui ne se résorbent que par les ajustements qui vont se produire dans la phase descendante.</u> Dans l'optique d'un cycle décennal, ces tensions peuvent par exemple être localisées – sans entrer dans le détail des justifications – dans l'ajustement des marchés (pressions inflationnistes), dans la répartition des revenus (partage salaires-profits) ou dans la sphère financière (taux d'intérêt et profitabilité, détérioration des bilans). Dans tous les cas, un mécanisme cyclique met en mouvement des forces correctrices, les politiques macroéconomiques jouent éventuellement un rôle contra-cyclique, un point bas est atteint et finalement la reprise s'enclenche. Voilà, par comparaison, ce qui distingue une crise, c'est lorsqu'il y a des doutes sur le bon fonctionnement des mécanismes correcteurs dont on attend qu'ils replacent l'économie sur son sentier de croissance à long terme. Comment caractériser, au regard de ce schéma d'analyse, la période que nous traversons ?

Le cercle des économistes, Bertrand Jacquillat (dir.), *1929-2009 : récession(s) ? rupture(s) ? dépression(s) ?*, PUF, 2009.

1. CONSTATER. Qu'est-ce qui caractérise un cycle économique ?

2. CONSTATER. Expliquez la phrase soulignée.

3. EXPLIQUER. À quelle condition un ralentissement de l'activité économique peut-il être qualifié de crise ?

NE PAS CONFONDRE Endogène et exogène

Lorsqu'un phénomène (ici, un cycle économique) s'explique par son propre fonctionnement, on parle d'explication endogène ; lorsqu'il s'explique par un événement ou un autre phénomène qui lui est étranger, on parle d'explication exogène (ici, un choc économique).

5 ▪ Croissance, investissement et consommation en France

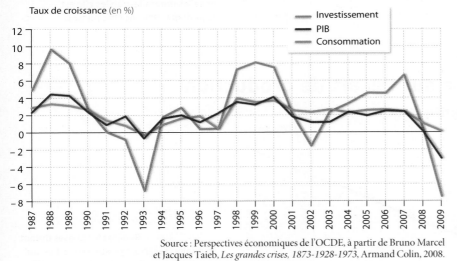

Taux de croissance (en %)

Légende : Investissement, PIB, Consommation

Source : Perspectives économiques de l'OCDE, à partir de Bruno Marcel et Jacques Taieb, *Les grandes crises, 1873-1928-1973*, Armand Colin, 2008.

1. CONSTATER. Repérez les périodes durant lesquelles la croissance ralentit en France.

2. CONSTATER. Pour chacune de ces périodes, dites comment évoluent les autres variables ?

3. EXPLIQUER. Vous venez d'établir des « corrélations » entre variables. En vous aidant de vos connaissances, repérez et explicitez les relations de causalités entre ces variables.

ENTRAÎNEMENT

QUESTION DE COURS. Dans quelle(s) circonstance(s) peut-on parler de crise économique ?

SYNTHÈSE. À partir des documents 2 et 4, montrez qu'il est nécessaire de distinguer court terme et long terme.

B Fluctuations conjoncturelles et croissance à long terme

6. Qu'est-ce que la croissance potentielle ?

Dans une perspective de court/moyen terme, la croissance économique dépend essentiellement des facteurs de demande que sont, par exemple, l'environnement international pour la demande étrangère, la politique budgétaire pour la demande publique, les dispositifs de répartition des richesses et les évolutions salariales pour la consommation des ménages ou la demande des entreprises.

Mais dans une perspective structurelle, dite parfois aussi « de long terme »,

les facteurs d'offre que sont la main-d'œuvre disponible et la productivité de cette main-d'œuvre, liée à l'intensité capitalistique et au progrès technique, apparaissent déterminants.

Si l'on considère l'évolution de ces facteurs d'offre, il en découle, par « addition », la croissance maximale que l'économie peut atteindre sans tension sur les capacités de production. Toute croissance supérieure engendrerait une accélération de l'inflation. C'est cette croissance maximale qu'on nomme « croissance potentielle ».

À court terme, la croissance effective oscille autour de la croissance potentielle à la faveur des cycles économiques. Sous cet angle, cette dernière représente, en quelque sorte, la croissance effective corrigée des effets de cycle. La croissance potentielle devient tangible à un horizon de moyen/long terme : théoriquement, la croissance effective tend alors, en moyenne, à la rejoindre.

L'économie française et les finances publiques à l'horizon 2030, un exercice de prospective, Rapport d'information n° 335 (2009-2010) de Joël Bourdin, Sénat, 25 février 2010.

1. CONSTATER. Quels sont les déterminants de la croissance, à court terme ? à long terme ?

2. EXPLIQUER. À l'aide de la phrase soulignée, montrez l'intérêt de mesurer la croissance potentielle.

7. Croissance potentielle et cycle économique

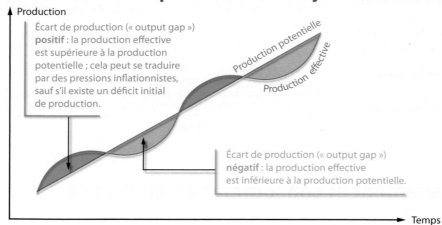

Écart de production (« output gap ») **positif** : la production effective est supérieure à la production potentielle ; cela peut se traduire par des pressions inflationnistes, sauf s'il existe un déficit initial de production.

Écart de production (« output gap ») **négatif** : la production effective est inférieure à la production potentielle.

1. EXPLIQUER. Pourquoi un écart de production positif peut-il se traduire par des pressions inflationnistes ?

2. CONSTATER. À quelle condition un écart de production peut-il être durablement positif sans générer d'inflation ?

3. CONSTATER. Repérez les phases du cycle pendant lesquelles la croissance effective est inférieure à la croissance potentielle, et celles durant lesquelles elle est supérieure. Nommez ces phases.

8. L'impact de la crise sur l'écart de production

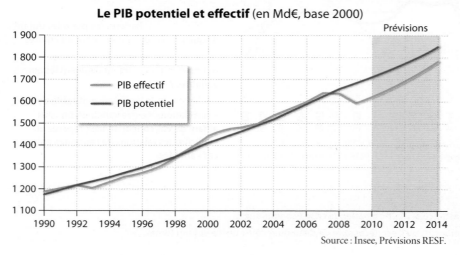

Le PIB potentiel et effectif (en Md€, base 2000)

Source : Insee, Prévisions RESF.

1. CONSTATER. Repérez les phases durant lesquelles l'écart de production est positif et celles durant lesquelles il est négatif.

2. CONSTATER. Quel a été l'effet de la crise de 2007-2008 ?

3. EXPLIQUER. À quelle condition le PIB effectif pourrait-il retrouver le niveau du PIB potentiel ?

9. Les déterminants de la croissance potentielle

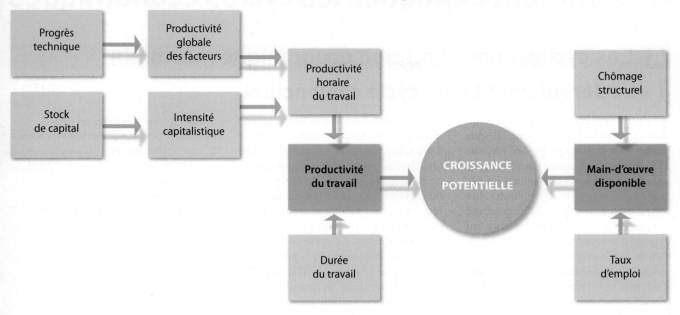

1. DÉFINIR. Recherchez la définition de « chômage structurel ».

2. DÉFINIR. Rappelez la définition de « productivité » et de « intensité capitalistique ».

3. EXPLIQUER. Montrez que la croissance potentielle dépend de facteurs structurels et non conjoncturels.

10. Les effets de la crise sur la croissance potentielle

Les perspectives à plus long terme sont assombries, vers le milieu de la décennie[1], d'abord par l'endettement et ensuite, par le vieillissement de la population, qui pèseront lourdement sur la croissance des pays développés. La chute provoquée par la faillite du système financier aura des conséquences sur la dépense privée pour plusieurs années encore, le temps que les systèmes bancaires se consolident et que les ménages et les entreprises remboursent leurs dettes. Même en Amérique, où les ménages se désendettent plus rapidement qu'ailleurs, il reste encore au moins la moitié du chemin à parcourir.

D'après l'analyse fournie par Carmen et Vincent Reinhart, dans la décennie qui fait suite à une crise financière, le taux de croissance du PIB par habitant s'établit, en moyenne, un point en dessous de celui qui a précédé la crise. Puisque les pays riches dans leur ensemble ont connu une progression annuelle moyenne de 2,5 % et une chute de 3 % au cours de la récession, cela implique que la croissance des prochaines années pourrait être inférieure à 1,7 %. Une progression plus lente du PIB dans les pays avancés entraînera un investissement privé plus faible, ainsi qu'un chômage et

une dette publique accrus, ce qui affectera la croissance à long terme. En même temps, les effets défavorables du vieillissement de la population et, dans bien des cas, de sa diminution, deviendront plus visibles, notamment en Europe où ils ont été masqués jusqu'à présent par la hausse important du taux d'activité féminin.

Tous ces facteurs réunis auront probablement un poids considérable. Les prévisions les plus pessimistes quant aux conséquences de la démographie, de la dette publique et d'un moindre investissement privé conduisent à anticiper la division par deux du taux de croissance potentiel des économies développées qui, pour les prochaines années, passerait de plus de 22 % à environ 1 %. Il n'est donc pas étonnant que Jean-Claude Trichet, président de la Banque centrale européenne, un homme qui ne donne pas habituellement dans l'hyperbole, s'inquiète de la possibilité de voir les dix prochaines années constituer une « décennie perdue ».

1. Il s'agit de la décennie 2010-2020.

Problèmes économiques, n° 3 006, 10 novembre 2010.

1. CONSTATER. Distinguez dans le texte les paragraphes concernant la croissance effective et ceux concernant la croissance potentielle.

2. CONSTATER. Distinguez dans le texte les mécanismes économiques faisant référence à la demande, et ceux faisant référence à l'offre, et explicitez-les.

3. EXPLIQUER. Par quels canaux la crise économique (la faiblesse du PIB) affectera-t-elle la croissance potentielle ?

ENTRAÎNEMENT

QUESTION DE COURS. Quel est l'intérêt de mesurer la croissance potentielle ?

SYNTHÈSE. À partir des documents 6, 9 et 10, mettez en évidence les facteurs influençant la croissance à long terme.

II. Comment expliquer les cycles économiques

A Les cycles : une évolution économique inévitable

1. Le déroulement d'un cycle conjoncturel

Le mécanisme classique d'une crise du XIXe siècle […] est le suivant. Lorsque l'activité commence à progresser, les chefs d'entreprise, anticipant une demande soutenue, procèdent à des investissements afin d'être en mesure d'y répondre. Les commandes ainsi effectuées engendrent des dépenses, donc des embauches qui irriguent l'ensemble de l'économie, si bien que, de fait, la demande progresse, incitant les chefs d'entreprise plus méfiants à suivre le mouvement et à augmenter à leur tour leurs capacités de production : la croissance s'accélère encore. Lorsque les investissements deviennent opérationnels, le mouvement d'embauche se ralentit, puisque, sauf exceptions, les entreprises ne poursuivent pas leurs commandes d'investissement au-delà de ce qui leur paraît raisonnable.

Du coup, la progression de la demande commence à ralentir, pour, peu à peu, s'arrêter, puisqu'elle n'est plus alimentée par dépenses supplémentaires. À la phase de croissance succède une phase de ralentissement, durant laquelle une

partie de la production supplémentaire, faute de trouver suffisamment de débouchés, est stockée. La crise éclate lorsque, constatant que leurs stocks ne cessent de grossir, les entreprises, ou certaines d'entre elles, décident de réduire leur activité ou sont contraintes de déposer leur bilan, faute de rentrées suffisantes. Le cycle se retourne alors : à la progression de la production succède une phase de déclin, qualifiée habituellement de récession. […] La baisse n'est cependant pas éternelle : soit parce qu'il faut bien renouveler les équipements usés, soit parce que les anticipations changent, soit parce que des innovations stimulent une demande jusqu'alors déclinante, l'activité finit par reprendre du tonus, et le cycle repart à la hausse. […]

Quoi de plus normal, au fond, que ces fluctuations qui, selon la plupart des économistes de l'époque, étaient la condition même de la croissance ?

Denis Clerc, *Déchiffrer l'économie*, La Découverte, 2007.

1. **EXPLIQUER.** Quels sont les deux déterminants essentiels du cycle économique ?

2. **EXPLIQUER.** Expliquez la phrase soulignée.

3. **RÉCAPITULER.** À partir des documents 1 et 2, montrez que l'analyse des cycles économiques peut se faire à la fois au niveau microéconomique et au niveau macroéconomique.

2. Une explication par les mécanismes du marché

Mécanisme régulateur	Phase de croissance	Phase de récession	Retournement
La flexibilité du taux d'intérêt	Investissement en hausse → Demande de monnaie → **Hausse des taux d'intérêt**	Chute des investissements → Baisse de la demande de monnaie → **Baisse des taux d'intérêt**	**La baisse des taux d'intérêt rend l'investissement plus rentable.** → Croissance
La flexibilité des salaires	Plein emploi → **Hausse des salaires**	Chômage → concurrence entre travailleurs → **Baisse des salaires**	**Baisse des salaires** → **incitations à embaucher** → Croissance
La flexibilité des coûts de production	Niveau d'activité élevé → Création de nouvelles entreprises → **Hausse des coûts de production**	Élimination des entreprises les moins rentables au profit des plus dynamiques → **Baisse des coûts de production**	**Baisse des coûts de production** → Croissance
Progrès de la productivité et de l'innovation	Accroissement des capacités de production → **Ralentissement des gains de productivité**	Nécessité d'être productifs → **Recherche de gains de productivité** → **Innovation**	**Gains de productivité** → Amélioration de l'efficacité productive → Perspective de rentabilité → Investissement → Croissance

Source : D'après Régis Bénichi, « La triste histoire de Kondratiev », in Nicolas Baverez et alii, *Les crises du capitalisme*, Perrin, 2009.

1. **DÉFINIR.** Qu'est-ce qu'un mécanisme régulateur ?

2. **RÉCAPITULER.** Montrez que selon cette analyse, le retour à la croissance est automatique.

3. Le rôle des banques

a. Le cycle du crédit

La santé d'une économie et celle de ses banques sont étroitement liées. Une relation qui fonctionne dans les deux sens : quand l'économie se porte bien, les banques font des affaires ; quand les banques vont bien, les ménages et les entreprises obtiennent facilement les crédits dont ils ont besoin. [...]

La rentabilité des banques profite des périodes de forte croissance. Lorsque les ménages consomment, les firmes font des profits, les investisseurs veulent acheter leurs actions et les cours boursiers ont tendance à monter. Ceux des banques également, portés par la confiance générale et par le fait qu'elles ont des clients en bonne santé. La proportion de prêts douteux (avec une faible probabilité de remboursement) est moindre, ce qui évite aux banques d'avoir à passer des provisions qui viennent manger leur résultat. [...]

La croissance bénéficie alors en retour de la bonne santé des banques. Celles-ci sont prêtes à prendre plus de risques et à financer des nouveaux projets. Ainsi, au cours des années 90, la distribution de crédits bon marché s'est accélérée grâce à la bonne santé de l'économie mondiale [...].

À l'inverse, en période de ralentissement, la rentabilité tend à diminuer avec une montée des défaillances des emprunteurs et le tassement des transactions financières. Les banques deviennent alors plus tatillonnes sur l'octroi de crédits, elles demandent des taux d'intérêt plus élevés pour les prêts qu'elles accordent. Ce qui contribue à entretenir le ralentissement de l'économie. [...]

Le principal problème des autorités monétaires est donc de trouver les meilleures solutions pour éviter que les problèmes des banques ne viennent trop amplifier les cycles économiques.

Christian Chavagneux, *Alternatives économiques*, n° 206, septembre 2002.

b. Croissance et crédit dans la zone euro

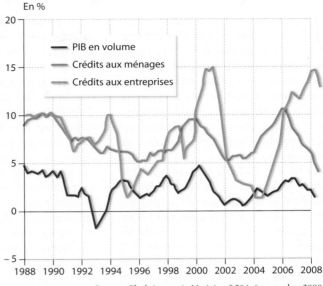

Source : *Flash économie*, Natixis, n° 504, 6 novembre 2008.

1. CONSTATER. Quelle relation peut-on établir entre la croissance du PIB et celle des crédits accordés par les banques ? (Doc. 3a)

2. CONSTATER. Quelle différence constate-t-on entre l'évolution des crédits aux ménages et celles des crédits accordés aux entreprises ? (Doc. 3b)

3. RÉCAPITULER. En quoi les conditions d'octroi de crédit sont-elles un élément déterminant des fluctuations économiques ? (Doc. 3a et 3b)

4. Le rôle de l'investissement

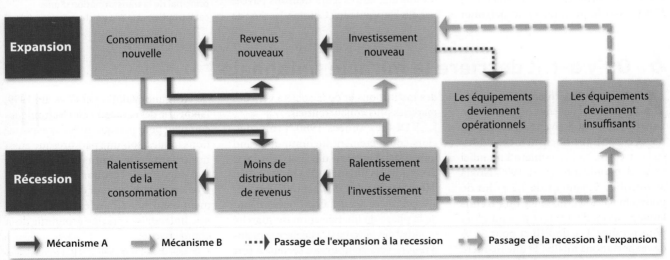

1. EXPLIQUER. Expliquez le mécanisme A.

2. EXPLIQUER. Montrez que les mécanismes A et B forment un enchaînement cumulatif.

3. RÉCAPITULER. Montrez que l'investissement joue un rôle central dans le cycle économique.

ENTRAÎNEMENT

QUESTION DE COURS. Qu'est-ce que le cycle du crédit ?

SYNTHÈSE. À partir des documents 1, 2 et 4, montrez que les fluctuations économiques sont une caractéristique inévitable de la croissance économique.

documents

B Des chocs peuvent affecter la croissance

5. L'impact d'un ouragan sur la croissance

Jusqu'à maintenant, l'économie mondiale a très bien résisté à l'augmentation des prix du pétrole. [...] La raison essentielle de cette bonne résistance de la croissance mondiale est que c'est la croissance elle-même qui est à l'origine de l'augmentation des prix du pétrole. En jargon économiste, l'augmentation des prix du pétrole a été, jusqu'ici, un phénomène endogène. C'est parce que la Chine et les États-Unis ont un taux de croissance élevé (et ne sont pas des utilisateurs très efficaces d'énergie) que la demande de pétrole a dépassé l'offre. L'augmentation est donc différente des chocs pétroliers (exogènes) de 1973, 1979 et 1990, tous liés à des facteurs politiques ayant pour conséquence une réduction de l'offre. Au sens strict, l'augmentation des prix du pétrole n'est donc pas un choc, au moins jusqu'à Katrina qui vient de changer la donne.

En lui-même, et au-delà de la tragédie humaine, l'ouragan aura peu d'impact économique : l'histoire nous apprend que les désastres naturels sont rapidement absorbés économiquement. [...] Katrina n'aura donc un impact économique que dans la mesure où elle affecte durablement les prix du pétrole, c'est-à-dire si elle se transforme en choc pétrolier. [...] C'est aussi le premier choc pétrolier

de la globalisation et celle-ci change la manière dont un choc se transmet. Il y a la première vague, classique : les prix du pétrole montent, le pouvoir d'achat dans chaque pays chute, la consommation souffre. Il y a maintenant une deuxième vague : en caricaturant à peine, le consommateur américain, devenu le consommateur de dernier ressort au niveau mondial, achète des produits de consommation importés de Chine qui elle-même achète des machines-outils européennes. Si la consommation américaine faiblit, il est donc probable que les effets s'en feront sentir bien au-delà des frontières américaines. Or cette consommation a des fondements fragiles, en particulier du fait de la bulle immobilière : en reprenant l'expression un peu exagérée de l'économiste Krugman, les Américains s'enrichissent en se vendant les uns aux autres leurs maisons payées par des emprunts aux Chinois. Le choc de

L'ouragan Katrina ou la transformation d'une catastrophe naturelle en choc économique.

Katrina, en amputant le pouvoir d'achat du consommateur américain, pourrait bien faire basculer cet équilibre fragile.

Philippe Martin, *Libération*, 19 septembre 2005.

1. DÉFINIR. Quelle différence l'auteur fait-il entre l'augmentation « endogène » des prix du pétrole et un choc exogène ?

2. EXPLIQUER. Quelle différence l'auteur fait-il entre le choc « Katrina » et les chocs pétroliers précédents ?

3. RÉCAPITULER. Quel est le mécanisme principal de la transformation d'une catastrophe naturelle en choc économique ?

6. Qu'y a-t-il derrière le miracle finlandais ?

Au cours de la dernière décennie[1], la Finlande est devenue une économie particulièrement active technologiquement, construite principalement autour de l'entreprise Nokia, numéro 1 mondial de la téléphonie mobile. En 1999, Nokia a contribué à hauteur de 1,2 point de pourcentage à la croissance du PIB finlandais (alors de 4 %), comptant alors pour presque 4 % du PIB et pour 24 % des exportations totales. D'une manière générale, l'essor réussi du secteur des TIC[2] ne peut être considéré ni comme un phénomène interne ni comme un événement indépendant. C'est particulièrement vrai dans le cas de la Finlande. [...] La transition de l'économie finlandaise vers une économie high tech ne s'est pas faite aussi soudainement qu'il ne semble *a priori*. En arrière plan est enclenché un long processus d'évolution

des institutions et de la société vers des marchés plus concurrentiels.
[...] Dès les années 1980, l'Internet, alors complètement inconnu du grand public, a été importé des États-Unis par des étudiants finlandais. La récession du début des années 1990, simultanément à la première licence GSM (et au début de la phase de libéralisation du marché mondial des télécoms), a déplacé la main-d'œuvre vers ce nouveau secteur à fort potentiel de croissance. En fait, l'industrie des équipements électroniques a été le seul secteur qui ait significativement créé des emplois entre 1993 et 1998. Le développement commercial de l'Internet a aussi coïncidé avec ce cycle, fournissant aux innovations technologiques finlandaises de nouvelles opportunités de développement. [...]
La diversification accrue des exportations

est aussi une évolution notable. En 1999, l'industrie des équipements électroniques comptait pour presque 30 % des exportations totales, soit une part presque aussi importante que l'industrie forestière, autre fleuron de l'économie finlandaise. L'émergence du secteur des TIC a également contribué à faire évoluer l'économie finlandaise vers une économie de la connaissance.

1. Il s'agit des années 1990. 2. TIC : technologies de l'information et de la communication.

Hélène Baudchon, « Le contre-choc de la "nouvelle économie" », Une étude de cas sur cinq pays de l'OCDE, *Revue de l'OFCE*, 2002/4, n° 83.

1. CONSTATER. Comment l'essor des TIC s'est-il propagé à l'ensemble de l'économie ?

2. EXPLIQUER. L'essor des TIC agit-il du côté de l'offre ou de la demande ?

3. EXPLIQUER. Expliquez la phrase soulignée.

7 ■ 2008, un choc de demande

Le recul de l'activité aujourd'hui est, à la différence des années 1970, dû à un choc négatif de demande. Aux États-Unis, au Royaume-Uni, dans la zone euro hors Allemagne, l'arrêt de la hausse de l'endettement fait chuter la demande intérieure. Dans tous les pays, en particulier en Allemagne et au Japon compte tenu du rôle joué par le commerce extérieur dans ces deux pays, le recul des exportations dû au recul du commerce mondial (lui-même lié au recul de la demande intérieure dans les pays où le désendettement a lieu) renforce le recul de l'activité. C'est donc bien un choc négatif de demande (au départ, le désendettement des agents économiques privés) qui est à l'origine de la crise.

1. CONSTATER. Chiffrez la chute de la demande intérieure aux États-Unis entre 2008 et 2009.

2. EXPLIQUER. Pourquoi l'arrêt de la hausse de l'endettement fait-elle chuter la demande intérieure ?

3. RÉCAPITULER. Construisez un schéma mettant en évidence l'enchaînement des événements conduisant à la crise.

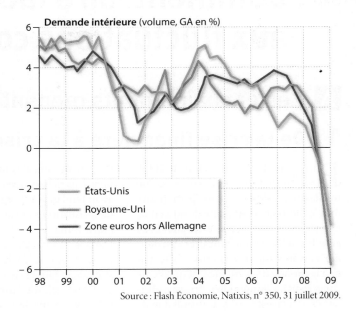

Source : Flash Économie, Natixis, n° 350, 31 juillet 2009.

8 ■ La hausse des prix des matières premières...

a. ... un choc négatif ?

La volatilité excessive des prix des matières premières agricoles, comme son impact sur la sécurité alimentaire, est un enjeu fondamental qui demande une réaction concertée : la volatilité des prix affecte la croissance de nombreux pays, quel que soit leur niveau de développement. Elle est néfaste pour les pays producteurs de matières premières, parce qu'elle contrarie leurs décisions d'investissement et fragilise de ce fait le potentiel productif de leur économie. Elle l'est bien sûr pour les pays consommateurs, en particulier les plus pauvres qui consacrent entre 50 et 70 % du revenu d'un foyer à leur alimentation.

Déclaration de Mme Christine Lagarde,
ministre de l'Économie, de l'Industrie et de l'Emploi,
à la Banque mondiale le 16 avril 2011.

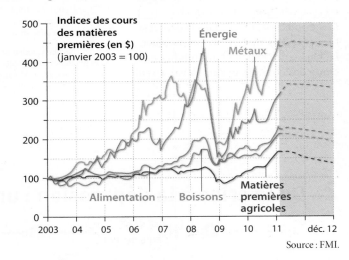

Source : FMI.

b. ... ou une bonne nouvelle ?

Les prix mondiaux des matières premières ont aujourd'hui dépassé les niveaux records de 2008. Et ce choc n'a d'équivalent que celui qui a frappé le monde dans les années 1970. Pour autant, je crois que la croissance mondiale est suffisamment solide pour l'encaisser relativement facilement. Sans être trop provocateur, je dirai même que c'est finalement une bonne nouvelle pour la croissance mondiale. L'envolée des prix des matières premières permet de maintenir hors de l'eau des économies qui sans cette rente seraient complètement dans la panade [...]. <u>Ce choc sur les matières premières permet donc d'entretenir une illusion de croissance.</u> Certes, en Europe, ce choc devrait se traduire par davantage d'inflation et des taux d'intérêt en hausse, ce qui au final entretiendra la hausse de l'euro. Mais soyons honnête, les problèmes de l'Europe et notamment la crise des dettes publiques européenne n'ont rien à voir avec les matières premières.

Entretien avec Philippe Chalmin,
« Le choc sur les matières premières est une bonne nouvelle », lexpansion.lexpress.fr,
publié le 17 mai 2011.

1. CALCULER. Calculez approximativement l'augmentation des prix des matières première entre 2009 et 2011. (Graphique)

2. EXPLIQUER. En quoi l'augmentation des cours des matières première constitue-t-il un choc d'offre ? (Doc. 8a)

3. EXPLIQUER. Expliquez la phrase soulignée. (Doc. 8b)

4. RÉCAPITULER. L'augmentation des cours des matières premières constitue-t-elle un choc négatif ?

ENTRAÎNEMENT

QUESTION DE COURS. Les chocs exogènes ont-ils toujours des effets négatifs ?

SYNTHÈSE. À partir des documents 5 à 8, montrez que les chocs ont toujours un lien avec la demande.

documents

III. Comment faire face aux fluctuations conjoncturelles ?

A Les enchaînements menant à la crise

1. De la crise financière à la crise économique en 2008

Entre juin 2007 et le début de 2009, les banques ont perdu près de 700 milliards de dollars et les principaux indices boursiers ont chuté de 40 à 60 %. La succession spectaculaire des faillites de grands établissements bancaires a pu donner l'impression que la crise n'affectait que le monde de la finance, et qu'elle ne concernait pas le quotidien des gens ordinaires. Il n'en est rien : la transmission de la crise à l'économie réelle a reposé sur deux mécanismes complémentaires. Le premier canal de transmission de la crise est la contraction de l'offre de crédit [...]. Le second canal réside dans la dépréciation des actifs, mobiliers et immobiliers. La baisse des prix de l'immobilier et la chute des cours boursiers dévalorisent les patrimoines des ménages. Ils voient donc leur richesse réelle baisser et peuvent avoir tendance à épargner davantage afin de reconstituer la valeur initiale de leur patrimoine.

Dans la plupart des pays industrialisés, [la récession se déclenche] surtout à la suite de la faillite de Lehman Brothers[1]. [...] Au total, sur l'année 2009, le PIB en volume a reculé de 4 % dans la zone euro (2,2 % en France), de 2,4 % aux États-Unis et de 5,2 % au Japon.

1. En septembre 2008, la faillite de cette banque d'affaires américaine est considérée comme étant l'origine de la crise financière.

Nicolas Couderc et Olivia Montel-Dumont, « Les politiques économiques à l'épreuve de la crise », *Cahiers français*, n° 359, novembre-décembre 2010.

1. CONSTATER. Proposez un schéma présentant les enchaînements qui conduisent de la crise financière en 2007 à la forte hausse du chômage en 2009.

2. ILLUSTRER. Donner un exemple illustrant la phrase soulignée.

3. EXPLIQUER. Comment les revenus des ménages sont-ils affectés par la crise ?

4. EXPLIQUER. Pourquoi la crise va-t-elle toucher l'ensemble des économies ?

2. De la crise à la dépression : un enchaînement cumulatif

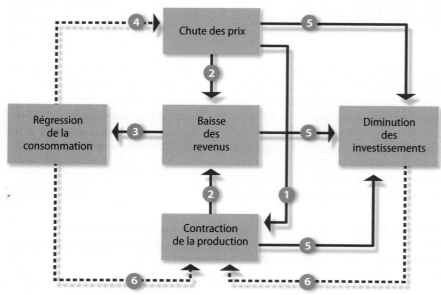

1. La chute des prix contracte la production.
2. La chute des prix et de la production diminue les revenus.
3. La diminution des revenus déprime la consommation.
4. Le recul de la consommation pèse sur les prix et relance le processus dépressif.
5. La baisse des prix, de la production et des revenus provoque celle des investissements :
   • La baisse des prix dégrade les anticipations de rentabilité.
   • La baisse de la production a des répercussions amplifiées sur l'investissement (accélérateur).
   • La baisse des profits affecte le financement des projets.
6. Par effet de rétroaction, la baisse de la consommation et des investissements pèse négativement sur la production (multiplicateur).

Pierre Robert, *Croissance et crises*, Cap Prépa, Pearson, 2010.

1. EXPLIQUER. Justifiez les deux flèches 2 et 5.

2. EXPLIQUER. Pourquoi la baisse de la consommation entraîne-t-elle une baisse des prix ?

3. ILLUSTRER. Donnez des exemples de mesures susceptibles de freiner ces enchaînements.

3. 1974 : de la « crise du pétrole » au ralentissement durable de la croissance

On peut ramener à trois les caractères insolites de la crise. Le premier aspect concerne la crise elle-même en 1974-1975. Celle-ci confirme avec éclat un phénomène apparu dans le milieu des années 1960 : la « stagflation », c'est-à-dire la coïncidence du ralentissement de la croissance globale, puis de la crise, avec le maintien de prix très élevés, en hausse constante. Auparavant, avant la Seconde Guerre mondiale, comme avant la première, les prix baissaient pendant les crises. Cette baisse était un élément de rééquilibrage, de régulation, puis de reprise ultérieure. […]Pendant et après la crise, ils progressent de 13,7 % en 1974 et de 11,8 % en 1975, pour s'obstiner à rester entre 9 % et 10 % de hausse par an, en 1976, 1977, 1978. La lutte contre l'inflation n'a produit aucun résultat. […] Le deuxième caractère nouveau de la crise est la persistance d'un chômage croissant, même en temps de reprise provisoire. Ce chômage dit « structurel » a des causes économiques, mais aussi démographiques et sociologiques. Le troisième caractère de nouveauté concerne, lui, la reprise en 1976-1978. En principe, après une crise mondiale, la reprise est générale et gagne tous les pays. Dans un laps de temps court (autour d'un an), elle devient mondiale. Or, ce n'est plus le cas : de 1976 à 1978, certains pays avancés sont sortis de la crise, d'autres non. Entre ces pays, un contraste très net oppose la forte reprise des États-Unis et du Japon au piétinement, marqué par une croissance très lente, des pays industriels de l'Europe occidentale. En RFA, en Angleterre, en Italie, et en France, le chômage particulièrement tenace continue de progresser. C'est que la crise de 1974 met aussi en lumière les changements en cours dans l'équilibre économique du monde. […]

Ainsi voit-on les grands groupes industriels, européens, japonais, américains, déplacer leurs investissements vers ces pays (États unis, japon, mais aussi les *pays nouvellement industrialisés*) et se délocaliser ; des secteurs entiers du vieux tissu industriel européen s'effondrent et ne plus se relever : la sidérurgie, les constructions navales, des pans de l'industrie textile et de certaines constructions mécaniques…

Jean Bouvier, « L'histoire », *Marianne*, hors série, mars-avril 2009.

1. CONSTATER. Pourquoi la crise de 1974 est-elle considérée comme une grande crise ?

2. EXPLIQUER. Quelles difficultés la persistance de l'inflation fait-elle peser sur la politique conjoncturelle ?

3. EXPLIQUER. Pourquoi le chômage devient-il structurel ?

4. L'« effet domino » de la crise asiatique de 1997

La monnaie thaïlandaise, qui est ancrée nominalement au dollar, est l'objet d'une violente attaque à la fin juin 1997. Le 2 juillet le gouvernement doit se résoudre à abandonner la défense de la parité du bath en dollars, la monnaie thaïlandaise se déprécie rapidement. Un phénomène de contagion se produit en direction de la Malaisie, puis de l'Indonésie et de la Corée du Sud. La contagion touche également des économies comme Hong Kong qui parvient à résister ou Singapour et Taiwan dont les monnaies se déprécient rapidement. Plusieurs canaux de transmission ont favorisé cet « effet domino » :
– Le canal du commerce extérieur : dans la mesure où ces pays sont concurrents entre eux au niveau des marchés d'exportation, la dépréciation d'une monnaie se traduit par une perte de compétitivité pour les autres pays. Dans ces conditions, les marchés financiers anticipent une dégradation à venir du solde de la balance courante ce qui peut conduire les agents à retirer leurs fonds.
– Le canal financier : les importants engagements des banques coréennes et taïwanaises en Thaïlande fragilisent leur situation financière.
– À court terme, ces crises de change se traduisent par une grave récession en Asie du Sud-est contrastant avec la croissance rapide de ces pays […]. Cette récession a des conséquences sociales marquées, compte tenu de la faible protection sociale : le taux de chômage en Corée est passé de 2 % à près de 10 %. Dans le cas de l'Indonésie la crise s'est traduite par une inflation galopante et une croissance forte de la pauvreté.
– […] On assiste à la faillite de nombreux intermédiaires financiers qui s'étaient engagés dans des prêts à long terme financés par des emprunts à court terme en devises ; la chute des monnaies locales et le retrait massif des capitaux les acculent à la faillite.

Emmanuel combes, *Précis d'économie*, PUF, 2011.

Taux de croissance du PNB (en %)			
Pays	1996	1997	1998
Corée du Sud	7,1	5,8	– 3,8
Indonésie	8	4,6	– 6,2
Malaisie	8,6	7	– 1,8
Thaïlande	6,4	0,5	– 5,5

1. DÉFINIR. Qu'est-ce que le taux de change d'une monnaie ?

2. EXPLIQUER. La dépréciation d'une monnaie n'a-t-elle que des effets favorables pour l'équilibre des échanges extérieurs d'un pays ?

3. EXPLIQUER. Présentez sous la forme d'un schéma les principaux enchaînements de la crise asiatique.

ENTRAÎNEMENT

QUESTION DE COURS. Pourquoi les crises financières ont-elles un impact sur les fluctuations économiques ?

SYNTHÈSE. Remplissez le tableau suivant à partir des documents 1, 3 et 4.

Années	Pays	Élément déclencheur de la crise

documents

B Les conséquences des fluctuations conjoncturelles

5. Les conséquences sur l'emploi, en France

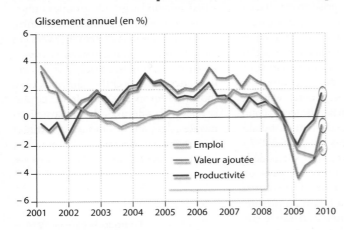

Glissement annuel (en %)

Source : Insee.

1. CONSTATER. Faites une phrase exprimant la signification des données entourées (2010).

2. EXPLIQUER. Justifiez l'évolution de l'emploi entre 2007 et 2010.

3. EXPLIQUER. Pourquoi la courbe de l'emploi en 2010 ne connaît-elle pas la même évolution que celle de la VA ?

6. Le taux de chômage selon le sexe et l'âge

	Hommes (en %)				Femmes (en %)				Total (en %)				(en milliers)
	15-24 ans	25-49 ans	> 49 ans	Total	15-24 ans	25-49 ans	> 49 ans	Total	15-24 ans	25-49 ans	> 49 ans	Total	
T1 2006	21,1	7	5,9	8,2	23,7	9,5	6,1	10,1	22,2	8,2	6	9,1	2 509
T1 2007	19	6,7	5,7	7,8	22,6	8,2	6,1	9,2	20,7	7,4	5,9	8,5	2 342
T1 2008	16,8	5,8	4,7	6,8	17,8	7,1	4,7	7,6	17,3	6,4	4,7	7,2	1 996
T1 2009	22,9	6,9	5,4	8,3	21,9	8,2	5,7	9	22,5	7,5	5,5	8,6	2 429
T1 2010	23,7	8	6,3	9,3	22,1	8,9	6,7	9,6	22,9	8,4	6,5	9,5	2 688
T1 2011	21,1	7,6	5,9	8,6	24,9	9	6,7	9,9	22,8	8,3	6,3	9,2	2 617

Données en moyenne trimestrielle et corrigées des variations saisonnières (CVS).
Champ : France Métropolitaine, population des ménages, personnes de 15 ans ou plus.

Source : Insee, enquêtes Emploi 2006-2010.

1. CALCULER. Quel est le taux de croissance du chômage entre 2006 et 2011 ?

2. CONSTATER. Quelle corrélation peut-on établir entre l'évolution du nombre de chômeurs et le taux de chômage des jeunes ?

7. Un chômage de masse incompressible ?

Il n'existe pas de définition scientifique du chômage de masse, si ce n'est par opposition au plein emploi, qui fait référence à un taux de chômage inférieur à 4-5 %. « *La terminologie du chômage de masse est apparue dans les années 1970, suite au choc pétrolier qui a marqué la fin des années de croissance, puis a été réutilisé dans les années 1990, pour qualifier une situation où l'augmentation très forte et très rapide du nombre de chômeurs créé une instabilité sociale* », explique Philippe Askenazy, directeur de recherche au CNRS et professeur à l'École d'économie de Paris.

Or c'est exactement ce qui se passe aujourd'hui. Depuis l'été 2008, le nombre chômeurs en France ne cesse de gonfler. La tendance est particulièrement forte sur le premier trimestre 2009 […]. Le nombre de chômeurs frôle aujourd'hui les 2,5 millions, voire 3,5 millions si l'on ajoute les chômeurs ayant travaillé occasionnellement dans le mois.

Et la situation va aller de mal en pis. Depuis septembre, les annonces de plans sociaux se multiplient. Leur mise en œuvre va accélérer la hausse du nombre d'inscrits à Pôle emploi suite à un licenciement économique, alors que les entreprises se sont déjà largement séparées des salariés précaires (intérimaires et CDD). Sur le front des perspectives d'embauches, le climat est tout aussi dépressif. […]
La France connaît donc aujourd'hui une dégradation très forte et très rapide du marché de l'emploi, qui touche en outre toutes les catégories de populations – les jeunes bien sûr, les femmes, les précaires mais aussi les CDI. « *Cette situation est en outre doublée d'une très forte inégalité territoriale*, souligne Philippe Askenazy : *dans certaines régions ou bassins industriels, le taux de chômage est très élevé,*

créant une instabilité sociale. » Alors oui, « *on peut parler d'un retour du chômage de masse en France* », ajoute-t-il.
Le chômage en France a atteint un pic en 1997, avec un taux de 11 %. Il a fallu dix ans pour le rapprocher du niveau du plein emploi, à 7,2 % fin 2007. Il faudra à peine deux ans pour le ramener à des sommets historiques. *« La peur d'un chômage de masse incompressible est réelle »*, conclut Philippe Askenazy.

l'expansion.fr, 24 avril 2009.

1. DÉFINIR. Qu'est-ce que le chômage ?

2. EXPLIQUER. Pourquoi l'auteur utilise-t-il l'expression chômage de masse ?

3. EXPLIQUER. Que signifie la phrase soulignée ?

4. RÉCAPITULER. Quelles sont les conséquences du rythme et de l'activité économique sur l'emploi ? (Doc. 5 à 7)

documents

8. Inflation et désinflation, en France

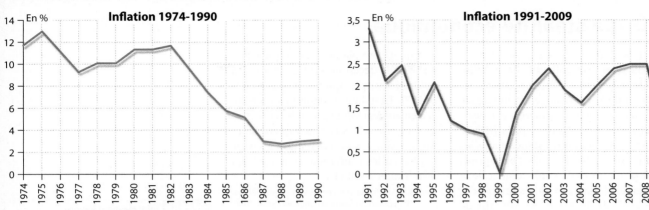

Inflation 1974-1990 — En %

Inflation 1991-2009 — En %

Source : Insee.

1. CONSTATER. Quelles différences y a-t-il, en matière d'inflation, entre la crise de 1974 et celle de 2008 ?

2. DÉFINIR. Comment peut-on qualifier la période 1982-1987 ?

3. EXPLIQUER. La période 2008-2009 peut-elle être qualifiée de déflationniste ?

4. EXPLIQUER. Quelles conséquences l'inflation entraine-t-elle sur les échanges extérieurs ?

NE PAS CONFONDRE Inflation, désinflation, déflation

L'inflation est une hausse continue et durable du niveau général des prix. Ce n'est pas un choc instantané, une hausse limitée à certains biens. C'est un processus permanent et général. L'inflation est alimentée par des anticipations : c'est parce que les salariés et les entreprises anticipent que les prix vont monter, qu'ils ajustent eux-mêmes à la hausse leurs prix et leurs salaires. Symétriquement, la déflation est un processus permanent et général de baisse des prix. Il n'y a pas déflation si seulement certains prix baissent. Par exemple

les prix des ordinateurs portables ou produits électroniques de haute fidélité peuvent baisser sous l'effet du progrès technique. Mais ce n'est pas une déflation. La désinflation est un ralentissement de l'inflation ou une baisse ponctuelle du niveau général des prix. Par exemple, si on passe de + 3 % par an à + 1 % par an, il y a désinflation. Si, par contre, on passe à une variation des prix négative de − 1 % par an et que cette baisse est anticipée comme durable, alors il y a déflation.

Banque de France, *Focus* n° 3, 22 janvier 2009.

---

9. Inflation et fluctuations conjoncturelles : quelle relation ?

La faillite de Lehman Brothers[1] a brutalement ravivé la crise financière. Pour comprendre ce mécanisme à l'œuvre, il faut revenir en arrière ; tout au long des années qui ont suivi la Seconde Guerre mondiale, les récessions ont été déclenchées par une séquence simple et immuable. La croissance, lorsqu'elle s'emballe au-dessus de son potentiel, tend à provoquer une inflation salariale. Ce phénomène est associé à ce que les économistes appellent la « courbe de Phillips ». Lorsque le chômage tend à la baisse, les revendications salariales augmentent, déclenchant une spirale prix-salaire. Pour casser celle-ci, les autorités doivent mener une politique restrictive, souvent brutale qui brise la croissance. La majeure partie des récessions d'après-guerre tient à ce processus. Or, nous vivons depuis le début des années 90 dans un monde différent caractérisé par ce qu'on appelle la

« grande modération » salariale. Laminés par la désindustrialisation, l'érosion du pouvoir syndical, les ouvriers ont perdu leur pouvoir de négociation. L'argent facile n'allume plus l'inflation salariale, comme par le passé. Elle déclenche la spéculation, l'inflation du prix des actifs financiers... On a ainsi connu depuis les années 1990 : la bulle internet, la bulle immobilière, la bulle sur le pétrole qui ont crevé chacune a tour de rôle... [...] La boucle est ainsi bouclée. La crise de Lehman, à l'instar du krach d'octobre 1929 sonne comme le véritable départ de la crise : celle de la consommation, versant Keynes, celle de l'intermédiation financière, versant Friedman.

1. Banque d'investissement américaine qui a fait faillite le 15 septembre 2008.

Daniel Cohen, « Keynes ou Friedman », *Problèmes économiques*, *Les économistes face à la crise*, 29 avril 2009.

1. DÉFINIR. Qu'est-ce que l'inflation salariale ?

2. DÉFINIR. Qu'est-ce qu'une politique restrictive ?

3. EXPLIQUER. Pourquoi la modération salariale contribue-telle à la spéculation financière ?

4. RÉCAPITULER. Quelles sont les relations entre inflation, croissance et crise ?

REPÈRE Milton Friedman
(Économiste américain, 1912-2006)

Partisan du libéralisme économique, il critique les politiques de relance keynésienne qui débouchent automatiquement sur l'inflation qu'il faut alors combattre. Il propose d'instaurer un taux de croissance constant de la masse monétaire afin de favoriser les prises de décisions rationnelles des agents économiques. Sa théorie monétariste a inspiré les politiques de lutte contre l'inflation au début des années 1980. Il obtient le prix Nobel d'économie en 1976.

ENTRAÎNEMENT

QUESTION DE COURS. Pourquoi la récession peut-elle conduire à un chômage de masse ?

SYNTHÈSE. À l'aide des documents 7 et 8, montrez les avantages et les limites de la désinflation.

documents

C La nécessaire intervention de l'État

10. La stabilité économique

La stabilité économique est un élément du bien-être collectif. La stabilité est désirable en soi. Et il est patent, en outre, que la croissance est meilleure en moyenne quand l'horizon des décideurs économiques est plus lisible. Quand la conjoncture est incertaine, les consommateurs et les chefs d'entreprises sont prudents et l'affaiblissement de la demande globale qui en résulte contribue à la réduction générale du taux de croissance. Les autorités économiques poursuivent donc une politique de régulation qui tend à prolonger au maximum les périodes de croissance soutenable et abréger les périodes de ralentissement ou de récession et, ce faisant, de stabiliser les cycles économiques. Une mauvaise politique de régulation conjoncturelle peut entraîner des conséquences durablement préjudiciables sur l'économie,

comme l'exemple de la politique japonaise de la décennie 1990-2000 ou des politiques suivies après le choc pétrolier de 1973. La stabilité économique consiste également à savoir prévenir les crises ou, quand celles-ci, causées par des facteurs imprévisibles, sont survenues, à savoir appliquer les traitements susceptibles d'en limiter les effets.

Jean-Claude Prager et François Villeroy de Galhau, *18 leçons de politique économique*, Seuil, 2006.

1. ILLUSTRER. Donnez des exemples de perturbations économiques pouvant affecter la croissance potentielle.

2. ILLUSTRER. De quels instruments, les autorités publiques disposent-elles pour assurer la stabilité économique ?

3. EXPLIQUER. Pourquoi l'intervention de l'état s'avère-t-elle nécessaire ?

REPÈRE **John Maynard Keynes** (Économiste britannique, 1883-1946)

Dans *Théorie générale de l'emploi, de l'intérêt et de la monnaie* (1936), il justifie l'intervention publique pour faire face au chômage de masse et à l'insuffisance de la demande. Il s'oppose ainsi à la thèse néo-classique du retour automatique à l'équilibre de plein emploi en cas de crise économique. Ses thèses ont influencé l'orientation de la politique économique jusqu'à la crise des années 1970.

11. Les plans de relance réhabilités ?

a. Lutter contre la récession

Face aux menaces de déflation et de véritable spirale de récession, voire de dépression que faisait peser sur l'économie mondiale la crise financière de 2007-2008, les États ont affiché un volontarisme et un interventionnisme économique que l'on pouvait croire relégués à des temps révolus ; le constat des défaillances massives dans les systèmes bancaires et les marchés financiers a déclenché des plans de sauvetage de grande ampleur qui, en garantissant les mauvaises dettes du système, et en « socialisant » les

pertes, ont rappelé que seuls les états qui disposent du pouvoir de l'impôt sont à même de faire face à la réalisation des risques systématiques par nature inassurables ; [...] Les banques centrales, ont, quant à elles, injecté des volumes considérables de liquidités dans les systèmes bancaires nationaux et assoupli à l'extrême leurs politiques monétaires, montrant en l'occurrence leur pragmatisme et leur volonté de coopérer avec les autorités politiques. Celles-ci ont accepté de suspendre les règles habituelles de

politique budgétaire, laissant jouer les stabilisateurs automatiques – les recettes se réduisant spontanément et certaines dépenses notamment sociales augmentant lorsque l'activité se contracte – et lançant même des plans de relance discrétionnaire d'inspiration keynésienne, plus ou moins ambitieux et plus ou moins directifs selon les pays.

Jacques Le Cacheux, « L'évolution du rôle économique des États », *Cahiers français*, n° 357, juillet-août 2010.

b. Montant des principaux plans de relance

Plans de relance	En milliards de dollars	En % du PIB
États-Unis	787	5,5
Chine	600	7
Japon	106	2,5
Allemagne	102	3,1
Grande-Bretagne	38	3,1
France	32	1,3
Espagne	23,5	7,5
Italie	7,5	0,4

Source : *Enjeux-Les Echos*, avril 2009.

1. DÉFINIR. Qu'est-ce que la déflation ? (Doc. a)

2. EXPLIQUER. Quelle est la différence entre une politique discrétionnaire et une politique qui laisse simplement jouer les stabilisateurs automatiques ? (Doc. a)

3. EXPLIQUER. Qu'est-ce qui justifie les plans de relance adoptés en 2008 par les différents pays et leur ampleur ? (Doc. a)

4. EXPLIQUER. Quels effets internes et externes peuvent avoir les plans de relance chinois et américains ? (Doc. b)

POUR APPROFONDIR Les politiques discrétionnaires

Les politiques discrétionnaires sont des politiques économiques relevant de la décision des gouvernements et agissant sur les évolutions de court terme. Elles s'opposent aux politiques dites « de règles » qui consistent à fixer un objectif à moyen et long terme qui détermine l'action du gouvernement au quotidien (par exemple : l'inflation ne doit pas trop s'écarter de 2 %). Ces politiques discrétionnaires sont souvent d'inspiration keynésienne : l'intervention publique dans le court terme (politiques conjoncturelles) est non seulement possible, mais nécessaire.

12 ■ Des politiques contraintes par les déficits

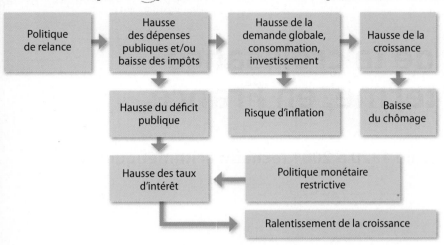

1. ILLUSTRER. Illustrez par des exemples la première ligne du schéma.

2. EXPLIQUER. Comment l'État peut-il financer son déficit public ?

3. EXPLIQUER. Pourquoi y a-t-il un risque d'inflation quand la demande globale augmente ?

4. EXPLIQUER. Justifiez la hausse des taux d'intérêt.

13 ■ Relance ou austérité ?

a. Comment concilier objectifs à court et moyen terme ?

Les économistes européens misent sur la stimulation de la croissance à moyen terme et penchent pour des réformes comme celles visant à augmenter la flexibilité des marchés du travail. Ils s'opposent généralement à la prise de nouvelles mesures de relance budgétaire par la demande. Jean-Claude Trichet, président de la BCE est un fervent partisan des réformes structurelles en Europe. Mais il est aussi un des plus ardents défenseurs de l'idée selon laquelle réduire les déficits budgétaires donnera en soi un coup de fouet à l'économie. D'où un débat passionné mais étroit sur le choix entre relance budgétaire et austérité budgétaire.

Les deux camps manquent en fait d'ouverture d'esprit. Les gouvernements devraient réfléchir de manière plus cohérente aux moyens de soutenir la demande tout en stimulant l'offre. Les priorités varieront d'un pays à l'autre, mais plusieurs thèmes se dégagent. Premièrement, comme les keynésiens le font remarquer à juste titre, il est dangereux pour l'ensemble des pays riches d'abuser de l'austérité budgétaire à court terme. Trop couper dans le budget compromet la reprise, surtout parce que des coupes claires peuvent difficilement être compensées par un assouplissement monétaire. Il est aussi important d'améliorer la structure des recettes fiscales et des dépenses que de s'occuper des déficits à court terme.

Deuxièmement, ne pas tenir compte des menaces pesant sur le potentiel de croissance des économies et ne pas saisir la possibilité de procéder à des réformes microéconomiques propices à la croissance est tout aussi dangereux [...]. Une priorité importante consiste à accroître l'employabilité des chômeurs, surtout aux États-Unis où le nombre record de chômeurs longue durée indique que les marchés du travail ne sont pas aussi flexibles que beaucoup de gens ne le pensent.

The Economist (7 octobre 2010) dans *Problèmes économiques*, 27 avril 2011.

b. Cycle et déficits publics

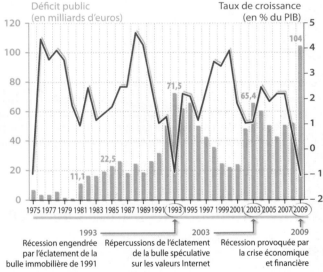

Source : Insee, La situation des finances publiques, Cour des Comptes, 2009.

1. CONSTATER. À quelles périodes le déficit public est-il le plus important ? (Doc. b)

2. CONSTATER. Quelles mesures faut-il prendre pour consolider la reprise selon Jean-Claude Trichet, directeur de la BCE ? (Doc. a)

3. EXPLIQUER. À quelles conditions des politiques de relance peuvent-elles être efficaces selon l'auteur ? (Doc. a)

NE PAS CONFONDRE

Politique contracyclique et politique procyclique

Les politiques contracycliques d'inspiration keynésienne ont pour objectif d'agir pour freiner l'activité économique en période de forte reprise inflationniste ou d'augmenter les dépenses publiques en cas de récession pour soutenir l'activité économique.

Les politiques procycliques, d'inspiration libérale, considèrent que l'État n'a pas à intervenir pour modifier le rythme de l'activité économique.

ENTRAÎNEMENT

QUESTION DE COURS. Comment les cycles économiques influencent-ils des politiques conjoncturelles ?

SYNTHÈSE. À l'aide des documents 12 et 13, montrez à quelles conditions les politiques conjoncturelles de relance peuvent contribuer à résorber les déficits publics.

documents

1. L'évolution de la croissance sur le long terme, en France

1. Évolution du PIB français de 1820 à 2001 (échelle arithmétique)

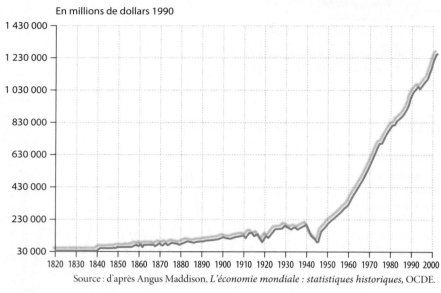

En millions de dollars 1990

Source : d'après Angus Maddison, *L'économie mondiale : statistiques historiques*, OCDE.

1. Quelles périodes principales se dégagent de ce graphique ?

2. À l'aide d'une règle, poursuivez la tendance observée entre 1820 et 1939 et déterminez graphiquement quel aurait alors été le niveau approximatif du PIB en 2001. Cette extrapolation vous satisfait-elle ? Pourquoi ?

3. Ce graphique permet-il de visualiser correctement l'évolution du PIB ? Pourquoi ?

2. Évolution du PIB français de 1820 à 2001 (échelle logarithmique)

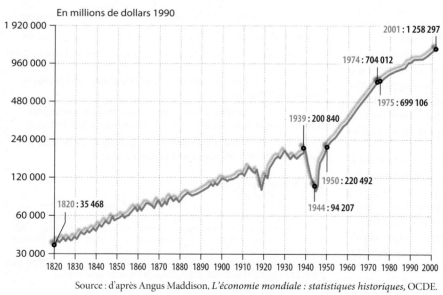

En millions de dollars 1990

2001 : 1 258 297
1974 : 704 012
1975 : 699 106
1939 : 200 840
1950 : 220 492
1944 : 94 207
1820 : 35 468

Source : d'après Angus Maddison, *L'économie mondiale : statistiques historiques*, OCDE.

1. Observez l'échelle des ordonnées. Que constatez-vous ?

2. Quel est l'intérêt de ce type de graphique ?

3. À l'aide d'une règle, visualisez la droite reliant 1820 à 1950. Que signifie cette droite ?

4. Comment appelle-t-on la croissance ainsi mise en évidence ? Repérez alors les chocs ayant affecté la croissance durant cette période.

5. Prolongez cette droite jusqu'en 2001. Que signifie la valeur obtenue ainsi en 2001 ? Comparez avec votre réponse à la question 2 du doc. 1. Qu'en déduisez-vous ?

6. Visualisez alors la droite reliant 1950 à 1974, et poursuivez-la jusqu'en 2001. Que met en évidence cette droite ?

SYNTHÈSE

1. Analysez l'évolution de la croissance économique française depuis 1820.

2. Quel est l'intérêt d'une représentation des séries longues à l'aide d'un graphique semi-logarithmique ?

NOTIONS • Croissance • Crise • Dette
• Déficit • Politiques économiques

SAVOIR-FAIRE • Analyser un document
factuel • Construire un raisonnement
économique

TD ANALYSE

2. L'Irlande : de la crise à la reprise

1. Les remèdes pour sortir de la récession

En 2007, la dette publique n'a pas dépassé 25 % du PIB. – En 2008, l'Irlande rentre en récession comme premier pays de la zone euro. Le PIB baisse de 3,5 % (et de 7,5 % en 2009).

– La crise de la dette irlandaise est au départ une crise de la dette privée. Le marché immobilier, en pleine expansion jusqu'en 2007, entre en crise et touche le secteur bancaire de plein fouet. Quand l'Anglo Irish Bank risque de faire faillite, le gouvernement décide de la nationaliser et accorde une garantie pour tout le secteur bancaire. Ainsi, l'État absorbe la dette des banques et la transforme en dette publique.

– Le déficit budgétaire passe de 7,3 %, en 2008, à 14,6 %, en 2009, et à 17,7 %, en 2010. La dette publique en pourcentage du PIB a plus que triplé entre 2007 et 2010.

– Le gouvernement veut réaliser des économies de 15 milliards d'euros jusqu'en 2014, dont 6 milliards en 2011 ; pour augmenter les recettes le gouvernement met en place une taxe carbone et une taxe sur l'eau et augmente l'impôt sur le revenu. Pour réduire les dépenses, les salaires des fonctionnaires et des ministres sont baissés, et les prestations sociales réduites.

– Le chômage a grimpé à un taux de 13,5 % en 2010, touchant notamment les jeunes, qui optent de plus en plus pour l'émigration. Du coup, la demande intérieure est faible, mais l'industrie exportatrice pourrait stimuler la relance.

L'Europe et la crise économique expliquée en 10 fiches,
Fondation Robert Schuman, avril 2011.

2. Une compétitivité source de croissance

Au cours de la crise, les salaires sont ajustés à la baisse, permettant ainsi de restaurer la compétitivité des entreprises. Une dynamique se mettrait alors en place. Tirée par les exportations, la croissance stimulerait l'investissement et permettrait les créations d'emplois qui entraîneraient (outre la baisse du chômage) la progression des revenus et une reprise de la consommation des ménages. C'est le scénario qui semble se dessiner à la lecture des résultats du deuxième trimestre, avec une croissance tirée par le commerce extérieur

et une demande intérieure en légère reprise, notamment du côté de l'investissement. [...]

[...] Le principal facteur actuellement en Irlande pourrait se gripper rapidement. Le ralentissement amorcé dans la zone euro est amené à se poursuivre. La crise budgétaire ne parvenant pas à être circonscrite, la confiance s'érode et l'austérité se généralise. Or, lorsque tous les pays appuient sur le frein en même temps, c'est le moteur de la croissance qui risque rapidement de se casser.

atlantico.fr, 15 octobre 2011.

3. Quelques indicateurs de l'économie irlandaise

a. Taux de croissance et solde extérieur

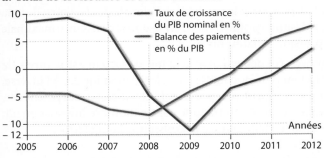

Note : compte qui retrace l'ensemble des échanges de biens et de services entre un pays donné et l'étranger. Source : OCDE, 2011.

Doc. 1 et 3

1. Quels sont les indicateurs de la récession en Irlande ? (Doc. 1, 3a)

2. Pourquoi la dette publique augmente-t-elle fortement ? (Doc. 1)

3. Quels sont les liens entre l'évolution du PIB et les données sur la balance des données courantes (Doc. 3a) ?

4. Quels sont les effets attendus des mesures prises par le gouvernement irlandais ? Vous pouvez présenter votre réponse sous la forme d'un schéma.

b. Comptes des administrations publiques

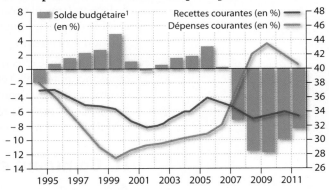

1. Le solde budgétaire exclut les mesures de soutien aux banques représentant 2,5 % du PIB en 2009 et 20,1 % en 2010.

Source : Ireland Budget 2011, OCDE.

Doc. 2

5. Qu'est-ce que la compétitivité ?

6. Par quels moyens l'Irlande a-t-elle amélioré la compétitivité de ses entreprises ?

7. Quelles sont les limites de ces mesures ?

Pourquoi la croissance est-elle instable ?

L'alternance de phases d'expansion et de récession est une des questions importantes de l'analyse de la croissance. Pourquoi la croissance ne suit-elle pas une progression régulière, sans à-coup ? Pourquoi connaît-elle parfois des périodes de crise aux conséquences douloureuses ? Comment peut-on réduire l'importance de ces variations pour en limiter les effets négatifs ?

ACQUIS DE 1RE

➡ Voir **Réviser les acquis de 1re**, p. 10 et **Lexique**

- Inflation
- Politique monétaire
- Politique budgétaire
- Politique conjoncturelle
- Chômage
- Demande globale

I. Comment la croissance évolue-t-elle ?

A. La croissance économique est cyclique

■ L'évolution de la croissance économique n'est pas régulière, elle subit en permanence des variations appelées fluctuations économiques conjoncturelles. Lorsque ces fluctuations sont récurrentes (elles reviennent sans cesse) et qu'elles suivent régulièrement le même schéma, on parle de **cycle économique**. Chaque cycle est constitué de quatre phases : expansion, crise, récession, reprise.

■ La notion de crise économique est une question centrale de l'analyse des cycles. En effet, certains économistes réservent cette appellation aux situations durant lesquelles les mécanismes économiques habituels ne suffisent pas à ramener l'évolution du PIB vers sa tendance « naturelle ». Il convient donc de ne pas confondre un simple retournement conjoncturel et une perturbation durable de la croissance économique.

■ Une analyse approfondie des cycles économiques passe donc par l'observation de l'évolution d'autres variables importantes, comme celle de l'investissement et de la consommation qui sont les composantes essentielles de la demande. On étudiera aussi le cycle à travers ses manifestions que sont l'inflation et le chômage.

B. Fluctuations conjoncturelles et croissance à long terme

■ À long terme, la croissance suit une tendance (le « trend ») relativement régulière. Cette croissance de long terme est déterminée par des variables structurelles, la quantité de facteur (travail et capital) disponible et la productivité globale des facteurs, dont la combinaison détermine la croissance potentielle, c'est-à-dire la croissance maximale pouvant être atteinte sans pression inflationniste.

■ La croissance effective (observée) dépend alors à la fois de facteurs structurels (la croissance potentielle) et de facteurs conjoncturels (les cycles économiques). À l'inverse, on observe que les perturbations conjoncturelles peuvent affecter la croissance potentielle. Ainsi, par exemple, la récession de 2008 s'est traduite par un moindre investissement, ce qui affecte le niveau du capital installé et donc la croissance à long terme.

II. Comment expliquer les cycles économiques ?

A. Les cycles : une évolution économique inévitable

■ Pour les économistes libéraux, les cycles économiques s'expliquent par les mécanismes autorégulateurs du marché et sont donc nécessaires au système capitaliste.

■ Les fluctuations résultent alors du cycle des affaires : en période d'expansion, les entreprises investissent jusqu'à ce que les capacités de production soient suffisantes pour répondre à la demande. À ce moment-là, le ralentissement de l'investissement entraîne le ralentissement économique, jusqu'à ce qu'il soit à nouveau nécessaire d'accroître les capacités de production. Ce cycle est fortement lié au comportement des banques qui relâchent leurs conditions d'octroi de crédit en période d'expansion et qui les restreignent en période de récession : c'est le cycle du crédit.

■ Cette analyse considère le cycle économique comme une caractéristique normale de l'activité économique. Il s'agit alors d'explications endogènes.

B. Des chocs peuvent affecter la croissance

■ Certains épisodes de l'évolution économique nécessitent cependant d'autres explications. Le cycle est alors expliqué par des causes exogènes : des chocs affectant l'économie entraînent soit la croissance (choc positif) soit la récession (choc négatif).

■ Il existe deux types de chocs. Le choc de demande est un événement affectant la demande de biens et services : ainsi, une augmentation des prix de l'énergie se traduit par une diminution du pouvoir d'achat des ménages, et donc de la consommation, ce qui pèse sur l'activité économique. Le choc d'offre est un événement qui influence les coûts de production, soit en les réduisant (choc d'offre positif), ce qui permet d'accroître la production, et donc favorise la croissance, soit en les augmentant (choc d'offre négatif), ce qui entraîne une diminution de la production et donc un ralentissement de la croissance.

■ Toutefois, la demande joue dans tous les cas un rôle essentiel. En effet, la croissance est déterminée à la fois par les conditions de l'offre et par la demande globale s'adressant au système productif. Les conditions de l'offre proviennent essentiellement des caractéristiques structurelles de l'économie, et déterminent donc la croissance potentielle. En revanche, la demande est liée aux évolutions conjoncturelles, et donc aux fluctuations et crises économiques. C'est pour cette raison que, quelle que soit la nature du choc (de demande ou d'offre), il transite nécessairement par la demande.

III. Comment faire face aux crises économiques ?

A. Les enchaînements menant à la crise

■ Les crises économiques entraînent un ralentissement de l'activité économique, voire une dépression, et par effet d'enchaînement cumulatif, une baisse des prix, une augmentation des faillites d'entreprises les moins compétitives qui alimentent le chômage. La baisse des revenus qui s'ensuit contracte les débouchés pour les entreprises et conduit à une baisse de la production et des investissements. La modalité des enchaînements peut varier en fonction du contexte économique et des facteurs qui déclenchent la crise.

B. Les conséquences des fluctuations conjoncturelles

■ La crise qui est à l'origine d'une récession s'accompagne d'un chômage plus ou moins durable et massif selon les pays et son ampleur. Depuis les années 1970, chaque période de ralentissement de l'activité économique s'accompagne d'une forte hausse du chômage. Cette hausse est de plus en plus difficile à résorber dans certains pays comme la France et le Royaume-Uni par exemple, car l'inflation, alimentée par la hausse du prix du pétrole ou des salaires, demeure forte. Si l'inflation semble maîtrisée depuis les années 1990, la désinflation, limite, depuis, l'ampleur des reprises économiques.

C. La nécessaire intervention de l'État

■ Depuis les années 1980, dans le cadre de l'UE notamment, l'objectif principal des politiques conjoncturelles est d'obtenir un ralentissement de l'inflation, alors que depuis l'après-guerre, les politiques contracycliques, d'inspiration keynésienne, étaient systématiquement mises en œuvre lors d'une récession. Devenues moins efficaces dans le cadre d'une économie ouverte, ces politiques se heurtent à des contraintes budgétaire et financière (endettement).

■ Pour faire face à la grande crise de 2008 et aux risques de déflation à l'échelle mondiale, des politiques de relance concertées ont été menées par les différents États. Cependant, avant même de produire leurs effets sur la reprise de l'activité économique, elles se heurtent à l'aggravation des déficits publics qui conduisent alors à mener des politiques d'austérité.

Fluctuations économiques
Elles correspondent aux variations que subit le taux de croissance de l'économie autour d'une tendance de long terme. Lorsque ces fluctuations présentent un caractère régulier, on parle de cycles.

Crise économique
Peut être soit le point de retournement d'un cycle (passage d'une phase d'expansion à une phase de ralentissement), soit une perturbation affectant l'évolution de la croissance de long terme.

Croissance potentielle
Croissance du potentiel de production, déterminé par les facteurs structurels de l'économie : travail et capital disponible, productivité globale des facteurs. La croissance potentielle est la croissance maximale pouvant être atteinte sans risque inflationniste. Elle détermine la croissance de long terme, tendance autour de laquelle s'observent les fluctuations conjoncturelles.

Dépression
Phase de réduction de l'activité économique se traduisant par une diminution du PIB (le taux de variation du PIB est négatif). Lorsque le taux de croissance ralentit mais reste positif, on parle plutôt de récession, même si ces deux termes ont tendance à être utilisés comme des synonymes.

Désinflation
Période de ralentissement de la hausse des prix.

Déflation
Réduction simultanée et cumulative du niveau de production, des revenus et des prix.

synthèse

Synthèse (suite)

SCHÉMA BILAN

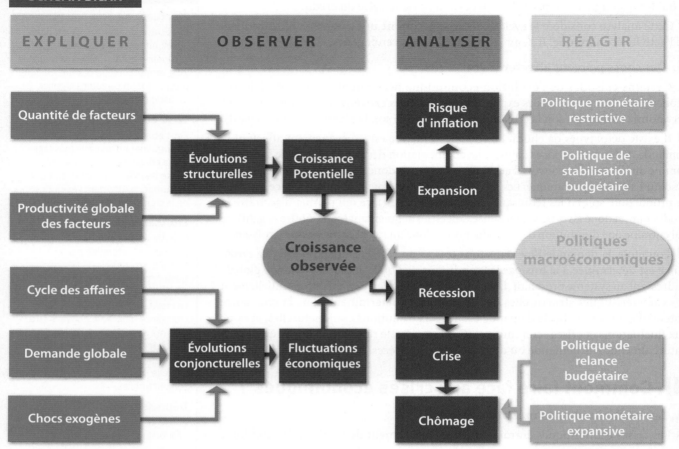

| EXPLIQUER | OBSERVER | ANALYSER | RÉAGIR |

- Quantité de facteurs
- Productivité globale des facteurs
- Évolutions structurelles
- Croissance Potentielle
- Croissance observée
- Risque d'inflation
- Expansion
- Politique monétaire restrictive
- Politique de stabilisation budgétaire
- Cycle des affaires
- Demande globale
- Chocs exogènes
- Évolutions conjoncturelles
- Fluctuations économiques
- Récession
- Crise
- Chômage
- Politiques macroéconomiques
- Politique de relance budgétaire
- Politique monétaire expansive

À la fin du chapitre, assurez-vous que :

➔ Vous êtes capable de définir la notion de fluctuation et de cycle économiques.	➔ Vous êtes capable de définir la croissance potentielle, que vous savez distinguer de la croissance observée.	➔ Vous êtes capable d'analyser les effets des chocs économiques sur la croissance.	➔ Vous êtes capable d'expliquer les conséquences des crises économiques.	➔ Vous êtes capable d'expliquer comment la politique économique peut gérer les fluctuations conjoncturelles.

POUR ALLER PLUS LOIN

Livres

- CAHIERS FRANÇAIS, « Les politiques économiques à l'épreuve de la crise », *La documentation française*, nov.-déc. 2010.
- COLLECTIF, *Les Crises du capitalisme*, Éditions Perrin, 2009.
- PAUL KRUGMAN, *Pourquoi les crises reviennent toujours ?*, Éditions du Seuil, 2009.
- OFCE, *L'économie française en 2011*, La Découverte, coll. Repères, Paris, 2010.
- OLIVIER PASTRÉ ET JEAN-MARC SYLVESTRE, *Le roman vrai de la crise financière*, Éditions Perrin, 2008.
- JEAN-CLAUDE PRAGER ET FRANÇOIS VILLEROY DE GALHAU, *18 leçons de politique économique*, Éditions du Seuil, 2006.

Sites

- www.les-crises.fr
- www.lafinancepourtous.com (dossier sur le déficit public)

Films

- *Inside job*, un film de Charles Ferguson, 2010.
- *Wall Street – L'argent ne dort jamais*, un film d'Oliver Stone, 2010.
- *Krach*, un film de Fabrice Genestal, 2009.
- *Bulles, krachs et rebonds*, un documentaire de Michel Kaptur et Élie Cohen, 2008.

autoévaluation

1 QCM

1. Une fluctuation économique :
- **a** ☐ est synonyme de cycle économique.
- **b** ☐ entraîne le ralentissement de la croissance.
- **c** ☐ correspond aux variations du taux de croissance autour de sa tendance longue.

2. Une crise économique :
- **a** ☐ est toujours déclenchée par une crise financière.
- **b** ☐ affecte l'évolution de la croissance de long terme.
- **c** ☐ est synonyme de déflation.

3. Quand on observe un ralentissement de la hausse des prix, on parle :
- **a** ☐ de déflation.
- **b** ☐ de désinflation.
- **c** ☐ d'expansion.

4. Un « écart de production négatif » signifie que :
- **a** ☐ la production a diminué.
- **b** ☐ la production effective est inférieure à la production potentielle.
- **c** ☐ la croissance potentielle ralentit.

5. Un choc exogène :
- **a** ☐ est à l'origine de la phase descendante du cycle.
- **b** ☐ perturbe l'évolution attendue de la croissance économique.
- **c** ☐ est un événement se déroulant à l'étranger et ayant un impact sur la croissance.

6. La politique de relance a pour objectif :
- **a** ☐ la lutte contre le chômage.
- **b** ☐ la lutte contre le déficit extérieur.
- **c** ☐ la lutte contre le déficit public.

2 Étudier un document

Évolution du PIB français entre 2006 et 2011

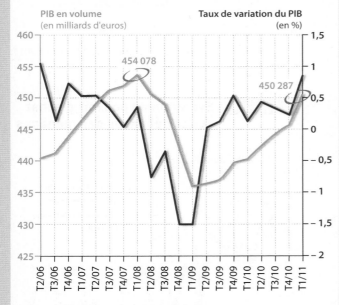

PIB en volume (en milliards d'euros) — Taux de variation du PIB (en %)

454 078 — 450 287

1. Repérez sur le graphique les périodes suivantes : la croissance ralentit ; la croissance accélère ; récession ; crise.

2. Ces quatre affirmations sont fausses. Justifiez.
- **a.** Au troisième trimestre 2008, la croissance repart.
- **b.** Au premier trimestre 2011, la France a retrouvé la situation d'avant la crise.
- **c.** Entre le quatrième trimestre 2008 et le premier trimestre 2009, il n'y a pas d'évolution.
- **d.** Au premier trimestre 2009, on constate une forte reprise.

3. Calculez l'écart (en %) entre le point haut du PIB (454,078) et la situation au premier trimestre 2011 (450,287). Que signifie ce chiffre ? Donnez une estimation de ce chiffre si la tendance d'avant la crise s'était poursuivie (on retiendra un taux de croissance trimestriel moyen de + 0,5 %).

3 Compléter le schéma avec les termes suivants :

Les agents anticipent une hausse des impôts • Échec de la relance de la production • Augmentation des revenus distribués • Hausse de la demande et relance de la production.

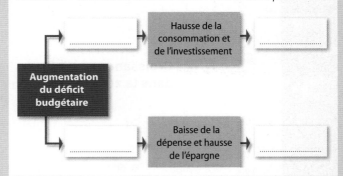

4 Retrouver les notions auxquelles correspondent les définitions suivantes :

Demande globale • Crise • Déflation • Expansion • Politique conjoncturelle

1. Diminution générale, durable et relativement forte des prix.

2. Ensemble des mesures prises par les pouvoirs publics pour agir sur les variables économiques à court terme (chômage, inflation, déficit extérieur, croissance).

3. Phase de l'évolution économique globale se caractérisant par une augmentation relativement forte du PIB en volume sur une période courte.

4. Retournement brutal du cycle économique se traduisant par un déséquilibre entre l'offre (abondante) et la demande (insuffisante) de biens et de services s'accompagnant d'une contraction de l'activité économique.

5. Somme pour l'ensemble des agents économiques des dépenses prévues en consommation, investissement et exportation.

➡ Voir les réponses p. 442.

Dissertation

SUJET Quels liens peut-on établir entre l'évolution de la demande et les fluctuations économiques ?

DOCUMENT 1 Le PIB et ses composantes

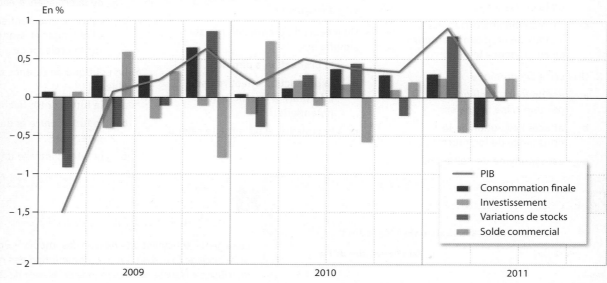

Source : Insee, Informations rapides, n° 205, 12 août 2011.

DOCUMENT 2 Croissance et crédit dans la zone euro

DOCUMENT 3 Évolution du pouvoir d'achat et des dépenses des ménages

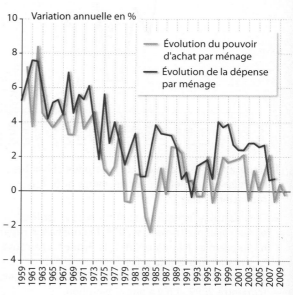

Source : Insee, comptes nationaux.

Chiffres-clés : taux de variation trimestriels ou annuels, en %

| | 2009 | | | | 2010 | | | | 2011 | | | | 2009 | 2010 | 2011 |
	T1	T2	T3	T4	T1	T2	T3	T4	T1	T2	T3	T4			
Demande mondiale adressée à la France	−8,3	−1,6	3,6	2,5	3,9	4,1	1,3	1,2	1,9	1,4	1,6	1,6	−12	11,6	6,9
France Équilibre ressources-emplois															
PIB	−1,5	0,1	0,2	0,6	0,2	0,5	0,4	0,3	1	0,2	0,5	0,5	−2,6	1,4	2,1
Importations	−6,5	−2,7	−0,3	3,5	1,8	3,4	4,1	−0,7	2,7	1	1,3	1,3	−10,6	8,3	6,9
Dépenses de consommation des ménages	−0,1	0,2	0,2	0,8	0,1	0,1	0,6	0,4	0,6	−0,4	0,3	0,4	0,1	1,3	1,2
Dépenses de consommation APU et ISBLM	0,6	0,8	0,6	0,6	0	0,2	0,3	0,1	0,3	0,2	0,2	0,2	2,4	1,2	0,9
FBCF totale	−3,5	−1,9	−1,3	−0,5	−1,2	1,1	0,9	0,5	1,1	1,1	1,1	0,9	− 8,8	−1,4	3,8
Exportations	−7,1	−0,6	1,2	0,7	4,7	3,1	2	0,3	1,4	1	1,4	1,4	−12,2	9,4	5,3

Insee, note de conjoncture, juin 2011.

POUR VOUS AIDER Corrélation, causalité

L'intitulé propose d'établir des liens entre deux variables, ici, la demande et les fluctuations économiques. Il existe deux sortes de liens : les liens de corrélations qui montrent que les deux variables évoluent en même temps, et les liens de causalité qui établissent un rapport de cause à effet entre les deux variables. Ici, la corrélation apparaît de façon évidente dans le document 1. Qu'en est-il de la causalité ? A priori, on peut penser que c'est l'évolution de la demande qui est à l'origine des fluctuations économiques. Mais la causalité inverse peut aussi être avancée : le ralentissement de la croissance pèse sur les revenus des ménages, et donc sur la demande.

Conseil : lorsqu'on vous demande d'établir des liens entre deux variables, pensez à étudier le sens de la causalité. Trois possibilités existent : A → B ; B → A ; A ↔ B

Épreuve composée (entraînement Chapitre 2)

PARTIE 1 Mobilisation des connaissances

QUESTION 1 (3 points) : Qu'est-ce qu'un choc économique ?

QUESTION 2 (3 points) : Quels sont les principaux types de politique macroéconomique permettant de faire face aux fluctuations économiques ?

PARTIE 2 Étude d'un document

QUESTION (4 points) : Vous présenterez ce document puis comparez les évolutions économiques en France et en Allemagne, en mettant en évidence les périodes significatives.

Évolution du PIB en France et en Allemagne

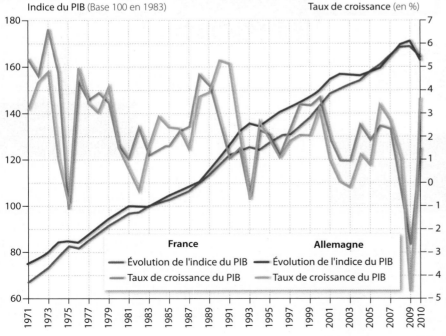

Indice du PIB (Base 100 en 1983)   Taux de croissance (en %)

	France	Allemagne
	Évolution de l'indice du PIB	Évolution de l'indice du PIB
	Taux de croissance du PIB	Taux de croissance du PIB

Source : Banque mondiale.

POUR VOUS AIDER Les graphiques en indice

Les évolutions des PIB de la France et de l'Allemagne sont en indice. Ici, la base 100 n'est pas en début de période, mais en 1983. L'indice du PIB français se situant en 1971 à un niveau inférieur à celui de l'Allemagne, on peut en déduire qu'entre 1971 et 1983, la croissance française (multipliée par 100 / 68 = 1,47) a été plus forte que la croissance allemande (multipliée par 100 / 75 = 1,33).

Conseil : les graphiques en indice permettent de comparer des évolutions. Pensez à bien repérer la date de référence (là où l'on trouve la base 100), et n'hésitez pas à faire un calcul simple pour confirmer votre interprétation de la courbe.

PARTIE 3 Raisonnement s'appuyant sur un dossier documentaire

SUJET (10 POINTS) : Quels effets une politique de relance peut-elle avoir sur le chômage ?

DOCUMENT 1 Les indicateurs conjoncturels de l'économie française

	2007	2008	2009	2010	2011
Croissance du PIB (%)	2,3	0,1	− 2,5	1,7	1,6
Taux de chômage (%)	8	7,4	9,1	9,4	9,6
Taux d'inflation (%)	1,5	2,8	0,1	1,5	1
Solde extérieur (% du PIB)	− 0,9	− 0,3	− 0,2	0,1	− 0,4
Dette publique[1] (% du PIB)	63,9	67,5	78,1	82,7	87,3
Solde public (% du PIB)	− 2,7	− 3,4	− 7,5	− 7,7	− 6,4

1. Dette publique : dette de l'ensemble des administrations publiques.

Source : Insee, OFCE pour 2010 2011.

DOCUMENT 2 Les effets attendus d'une relance budgétaire

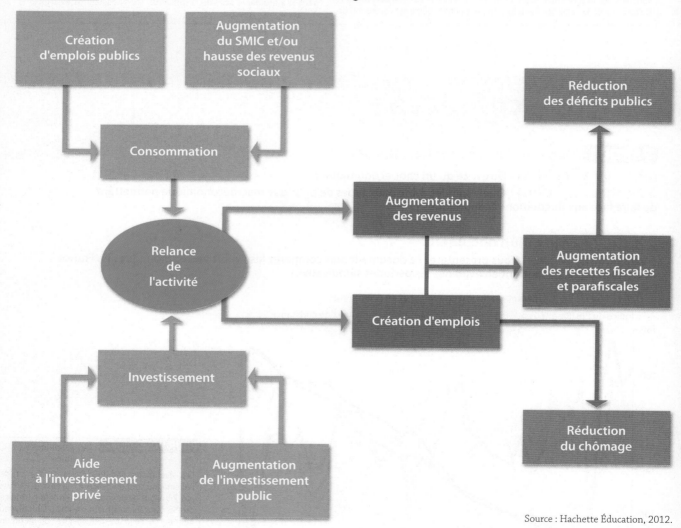

Source : Hachette Éducation, 2012.

Accompagnement
personnalisé

Comment apprendre mon cours

1. Faire des fiches pour mieux mémoriser

Faire des fiches n'est pas une perte de temps. Grâce à elles, vous allez vous approprier le cours et mieux le comprendre. Les élèves qui font des fiches affirment avoir appris le cours sans s'en rendre compte.

Comprendre et intérioriser (apprendre et retenir), c'est un véritable atout pour préparer sereinement le Bac.

Quelques principes

N'attendez pas ! Réalisez la fiche dès qu'un chapitre est terminé.

Complétez-la au fil de l'année : intégrez de nouveaux chiffres clés, des exemples, des petites phrases, autant d'éléments qui vous seront précieux dans le cadre d'une dissertation.

Choisissez le support qui vous convient : copie double, fiches cartonnées... L'important est que les fiches soient facilement accessibles et lisibles.

Adoptez un modèle permanent : Choisissez, par exemple, une couleur pour les définitions, une autre pour les mécanismes...

2. Mieux se connaître pour mieux travailler

Se connaître permet de perdre moins de temps pour apprendre et comprendre le cours.

Par exemple, au cours de sa scolarité, chacun privilégie un profil mental « **auditif** » ou un profil mental « **visuel** ». Vous progresserez davantage si vous adaptez les méthodes à vos propres besoins.

Auditif ou visuel ?

1. Pour retrouver une explication :
a. je repense à ce que le professeur a dit.
b. je revois son explication écrite au tableau.

2. Pour apprendre :
a. le bruit est un handicap.
b. le bruit ne me pose pas de problème.

3. Vous avez égaré un objet. Pour le retrouver :
a. vous énumérez les actions successives que vous venez de faire.
b. vous vous revoyez, en pensée, en train de faire successivement un certain nombre d'actions.

4. Pour un calcul simple :
a. je le fais facilement de tête.
b. je l'écris.

Plus de « a » : vous êtes plutôt auditif.
Plus de « b » : vous êtes plutôt visuel.

3. Comment faire une fiche de révision

Votre fiche doit comporter les points essentiels sur lesquels votre professeur a insisté. Il est par exemple indispensable que toutes les notions essentielles du chapitre apparaissent (voir programme dans le manuel), y compris les mots clés de la question posée.

Il ne suffit pas de les lister comme dans l'exercice proposé ! Il faut leur donner du sens :

• si vous êtes **auditif**, copiez intégralement la définition (pas forcément celle que votre professeur vous a éventuellement donné, mais celle qui fait sens pour vous !).

• si vous êtes **visuel**, recensez les caractéristiques essentielles et n'hésitez pas à les présenter sous forme de schéma simple.

ACTIVITÉ **À vous de jouer !**

Étape 1 : S'exercer

Voici un modèle de fiche possible. Exercez-vous à le compléter pour le deuxième chapitre, en utilisant votre modèle.

Fiche de révision 2 → Chapitre 2 : Pourquoi la croissance est-elle instable ?	
Les questions essentielles du chapitre :	Notions clés :
Mécanismes à connaître :	Chiffres clés :
Outils :	Auteurs :
Citations :	

Étape 2 : Intérioriser

Trouvez la meilleure façon d'intérioriser les notions.

Par ex : « **Fluctuations économiques** » **pour les auditifs**
Je note une définition formulée mais simple à retenir : « Variations du taux de croissance de l'économie autour d'une tendance de long terme, appelée *trend*. »

« Fluctuations économiques » pour les visuels
J'identifie les caractéristiques essentielles de la définition et/ou la présente sous forme de schéma :

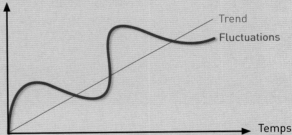

Taux de croissance du PIB

Trend
Fluctuations

Temps

Étape 3 : Tester

Pour savoir si votre fiche est un bon outil, répartissez-vous par groupe de quatre, en fonction de votre profil (auditif ou visuel).

1. Chacun lit la fiche d'un autre membre du groupe.
2. Le groupe discute des points positifs et négatifs de chaque fiche.
3. Sur la base de cette discussion, le groupe élabore une fiche commune.
4. On partage le tableau en trois ou quatre (selon le nombre de groupes) ; le professeur choisit une notion ou un mécanisme, et chaque groupe reproduit sur le tableau la partie de la fiche concernant cette notion.
5. Avec l'aide du professeur, on repère les meilleures façons de procéder.

Rappelons qu'il est difficile de réviser sur la fiche d'un autre. Rien n'est plus important que le travail que vous aurez vous-même fourni.

MONDIALISATION, FINANCE INTERNATIONALE ET INTÉGRATION EUROPÉENNE

SCIENCE ÉCONOMIQUE

Que va-t-on étudier ?

Depuis la fin de la Seconde Guerre mondiale, les échanges internationaux se développent et les économies nationales sont de plus en plus interdépendantes. La mondialisation est devenue une réalité incontournable, tant pour les citoyens que pour les entreprises ou les gouvernements. L'objet de ce deuxième thème est d'analyser ce phénomène : comment peut-on expliquer l'internationalisation de la production (chapitre 3) ? Comment s'opère le financement des échanges internationaux (chapitre 4) ? Quelle place pour l'Union européenne dans cette économie mondialisée (chapitre 5) ?

 Ce que vous savez déjà

Pour traiter ces questions, nous allons faire appel à vos connaissances de 1re.
Comment un marché fonctionne-t-il et sous quelles conditions est-il efficace ? Quel rôle la monnaie joue-t-elle dans l'échange ? Quels sont les principaux moyens d'intervention des autorités économiques et monétaires ?

Avant d'entrer dans cette partie, rappelez-vous les notions suivantes :

Chapitre 3	Chapitre 4	Chapitre 5
• Gains à l'échange	• Offre	• Banque centrale
• Spécialisation	• Demande	• Politique budgétaire
• Échange marchand	• Banque centrale	• Politique monétaire
	• Fonctions de la monnaie	
	• Taux d'intérêt	

Pour vous aider, voici quelques activités.

RÉVISER LES ACQUIS DE 1RE

➔ Réponses p. 446-44

1 Échange marchand ou non marchand ?

On distingue traditionnellement l'échange marchand et non marchand. Dans l'échange marchand, l'objet échangé est une marchandise dont le prix de vente est supérieur aux coûts de production pour l'entreprise qui l'a crée. L'objectif ici est de réaliser un profit.

Dans l'échange non marchand, il n'y a pas de prix. Et s'il y en a, il est inférieur au coût de production du service car l'objectif n'est pas, ici, la réalisation d'un profit. Ce sont essentiellement les administrations publiques qui produisent ces services.

Reliez les points

Une nouvelle carte d'identité retirée à la mairie •

Un repas offert par les Restos du cœur •

Un repas au restaurant •   • Service non marchand

Un pull acheté dans une boutique •   • Service marchand

Une opération chirurgicale à l'hôpital •   • Bien non marchand

Des pommes récoltées dans votre verger •   • Bien marchand

Un forfait de téléphonie mobile •

Un vélo •

Un cours de SES au lycée •

2 Dix ans après l'entrée de la Chine dans l'OMC

1. **CONSTATER.** Quels types de produits la Chine exporte-t-elle ?

2. **ILLUSTRER.** Avec qui la Chine échange-t-elle ?

3. **EXPLIQUER.** Qu'est-ce que l'OMC ? À quoi sert-elle ?

4. **EXPLIQUER.** L'ouverture de la Chine au commerce international a-t-elle eu une influence sur le régime politique en place ?

Chappatte, *Le Temps* (Genève), 4 décembre 2011.

3 Les gains à l'échange

Le pays A abandonne les productions dans lesquelles il ne possède pas d'avantage (ne sait pas faire, pas le climat approprié, pas de matières premières, pas de main-d'œuvre formée...) et se spécialise dans la production de ce qu'il sait le mieux faire.

Le pays B abandonne les productions dans lesquelles il ne possède pas d'avantage (ne sait pas faire, pas le climat approprié, pas de matières premières, pas de main-d'œuvre formée...) et se spécialise dans la production de ce qu'il sait le mieux faire.

Le pays C abandonne les productions dans lesquelles il ne possède pas d'avantage (ne sait pas faire, pas le climat approprié, pas de matières premières, pas de main-d'œuvre formée...) et se spécialise dans la production de ce qu'il sait le mieux faire.

A, B et C deviennent très efficaces car :
– ne produisant qu'un seul bien, chacun devient plus habile et productif (= effet d'apprentissage) ;
– chacun va alors pouvoir réaliser des économies d'échelle, ce qui va permettre une baisse des prix ;
– des progrès technologiques accompagneront cette spécialisation, ce qui augmentera encore l'efficacité.

A, B et C échangent entre eux.
Chacun étant plus efficace, il peut échanger plus de biens et services avec les autres pays.

Gains à l'échange

1. **EXPLIQUER.** Quel est l'intérêt pour les pays A, B et C d'abandonner certaines productions ?

2. **ILLUSTRER.** À l'aide du document 2, caractérisez la spécialisation de la Chine.

3. **EXPLIQUER.** Quels sont les effets bénéfiques de la spécialisation des pays ?

4 Les fonctions de la monnaie : l'exemple du chiemgauer

Le chiemgauer est une monnaie papier, adossée à l'euro. Les billets sont émis par l'association qui gère la monnaie. Ils sont vendus à 97 € pour 100 chiemgauer (CH) à des associations sportives ou sociales de la ville. À leur tour, ces associations vendent aux consommateurs ces billets, à 100 € pour 100 CH. C'est donc pour les citoyens un acte militant : ils savent qu'en utilisant le chiemgauer plutôt que l'euro, non seulement ils favorisent l'économie locale, mais en plus ils financent les associations de leur territoire.

Nos citoyens-consommacteurs vont donc acheter dans les commerces locaux ce dont ils ont besoin. Les commerçants ont le choix entre continuer la chaîne en utilisant ces chiemgauers pour consommer eux-mêmes localement, ou bien les changer en euros, avec une pénalité de 5 % – un billet de 100 CH étant changé contre 95 €. Les 2 € de marge servent à financer le fonctionnement de l'association Chiemgauer. Et les commerçants payent ainsi 5 % le service rendu par la monnaie locale, à savoir rediriger la consommation vers leur boutique plutôt que vers les supermarchés. [...] Le chiemgauer est une monnaie fondante, qui perd 2 % de sa valeur faciale chaque trimestre. Résultat : un chiemgauer circule en moyenne 20 fois dans l'année, contre 3,5 fois pour un euro. 6 fois plus de transactions en monnaie locale... bel exemple de vélocité de la monnaie !

1001monnaies.com.

1. **ILLUSTRER.** Quelles sont les fonctions de la monnaie remplies par le chiemgauer ? Quelle est celle qui l'est imparfaitement ?

2. **DÉFINIR.** L'association qui gère cette monnaie locale peut-elle être assimilée à une banque centrale ? (Rappelez les fonctions d'une banque centrale.)

4. **EXPLIQUER.** De quoi dépend l'offre de chiemgauer ? la demande ?

5. **EXPLIQUER.** Pourquoi la vitesse de circulation de cette monnaie est-elle augmentée ? Quelle en est la conséquence ?

6. **ILLUSTRER.** Quelles sont les fonctions sociales de cette monnaie locale ?

Comment expliquer l'internationalisation de l'économie ?

Les échanges internationaux sont anciens, mais leur forte expansion depuis 1950 retient l'attention. Les économies se sont largement ouvertes et les flux de marchandises, de services et de capitaux ont fortement progressé. La division internationale du travail s'est profondément transformée, révélant ainsi le rôle central de nouveaux pays dans les échanges internationaux.

⤷ Quels sont les déterminants des échanges et des spécialisations ?

Le libre-échange, en tant que doctrine, apparaît à la fin du XVIIIe siècle. Il préconise la liberté de commerce entre les nations. Le commerce international est le résultat de la division du travail entre les pays. Aujourd'hui, l'échange international apparaît nécessaire, dans la mesure où aucun pays ne peut, à lui seul, produire l'ensemble des biens et services dont il a besoin. Toutefois, le libre-échange est rare à l'« état pur ». Les barrières protectionnistes ont toujours existé. La libéralisation réelle des économies pousse alors à s'interroger sur les effets du libre-échange.

⤷ Le libre-échange est-il toujours justifié ?

L'accélération des échanges internationaux ne doit pas faire oublier les transformations profondes subies par les économies et les marchés. C'est l'ensemble de la production qui est désormais internationalisée. Les firmes multinationales ont d'ailleurs joué un rôle de premier ordre, en localisant une grande partie de leurs activités à l'étranger, pour profiter de divers avantages, et en décomposant les processus de production.

⤷ Quel est le rôle joué par les FMN dans l'internationalisation de la production ?

SOMMAIRE

■	Réviser les acquis de 1re	64
I	Pourquoi les échanges internationaux se sont-ils développés ?	68
A	Échange et spécialisation : deux phénomènes interdépendants	68
B	La libéralisation des échanges favorise leur essor	70
C	Les déterminants de la spécialisation	72
II	L'échange international est-il toujours avantageux ?	74
A	Les avantages et inconvénients des échanges internationaux	74
B	Les tentations protectionnistes	76
III	Pourquoi la production de biens et de services s'est-elle internationalisée ?	78
A	Une production de plus en plus mondialisée	78
B	Le rôle des firmes multinationales dans l'internationalisation de la production	80
C	Les effets de l'internationalisation des firmes	84
TD	1. Les échanges extérieurs de la France et de l'Allemagne	86
TD	2. La stratégie d'une FMN : Zara	87
	Synthèse	88
	Schéma Bilan	90
	Autoévaluation	91
	Vers le Bac	92
	Aide au travail personnel	95

Notions au programme

- Avantage comparatif
- Dotation factorielle
- Libre-échange
- Protectionnisme
- Commerce intrafirme
- Compétitivité-prix/hors-prix
- Délocalisation
- Externalisation
- Firmes multinationales (FMN)

Acquis de 1re

- Gains à l'échange
- Spécialisation
- Échange marchand

Exportations mondiales, en % du PIB mondial

Source : FMI.

2 « Le football, qui a conquis le monde d'autant plus sûrement qu'il l'a fait de façon pacifique, est devenu le stade ultime de la mondialisation. Il est plus largement répandu que l'économie de marché, Internet ou la démocratie. Ses joueurs les plus doués sont les icônes incontestées du village global. »

Pascal Boniface,
« Football et mondialisation »,
Réalités (hebdomadaire tunisien),
19 novembre 2009.

Dessin de Langer, 20 juin 2006,
paru dans *Courrier international*.

L'homme de gauche, à l'arrière-plan : « Il est né à Hong Kong d'un père nigérian et d'une mère suédoise. Il joue en Italie avec un passeport communautaire et participe au Mondial avec les États-Unis, car il habite à Porto Rico. »
Celui de droite : « C'est un vrai joueur mondialisé. »

Inauguration du 1 000ᵉ hypermarché Carrefour dans le monde.
District de Tongzhou (Chine), 2006.

1. Quelle évolution les exportations mondiales ont-elles connue depuis 1980 ? (Doc. 1)

2. Pourquoi peut-on dire que le football est devenu aujourd'hui un sport mondialisé ? (Doc. 2)

3. À quel moment une entreprise devient-elle une firme multinationale ? (Doc. 3)

I. Pourquoi les échanges internationaux se sont-ils développés ?

A Échange et spécialisation : deux phénomènes interdépendants

1. L'accroissement des échanges mondiaux

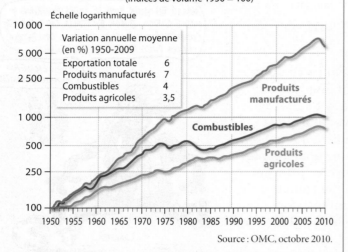

Volume du commerce mondial des marchandises
par grands groupes de produits, 1950-2009
(indices de volume 1950 = 100)

Source : OMC, octobre 2010.

1. **CONSTATER.** Faites une phrase avec la variation des exportations totales.

2. **CALCULER.** Calculez la hausse du volume des marchandises échangées entre 1950 et 2009 pour chaque groupe de produits, et faites une phrase. (Voir Fiche Outil 7, p. 435-436)

3. **EXPLIQUER.** Comment expliquer une telle augmentation des échanges, en particulier de produits manufacturés ?

2. L'évolution des échanges de biens et services

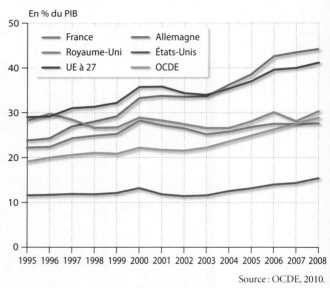

Source : OCDE, 2010.

1. **CONSTATER.** Faites une phrase pour l'Europe à 27 en 2008.

2. **CALCULER.** Calculez le taux de variation des échanges de biens et services de l'Allemagne entre 1995 et 2008.

3. **EXPLIQUER.** Pourquoi les échanges de biens et services pèsent-ils relativement moins aux États-Unis qu'en Allemagne ?

4. **RÉCAPITULER.** Comment les échanges de biens et services, dans les pays de l'OCDE, ont-ils évolué ces vingt dernières années ?

3. Des échanges de services plus nombreux ?

Les services ont longtemps été considérés comme des activités peu ou pas échangeables. Par conséquent, les échanges de services ont été moins étudiés que les échanges industriels. Toutefois, deux éléments importants suggèrent que le commerce de services possède un potentiel de développement non négligeable. Tout d'abord, un simple constat : les échanges de services représentent environ 20 % des échanges internationaux, alors que les services totalisent entre 60 % et 80 % du produit intérieur brut (PIB) des pays développés. La marge de progression semble donc importante. De plus, sur la période récente, plusieurs barrières techniques ou institutionnelles ont été levées, ce dont les échanges de services devraient pouvoir tirer parti. L'essor des nouvelles technologies de l'information et de la communication (NTIC), la suppression de barrières réglementaires à l'échange, dans les domaines financier et bancaire par exemple, ont notamment concouru à la baisse des coûts de transaction sur les services. Cette diminution des obstacles au commerce international a certainement stimulé les échanges effectifs de services, et permis le commerce international d'activités de services qui n'étaient pas échangées auparavant. [...] La diminution des coûts de diffusion de l'information devrait également stimuler l'agglomération des activités. Les technologies de l'information et de la communication (satellitaires et téléphoniques) ont en effet permis une diffusion de l'information très rapide et très peu coûteuse favorisant ainsi l'internationalisation des services et la possibilité de localiser la production dans des lieux permettant de minimiser les coûts. Le développement de l'usage d'Internet a permis d'augmenter le volume des échanges internationaux dans les activités de services.

Muriel Barlet, Laure Crusson,
Sébastien Dupuch et Florence Puech,
« Des services échangés aux services échangeables :
une application sur données françaises »,
Économie et statistique, n° 435-436, 2010.

1. **CONSTATER.** Quel est le paradoxe mis en évidence dans la première partie du texte ?

2. **CONSTATER.** Comment les échanges de services devraient-ils évoluer ?

3. **ILLUSTRER.** Donnez des exemples illustrant la phrase soulignée.

4. Des différences à l'origine des échanges entre pays

Pourquoi les pays, et à travers eux les entreprises, échangent-ils ? A priori, pour les mêmes raisons que les groupes sociaux ou les individus : l'intérêt à échanger. L'échange naît alors des différences entre les partenaires. Elles portent, selon les théories du commerce international, sur cinq attributs : le savoir-faire (technologie), les quantités de facteurs de production disponibles à un moment donné (main-d'œuvre, machines, richesse de la terre et du sous-sol), les structures de marché, la taille des marchés et enfin les goûts des consommateurs.

Les pays échangent surtout des biens et services, parce que ceux-ci sont plus mobiles internationalement que les facteurs de production. Ainsi, dans le monde actuel, les flux de marchandises et de services représentent environ 28 % de la production mondiale, alors que ceux des investissements directs internationaux ne représentent que 8 % des investissements effectués dans le monde. Malgré la mondialisation, ce sont encore les produits qui s'échangent le plus facilement entre les pays.

Jean-Louis Mucchielli, *in* « Mondialisation et commerce international », *Cahiers français*, n° 341, novembre-décembre 2007.

1. ILLUSTRER. Les explications du commerce international résident dans la possession d'attributs spécifiques pour les pays. Illustrez ces cinq avantages à l'aide d'exemples précis.

2. CONSTATER. Qu'est-ce qui domine aujourd'hui dans les échanges internationaux ?

3. EXPLIQUER. Pourquoi « ce sont encore les produits qui s'échangent le plus facilement » aujourd'hui ?

5. Les liens entre échanges et spécialisation

PAYS A spécialisé dans la production d'ordinateurs

échanges

PAYS B spécialisé dans la production d'automobiles

PAYS C spécialisé dans la production de produits tropicaux

- Main-d'œuvre nombreuse et peu qualifiée
- Unités d'assemblage de produits simples
- Coût du travail faible

- Climat tropical
- Main-d'œuvre nombreuse et peu qualifiée
- Secteur primaire développé

- Main-d'œuvre qualifiée
- Secteur industriel développé
- Existence de pôles de R&D, d'universités

1. CONSTATER. Caractérisez la spécialisation de chaque pays.

2. EXPLIQUER. Pourquoi le pays A a-t-il intérêt à se spécialiser dans la production d'ordinateurs ? Quel autre type de biens pourrait-il fabriquer ?

3. ILLUSTRER. Donnez un exemple de pays pour chacun des cas présentés.

4. RÉCAPITULER. Pourquoi les pays ont-ils intérêt à se spécialiser et à échanger ensuite ?

6. La diversification croissante des échanges

L'intégration croissante des économies s'accompagne d'un mouvement puissant de diversification des échanges. Dans des économies fortement imbriquées comme les économies européennes, on avait assisté depuis les années 1950 à l'essor du commerce intrabranche, c'est-à-dire un commerce de biens similaires, qui s'expliquait par l'attrait pour une variété croissante de produits, du côté des consommateurs, et par la recherche de position monopolistique, du côté des producteurs (explication en termes d'économie d'échelle sur des produits différenciés). Actuellement, ce sont les pays émergents et les pays d'Europe cen-

trale et orientale (Peco) qui sont engagés dans un processus de diversification de leur production et de leur commerce. Au début des années 1960, les exportations des pays en développement étaient composées à 90 % de produits agricoles et de matières premières. Aujourd'hui, ces produits représentent moins de 40 % de leurs exportations. Les biens manufacturés ont pris une place dominante, et pas seulement le textile, mais de plus en plus des semi-conducteurs, des équipements de télécommunication, des ordinateurs. La diversification de la production des pays émergents et des Peco pose un problème d'adaptation aux économies

à maturité, qui doivent se repositionner sur les produits nouveaux.

Pascal Le Merrer, « Crise de la mondialisation ou simple phase de turbulences ? », *Cahiers français*, n° 347, novembre-décembre 2008.

1. DÉFINIR. Que sont les échanges intrabranches ?

2. EXPLIQUER. Comment les pays étaient-ils spécialisés dans l'ancienne division internationale du travail ?

3. EXPLIQUER. Pourquoi assiste-t-on à un processus de diversification de la production et des échanges ?

4. EXPLIQUER. Quels sont les avantages et les inconvénients de cette diversification de la production et des échanges ?

ENTRAÎNEMENT

QUESTION DE COURS. Qu'est-ce que la spécialisation des pays ?

SYNTHÈSE. À partir des documents 1, 2, 3 et 6, expliquez comment les échanges ont évolué depuis les années 1950.

documents

B La libéralisation des échanges favorise leur essor

1. La libéralisation des échanges, un phénomène ancien qui s'est accéléré

Le développement des échanges internationaux est un phénomène ancien, qui se manifeste naturellement dès lors que les économies nationales cessent de se replier sur elles-mêmes, à l'abri de mesures protectionnistes. Après une phase de contraction, à la suite de la crise des années 1930 puis de la Seconde Guerre mondiale, une ouverture graduelle des frontières fut décidée en 1944 par les accords de Bretton Woods. Un système monétaire ordonné fut alors mis en place sous l'égide du Fonds monétaire international (FMI) ; l'abaissement concerté des barrières douanières fut simultanément organisé par des cycles successifs de négociations commerciales multilatérales, menées sous l'égide du GATT[1] ; enfin les flux de capitaux furent libéralisés petit à petit.

Les événements survenus en 1973 parurent interrompre, temporairement, la phase de croissance harmonieuse correspondant aux Trente Glorieuses célébrées par Jean Fourastié. Or, ni l'écroulement du système monétaire des parités fixes, ni le premier choc pétrolier, n'ont interrompu la croissance des échanges internationaux. Après une période de transition, l'économie mondiale s'engagea au contraire, à partir des années 1980, dans un renforcement de l'internationalisation, que l'on qualifie habituellement de mondialisation. La mondialisation est devenue le phénomène dominant de l'économie.

1. Accord général sur les tarifs douaniers et le commerce (General Agreement on Tariffs and Trade), voir REPÈRE, p. 70.

Gérard Lafay, « Trente ans de mondialisation de l'économie », *Cahiers français*, n° 357, juillet-août 2010.

1. ILLUSTRER. Donnez des exemples de mesures protectionnistes.

2. EXPLIQUER. Qu'est-ce qui a permis le développement des échanges internationaux après la Seconde Guerre mondiale ?

3. CONSTATER. Quelles sont les deux étapes de la mondialisation décrites dans le texte ?

2. Les principes fondateurs du système commercial international

Contrairement à une idée reçue, le système commercial international n'est pas libre-échangiste. Il fut à l'origine conçu, après la Seconde Guerre mondiale, pour ouvrir les marchés, mais de manière ordonnée et en conciliant libéralisme et progrès économique et social. À cette fin, le système commercial présentait deux particularités : d'une part, l'égalité de traitement [des nations] et son corollaire, la réciprocité diffuse entre les nations ; et d'autre part, la négociation et son corollaire, le multilatéralisme. Deux règles de conduite qui ne font sens que si l'on prend aussi en considération le fait que le commerce devait, conformément à l'internationalisme libéral, être ouvert, et ce faisant, contribuer à la paix et à la prospérité générales.

Depuis la signature des accords du « General Agreement on Tariffs and Trade » (GATT) en 1947, le système commercial a bien entendu évolué,

mais ses principes fondateurs sont demeurés inchangés, et si la liberté commerciale est devenue la règle et la protection l'exception, le système reste malgré tout centré sur les États et porte toujours l'empreinte de l'internationalisme libéral. Au fur et à mesure de l'avancée de la globalisation, ces principes ont été remis en cause. La réciprocité est en effet de moins en moins adaptée aux réalités de cette globalisation. [...]

[Pour] le père du système commercial actuel[1], [...] il ne pouvait y avoir de paix durable sans prospérité économique, ni de prospérité sans liberté de commercer. C'est l'esprit même de l'internationalisme libéral, une doctrine qui tente de concilier,

En 1995, l'OMC a succédé au GATT (voir Repère p. 71).

d'un côté, la liberté économique avec la démocratie et, de l'autre, la coopération internationale avec la souveraineté des nations.

1. Cordell Hull, secrétaire d'État américain, sous la présidence de Roosevelt. Il reçut le prix Nobel de la paix en 1945 et est considéré comme le « père fondateur » des Nations unies.

Christian Deblock, « OMC : le déclin irréversible de la réciprocité et du multilatéralisme », *L'économie politique*, n° 45, janvier 2010.

1. EXPLIQUER. Pourquoi ne pouvait-il y avoir de « paix durable sans prospérité économique, ni de prospérité sans liberté de commercer » ?

2. CONSTATER. Quels sont les deux principes caractérisant, à son origine, ce système commercial ?

3. EXPLIQUER. Que signifie la phrase soulignée ?

4. RÉCAPITULER. Quels sont les fondements du système commercial mis en place à partir de 1945 ?

> **DÉFINITION** La mondialisation
>
> Au sens économique, la mondialisation est définie comme une internationalisation des échanges et des systèmes de production, ayant pour effet une interpénétration et une interdépendance croissantes des économies. La phase actuelle de mondialisation se caractérise par une ouverture croissante des marchés des biens et des services, du système financier, des entreprises, et par un accroissement de la concurrence. Mais la mondialisation est un phénomène multidimensionnel qui touche non seulement la sphère économique, mais aussi les sphères sociale, culturelle, politique...

3. Les droits de douane sur les produits industriels depuis 1940[1]

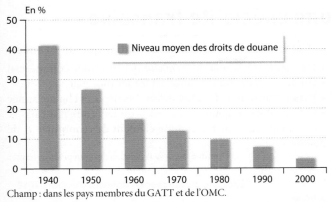

Champ : dans les pays membres du GATT et de l'OMC.

1. Depuis 2000, les négociations sur les droits de douane sont toujours en cours.

Mehdi Abbas, « Du GATT à l'OMC », *Cahiers français*, n° 341, novembre-décembre 2007. Chiffres OMC.

> **REPÈRE** GATT et OMC
>
> Les accords du GATT (1947-1995) consistaient en des négociations multilatérales entre les pays membres, dans le but de supprimer les barrières tarifaires et ainsi favoriser les échanges internationaux. Le GATT a été remplacé par l'OMC (Organisation mondiale du commerce) en 1995. Favorable au développement du libre-échange (libre circulation des marchandises entre les pays par la suppression des obstacles aux échanges), l'organisation internationale a pour fonction principale de surveiller et réguler le système commercial. Contrairement au GATT, l'OMC peut condamner les États ne respectant pas ses règles.

1. DÉFINIR. À quel type de barrière les droits de douane correspondent-ils ?

2. CONSTATER. Comment les droits de douane sur les produits industriels ont-ils évolué depuis soixante ans ?

3. EXPLIQUER. En quoi cette évolution favorise-t-elle le développement du libre-échange ?

4. EXPLIQUER. Quel est, aujourd'hui, le rôle de l'OMC ?

4. Les principes de l'OMC

L'un des moyens les plus évidents d'encourager les échanges est de réduire les obstacles au commerce, par exemple les droits de douane (ou tarifs) et les mesures telles que les interdictions à l'importation ou les contingents, qui consistent à appliquer sélectivement des restrictions quantitatives. Périodiquement, d'autres problèmes comme les lourdeurs administratives et les politiques de change ont aussi été examinés.

Il y a eu depuis la création du GATT, en 1947-1948, huit séries de négociations commerciales. Dans un premier temps, ces négociations étaient axées sur l'abaissement des taux de droits applicables aux marchandises importées. Elles ont permis de réduire progressivement les taux des droits perçus par les pays industrialisés sur les produits industriels, qui ont été ramenés vers le milieu des années 1990 à moins de 4 %. Dans les années 1980 cependant, le champ des négociations a été élargi pour comprendre les obstacles non tarifaires au commerce des marchandises et des domaines nouveaux comme les services et la propriété intellectuelle. L'ouverture des marchés peut apporter des avantages mais elle exige aussi des ajustements. Les accords de l'OMC autorisent les pays à introduire pas à pas les changements, par une « libéralisation progressive ». Les pays en développement disposent généralement d'un délai plus long pour s'acquitter de leurs obligations.

wto.org (site de l'OMC).

1. CONSTATER. Contre quelles formes de protection le GATT s'est-il battu dès sa création ?

2. ILLUSTRER. Donnez des exemples d'« obstacles non tarifaires au commerce des marchandises ».

3. EXPLIQUER. Pourquoi a-t-il fallu élargir le champ des négociations entre les pays ?

4. EXPLIQUER. Pourquoi les règles de l'OMC sont-elles différentes pour les pays en développement ?

5. L'évolution du taux d'ouverture de quelques économies

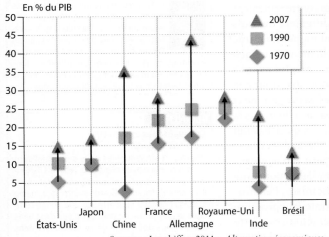

Source : « Les chiffres 2011 », *Alternatives économiques*, hors-série n° 86, octobre 2010. Chiffres Banque mondiale.

> **DÉFINITION** Le taux d'ouverture
>
> Ce taux permet d'évaluer l'ouverture d'un pays sur l'extérieur en matière économique. L'ouverture dépend de la taille du pays, de sa spécialisation, de son appartenance ou non à une zone régionale intégrée. Il est nécessaire de prendre en compte les exportations et les importations du pays concerné. Il se calcule de la façon suivante :
>
> **[(Exportations + Importations) / 2] / PIB × 100.**
>
> Il arrive que le taux d'ouverture soit assimilé au taux d'exportation, que l'on calcule de la façon suivante :
>
> **(Exportations / PIB) × 100.**

1. CONSTATER. Faites une phrase pour expliquer les données de la France.

2. CONSTATER. Quels sont les pays les plus ouverts aujourd'hui ?

3. CONSTATER. Quels sont les pays qui ont le plus ouvert leurs économies depuis 1970 ?

4. EXPLIQUER. Comment peut-on analyser la situation de la Chine et de l'Inde ?

ENTRAÎNEMENT

QUESTION DE COURS. Qu'entend-on par mesures protectionnistes ?

SYNTHÈSE. À partir des documents 1 à 4, montrez comment les organisations internationales ont œuvré pour libéraliser les échanges.

C Les déterminants de la spécialisation

1. Les parfums et cosmétiques, une spécialité française

a. Exportations et importations de parfums en France

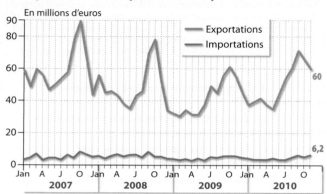

En millions d'euros

— Exportations
— Importations

60

6,2

Jan A J O Jan A J O Jan A J O Jan A J O
2007 **2008** **2009** **2010**

Source : Insee, Enquête mensuelle de branche dans l'industrie,
décembre 2010. Chiffres des Douanes.

b. Carte d'identité : industrie cosmétique en France

- 4e secteur de l'économie française par son solde commercial
- Un des secteurs où la France est leader mondial
- 3e industrie pour le nombre de brevets déposés chaque année
- 80 % de PME, implantées sur 80 % du territoire français
- Le « made in France » comme élément de renommée et de qualité

D'après le site de la Fédération des entreprises de beauté.

1. CONSTATER. Faites une phrase avec les données d'octobre 2010. (Doc. a)

2. CONSTATER. Pourquoi peut-on dire que les parfums et les cosmétiques correspondent à une spécialisation française ? (Doc. a et b)

3. EXPLIQUER. Quels sont les atouts qui permettent à la France d'être leader mondial dans ce secteur ? (Doc. b)

2. Balance commerciale[1] par groupe de biens, en 2009

En milliards d'euros courants CAF-FAB	Exportations	Importations	Solde
Agriculture, sylviculture, pêche	11,5	9,9	1,6
Industries agricoles et alimentaires	34	29,8	4,2
Industries de biens de consommation	61,3	72,5	– 11,2
Industrie automobile	33,9	39,2	– 5,3
Industries de biens d'équipement	88,7	82,3	6,4
Industries de biens intermédiaires	97,6	107,4	– 9,8
Énergie	16,1	56,7	– 40,6
Total	343,1	397,7	– 54,6

1. Voir Lexique.

Source : Insee, Comptes nationaux annuels, base 2000. Champ : France.

1. CONSTATER. Faites une phrase avec les données entourées.

2. EXPLIQUER. Peut-on dire que la France est spécialisée dans les industries de biens intermédiaires ?

3. EXPLIQUER. Dans quels domaines la France est-elle fortement importatrice ?

4. RÉCAPITULER. Quelle est la situation de la balance commerciale française en 2009 ?

3. Les avantages comparatifs permettent de se spécialiser

La production de vêtements, même de faible qualité, nécessite un atelier et du personnel. Il faut également recourir aux services de designers, de logisticiens, de comptables et de commerciaux. Ces travailleurs, tout comme le capital investi dans le secteur textile, pourraient être mobilisés dans la fabrication d'autres produits. [...]
Supposons que l'Union européenne produise 10 millions de chemises bas de gamme et que les ressources employées pour cette activité pourraient permettre de fabriquer 10 000 voitures. Dès lors, le coût d'opportunité[1] de ces chemises en termes d'automobiles est de 10 000. Elles pourraient être conçues et façonnées dans les pays asiatiques, où ce coût est plus faible qu'en Europe. En effet, ces pays ont un meilleur accès aux matières premières et les travailleurs sont relativement moins efficaces que leurs collègues européens pour la fabrication de biens sophistiqués

comme les automobiles. Supposons que l'arbitrage en Chine soit de l'ordre de 10 millions de chemises contre seulement 3 000 voitures. Cette différence de coûts d'opportunité rend alors possible une réorganisation mutuellement bénéfique de la production mondiale. Imaginons que l'Union européenne abandonne la fabrication de chemises bas de gamme et consacre les ressources ainsi libérées à la production automobile. La spécialisation de l'UE dans l'automobile, et de la Chine dans le prêt-à-porter, permet d'augmenter la production mondiale : pour une même quantité de chemises, l'économie mondiale peut maintenant produire 7 000 voitures supplémentaires. Cette hausse doit permettre a priori d'élever le niveau de vie dans chacun des pays.
Les différences de coûts d'opportunité sont au cœur du principe des avantages comparatifs. On dit qu'un pays possède un avantage comparatif dans la production

REPÈRE **David Ricardo**
(économiste anglais, 1772-1823)
Il est considéré comme un des pères fondateurs du courant classique avec Adam Smith. Selon Ricardo, la spécialisation et l'échange procurent des gains à l'ensemble des pays et sont des facteurs essentiels de la croissance. Il se prononce donc en faveur du libre-échange et combat les lois protectionnistes en vigueur dans son pays.

DÉFINITION

Les avantages comparatifs de David Ricardo
Principe selon lequel les pays se spécialisent dans la production de biens pour lesquels ils sont relativement les plus efficaces, ou relativement les moins inefficaces. Ricardo montre que, même si le Portugal est plus efficace que l'Angleterre dans la production de drap et de vin, c'est dans l'intérêt des deux pays de se spécialiser dans une seule production et d'échanger ensuite. En abandonnant la production de vin, l'Angleterre utilise de façon plus efficace ses facteurs de production. À l'inverse, le Portugal va concentrer tous ses facteurs de production sur le vin. La productivité globale de ces deux pays augmente, ainsi que les richesses produites et échangées.

d'un bien, si son coût d'opportunité est inférieur à celui des autres pays. Dans notre exemple, la Chine possède un avantage comparatif dans la production de chemises, et l'UE dans celle d'automobiles. On voit apparaître alors un résultat essentiel de l'économie internationale : le commerce entre deux pays peut être mutuellement bénéfique, si chacun d'eux exporte les biens pour lequel il détient un avantage comparatif.

1. Il s'agit ici du nombre de voitures qui pourraient être produites grâce aux ressources utilisées pour fabriquer les chemises.

Paul Krugman et Maurice Obstfeld, *Économie internationale*,
Pearson Education, 8ᵉ édition, 2009.

1. EXPLIQUER. Pourquoi l'UE a-t-elle intérêt à abandonner la production de chemises bas de gamme ?

2. CALCULER. À partir des données du document, montrez que la Chine possède un avantage comparatif dans la production de chemises, et l'Europe dans celle d'automobiles. Pour cela, calculez les rapports chemises/automobiles et automobiles/chemises pour les deux zones.

3. CALCULER. Montrez que la production mondiale a augmenté suite à la spécialisation des pays, en détaillant les effets de cette spécialisation par pays et par produit.

4. La spécialisation, en fonction des dotations en facteurs de production

La reformulation de la théorie ricardienne des avantages comparatifs à laquelle procèdent les auteurs [Heckscher, Ohlin et Samuelson] repose sur l'inégalité des dotations en facteurs de production d'un pays à l'autre : par rapport à l'Europe, remarque Ohlin, en Australie, la terre est abondante relativement à la main-d'œuvre, ce qui donne à ce pays un avantage relatif pour les productions exigeant beaucoup de terre et à l'Europe un avantage relatif pour les productions exigeant beaucoup de main-d'œuvre. Ainsi, en l'absence d'entraves aux échanges, l'Australie est amenée à se spécialiser dans la production de moutons et l'Europe dans la fabrication de produits manufacturés. Le commerce entre les deux zones tend, pour chaque facteur, à y égaliser les rémunérations, car la rareté relative de la terre s'élève en Australie au fur et à mesure que s'y développent les activités exigeant beaucoup de ce facteur, alors que le même phénomène affecte la main-d'œuvre en Europe. Samuelson fournit une démonstration rigoureuse de cette proposition, connue depuis sous le nom de théorème d'Heckscher-Ohlin-Samuelson (HOS).

Jean Boncœur et Hervé Thouément, *Histoire des idées économiques, de Walras aux contemporains*,
Armand Colin, 3ᵉ édition, 2010.

1. DÉFINIR. Que signifie la dotation factorielle ?

2. CONSTATER. Quelle est la dotation factorielle de l'Australie ? de l'Europe ?

3. EXPLIQUER. Reformulez le théorème HOS en expliquant comment les pays doivent se spécialiser.

5. L'apport des nouvelles théories du commerce international

Actuellement, plus de 60 % du commerce entre les pays développés concerne, pour des montants comparables à l'exportation comme à l'importation, des produits appartenant à une même industrie. [...] Une source importante des échanges peut provenir de l'exploitation d'économies d'échelle. Si les rendements d'échelle sont croissants, la production pourra être concentrée sur un seul site et dans un seul pays. Cela abaisse les coûts unitaires et les prix. C'est donc un avantage acquis ex-post[1] grâce à la restructuration de la production d'entreprises souvent multinationales qui confère un avantage comparatif et une spécialisation au pays d'accueil. [...]
Les modèles [théoriques] récents font apparaître de nouvelles sources aux gains à l'échange par l'apparition d'au moins quatre effets :
– un effet pro-compétitif : avec l'ouverture, les producteurs sont confrontés à un nombre de concurrents plus importants et voient leur pouvoir de marché se réduire ;
– un effet d'économie d'échelle : l'ouverture permet aux firmes d'avoir accès à un plus grand nombre de consommateurs, avec des rendements croissants, ce qui fait diminuer les coûts de production moyens ;

– un effet de rationalisation : la production de certaines firmes est remplacée par une production de firmes plus efficaces ;
– un effet de variété : l'ouverture au commerce accroît les variétés disponibles pour les consommateurs.

1. Après coup.

Jean-Louis Mucchielli,
« Les théories de l'échange international »,
Cahiers français, n° 341, novembre-décembre 2007.

1. EXPLIQUER. Que signifie des échanges de « produits appartenant à une même industrie » ?

2. EXPLIQUER. Pourquoi l'existence de rendements croissants peut-elle constituer un « avantage acquis ex-post » ?

3. EXPLIQUER. Quelle conséquence cet « avantage acquis » a-t-il sur la spécialisation des pays ?

4. RÉCAPITULER. Quels sont les gains à l'échange mis en évidence par les nouvelles théories du commerce international ?

ENTRAÎNEMENT

QUESTION DE COURS. Distinguez la spécialisation selon les avantages comparatifs et la spécialisation selon les dotations factorielles.

SYNTHÈSE. À l'aide des documents 1, 2 et 4, caractérisez la spécialisation française.

documents

II. L'échange international est-il toujours avantageux ?

A Les avantages et inconvénients des échanges internationaux

1. Les effets positifs de l'internationalisation des échanges

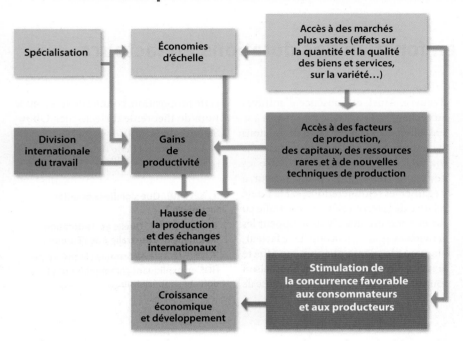

1. CONSTATER. Qu'est-ce qui permet d'obtenir des gains de productivité ?

2. EXPLIQUER. Pourquoi l'accès à des marchés plus vastes permet-il de réaliser des économies d'échelle ?

3. EXPLIQUER. Pourquoi le développement des échanges internationaux est-il favorable aux consommateurs et aux producteurs ?

4. RÉCAPITULER. Montrez que l'internationalisation des échanges a des effets sur chaque acteur et sur l'économie dans son ensemble.

> **DÉFINITION**
>
> **La division internationale du travail (DIT)**
> Il s'agit de la répartition des activités de production entre différents pays, qui débouche sur une spécialisation dans la production de certains biens ou services, ou dans certaines étapes du processus de production.

2. L'évolution des exportations de biens et de services

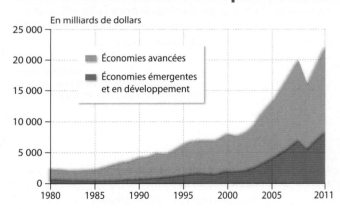

En milliards de dollars

- Économies avancées
- Économies émergentes et en développement

1. CONSTATER. Faites une phrase avec les données de 2011.

2. CALCULER. Quelle évolution les échanges des pays émergents et en développement ont-ils connue ?

3. EXPLIQUER. Comment expliquer l'accélération des échanges de marchandises depuis le milieu des années 1990 ?

Source : Sandra Moatti,
« Pourquoi la mondialisation est réversible ? »,
Alternatives économiques, n° 303, juin 2011.
Chiffres FMI.

3. La persistance du clivage Nord-Sud

Les conditions historiques dans lesquelles s'est opérée l'expansion du capitalisme, depuis l'Europe vers le reste du monde, continuent d'imprimer leur marque à l'économie mondiale et d'entretenir une inégalité fondamentale entre les pôles de diffusion et les pôles d'accueil du capitalisme.

Cette inégalité, qui est constitutive de l'opposition Nord-Sud, concerne les deux ingrédients essentiels de tout processus d'accumulation : le capital et le travail. On se souvient que l'approche néoclassique du commerce international expliquait les spécialisations internationales des nations par leurs dotations factorielles, sans placer de signe d'inégalité quelconque entre les différentes spécialisations […]. Pourtant, il n'est guère douteux que la faiblesse des ressources en capitaux, qui est une caractéristique courante des économies en développement, est autrement pénalisante qu'une éventuelle pénurie de main-d'œuvre pour les économies développées. Ces dernières peuvent en effet pallier une telle éventualité en encourageant l'usage de méthodes de production plus capitalistiques. […] Elles peuvent aussi susciter le recours à une main-d'œuvre immigrée originaire de pays moins développés […].

Quelle que soit la « frontière » Nord-Sud considérée, l'offre de travail en provenance du Sud est presque infiniment élastique, prête à s'employer dans des conditions dégradées par rapport aux normes en vigueur dans les pays d'accueil, tant les perspectives d'emploi et les rémunérations sont déprimées dans les pays d'origine. [...] Aucun outil de régulation comparable n'est à la disposition des PED en ce qui concerne leurs relations financières avec l'extérieur, si ce n'est la répudiation des dettes[1] qui est synonyme d'exclusion des circuits financiers internationaux. Les besoins de financements extérieurs, qu'ils résultent d'une insuffisance d'épargne locale ou d'une capacité d'exportation insuffisante, placent ces pays dans une dépendance objective vis-à-vis des créanciers.

1. Renoncer à payer ses dettes.

Jacques Adda, *La mondialisation de l'économie, genèse et problèmes*, La Découverte, coll. « Repères », 2006.

1. CONSTATER. Selon l'approche néoclassique, comment la spécialisation des pays se fait-elle ?

2. EXPLIQUER. Que signifie la phrase soulignée ?

3. EXPLIQUER. Pourquoi l'offre de travail en provenance du Sud est-elle « presque infiniment élastique » ?

4. EXPLIQUER. Pourquoi les pays du Sud sont-ils dans une situation de dépendance ?

4. Même les roses sont mondialisées

Dimanche 14 février au soir, Isabelle Spindler saura si elle a « fait son année ou pas ». Des brassées de roses vendues dans les rues de Paris, Londres, Berlin ou Madrid à la Saint-Valentin dépend le chiffre d'affaires de sa ferme, Redlands and Roses, l'une des quelques 150 fermes recensées au Kenya. [...] Porté par des conditions climatiques favorables, ce pays d'Afrique de l'Est a fait en moins de vingt ans du commerce des roses l'un de ses atouts économiques majeurs. Première source de devises du pays, il génère 80 000 emplois directs et 500 000 indirectement. Tout irait pour le mieux si le secteur n'était pas aussi prospère que controversé. On lui reproche de gaspiller l'eau, d'utiliser des pesticides, de sous-payer les salariés, et de les exposer à des produits chimiques dangereux. [...] « Les conditions de travail des ouvriers sont dures », assure Julius, conducteur de tracteur logé, comme la plupart des ouvriers, par son employeur dans un des parallélépipèdes de béton qui longent la route. Un salarié avec moins de cinq ans d'expérience gagne 4 700 shillings (45 €), à peine plus que le salaire mensuel minimum. Les contrats saisonniers sont légion. Regroupés au sein du Kenya Flower Council (KFC), certains producteurs tentent de mettre bon ordre à des pratiques environnementales et sociales qui leur causent un tort considérable. [...] Pour contraindre les brebis galeuses à rentrer dans le rang, le KFC a rédigé un code de bonne conduite. Seuls ceux qui le respectent peuvent être membres de l'association de producteurs, soit 52 % des fermes actuellement. Un nombre grandissant d'exploitations bénéficie des labels « commerce équitable », tels que ceux délivrés par les associations internationales Fairtrade ou GlobalGap.

Brigitte Perucca, « Le parfum sulfureux des roses kényanes », *Le Monde*, 14 février 2010.

1. CONSTATER. Combien d'emplois dépendent de la production de roses au Kenya ?

2. EXPLIQUER. Pourquoi le Kenya Flower Council tente-t-il de mettre en place des normes sociales et environnementales ?

3. RÉCAPITULER. Dans un tableau, mettez en évidence les avantages et les inconvénients de la spécialisation du Kenya dans la production de roses.

5. Les spécialisations ne se valent pas

Variation du prix des exportations de certains produits primaires (en %)				
Produits	2008	2009	2010	2000-2010
Tous les produits	28	– 30	26	10
Métaux	– 8	– 20	48	13
Boissons (y compris café, fèves de cacao, thé)	23	2	14	9
Produits alimentaires	23	– 15	12	6
Matières premières agricoles	– 1	– 17	33	2
Énergie	40	– 37	26	11

Source : OMC, « Rapport sur le commerce mondial 2011 ».

1. CONSTATER. Faites une phrase avec la donnée entourée.

2. CONSTATER. Comment les prix des produits primaires ont-ils varié ces trois dernières années ?

3. ILLUSTRER. Quelles étaient les spécialisations désavantageuses au cours de la décennie 2000-2010 ? Pourquoi ?

4. RÉCAPITULER. L'échange international est-il forcément avantageux pour tous les pays ?

POUR APPROFONDIR Les termes de l'échange

Cet indicateur compare le prix des produits exportés au prix des produits importés. Si le prix des exportations augmente plus vite que celui des importations, alors on assiste à une amélioration des termes de l'échange. Au contraire, si le prix des importations augmente plus vite que celui des exportations, les termes de l'échange se dégradent. Dans ce cas, les exportations permettent d'obtenir de moins en moins de biens importés. C'est le cas de nombreux pays spécialisés dans des productions de produits primaires (café, blé...) et de pays monospécialisés.
Le calcul des termes de l'échange se fait ainsi : prix des exportations / prix des importations.

ENTRAÎNEMENT

QUESTION DE COURS. Pourquoi la spécialisation permet-elle de réaliser des économies d'échelle ?

SYNTHÈSE. À partir des documents 1, 3, 4 et 5, récapitulez en complétant le tableau ci-dessous.

Les effets positifs du commerce international	Les effets négatifs du commerce international

documents

B Les tentations protectionnistes

1 Nombre de plaintes déposées à l'OMC

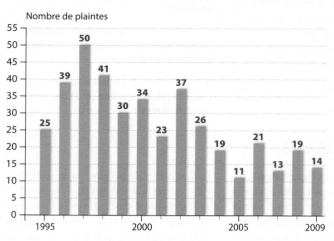

Nombre de plaintes

1. **EXPLIQUER.** À quoi peuvent correspondre les plaintes « pour pratiques commerciales dommageables » déposées par les pays auprès de l'OMC ?

2. **CONSTATER.** Comment les plaintes auprès de l'OMC ont-elles évolué ?

3. **EXPLIQUER.** Peut-on dire que les pratiques protectionnistes se sont renforcées ces dernières années ?

Christian Chavagneux, « Le protectionnisme est-il de retour ? »
Alternatives économiques, hors-série n° 84, février 2010. Chiffres OMC.

2 Vers un repli protectionniste ?

Les engagements en faveur de la libéralisation du commerce international sont en effet soumis à des tensions lorsque les nations connaissent une crise et élaborent des plans de relance de leurs économies : la crainte est que les mesures d'aide à l'économie nationale profitent au moins partiellement à d'autres nations qui pourraient accroître leurs exportations au détriment des producteurs nationaux. Les membres du G20[1] s'étaient déjà engagés, en novembre 2008, à renoncer à tout protectionnisme, mais une étude de la Banque mondiale révèle la fragilité de cet engagement. L'étude révèle que dix-sept des membres du G20 ont pris, après le 15 novembre 2008, quarante-sept mesures ayant pour effet de restreindre le commerce international au détriment des autres nations. Ces mesures prennent des formes différentes, les pays en développement utilisant des barrières aux échanges, principalement des augmentations de droits de douane, alors que les nations les plus développées ont exclusivement recours aux subventions, l'industrie automobile étant la première bénéficiaire. Ainsi, au-delà des proclamations en faveur de la libéralisation du commerce international, les nations sont toujours tentées d'utiliser le protectionnisme en présence de crises sectorielles ou générales.

1. Appelé aussi Groupe des 20. Il s'agit d'une organisation qui regroupe les vingt premières puissances mondiales.

Michel Rainelli, *Le commerce international*,
La Découverte, coll. « Repères », 2009.

1. **DÉFINIR.** Qu'est-ce que le protectionnisme ?

2. **CONSTATER.** Quelles sont, d'après ce document, les mesures protectionnistes mises en place ?

3. **EXPLIQUER.** Pourquoi, en période de crise, les engagements en faveur du libre-échange sont-ils mis à mal ?

4. **EXPLIQUER.** Quels peuvent être les effets de la mise en place de pratiques protectionnistes ?

3 Les barrières non tarifaires

Les problèmes qui se posent au commerce mondial ne sont plus principalement des problèmes tarifaires. Le projet de réduire, voire de supprimer, les tarifs douaniers exorbitants issus des années 1930 n'est certes pas achevé. L'agriculture et quelques secteurs conservent des droits élevés. Mais, en moyenne, ils ont été divisés par dix depuis cinquante ans. […] L'OMC n'a pourtant pas réussi à enclencher une dynamique qui ne soit plus limitée aux tarifs. Certes, les subventions et les barrières non tarifaires sont entrées dans les négociations, mais, difficiles à identifier et à quantifier, ces instruments se prêtent mal à la réciprocité et peinent à trouver des règles de négociation. Cette difficulté aurait pourtant pu être surmontée, si les pays membres avaient adhéré à une conception plus fine de l'échange international et des politiques commerciales. Le GATT, puis l'OMC, en parvenant à faire réduire les droits de douane, se sont attaqués à l'instrument de protection le plus visible mais aussi, souvent, le moins distorsif[1]. Le droit de douane est en effet ciblé sur son objectif : influencer les flux commerciaux. Les instruments de contournement, souvent plus néfastes, ont été ignorés. Ils ne se limitent pas aux traditionnelles barrières non tarifaires (accords de limitation, anti-dumping, etc.). Ils impliquent la sous-évaluation des monnaies, l'abaissement des normes de travail, notamment dans les zones franches, les barrières privées rendues possibles par des règles de concurrence laxistes, le moins-disant fiscal ou environnemental. […] Que vaut une réduction moyenne de 25 % [des tarifs douaniers] si le dollar peut se déprécier de 40 %, 50 % ou plus ?

1. Qui produit le moins de déformation.

Jean-Marc Siroën, « L'OMC : le possible et le souhaitable »,
L'économie politique, n° 35, mars 2007.

1. **DÉFINIR.** Que sont les barrières non tarifaires ? Donnez un exemple pour chaque barrière.

2. **CONSTATER.** L'OMC lutte-t-elle efficacement contre ce type de barrière ? Pourquoi ?

3. **EXPLIQUER.** Pourquoi les barrières non tarifaires sont-elles considérées comme « plus néfastes » que les droits de douane ?

4. **EXPLIQUER.** Pourquoi la dépréciation d'une monnaie représente-t-elle une protection non tarifaire ?

4. Les jouets « made in China » sont-ils dangereux ?

JE SUIS CHOQUÉ D'APPRENDRE QUE NOS SOUS-TRAITANTS CHINOIS SOUS-PAYÉS UTILISENT DES PRODUITS BON MARCHÉ !

1. CONSTATER. Pourquoi les jouets fabriqués en Chine sont-ils parfois dangereux ?

2. EXPLIQUER. À quel type de législation le chef d'entreprise fait référence quand il parle des « sous-traitants chinois sous-payés » ?

3. EXPLIQUER. Pourquoi l'absence de réglementation (sociale, environnementale, du travail) peut-elle être considérée comme de la concurrence déloyale ?

4. EXPLIQUER. La mise en place de normes peut-elle être considérée comme une pratique protectionniste ?

Chappatte, *Le Temps* (Genève), 16 août 2007.

5. Des barrières parfois néfastes

Toutes les théories du commerce international apportent des justifications à l'absence totale d'obstacles. Selon elles, chaque pays dispose d'avantages à l'exportation qu'il doit pouvoir exploiter librement, ce qui implique que ses partenaires ne dressent aucune barrière à l'encontre des biens qu'il est susceptible de vendre sur le marché mondial. Ce libre-échange généralisé permet de produire, au niveau mondial, une quantité maximum de chaque bien, ce qui profite à tous. Mais ce gain suppose une véritable concurrence proche de la concurrence pure et parfaite. Dans ce contexte, toute forme d'intervention étatique est source de perte, non seulement pour tous les partenaires commerciaux (qui sont limités dans l'accès au marché domestique) mais aussi pour tout le pays. Un droit de douane prélevé sur un bien entraîne une réduction du bien-être des consommateurs domestiques (ils paient plus cher le bien importé et le bien domestique substitut) […]. Les obstacles non tarifaires sont également sources de pertes pour le pays. Ainsi, les restrictions quantitatives, en provoquant des hausses de prix domestiques, sont équivalentes aux droits de douane, la rente due à ces augmentations de prix profitant à des catégories particulières et non plus à l'État, ce qui les rend encore plus critiquables. Les subventions à la production […] et à l'exportation augmentent les profits des producteurs domestiques, mais font supporter un coût aux contribuables.

Bernard Guillochon,
« Le protectionnisme : théories, instruments et pratique »,
Cahiers français, n° 341, novembre-décembre, 2007.

1. DÉFINIR. Rappelez ce qu'est la concurrence pure et parfaite.

2. CONSTATER. Quelles sont les mesures protectionnistes évoquées ici ?

3. EXPLIQUER. Pourquoi ces mesures sont-elles sources de pertes pour les consommateurs et le pays ?

6. Le protectionnisme pour protéger les industries naissantes

La première justification historique du protectionnisme a été largement débattue au XIXe siècle ; elle trouve son expression la plus aboutie chez un auteur allemand, Friedrich List, avec son *Système national d'économie politique* de 1841. Si l'on tente de synthétiser sa pensée et de l'exprimer dans les termes contemporains, on peut présenter ainsi sa thèse, dite du « protectionnisme éducatif » ou encore des industries naissantes (ou dans l'enfance) : les premiers producteurs d'une « jeune nation » opèrent avec des coûts supérieurs à ceux des concurrents étrangers déjà installés dans la production, en raison d'économies d'échelle, d'effets d'apprentissage, etc. Sans protection, aucune industrie nationale ne pourrait donc se développer, les importations étant toujours à des prix inférieurs aux coûts de production locaux. Il est donc, selon cet argument, indispensable de protéger les débuts d'une industrie, afin qu'elle puisse exister. Il s'agit d'une protection par essence transitoire, appelée à disparaître, dès que le volume de la production sera assez important pour que les économies d'échelle jouent et dès que l'expérience acquise suffira. Cet argumentaire est généralement admis et la thèse inspire de manière durable les pays en voie de développement. Les difficultés surviennent cependant lorsqu'il est nécessaire de définir le terme de la protection ; il est aisé de voir que la thèse peut se transformer en protection permanente, dans l'attente d'une égalisation des conditions internationales de concurrence.

Michel Rainelli, *Le commerce international*,
La Découverte, coll. « Repères », 2009.

1. EXPLIQUER. À quoi le protectionnisme éducatif de Friedrich List correspond-il ?

2. EXPLIQUER. Que signifie la phrase soulignée ?

3. EXPLIQUER. Quels pays revendiquent la mise en place de ce type de protectionnisme aujourd'hui ? Pourquoi ?

> **REPÈRE** **Friedrich List** (économiste allemand, 1789-1846)
>
>
>
> Cet économiste ne partage pas l'approche de Smith et Ricardo selon laquelle le libre-échange est toujours favorable à la croissance et au développement. Le protectionnisme se justifie, selon Friedrich List, pour permettre aux jeunes industries de se développer suffisamment pour pouvoir ensuite affronter la concurrence internationale. Il adopte une approche historique et montre que des pays, situés à des étapes différentes du développement, ne peuvent mettre en œuvre les mêmes politiques.

ENTRAÎNEMENT

QUESTION DE COURS. Quelles sont les différentes formes de protectionnisme ?

SYNTHÈSE. À partir des documents 3 et 4, montrez que la mise en place de normes peut être une forme de protectionnisme déguisé, mais qu'elle n'en demeure pas moins nécessaire dans certains cas.

documents

III. Pourquoi la production de biens et de services s'est-elle internationalisée ?

A Une production de plus en plus mondialisée

1. « Made in... ? »

L'activité des FMN est répartie dans le monde entier (conception des produits, fabrication des composants, assemblage ou commercialisation). De plus en plus de produits sont « made in the world », et non plus « made in the UK » ou « made in France ». Il existe alors un biais statistique puisque l'on impute la totalité de la valeur commerciale au dernier pays d'origine. Cela fausse le débat sur l'origine des déséquilibres et cela peut amener à prendre de mauvaises décisions. Pascal Lamy, directeur général de l'OMC, propose donc de modifier la mesure des échanges internationaux en mesurant le commerce mondial en valeur ajoutée (comme pour le PIB).

D'après le site de l'OMC, août 2011.

1. EXPLIQUER. Pourquoi les étiquettes « made in France » n'ont-elles plus beaucoup de sens aujourd'hui ?

2. ILLUSTRER. Trouvez un exemple de produit « made in the world ».

3. EXPLIQUER. Pourquoi l'OMC propose-t-elle de changer la façon de mesurer les échanges internationaux ?

DÉFINITION

Firme multinationale (FMN)
Il s'agit d'une grande entreprise nationale qui possède, ou contrôle, une ou plusieurs filiales de production à l'étranger. Une FMN est composée d'une société-mère, qui se situe la plupart du temps dans le pays d'origine, et de l'ensemble des entreprises contrôlées ou détenues dans des pays étrangers et que l'on nomme des filiales. IBM, Boeing, Danone, Renault, Zara sont des FMN.

---

2. Flux d'investissements directs entre la France et l'étranger

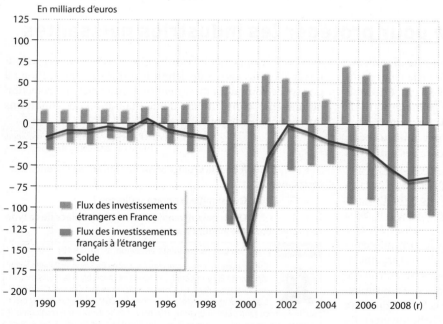

En milliards d'euros

Flux des investissements étrangers en France
Flux des investissements français à l'étranger
Solde

1. CONSTATER. Faites une phrase avec les données de 2009.

2. EXPLIQUER. À quoi correspond le solde représenté par la courbe bleue ?

3. EXPLIQUER. Pourquoi le solde des flux d'IDE est-il négatif pour la France ? Est-ce un mauvais signe pour l'économie française ?

r : données révisées en juin 2010.
Note : y compris les investissements immobiliers.
Champ : France.   Source : Banque de France.

DÉFINITIONS

Investissement direct à l'étranger (IDE) et investissement de portefeuille
Un **IDE** correspond à l'ensemble des capitaux engagés en vue d'acquérir un intérêt durable, voire une prise de contrôle, dans une entreprise exerçant ses activités à l'étranger. Cela peut se traduire par la création ou le rachat d'une entreprise étrangère, par l'acquisition d'au moins 10 % du capital d'une entreprise déjà existante. Lorsque le capital acquis à l'étranger est inférieur à 10 % du capital total, on parle d'un **investissement de portefeuille** qui est un investissement effectué à court terme, dans un but de rentabilité immédiate.

POUR APPROFONDIR

Les flux et les stocks d'IDE
Les flux d'IDE correspondent aux nouveaux IDE réalisés pour une période donnée, par exemple une année, et qui viennent augmenter des stocks d'IDE, c'est-à-dire l'ensemble des IDE déjà présents dans un pays.

3. Les flux mondiaux d'IDE entrants entre 1980 et 2010

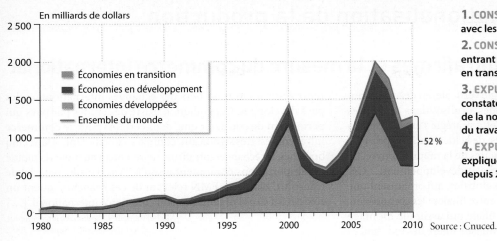

En milliards de dollars

- Économies en transition
- Économies en développement
- Économies développées
- Ensemble du monde

52 %

Source : Cnuced.

1. **CONSTATER.** Faites une phrase avec les données de 2010.

2. **CONSTATER.** Quelle évolution les IDE entrant dans les pays en développement et en transition ont-ils connue depuis 2000 ?

3. **EXPLIQUER.** En quoi les évolutions constatées sont-elles représentatives de la nouvelle division internationale du travail ?

4. **EXPLIQUER.** Comment peut-on expliquer la tendance observée depuis 2008 ?

4. La forte expansion du transport de marchandises

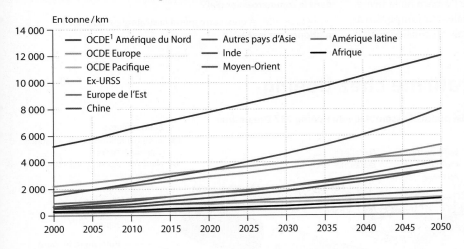

En tonne / km

- OCDE[1] Amérique du Nord
- OCDE Europe
- OCDE Pacifique
- Ex-URSS
- Europe de l'Est
- Chine
- Autres pays d'Asie
- Inde
- Moyen-Orient
- Amérique latine
- Afrique

1. **CONSTATER.** Comment le transport de marchandises a-t-il évolué entre 2000 et 2010 ?

2. **CONSTATER.** Quelles sont les prévisions pour 2050 ?

3. **EXPLIQUER.** Comment peut-on expliquer la hausse importante du transport de marchandises dans le monde ?

1. L'Organisation de coopération et de développement économiques regroupe les pays développés à économie de marché et démocratiques.

Source : OCDE, « Tirer parti de la mondialisation », 17e Symposium international sur l'économie des transports et la politique, 2008.

5. Entreprises disposant d'une connexion Internet haut débit

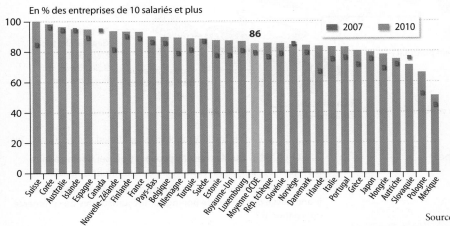

En % des entreprises de 10 salariés et plus

2007   2010

86

Suisse, Corée, Australie, Islande, Espagne, Canada, Nouvelle-Zélande, Finlande, France, Pays-Bas, Belgique, Allemagne, Turquie, Suède, Estonie, Royaume-Uni, Luxembourg, Moyenne OCDE, Rép. tchèque, Slovénie, Norvège, Danemark, Irlande, Italie, Portugal, Grèce, Japon, Hongrie, Autriche, Slovaquie, Pologne, Mexique

Source : OCDE, The Future of Internet Economy, juin 2011.

1. **CONSTATER.** Comment les connections haut débit ont-elles progressé dans la plupart des pays de l'OCDE ?

2. **CONSTATER.** Faites une phrase avec les données de l'ensemble des pays de l'OCDE.

3. **EXPLIQUER.** Quel lien peut-on établir entre les nouvelles technologies et l'internationalisation de la production ?

4. **ILLUSTRER.** Trouvez un exemple d'activité qui ne pourrait exister sans ces NTIC ?

ENTRAÎNEMENT

QUESTION DE COURS. Quelle évolution les IDE ont-ils connue depuis les années 1980 ?

SYNTHÈSE. À partir des documents 4 et 5, présentez le rôle des transports et des moyens de communication dans l'internationalisation de la production.

documents

B Le rôle des firmes multinationales dans l'internationalisation de la production

1. Les échanges intrafirmes et la mesure du commerce international

Les FMN pratiquent une stratégie verticale, en décomposant le produit dans différents stades localisés dans des filiales implantées dans plusieurs pays. Cette stratégie s'explique par la recherche, pour chacun des stades, de la localisation optimale, par exemple en fonction des capacités de la main-d'œuvre, de l'accès à des capacités de recherche et développement… Ces FMN deviennent donc des firmes globales, qui organisent une circulation de biens et de services entre filiales : les composants d'un produit convergent vers la filiale qui assure le montage du produit, les filiales versent à la maison-mère des redevances pour rémunérer des services (royalties, services de gestion…). La conséquence de cette stratégie est l'existence d'un commerce international intrafirme : les produits ne sont pas vendus sur le marché, mais circulent à l'intérieur de l'espace de la firme. Il est difficile d'obtenir des données globales sur l'importance de ce type de commerce international, mais on considère qu'il représente environ un tiers des échanges internationaux des pays développés. Cependant, il existe des études par pays qui permettent de constater que, dans certains pays, le commerce intrafirme est très significatif, comme aux États-Unis. Dans cinq branches, les échanges intrafirme représentent au moins la moitié des importations et montent jusqu'à 75 % dans le matériel de transport. Ainsi, les FMN relevant de ces branches jouent un rôle décisif dans l'organisation du commerce international. […]

Michel Rainelli, *Le commerce international*, La Découverte, coll. « Repères », 2009.

1. DÉFINIR. Qu'est-ce que le commerce intrafirme ?

2. CONSTATER. Quelle part représente le commerce intrafirme dans le commerce mondial ?

3. EXPLIQUER. À quoi correspond la stratégie « verticale » pratiquée par les FMN ?

2. Le commerce intrafirme chez Boeing

Le puzzle d'assemblage du Boeing 787 Dreamliner

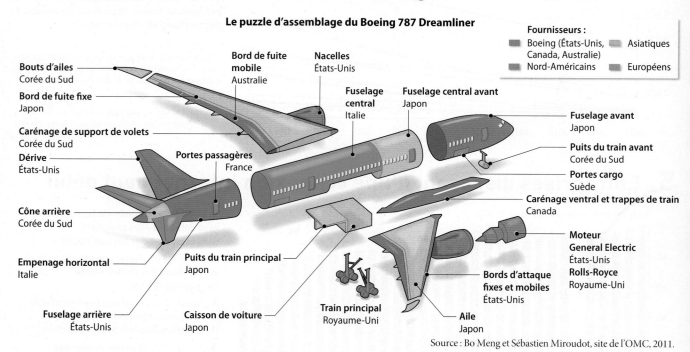

Fournisseurs :
- Boeing (États-Unis, Canada, Australie)
- Asiatiques
- Nord-Américains
- Européens

Bouts d'ailes — Corée du Sud
Bord de fuite fixe — Japon
Carénage de support de volets — Corée du Sud
Dérive — États-Unis
Cône arrière — Corée du Sud
Empenage horizontal — Italie
Fuselage arrière — États-Unis
Bord de fuite mobile — Australie
Nacelles — États-Unis
Portes passagères — France
Fuselage central — Italie
Fuselage central avant — Japon
Puits du train principal — Japon
Caisson de voiture — Japon
Train principal — Royaume-Uni
Aile — Japon
Bords d'attaque fixes et mobiles — États-Unis
Fuselage avant — Japon
Puits du train avant — Corée du Sud
Portes cargo — Suède
Carénage ventral et trappes de train — Canada
Moteur General Electric — États-Unis
Rolls-Royce — Royaume-Uni

Source : Bo Meng et Sébastien Miroudot, site de l'OMC, 2011.

1. CONSTATER. Combien de pays sont concernés par la production d'un Boeing ?

2. EXPLIQUER. Quelles raisons peuvent pousser Boeing à faire fabriquer une partie de ses moteurs en Grande-Bretagne ?

3. EXPLIQUER. Quels sont les effets possibles de la production mondialisée des pièces de Boeing sur les statistiques du commerce international ?

POUR APPROFONDIR Le commerce intrabranche et intrafirme

Le **commerce intrabranche** correspond à un échange de produits appartenant à une même branche (ou industrie). Le **commerce intrafirme** (ou commerce captif) correspond aux échanges entre les filiales, ou entre les filiales et la maison mère d'une même firme multinationale. Ces derniers échanges sont « internationaux » d'un point de vue douanier. Leur importance (1/3 du commerce mondial) ne doit cependant pas faire oublier que ces échanges répondent à une logique propre à la FMN, et qu'ils n'ont pas de lien direct avec les niveaux d'offre et de demande mondiales de biens ou services.

DÉFINITION

La décomposition internationale des processus de production (DIPP)
Il s'agit, pour les firmes multinationales, de diviser le processus de production en plusieurs étapes, localisées dans différents pays (ou d'en confier une partie à des sous-traitants étrangers), afin de bénéficier des différents avantages propres aux pays (législation avantageuse, coût du travail faible, proximité des matières premières, savoir-faire d'une main-d'œuvre qualifiée…).

3. Les prix entre les filiales des FMN sont-ils les « vrais » prix ?

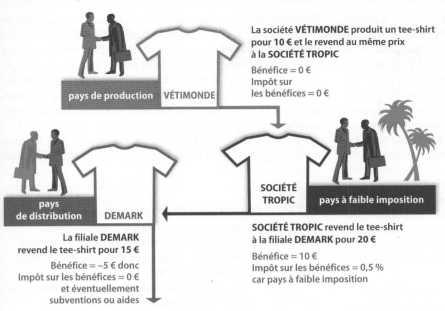

La société **VÉTIMONDE** produit un tee-shirt pour **10 €** et le revend au même prix à la **SOCIÉTÉ TROPIC**

Bénéfice = 0 €
Impôt sur les bénéfices = 0 €

pays de production VÉTIMONDE

pays de distribution DEMARK

SOCIÉTÉ TROPIC   **pays à faible imposition**

La filiale **DEMARK** revend le tee-shirt pour **15 €**

Bénéfice = –5 € donc
Impôt sur les bénéfices = 0 €
et éventuellement subventions ou aides

SOCIÉTÉ TROPIC revend le tee-shirt à la filiale **DEMARK** pour **20 €**

Bénéfice = 10 €
Impôt sur les bénéfices = 0,5 %
car pays à faible imposition

1. CONSTATER. Quel est le montant de l'impôt sur les bénéfices payé par la FMN Vétimonde ?

2. EXPLIQUER. Pourquoi le tee-shirt fabriqué par Vétimonde n'est-il pas envoyé directement dans le pays de distribution ?

3. EXPLIQUER. Quel est le sens du titre du document ?

4. EXPLIQUER. Quels peuvent être les effets de ce commerce intrafirme sur les statistiques du commerce mondial ?

4. Qu'est-ce que la compétitivité ?

Pour une entreprise, la compétitivité désigne sa capacité à faire face à la concurrence des autres entreprises nationales ou des concurrents étrangers. On distingue :
– compétitivité-prix : c'est la capacité de l'entreprise à offrir un bien ou un service à un prix inférieur à celui des concurrents, avec une qualité identique ;
– compétitivité-hors-prix : c'est la capacité de l'entreprise à offrir des produits différenciés par leur qualité, par l'innovation ou encore par les services proposés avec le produit.

Pour un pays, les deux indicateurs précédents ont peu de sens. La compétitivité signifie alors la capacité de se développer durablement par rapport aux autres pays ayant des activités économiques comparables. Pour l'Union européenne, la compétitivité d'un pays est sa « capacité à améliorer durablement le niveau de vie de ses habitants et à leur procurer un haut niveau d'emploi et de cohésion sociale ». (Sommet européen de Lisbonne, 2000).

Hachette Éducation, 2012.

1. EXPLIQUER. Quels sont les avantages de la compétitivité-prix ? de la compétitivité-hors-prix ?

2. ILLUSTRER. Pour chacune des actions suivantes, dites si elle relève d'une compétitivité-prix ou hors-prix : 1. s'implanter en Roumanie, où le coût de la main-d'œuvre est faible 2. développer une gamme innovante d'appareils électroménagers 3. mettre en place un service après-vente de qualité chez un constructeur automobile 4. profiter des différences de fiscalité pour développer son activité à l'étranger 5. faire produire, en France, des sacs à main en cuir, haut de gamme, par des ouvrières très qualifiées.

5. Comment être compétitifs ?

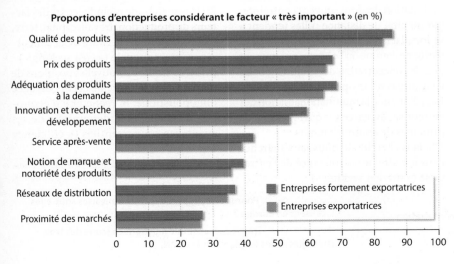

Proportions d'entreprises considérant le facteur « très important » (en %)

- Qualité des produits
- Prix des produits
- Adéquation des produits à la demande
- Innovation et recherche développement
- Service après-vente
- Notion de marque et notoriété des produits
- Réseaux de distribution
- Proximité des marchés

Entreprises fortement exportatrices
Entreprises exportatrices

1. CONSTATER. Faites une phrase avec le facteur « prix des produits ».

2. EXPLIQUER. Dites, pour chaque facteur, s'il s'agit de compétitivité-prix ou hors-prix.

3. RÉCAPITULER. Quelles informations principales ce document donne-t-il ?

Champ : entreprises industrielles exportatrices, de 20 salariés ou plus.

Source : Insee-CNCCEF, Enquête compétitivité, 2008.

6. La différenciation des produits

La théorie traditionnelle repose sur l'hypothèse d'homogénéité des biens : tous les producteurs anglais de drap mettent sur le marché le même drap[1] et le drap produit au Portugal est strictement identique à celui réalisé en Angleterre. Cependant, la théorie microéconomique a développé dès les années 1930 une hypothèse différente, celle de la différenciation des produits. Pour des raisons subjectives ou objectives, les consommateurs ne considèrent pas comme identiques les produits de deux firmes qui appartiennent à la même branche. Dans ces marchés dits de concurrence monopolistique, les firmes rivales jouissent d'un certain pouvoir de monopole qui leur confère une certaine latitude dans la fixation du prix. De plus, par des dépenses de publicité, elles peuvent créer ou renforcer la différenciation entre les produits. L'introduction de cette hypothèse dans l'explication des échanges internationaux permet de comprendre l'existence du commerce intrabranche. La différenciation des produits peut en effet donner lieu à deux types de commerce international.

Le premier résulte d'une différenciation horizontale, c'est-à-dire lorsque les produits présentent la même qualité, mais sont distingués par les consommateurs en raison de leurs différences réelles ou perçues. [...] Le second relève de la différenciation verticale, lorsque les consommateurs sont confrontés à des produits qui sont de qualités différentes, comme par exemple les modèles d'automobiles d'un producteur. Les consommateurs ayant des revenus élevés demandent la qualité supérieure, alors que ceux à revenus faibles sont intéressés par la qualité inférieure. La spécialisation internationale s'explique alors par le niveau moyen de revenu des habitants. [...] Il existe des échanges internationaux de produits de qualité différente.

1. Voir DÉFINITION, p. 72.

Michel Rainelli, *Le commerce international*,
La Découverte, coll. « Repères », 2009.

1. DÉFINIR. Qu'est-ce que la différenciation des produits ?

2. EXPLIQUER. Pourquoi peut-on dire que la différenciation des produits correspond à de la « concurrence monopolistique » ?

3. ILLUSTRER. Donnez un exemple de différenciation horizontale et un exemple de différenciation verticale.

4. EXPLIQUER. Quel type de compétitivité une FMN qui différencie ses produits cherche-t-elle à améliorer ? Pourquoi ?

7. Pourquoi la secrétaire travaille-t-elle à Bombay ?

La dissociation entre le centre et la périphérie est également à l'œuvre dans le domaine productif. Si l'on prend l'exemple des services financiers, il existe des « back offices » et des « front offices »[1], longtemps hébergés ensemble dans le QG des grandes banques. Situés à Londres ou New York, les « front offices » se caractérisent alors par une concentration particulièrement forte en personnel à haute valeur ajoutée, à hauts salaires. Grâce à Internet, les « back offices » peuvent être délocalisés n'importe où, au Sénégal ou au Maroc par exemple, dans le cas français. De la même manière, les services téléphoniques américains font appel aux Philippines pour assurer leur permanence nocturne : grâce au décalage horaire, ils offrent en effet un service usagers 24 h sur 24. Les centres téléphoniques philippins peuvent donner des renseignements téléphoniques, transcrire des ordonnances médicales pour les hôpitaux et des centres de soins... La différence de fuseaux horaires permet aux médecins de laisser leurs rapports médicaux le soir, pour les retrouver tapés le lendemain matin. Les médecins restent à New York, les secrétaires peuvent être à Bombay. La dichotomie[2] centre/périphérie s'inscrit au cœur même du processus productif.

1. Services en relation directe avec la clientèle, en opposition avec « back offices », c'est-à-dire les services sans relation directe avec le client (gestion, comptabilité, informatique, stocks, gestion des ressources humaines...).
2. Séparation.

Daniel Cohen, *La mondialisation et ses ennemis*, Grasset, 2004.

1. DÉFINIR. À quoi une délocalisation correspond-elle ?

2. CONSTATER. Tous les services d'une entreprise peuvent-ils être délocalisés ?

3. EXPLIQUER. Qu'est-ce qui permet la nouvelle organisation des processus productifs ?

4. EXPLIQUER. Répondez à la question posée dans le titre.

8. Les déterminants de la multinationalisation

De nombreuses études récentes montrent que les comportements de localisation géographiques des entreprises multinationales sont très marqués par des phénomènes d'agglomération et de proximité. Agglomération, car les entreprises colocalisent afin de profiter d'externalités positives générées par l'agglomération (marché du travail local commun, marché de biens capitaux, infrastructures publiques, retombées technologiques, gain d'information, etc.). De même, les multinationales sont souvent contraintes par un effet de distance ; elles tendent à se localiser d'abord près de leurs pays d'origine comme on l'observe notamment pour la concentration des multinationales françaises en Europe.

Rappelons que la multinationalisation des entreprises est basée sur quelques grands principes de comportements :
1er : la recherche de nouveaux marchés dans le cadre de la croissance de l'entreprise (« market seeking ») ;
2e : la recherche de moindre coûts des facteurs de production, travail, capital, terre, technologie, dans le cadre de la concurrence internationale (« cost seeking ») ;
3e : la recherche de nouvelles positions de marché dans le cadre de la concurrence oligopolistique, la recherche d'économie d'échelle, et la dynamique de ses avantages concurrentiels (« efficiency seeking »).

Jean-Louis Mucchielli, *La mondialisation, chocs et mesure*, Hachette supérieur, 2008.

1. DÉFINIR. Que sont les externalités ?

2. EXPLIQUER. Pourquoi les phénomènes d'agglomération créent-ils des externalités positives ?

3. EXPLIQUER. Pourquoi la plupart des FMN françaises sont-elles localisées en Europe ?

4. ILLUSTRER. Trouvez un exemple illustrant chacune des trois stratégies mises en place par les FMN.

9. Victimes des délocalisations

Ils se le promettaient depuis un an. Le groupe Unilever venait alors d'annoncer la fermeture de l'usine Fralib de Gémenos (Bouches-du-Rhône), où étaient conditionnés les infusions Éléphant et le thé Lipton. Lundi 3 octobre, à 15 heures, ils l'ont fait : les ex-salariés de Fralib ont accroché leur banderole « L'Éléphant vivra à Gémenos » sur le mur de l'esplanade de la basilique Notre-Dame-de-la-Garde, point culminant de Marseille. Tout un symbole : cette basilique « fait partie du patrimoine et il ne viendrait à personne l'idée de la délocaliser. Pour l'Éléphant, né en Provence il y a cent dix-neuf ans, c'est pareil », explique Olivier Leberquier, délégué syndical CGT de Fralib.

Une allusion à la délocalisation de la production de Gémenos vers la Pologne, à Katowice, et vers Bruxelles, où Unilever a des usines à thé. Estimant être en « surcapacité de production », Unilever a décidé de fermer Fralib, jugée pas assez rentable. 154 salariés sur un effectif de 182 ont reçu leur lettre de licenciement le 31 août […]. Florent, 41 ans, dont douze chez Fralib, qui a accroché la banderole, n'est pas loin de verser des larmes. « Voir autant de monde venu nous soutenir, nous, le petit Fralib… » Au pied de la « Bonne Mère », près de 700 personnes, arrivées par cars, agitent autant de drapeaux rouges de la CGT, dans un vacarme de barrissements émis par des klaxons et de chants révolutionnaires. […]

Traversant les locaux pour une rapide visite guidée, Florent suit la passerelle qui surplombe la salle de production désormais à l'arrêt. C'est là qu'il travaillait : il remplissait de produits de grands entonnoirs qui les déversaient, en bas, dans des machines d'où sortaient les sachets de thé et d'infusion. « L'usine est à nous », dit-il. C'est en tout cas son rêve et celui de ses collègues au travers du « projet alternatif » du comité d'entreprise (CE) : maintenir les 182 emplois en reprenant l'activité et la marque l'Éléphant pour un euro symbolique. Unilever ne veut pas en entendre parler et juge le projet « irréaliste et non viable ».

Francine Aizicovici, « À Gémenos, les Fralib veulent croire que l'Éléphant peut continuer à vivre », *Le Monde*, 5 octobre 2011.

1. EXPLIQUER. Pourquoi le groupe Unilever a-t-il délocalisé l'usine Fralib ?

2. CONSTATER. Quels sont les effets directs de cette délocalisation ?

3. CONSTATER. Que sont prêts à faire les salariés pour sauver leur usine ?

10. Délocalisation et externalisation

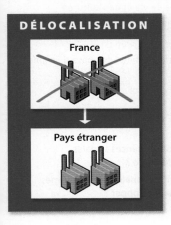

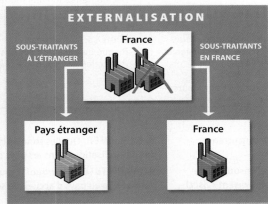

1. DÉFINIR. À partir du schéma, proposez une définition de la délocalisation au sens strict.

2. DÉFINIR. Qu'est-ce qu'un sous-traitant ?

3. DÉFINIR. À partir du schéma, proposez une définition de l'externalisation.

4. EXPLIQUER. Pourquoi les FMN ont-elles recours aux délocalisations et à l'externalisation ?

11. Les facteurs motivant le choix de développer des activités à l'étranger

Proportions d'entreprises considérant le facteur « très important » (en %)

1. CONSTATER. Faites une phrase avec le facteur « se rapprocher des clients ».

2. EXPLIQUER. Quels sont les principaux facteurs influant sur la décision de développer son activité à l'étranger pour les entreprises de plus de 250 salariés ? pour celles de 20 à 100 salariés ?

3. CONSTATER. Classez les facteurs selon les trois catégories mises en évidence dans le document 8.

Champ : entreprises industrielles de 20 salariés ou plus qui développent des activités de production à l'étranger.

Source : Insee-CNCCEF, Enquête compétitivité, 2008.

ENTRAÎNEMENT

QUESTION DE COURS. Comment les FMN peuvent-elles améliorer leur compétitivité ?

SYNTHÈSE. À partir des documents 3, 5, 7 et 11, montrez quels sont les principaux déterminants de la localisation des activités à l'étranger.

C Les effets de l'internationalisation des firmes

1. Flux d'investissements directs étrangers en France, selon le pays d'origine, en 2009

Pays d'origine	En milliards d'euros	En %
Union européenne à 27	(33)	76,9
UEM[1] à 16	19,7	46
Autres pays de l'UE	13,3	30,9
Autres pays industrialisés	3,4	7,9
Reste du monde	6,5	(15,2)
Total	42,9	100

1. Zone euro avant l'entrée de l'Estonie en 2011.

Source : Banque de France.

1. CONSTATER. Faites une phrase avec les données entourées.

2. CONSTATER. D'où viennent la plupart des IDE reçus par la France ?

3. EXPLIQUER. Quels peuvent être les effets de ces IDE sur l'économie française ?

2. Les conséquences de la multinationalisation

	Effets positifs	Effets négatifs
Pays d'accueil	– Création d'un nombre important d'emplois et formation de la main-d'œuvre locale – Développement de nouvelles entreprises sous-traitantes et stimulation de la concurrence – Augmentation des recettes fiscales favorisant le développement et la création de nouvelles infrastructures – Transfert de technologies	– Mise en concurrence des PED par les FMN pour l'implantation des unités de production – Risque de recourir au « moins-disant » fiscal et environnemental – Le pays d'accueil devient dépendant des FMN d'un point de vue économique (ces dernières ont parfois un chiffre d'affaires supérieur au PIB du pays d'accueil) et parfois politique. – Occidentalisation des modes de vie et des cultures
Pays d'origine	– Diminution des coûts de production qui permet la baisse des prix de vente – Hausse du pouvoir d'achat des consommateurs – La hausse des profits des FMN permet d'investir de nouvelles activités dans les pays d'origine (R&D, marketing...) – Développement d'activités à forte valeur ajoutée et création d'emplois qualifiés	– Les délocalisations suppriment des emplois des non-qualifiés – Coûts sociaux élevés – Risque de désindustrialisation partielle des pays d'origine – Protection sociale menacée

Source : Hachette Éducation, 2012.

1. EXPLIQUER. Pourquoi y a-t-il « stimulation de la concurrence » dans les pays d'accueil ?

2. EXPLIQUER. Pourquoi la volonté d'attirer les FMN risque-t-elle d'inciter les pays d'accueil à devenir le pays le « moins-disant » fiscal et environnemental ?

3. EXPLIQUER. Quelles sont les conséquences sociales des délocalisations dans les pays d'origine ?

4. RÉCAPITULER. Pourquoi la multinationalisation des firmes permet-elle au pays d'accueil de se développer ?

3. Le transfert de technologie est limité

Le problème du manque de capitaux caractéristiques des économies en développement revêt aussi une dimension qualitative. Il est en effet intimement lié au caractère importé du progrès technique. Apanage quasi exclusif des pays d'industrialisation ancienne, la production du progrès technique, au sens d'innovation dans les produits et les processus de production, ne fait que depuis peu l'objet d'une délocalisation partielle vers les PED. Les alliances stratégiques entre firmes, qui visent en général à la mise en commun de l'effort de recherche-développement, témoignent bien d'une certaine internationalisation dans ce domaine, mais celle-ci reste cantonnée aux pays développés. La diffusion du progrès technique vers les PED s'opère, lorsqu'elle est effective, à travers les investissements directs des FMN, les accords de sous-traitance et la cession de licences. Elle débouche, dans le meilleur des cas, sur une appropriation par les acteurs locaux des techniques étrangères, rarement sur la génération locale de nouvelles innovations.

Jacques Adda, *La mondialisation de l'économie, genèse et problèmes*, La Découverte, Coll. « Repères », 2006.

> **DÉFINITION**
>
> **Transfert de technologie**
>
> Il s'agit de l'acquisition, par les pays en développement, de biens d'équipement, de licences, de brevets ou d'usines « clés en main » venant des pays développés, dans le but d'acquérir plus rapidement des technologies modernes et d'accélérer ainsi le processus de développement.

1. DÉFINIR. Qu'est-ce que le progrès technique ?

2. EXPLIQUER. Comment la diffusion du progrès technique vers les PED s'opère-t-elle ?

3. EXPLIQUER. Quels sont les liens entre progrès technique et développement ?

4. EXPLIQUER. Le transfert de technologie dans les PED peut-il avoir un effet d'entraînement sur l'ensemble de l'économie ?

4. Les effets de l'insertion de la Chine dans le commerce mondial

Dire que le centre de gravité de l'économie mondiale se déplace vers l'Asie est devenu un lieu commun. La crise financière n'a fait que renforcer ce mouvement. La reprise en Chine, en particulier, a été plus rapide et plus forte que partout ailleurs, la croissance dans ce pays a renoué avec des taux à deux chiffres. En 2009, la Chine est devenue le premier exportateur mondial, devant l'Allemagne. Beaucoup craignent que cette dynamique chinoise soit une sorte de rouleau compresseur qui provoquera un déclin irréversible de l'Occident, de l'Europe en particulier et, plus précisément, de son industrie. Il est vrai que l'irruption de la Chine au premier rang mondial a changé la dynamique de la mondialisation. [...]

Ainsi la Chine a mené une politique économique combinant ouverture aux investissements directs étrangers et abaissement progressif des droits de douane. Ceci s'est traduit par une industrialisation et une urbanisation rapides, notamment des zones côtières, faisant passer la population urbaine à près de 50 % de la population totale ; une accélération des échanges extérieurs et une croissance et un enrichissement général importants. _La Chine applique clairement le principe de substitution des importations par la maîtrise progressive de technologies initialement importées en s'appuyant sur sa compétitivité-prix._ Le secteur du textile a été une fois de plus l'illustration la plus spectaculaire de ce processus de développement. Actuellement, le ferroviaire,

ou même l'aéronautique, est en passe de connaître le même processus de montée en gamme et d'appropriation progressive par « transfert » de la technologie dans un secteur considéré comme souverain. De ce point de vue, il ne fait aucun doute aux acteurs concernés que la Chine sera, d'ici dix à quinze ans, le troisième producteur mondial d'avions aux côtés de Boeing et Airbus.

Ce processus de développement a permis depuis le début des années 1980 une intégration accélérée de la Chine dans le commerce mondial.

Patrick Artus, Jacques Mistral et Valérie Plagnol, _L'émergence de la Chine : impact économique et implications de politique économique_, rapport du CAE, La Documentation française, juin 2011.

1. CONSTATER. Quelles conséquences l'ouverture de la Chine aux IDE a-t-elle sur son organisation économique et sociale ?

2. EXPLIQUER. Dans quels secteurs cette stratégie a-t-elle été menée ? Quels en sont les effets ?

3. EXPLIQUER. Que signifie la phrase soulignée ?

4. RÉCAPITULER. Quels ont été les effets des investissements directs sur le développement de la Chine ?

5. Quelques indicateurs illustrant le développement de l'Inde

a. IDE et évolution du PIB en Inde, depuis 1975

Entrées nettes d'IDE (en millions de dollars courants)   Croissance annuelle du PIB (en %)

Source : Banque mondiale.

b. Évolution de l'IDH de l'Inde

1980	0,427
1985	0,453
1990	0,489
1995	0,511
2000	0,556
2005	0,596
2006	0,604
2007	0,612
Classement en 2007	134

Source : Pnud.

c. La pauvreté humaine et monétaire en Inde

Probabilité, à la naissance, de ne pas survivre jusqu'à l'âge de 40 ans (% de la cohorte 2005-2010)	15,5 %
Taux d'analphabétisme des adultes (1999-2007)	34 %
Enfants de moins de 5 ans, présentant une insuffisance pondérale pour leur âge (2000-2006)	46 %
Population vivant avec moins de 2 dollars/jour (2000-2007)	75,6 %
Classement mondial selon l'indicateur de pauvreté humaine	88

Pascal Rigaud, _Les BRIC, Brésil, Russie, Inde et Chine, puissances émergentes_, Bréal, 2010. Chiffres Pnud.

1. CONSTATER. Faites une phrase avec chacune des données entourées. (Doc. a, b, c).

2. EXPLIQUER. Quelle évolution les IDE ont-ils connue en Inde ?

3. CONSTATER. Montrez que l'Inde est un pays en développement.

4. EXPLIQUER. Pourquoi les IDE des FMN ne suffisent-ils pas à faire de l'Inde un pays développé ?

ENTRAÎNEMENT

QUESTION DE COURS. Quels sont les effets de l'internationalisation des échanges sur l'emploi ?

SYNTHÈSE. Complétez le tableau ci-dessous.

Effets positifs de l'internationalisation des échanges pour les PED	Effets négatifs de l'internationalisation des échanges pour les PED

documents

1. Les échanges extérieurs de la France et de l'Allemagne

1. Solde des balances des transactions courantes (France et Allemagne)

Source : OCDE.

Source : OCDE.

1. Faites une phrase avec les données de l'année 2007 pour la France.

2. Combien y a-t-il de périodes dans l'évolution du solde de la balance courante française ?

3. Qu'est-ce qui caractérise le solde de la balance courante allemande ? Comment peut-on expliquer cette situation ?

> **DÉFINITION**
>
> **La balance des transactions courantes (ou balance courante)**
> Il s'agit d'un document statistique qui retrace l'ensemble des échanges de biens et services entre un pays donné et l'étranger. Lorsque le solde est positif, les exportations de biens et services sont supérieures aux importations, et inversement quand le solde est négatif. Les échanges mesurés ici sont matériels et immatériels, alors que la balance commerciale est un document statistique qui ne retrace que les échanges matériels.

2. Le coût de la main-d'œuvre en France et en Allemagne

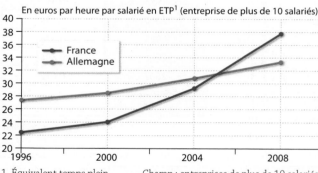

1. Équivalent temps plein.   Champ : entreprises de plus de 10 salariés.

Source : Coe-Rexecode, « Mettre un terme à la divergence de compétitivité entre la France et l'Allemagne », 14 janvier 2011.

1. Faites une phrase avec les données de l'année 2008.

2. Quelle conséquence cette évolution a-t-elle sur la compétitivité des produits allemands ?

3. Productivité par tête dans le secteur manufacturier

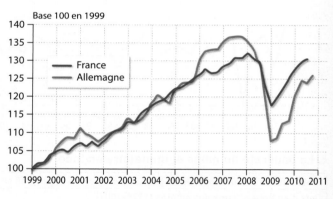

Source : Natixis, Flash économie, n° 197, 14 janvier 2011.

1. Faites une phrase avec les données de l'année 2011.

2. Comparez l'évolution de la productivité en Allemagne et en France.

4. Part des entreprises engagées dans la R&D, selon le nombre de salariés

En % du nombre d'entreprises	10 à 49	50 à 249	250 ou plus	Total
France	20	48,5	73,3	27,7
Allemagne	36,2	57,5	82,8	47,3

Source : Coe-Rexecode, « Mettre un terme à la divergence de compétitivité entre la France et l'Allemagne », 14 janvier 2011.

1. Faites une phrase avec la colonne « Total ».

2. Quel lien peut-on établir entre les dépenses de recherche et développement et la compétitivité-hors-prix ?

SYNTHÈSE

Après avoir caractérisé la position extérieure de la France et de l'Allemagne, expliquez pourquoi une telle différence existe entre les deux pays.

2. La stratégie d'une FMN : Zara

1. La FMN en quelques dates

Créateur Amancio Ortega (1ʳᵉ fortune espagnole)	**2010** – Chiffre d'affaires de 12,5 milliards d'euros
1975 Ouverture de la première boutique Zara à la Corogne, en Espagne	– Bénéfice net de 1,7 milliards d'euros (en hausse de 32 %)
1985 Création du holding Inditex (propriétaire de Zara) qui possède aujourd'hui plus de 5 100 magasins dans le monde entier	– Plus de 100 000 salariés
1988 Ouverture de la première boutique Zara à l'étranger	**2011** Ouverture prévue de 500 magasins sur les cinq continents

Sources : *La Tribune, Les Échos.*

2. La stratégie de Zara

Cette usine-gare de triage de 500 000 mètres carrés est gigantesque. C'est une cathédrale robotisée des nouveaux temps industriels, un exemple de logistique absolument parfaite. Inditex, cette entreprise espagnole – société-mère de Zara –, applique exactement les mêmes principes à toutes ses autres marques. Cette méthode a permis au groupe de devenir un des trois poids lourds de la Bourse espagnole. Inditex a détrôné le suédois H&M et l'américain Gap, les anciens rois du textile, pour prendre la première place mondiale du secteur.

Derrière ce succès, il y a un homme, Amancio Ortega. C'est lui qui a inventé toutes les méthodes originales appliquées chez Inditex. Il définit très vite ce qui va faire son succès : la production des modèles en petites quantités, afin de voir ce qui plaît. Il renouvelle très souvent les gammes pour ne jamais satisfaire complètement la demande. Aujourd'hui, les fans de Zara savent qu'ils doivent acheter ce qui les séduit immédiatement, sinon, ils ne le trouveront plus : le groupe fabrique 30 000 modèles différents par an ! Voilà pour l'idée commerciale.

Mais le triomphe planétaire du groupe repose sur sa mise en œuvre industrielle. Son modèle économique qui va à l'encontre des idées reçues repose sur des règles d'or inflexibles : obliger l'entreprise à rester proche du consommateur.

Première règle : aller vite. Zara est le spécialiste mondial de ce qu'on appelle maintenant la « fast fashion ». Chez Zara, on ne trouve pas la « mauvaise » couleur ou la « mauvaise » forme. Si l'orange bat le vert, on rectifie immédiatement le tir. La deuxième règle d'or découle de cette vitesse : il s'agit de vendre du « made in pas trop loin de la Galice, même si ça coûte plus cher à fabriquer » plutôt que du « made in le moins cher possible ». « Dans le meilleur des cas, notre cycle de fabrication, du dessin à l'expédition en boutique, ne prend que trois semaines… contre six mois chez nos concurrents », résume Jesus Echevarria, directeur de communication. La Chine ne fournit qu'un tiers de la production : les basiques. La fabrication se fait majoritairement en Espagne, au Portugal ou au Maroc. Le groupe repose d'abord sur 11 petites usines d'une centaine de personnes autour de la Corogne, mais aussi sur un réseau de sous-traitants qui vont coudre les jupes prédécoupées. Ces petits ateliers familiaux sont très compétitifs. Respectent-ils toutes les règles sociales ? Mystère. La société impose désormais un code de conduite très strict à ses sous-traitants mais, il y a quelques années, les syndicats avaient découvert que des enfants portugais participaient à la confection de vêtements Zara.

La troisième règle d'or complète les deux premières : les marques du groupe Inditex poussent la logique de la centralisation à un degré maximal. Tous les vêtements ou accessoires vendus dans les 5 000 magasins Zara doivent impérativement passer par l'entrepôt de la Corogne. Même les tee-shirts made in China passent par la Galice avant d'être vendus en Chine ! Cette remontée n'a pas pour but de perturber le bilan carbone du groupe, mais de profiter au mieux d'une logistique centralisée et d'un réassortiment de chacune de ses boutiques deux fois par semaine.

Les trois règles d'or concourent à un résultat imparable : il y a moins d'invendus chez Zara que chez ses concurrents, et donc de meilleures marges. [...]

Mais si aujourd'hui la Bourse plébiscite Zara, c'est pour une autre raison, des perspectives de développement brillantes. L'Asie est la grande priorité du groupe, l'Afrique du Sud démarre aussi cet été. Grâce à ses développements, les Chinois et les Indiens vont donc acheter de plus en plus souvent du textile made in Espagne, Portugal et Turquie… Les chemins de la mondialisation sont parfois étonnants.

D'après Claude Soula, « Quand Zara révolutionne le textile », *Le Nouvel Observateur*, 28 juillet 2011.

1. Relevez les éléments montrant que Zara est une firme multinationale.

2. Comment la décomposition du processus de production chez Zara se caractérise-t-elle ?

3. Où sont situés les sous-traitants ? Pourquoi ?

4. Quelles sont les trois règles d'or définies par le fondateur ?

5. Quelles sont les conséquences sociales et environnementales d'une telle organisation de la production ?

6. À quel type d'échange la phrase soulignée correspond-elle ?

7. Pourquoi l'Asie est-elle désormais « la grande priorité du groupe » ?

8. Expliquez la dernière phrase du texte.

Comment expliquer l'internationalisation de l'économie ?

La mondialisation est une notion récente qui ne doit pas faire oublier que l'internationalisation des échanges est ancienne. Comment est-on passé d'un système où les seuls échanges étaient internationaux à un système où la production est devenue mondiale, où les entreprises sont devenues des FMN, pesant parfois plus lourd que les États, et où les acteurs économiques sont devenus les concurrents d'un vaste marché planétaire ?

ACQUIS DE PREMIÈRE
➡ Voir Réviser les acquis de 1re, p. 64 et Lexique

- ■ Gains à l'échange
- ■ Spécialisation
- ■ Échange marchand

NOTIONS AU PROGRAMME

Libre-échange
Système économique dans lequel est assurée la libre circulation des marchandises entre les pays, ce qui suppose donc la suppression des obstacles aux échanges. C'est également la doctrine qui préconise la mise en place de ce système pour favoriser la croissance économique des pays.

I. Pourquoi les échanges internationaux se sont-ils développés ?

A. Échange et spécialisation : deux phénomènes interdépendants

■ La spécialisation d'un pays correspond au processus par lequel un pays développe une ou plusieurs activités pour lesquelles il dispose d'un avantage, ce qui va lui permettre ensuite d'échanger avec les autres pays. Les pays se spécialisent car ils vont vendre plus, et la division du travail qui en découle au niveau international (DIT) permet le développement du commerce international. Les pays échangent aujourd'hui essentiellement des biens, mais les échanges de services et de capitaux, grâce aux nouvelles technologies, ne cessent de progresser. On constate toutefois que les facteurs de production, en particulier le facteur travail, sont moins mobiles que les biens et services.

B. La libéralisation des échanges favorise leur essor

■ Depuis les années 1950, les échanges de biens et services ont explosé. Ils ont progressé plus rapidement que le PIB mondial. Cette progression spectaculaire des échanges s'explique par une volonté des États de développer le libre-échange et par la mise en place d'institutions (GATT, FMI, OMC) qui ont œuvré à cette libéralisation. La libéralisation des échanges passe par l'adoption de mesures facilitant les échanges internationaux et supprimant les obstacles de toute nature (douaniers ou autres).

C. Les déterminants de la spécialisation

■ L'échange international repose sur la spécialisation des pays. Les pays peuvent se spécialiser en fonction d'avantages comparatifs, c'est-à-dire qu'ils se spécialisent dans les productions où ils sont relativement les meilleurs par rapport aux autres pays (ou relativement les moins mauvais). La spécialisation peut se faire également en fonction des dotations factorielles, c'est-à-dire en fonction du poids respectif des facteurs de production (capital, main-d'œuvre, terre). Les nouvelles théories du commerce international montrent que les pays échangent entre eux des biens similaires. La croissance de ces échanges intrabranches s'explique, en particulier, par la recherche d'économies d'échelle grâce à la production de biens en grande quantité.

II. L'échange international est-il toujours avantageux ?

A. Les avantages et inconvénients des échanges internationaux

■ L'explosion des échanges internationaux s'est accompagnée d'une diversification de ces mêmes échanges. La recherche d'économies d'échelle, la volonté d'accéder à des marchés toujours plus nombreux et plus vastes, la stimulation de la concurrence… ont eu pour effet de favoriser la croissance économique au niveau mondial et de permettre le développement de nombreux pays. Toutefois, des inégalités de développement persistent entre les pays selon leurs dotations factorielles, le type de spécialisation… C'est le cas, en particulier, lorsque les conditions, ou termes de l'échange, entre les pays se dégradent.

B. Les tentations protectionnistes

◼ Malgré le vaste mouvement de libéralisation des échanges initié dans les années 1950, les mesures protectionnistes demeurent, et les tentations de repli des pays sont nombreuses, en particulier dans les périodes de crise. Certes les protections tarifaires ont fortement diminué, mais les protections non tarifaires demeurent, et certains secteurs (services, agriculture) sont loin d'être libéralisés aujourd'hui. Ce **protectionnisme** est justifié par certains courants théoriques et par certains pays qui le mettent en œuvre pour développer leurs économies ou une branche d'activité par exemple. Il peut cependant se révéler néfaste lorsqu'il fausse la concurrence et ne permet pas aux consommateurs de bénéficier de prix moins élevés ou d'un plus large choix.

III. Pourquoi la production de biens et services s'est-elle internationalisée ?

A. Une production de plus en plus mondialisée

◼ Aujourd'hui, ce ne sont plus seulement les échanges qui sont internationalisés, mais c'est aussi et surtout la production. L'internationalisation de la production de biens est à l'origine de la mondialisation. Les **firmes multinationales** envisagent leurs productions directement au niveau mondial, ce qui a eu pour effet une hausse très importante, depuis les années 1980, des investissements directs à l'étranger. Il est désormais difficile de connaître la provenance exacte des produits, tant le processus de production est décomposé sur l'ensemble de la planète. On parle de plus en plus de produits « made in the world » et non plus « made in France », par exemple.

B. Le rôle des firmes multinationales dans l'internationalisation de la production

◼ Les FMN ont joué un rôle central dans ce processus d'internationalisation de la production. En divisant les processus de production en de multiples étapes localisées dans le monde entier (en fonction des coûts, des ressources disponibles, de l'accès au marché…), elles ont ainsi favorisé le développement du **commerce intrafirme**. Les FMN cherchent en permanence à améliorer leur compétitivité, c'est-à-dire à augmenter leurs parts de marché. Pour cela, elles peuvent être amenées à **délocaliser** ou à **externaliser** une partie de leurs productions. Elles cherchent alors à améliorer la **compétitivité-prix** en diminuant au maximum les coûts de production. Elles peuvent aussi chercher à se distinguer par la qualité des produits proposés, leurs marques ou design, le service après-vente… Dans ce cas, c'est de **compétitivité-hors-prix**, ou structurelle, dont il s'agit.

C. Les effets de l'internationalisation des firmes

◼ Enfin, la mondialisation de la production et le poids croissant des FMN ont modifié en profondeur les relations entre les pays. Les pays développés, qui accueillent beaucoup d'IDE aujourd'hui, connaissent des tensions en particulier autour des emplois peu ou pas qualifiés, directement menacés par la DIPP et les délocalisations. Les pays d'accueil profitent, eux, de l'internationalisation de la production pour s'insérer dans les échanges internationaux et se développer. Les FMN créent dans ces pays des emplois, transfèrent des technologies et des savoirs, ce qui est favorable à la croissance économique. Mais des effets pervers existent. Les effets d'entraînement sur l'ensemble de l'économie sont parfois insuffisants, les spécialisations peuvent être vite dépassées, les coûts humains, sociaux et environnementaux de la participation aux échanges internationaux peuvent être importants et les inégalités croissantes.

synthèse

Synthèse (suite)

MISE EN PLACE DE RÈGLES ET D'INSTITUTIONS

- institutions favorables au libre-échange (GATT, FMI, OMC)
- baisse des barrières douanières
- baisse du coût des transports
- développement des NTIC.

INTÉRÊTS DE LA SPÉCIALISATION ET DES ÉCHANGES

- spécialisation en fonction d'avantages comparatifs et des dotations factorielles
- économies d'échelle
- baisse des coûts et des prix
- hausse des échanges

LES RAISONS DE L'INTERNATIONALISATION DES ÉCHANGES ET DE LA PRODUCTION

THÉORIES ET PRATIQUES

- le libre-échange = meilleure allocation des ressources, extension des marchés, diversité de biens et services disponibles, renforcement de la concurrence
- le protectionnisme = protectionnisme éducateur, mise en place de politiques commerciales stratégiques

DES FMN ORGANISÉES AU NIVEAU INTERNATIONAL

- hausse des IDE
- décomposition des processus de production
- stratégies de rationalisation des coûts, de recherche de position dominante, d'accès aux marchés, aux matières premières
- délocalisations et externalisation
- mise en concurrence des territoires

LA VOLONTÉ DES PAYS DE PARTICIPER À L'ÉCHANGE INTERNATIONAL

- les pays développés = acteurs historiques de la mondialisation, à l'origine et accueillant de nombreux IDE
- les pays en développement = nouveaux acteurs de la mondialisation, recevant de nombreux IDE et en émettant de plus en plus

À la fin du chapitre, assurez-vous que :

➔ Vous êtes capable d'expliquer les principaux déterminants de la spécialisation des pays.	➔ Vous êtes capable de définir le libre-échange et de montrer que la libéralisation des échanges a eu des effets sur le volume des échanges internationaux.	➔ Vous êtes capable de distinguer la compétitivité-prix et la compétitivité-hors-prix.	➔ Vous êtes capable de distinguer les effets positifs de la libéralisation des échanges et ses effets négatifs.	➔ Vous êtes capable de montrer que les FMN sont des acteurs essentiels de la mondialisation.

POUR ALLER PLUS LOIN

Livres
- « Mondialisation et commerce international », *Cahiers français*, n° 341, novembre-décembre 2007.
- Jacques Adda, *La mondialisation de l'économie, genèse et problèmes*, La Découverte, coll. « Repères », 2006.
- André Fourçans, *La mondialisation racontée à ma fille*, Seuil, 2007.
- Jean-Louis Mucchielli, *La mondialisation, chocs et mesure*, Hachette supérieur, 2008.
- El Mouhoub Mouhoud, *Mondialisation et délocalisation des entreprises*, La Découverte, coll. « Repères », 2011.
- Michel Rainelli, *Le commerce international*, La Découverte, coll. « Repères », 2009.

Sites
- www.unctad.org (Cnuced)
- www.oecd.org (OCDE)
- www.wto.org (OMC)
- www.beta.undp.org (Pnud)

Films
- *Les fleurs de la discorde*, un reportage de Guillaume Pitron et Alexis Marant, diffusé dans le cadre d'*Envoyé spécial* le 22 janvier 2009. www.france2.fr
- *Ma mondialisation*, un film de Gilles Perret, 2006.
- *Main basse sur le riz*, un film de Jean Crépu, 2009.
- *We feed the world*, un film de Erwin Wagenhofer 2007.

autoévaluation

1 QCM

Plusieurs réponses sont possibles.

1. Un IDE est :

a. ☐ un investissement fait dans une entreprise étrangère dans un but de profit immédiat.

b. ☐ un investissement permettant d'acquérir ou de contrôler une firme étrangère, en vue d'acquérir un intérêt durable.

c. ☐ un investissement direct à l'exportation.

2. Une FMN est :

a. ☐ une grande entreprise nationale qui vend l'essentiel de sa production à l'étranger.

b. ☐ une grande entreprise nationale qui externalise une partie de sa production en faisant appel à des sous-traitants nationaux.

c. ☐ une grande entreprise nationale qui possède des filiales de production à l'étranger dans le but de profiter des avantages proposés par différents pays.

3. Le commerce intrafirme :

a. ☐ fausse, en partie, les chiffres du commerce international.

b. ☐ correspond, par exemple, aux échanges effectués entre les filiales d'une même FMN.

c. ☐ représente environ un tiers des échanges internationaux des pays développés.

2 Compléter le tableau ci-dessous à l'aide des propositions suivantes :

Création d'emplois • Dépendance vis-à-vis des pays développés • Pas de possibilité de protéger les industries naissantes ou fragiles • Transferts de technologie en provenance des pays développés • Nécessité d'élaborer des normes sociales et environnementales • Spécialisation qui mène à une dégradation des termes de l'échange • Exportations comme sources de revenus • Pollution • Croissance et développement • Spécialisation qui ne permet pas la croissance et le développement

Avantages tirés des échanges internationaux pour les PED	Inconvénients tirés des échanges internationaux pour les PED

3 Mots-croisés

Vertical

A. Les pays doivent se spécialiser selon cet avantage d'après l'économiste Ricardo.
B. Qu'elle soit ancienne ou nouvelle, elle correspond à la répartition des activités entre les différents pays, qui débouche sur une spécialisation.
C. Échange pratiqué entre les individus et les pays depuis très longtemps, et qui se fait aujourd'hui au niveau international.
E. Processus par lequel les individus ou les pays développent une activité pour laquelle ils possèdent une compétence ou un avantage particulier.
G. Document qui retrace les exportations et les importations de biens, et dont le solde est soit positif, soit négatif.
O. Objets matériels fabriqués et échangés. Grande entreprise nationale qui exerce une partie de ses activités de production à l'étranger.
Q. Activités immatérielles dont le poids est de plus en plus important dans les échanges et la création de richesses des pays.

Horizontal

1. Organisation qui régule le commerce international depuis 1995. Entreprise à laquelle s'adresse une entreprise « donneuse d'ordre » qui décide d'externaliser une partie de la production.
3. Qu'elle se fasse en fonction du prix ou de la qualité, les entreprises cherchent toujours à l'améliorer.

5. Se dit du commerce au sein d'une même firme ou d'une même branche.
7. Doctrine et pratique économiques qui consistent à supprimer toutes sortes de barrières afin de faciliter les échanges entre les pays.
10. Tarifaire ou non tarifaire, le GATT et l'OMC ont toujours tenté de la supprimer.
11. Investissement réalisé par une entreprise à l'étranger, dans le but de contrôler une autre entreprise.
13. Fermeture d'une usine en France, dans le but de la transférer à l'étranger.
16. Vente de biens ou services par une entreprise française à l'étranger.

	A	B	C	D	E	F	G	H	I	J	K	L	M	N	O	P	Q
1									-								
2																	
3																	
4																	
5																	
6																	
7											-						
8																	
9																	
10																	
11																	
12																	
13																	
14																	
15																	
16																	

Dissertation

SUJET Quelles sont les stratégies mises en œuvre par les firmes multinationales pour la localisation de leurs activités ?

DOCUMENT 1 Flux entrants d'investissements directs à l'étranger

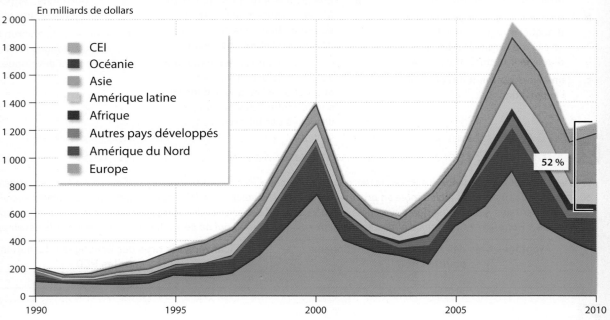

En milliards de dollars

Légende : CEI, Océanie, Asie, Amérique latine, Afrique, Autres pays développés, Amérique du Nord, Europe

52 %

Source : *Alternatives économiques*, hors-série n° 90, octobre 2011. Chiffres Cnuced.

DOCUMENT 2 Investissements directs à l'étranger (IDE) et production mondiale

En milliards de dollars courants	1982	1990	2005	2009
Flux d'IDE sortants	28	241	893	1 101
Stocks d'IDE sortants	627	2 087	12 417	18 982
Fusions et acquisitions[1]	–	99	462	250
Vente des filiales	2 741	6 026	21 721	29 298
Production brute des filiales étrangères	676	1 477	4 327	5 812
Exportations des filiales	688	1 498	4 319	5 186
Emplois dans les filiales (en milliers)	21 524	24 476	57 799	79 825
PIB mondial	12 002	22 121	45 273	55 005
FBCF mondiale	2 611	5 099	9 833	12 404
Exportations totales de biens et services	2 124	4 414	12 954	15 716

1. Opération au cours de laquelle deux sociétés A et B se réunissent dans une nouvelle société AB, et disparaissent donc en tant que telles.

El Mouhoub Mouhoud, *Mondialisation et délocalisation des entreprises*, La Découverte, Coll. « Repères », 2011.

POUR VOUS AIDER Extraire les informations pertinentes d'un tableau

Il faut ici comparer l'évolution des flux d'IDE et celle de l'investissement mondial entre 1982 et 2009. La même opération peut être effectuée avec les données concernant la production et ensuite les exportations.

Conseil : étudiez précisément le tableau, ne le paraphrasez pas, trouvez des valeurs significatives en effectuant des calculs simples, par exemple en recherchant les valeurs extrêmes et en calculant l'évolution entre deux dates.

DOCUMENT 3 Coût salarial unitaire

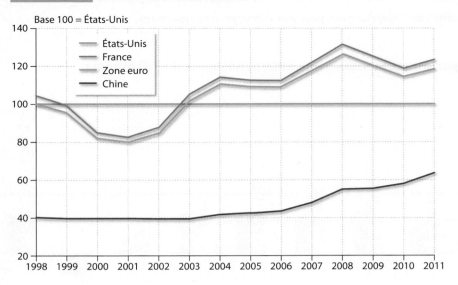

Sources : Datastream, FMI et Natixis,
Patrick Artus, Jacques Mistral et
Valérie Plagnol, « L'émergence de la Chine :
impact économique et implications de politique
économique », rapport du CAE, juin 2011.

Épreuve composée (entraînement Chapitre 3)

PARTIE 1 Mobilisation des connaissances

QUESTION 1 (3 points) : Quels sont les déterminants de la spécialisation des pays ?

QUESTION 2 (3 points) : Comment les stratégies d'internationalisation des entreprises influencent-elles la division internationale du travail ?

PARTIE 2 Étude d'un document

QUESTION (4 points) : Vous présenterez ce document puis expliquerez l'évolution des droits de douanes dans les pays en développement dont il est question.

Droits de douane moyens appliqués aux produits non agricoles dans quelques PED

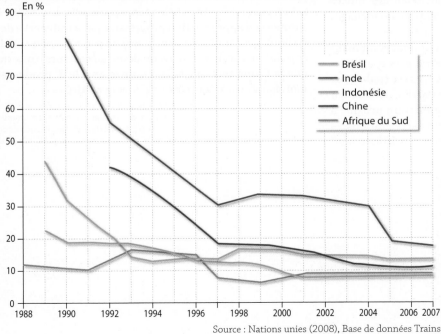

Source : Nations unies (2008), Base de données Trains
(système d'analyse et d'information commerciales), *Synthèses*, OCDE, mars 2009.

POUR VOUS AIDER

Repérer une tendance générale

Il s'agit ici de montrer l'évolution à la baisse des droits de douane à partir de 1989 jusqu'en 1997, pour la plupart des pays, puis observer un rapprochement à partir de cette date. Des différences peuvent ensuite être notées, par exemple en comparant les extrêmes (ici l'Inde et l'Afrique du Sud en 1989 et en 2007).

Conseil : pour bien tirer toutes les informations valables du document, ne vous lancez pas dans la recherche de détails, commencez par repérer la tendance générale.

PARTIE 3 Raisonnement s'appuyant sur un dossier documentaire

SUJET (10 POINTS) : Analysez les effets de l'ouverture des pays aux échanges internationaux.

DOCUMENT 1 Évolution des exportations mondiales de marchandises et du PIB mondial

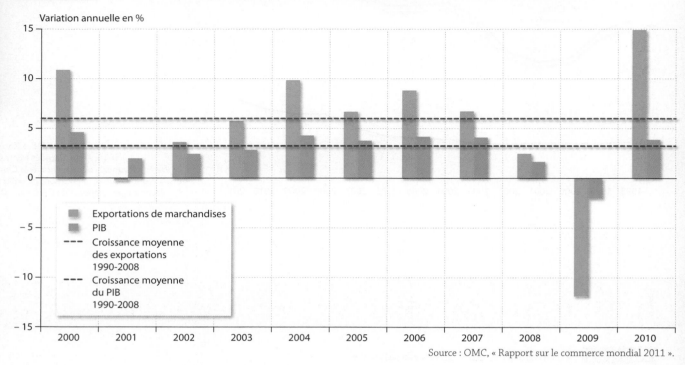

Source : OMC, « Rapport sur le commerce mondial 2011 ».

DOCUMENT 2

On retrouve en Chine ce qui a fait le succès des autres économies asiatiques qui l'ont précédée, un développement marqué par : la prédominance de l'investissement industriel ; l'appui de plus en plus marqué sur le commerce international et ce notamment depuis l'adhésion à l'Organisation mondiale du commerce (OMC) au début des années 2000 ; le retrait de la part de la consommation des ménages réduite en dix ans de 45 à 35 % du PIB en dix ans.

Ainsi la Chine a mené une politique économique combinant ouverture aux investissements directs étrangers et abaissement progressif des droits de douane. Ceci s'est traduit par une industrialisation et une urbanisation rapides, notamment des zones côtières, faisant passer la population urbaine à près de 50 % de la population totale ; une accélération des échanges extérieurs, et une croissance et un enrichissement général importants. La Chine applique clairement le principe de substitution des importations par la maîtrise progressive de technologies initialement importées en s'appuyant sur sa compétitivité-prix. Le secteur du textile a été une fois de plus l'illustration la plus spectaculaire de ce processus de développement. Actuellement, le ferroviaire, ou même l'aéronautique, est en passe de connaître le même processus de montée en gamme et d'appropriation progressive par « transfert » de la technologie dans un secteur considéré comme souverain. De ce point de vue, il ne fait aucun doute aux acteurs concernés que la Chine sera, d'ici dix à quinze ans, le 3e producteur mondial d'avions aux côtés de Boeing et Airbus.

Patrick Artus, Jacques Mistral et Valérie Plagnol,
« L'émergence de la Chine : impact économique et
implications de politique économique »,
rapport du CAE, juin 2011.

Travailler avec Internet

1. Internet est devenu un outil incontournable

• La recherche documentaire est facilitée.
• De nombreux sites proposent des approfondissements du cours.
• Il permet l'accès aux données les plus récentes.

2. L'utilisation d'Internet nécessite un apprentissage

• Comment faire face à la masse d'informations ?
• Comment éviter les sites douteux ou les informations erronées ?
• Comment exploiter les informations sans se limiter au copier-coller ?

Quelques sites de référence

Les officiels

L'Insee (Institut national de la statistique et des études économiques) collecte, produit, analyse et diffuse des informations sur l'économie et la société françaises. L'Insee a été créé par la loi de finances du 27 avril 1946.
www.insee.fr

Ministère du Travail, de l'Emploi et de la Santé
www.travail-emploi-sante.gouv.fr

Eurostat construit et publie des données statistiques au niveau communautaire (statistiques agrégées et détaillées pour chaque pays membre), afin d'éclairer les décisions des institutions européennes et d'informer les citoyens de l'Union.
http://ec.europa.eu/

L'Organisation de coopération et de développement économiques (OCDE) est officiellement née le 30 septembre 1961. Cette organisation recense 34 pays membres qui se consultent régulièrement pour identifier les problèmes, en discuter, les analyser, et promouvoir des politiques pour les résoudre. Vous trouverez de nombreuses statistiques et rapports sur ces pays.
www.oecd.org

Autre organisme

L'Observatoire des inégalités est un organisme indépendant d'information et d'analyse sur les inégalités. Il dispose d'un conseil scientifique composé d'économistes et de sociologues.
www.inegalites.fr

La presse

Alternatives économiques est un mensuel de référence en SES accessible aux lycéens. Vous y trouverez en consultation libre, des articles, des graphiques, mais aussi des vidéos. Vous aurez également les références complètes pour consulter l'intégralité des articles en version papier, forcément disponibles dans votre CDI.
www.alternatives-economiques.fr

Le Monde. Là encore une information de qualité, mais cette fois-ci généraliste et quotidienne.
www.lemonde.fr

Les Échos. Un quotidien de référence pour l'actualité économique.
www.lesechos.fr

ACTIVITÉ À vous de jouer !

Les activités ci-dessous nécessitent deux heures : la première heure sera consacrée à la recherche proprement dite ; la seconde heure sera consacrée à la mise en commun des résultats. Travaillez en groupe de 3 ou 4 élèves maximum, comparez les documents trouvés et les réponses aux questions, recherchez les raisons des écarts éventuels et corrigez-les si nécessaire par une nouvelle recherche.

1. Faire une recherche sur Internet

Vous cherchez à actualiser vos connaissances sur le déficit extérieur français.
1. Tapez votre requête dans la barre de recherche de Google. Combien de pages vous sont proposées ?
2. Filtrez votre recherche à l'aide des fonctionnalités du serveur (colonne à gauche et « recherche avancée » en bas de l'écran). Décrivez votre démarche. Est-ce suffisant pour choisir la page la plus pertinente ?
3. Sur ce même sujet, et sans passer par Google, vous allez rechercher trois documents : un document statistique permettant d'avoir les données les plus récentes ; un article de presse commentant les données ; et une analyse économique. Décrivez votre démarche : quels sites avez-vous visités ? Pourquoi ? Quelle recherche y avez-vous faite ? Comment avez-vous sélectionné les pages pertinentes ?...
4. Pour chacun de ces documents, vérifiez la pertinence de la source, la date, l'intérêt des informations et/ou de l'analyse.

2. Affiner la recherche avec le site de l'Insee

Vous affinez votre recherche sur les échanges extérieurs de la France, et répondez à chacune des questions ci-dessous grâce à un document que vous aurez sélectionné (un document par question).
1. Comment les échanges extérieurs de la France ont-ils évolué au cours de la dernière année connue ?
2. Quels sont les principaux secteurs déficitaires ? excédentaires ?
3. Quelle analyse peut-on faire de cette situation ?
4. La compétitivité est-elle la seule responsable de la situation (excédent ou déficit) des échanges extérieurs de la France ?

3. Conseils généraux

À éviter

→ Aller sur la première page trouvée.
→ Le copier-coller.
→ Les encyclopédies participatives (Wikipédia) sont des ressources à utiliser avec précaution : elles ne peuvent garantir le sérieux des contenus.

Important

→ Bien repérer la pertinence des sources : s'agit-il d'un site officiel ? partisan ? d'un site personnel ?

Pour progresser encore

→ Ne vous dispersez pas : habituez-vous à quelques sites avant d'enrichir votre « sitothèque ».

Comment l'économie mondiale est-elle financée ?

Les pays échangent entre eux des biens, des services, des revenus, mais aussi des capitaux. Ces échanges sont enregistrés dans un document comptable appelé balance des paiements. Respectant le principe de la comptabilité en partie double, la balance des paiements est présentée en équilibre. Son analyse permet de savoir si un pays est créditeur ou débiteur à l'égard du reste du monde.

▶ Comment analyser les échanges extérieurs d'un pays ?

Pour régler leurs échanges, les pays doivent se procurer des devises sur le marché des changes. Sur celui-ci, la confrontation des offres et des demandes permet de déterminer les taux de change de chaque monnaie. Ces taux varient en fonction de la situation économique internationale. Les échanges monétaires représentent aujourd'hui environ 50 fois les échanges commerciaux. Ce phénomène traduit la financiarisation de l'économie mondiale.

▶ Quelle relation peut-on mettre en évidence entre échanges extérieurs et cours des monnaies ?

Pour certains économistes, les marchés financiers sont responsables des déséquilibres internationaux et des crises économiques et financières. Pour d'autres, ils demeurent la meilleure façon d'optimiser l'allocation des capitaux entre les zones. Ils constituent, avec les agences de notation, les « gendarmes » qui sanctionnent les erreurs des politiques économiques des États. Au final, le débat reste celui qui oppose partisans de la régulation ou du laisser-faire.

▶ Les marchés financiers facteur d'équilibre ou de déséquilibre pour l'économie mondiale ?

SOMMAIRE

Réviser les acquis de 1ʳᵉ		64
I Comment les échanges extérieurs sont-ils comptabilisés ?		98
A La balance des paiements		98
B Les soldes de la balance des paiements		100
II Quel est le rôle des monnaies dans l'échange international ?		102
A Le fonctionnement du marché des changes		102
B Les déterminants du taux de change		104
C Taux de change et économies nationales		106
III Comment expliquer les flux internationaux de capitaux ?		108
A La mondialisation financière		108
B Une allocation plus efficace du capital ?		110
TD 1. Les limites du modèle chinois de croissance extravertie		112
TD 2. La création monétaire mondiale et ses conséquences		113
Synthèse		114
Schéma Bilan		116
Autoévaluation		117
Vers le Bac		118
Aide au travail personnel		121

Notions au programme
- Balance des paiements
- Flux internationaux de capitaux
- Devises
- Marché des changes
- Spéculation

Acquis de 1ʳᵉ
- Offre
- Demande
- Banque centrale
- Fonctions de la monnaie
- Taux d'intérêt

Fiche Notion 2 (voir p. 412)
- La détermination du taux de change

1 Le « secret du déficit sans pleurs »

L'étalon de change-or a accompli cette immense révolution de livrer aux pays pourvus d'une monnaie bénéficiant d'un prestige international le merveilleux secret du déficit sans pleurs, qui permet de donner sans prendre, de prêter sans emprunter et d'acquérir sans payer.

Jacques Rueff (économiste français, 1896-1978),
Le péché monétaire de l'Occident, Plon, 1971.

2

Les déficits commerciaux avec la Chine

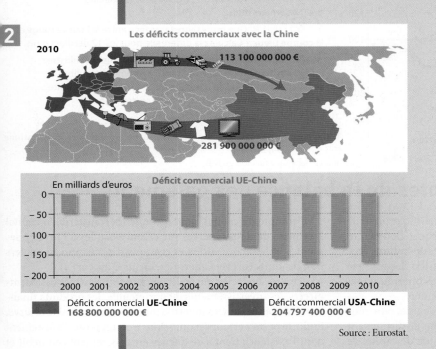

2010

113 100 000 000 €

281 900 000 000 €

Déficit commercial UE-Chine

En milliards d'euros

Déficit commercial **UE-Chine**
168 800 000 000 €

Déficit commercial **USA-Chine**
204 797 400 000 €

Source : Eurostat.

1. Que veut dire Jacques Rueff par l'expression « déficit sans pleurs » ?

2. Retrouvez le déficit de l'UE avec la Chine.

3. Pourquoi un pays doit-il avoir des réserves en or et devises ?

3

Classement des pays selon leurs réserves en or et devises

Réserves d'or et de devises (US$), en 2008

Rang	Pays	
1	Chine	1 493 000 000 000
2	Japon	881 000 000 000
3	Russie	470 000 000 000
4	Taïwan	274 700 000 000
5	Corée du Nord	262 200 000 000
6	Inde	239 400 000 000
7	Brésil	178 000 000 000
8	Singapour	157 000 000 000
9	Hong Kong	152 700 000 000
10	Allemagne	111 600 000 000
11	Malaisie	104 800 000 000
12	Thaïlande	100 000 000 000
13	Algérie	99 330 000 000
14	France	98 240 000 000
15	Mexique	85 110 000 000
16	Turquie	74 390 000 000
17	Australie	71 150 000 000
18	Libye	69 510 000 000
19	Iran	69 200 000 000
20	Italie	69 000 000 000
21	États-Unis	65 890 000 000

Source : CIA, *World Factbook*, janvier 2009.

I. Comment les échanges extérieurs sont-ils comptabilisés ?

A La balance des paiements

1. Flux et taux de couverture[1] de la balance commerciale française

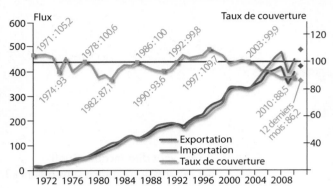

1. CONSTATER. Faites trois phrases avec les valeurs des 12 derniers mois.

2. CONSTATER. Que représente la surface entre la courbe rouge et la courbe bleue ? Calculez la différence pour les 12 derniers mois.

3. ILLUSTRER. À l'aide des données du document 1, illustrez les propositions suivantes : la France a rarement équilibré sa balance commerciale ; l'ouverture de la France augmente ; la situation commerciale de la France se dégrade.

1. Rapport du montant des exportations sur le montant des importations (Exportation / Importations) × 100.
Source : lekiosque.finances.gouv.fr.

2. Les différents comptes de la balance des paiements

La balance des paiements est un document statistique présenté suivant les règles de la comptabilité en partie double qui rassemble dans un cadre défini, l'ensemble des opérations économiques et financières donnant lieu à un transfert de propriété entre les résidents d'un pays – ou d'une zone économique – et les non-résidents, au cours d'une période donnée.
– Les flux économiques et financiers entre résidents et non-résidents sont répartis dans la balance des paiements en distinguant le compte de transactions courantes, le compte de capital, le compte financier.
– Le compte de transactions courantes, qui se subdivise en biens, services, revenus (du travail, de la propriété) et transferts courants (versements aux organisations internationales, envois de fonds des étrangers).

– Le compte de capital, qui regroupe les transferts en capital – remises de dettes, pertes sur créances, aides à l'investissement – et les acquisitions et cessions d'actifs non financiers non produits (brevets, marques, droits d'auteur…).
– Le compte financier, qui se décompose entre les investissements directs, les investissements de portefeuille, les produits financiers dérivés, les autres investissements et les avoirs de réserve. Enfin, le poste « erreurs et omissions » est un poste d'ajustement dont l'existence tient à ce que les enregistrements en débit et crédit dans la balance des paiements ne sont pas inscrits simultanément à l'occasion de chaque transaction, mais résultent de déclarations différenciées qui peuvent générer des erreurs, des oublis ou des décalages de période.

D'après banque-france.fr.

1. CONSTATER. À quel compte la balance commerciale correspond-elle ?

2. ILLUSTRER. Donnez un exemple de service qui peut être exporté.

3. RÉCAPITULER. Sous la forme d'un tableau, présentez les différents comptes de la balance des paiements.

> **DÉFINITIONS** Résident et produit dérivé
>
> Un **résident** est une unité économique (entreprise, individu) qui réalise des opérations économiques (achat de services, investissement, production) pendant une durée supérieure à un an sur le territoire national.
> Un **produit dérivé** est un contrat financier portant sur la valeur anticipée d'une action, d'une devise, d'un taux d'intérêt. (Voir exercice, p. 105)

3. Balance des paiements de la France depuis 2005

En milliards d'euros	2005	2006	2007	2008	2009	2010
Compte de transactions courantes	– 8,3	– 10,3	– 18,9	– 33,7	– 28,4	– 33,7
Biens	– 22,5	– 30,4	– 41,1	– 59,4	– 43,1	– 53,7
Services	12,3	12,3	14,4	16,5	10,2	10
Revenus	23,8	29,7	31,2	33,4	31,6	36,5
Transferts courants	– 21,9	– 21,9	– 23,4	– 24,2	– 27,1	– 26,5
Compte de capital	0,5	– 0,2	1,9	0,7	0,3	0
Compte financier	– 1,6	26	30,3	18,3	41,1	18,2
Dont : Investissements directs à l'étranger	– 24,1	– 30,9	– 49,7	– 62	– 49,6	– 37,9
Investissements de portefeuille	– 14,6	– 107,9	– 121,2	25	251,1	119,9
Erreurs et omissions nettes	9,4	– 15,4	– 13,2	14,8	– 13	15,4

Champ : France (territoire statistique de la balance des paiements).

Source : Banque de France.

<table>
<tr><td>NE PAS CONFONDRE</td><td>IDE et investissements de portefeuille</td></tr>
</table>

Un **investissement direct à l'étranger (IDE)** est une prise de participation significative dans le capital d'une entreprise étrangère lui donnant un certain contrôle sur ses décisions (les conventions internationales retiennent un seuil de 10 % du capital en question). Il peut se faire par une création d'activité ou par le rachat d'un site de production existant (fusions et acquisitions internationales). Lorsque la prise de participation est inférieure à 10 %, il sera question d'**investissements de portefeuille**.

1. CALCULER. Vérifiez, pour 2010, que la balance des paiements est bien équilibrée. Justifiez la ligne « Erreurs et omissions nettes ».

2. CONSTATER. Donnez la signification des valeurs entourées.

3. RÉCAPITULER. Décrivez les principales évolutions des soldes de la balance des paiements de la France.

4. L'équilibre de la balance des paiements

Comme tout document comptable, la balance des paiements est présentée en équilibre. Ceci ne veut pas dire que les agents économiques résidents équilibrent chaque année leurs échanges avec le reste du monde. Ceci signifie que les déséquilibres qui peuvent porter sur les marchandises, invisibles, capitaux, sont compensés par des flux monétaires (variation des réserves de devises) qui s'inscrivent en sens inverse.

Par exemple, si un pays importe plus qu'il n'exporte, il va financer son déficit en cédant des devises qu'il possède ou en empruntant ces devises, s'il ne les possède pas. Si ces importations totales sont de 100 milliards et ses exportations totales de 95 milliards, il a un besoin de devises de 5 milliards.

Un déséquilibre au niveau des flux réels sera nécessairement compensé par des flux monétaires de sens inverse. Le financement sera obtenu par une variation des réserves de change, ou encore par le recours à l'endettement, ou encore par des ventes d'or.

Frédéric Teulon, *Introduction à l'économie*, PUF, coll. « Que sais-je ? », 1998.

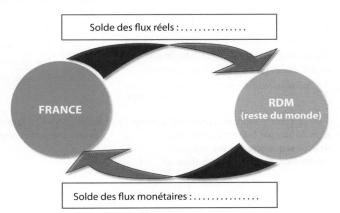

Solde des flux réels : ....

FRANCE   RDM (reste du monde)

Solde des flux monétaires : ....

1. DÉFINIR. Qu'est-ce qu'une devise pour la France ?

2. ILLUSTRER. Illustrez par un exemple la distinction entre flux réel et flux monétaire.

3. EXPLIQUER. Quand on parle de déséquilibre de la balance des paiements, de quoi parle-t-on exactement ?

4. RÉCAPITULER. Reproduisez le schéma et complétez-le avec les chiffres du texte.

5. Les conséquences d'un investissement à l'étranger

Dans l'année où l'investissement étranger se fait, les dépenses à l'étranger du pays investisseur s'accroissent, causant un déficit dans sa balance des paiements [...].

Ces dépenses accrues à l'étranger suite au transfert de capital ont des chances d'être compensées par l'accroissement des exportations d'équipements, de pièces détachées et autres produits, d'une part, et par le retour des profits dans l'avenir, d'autre part. On a estimé que cette période de « remboursement » du transfert initial de capital s'étendait en moyenne sur cinq à dix ans. Il faut aussi se demander si, en longue période, ces investissements à l'étranger ne conduisent pas au remplacement des exportations que le pays investisseur fait actuellement ou même à des importations de biens précédemment exportés. Donc, si l'effet immédiat sur la balance des paiements est négatif dans le pays investisseur et positif dans le pays hôte, les effets à long terme sont incertains.

Dominick Salvatore, *Économie internationale*, De Boeck, 2008.

1. ILLUSTRER. Dans quel compte sera enregistré « le retour des profits » ?

2. EXPLIQUER. Expliquez la phrase soulignée.

3. RÉCAPITULER. Pourquoi faut-il distinguer l'effet des IDE à court terme et leur effet à long terme ?

<table>
<tr><td>DÉFINITION</td><td>Réserves de change</td></tr>
</table>

Elles comprennent les devises, l'or, mais aussi la monnaie du FMI (les droits de tirage spéciaux) détenues par les banques centrales. Ces réserves leur permettent d'intervenir sur le marché des changes pour stabiliser le cours de leurs monnaies et de financer les échanges internationaux.

ENTRAÎNEMENT

QUESTION DE COURS. Recopiez le tableau et enregistrez les opérations dans le bon compte avec un signe + (entrée) ou – (sortie).

Flux de...	Marchandise	Service	Revenu	Portefeuille	IDE
La France vend des Mirages avec des stages de formation.					
Un fonds de pension anglais acquiert 4 % d'une société du CAC 40.					
Le groupe Total verse des dividendes à ses actionnaires américains.					
Le groupe américain General Mills rachète 51 % de Yoplait.					

SYNTHÈSE. À l'aide des documents 1 et 4, mettez en évidence les relations entre le compte financier et celui des transactions courantes.

documents

B Les soldes de la balance des paiements

1. La balance commerciale

a. « La locomotive de la balance des paiements »

Le solde des échanges de marchandises permet de mesurer la compétitivité de l'économie en question vis-à-vis du reste du monde. Il fournit le taux de couverture (X/M). On parle parfois de lui comme de la locomotive de la balance des paiements, en ce sens que les importations et les exportations induisent des flux de services (assurance, transport) et de capitaux.

Joël Jalladeau, *Introduction à la macroéconomie*, De Boeck, 1998.

b. Taux de couverture de la balance commerciale française, en %

En %	2006	2007	2008	2009
Produits de l'agriculture, de la sylviculture, de la pêche	113,9	103,5	104,5	102
Produits des industries agricoles et alimentaires	125,2	121,4	115,9	(110,5)
Produits manufacturés	94,2	89,5	87,9	86,6
Dont : Biens de consommation	77,2	73,5	73,2	72,5
Produits de l'industrie automobile	122,8	111,3	101,4	94,9
Biens d'équipement	93,3	89,1	89,8	87
Biens intermédiaires	94,9	91,4	89,7	91,3
Produits énergétiques	37,4	37	41,8	39,5
Ensemble (y compris matériel militaire)	91,5	91,5	86,6	(85,1)

Source : Insee.

1. ILLUSTRER. Montrez comment la vente d'un Airbus par la France peut avoir des conséquences sur ses balances des services et des capitaux. (Doc. a)

2. CONSTATER. Faites une phrase avec les données entourées. (Doc. b)

3. RÉCAPITULER. Quels sont les points forts et points faibles de la balance commerciale française ? (Doc. b)

2. La balance des services de la France

a. Principaux excédents et déficits

En milliards d'euros	2008	2010	Variation (en %)
Total	16,4	10	– 39
Dont : Construction	2,7	2,5	– 7,4
Voyage	10,5	(6)	– 42,8
Négoce international	8,1	7, 8	– 3,7
Service aux entreprises	– 4	– 5,2	(30)
Assurances	– 0,8	– 1,3	62,5
Biens culturels et récréatif	– 0,98	– 1,2	22,4

Le Louvre, le site le plus visité de France.

b. Une marge de progression importante

Les services ont longtemps été considérés comme des activités peu ou pas échangeables. Si les échanges de services représentent environ 20 % des échanges internationaux, les services totalisent entre 60 % et 80 % du produit intérieur brut (PIB) des pays développés. La marge de progression semble donc importante. De plus, sur la période récente, plusieurs barrières techniques ou institutionnelles ont été levées, ce dont les échanges de services devraient pouvoir tirer parti. L'essor des nouvelles technologies de l'information et de la communication (NTIC), la suppression de barrières réglementaires à l'échange, dans les domaines financier et bancaire par exemple, ont notamment concouru à la baisse des coûts de transaction sur les services. Cette diminution des obstacles au commerce international a certainement stimulé les échanges effectifs de services, et permis le commerce international d'activités de services qui n'étaient pas échangées auparavant.

Muriel Barlet, Laure Crusson, Sébastien Dupuch et Florence Puech, *Économie et statistique*, Insee, n° 435-436, mars 2011.

1. CONSTATER. Faites une phrase avec les données entourées. (Doc. a)

2. RÉCAPITULER. Synthétisez les principaux résultats de la balance des services française. (Doc. a)

3. ILLUSTRER. Illustrez les passages soulignés avec les exemples suivants : coiffure, assurance, cours de langue, assistance informatique, nettoyage. (Doc. b)

4. EXPLIQUER. Comment les auteurs du texte expliquent-ils la progression des échanges de services ? (Doc. b)

3. La balance des investissements directs à l'étranger (IDE)

a. Flux entrants d'IDE

En milliards de dollars

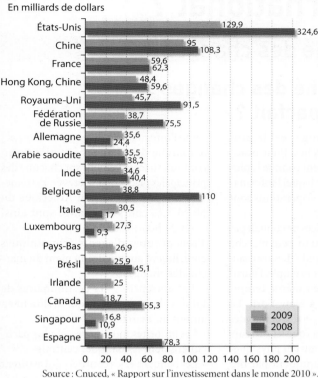

Source : Cnuced, « Rapport sur l'investissement dans le monde 2010 ».

1. CONSTATER. Donnez la signification de la valeur entourée. (Doc. b)

b. Flux d'IDE de la France

En milliards d'euros

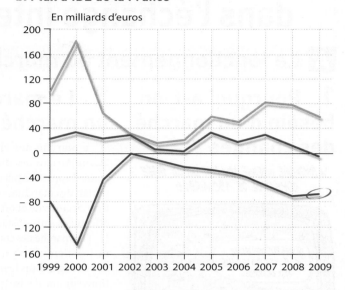

— Sorties nettes d'investissements directs français à l'étranger
— Entrées nettes d'investissements directs étrangers en France
— Solde net des investissements directs

Note : pour rendre plus aisée la comparaison avec les investissements directs à l'étranger en France, les ID français à l'étranger sont présentés avec un signe de balance des paiements inversé.

Source : *Bulletin de la Banque de France*, n° 181, 3ᵉ trimestre 2010

2. RÉCAPITULER. Quel bilan peut-on faire de la balance des IDE de la France ? (Doc. a et b)

4. Les transferts internationaux

Selon la Banque africaine de développement (BAD), les transferts d'argent des « Maliens de l'extérieur » vers leur pays d'origine s'élevaient en 2005 à 456 millions d'euros, ce qui représentait 11 % de la richesse produite du Mali. C'est une contribution énorme[1]. Quel rôle l'argent des immigrés joue-t-il au Mali ?

Dans l'état actuel du Mali […], l'argent des migrants est vital pour l'État, mais surtout pour de nombreuses familles touchées de plein fouet par les conséquences désastreuses des réformes économiques en cours.

Comment considérez-vous le rôle et l'impact de l'argent des émigrés en comparaison de celui reçu par les canaux de l'aide au développement ?

Il n'y a, de mon point de vue, aucune commune mesure entre l'aide publique au développement, dont l'immense majorité des Maliens ne profite guère, et l'argent des migrants. […] En 2006, selon certaines sources, les fonds transférés par les Maliens de France étaient de l'ordre de 250 millions d'euros, tandis que l'aide publique de la France variait entre 50 et 100 millions.

1. La même année, le Mali recevait 576 millions d'euros par les différents bailleurs de l'aide publique au développement.

Interview d'Aminata Traoré
(ancienne ministre de la Culture du Mali)
par Olivier Vilain, afriscop.fr, 9 septembre 2010.

1. ILLUSTRER Quels sont les deux types de transfert dont il est question dans cet article ?

2. EXPLIQUER. Pourquoi les envois de fonds des travailleurs immigrés ne sont-ils pas enregistrés dans la balance des revenus ?

ENTRAÎNEMENT

QUESTION DE COURS. De quels comptes la balance des transactions courantes est-elle composée ?

SYNTHÈSE. À l'aide des documents 1 à 4 et 3 de la double page précédente, faites le bilan des échanges extérieurs de la France.

documents

II. Quel est le rôle des monnaies dans l'échange international ?

A Le fonctionnement du marché des changes

1. Pourquoi a-t-on besoin d'un marché des changes ?

1. ILLUSTRER. Quelle devise l'Inde doit-elle se procurer pour acheter ces Airbus ? Contre laquelle ?

2. EXPLIQUER. Pensez-vous qu'Airbus garde la totalité de ses recettes en dollars ? Pourquoi ?

3. RÉCAPITULER. Combien de conversions de devise aura-t-il fallu faire dans cet échange commercial ?

2. Le marché des changes : un marché parfait ?

Le marché des changes est le plus important des marchés. Pour beaucoup, il apparaît également comme le plus parfait des marchés, sur lequel l'information circule vite et où les opérations sont effectuées sans obstacle.
[…] Le marché des changes ne connaît pas de frontières. Il n'y a qu'un seul marché des changes dans le monde. Les transactions sur une devise (par exemple, l'euro) se font aussi bien, et en même temps, à Paris, à Londres ou à New York. La confrontation des offres et des demandes de devises n'implique pas que les offreurs et demandeurs se rencontrent physiquement. Ceux-ci communiquent par des instruments modernes de transmission complétés par des réseaux d'information spécialisés. […]
De par son caractère « planétaire », le marché des changes est une organisation économique largement non réglementée, ou plutôt autoréglementée, au sens où les règles de fonctionnement sont édictées par les agents privés, ou par des institutions privées lorsque les transactions ont lieu sur des marchés organisés.
Son mode de fonctionnement fait aussi du marché des changes le marché le plus parfait au sens où les cours de change reflètent d'une manière rapide et complète toute l'information disponible. Car […] le marché des changes fonctionne en continu, successivement sur chacune des principales places financières en Extrême-Orient, en Europe et en Amérique du Nord. Les cours de change sont ainsi cotés 24 heures sur 24. […]
Trois groupes d'agents économiques contribuent au fonctionnement du marché des changes :
– Les entreprises, les gestionnaires de fonds et les particuliers qui se situent en amont du marché ;
– Les autorités monétaires, et plus particulièrement les banques centrales ;
– Les banques et les courtiers qui assurent le fonctionnement quotidien du marché : ce sont les « professionnels » du marché.

Dominique Plihon, *Les taux de change*, La Découverte, 2010.

1. CONSTATER. Quelles sont les principales caractéristiques du marché des changes ?

2. EXPLIQUER. Pourquoi le marché des changes est-il considéré comme un marché « parfait » ?

3. ILLUSTRER. Proposez deux exemples d'intervention sur le marché des changes, l'un à partir d'une entreprise et l'autre à partir d'un particulier.

3. L'offre et la demande de devises

a. Les touristes reviennent

Les touristes étrangers sont de retour en France, à la faveur de la reprise mondiale, notamment les plus riches venus du Moyen-Orient et de Chine, ou les Américains qui profitent de la baisse de l'euro.
Ces tendances ne doivent pas non plus faire oublier que si la fréquentation est repartie à la hausse, les prix restent mesurés, les hôteliers continuant d'attirer les touristes à coup de promotions. Ainsi, sur le mois de juin, si le revenu moyen par chambre a bondi de 7,6 % pour les quatre étoiles, le prix moyen a, lui, baissé de 1,2 %, selon une étude du cabinet Deloitte.
Il reste que la plupart des voyants sont au vert, à commencer par la reprise économique.

« Les plus fortes hausses sont celles de touristes venus de pays ayant les plus fortes croissances », estime Edouard Lefebvre, délégué du Comité Champs-Élysées, qui a constaté une progression de 10 % des ventes de produits détaxés au premier semestre. « Surtout au deuxième trimestre », selon lui.
Vient ensuite l'effet de changes favorable, avec la dépréciation de l'euro face au dollar qui rend moins onéreuses les vacances des Américains en Europe. « Ils viennent quand le dollar est plus fort. Ils s'arrêtent quand la parité est mauvaise », explique Mme Brusa-Priebe.

AFP, 3 août 2010.

b. Les conséquences pour le marché des changes

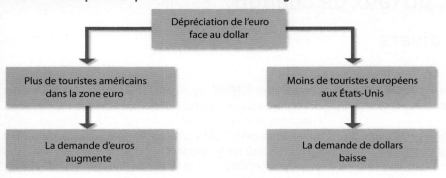

1. ILLUSTRER. Donnez un exemple chiffré pour illustrer ce que signifie une dépréciation de l'euro par rapport au dollar. (Doc. a et b)

2. EXPLIQUER. Comment cet afflux de touristes américains sur le marché des changes va-t-il se traduire ? (Doc. b)

3. RÉCAPITULER. Que devrait faire le taux de change de l'euro par rapport au dollar ? En théorie, quand devrait-il cesser de fluctuer ?

4. L'effet du tsunami du 11 mars 2011 au Japon

Le yen est brusquement monté en Asie lundi entre 22 h 00 GMT et 22 h 15 GMT, alors que les acteurs du marché s'attendent à ce que les Japonais rapatrient des fonds en masse depuis l'étranger pour financer les besoins de la reconstruction après le séisme de vendredi. Entre 22 h 00 et 22 h 15 GMT (07 h 00 et 07 h 15 heure de Tokyo), le dollar a chuté de 81,70 yens à 80,65 yens et l'euro est tombé de 114,10 yens à 112,51 yens. Nombre d'intervenants sur les marchés prévoyaient que le yen allait monter lundi [14 mars], s'attendant à ce que de nombreuses entreprises et particuliers nippons transfèrent des fonds depuis l'étranger vers le Japon, afin de fournir les moyens nécessaires pour faire face aux dommages entraînés par la catastrophe. « Les Japonais ont déjà acheté des yens (vendredi) et vont en acheter encore davantage. Ils vont sans doute vendre des actifs dans le monde », a estimé Kurt Magnus, responsable des opérations de changes au groupe financier nippon Nomura, cité par Dow Jones Newswires.

AFP, *Le Parisien*, 13 mars 2011.

Marché euro contre yen

Taux de change moyen (en yens)

Demande d'euros

Offre d'euros
22 h 00

Offre d'euros
22 h 15

114,10
112,51

Quantité d'euros

1. EXPLIQUER. À l'aide de la phrase soulignée, expliquez pourquoi le yen monte.

2. EXPLIQUER. Pourquoi peut-on dire que l'euro s'est déprécié par rapport au yen ?

3. RÉCAPITULER. Commentez le graphique ci-contre à l'aide du texte.

4. EXPLIQUER. Que doit faire la banque centrale du Japon pour enrayer l'appréciation du yen ? Reproduisez le graphique ci-contre en déplaçant la bonne droite.

5. Pourquoi les échanges de devises ont-ils explosé ?

a. Le reflet de la mondialisation

Les monnaies sont de plus en plus soumises aux lois des marchés financiers depuis la généralisation des changes flottants (accords de la Jamaïque en 1976). Les volumes de devises échangés sur le marché des changes explosent du fait de l'internationalisation des firmes et des échanges, mais surtout en raison de la forte spéculation qui transforme la monnaie en marchandise. Le court terme domine : en 1998, 44,5 %[1] des opérations ont une durée de vie de deux jours [...].

De même, la croissance des dettes publiques et privées offre de nouveaux champs de spéculation, source d'instabilité. La mondialisation s'est accompagnée d'une explosion du marché obligataire de la dette (interne et externe, publique et privée), qui a dépassé en 2000 le montant du PIB mondial. Cet endettement est réalisé en monnaies dominantes – le dollar, l'euro et le yen représentent 87 % des transactions – d'où la sensibilité des emprunts aux variations des taux de change et aux politiques suivies par les grandes banques centrales.

1. 37 % en 2010.   Laurent Carroué, Didier Collet et Claude Ruiz, *La mondialisation*, Bréal, 2006.

b. La croissance du marché des changes

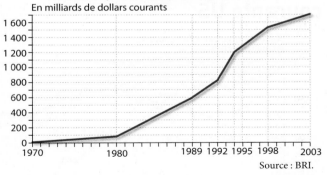

Croissance du marché des changes : volume moyen des transactions quotidiennes

En milliards de dollars courants

Source : BRI.

1. RÉCAPITULER. Quels sont les facteurs qui expliquent le développement du marché des changes ? (Doc. a)

2. CALCULER. Trouvez un indicateur pertinent pour mesurer l'évolution des volumes depuis 1980. (Doc. b)

ENTRAÎNEMENT

QUESTION DE COURS. Comment le marché des changes fonctionne-t-il ?

SYNTHÈSE. À l'aide des documents 1, 2, 3 et 4, dites quels sont les principaux déterminants de l'offre et de la demande des devises.

B ■ Les déterminants du taux de change

1 ■ Des déterminants divers

a. L'analyse théorique...

Lorsqu'un pays a un déficit de sa balance courante, il est vendeur net d'actifs financiers sur les marchés des changes, ce qui déprécie sa monnaie. […]

Évidemment, le dollar est dans une situation particulière du fait de son rôle de monnaie véhiculaire internationale. Pour les États-Unis, le déficit courant pèse moins sur le cours de la monnaie nationale que dans les autres pays, car il y a une demande internationale de dollar à des fins de transaction.

À court terme, les flux de capitaux spéculatifs font varier les taux de change, indépendamment des facteurs fondamentaux. Les fluctuations des taux de change dépendent donc des anticipations de taux de change, ce qui est largement circulaire. Pourtant […] il semble que les anticipations des taux de change, elles-mêmes, dépendent fortement des fondamentaux de l'économie. Ces derniers interviennent via les anticipations, l'attention peut se focaliser sur des variables différentes (déficit courant, solde public, croissance, chômage…), ce qui fait qu'un faisceau de fondamentaux équivalents peut avoir des conséquences distinctes sur les évolutions des taux de change à court terme. In fine, les principaux déterminants du taux de change sont la productivité, le type de spécialisation du pays, les comportements des agents privés (taux d'épargne, structure de la consommation), la politique économique, les anticipations de tous ces éléments… et la pluie et le beau temps.

Revue de l'OFCE, n° 89,
avril 2004.

b. ... appliquée au dollar

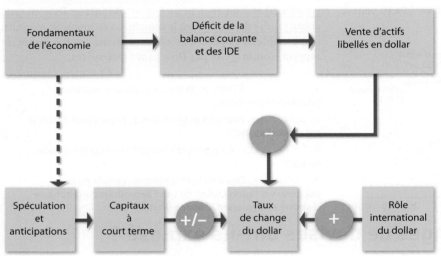

1. EXPLIQUER. Expliquez les passages soulignés. (Doc. a)

2. EXPLIQUER. Donnez la signification des signes du schéma en vous servant du texte. (Doc. a et b)

3. RÉCAPITULER. Les taux de change reflètent-ils uniquement les fondamentaux d'une économie ? (Doc. a et b)

2 ■ Taux de change du dollar[1] et soldes de la balance courante US

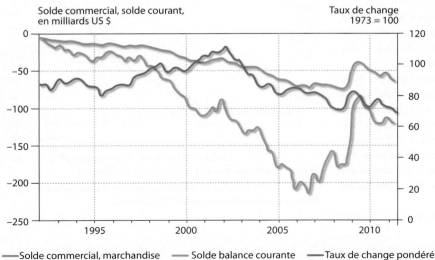

Solde commercial, solde courant, en milliards US $ — Taux de change 1973 = 100

— Solde commercial, marchandise — Solde balance courante — Taux de change pondéré

1. Pondéré en fonction du poids de chaque partenaire dans le commerce extérieur des États-Unis.

Source : Federal Reserve Bank of St Louis, Bureau of Economic Analysis.

1. CONSTATER. Faites une phrase avec les trois valeurs de 2011.

2. RÉCAPITULER. Le taux de change du dollar dépend-il du solde commercial des États-Unis ? Distinguez des périodes.

3. La spéculation

Spéculer, c'est prendre délibérément un risque de prix, c'est-à-dire acheter aujourd'hui un actif financier ou tout autre bien en espérant que son prix va monter, et qu'on pourra le revendre demain avec profit. La spéculation fait souvent l'objet d'une condamnation morale. Pourtant, sans l'existence de spéculateurs, les entreprises ne seraient pas à même de s'assurer contre les effets des fluctuations du prix des matières premières, des devises ou des taux d'intérêt [...].

Un spéculateur se caractérise alors par une « préférence pour le risque » nettement plus élevée que la moyenne des acteurs économiques. Pour certains économistes, la spéculation serait déstabilisante et susceptible d'engager l'économie réelle sur des sentiers non optimaux, c'est-à-dire de l'empêcher d'atteindre le plus haut niveau de croissance et d'emploi possible. Pour les autres, les spéculateurs ne feraient qu'acheter des risques dont d'autres acteurs économiques veulent se débarrasser. [...] les spéculateurs seraient nécessaires à partir du moment où certains acteurs sont, pour des raisons diverses, opposés à l'idée de prendre trop de risque, sont « adverses au risque », comme disent les économistes.

Pierre-Noël Giraud, « Faut-il condamner la spéculation ? », *Alternatives économiques*, n° 204, juin 2002.

1. DÉFINIR. En quoi la spéculation consiste-t-elle ?

2. EXPLIQUER. En quoi la spéculation est-elle utile pour l'économie réelle ? Quel danger présente-t-elle ?

4. Faut-il taxer la spéculation ?

L'idée d'une taxe universelle sur les mouvements de capitaux a été développée en 1978 par l'économiste et prix Nobel (1981) américain James Tobin, qui estimait nécessaire de « mettre un grain de sable dans les rouages du système monétaire international ». Cette taxe porterait sur toutes les opérations de change privées, avec un faible taux, afin de ne pas affecter les mouvements de capitaux à long terme. En revanche, une telle taxe devrait dissuader et freiner les transactions spéculatives, puisque les fréquents allers et retours des capitaux entraîneraient un surcoût important. [...] Les effets pervers de la création d'une taxe sur les mouvements de capitaux ne sont pas à négliger. En effet, la spéculation constitue un acte utile pour le développement des échanges internationaux. [...] En réduisant le nombre de transactions et la liquidité des marchés financiers, la taxe Tobin pourrait accroître l'ampleur des variations des prix et l'instabilité des marchés. M. Jean-Pierre Landau illustre cette idée en rappelant que « le jet d'une pierre dans un grand lac produit des remous invisibles ; dans une petite mare, il provoque des vagues de grande ampleur[1] ».

1. « Institutions et marchés financiers : quelles responsabilités ? », *Cahiers français*, n° 289, avril 1999.

« Régulation financière et monétaire internationale », rapport d'information du Sénat, 1999-2000.

1. EXPLIQUER. Comment la taxe Tobin permettrait-elle de limiter la spéculation sans pénaliser les mouvements de capitaux à long terme ?

2. EXPLIQUER. Quels effets pervers pourrait-elle introduire ?

Exercice

Supposons qu'un exportateur français vende des vins pour 120 000 euros avec un crédit de 90 jours à un restaurant américain. Si à la date du paiement effectif le taux de change EUR/USD a perdu 10 %, il aura perdu 12 000 euros. Pour se couvrir de cette perte de change, il pourra au moment de la signature du contrat souscrire un contrat à terme à 90 jours par lequel il s'engage à vendre la devise américaine contre des euros au cours de la date de signature du contrat. Le gain sur les devises aura compensé la perte commerciale.

Pour éviter de mobiliser 120 000 euros supplémentaires, on a inventé des options sur devises qui confèrent le droit et non l'obligation d'acheter la devise. Ces options elles-mêmes sont cotées, on parle de produit dérivé (la devise étant appelé sous-jacent).

Hachette Éducation, 2012.

1. Reproduisez et complétez le tableau ci-dessous.

	À la signature	À l'échéance
Opération commerciale	120 000 €	... €
Opération monétaire de couverture	Achat de ... pour 120 000 €	Revente pour ... €

ENTRAÎNEMENT

QUESTION DE COURS. Quel est l'intérêt et quelles sont les limites de la spéculation ?

SYNTHÈSE. À partir des documents 1 et 2, montrez que les taux de change sont de plus en plus déterminés par des opérations financières.

documents

C Taux de change et économies nationales

1. Les effets d'une dépréciation de la monnaie

Les effets positifs d'une dépréciation sur la balance commerciale ne sont pas immédiats. Dans les premiers mois qui suivent une dépréciation, les effets-prix (hausse du prix des importations) l'emportent sur les effets-volume (baisse du volume des importations et hausse de celui des exportations) plus lents à se manifester. Ainsi, il est habituel et normal qu'une dépréciation du change induise initialement une détérioration de la balance commerciale, avant que l'augmentation du volume des exportations et la diminution de celui des importations ne

finissent par l'emporter sur l'effet-prix initial, améliorant le solde commercial (d'où le nom de courbe en « J »). On considère souvent que le délai d'ajustement – à savoir le laps de temps nécessaire pour que la balance commerciale se redresse consécutivement à la dépréciation du change – est compris entre six mois et un an.

Pierre Beynet, Éric Dubois, Damien Fréville et Alain Michel,
Économie et statistique, n° 397, 2006.

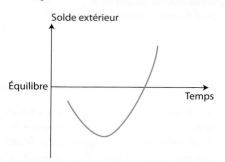

1. EXPLIQUER. Expliquez « l'effet-prix » et « l'effet-volume » consécutifs à une dépréciation du taux de change.

2. EXPLIQUER. Pourquoi les effets-volume sont-ils plus lents à se manifester ?

3. CONSTATER. Recopiez le schéma ci-contre et indiquez avec une couleur différente la surface qui représente le déficit et l'excédent de la balance commerciale.

4. EXPLIQUER. Expliquez les deux phases de la courbe en « J » en vous servant du texte.

5. RÉCAPITULER. Quels facteurs pourraient empêcher le mécanisme décrit par la courbe en « J » ?

2. Des mécanismes autocorrecteurs des déficits extérieurs

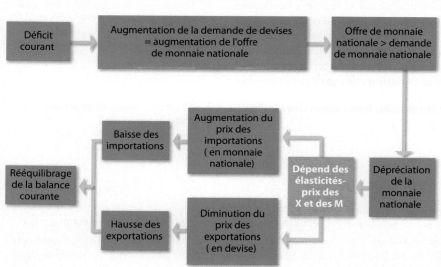

1. EXPLIQUER. Construisez un schéma similaire expliquant le rééquilibrage d'une balance courante excédentaire.

2. DÉFINIR. Qu'appelle-t-on élasticité-prix des exportations ou des importations ?

3. EXPLIQUER. Pourquoi l'effet de rééquilibrage dépend-il des élasticités ?

NE PAS CONFONDRE Cours et parité

Dans un système de change fixe, le cours officiel d'une devise est appelé **parité**. Si le cours sur le marché des changes s'éloigne trop de cette parité, les autorités monétaires devront intervenir ou accepter de modifier ce **cours** officiel (on parlera de dévaluation ou de réévaluation). Dans un système de change flottant, le taux de change fluctue au gré de l'offre et de la demande sur le marché des changes. On parle d'appréciation ou de dépréciation.

3. Le rôle des banques centrales selon le système de change

La banque centrale a une fonction de surveillance du taux de change de la monnaie nationale (ou commune dans le cadre d'une union monétaire comme dans la zone euro) par rapport aux monnaies étrangères, appelées devises. En participant au marché des changes, la banque centrale peut rendre la devise plus ou moins abondante, ou plus ou moins chère, et ainsi agir pour baisser ou élever sa valeur (mesurer par son taux de change) par rapport aux autres devises. Lorsqu'on est dans un système international de changes fixes, la banque

centrale a pour objectif de maintenir la parité officielle. Lorsqu'on est comme aujourd'hui dans un système de changes flottants, elle veille à ce que l'on ne s'écarte pas trop de la parité qui est jugée supportable par l'économie. Par exemple, la banque centrale cherchera à limiter l'appréciation de la monnaie qui pénaliserait les exportations et favoriserait les importations.

Hector Lopin,
« De nouveaux objectifs pour les banques centrales »,
Alternatives économiques,
hors-série n° 75, décembre 2007.

1. DÉFINIR. Pour chaque régime de change, précisez le rôle de la banque centrale.

2. EXPLIQUER. Que peut faire une banque centrale quand sa monnaie s'apprécie trop ? se déprécie trop ?

3. EXPLIQUER. Expliquez le passage souligné.

4. Les changes flottants n'ont pas tenu leur promesse

Depuis 1976, le monde vit sous le régime des changes flottants [...]. La théorie veut qu'en changes flottants aucun déséquilibre ne soit durable, car tout déséquilibre entraîne une modification automatique des taux de change qui ramène nécessairement l'équilibre extérieur : les pays sont donc libérés de la contrainte externe et pourraient donc se concentrer aux objectifs internes (chômage, inflation...). Les changes flottants permettent ainsi une véritable insularisation de la conjoncture permettant d'échapper au risque protectionniste.

[...] Les faits se sont chargés de démentir cette vision bien optimiste : loin d'avoir développé leur autonomie, les économies nationales sont soumises, plus que jamais, à la contrainte extérieure. Dans un monde dominé par les mouvements financiers internationaux, toute divergence de politique se traduisant par des écarts de taux d'intérêt entraîne des mouvements de capitaux qui tendent à aggraver les déséquilibres. Le dogme du laissez-faire monétaire n'a pas résisté à la réalité.

Jean-Luc Bailly, Gilles Caire, Arcangelo Figliuzzi et Valérie Lelièvre, *Économie monétaire et financière*, Bréal, 2006.

1. EXPLIQUER. Comment les changes flottants devaient-ils rétablir les équilibres commerciaux mondiaux ?

2. DÉFINIR. Qu'est-ce que la contrainte extérieure ?

3. EXPLIQUER. Expliquez le passage souligné.

5. Soldes des balances courantes

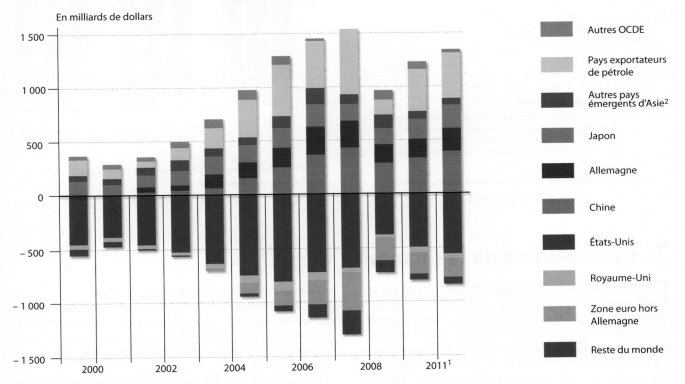

En milliards de dollars

Légende :
- Autres OCDE
- Pays exportateurs de pétrole
- Autres pays émergents d'Asie[2]
- Japon
- Allemagne
- Chine
- États-Unis
- Royaume-Uni
- Zone euro hors Allemagne
- Reste du monde

1. Prévisions de l'OCDE.
2. Taiwan, Hong Kong, Malaisie, Philippines, Singapour, Vietnam, Thaïlande, Inde et Indonésie.

Source : *Alternatives économiques*, n° 301, avril 2011. Chiffres OCDE.

1. CONSTATER. Faites une phrase avec la valeur de la zone euro hors Allemagne en 2011.

2. RÉCAPITULER. Dans quelle mesure le document 5 confirme-t-il l'analyse du document 4 ?

III. Comment expliquer les flux internationaux de capitaux ?

A La mondialisation financière

1. Mondialisation financière et commerciale

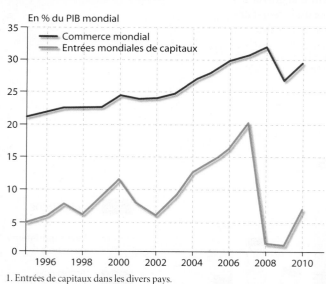

En % du PIB mondial

1. Entrées de capitaux dans les divers pays.

Source : Statistiques de la balance des paiements du FMI ;
base de donnée des Perspectives de l'économie mondiale du FMI,
Lane et Milesi-Ferretti (2007) ; base de données n° 89
des *Perspectives économiques* de l'OCDE ; calculs de l'OCDE.

1. CONSTATER. Faites une phrase avec les données de 2010.

2. RÉCAPITULER. Comparez les deux courbes.

2. La structure des flux nets de capitaux

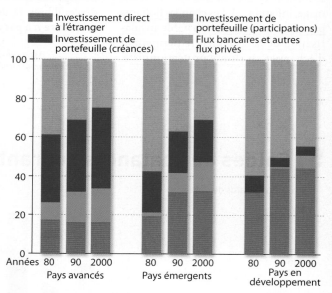

Sources : FMI, *Statistiques de balance des paiements* ;
sources nationales ; calculs des services du FMI.

1. CONSTATER. Faites une phrase avec les années 2000
pour les pays en développement.

2. RÉCAPITULER. Comparez les trois zones.

3. La révolution de la finance

Il y a trente ans, un industriel souhaitant construire une nouvelle usine aurait probablement été contraint d'emprunter à une banque de son pays. Aujourd'hui, son choix est bien plus étendu. Il peut chercher dans le monde entier un prêt assorti d'un taux d'intérêt moins élevé et emprunter en monnaie étrangère, si les conditions des prêts libellés en monnaie étrangère sont plus intéressantes que celles des prêts en monnaie nationale ; il peut émettre des actions ou des obligations sur les marchés financiers intérieurs ou internationaux, et il peut choisir parmi un éventail de produits financiers pour se couvrir contre des risques éventuels. Il peut même vendre des participations à une entreprise étrangère.

Quatre facteurs principaux sont à l'origine de la mondialisation de la finance.

– **Les progrès des technologies de l'information et de l'informatique.**

– **La mondialisation des économies nationales.**

– **La libéralisation des marchés financiers et de capitaux nationaux,** combinée aux progrès rapides des technologies de l'information et à la mondialisation des économies nationales, a stimulé l'innovation financière et la croissance des flux de capitaux internationaux.

– **La concurrence entre les fournisseurs de services d'intermédiation s'est intensifiée** en raison des progrès technologiques et de la libéralisation financière. Dans nombre de pays, les autorités de réglementation ont modifié les règles régissant l'intermédiation financière pour permettre à un plus large éventail d'institutions de fournir des services financiers, et de nouveaux types d'institutions financières non bancaires, y compris les investisseurs institutionnels, sont apparus.

Gerd Haüsler, « La mondialisation de la finance »,
Finances et développement, mars 2002.

1. DÉFINIR. Comment le phénomène décrit dans le passage souligné s'appelle-t-il ?

2. ILLUSTRER. Trouvez un exemple pour chacun des facteurs de la mondialisation financière en gras (vous pouvez privilégier l'exemple de la France).

4. La titrisation

a. La titrisation à l'origine de la crise des subprimes

La titrisation est une technique qui consiste à loger dans une société toute une série de crédits consentis à des ménages par exemple, puis à vendre les titres de cette société à des investisseurs pour qui cela constitue un placement. Ils ont en quelque sorte acheté à la banque ses créances. Ces produits élaborés par des banques d'investissement ont été placés, hors de leurs bilans, comme si les banques n'avaient été que des intermédiaires. Celles-ci revendaient les produits de la titrisation à des investisseurs, pouvant se trouver aussi bien à Wall Street, que Tokyo ou Paris. Ces établissements financiers se disaient : j'achète un millier de prêts et, pour réduire le risque, je mélange avec des crédits émis dans des régions très différentes – Floride, Californie, Texas…

Le problème, c'est que ni les banques ni les agences de notation n'avaient envisagé une chute de l'immobilier sur tout le territoire. Or la baisse des prix et le montant des crédits non remboursés se sont renforcés réciproquement.
Les banques ont saisi les biens des ménages insolvables et se sont efforcées de les revendre. Le gonflement des pertes a provoqué la défiance des investisseurs. Plus personne ne savait quelle était la valeur des titres. Et les transactions ont été gelées.

Michel Aglietta et al., « 10 clés pour comprendre la crise »,
Le Nouvel observateur, 25 septembre 2008.

b. La technique de la titrisation

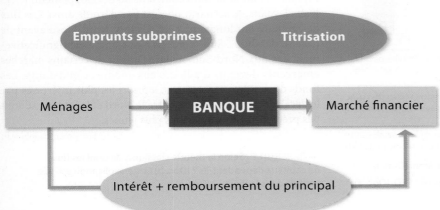

1. DÉFINIR. Qu'est-ce que la titrisation ?

2. EXPLIQUER. Quel est l'avantage pour la banque ?

3. EXPLIQUER. Quels sont les avantages et les inconvénients pour le souscripteur de ce type de titre ?

4. ILLUSTRER. En quoi la titrisation est-elle un exemple de financiarisation de l'économie ?

5. RÉCAPITULER. Comment la titrisation a-t-elle favorisé la crise des subprimes ?

5. Les États-Unis : moteur de la mondialisation financière ?

Les États-Unis ont, à partir de 1982, accumulé des déficits extérieurs, qui ont fortement augmenté depuis cinq ans. […] Les Américains ne veulent pas épargner (le taux d'épargne des ménages est maintenant négatif !) et le reste du monde le fait pour eux. […] On s'attendrait à ce qu'un pays endetté vis-à-vis du reste du monde verse des intérêts sur cette dette. Ce n'est pas le cas : à l'exception du dernier trimestre 2005, les États-Unis ont toujours reçu du monde plus d'intérêts et de dividendes qu'ils n'en ont payé. Comment est-ce possible ? La dette nette américaine est la différence entre tous les avoirs des étrangers aux États-Unis (le passif) et des avoirs américains dans le monde (l'actif) : les premiers représentent environ 12 500 milliards de dollars et

les seconds 10 000 milliards, soit une dette nette d'environ 2 500 milliards de dollars. Mais l'actif et le passif diffèrent fondamentalement. Le passif est surtout constitué de bons du Trésor (achetés en particulier par les banques centrales) et d'emprunts auprès des banques étrangères. Ces emprunts se font de plus en plus à court terme avec des taux d'intérêt faibles. Du côté des actifs, il s'agit de manière prédominante d'actions sur les marchés boursiers et d'investissements faits par les multinationales américaines. Plus risqués, ces avoirs ont des rendements élevés. Les Américains empruntent donc à taux faible pour consommer, mais aussi pour investir dans le reste du monde sur des actifs plus risqués et plus rentables. Selon l'expression de

Gourinchas et Rey[1], les États-Unis sont donc devenus une entreprise de capital-risque et empochent au passage une belle marge : la différence entre le taux auquel ils emprunent et le rendement de leurs investissements, soit quand même plus de 3 %.

1. Économistes français.

Philippe Martin, « Le privilège de la dette américaine », *Libération*, 6 février 2006.

1. EXPLIQUER. Pourquoi l'auteur compare-t-il les États-Unis à une entreprise de capital-risque ? (Cherchez la définition de cette notion de capital-risque.)

2. EXPLIQUER. Montrez que les États-Unis sont au cœur de la mondialisation financière. (Vous pouvez illustrer votre réponse par un schéma.)

ENTRAÎNEMENT

QUESTION DE COURS. De quoi les flux internationaux de capitaux sont-ils composés ?

SYNTHÈSE. Quels facteurs ont favorisé la mondialisation financière ?

B Une allocation plus efficace du capital ?

1. Flux nets de capitaux des pays en développement vers les pays riches

a. Le constat

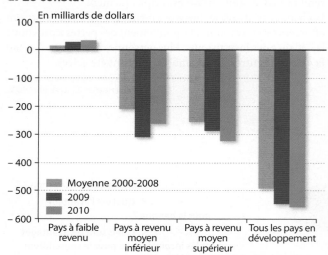

En milliards de dollars

Lecture : en 2010, les flux de capitaux des pays en développement vers les pays riches étaient de 550 milliards d'euros supérieurs au flux de capitaux des pays riches vers les pays en développement.

Source : NU/DAES, basé sur les bases de données du FMI, octobre 2010, et Statistiques de la balance des paiements du FMI.

1. CALCULER. Faites une phrase avec le dernier bâton. (Doc. a)

2. RÉCAPITULER. Dressez un bilan des transferts des PED. (Doc. a)

b. Les explications

L'argument le plus classique (néoclassique au sens de la théorie économique) est que la liberté des mouvements de capitaux permet une meilleure allocation du capital dans le monde. Le capital se dirigera là où il est le mieux rémunéré, donc, dans un monde de concurrence pure et parfaite, là où il est le plus efficace. Selon la loi de la rentabilité marginale décroissante du capital, les pays qui ont le plus accumulé devraient donc exporter leur capital dans les pays où le stock de capital est le plus faible, c'est-à-dire les pays en développement. À très long terme, les rendements devraient d'ailleurs s'égaliser. Le capitalisme mondial aura contribué au développement. [...] Dans les faits, le scénario ne s'est pas déroulé ainsi. Les flux de capitaux ont longtemps été des flux Nord-Nord avant de devenir des flux… Sud-Nord. Ils n'ont jamais été significativement des flux Nord-Sud, malgré l'attrait de certains marchés émergents devenus d'ailleurs eux-mêmes vieillissants. Les fonds de pension eux-mêmes, a priori les plus intéressés par le décalage démographique entre le Nord et le Sud, ne se sont pas précipités vers les pays les plus jeunes.

Jean-Marc Siroën, dauphine.fr.

3. EXPLIQUER. Selon la théorie classique, de quoi les flux de capitaux dépendent-ils ? (Doc. b) Cette explication est-elle vérifiée dans la réalité ? (Doc. a)

2. Part des pays en développement...

a. ... dans les flux mondiaux de capitaux

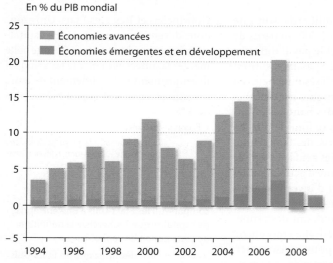

En % du PIB mondial

Note : moyenne des flux totaux d'entrées et de sorties de chaque région (chacun étant calculé comme la somme des flux enregistrés par chaque pays) rapportée au PIB mondial ; les pays avancés sont ceux définis comme tels par le FMI.

Source : Statistiques de la balance des paiements du FMI ; calculs de l'OCDE.

1. CONSTATER. Faites une phrase avec le bâton de 1996.

2. RÉCAPITULER. Comment la structure des flux mondiaux de capitaux a-t-elle évolué ?

b. ... dans les flux d'IDE

La part des pays en développement et des pays en transition[1] dans les entrées et les sorties mondiales d'IDE

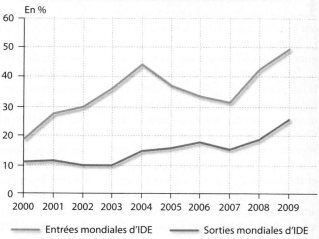

En %

1. Anciens pays d'Europe de l'Est.

Source : Cnuced, « Rapport sur l'investissement dans le monde 2010 ».

1. CALCULER. Que représente la différence entre les deux courbes ?

2. RÉCAPITULER. Comment la part de ces pays dans les IDE a-t-elle évolué ?

3. Une explication des flux financiers Sud-Nord ?

La question est alors de savoir si la mondialisation financière a conduit à un financement plus efficace de l'économie mondiale. [...] Depuis une dizaine d'années, les États-Unis ont connu un taux d'épargne des ménages proche de zéro, et l'investissement a été financé par les flux de capitaux en provenance des pays émergents qui sont exportateurs depuis 1999. Ainsi, comprendre pourquoi les flux internationaux de capitaux vont du Sud vers le Nord (paradoxe de Lucas[1], 1990) nécessite de mieux saisir les déterminants des taux d'épargne nationaux [...].

Cette augmentation de valeur (des actifs étrangers détenus par les Américains) est inhérente au rôle de transformateur de capital des États-Unis. Du fait de marchés financiers largement sous-développés, les pays émergents ne sont pas encore capables de transformer leurs actifs de production en titres utilisables par les ménages pour placer leur épargne. Il en résulte un circuit long de l'épargne qui conduit les Chinois à acheter des produits financiers peu risqués aux États-Unis, et les Américains à en réinvestir une partie en Chine. Cette asymétrie de développement des marchés financiers dans le monde permet d'expliquer une partie des flux croisés de capitaux, disjoints des flux commerciaux entre pays.

1. Robert Lucas, économiste américain né en 1937, fondateur de la nouvelle économie classique.

Centre d'analyse stratégique, « Le rapport annuel 2008 ».

1. EXPLIQUER. Pourquoi peut-on parler d'un paradoxe concernant les flux mondiaux de capitaux ?

2. EXPLIQUER. Comment ce document explique-t-il ce paradoxe ?

4. Pourquoi la dette européenne intéresse-t-elle les pays émergents ?

Pour ces pays émergents, investir dans les titres de dette européens est aussi un moyen de diversifier leurs placements. La Chine possède les plus grandes réserves de change au monde : 3 200 milliards de dollars. La Russie dispose de 514 milliards de dollars, le Brésil, de plus de 350 milliards de dollars, et l'Inde, de plus de 320 milliards de dollars. Ces fonds sont essentiellement investis dans des bons du Trésor américain, d'où l'intérêt aujourd'hui de varier leurs placements en soutenant la monnaie unique européenne.

L'objectif est notamment monétaire : en soutenant l'euro face au dollar et en investissant leurs réserves de change, les Brics cherchent à éviter une trop forte hausse de leurs monnaies respectives. « Lorsque la Chine rachète de la dette en euros, elle vise en fait les taux de change, écrit l'analyste et financier Cullen Roche sur le blog Pragmatic Capitalism. Il s'agit d'une tentative de maintenir l'euro fort, ce qui favorise les relations commerciales [de la Chine] avec l'Europe. »

Enfin, les Brics dépendent encore largement des investissements des pays au développement plus ancien : en Inde, par exemple, les investissements directs étrangers (IDE) des pays membres de l'UE représentent plus de 20 % des IDE (voir les statistiques du ministère du développement industriel indien). Si une crise mondiale provoquait un retrait de ces investisseurs, cela entraînerait une panique au niveau national.

Mathilde Gérard, lemonde.fr, 15 septembre 2011.

Après que la Qatar Foundation a réussi à décrocher un contrat de sponsoring avec le Barça, un autre fonds d'investissement qatari vient de racheter le PSG.

1. ILLUSTRER. Quels motifs ont pu justifier les investissements du Qatar dans le football européen ? (Photo)

2. EXPLIQUER. Pourquoi les pays émergents ont-ils autant de réserves de change ?

3. RÉCAPITULER. Pourquoi les pays émergents investissent-ils dans les pays développés ?

ENTRAÎNEMENT

QUESTION DE COURS. Comment la théorie néoclassique explique-t-elle les flux mondiaux de capitaux ?

SYNTHÈSE. À l'aide des documents 1 b, 3 et 4, dites comment on peut expliquer les flux mondiaux de capitaux entre le Nord et le Sud.

documents

1. Les limites du modèle chinois de croissance extravertie

1. Un commerce d'assemblage

La segmentation internationale des processus productifs tend à gonfler les performances exportatrices d'un pays comme la Chine, qui est spécialisé sur les stades finaux de production et dont les exportations ont un contenu très élevé en importations. Ainsi, les exportations chinoises proviennent-elles pour moitié environ d'opérations d'assemblage (qui consistent à transformer, pour les réexporter, des intrants importés hors droit de douanes). [...] Ce commerce d'assemblage, qui assure l'essentiel (78 % en 2007) des exportations de haute technologie, est très largement (à plus de 80 % en 2007-2008) aux mains d'entreprises à capital étranger. La progression spectaculaire de ces exportations ne reflète donc pas l'avancée des entreprises proprement chinoises dans l'innovation et la maîtrise technologique.

Guillaume Gaulier, Joaquim Jarreau, Françoise Lemoine, Sandra Poncet et Deniz Ünal, « Chine : fin du modèle de croissance extravertie », *La lettre du CPEII*, n° 298, 21 avril 2010.

2. Quelles entreprises exportent ?

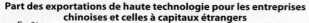

Part des exportations de haute technologie pour les entreprises chinoises et celles à capitaux étrangers

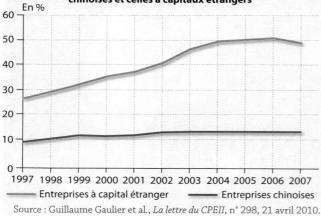

Source : Guillaume Gaulier et al., *La lettre du CPEII*, n° 298, 21 avril 2010.

3. Évolution des termes de l'échange

Évolution des valeurs unitaires des exportations, des importations et des termes de l'échange de la Chine

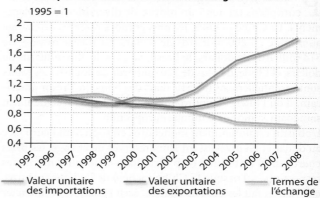

Source : Guillaume Gaulier et al., *La lettre du CPEII*, n° 298, 21 avril 2010.

4. Les IDE accroissent les inégalités

Grâce au dynamisme de ses provinces côtières, la Chine s'affirme de plus en plus comme une grande puissance. La politique d'ouverture aux échanges internationaux et aux investissements directs étrangers, ainsi que le processus d'industrialisation actuel, qui sont à l'origine du miracle économique chinois, ont cependant contribué à l'aggravation des disparités. La zone prospère du littoral ne semble pas entraîner les provinces intérieures, et les inégalités interrégionales sont soutenues et tendent même à s'accroître. Par conséquent, il semblerait probable que certains facteurs empêchent la diffusion du développement de la façade maritime vers les régions du centre, et surtout de l'ouest de la Chine. [...] De récentes études [...] ont cependant montré que dans un pays comme la Chine, où le commerce d'assemblage occupe une place importante, le lien entre le commerce extérieur et l'économie domestique est faible. En effet, les entreprises exportatrices chinoises font venir de l'étranger la majeure partie des inputs dont elles ont besoin pour produire des biens, qu'elles réexporteront par la suite. Elles sollicitent donc très peu les biens produits par les provinces de l'Ouest et du Centre.

Céline Bonnefond, « La Chine, un pays émergent face à d'importants déséquilibres spatiaux », Université de Bordeaux-4.

1. Faites une phrase avec les deux valeurs de 2007 du document 2. Que montre ce graphique ?

2. Faites une phrase avec les trois valeurs de 2007 du document 3. Que montre ce graphique ?

3. Comment le document 1 explique-t-il les évolutions des documents 2 et 3 ?

4. Comment le document 4 explique-t-il le rôle des IDE dans l'accroissement des inégalités en Chine ?

5. Quelles sont les limites pour la Chine d'un développement basé sur les IDE ? (Répondre sous forme de plan détaillé.)

TD ANALYSE

NOTIONS • Masse monétaire
• Banque centrale • Bulles spéculatives
• Inflation

SAVOIR-FAIRE • Représenter
des mécanismes économiques à l'aide
de schémas

2. La création monétaire mondiale et ses conséquences

1. La création indirecte par le commerce extérieur

Prenons l'exemple d'une banque centrale d'un pays ayant un excédent commercial (la Chine, par exemple). [...] Ils recouvrent donc des paiements en dollars. Si la banque centrale de ce pays n'intervient pas, les exportateurs vont vendre ces dollars sur le marché des changes, et le dollar va baisser.

Pour éviter l'effondrement du dollar et l'appréciation excessive de sa monnaie, la banque centrale du pays crée sa propre monnaie (donc, ici, du RMB cash) et achète les dollars détenus par ses exportateurs. La liquidité de ceux-ci est donc inchangée : simplement, ils détiennent du cash RMB au lieu de cash dollar. Et il y a bien eu création monétaire : la banque centrale a créé *ex nihilo* sa propre monnaie.

Avec les dollars (cash) qu'elle a achetés, la banque centrale va acheter des actifs en dollars, essentiellement des obligations publiques, qu'elle va placer dans ses réserves. Le vendeur des obligations détient donc des liquidités (du cash dollar) à la place des obligations : c'est lui qui bénéficie *in fine* de la création monétaire, et ce supplément de liquidité mondiale entre ses mains, qui est bien la contrepartie de l'accumulation de réserves, est ensuite disponible pour tous les usages possibles.

Patrick Artus et Marie-Paule Virard,
Globalisation, le pire est à venir,
La Découverte, 2008.

1. Expliquez, à l'aide d'un schéma, la création monétaire entre les bilans simplifiés des agents concernés. (Voir cours de 1ʳᵉ)

2. Pourquoi la Chine cherche-t-elle à éviter l'effondrement du dollar ?

2. La création directe : les « quantitative easing »

En général, cette politique de « quantitative easing[1] » est opérée par des pays tels que le Zimbabwe, avec les effets que l'on sait sur l'inflation, mais il s'agit aujourd'hui d'un pays qui semble plus sérieux, les US. [...] « quantitative easing » (QE) signifie que la banque centrale (BC) accroît son bilan en achetant au secteur privé (ou plutôt aux institutions financières) des actifs à long terme [achat de bons du Trésor (« treasuries »)], des titres adossés à des créances hypothécaires [« mortgage-backed securities » (MBS)], la FED achète ces actifs en créditant (à partir de rien) le compte des banques à la BC (accroissement des réserves de la BC au passif de la BC). Il y a donc un accroissement du passif de la BC (accroissement de la monnaie BC) et un accroissement de l'actif de la BC sous forme de bons du Trésor ou MBS.

1. En français, assouplissement quantitatif – autrement dit : planche à billets – ; le premier QE de 1 300 milliards de dollars entre mars 2009 et mars 2010 ; le second (QE2) de 600 milliards entre novembre 2010 et juin 2011.

Jean-Pierre Dumas, lecercle.lesechos.fr, 12 novembre 2010.

1. Expliquez, à l'aide d'un schéma, la création monétaire entre les bilans simplifiés des agents concernés.

3. Les conséquences de la création directe

Pour l'inflation, le mécanisme est le suivant : la FED et le Trésor américain se mettent à créer des dollars et des déficits, en quantité illimitée. *De facto*, ces deux politiques fabriquent de nouveaux dollars, qui viennent se loger en partie dans l'économie américaine (Bourse, prix de l'immobilier, nouveaux crédits à la consommation), en partie dans le reste du monde. En effet, les grands détenteurs de dollars, qu'il s'agisse d'entreprises, de fonds d'investissement ou de fonds souverains (notamment de pays pétroliers) ne sont pas totalement stupides. Ils comprennent bien que l'Amérique est en train de laisser filer sa monnaie, et donc de déprécier leurs avoirs. Ils voient bien, aussi, que les taux d'intérêt quasi nuls de la FED ne leur rapportent plus rien. Ils vont donc chercher à s'investir partout ailleurs. Tout sauf du dollar ! Les uns vont donc troquer leurs dollars contre de l'or, de l'argent, du cuivre ; du blé, du pétrole, du soja, du maïs ; de l'immobilier, des œuvres d'art, des terres agricoles ; ou encore, des actions. Bref, des valeurs refuges, du tangible.

Édouard Tétreau, *Quand le dollar nous tue*,
Grasset et Fasquelle, 2011.

1. Comment la création monétaire se transforme-t-elle en bulles spéculatives ?

2. Pourquoi, d'après vous, la mondialisation empêche-t-elle que ce laxisme monétaire ne se transforme en inflation généralisée ?

Comment l'économie mondiale est-elle financée ?

La mondialisation de l'économie se traduit par une augmentation des flux de marchandises et de capitaux entre les pays. Comment ces échanges sont-ils réglés et financés ? Dans quelles monnaies ? Les fluctuations du cours des devises atténuent-elles, ou au contraire aggravent-elles, les déséquilibres des échanges ? Les flux de capitaux favorisent-ils une répartition plus efficace des activités productives à l'échelle du monde ?

ACQUIS DE PREMIÈRE
➡ Voir **Réviser les acquis de 1re**, p. 64 et **Lexique**

- ■ **Offre**
- ■ **Demande**
- ■ **Banque centrale**
- ■ **Fonctions de la monnaie**
- ■ **Taux d'intérêt**

I. Comment les échanges extérieurs sont-ils comptabilisés ?

A. La balance des paiements

■ Les échanges entre les résidents d'un pays et le reste du monde sont enregistrés dans un document comptable appelé balance des paiements. Celle-ci est elle-même divisée en plusieurs comptes, dont les principaux sont le compte des transactions courantes, qui enregistre les échanges de biens, services, revenus et transferts, et le compte de capital, qui retrace les investissements directs et les investissements de portefeuilles.

■ Respectant les règles de la comptabilité en partie double, la balance des paiements est présentée en équilibre. On parle cependant d'excédent ou de déficit de la balance des paiements, quand les comptes des transactions courantes et des capitaux à long terme ne se compensent pas. On trouve aussi l'expression « déficit de la balance globale », ou « au-dessus de la ligne », pour distinguer ces flux réels des flux monétaires.

B. Les soldes de la balance des paiements

■ Dans les médias, on résume souvent la balance des paiements par le compte des échanges de biens, appelé balance commerciale. Si ce solde est important, parce qu'il traduit la compétitivité du pays, il ne doit pas amener à ignorer les autres soldes, comme celui par exemple des revenus ou des investissements directs, qui reflètent aussi le dynamisme d'une économie. D'autant plus que ces comptes sont étroitement liés, le déficit de l'un pouvant expliquer l'excédent d'un autre.

■ Il faut donc les interpréter avec précaution. Un solde des IDE négatif indique que le pays investit fortement à l'étranger, ce qui améliorera par suite le poste revenus. Un solde des portefeuilles positif traduit par contre un manque d'épargne nationale, les non-résidents augmentent leurs participations dans les entreprises nationales…

II. Quel est le rôle des monnaies dans l'échange international ?

A. Le fonctionnement du marché des changes

■ Tout échange avec le reste du monde implique des échanges monétaires. Le marché des changes est un marché de gros sur lequel les devises sont converties les unes par rapport aux autres. Il n'assure donc pas directement le financement de l'économie mondiale, mais garantit aux marchés de capitaux, que sont les Bourses et les marchés de créances négociables comme les obligations ou les bons du Trésor, leur liquidité. Mais le marché des changes n'a pas pour unique fonction de convertir les monnaies entre elles, il permet aussi de spéculer ou de se couvrir des fluctuations des monnaies.

■ Le taux de change est le prix d'une monnaie exprimé dans une autre, il résulte de la confrontation de l'offre et de la demande de la devise en question sur le marché des changes. En théorie, le taux de change des devises de deux pays devrait dépendre de leur commerce bilatéral et refléter la compétitivité de leurs économies respectives, ce qu'on appelle les fondamentaux (inflation, croissance, productivité…).

■ Les volumes sur le marché des changes étant largement déconnectés des flux commerciaux (50 fois plus), le cours des monnaies est aussi influencé par la spéculation, ce qui n'est pas sans conséquence en retour sur la compétitivité des économies.

B. Les déterminants du taux de change

■ Les banques centrales interviennent sur les marchés des changes pour réguler le cours des monnaies et éviter une trop forte volatilité préjudiciable au commerce. Elles en assurent la liquidité en dernier ressort, soit par leur taux directeur, soit par une politique accommodante de rachat de créances publiques.

■ Dans un système de change fixe, comme celui qui prévalait avant 1971, les parités sont définies de façon officielle et les banques centrales ont l'obligation de les défendre en utilisant leurs réserves de change. En cas d'échec, une dévaluation concertée est la reconnaissance officielle de la dépréciation sur le marché des changes. Depuis 1971 et la fin de la convertibilité-or du dollar, la plupart des monnaies flottent librement, ce qui n'empêche pas les banques centrales d'intervenir, souvent dans une logique de mercantilisme monétaire (reproche adressé régulièrement à la Chine).

C. Taux de change et économies nationales

■ Pour les partisans des changes flexibles, le jeu du marché devait faciliter le rééquilibrage automatique des balances courantes et donner plus d'autonomie aux politiques économiques, puisque les États n'auraient plus de contrainte monétaire.

■ Dans la réalité, les déséquilibres extérieurs se sont aggravés, car les taux de change dépendent de moins en moins des flux commerciaux. Le statut de monnaie de réserve du dollar accentue ces déséquilibres car, comme l'écrivait Jacques Rueff, le déficit des États-unis est « sans pleurs ». En effet, les autres pays continuent à acheter des dettes américaines pour éviter de voir s'effondrer la valeur de leurs propres réserves libellées majoritairement en dollars. Cette surévaluation du billet vert empêche le rééquilibrage de la balance courante des États-unis. À cela, il faut ajouter les déséquilibres dans l'épargne mondiale résultant de la faiblesse de la consommation intérieure dans certains pays émergents.

III. Comment expliquer les flux internationaux de capitaux ?

A. La mondialisation financière

■ Avant la crise des subprimes en 2008, les flux internationaux de capitaux (créances, portefeuilles et IDE) représentaient 20 % du PIB mondial, soit environ 12 000 milliards de dollars. Cette mondialisation financière a trois causes principales : l'explosion des IDE avec la multinationalisation des firmes, la libéralisation des marchés financiers (les « 3 D » pour Décloisonnement, Désintermédiation et Déréglementation) et enfin l'accroissement des déséquilibres entre des pays du Nord de plus en plus endettés et des pays émergeants disposant de fortes réserves de change.

B. Une allocation plus efficace du capital ?

■ La réalité des flux de capitaux contredit la théorie néoclassique qui prédit que les capitaux doivent aller des pays riches en capital vers les pays riches en main-d'œuvre, cette répartition aboutissant à une égalisation des taux de profit entre les pays. Une des explications de ce paradoxe réside dans le fait que les pays développés ont un avantage comparatif dans la finance et la banque, comme le prouve la localisation des principaux marchés de capitaux et de changes mondiaux. Les flux d'épargne suivent donc désormais un circuit long : les pays émergents placent leurs excédents dans les banques des pays développés qui les réinvestissent dans les pays émergents. D'autres explications résident dans la volonté des pays émergents de diversifier leurs placements et de soutenir le cours des devises occidentales pour maintenir leur propre compétitivité.

Balance des paiements
Document comptable qui enregistre l'ensemble des flux réels, financiers et monétaires entre les résidents et le reste du monde. Elle est toujours équilibrée d'un point de vue comptable, même si, pour les besoins de l'analyse, on peut faire apparaître un solde positif ou négatif.

Marché des changes
Nommé Forex en anglais (pour Foreign Exchange), ce marché est le lieu virtuel où les devises s'échangent les unes contre les autres. Cette confrontation permet de déterminer leur taux de change. Malgré la dimension mondialisée du Forex, une grande partie des échanges se déroule à Londres.

Devises
Pour un pays, ce terme désigne les monnaies officielles du reste du monde.

Spéculation
Pour l'économiste Nicolas Kaldor, elle désigne tout achat ou vente motivé par une anticipation sur les prix.

Flux internationaux de capitaux
Selon la définition du FMI, ils recouvrent les investissements directs à l'étranger (IDE), les investissements de portefeuilles et de produits dérivés, et les autres flux nets d'investissement, hormis les flux d'investissement vers les administrations publiques et les autorités monétaires.

synthèse

Synthèse (suite)

LE FINANCEMENT DE L'ÉCONOMIE MONDIALE

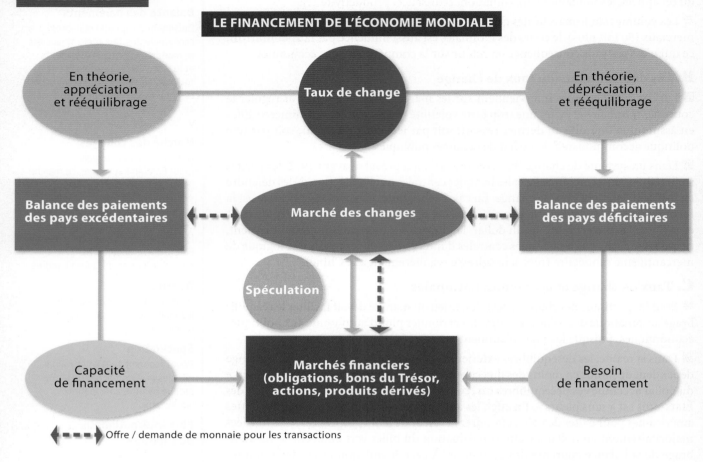

En théorie, appréciation et rééquilibrage

Taux de change

En théorie, dépréciation et rééquilibrage

Balance des paiements des pays excédentaires

Marché des changes

Balance des paiements des pays déficitaires

Spéculation

Capacité de financement

Marchés financiers (obligations, bons du Trésor, actions, produits dérivés)

Besoin de financement

◄----► Offre / demande de monnaie pour les transactions

À la fin du chapitre, assurez-vous que :

➔ Vous êtes capable de distinguer et d'interpréter les différents soldes de la balance des paiements.	➔ Vous êtes capable d'expliquer le fonctionnement du marché des changes et la fixation du taux de change.	➔ Vous êtes capable d'expliquer ce qu'est la spéculation.	➔ Vous êtes capable de rendre compte des liens entre taux de change et situation économique des pays.	➔ Vous êtes capable d'identifier les principaux flux internationaux de capitaux et de les expliquer.

POUR ALLER PLUS LOIN

Livres, BD, revues
- « Comprendre les marchés financiers », *Cahiers français*, n° 361, mars-avril 2011.
- « La guerre des monnaies », *Problèmes économiques*, n° 3011, 19 janvier 2011.
- Patrick Artus et Marie-Paule Virard, *La liquidité incontrôlable. Qui va contrôler la monnaie mondiale ?*, Pearson, 2010.
- Hugues le Bret, *La semaine où Jérôme Kerviel a failli faire sauter le système financier mondial*, Les Arènes, 2010.
- Philipe Francq et Jean Van Hamme, *Largo Winch, Le prix de l'argent*, Dupuis, 2004.
- Philipe Francq et Jean Van Hamme, *Largo Winch, La loi du dollar*, Dupuis, 2005.

Sites
- www.banque-france.fr
- www.bis.org (Banque des règlements internationaux)

- www.imf.org (Fonds monétaire international)
- www.lafinancepourtous.com
- www.trader-forex.fr

Films, documentaires
- *La double face de la monnaie*, un documentaire de Vincent Gaillard et Jérôme Polidor, 2006.
- *Inside Job*, un film de de Charles Ferguson, 2010.
- *Wall Street – L'argent ne dort jamais*, un film d'Oliver Stone, 2010

autoévaluation

1 Rayer la réponse fausse

1. Quand la FED augmente ses émissions monétaires, le dollar doit augmenter/baisser.

2. Un déficit des transactions courantes devrait s'accompagner d'une baisse/hausse de la devise du pays.

3. L'augmentation du taux d'intérêt doit provoquer une baisse/hausse de la devise correspondante.

4. Aujourd'hui, ce sont plutôt les pays émergents qui financent les pays développés. Vrai/faux

5. Dans un système de change fixe, on parle de dépréciation/dévaluation.

6. Les devises se négocient sur le marché des échanges/des changes.

7. Les volumes échangés sur le marché des changes correspondent à un PIB français par jour/par an.

2 Compléter un texte et rayer le ou les mauvais chiffres

Compléter le texte à l'aide des termes et expressions ci-dessous.
• Capitaux • Étranger (2 fois) • Équilibre • Investissement de portefeuille • Long terme • Profit • Revenus (2 fois)
• Transactions courantes

La balance des paiements comprend essentiellement la balance des ...... et la balance des .... La première enregistre les échanges de biens, services, ... et transferts ; la seconde, principalement les investissements directs à l'étranger (IDE) et les ...... quand la prise de participation est inférieure à 10/20/50 %. Une balance des IDE négative n'est pas forcément un mauvais indicateur pour le pays concerné, en effet cela signifie que celui-ci investit plus à l'...... que l'......, dans le pays. Cet excédent des IDE engendrera par la suite des flux de ...... qui amélioreront la balance des .... Respectant le principe de la comptabilité en partie double, la balance des paiements est présentée en .... On parlera cependant de déséquilibre quand la somme du solde des transactions courantes et des investissements à ...... est négative.

3 Compléter un Scrabble

Horizontal
4. Part d'une société anonyme.
7. Taux de change dans un régime de change fixe.
8. Marché des devises.

Vertical
1. Mieux quand il y en a 3.
2. Émis par le Trésor public.
3. Le précédent en est une.
5. Fond spéculatif.
6. Un des points forts de la balance commerciale française (abréviation).

4 Vrai ou faux ?

1. Quand le dollar passe de 0,70 € à 0,80 €, l'euro s'apprécie.

2. Quand une balance des IDE est négative, cela signifie que le pays investit peu à l'étranger.

3. Les déséquilibres actuels des balances courantes s'expliquent par des taux d'épargne très différents.

4. Un déficit de la balance courante entraîne un déficit budgétaire.

5. L'augmentation du taux d'intérêt fait en général s'apprécier la monnaie.

6. Pour les néoclassiques, les capitaux doivent aller des pays riches vers les pays pauvres.

7. Les changes flexibles doivent en théorie favoriser un rééquilibrage des balances des paiements.

8. Les taux de change dépendent essentiellement des échanges commerciaux.

→ Voir les réponses p. 442.

VERS LE BAC

SUJET Quelles relations peut-on mettre en évidence entre flux de capitaux et développement ?

DOCUMENT 1 Flux globaux de capitaux selon les taux de croissance médians

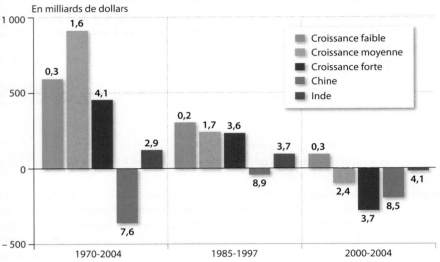

En milliards de dollars

Note : les taux de croissance réels so[n]t entre parenthèses, un bâton au-desso[us] de 0 indique une sortie nette de capitau[x].

Source : Eswar Prasad, Raghuram Raja[n] et Arvind Subramania[n] « Le paradoxe des flux de capitaux [», *Finances et développement*, mars 200[7]

DOCUMENT 2 Part de chaque région dans les flux d'IDE mondiaux

	Entrées d'IDE			Sorties d'IDE		
	2007	2008	2009	2007	2008	2009
Pays développés	68,8	57,5	50,8	84,8	81,5	74,5
Pays en développement	26,9	35,6	42,9	12,9	15,4	20,8
Afrique	3	4,1	5,3	0,5	0,5	0,5
Amérique latine et Caraïbes	7,8	10,3	10,5	2,5	4,3	4,3
Asie occidentale	3,7	5,1	6,1	2,1	2	2,1
Asie du Sud, de l'Est et du Sud-Est	12,3	15,9	20,9	7,9	8,6	13,9
Europe du Sud-Est et CEI	4,3	6,9	6,3	2,3	3,1	4,6
Petits pays économiquement et structurellement faibles et vulnérables	2	3,5	4,5	0,2	0,3	0,4

Source : Cnuced, « Rapport sur l'investissement dans le monde 2010 [»

DOCUMENT 3

L'innovation technologique et la circulation accélérée de l'information, conjuguées à l'augmentation considérable de l'épargne globale traversant les frontières sous forme d'instruments financiers, ont favorisé une internationalisation spectaculaire des flux de capitaux. Ces flux, composés notamment de titres de créance, de prises de participation et d'investissements directs, ont dépassé 6 000 milliards de dollars en 2005.

L'Europe, qui arrive en tête dans ce domaine, a connu un essor rapide des flux à l'intérieur du continent, encouragés par l'adoption de l'euro comme monnaie commune. Les pays européens avancés ont fourni un volume considérable de financement aux pays émergents d'Europe devenus récemment membres de l'Union européenne. Bien qu'elle soit encore modeste, la part des pays émergents dans le total des flux de capitaux est en forte augmentation, grâce aux énormes excédents couran[ts] de l'Asie et, plus récemment, des pays exportateurs d[e] pétrole.

Les flux de capitaux des pays émergents vers les marché[s] développés sont dominés par les réserves de banque[s] centrales et les fonds de richesse nationale, en prove[-] nance surtout des pays émergents d'Asie et des pay[s] exportateurs de pétrole.

Les déséquilibres mondiaux se sont accentués ces de[r-] nières années : au déficit courant croissant des États[-] Unis répondent les excédents d'autres pays. Les marché[s] financiers américains continuent d'attirer des cap[i-] taux étrangers (en particulier des pays émergents) q[ui] financent le déficit courant.

Mangal Goswami, Jack Ree et Ina Kot[a] « Les flux de capitaux défient la loi de la gravité [», *Finances et développement*, mars 200[7]

DOCUMENT 4 Flux bruts et nets de capitaux

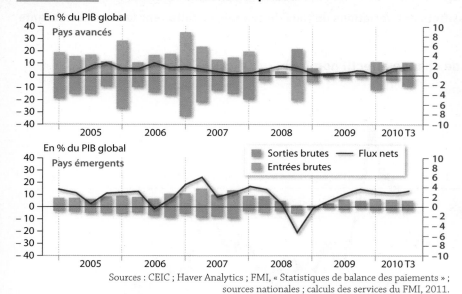

POUR VOUS AIDER

Comment faire un plan quand le sujet demande de mettre en relation plusieurs phénomènes

Deux questions peuvent être posées qui vont constituer les deux parties de la dissertation. Les flux de capitaux favorisent-ils le développement des pays qui les reçoivent ? Le niveau de développement d'un pays est-il un déterminant de l'entrée ou de la sortie de capitaux de ce pays ?

Conseil : quand un sujet porte sur une relation entre deux variables, l'ordre dans lequel sont proposées ces variables (A en relation avec B) ne doit pas inciter à privilégier cette causalité. La relation réciproque doit être aussi examinée (B en relation avec A).

Sources : CEIC ; Haver Analytics ; FMI, « Statistiques de balance des paiements » ; sources nationales ; calculs des services du FMI, 2011.

Épreuve composée (entraînement Chapitre 4)

PARTIE 1 Mobilisation des connaissances

QUESTION 1 (3 points) : **Quels sont les principaux comptes de la balance des paiements ?**

QUESTION 2 (3 points) : **Qu'est-ce que le marché des changes ?**

PARTIE 2 Étude d'un document

QUESTION (4 points) : **Vous présenterez ce document puis analyserez l'évolution de la balance des transactions courantes américaines, depuis 2003.**

Balance des transactions courantes américaines et ses composantes

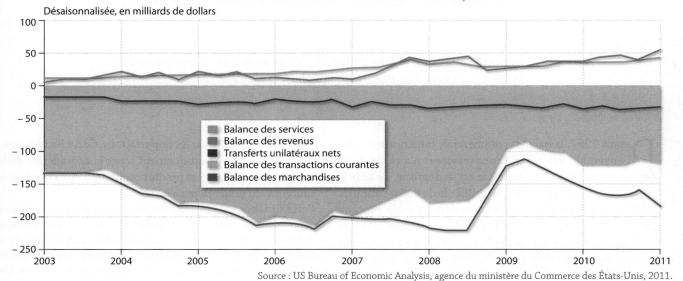

Source : US Bureau of Economic Analysis, agence du ministère du Commerce des États-Unis, 2011.

POUR VOUS AIDER Analyser une évolution

Lorsque, comme ici, on a représenté une somme et ses composantes, analyser consiste à expliquer l'allure de la courbe globale à partir des courbes de ses composantes.

Conseil : pour analyser une évolution, il faut d'abord repérer des périodes où la courbe change de sens ou connaît des modifications importantes de son rythme de croissance. On pourra ensuite se demander si les limites de périodes correspondent à des événements marquants.

SUJET (10 POINTS) : **Analysez les effets des variations du taux de change du dollar sur la balance courante américaine.**

DOCUMENT 1 États-Unis : taux de change effectif nominal

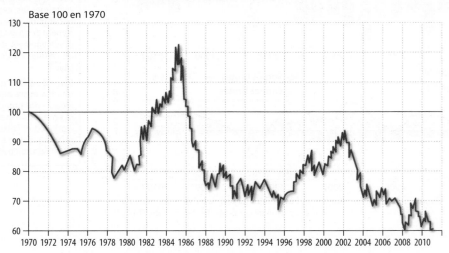

Base 100 en 1970

Source : Datastream et Natixis, Patrick Artus, *Flash marchés*, n° 34, 13 janvier 2011.

DOCUMENT 2 États-Unis : balance courante

En % du PIB en valeur

Source : Datastream et Natixis, Patrick Artus, *Flash marchés*, n° 34, 13 janvier 2011.

DOCUMENT 3

Depuis 1997, la balance commerciale [américaine] pour l'ensemble des biens (hors services) n'a cessé de se dégrader, que le dollar s'apprécie ou se déprécie. Le déficit des États-Unis est passé de 150 milliards de dollars annuels à 700 milliards en 2004. Cette trajectoire du solde exprime un changement structurel qui découle d'une évolution rapide de la division internationale du travail. Elle se manifeste par une stagnation de la production industrielle américaine (hormis la haute technologie) en présence d'une demande intérieure dynamique. Selon le Bureau of Economic Analysis, la production industrielle n'a augmenté que de 5 % en volume depuis 1997 et pas du tout depuis 2000, alors que la demande intérieure a progressé de 35 % et les importations de 80 %. La totalité de l'augmentation de la demande intérieure depuis 2000 a été satisfaite par les importations. Ce déclin industriel est responsable de pratiquement toute la dégradation de la balance courante. Il s'est produit conjointement à une baisse soutenue du dollar depuis 2002.

Cette situation est très différente des épisodes précédents de dépréciation du dollar, dans lesquels la balance commerciale se redressait avec un délai d'environ deux ans. L'affaiblissement industriel des États-Unis se reflète dans des élasticités faibles du commerce extérieur à la baisse du taux de change réel. On comprend, en effet, que si les capacités de production ont disparu, ce n'est pas une baisse du change de 10 ou 20 % qui les fera renaître.

Michel Aglietta, *Économie mondiale 2006*,
La Découverte,
coll. « Repères », 2005.

Aide au travail personnel

Accompagnement personnalisé

Comprendre et répondre à une consigne

1. Qu'est-ce qu'une consigne ?

• La consigne indique la nature du travail à effectuer, elle précise la façon dont il faut répondre à une question ou traiter un énoncé. Il ne faut donc pas confondre la consigne et la question posée.
• Bien comprendre la consigne est indispensable pour éviter les réponses hors sujet.

2. Comment bien repérer la consigne ?

• Les verbes d'objectif précisent l'orientation de la question.
• Les mots interrogatifs indiquent le type de raisonnement à mettre en œuvre (chercher les causes, les conséquences, les mécanismes...).

3. Conseils généraux

À éviter

→ Se lancer dans le sujet sans avoir pris le temps d'analyser la consigne.

Important

→ Au fur et à mesure du travail, revenir régulièrement à l'énoncé pour vérifier que l'on ne s'éloigne pas du sujet.

Pour progresser encore

→ S'entraîner ! Lire des énoncés (dans le manuel, dans des annales) et construire des réponses succinctes.

Quelques principes **1.** Lire l'énoncé plusieurs fois. **2.** Encadrer les verbes qui disent ce qu'il faut faire (à l'infinitif ou à l'impératif). **3.** Souligner les mots interrogatifs importants de la consigne.	**4.** Réfléchir à ce qui est demandé dans la consigne : quelles sont les attentes ? **5.** Commencer à rédiger au brouillon. **6.** Vérifier que les consignes sont respectées. **7.** Finaliser en rédigeant au propre.

ACTIVITÉ À vous de jouer !

1. Relier les consignes à la bonne définition

1	Analyser	a	Citer, exprimer, faire l'exposé de
2	Caractériser	b	Confronter pour faire ressortir les différences et les ressemblances
3	Comparer	c	Décomposer en éléments simples : disséquer et étudier puis expliquer
4	Décrire	d	Donner des exemples
5	Déduire	e	Donner les éléments susceptibles de présenter un fait, un mécanisme, une situation
6	Distinguer	f	Donner les raisons, les arguments pour conclure dans ce sens
7	Expliquer	g	Donner une ou des conséquences logiques d'une situation, d'un mécanisme
8	Expliciter	h	Exprimer, présenter de façon plus nette, plus claire
9	Identifier	i	Faire comprendre, éclairer le sens, en développant
10	Illustrer	j	Faire constater, mettre en évidence, établir un raisonnement pour prouver que
11	Indiquer	k	Faire voir de façon précise
12	Justifier	l	Indiquer avec précision, dépeindre les caractères distinctifs
13	Montrer	m	Mettre en parallèle deux ou plusieurs faits, mécanismes, afin d'en isoler les différences
14	Préciser	n	Montrer les aspects communs ou contraires de deux notions, phénomènes
15	Présenter	o	Rendre plus clair un point de vue en le développant ou en le reformulant
16	Relier	p	Repérer, retrouver, nommer, recenser

2. Différencier les mots interrogatifs

• Comment ? → de quelle manière, par quels moyens, quels mécanismes, dans quelles conditions
• En quoi ? → de quelle manière
• Dans quelle mesure ?
• Pourquoi ? → pour quelle(s) raison(s)
• Quel(s), quelle(s) ? Le sens dépend évidemment du terme qui suit : « Quelle signification faut-il donner à la baisse du taux de P.O ? », il s'agit ici d'expliquer, donc de chercher la cause, les motifs de cette baisse ; « Quel(s) obstacle(s) la monnaie unique rencontre-t-elle dans l'UE ? », il s'agit ici d'analyser, pas simplement d'énumérer.

Pour chacune des deux paires de sujets ci-dessous, dites en quoi les sujets diffèrent et rédigez une phrase de réponse pour chaque question.
1. En quoi un euro faible peut-il constituer un handicap pour l'économie européenne ?
Dans quelle mesure un euro faible peut-il constituer un handicap pour l'économie européenne ?
2. Comment la dégradation du solde extérieur agit-elle sur le cours de l'euro ?
Quelles sont les conséquences d'une dégradation du solde des échanges extérieurs sur le cours de l'euro ?

Quelle est la place de l'Union européenne dans l'économie globale ?

En 2008, l'Union européenne réalisait plus de 40 % des échanges mondiaux de marchandises, soit approximativement la même proportion que l'Amérique du Nord et l'Asie réunies. Ce résultat semble être le fruit d'une expérience originale d'intégration économique menée depuis plus de soixante ans sur le Vieux Continent. Il est donc essentiel d'étudier ce processus d'intégration européenne, afin d'en comprendre les spécificités et les avantages.

➤ **Quelles sont les spécificités de l'expérience d'intégration économique des pays européens ?**

En 1999 naissait l'euro, aboutissement de plus de cinquante ans d'intégration économique. Adoptée par dix-sept pays (en 2011) de l'Union européenne, la monnaie unique a permis de renforcer la concurrence au sein de la zone euro, mais aussi d'affermir l'interdépendance économique entre pays membres, ce qui constitue un atout important dans une économie mondiale de plus en plus internationalisée.

➤ **En quoi la mise en place de l'euro constitue-t-elle un avantage dans le contexte de mondialisation de l'économie ?**

Cependant, cette interdépendance croissante entre économies européennes nécessite la mise en place de politiques économiques coordonnées. Cette coordination doit se faire entre les instances supranationales et les pays membres, mais surtout entre pays membres.

➤ **Quelles sont les difficultés de coordination des politiques économiques à l'échelle européenne ?**

SOMMAIRE

Réviser les acquis de 1re	64
I En quoi l'intégration européenne est-elle une expérience originale ?	124
A La création d'une nouvelle puissance économique	124
B Une zone économique compétitive, attractive et tournée vers l'extérieur	126
II L'Union monétaire, un atout face à la mondialisation ?	128
A L'euro dans le contexte financier international	128
B L'euro renforce l'interdépendance des économies	130
III Est-il possible de coordonner les politiques macroéconomiques au niveau de l'UE ?	132
A Quel partage des compétences au sein de l'UE ?	132
B Les difficultés de coordination des politiques économiques	134
C Vers une Europe de la concurrence entre territoires ?	136
TD 1. Le cercle vicieux de la dette	138
TD 2. À la rencontre de la BCE	139
Synthèse	140
Schéma Bilan	142
Autoévaluation	143
Vers le Bac	144
Aide au travail personnel	147

Notions au programme
- Union européenne (UE)
- Économie globale
- Intégration européenne
- Euro
- Union économique et monétaire (UEM)

Acquis de 1re
- Banque centrale
- Politique budgétaire
- Politique monétaire

1 « Nous ne coalisons pas des États, nous unissons des hommes. »

Jean Monnet, *Mémoires*, Fayard, 1976.

Caricature de Plantu, parue dans *Le Monde* le 15 juillet 2011, illustrant la réaction des dirigeants européens face à la crise de la dette en Europe.

1. D'après la citation de Jean Monnet, quel est l'objectif initial de la construction européenne ? (Doc. 1)

2. À quoi la caricature de Plantu fait-elle référence ? (Doc. 2)

3. Au regard de la caricature de Plantu et des informations contenues dans la carte, l'objectif initial fixé par Jean Monnet vous semble-t-il atteint ? (Doc. 1, 2 et 3)

3

Variation du PIB par habitant entre 2008 et 2011, en %

- de 9 à 10
- de 0,1 à 3
- de 0 à − 2,9
- de − 3 à 4,9
- de − 5 à − 7
- de − 10 à − 14

Dette publique, en % du PIB

Zone euro   Hors zone euro

2008   2011   2008   2011

Taux de chômage en 2011, en %

Pays au-dessus de la moyenne de l'Union européenne

Pays en dessous de la moyenne de l'Union européenne

Zone euro menacée

Zone euro secourue par le FESF

L'Europe fragilisée

Source : d'après *Alternatives économiques*, n° 307, novembre 2011. Chiffres FMI.

I. En quoi l'intégration européenne est-elle une expérience originale ?

A La création d'une nouvelle puissance économique

1. Chronologie de la construction européenne

18 avril 1951	Signature du traité instituant la Communauté européenne du charbon et de l'acier (CECA).
25 mars 1957	Signature du traité de Rome entre les Six qui crée la Communauté économique européenne (CEE) ou « marché commun ». Il se donne pour objectif d'établir une libre circulation des marchandises, des services et des personnes entre les États membres.
Juillet 1968	Suppression totale des droits de douane entre les Six.
Février 1986	Signature de l'Acte unique européen, qui modifie le traité de Rome. Il prévoit la mise en œuvre d'un « marché unique » par la suppression effective des obstacles réglementaires à la libre circulation des personnes, des marchandises, des services et des capitaux. Il développe les fonds structurels européens, destinés à combattre les inégalités de développement entre régions européennes.
Février 1992	Les Douze signent le traité de Maastricht instituant l'UE. Ce traité met sur les rails la monnaie unique. Il étend timidement les compétences de l'UE à la politique étrangère et de défense. Il contribue à élargir le pouvoir du Parlement.
1er jan. 1993	Entrée en vigueur officielle du « marché unique », même si de nombreux problèmes continuent de se poser, notamment dans le domaine de l'ouverture des services publics à la concurrence, qui se heurte à de vives résistances.
1er jan. 1999	Onze pays adoptent l'euro, les taux de change entre leurs monnaies devenant irrévocablement fixes et leur politique monétaire étant confiée à la BCE, une institution fédérale qui siège à Francfort, en Allemagne.
13 déc. 2007	Signature du traité de Lisbonne qui reprend l'essentiel des dispositions institutionnelles du traité constitutionnel européen déjà ratifié par vingt-six pays. L'Irlande l'a rejeté par référendum, mais devrait être à nouveau consultée.
1er déc. 2009	Entrée en vigueur du traité de Lisbonne.
9 mai 2010	Création du Fonds européen de stabilité financière (FESF) en réaction à la crise de la dette que traverse la zone euro.

D'après « L'Europe », *Alternatives économiques*, hors-série n° 81, mai 2009.

1. EXPLIQUER. À partir de vos connaissances, quelles sont les raisons historiques de la construction européenne ?

2. CONSTATER. Sur quelle base la construction européenne s'est-elle effectuée ?

3. EXPLIQUER. Montrez que l'évolution institutionnelle de l'Union tend vers plus d'intégration.

> **DÉFINITION** **Intégration économique**
> Il s'agit du processus par lequel plusieurs économies nationales constituent un même espace économique au sein duquel les obstacles aux échanges tendent à être abolis.

2. L'Europe, une puissance de premier plan

Population (en millions) et PIB (en milliards de dollars PPA constants de l'année 2005) en 2010		
	Population	PIB
Chine	1 339,7	9 103,6
UE à 27	500,5	13 806,8
États-Unis	308,7	13 017
Japon	127,4	3 895,2

Source : OCDE.

1. CONSTATER. Rédigez une phrase avec les données concernant l'Union à 27.

2. CALCULER. Calculez le PIB par habitant de chacun des pays ou groupe de pays du tableau.

3. EXPLIQUER. Justifiez le titre du document.

3. L'Europe pour répondre aux défis du nouveau monde

La construction européenne a accompagné l'émergence de ce nouveau monde, [...] fruit d'un triple bouleversement. Premier bouleversement : la guerre, ou plutôt les guerres qui ont déchiré le continent de 1914 à 1945, et qui ont fait vaciller le monde. [...] Sur les ruines de celles-ci, les « pères de l'Europe » ont fait le pari de l'union des peuples pour réussir la paix. [...] Deuxième bouleversement : il est d'ampleur géopolitique. Il commence avec la chute du mur de Berlin, continue avec la fin de l'URSS et se poursuit aujourd'hui avec la multiplication des foyers d'instabilité. [...]

Le troisième bouleversement est celui de la mondialisation, ce processus d'interdépendance croissante de tous les peuples de la planète. La mondialisation touche aujourd'hui l'ensemble des dimensions de la vie de nos sociétés. Elle est la forme que prend aujourd'hui le capitalisme de marché, dont le développement pluriséculaire a atteint un stade d'expansion inédit [...].

Désormais, nombre des questions qui nous préoccupent se posent à l'échelle mondiale. Je pense par exemple à la raréfaction des ressources énergétiques, à la destruction de la biosphère, à la diffusion des pandémies, à la volatilité des marchés financiers, ou aux mouvements migratoires internationaux, fruits de la pauvreté ou des instabilités politiques systémiques, je pense aussi au terrorisme. […]

Avoir une politique commune, avec une seule bouche qui parle au nom de l'Union, est ce qui nous permet, à nous Européens, de peser sur la scène mondiale d'un poids économique et politique déterminant, égal à celui des États-Unis par exemple. […]

Les politiques communes permettent donc de donner aux États des moyens qu'ils auraient perdus sans l'Europe.

Pascal Lamy, « Les politiques communes et l'Europe dans la mondialisation », intervention à l'Académie des sciences morales et politiques, 2004.

1. CONSTATER. Quels sont les trois bouleversements à l'origine de la construction européenne et de sa poursuite ?

2. EXPLIQUER. Quelles sont les questions pour lesquelles le niveau national est inadapté ? Pour quelles raisons ?

3. RÉCAPITULER. Pourquoi, selon Pascal Lamy, la construction européenne est-elle de nos jours une nécessité ?

4. Les avantages attendus du grand marché

1. DÉFINIR. Qu'est-ce que la notion d'économies d'échelle ?

2. EXPLIQUER. En quoi la concurrence est-elle stimulée par la création du marché unique en Europe ?

3. RÉCAPITULER. Précisez, pour chaque agent économique, les gains attendus de l'intégration européenne.

Source : d'après Arcangelo Figliuzzi, *L'économie européenne*, Bréal, 2003.

5. Intégration et échanges commerciaux

a. Créations et détournements de trafic

Les accords commerciaux régionaux sont à l'origine de deux effets : une création de trafic et un détournement de trafic. Le premier effet correspond au fait que les consommateurs de chaque État membre achètent de plus grandes quantités aux producteurs des autres États membres. Il en résulte des gains d'efficacité à la condition que ces producteurs soient plus efficaces que les offreurs du reste du monde. Le deuxième effet correspond au fait que si les consommateurs peuvent acheter aux autres producteurs des États membres, c'est en raison de différences de coûts créées artificiellement, par exemple au moyen de droits de douane sur les produits provenant des pays extérieurs à la zone, ou de subventions accordées aux producteurs des pays membres. Si les créations de trafic l'emportent sur les détournements de trafic, l'intégration est positive.

Jean-Marc Siroën, « Les théories de l'échange international », *Cahiers français*, n° 253, octobre-décembre 1991.

b. Évolution du commerce extrazone euro à 17

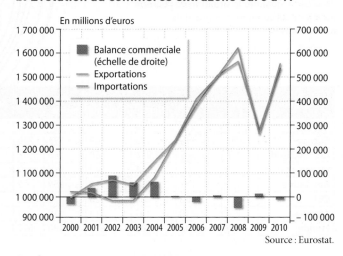

Source : Eurostat.

> **REPÈRE** Un exemple historique de détournement de trafic
>
> Avant leur entrée dans la CEE en 1986, l'Espagne et le Portugal se fournissaient en blé auprès des États-Unis, puisque le blé américain était moins cher que le blé européen, et en particulier français. À partir de leur intégration, ces deux pays vont privilégier le blé européen, car le tarif extérieur commun s'applique au blé américain, dont le prix s'apprécie alors mécaniquement.

1. DÉFINIR. Qu'est-ce qu'une création de trafic ? (Doc. a)

2. CONSTATER. Faites une phrase avec les données de 2010. (Doc. b)

3. CONSTATER. La mise en place de la monnaie unique a-t-elle été à l'origine de créations ou de détournements de trafic ? (Doc. a et b)

ENTRAÎNEMENT

QUESTION DE COURS. Quelles sont les justifications économiques de la mise en place d'une union douanière ?

SYNTHÈSE. À partir des documents 1, 2 et 3, précisez ce qui fait l'originalité de la construction européenne.

documents

B Une zone économique compétitive, attractive et tournée vers l'extérieur

1. La rivalité Airbus-Boeing

Le constructeur aéronautique européen Airbus a enregistré 640 commandes nettes d'avions sur les six premiers mois de l'année, après une moisson de commandes au salon du Bourget en juin, et livré 258 avions. La filiale d'EADS a enregistré un total de 777 commandes brutes depuis le début de l'année et enregistré 137 annulations de commandes sur la période. Au premier semestre, l'américain Boeing reste loin derrière, avec seulement 210 commandes brutes et 151 nettes, selon son bilan au 28 juin.
Le bilan commercial montre 58 nouvelles annulations pour le seul mois de juin.

Le nombre de commandes a cependant explosé par rapport à mai : l'avionneur a fait le plein de commandes au salon du Bourget en juin, en particulier pour son moyen-courrier remotorisé A320 Neo, qui doit être livré à partir de 2015. Airbus dispose désormais d'un carnet de commande record de 3 934 avions à livrer, le plus haut chiffre jamais atteint. Côté livraisons, Airbus a remis 258 avions aux compagnies aériennes au premier semestre, dont dix pour son très gros porteur A380. Airbus espère en produire autour de 25 cette année.

lesechos.fr, le 7 juillet 2011.

1. DÉFINIR. Qu'est-ce qu'une filiale ?

2. CONSTATER. Quelle est la structure du marché sur lequel se situe Airbus ?

3. EXPLIQUER. Pourquoi la création d'un groupe comme EADS est-elle un atout économique pour l'Europe ?

REPÈRE EADS

Le groupe European Aeronautic Defence and Space Company est né le 14 octobre 1999 de la fusion d'Aérospatiale-Matra et de Daimler-Chrysler Aerospace. La création de ce géant de l'aéronautique répond à la nécessité de construire un groupe de taille mondiale, capable d'affronter les acteurs américains, et en particulier Boeing.

2. La place de l'Europe dans le commerce international

1. CONSTATER. Rédigez une phrase avec les données entourées.

2. CALCULER. Quelle est la part de l'Europe dans l'échange de marchandises en 2008 ? Comparez cette part à celle du reste de la Triade (c'est-à-dire Asie et Amérique du Nord).

3. CALCULER. Calculez la part de l'échange intrazone pour les pays de la Triade.

4. RÉCAPITULER. À l'aide du tableau et de la carte, qualifiez la situation de l'Europe au regard du commerce mondial de marchandises.

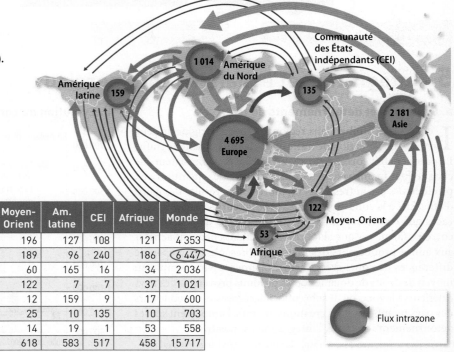

Le commerce de marchandises en 2008, en milliards de dollars

Source : OMC.

Origine	Asie	Europe	Am. du Nord	Moyen-Orient	Am. latine	CEI	Afrique	Monde
Asie	2 181	801	775	196	127	108	121	4 353
Europe	486	4 695	475	189	96	240	186	6 447
Am. du Nord	376	369	1 014	60	165	16	34	2 036
Moyen-Orient	569	126	116	122	7	7	37	1 021
Am. latine	101	121	169	12	159	9	17	600
CEI	77	406	36	25	10	135	10	703
Afrique	114	218	122	14	19	1	53	558
Monde	3 903	6 736	2 708	618	583	517	458	15 717

3. La balance commerciale de l'UE

En millions d'euros	2005	2006	2007	2008	2009	2010
Balance extra UE à 27	−126 849	−192 686	−194 459	−256 424	−109 333	−152 983
Exportations	1 052 720	1 160 101	1 240 556	1 309 885	1 097 142	1 348 778
Importations	1 179 569	1 352 787	1 435 015	1 566 309	1 206 475	1 501 761

Source : Eurostat.

1. CONSTATER. Rédigez une phrase avec les données 2010.

2. CALCULER. Calculez le taux de couverture de l'UE à 27 en 2010.

3. RÉCAPITULER. À l'aide du tableau, qualifiez la balance commerciale de l'UE à 27.

4. Productivité du travail[1] selon le pays ou la zone

	2001	2002	2003	2004	2005	2006	2007	2008	2009	2010
France[2]	37,5	38,6	39	39,3	39,9	41	40,8	40,4	39,9	40,3
Allemagne	36,4	37	37,4	37,6	38,1	39,3	39,7	39,6	38,7	39,1
États-Unis	39,4	40,7	41,9	42,9	43,6	44	44,5	45	46,3	47,7
Zone euro[2]	34,9	35,4	35,6	36	36,4	37,1	37,5	37,4	37,1	37,5
Total OCDE	30,1	30,8	31,5	32,3	32,8	33,3	33,8	33,8	33,9	34,6

1. La productivité du travail est calculée comme le rapport du PIB sur le total des heures travaillées.
2. Pour les pays, la productivité du travail est publiée en monnaie nationale, à prix constants. Pour les zones, les calculs sont basés sur le PIB en volume, converti en dollars des États-Unis, à l'aide des parités de pouvoir d'achat (PPA).

Source : OCDE.

1. CONSTATER. Rédigez une phrase avec la donnée 2010 pour la France.

2. CALCULER. Comparez l'évolution de la productivité aux États-Unis et dans la zone euro.

3. RÉCAPITULER. Quel constat ce tableau permet-il d'établir sur la productivité dans la zone euro ?

5. Les échanges de services avec les États-Unis

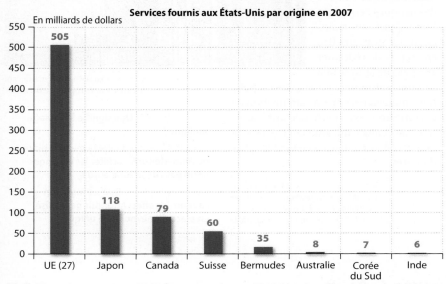

Services fournis aux États-Unis par origine en 2007

Source : OMC, Statistiques du commerce mondial 2010.

1. CONSTATER. Rédigez une phrase avec les données pour l'UE à 27.

2. CALCULER. Par un calcul de votre choix, comparez la situation du Japon et de l'UE à 27.

3. EXPLIQUER. En quoi les données des documents 4 et 5 révèlent-elles la compétitivité et le dynamisme de l'économie européenne ?

6. Évolution des flux d'IDE entrants et sortants

En millions de dollars	Flux d'IDE sortants							Flux d'IDE entrants						
	2004	2005	2006	2007	2008	2009	2010	2004	2005	2006	2007	2008	2009	2010
Chine	1 805	11 306	21 200	17 000	53 500	43 900	60 100	54 937	117 200	124 100	160 100	175 100	114 200	185 000
Japon	30 963	45 831	50 243	73 545	127 981	74 698	56 276	7 818	2 778	– 6 503	22 548	24 417	11 938	– 1 670
États-Unis	316 222	36 236	244 922	414 039	329 080	303 605	351 350	145 966	112 638	243 151	221 166	310 091	158 581	236 227
Total UE à 27	379 718	604 508	686 543	1 252 600	962 403	386 789	436 725	222 661	497 651	582 109	856 592	538 747	372 736	302 022
Total OCDE	830 686	779 342	1 187 954	1 931 682	1 632 647	911 890	1 003 586	460 136	661 637	1 008 223	1 354 191	1 054 209	661 469	650 445

1. DÉFINIR. Rappelez ce qu'est un IDE.

2. CONSTATER. Rédigez une phrase avec les données de 2010 pour l'UE.

3. EXPLIQUER. Qu'est-ce qui explique les reflux importants affectant les flux d'IDE à partir de la fin de l'année 2007 ?

4. RÉCAPITULER. Au regard des données, l'UE vous semble-t-elle être une zone attractive pour les IDE ?

documents

II. L'Union monétaire, un atout face à la mondialisation ?

A L'euro dans le contexte financier international

1. Les bénéfices attendus de la monnaie unique

La monnaie unique est le complément logique et indispensable au marché intérieur. Après la libération des mouvements de biens, de services, de capitaux et des personnes, les variations de taux de change constituaient le dernier obstacle au développement accru des échanges intracommunautaires. De fait, les coûts générés par la présence d'une monnaie par État, dans les opérations de change notamment, handicapent lourdement les entreprises européennes, alors même que les échanges intracommunautaires représentent plus de 60 % des échanges extérieurs pour chacun des États membres. En supprimant la possibilité de dévaluation compétitive entre des pays de plus en plus interdépendants, l'euro assure donc une meilleure cohésion des pays de la zone et évite le développement de stratégies individualistes. Dans la même logique, la monnaie unique doit accroître la concurrence dans la zone euro en facilitant la comparaison des prix entre pays, et, par

ce biais, augmenter la compétitivité des entreprises européennes.

Il s'agit aussi de pouvoir concurrencer le dollar comme monnaie internationale de facturation des échanges et comme instrument de réserve des banques centrales.

Enfin, l'unification monétaire doit permettre en théorie de redonner aux pays de la zone une certaine autonomie en matière de politique budgétaire, grâce à l'atténuation de la contrainte extérieure liée aux variations de change, qui amenait à défendre une parité de change en élevant les taux d'intérêt.

Benoît Ferrandon,
« L'UEM, une intégration économique et financière », *L'Union européenne*, La Documentation française, 2004.

La statue de l'euro devant le parlement européen de Bruxelles.

1. EXPLIQUER. Que signifie le passage souligné ?

2. EXPLIQUER. En quoi la mise en place de l'euro doit-elle faciliter les échanges entre pays de la zone euro ?

3. RÉCAPITULER. Quels sont, selon l'auteur, les effets attendus de la mise en place d'une monnaie unique ?

2. Évolution des taux d'intérêt directeurs de la FED et de la BCE

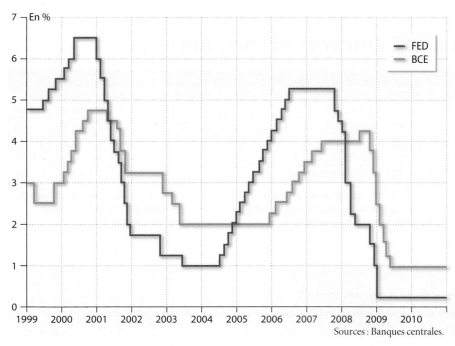

Sources : Banques centrales.

1. DÉFINIR. Qu'est-ce qu'un taux d'intérêt directeur ?

2. CONSTATER. Rédigez une phrase avec les données 2010.

3. CONSTATER. Comparez l'évolution des taux directeurs de la FED et de la BCE.

4. EXPLIQUER. Quel est l'objectif poursuivi par la BCE quand elle augmente le taux d'intérêt directeur, et quand elle le diminue ?

3. L'évolution du taux de change de l'euro

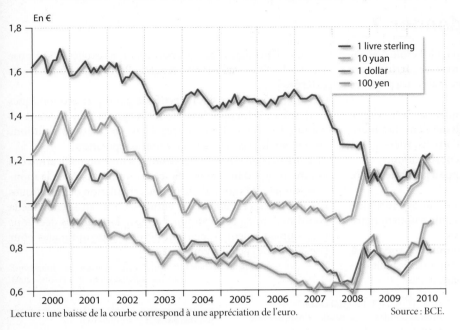

En €

Légende :
- 1 livre sterling
- 10 yuan
- 1 dollar
- 100 yen

Lecture : une baisse de la courbe correspond à une appréciation de l'euro.

Source : BCE.

1. CONSTATER. Rédigez une phrase avec la donnée 2010 pour le dollar.

2. CONSTATER. Comment le taux de change de l'euro face au dollar a-t-il évolué depuis 2000 ?

3. EXPLIQUER. Quelles sont les conséquences d'une appréciation et d'une dépréciation de l'euro sur le solde de la balance commerciale des pays membres de la zone euro ?

4. L'euro, une monnaie internationale ?

a. L'euro sur les marchés obligataires

Montant des titres de dette internationale par monnaies

En milliards de dollars et en %

Légende :
- Dollar
- Euro
- Yen
- Autres

1 758 (17 %)
598 (5,8 %)
3 248 (31,4 %)
4 733 (45,8 %)

Source : BCE.

1. CONSTATER. Rédigez une phrase avec les données de 2009 pour l'euro.

2. CALCULER. Par un calcul de votre choix, mesurez l'évolution de la dette internationale détenue en euros entre 1999 et 2009. Faites de même pour la dette détenue en dollars.

b. L'euro dans le commerce international

Part des importations hors zone euro libéllées en euros en 2009

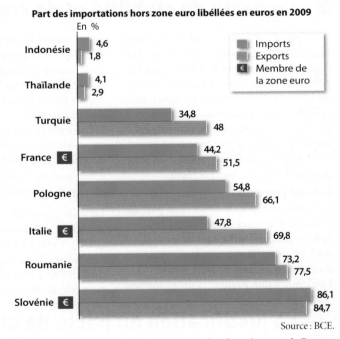

En %

Légende :
- Imports
- Exports
- € Membre de la zone euro

Pays	Imports	Exports
Indonésie	4,6	1,8
Thaïlande	4,1	2,9
Turquie	34,8	48
France €	44,2	51,5
Pologne	54,8	66,1
Italie €	47,8	69,8
Roumanie	73,2	77,5
Slovénie €	86,1	84,7

Source : BCE.

1. CONSTATER. Rédigez une phrase avec les données pour la France.

2. RÉCAPITULER. Ces documents permettent-ils de dire que l'euro est capable de remplacer le dollar comme monnaie de référence internationale ?

ENTRAÎNEMENT

QUESTION DE COURS. Comment peut-on qualifier la politique monétaire de la BCE ?

SYNTHÈSE. À partir des documents 1, 2 et 3, et sous la forme d'un tableau, rappelez les avantages de la constitution d'une union économique et monétaire (en distinguant les effets microéconomiques et les effets macroéconomiques).

documents

B L'euro renforce l'interdépendance des économies

1. Pourquoi se coordonner ?

Deux raisons sont avancées pour expliquer le besoin d'agencement des politiques économiques menées par différents pays : l'interdépendance des économies nationales et la présence de biens publics communs.

Un bien public se caractérise par le fait qu'il peut être utilisé par plusieurs agents économiques simultanément. Les biens publics ne s'arrêtent pas nécessairement aux frontières. [...] Leur gestion implique une démarche de coordination.

L'interdépendance économique se développe à partir de quatre sources :

– L'interdépendance structurelle est le résultat de l'intensité des relations commerciales et financières qui se nouent entre les agents économiques des différents pays.

– L'interdépendance des politiques économiques apparaît à travers les effets de débordement ou de contagion de la politique économique menée par un pays sur ses partenaires.

– L'interdépendance face aux perturbations exogènes s'impose lorsque les États ont intérêt à réagir collectivement à des chocs externes [...].

– L'interdépendance des objectifs de politiques économiques [...] apparaît lorsque les acteurs réagissent en prenant en compte les réactions des autres. Dans ce cas, deux solutions sont possibles : coopération ou non-coopération.

La construction européenne conduit à une intensification des quatre formes d'interdépendance économique. Avec la monnaie unique, le besoin d'une bonne articulation des politiques économiques s'est encore accentué. L'UE a fait le choix de la coordination. La coopération s'impose lorsque des décisions prises unilatéralement peuvent devenir sous-optimales pour l'ensemble des acteurs concernés.

Michel Dévoluy (dir.), *Les politiques économiques européennes, enjeux et défis*, Le Seuil, coll. « Points », 2004.

1. DÉFINIR. Qu'est-ce que la notion d'interdépendance économique ?

2. ILLUSTRER. Donnez un exemple de chacun des types d'interdépendance évoqués dans le texte.

3. EXPLIQUER. En quoi cette interdépendance peut-elle constituer une contrainte pour les politiques économiques des pays membres ?

4. EXPLIQUER. Expliquez la phrase soulignée.

> **DÉFINITION** Coordination
>
> Il s'agit d'une forme de coopération entre États, qui les incite à élaborer leurs politiques économiques et sociales dans un cadre national, tout en tenant compte des interdépendances entre pays.

2. Le pacte de stabilité et de croissance

Le pacte de stabilité et de croissance (PSC) est un système fondé sur des règles et élaboré pour coordonner les politiques budgétaires nationales au sein de l'Union économique et monétaire (UEM). Il a été établi afin de garantir des finances publiques saines, une exigence importante pour le bon fonctionnement de l'UEM. Le pacte est composé d'un volet préventif et d'un volet correctif.

Le volet préventif

Les États membres doivent faire part de leurs programmes de stabilité (convergence) annuels, indiquant comment ils ont l'intention de parvenir à une situation budgétaire saine à moyen terme [...]. La Commission évalue ces programmes et le Conseil fait part de son avis à leur sujet. Le volet préventif comporte deux instruments politiques.

– Le Conseil peut émettre une alerte rapide pour empêcher l'apparition d'un déficit excessif.

– La Commission peut adresser directement des recommandations de politique économique à un État membre sur les conséquences économiques, au sens large, de sa politique budgétaire.

Le volet correctif

Il régit la procédure de déficit excessif (PDE). Cette procédure est déclenchée lorsque le déficit dépasse le seuil de 3 % du PIB fixé par le traité. Le Conseil fait parvenir des recommandations aux États membres concernés pour corriger le déficit excessif, et leur donne un délai pour y parvenir. Le non-respect de ces recommandations déclenche d'autres étapes de la procédure, notamment d'éventuelles sanctions pour les États membres de la zone euro.

ec.europa.eu, site de la Commission européenne.

1. DÉFINIR. Comment le pacte de stabilité et de croissance se met-il en place ?

2. EXPLIQUER. Peut-on considérer que le pacte agit comme une contrainte pour les politiques budgétaires des pays de la zone euro ?

3. RÉCAPITULER. En matière de politique économique, les pays de la zone euro sont-ils autonomes ?

3. La justification du pacte de stabilité et de croissance

Le pacte de stabilité et de croissance a pour objectif d'éviter les déficits publics excessifs, car ces derniers sont rendus responsables de l'inflation, qui à moyen terme peut s'avérer néfaste pour la croissance. Ainsi l'objectif du pacte de stabilité et de croissance est de stabiliser la croissance à moyen terme.

1. DÉFINIR. Qu'est-ce que le pouvoir d'achat ?

2. EXPLIQUER. Donnez la signification de chacune des flèches du schéma.

3. RÉCAPITULER. Quel est l'objectif du pacte de stabilité et de croissance ? Quelles en sont les limites ?

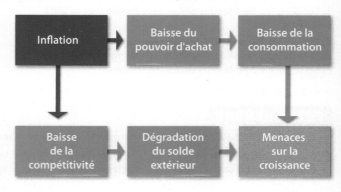

documents

4. Le cercle vicieux de la dette

L'e danger qui menace la zone euro est l'enclenchement d'un cercle vicieux où le marasme économique, les déséquilibres des comptes publics et les tensions financières s'alimenteraient réciproquement. Derrière l'interconnexion de ces trois crises – économique, budgétaire et financière –, c'est la gouvernance de la zone euro qui est en cause : les États membres doivent d'urgence dresser des pare-feu efficaces et crédibles contre la contagion.

Source : « Les chiffres 2012 », *Alternatives économiques*, hors-série n° 90, octobre 2011.

> **DÉFINITION**
> **Pacte de stabilité et de croissance (PSC)**
> Cet accord entre les pays de l'UE, établi au sommet de Dublin de décembre 1996, fixe des règles limitant les déficits publics des pays ayant adopté l'euro et ceux qui veulent en faire autant.

Les banques fragilisées
Impact potentiel cumulé de la crise de la dette sur les comptes des banques de la zone euro

Source : *Alternatives économiques*, op. cit. Estimations FMI.

1. DÉFINIR. Qu'est-ce que la solvabilité d'une banque ou d'un État ?

2. EXPLIQUER. Comment la crise économique entraîne-t-elle une crise de la dette souveraine ?

3. RÉCAPITULER. Justifiez le titre du document : « Le cercle vicieux de la dette. »

5. Avantages de l'euro face à la crise de la dette

L'actualité de la zone euro est tellement sinistre [...] qu'on prendrait volontiers la monnaie unique pour une malédiction. Une de ces bonnes idées qui aurait mal tourné.
Rien n'est plus faux : l'euro est un atout. Il a bien servi l'union monétaire depuis sa mise en circulation en 2002. Il est l'un des éléments qui font que l'Europe a un avenir dans le monde de demain. [...]
Le montant du déficit fédéral américain ou celui de la dette publique britannique montrent que les déséquilibres budgétaires ne sont nullement l'apanage de la zone euro. [...]
Exprimé en monnaies nationales, il est à peu près certain que cet endettement aurait conduit nombre de pays aujourd'hui membres de la zone euro, notamment la France, à dévaluer plusieurs fois ces dernières années – et la perte de valeur d'une monnaie est une perte de pouvoir d'achat qui touche d'abord les plus pauvres.
C'est l'un des grands mérites de l'euro : il a été un bouclier contre les chocs financiers de l'époque. Il a permis à ceux qui l'ont adopté de maintenir l'inflation sous contrôle et de connaître des taux d'intérêt historiquement bas.
Sa relative bonne tenue face aux autres grandes devises – certains jugent même l'euro surévalué – a diminué le prix auquel les membres de la zone achètent leurs matières premières. Enfin, supprimant le risque de change, il a présidé à un accroissement sans précédent du commerce intra-européen.
Tout cela, qui est considérable, se traduit en précieux points de croissance que nous n'aurions pas eus sans la monnaie unique. Le monde de demain sera organisé autour de trois à quatre blocs monétaires. L'Europe sera l'un d'eux avec l'euro : c'est la garantie de peser un peu dans la compétition globale.
Il y a un prix : l'euro suppose une coordination des politiques budgétaires, encore balbutiante. Et qui peut heurter la sensibilité des plus attachés à la souveraineté nationale. Mais, si l'on en croit les sondages, une majorité des Européens sont disposés à aller plus avant dans l'harmonisation des politiques budgétaires. C'est du côté des politiques que le souffle manque.

« Ne l'oublions pas : l'euro est un atout », éditorial du *Monde*, 14 juillet 2011.

1. DÉFINIR. Qu'est-ce qu'une récession ?

2. DÉFINIR. Qu'est-ce qu'une dévaluation ?

3. EXPLIQUER. Comment s'explique la hausse de la dette publique ?

4. EXPLIQUER. En quoi peut-on dire que l'euro a été bénéfique dans la lutte contre la crise ?

> **ENTRAÎNEMENT**
> **QUESTION DE COURS.** Établissez un argumentaire économique afin de justifier la mise en place du pacte de stabilité et de croissance.
> **SYNTHÈSE.** À partir des documents 1, 2, 3 et 5, répondez à la question : « Comment l'adoption de l'euro exerce-t-elle une contrainte sur la mise en place des politiques économiques des États membres ? »

documents

III. Est-il possible de coordonner les politiques macroéconomiques au niveau de l'UE ?

A Quel partage des compétences au sein de l'UE ?

1. Les compétences selon le traité de fonctionnement de l'UE

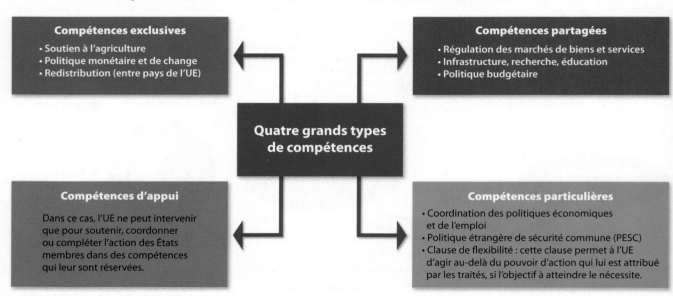

Compétences exclusives
- Soutien à l'agriculture
- Politique monétaire et de change
- Redistribution (entre pays de l'UE)

Compétences partagées
- Régulation des marchés de biens et services
- Infrastructure, recherche, éducation
- Politique budgétaire

Quatre grands types de compétences

Compétences d'appui

Dans ce cas, l'UE ne peut intervenir que pour soutenir, coordonner ou compléter l'action des États membres dans des compétences qui leur sont réservées.

Compétences particulières
- Coordination des politiques économiques et de l'emploi
- Politique étrangère de sécurité commune (PESC)
- Clause de flexibilité : cette clause permet à l'UE d'agir au-delà du pouvoir d'action qui lui est attribué par les traités, si l'objectif à atteindre le nécessite.

L'exercice des compétences

L'exercice des compétences de l'Union est soumis à trois principes fondamentaux figurant à l'article 5 du traité sur l'UE. La délimitation des compétences de l'UE facilite grandement la bonne application de ces principes :
– le principe d'attribution : l'Union ne dispose que des compétences qui lui sont attribuées par les traités ;
– le principe de proportionnalité : l'exercice des compétences de l'UE ne peut aller au-delà de ce qui est nécessaire afin de réaliser les objectifs des traités ;

– le principe de subsidiarité : pour les compétences partagées, l'UE ne peut intervenir que si elle est en mesure d'agir plus efficacement que les États membres.

D'après europa.eu, le portail de l'Union européenne.

1. CONSTATER. Au regard des trois autres compétences, donnez des exemples de compétences d'appui.
2. EXPLIQUER. Le degré d'autonomie des pays de l'UE vous semble-t-il important ?

2. Exemple de partage de compétences : éducation et formation

Dans les domaines de l'éducation et de la formation, la compétence est avant tout celle des États membres. Conformément au principe de subsidiarité, l'UE encourage la coopération et la coordination (méthode ouverte de coordination) entre États membres, dont elle peut compléter l'action si nécessaire. Dans tous les cas, l'UE doit d'une part respecter la diversité culturelle et linguistique des États membres, et d'autre part laisser le contenu de l'enseignement et l'organisation du système éducatif sous l'entière responsabilité de ces derniers. L'Union européenne offre alors, dans le domaine de l'éducation et de la formation, un cadre permettant aux autorités nationales et aux parties prenantes européennes de coopérer pour améliorer leurs politiques et échanger les bonnes pratiques (activités d'apprentissage entre groupes d'États membres sur des sujets spécifiques ou groupes d'experts).

Elle met également en œuvre des programmes de financement, développés et administrés par la Commission européenne. Les diverses initiatives communautaires en matière d'éducation et de formation sont ainsi regroupées dans le programme pour l'éducation et la formation tout au long de la vie (2007-2013). D'autres fonds promeuvent par exemple les échanges avec les pays tiers. […]

Depuis l'entrée en vigueur du traité de Lisbonne, la majorité des actions de l'UE en matière d'éducation et de formation sont adoptées par le Parlement européen et le Conseil selon la procédure législative ordinaire (codécision), après consultation du Comité économique et social et du Comité des régions. Sur proposition de la Commission, le Conseil adopte également des recommandations.

touteleurope.eu.

1. DÉFINIR. Qu'est-ce que le principe de subsidiarité ?
2. ILLUSTRER. Comment la subsidiarité est-elle mise en œuvre au niveau de la politique d'éducation et de formation ?

3. Partage des compétences entre UE et États

Représentation schématique du partage des compétences économiques dans l'UE			
Fonction générale	Fonction détaillée	États	UE
Allocation	Régulation des marchés de biens et services	X	XX
	Régulation des marchés de capitaux	X	XX
	Régulation des marchés du travail	XX	X
	Infrastructure, recherche, éducation	XX	X
	Soutien à l'agriculture	–	XXX
Stabilisation	Politique monétaire et de change	–	XXX
	Politiques budgétaires	XX	X
Redistribution	Interpersonnelle (fiscalité directe, transferts sociaux)	XXX	–
	Interrégionale	XX	X
	Internationale (au sein de l'UE)	–	XXX

Lecture : par convention la somme de chaque ligne est égale à trois « X ». « XX » dans une colonne indique que la compétence principale appartient au niveau correspondant. « XXX » indique une compétence exclusive.

Philippe Aghion, Élie Cohen et Jean Pisani-Ferry, *Politique économique et croissance en Europe*, Rapport du CAE n° 56, La Documentation française, 2006.

Transfert de compétences

L'actuelle répartition des compétences entre l'UE et les États membres n'est pas figée. Cependant, la réduction ou l'extension des compétences de l'UE est un sujet délicat qui requiert l'accord de tous les États membres et qui nécessite une révision des traités.

D'après europa.eu.

1. DÉFINIR. Définissez les fonctions d'allocation, de stabilisation et de redistribution.

2. CONSTATER. Comment l'UE intervient-elle dans la fonction de stabilisation ?

3. CONSTATER. Comment se répartissent les compétences de redistribution entre États et UE ?

4. La stratégie « Europe 2020 »

« Europe 2020 » est la stratégie de croissance que l'Union européenne a adoptée pour les dix années à venir. Dans un monde en mutation, l'Union doit devenir une économie intelligente, durable et inclusive. Ces trois priorités qui se renforcent mutuellement doivent aider l'Union et ses États membres à assurer des niveaux élevés d'emploi, de productivité et de cohésion sociale.

Concrètement, l'Union européenne a fixé cinq objectifs ambitieux à atteindre d'ici 2020 en matière d'emploi, d'innovation, d'éducation, d'inclusion sociale et d'énergie (ainsi que de lutte contre le changement climatique). Chaque État membre a adopté ses propres objectifs nationaux dans chacun de ces domaines. Des actions concrètes menées aux niveaux européen et national sous-tendent la stratégie.

1. DÉFINIR. Quels sont les objectifs de la stratégie « Europe 2020 » ?

2. EXPLIQUER. En quoi les objectifs poursuivis s'inscrivent-ils dans une stratégie de développement, et plus précisément dans une stratégie de développement durable ?

Les cinq objectifs de l'UE pour 2020

– **Emploi** : un emploi pour 75 % de la population âgée de 20 à 64 ans ;
– **Recherche-développement et innovation** : investissement (fonds publics et privés) de 3 % du PIB de l'UE dans la recherche et l'innovation ;
– **Changement climatique et énergie** : réduction des émissions de gaz à effet de serre de 20 % par rapport à 1990, utilisation d'énergie provenant de sources renouvelables à hauteur de 20 %, augmentation de 20 % de l'efficacité énergétique ;
– **Éducation** : abaissement du taux de décrochage scolaire à moins de 10 %, un diplôme de l'enseignement supérieur pour au moins 40 % de la population âgée de 30 à 34 ans ;
– **Pauvreté et exclusion sociale** : réduction d'au moins 20 millions du nombre de personnes touchées par la pauvreté et l'exclusion sociale.

ec.europa.eu, site de la Commission européenne.

3. EXPLIQUER. Quelles peuvent être les difficultés à surmonter pour atteindre les objectifs de la stratégie « Europe 2020 » ?

5. La coordination des politiques économiques au niveau européen

Dans la lignée du Pacte de stabilité et de croissance, le « semestre européen » constitue un dispositif majeur du renforcement de la coordination des politiques budgétaires des États membres. Il débutera en 2011 et constituera un cycle de surveillance chaque année, de mars à juillet. Sur la base d'un rapport de la Commission, le Conseil européen remettra, tous les ans en mars, des avis stratégiques sur les principaux défis économiques à venir. Les États membres devront intégrer ces avis en avril et réviser leurs politiques budgétaires en fonction. Des programmes nationaux devront parallèlement préciser les futures mesures portant sur l'emploi et l'inclusion sociale. Au mois de juin et juillet, le Conseil européen et les ministres des Finances de l'UE donneront leur avis aux Etats membres, avant que ceux-ci n'adoptent leurs budgets pour l'année suivante.

latribune.fr, 8 septembre 2010.

1. DÉFINIR. Qu'est-ce que la coordination des politiques économiques ?

2. CONSTATER. Les États membres définissent-ils seuls leurs politiques économiques ?

3. ILLUSTRER. Dans quels cas peut-il y avoir des « recommandations » de la part des autorités européennes ?

ENTRAÎNEMENT

QUESTION DE COURS. En quoi consiste la coordination des politiques économiques ?

SYNTHÈSE. Quel est le degré d'autonomie des États membres en matière de politique économique. (Doc. 1, 3 et 5) ?

documents

B ■ Les difficultés de coordination des politiques économiques

1 ■ Les limites de la gouvernance européenne

La fin des barrières douanières entre économies européennes devait entraîner une accélération de la croissance et faciliter, à terme, une intégration politique plus profonde. Mais c'est l'inverse qui s'est passé : la croissance a été de moins en moins élevée au sein de l'Europe. Renforçant l'opposition à l'intégration politique.

L'absence de pilotage macroéconomique au niveau de l'Union en est responsable en bonne partie. Alors que le budget fédéral a représenté 22 % du produit intérieur brut (PIB) américain en 2008, son équivalent européen ne pesait que… 0,9 %. De plus, ce budget doit être toujours équilibré et n'a donc aucun effet contracyclique[1]. Depuis le traité de Maastricht, il existe certes des règles encadrant les déficits publics des États membres, mais en l'absence d'harmonisation fiscale, ces règles n'ont pas empêché le gonflement des dettes publiques. Par ailleurs, la crise a montré que ces règles étaient totalement inadaptées. L'Union a en effet laissé se développer des déséquilibres considérables en matière d'endettement privé. Si bien que certains bons élèves sur le plan budgétaire, comme l'Espagne, l'Irlande ou le Royaume-Uni, constituent en réalité de graves menaces pour l'économie de l'Union. Même chose pour les déficits extérieurs : l'Union a laissé certains pays vivre très largement au-dessus de leurs moyens. A contrario, elle a permis à l'Allemagne, aux Pays-Bas ou encore à la Suède d'accumuler des excédents extérieurs colossaux en freinant leur demande intérieure aux dépens de l'ensemble de l'Union.

1. D'inspiration keynésienne, les politiques contracycliques ont pour objectif d'agir pour freiner l'activité économique en période de forte reprise inflationniste, ou d'augmenter les dépenses publiques en cas de récession pour soutenir l'activité économique.

« Les chiffres de l'économie 2010 », *Alternatives économiques*, hors-série n° 82, octobre 2009.

1. EXPLIQUER. En quoi la fin des barrières douanières devait-elle entraîner une accélération de la croissance ?

2. EXPLIQUER. Expliquez la phrase soulignée.

3. DÉFINIR. Quelles sont les règles encadrant les déficits publics depuis le traité de Maastricht ?

4. RÉCAPITULER. En quoi les règles encadrant les déficits se sont-elles montrées insuffisantes ?

2 ■ Le budget de l'UE

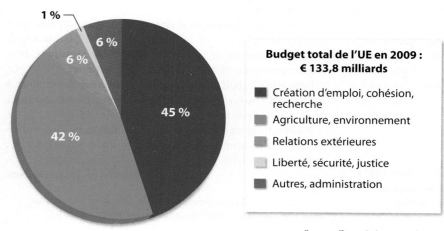

Budget total de l'UE en 2009 :
€ 133,8 milliards

- Création d'emploi, cohésion, recherche
- Agriculture, environnement
- Relations extérieures
- Liberté, sécurité, justice
- Autres, administration

Source : Commission européenne.

1. CALCULER. Quel est le montant des deux principaux postes du budget de l'UE en 2009 ?

2. RÉCAPITULER. En cas de crise économique, le budget européen permet-il la mise en place d'une réponse adaptée ? (Voir aussi doc. 1)

3 ■ Une union sans budget fédéral

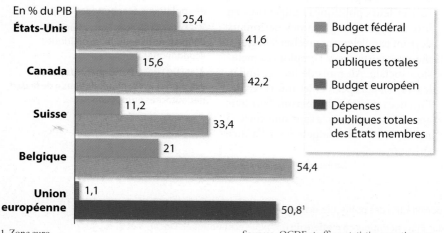

- Budget fédéral
- Dépenses publiques totales
- Budget européen
- Dépenses publiques totales des États membres

1. Zone euro.

Sources : OCDE et offices statistiques nationaux.

1. CONSTATER. Rédigez une phrase avec les données de l'UE.

2. CALCULER. Par un calcul de votre choix, comparez le budget européen et le budget fédéral des États-Unis.

3. EXPLIQUER. Quels types de problèmes peut poser la faiblesse du budget européen ?

4. L'Europe de moins en moins homogène ?

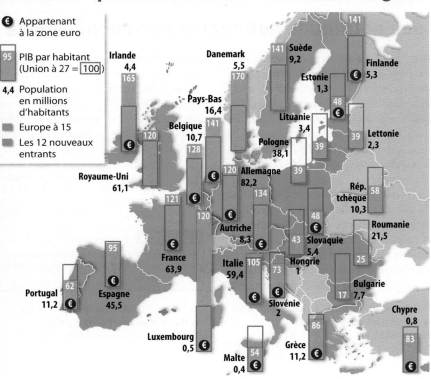

Source : Ameco. Calculs Alternatives économiques hors-série n° 82, octobre 2009.

1. CONSTATER. Rédigez une phrase avec les données de la France.

2. CONSTATER. Quels pays peut-on considérer comme étant en retard d'un point de vue économique ?

3. EXPLIQUER. Pour la plupart d'entre eux, quelle est la raison principale du retard ?

5. L'élargissement accroît l'hétérogénéité

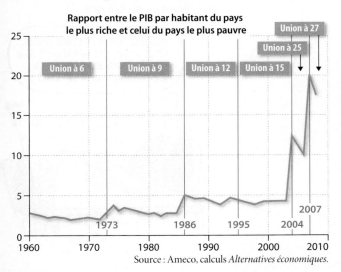

Source : Ameco, calculs *Alternatives économiques*.

> **DÉFINITION**   **Convergence économique**
> Appelée aussi rapprochement des économies, elle peut être nominale – et alors concerner l'inflation et l'évolution des soldes publics – ou réelle (structurelle) – et ainsi concerner les écarts de productivité, de production, de niveau de vie ou de taux de chômage.

1. CONSTATER. Rédigez une phrase avec la dernière donnée du graphique.

Avec quelque 500 millions d'habitants, l'Union à 27 représente théoriquement une puissance politique et économique mondiale de tout premier plan. Beaucoup moins peuplée que l'Inde ou la Chine, son économie pèse néanmoins encore quatre fois celle de la Chine et douze fois celle de l'Inde. L'Europe des 27 est aussi plus peuplée et plus puissante économiquement que les États-Unis. Néanmoins, son hétérogénéité croissante l'empêche de se doter de politiques communes et freine son dynamisme économique.

L'hétérogénéité de l'Union s'est en effet fortement accrue à l'occasion des derniers élargissements de 2004 et 2007, qui ont fait entrer des pays beaucoup plus pauvres que les anciens membres. En 2008, un Luxembourgeois avait un PIB par habitant 17 fois plus élevé qu'un Bulgare. À ces inégalités croissantes entre pays, en termes de revenus, s'ajoute le fait que les élargissements ont concerné surtout des pays de petite taille, amenant un fractionnement politique croissant qui contribue lui aussi à paralyser l'Union européenne.

« Les chiffres de l'économie 2010 »,
Alternatives économiques, hors-série n° 82, octobre 2009.

2. CALCULER. Entre 1960 et 2007, par combien l'écart de richesse moyen entre les habitants du pays le plus pauvre et ceux du pays le plus riche au sein de l'Union a-t-il été multiplié ?

3. RÉCAPITULER. Peut-on dire que la construction européenne permet la convergence économique ? (Voir aussi doc. 4)

ENTRAÎNEMENT

QUESTION DE COURS. Pourquoi peut-on considérer que le budget de l'UE est insuffisant ?

SYNTHÈSE. À partir des documents 1 à 5, précisez si les États membres sont sur la voie de la convergence économique, et si l'Union se donne les moyens de cette convergence.

C ■ Vers une Europe de la concurrence entre territoires ?

1 ■ France-Allemagne : des politiques nationales non coopératives

Par l'augmentation de trois points de TVA et la baisse de cotisations sociales, l'Allemagne renforcera et amplifiera en 2007 sa politique de désinflation compétitive menée depuis le début des années 2000. En augmentant l'imposition des biens importés et en améliorant la compétitivité-coût des entreprises allemandes, cette politique non coopérative s'apparente à une dévaluation réelle qui pèsera sur l'ensemble des économies européennes par deux principaux canaux. Le premier permettra à l'Allemagne de renforcer ses gains de parts de marché en 2007 au détriment des autres grands pays européens, et notamment de la France.

Cette politique allemande devrait entraîner d'ici 2007 une réduction de ses coûts de production de 1,25 % par an, alors que, dans le même temps, ils devraient augmenter de 1,5 % en France. Ce différentiel de coût dégradera la compétitivité française et expliquera intégralement la baisse des parts de marché de l'Hexagone (3 points).

Le second réside dans une dégradation du pouvoir d'achat des ménages outre-Rhin, contrepartie de l'amélioration de la compétitivité allemande. Les importations allemandes décéléreront alors avec la consommation. La France étant le principal partenaire de l'Allemagne, elle verra alors la demande qui lui est adressée, et donc ses exportations, diminuer.

Au total, cela se traduira par un ralentissement de l'activité dans l'Hexagone en début d'année 2007 et viendra amputer de 0,4 point de PIB la croissance française en 2007.

Éric Heyer, Paola Monperrus-Veroni et Xavier Timbeau, « De la "TVA sociale" à la désinflation compétitive », OFCE, *L'économie française 2007*, La Découverte, coll. « Repères », 2006.

> **DÉFINITION** **Compétitivité**
>
> Au sens large, la compétitivité désigne la capacité d'une entreprise ou d'une économie à résister à la concurrence.

1. CONSTATER. En quoi consiste la politique de « désinflation compétitive » menée par les autorités allemandes ? Quel en est le but ?

2. EXPLIQUER. En quoi ce texte illustre-t-il la notion d'interdépendance économique ?

3. RÉCAPITULER. À l'aide d'un schéma, synthétisez les effets de la politique allemande sur l'économie française.

2 ■ Concurrence et coût du travail

a. Coûts unitaires de main-d'œuvre[1] en 2011

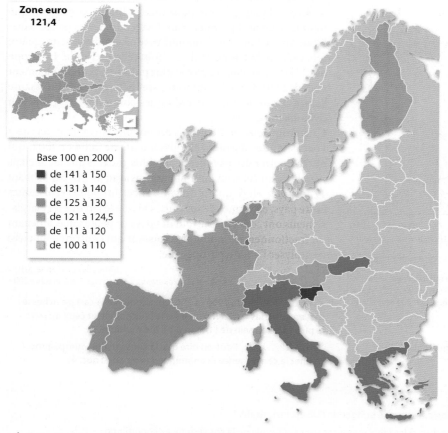

Zone euro
121,4

Base 100 en 2000
- de 141 à 150
- de 131 à 140
- de 125 à 130
- de 121 à 124,5
- de 111 à 120
- de 100 à 110

b. L'Europe du travail

VOUS ÊTES DEVENU TROP CHER MARTIN... VOTRE POSTE SERA DÉSORMAIS TENU PAR 3 POLONAIS, 1 LITUANIEN, 2 CHYPRIOTES ET 4 LETTONS !

1. CONSTATER. Rédigez une phrase avec la donnée allemande. (Doc. a)

2. DÉFINIR. À quoi le coût salarié horaire correspond-il ? (Doc. a)

3. CALCULER. Par un calcul de votre choix, mesurez l'écart entre les évolutions des coûts salariaux en Allemagne et en Italie. (Doc. a)

4. EXPLIQUER. À partir des données de la carte, expliquez le point de vue du chef d'entreprise de la caricature. (Doc. a et b)

1. Évolution des salaires corrigée de celle de la productivité.
Source : « Les chiffres 2012 », *Alternatives économiques*, hors-série n° 90, octobre 2011. Chiffres Ameco.

3. L'Europe de la concurrence fiscale

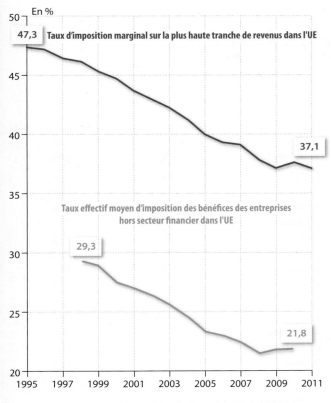

En %

47,3 Taux d'imposition marginal sur la plus haute tranche de revenus dans l'UE

37,1

Taux effectif moyen d'imposition des bénéfices des entreprises hors secteur financier dans l'UE

29,3

21,8

1. CONSTATER. Rédigez une phrase avec les données 2010.

2. CONSTATER. Quelle est la tendance générale décrite par les courbes ?

3. EXPLIQUER. Pourquoi s'intéresser au taux d'imposition de la tranche supérieure de revenu ?

4. RÉCAPITULER. Comment expliquer la tendance observée ?

Note : l'impôt sur le revenu est un impôt progressif, c'est-à-dire que plus le revenu est important, plus le taux d'imposition est élevé. Par exemple en France, en 2010, pour les revenus supérieurs à 70 830 €, le taux d'imposition s'élevait à 41 % (il s'agit de la tranche supérieure de revenu).

Source : « Les chiffres 2012 », *Alternatives économiques*, hors-série n° 90, octobre 2011. Chiffres Commission européenne.

4. L'affectation des dépenses publiques en Europe

Dépenses publiques pour différents postes				
	Dépense publique en % du PIB en 2009	Protection sociale en euros par habitant en 2009	Santé en % du PIB en 2009	Éducation en % du PIB en 2008
France	56,5	9 067	11,6	5,6
Allemagne	48	9 097	11,2	4,5
Estonie	45,2	1 092	6,7	5,7
Roumanie	41,1	940	5,6	4,2 (en 2007)
UE à 27	50,9	6 935	8,4	5,1

Source : Eurostat.

1. CONSTATER. Rédigez une phrase avec les données pour la France ?

2. CALCULER. Par un calcul de votre choix, mesurez l'écart de dépenses de protection sociale entre la Roumanie et la France.

3. ANALYSER. En quoi ce document rend-il compte du manque d'harmonisation des politiques publiques au sein de l'UE ?

4. RÉCAPITULER. Existe-t-il un modèle de protection sociale européen ?

POUR APPROFONDIR   Harmonisation ou concurrence ?

Les débats qui aujourd'hui agitent la construction européenne dégagent deux grands horizons quant à l'avenir de l'Union européenne. La première position, notamment défendue par les économistes libéraux, consiste à dire que la base de la construction européenne doit rester la concurrence (fiscale et sociale) qui selon eux est seule capable de conduire à une situation optimale, dans la mesure où la concurrence permet de faire diminuer les prix, et donc permet au plus grand nombre d'accéder à la consommation de masse. Les défenseurs de cette position militent donc pour faire de l'UE une simple zone de libre-échange. Pour les partisans de la seconde position, au contraire, l'Europe souffre non pas de « trop d'Europe », mais plutôt de « trop peu d'Europe ». De leur point de vue, en effet, la construction européenne n'est pas encore un processus abouti, et pour relancer ce processus il faudrait harmoniser les politiques fiscale et sociale au niveau européen afin d'éviter les délocalisations vers les pays les moins-disants en la matière, délocalisations dont on connaît le coût social (en

termes de chômage notamment) et qui renforcent la défiance des opinions publiques vis-à-vis du projet européen.
Cette harmonisation aurait pu être facilitée par la réforme des procédures de décision initiée par le traité de Lisbonne, qui rend possible la prise de décision à la majorité qualifiée, plutôt qu'à l'unanimité, mais en ce qui concerne les questions fiscales, l'unanimité est toujours requise. De plus, les États membres sont très réticents à l'idée d'abandonner la prérogative fiscale, qui correspondrait pour eux à un abandon majeur de souveraineté. Enfin, une harmonisation fiscale au niveau européen impliquerait des transferts plus importants entre États afin de compenser les différences de rentrées fiscales, ce que les États membres, notamment les plus riches accepteront difficilement. Autant d'arguments qui montrent que l'avenir du projet européen est encore incertain.

Source : Hachette Éducation, 2012.

ENTRAÎNEMENT

QUESTION DE COURS. Qu'est-ce que le coût du travail ?

SYNTHÈSE. À partir des documents 1, 2, 3 et 4, peut-on dire qu'il existe des pratiques de dumping fiscal et social dans l'UE ?

documents

1. Le cercle vicieux de la dette

1. Réduction du déficit budgétaire entre 2009 et 2011

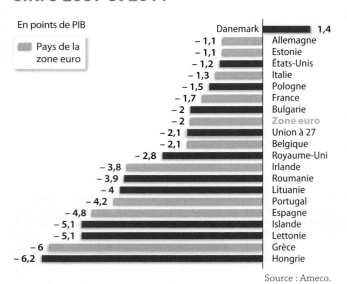

En points de PIB

■ Pays de la zone euro

Danemark	1,4
– 1,1	Allemagne
– 1,1	Estonie
– 1,2	États-Unis
– 1,3	Italie
– 1,5	Pologne
– 1,7	France
– 2	Bulgarie
– 2	Zone euro
– 2,1	Union à 27
– 2,1	Belgique
– 2,8	Royaume-Uni
– 3,8	Irlande
– 3,9	Roumanie
– 4	Lituanie
– 4,2	Portugal
– 4,8	Espagne
– 5,1	Islande
– 5,1	Lettonie
– 6	Grèce
– 6,2	Hongrie

Source : Ameco.

1. Rédigez une phrase avec les données du Danemark et de la Grèce.

2. Pour quelles raisons les déficits budgétaires ont-il eu tendance à s'accroître entre 2009 et 2011 ?

2. Dette publique en 2010

Engagement financier brut des administrations publiques, en % du PIB		
Pays	**2006**	**2010**
Grèce	116,9	149,1
Italie	116,9	126,1
Portugal	77,6	103,6
Belgique	91,6	100,2
Irlande	29,2	98,5
France	71,2	95,2
Allemagne	69,8	87,1
Autriche	66,4	78,2
Danemark	41,2	55,6
Slovénie	33,8	48,4
Rép. tchèque	32,6	44,5
Luxembourg	11,5	24,5
Estonie	8	12,5

Source : OCDE.

1. Rédigez une phrase avec la donnée entourée.

2. Comparez la situation de l'Allemagne et celle de la Grèce. (Voir aussi doc. 1 et 3)

3. Par un calcul de votre choix, comparez l'état de la dette de l'Estonie et celle de la Grèce en 2010.

3. Évolution du taux d'intérêt de la dette publique

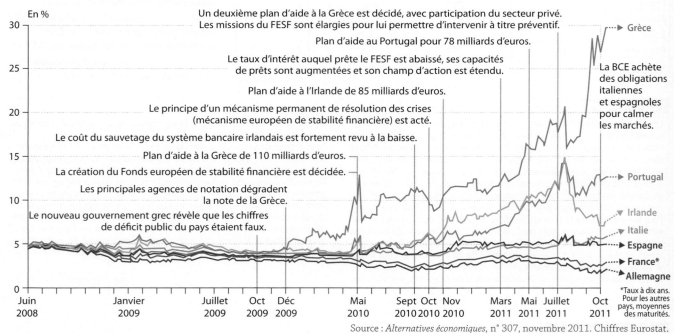

En %

Un deuxième plan d'aide à la Grèce est décidé, avec participation du secteur privé.
Les missions du FESF sont élargies pour lui permettre d'intervenir à titre préventif.

Plan d'aide au Portugal pour 78 milliards d'euros.

Le taux d'intérêt auquel prête le FESF est abaissé, ses capacités de prêts sont augmentées et son champ d'action est étendu.

Plan d'aide à l'Irlande de 85 milliards d'euros.

Le principe d'un mécanisme permanent de résolution des crises (mécanisme européen de stabilité financière) est acté.

Le coût du sauvetage du système bancaire irlandais est fortement revu à la baisse.

Plan d'aide à la Grèce de 110 milliards d'euros.

La création du Fonds européen de stabilité financière est décidée.

Les principales agences de notation dégradent la note de la Grèce.

Le nouveau gouvernement grec révèle que les chiffres de déficit public du pays étaient faux.

La BCE achète des obligations italiennes et espagnoles pour calmer les marchés.

▶ Grèce
▶ Portugal
▽ Irlande
▽ Italie
▶ Espagne
▶ France*
▲ Allemagne

*Taux à dix ans. Pour les autres pays, moyennes des maturités.

Juin 2008 — Janvier 2009 — Juillet 2009 — Oct 2009 — Déc 2009 — Mai 2010 — Sept 2010 — Oct 2010 — Nov 2010 — Mars 2011 — Mai 2011 — Juillet 2011 — Oct 2011

Source : *Alternatives économiques*, n° 307, novembre 2011. Chiffres Eurostat.

1. Pour quelles raisons la note de la Grèce a-t-elle été dégradée ? Quelles conséquences cette dégradation peut-elle provoquer ?

SYNTHÈSE À l'aide d'un schéma simple, établissez un lien entre ces trois documents en décrivant le cercle vicieux de la dette.

2. À la rencontre de la BCE

1. Historique, organisation et objectif de la BCE

Rendez-vous sur le site de la Banque centrale européenne (BCE) à l'adresse suivante : www.ecb.int/ecb/html/index.fr.html

1. Cliquez sur « La carte de la zone euro » (en haut à droite de la page d'accueil, « Voir aussi… ») et répondez aux questions suivantes :

a. Quels sont, à partir de l'animation présentée, les pays membres de la zone euro en 1999 ?

b. Quel est le dernier État membre de l'UE à avoir rejoint la zone euro ?

2. Retournez sur la page d'accueil, cliquez sur « L'historique » (en haut à gauche) et répondez aux questions suivantes :

a. À quoi correspond l'Union économique et monétaire (UEM) ?

b. Quelles ont été les trois phases de l'UEM ?

c. Pourquoi l'indépendance des banques centrales est-elle un préalable nécessaire à la mise en place de l'euro ?

3. Retournez sur la page d'accueil, cliquez sur « Organisation » (en haut à gauche) et répondez aux questions suivantes :

a. Quelles sont les missions de la Banque centrale européenne ?

b. Qui prend les décisions en matière de politique monétaire ?

c. Qu'est-ce que l'Eurosystème ?

4. Retournez sur la page d'accueil, cliquez sur « Monetary policy » (en haut) et répondez aux questions suivantes :

a. Quel est l'objectif principal de la politique monétaire menée par la BCE depuis sa création ?

b. Comment qualifier ce type de politique monétaire ?

c. Quelles sont les justifications théoriques d'une telle politique monétaire ?

d. À quel courant de pensée économique se réfère ce type de politique monétaire ?

e. Au regard du graphique montrant l'évolution de l'inflation depuis la mise en place de l'euro et avant, l'objectif principal de la politique monétaire de la BCE est-il atteint ?

ЕВРОПЕЙСКА ЦЕНТРАЛНА БАНКА
BANCO CENTRAL EUROPEO
EVROPSKÁ CENTRÁLNÍ BANKA
DEN EUROPÆISKE CENTRALBANK
EUROPÄISCHE ZENTRALBANK
EUROOPA KESKPANK
ΕΥΡΩΠΑΪΚΗ ΚΕΝΤΡΙΚΗ ΤΡΑΠΕΖΑ
EUROPEAN CENTRAL BANK
BANQUE CENTRALE EUROPÉENNE
BANC CEANNAIS EORPACH
BANCA CENTRALE EUROPEA
EIROPAS CENTRĀLĀ BANKA
EUROPOS CENTRINIS BANKAS
EURÓPAI KÖZPONTI BANK
BANK ĊENTRALI EWROPEW
EUROPESE CENTRALE BANK
EUROPEJSKI BANK CENTRALNY
BANCO CENTRAL EUROPEU
BANCA CENTRALĂ EUROPEANĂ
EURÓPSKA CENTRÁLNA BANKA
EVROPSKA CENTRALNA BANKA
EUROOPAN KESKUSPANKKI
EUROPEISKA CENTRALBANKEN

———

EUROSYSTEM

2. Évolution des taux de croissance économique

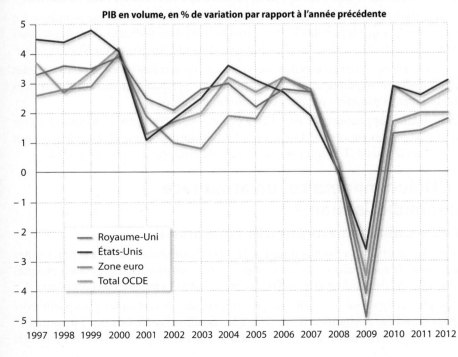

PIB en volume, en % de variation par rapport à l'année précédente

Légende : Royaume-Uni, États-Unis, Zone euro, Total OCDE

1. Rédigez une phrase avec la donnée de 2011 pour le Royaume-Uni.

2. Au regard du graphique, la stratégie de la BCE (Doc. 1) est-elle efficace ?

Note : les données pour les années 2011 et 2012 sont des prévisions de croissance.

Source : OCDE, 2011.

Quelle est la place de l'Union européenne dans l'économie globale ?

L'Union européenne s'est imposée comme étant l'une des économies parmi les plus dynamiques au monde depuis une soixantaine d'années. Qu'est-ce qui constitue l'originalité du projet européen d'intégration économique ? Quelle est la place de la monnaie unique dans ce succès ? Quelles sont aujourd'hui les limites de la construction européenne ?

ACQUIS DE PREMIÈRE

➡ Voir **Réviser les acquis de 1ʳᵉ**, p. 64 et **Lexique**

■ Banque centrale
■ Politique budgétaire
■ Politique monétaire

I. En quoi l'intégration européenne est-elle une expérience originale ?

A. La création d'une nouvelle puissance économique

■ L'Union européenne est née de la volonté, portée par quelques hommes d'État européens, de construire un espace de paix et de prospérité. Pour ces pères fondateurs de l'Europe, dont Jean Monnet reste une figure emblématique, le développement du commerce entre les peuples doit faciliter le maintien de la paix.

■ Outre cet objectif politique, la suppression des barrières douanières (tarifaires et non tarifaires) et la constitution d'un marché unique, permettant la libre circulation des biens, des services, des personnes et des capitaux, présentent un certain nombre d'avantages, dont celui de stimuler la concurrence entre entreprises au niveau européen. Ceci est censé renforcer la productivité et la compétitivité des économies de la zone.

■ La mise en place de l'euro parachève le processus d'intégration économique en Europe, créant une union économique et monétaire comportant actuellement 17 membres, qui induit, elle aussi, un renforcement de la concurrence entre entreprises de la zone euro.

B. Une zone économique compétitive, attractive et tournée vers l'extérieur

■ L'intégration européenne renforce le poids de la zone dans l'économie mondiale. En effet, on remarque que la part de l'Union européenne dans l'échange de marchandises est la plus importante au monde (plus de 40 %), devant l'Amérique du Nord et l'Asie.

■ L'UE se situe également à la pointe des échanges de services (dont le poids dans les échanges s'accroît régulièrement). Elle est même le premier fournisseur de services des États-Unis, la première puissance économique mondiale.

■ Enfin, le développement des flux d'IDE (qu'ils soient entrants ou sortants) est un autre indicateur des succès de l'intégration européenne, puisque l'UE est la zone qui attire et émet le plus d'IDE en provenance ou à destination du reste du monde.

II. L'Union monétaire, un atout face à la mondialisation ?

A. L'euro dans le contexte financier international

■ La monnaie unique a permis à partir de 1999 de renforcer la concurrence entre entreprises de la zone euro, renforçant ainsi les effets microéconomiques déjà évoqués plus haut (gains de productivité, raffermissement de la compétitivité européenne).

■ Cependant, elle a aussi des avantages en termes macroéconomiques, puisqu'elle évite aux pays membres l'instabilité monétaire que certains d'entre eux ont pu connaître (France, Italie dans les années 1980, par exemple), de même qu'elle prive les États de la possibilité de mettre en œuvre des politiques de change déloyales comme la possibilité de pratiquer des politiques de dévaluation compétitive.

B. L'euro renforce l'interdépendance des économies

■ L'introduction de la monnaie unique renforce l'interdépendance entre les économies européennes, ce qui nécessite la mise en place d'instruments comme le pacte de stabilité et de croissance, visant à assurer la stabilité de la monnaie européenne, mais également à favoriser la croissance économique à long terme de la zone euro.

■ Enfin, cette interdépendance croissante nécessite par ailleurs une coordination croissante des politiques économiques au niveau européen.

III. Est-il possible de coordonner les politiques macroéconomiques au niveau de l'UE ?

A. Quel partage des compétences au sein de l'UE ?

■ L'existence d'une Union économique composée d'États souverains pose la question du partage des compétences entre l'Union et chacun de ses membres. Le principe fondateur de ce partage est le principe de subsidiarité, selon lequel l'UE n'intervient que si elle est en mesure d'agir plus efficacement que les États membres.

■ Ainsi, les trois fonctions de l'État décrites par Richard Musgrave (allocation, stabilisation et redistribution) sont-elles partagées entre niveaux national et supranational, la politique monétaire au sein de la zone euro étant, par exemple, dévolue à la Banque centrale européenne (BCE).

B. Les difficultés de coordination des politiques économiques

■ La coordination des politiques économiques est rendue difficile par la faiblesse relative du budget communautaire. En effet, si l'on compare le budget fédéral des États-Unis et celui de l'UE, on a un rapport de 1 à 25, ce qui constitue un écart considérable.

■ Dans le même ordre d'idée, la mise en place de la stratégie de Lisbonne, renforcée par les objectifs « Europe 2020 », visait à renforcer la compétitivité dans un contexte économique international marqué par l'importance de la recherche et du progrès technique. Cependant, la faiblesse du budget communautaire n'a pas permis d'atteindre les objectifs ambitieux de la stratégie de Lisbonne. En sera-t-il de même pour les objectifs « Europe 2020 » ?

■ Enfin, la coordination des politiques économiques souffre de la difficulté de la prise de décision politique dans une Europe à 27. Ainsi en est-il en matière de politiques sociale, fiscale, de recherche, industrielle. Certains observateurs estiment par conséquent que le problème ne viendrait pas de « trop d'Europe », mais au contraire de « pas assez d'Europe », ce qui doit inciter, selon eux, à poursuivre le processus de construction européenne.

C. Vers une Europe de la concurrence entre territoires ?

■ Du fait des difficultés de coordination des politiques économiques et de la relative hétérogénéité de l'UE, les États membres se trouvent, de fait, en situation de concurrence les uns vis-à-vis des autres. Cette concurrence se constate tout d'abord au niveau de la recherche de la compétitivité, ainsi que le montre la disparité du coût du travail en Europe. On observe ainsi des délocalisations intra-européennes, les entreprises cherchant à s'installer dans les pays où ce coût est le plus faible. On observe cette même concurrence au niveau fiscal (les taux d'imposition étant très différents d'un pays à l'autre), ainsi qu'au niveau de la protection sociale.

■ Cette mise en concurrence entre les pays membres peut se traduire par des politiques économiques non coopératives pouvant aller jusqu'à des pratiques de dumping fiscal ou social. Aux partisans de la concurrence s'opposent alors ceux de l'harmonisation fiscale et sociale. La question reste en débat.

NOTIONS AU PROGRAMME

Intégration européenne
Processus engagé en Europe après la Seconde Guerre mondiale et visant à la constitution progressive d'un même espace économique au sein duquel les obstacles à l'échange tendent à être abolis.

Union économique et monétaire (UEM)
Espace économique constitué par les membres d'une union économique qui instaurent une coopération monétaire renforcée.

Euro
Monnaie unique mise en place à partir de 1999 au terme d'un processus d'intégration marqué notamment par les critères de convergence du traité de Maastricht (1992). Cette monnaie commune rassemble aujourd'hui dix-sept pays de l'Union européenne.

Union européenne (UE)
L'Union européenne est une zone d'intégration régionale, parvenue à la dernière étape de l'intégration définie par Béla Balassa : l'union économique et monétaire (UEM).

synthèse

Synthèse (suite)

SCHÉMA BILAN

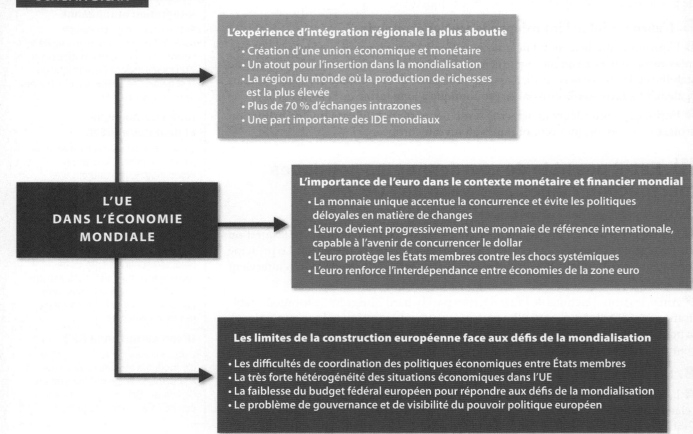

L'expérience d'intégration régionale la plus aboutie
- Création d'une union économique et monétaire
- Un atout pour l'insertion dans la mondialisation
- La région du monde où la production de richesses est la plus élevée
- Plus de 70 % d'échanges intrazones
- Une part importante des IDE mondiaux

L'UE DANS L'ÉCONOMIE MONDIALE

L'importance de l'euro dans le contexte monétaire et financier mondial
- La monnaie unique accentue la concurrence et évite les politiques déloyales en matière de changes
- L'euro devient progressivement une monnaie de référence internationale, capable à l'avenir de concurrencer le dollar
- L'euro protège les États membres contre les chocs systémiques
- L'euro renforce l'interdépendance entre économies de la zone euro

Les limites de la construction européenne face aux défis de la mondialisation
- Les difficultés de coordination des politiques économiques entre États membres
- La très forte hétérogénéité des situations économiques dans l'UE
- La faiblesse du budget fédéral européen pour répondre aux défis de la mondialisation
- Le problème de gouvernance et de visibilité du pouvoir politique européen

À la fin du chapitre, assurez-vous que :

➔ Vous êtes capable de distinguer les différentes étapes des processus d'intégration régionale.	➔ Vous êtes capable de construire un argumentaire montrant l'intérêt de zones telles que l'UE.	➔ Vous êtes capable de montrer que l'euro est un atout pour les pays membres de l'UEM.	➔ Vous êtes capable de montrer que les membres de l'UE ont certaines difficultés à coordonner leurs politiques économiques.	➔ Vous êtes capable de montrer que le budget fédéral de l'UE et sa gouvernance rencontrent certaines limites.

POUR ALLER PLUS LOIN

Livres
- CEPII, *L'économie mondiale 2011*, La Découverte, coll. « Repères », 2010.
- Benoît Ferrandon, « L'UEM, une intégration économique et financière », Louis Dubouis (dir.), *L'Union européenne*, La Documentation française, 2004.
- Arcangelo Figliuzzi, *L'économie européenne*, Bréal, 2003.
- Michel Dévoluy (dir.), *Les politiques économiques européennes*, enjeux et défis, Le Seuil, « Points », 2004.

Revues
- « Les rouages de l'entreprise », *Alternatives économiques*, hors-série n° 81, septembre 2009.
- « Les chiffres 2011 », *Alternatives économiques*, hors-série n° 86, octobre 2010.
- « L'état de l'économie 2011 », *Alternatives économiques*, hors-série n° 88, février 2011.

Sites
- www.ecb.int (Banque centrale européenne)
- www.banquemondiale.org (Banque mondiale)
- http://ec.europa.eu/index_fr.htm (Commission européenne)
- http://epp.eurostat.ec.europa.eu/portal/page/portal/eurostat/home (Eurostast)
- www.wto.org (OMC)
- www.ocde.org (Organisation de coopération et de développement économique)

Émissions de télévision
- « L'euro est arrivé », *C'est pas sorcier*, France 3, 27 janvier 2002.
- « L'Europe pour quoi faire ? », *Le dessous des cartes*, Arte, 21 mars 2007.

autoévaluation

1 QCM

1. Qu'est-ce que l'Union européenne ?

   a. ☐ Une union douanière.

   b. ☐ Une zone de libre-échange.

   c. ☐ Une union économique.

2. À quoi correspond le principe de subsidiarité ?

   a. ☐ Au fait que la politique monétaire dans la zone euro est du ressort de la Banque centrale européenne

   b. ☐ À une règle selon laquelle le pouvoir supranational n'intervient qu'en complément du pouvoir national.

   c. ☐ À la mise en place de politiques communes au niveau européen.

3. Quelle proportion du commerce mondial de marchandises est réalisée par l'Europe ?

   a. ☐ 60 %   **b.** ☐ 20 %   **c.** ☐ 40 %

4. Quelles sont les règles imposées par le pacte de stabilité et de croissance en matière de déficit public et de dette publique ?

   a. ☐ Le déficit public ne doit pas dépasser 3 % du PIB et la dette publique ne doit pas dépasser 60 % du PIB.

   b. ☐ Le déficit public ne doit pas dépasser 6 % du PIB et la dette publique ne doit pas dépasser 30 % du PIB.

   c. ☐ Le déficit public est interdit et la dette publique ne doit pas dépasser 60 % du PIB.

4 Compléter le texte à l'aide des expressions ci-dessous

3 % du PIB • Endettement public • Politiques • Hétérogénéité • Pacte de stabilité et de croissance • Coordination • L'Union européenne • Dumping • 1957 • 1999 • 17

Les motivations des pères de l'Europe étaient davantage … qu'économiques, mais la base de la construction européenne a été, jusqu'à nos jours, économique. Dès … et le traité de Rome, la mise en place du marché commun permet de créer un grand marché pour favoriser la croissance économique. Avec le traité de Maastricht en 1992, la CEE devient … avec pour objectif la mise en place de l'euro, prévue pour … . Le calendrier sera respecté pour les économies concernées devant respecter cinq conditions (les « critères de Maastricht » ou « critères de convergence ») : stabilité des prix (le taux d'inflation ne doit pas dépasser de plus de 1,5 point de % la moyenne des taux des trois pays les moins inflationnistes), taux d'intérêt (le niveau du taux d'intérêt nominal à long terme ne doit pas dépasser de plus de 2 points de % la moyenne des taux d'intérêt des trois États membres les moins inflationnistes), stabilité du taux de change (maintien du taux de change et respect des marges de fluctuation), déficit public (le déficit des administrations publiques ne doit pas dépasser …), et enfin … (la dette des administrations publiques ne doit pas dépasser 60 % du PIB). Depuis 1997, ces critères de convergence ont été remplacés par le … . De nos jours, … pays font partie de la zone euro.

Malgré ces succès, la construction européenne reste inachevée comme le démontre la très grande … des performances économiques au sein de l'UE, ou encore l'absence de véritables politiques fiscale et sociale européennes, ce qui n'est pas sans créer de problèmes : … fiscal et social, par exemple. De plus, malgré la création, depuis le traité de Lisbonne en 2007, d'un poste de président du Conseil européen et la nomination d'un haut représentant de l'Union pour les affaires étrangères, l'Europe a toujours des difficultés à se faire entendre sur la scène internationale, et surtout à parler d'une seule voix.

Ainsi, les réformes à mener sont plus d'ordre politique qu'économique, et ce d'autant plus que l'UE souffre d'un déficit de … en matière de politiques économiques. Elles permettraient de renforcer l'intégration et la convergence des économies européennes.

2 Compléter un schéma

Complétez le schéma à l'aide des expressions ci-dessous.

Augmentation des échanges • Baisse du risque de change • Baisse des prix • Comparaison simplifiée des prix • Baisse des coûts de transaction de change

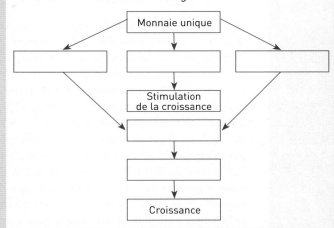

3 Associer les dates, les traités et leurs principales avancées dans la construction européenne

Dates	Traités	Contenu
1951	Traité de Lisbonne	• Préparation de l'élargissement à 25
1957	Traité de Paris	• Reprend l'essentiel des dispositions du traité institutionnel européen
1986	Traité d'Amsterdam	• Monnaie unique, la CEE se transforme en UE
1992	Traité de Nice	• Pacte de stabilité et de croissance
1997	Traité de La Haye	• Acte unique européen
2000	Traité de Rome	• CECA : Communauté du charbon et de l'acier
2007	Traité de Maastricht	• CEE : Communauté économique européenne, marché commun

Dissertation

SUJET En quoi l'exemple franco-allemand illustre-t-il les difficultés de coordination des politiques économiques au sein de l'Union économique et monétaire ?

DOCUMENT 1

En moyenne, la croissance annuelle française entre 2000 et 2010 s'établit à 1,5 %, contre 1,1 % en Allemagne. Conséquence de la réunification et de la politique menée pour restaurer la compétitivité de l'économie, la croissance annuelle du PIB réel en Allemagne n'a en effet jamais été supérieure à 1,2 % entre 2000 et 2005, alors qu'elle a atteint 2,5 % en 2004 et 1,9 % en 2005 en France. L'écart entre les deux pays s'est toutefois inversé dans les années suivantes. Sur la période 2006-2008, alors que le PIB allemand avait augmenté de 2,4 % environ en moyenne, cette augmentation n'était plus que de 1,6 % en France. Si l'Allemagne a été plus affectée que la France par la crise économique en 2009 (– 4,7 % pour le PIB allemand,

– 2,6 % pour la France), la sortie de crise est beaucoup plus rapide en Allemagne qui connaîtra une croissance nettement supérieure à celle de la France sur les années 2010-2012.

Les moteurs de la croissance ne sont en effet pas les mêmes dans les deux pays. Le modèle allemand, fondé sur l'investissement et les exportations, est plus sensible aux cycles économiques : plus affecté par les crises, il possède également une capacité de récupération supérieure. Au contraire, la croissance française a été principalement soutenue par la consommation au cours des dix dernières années.

« Les prélèvements fiscaux et sociaux en France et en Allemagne », rapport de la Cour des comptes, mars 2011.

DOCUMENT 2 Évolution de la part de l'Allemagne et de la France dans les exportations européennes

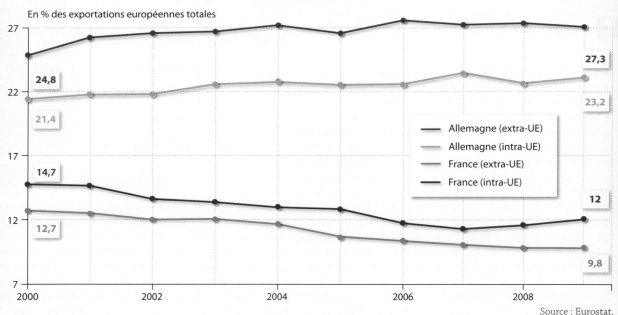

En % des exportations européennes totales

Allemagne (extra-UE)
Allemagne (intra-UE)
France (extra-UE)
France (intra-UE)

Source : Eurostat.

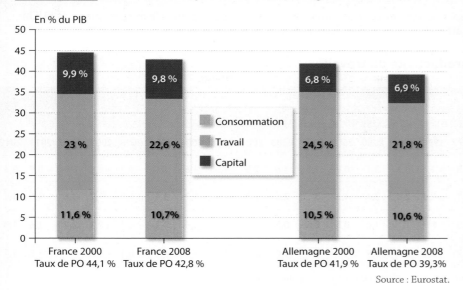

En % du PIB

- Consommation
- Travail
- Capital

	Capital	Travail	Consommation
France 2000 Taux de PO 44,1 %	9,9 %	23 %	11,6 %
France 2008 Taux de PO 42,8 %	9,8 %	22,6 %	10,7 %
Allemagne 2000 Taux de PO 41,9 %	6,8 %	24,5 %	10,5 %
Allemagne 2008 Taux de PO 39,3%	6,9 %	21,8 %	10,6 %

Source : Eurostat.

POUR VOUS AIDER

Établir des liens entre des documents

Le **document 2** compare la part de la France et de l'Allemagne dans les exportations totales de l'UE, entre 2000 et 2009. Comment expliquer l'écart entre les deux pays ? Le **document 3** montre que la stratégie allemande en matière de prélèvements obligatoires a permis d'améliorer sa compétitivité par rapport à son principal partenaire européen. Comme l'indique le **document 1**, les deux pays ont donc des stratégies de croissance différentes (axée sur les échanges avec l'extérieur pour l'Allemagne, et plus assise sur la demande intérieure pour la France), ce qui illustre les difficultés de coordination des politiques économique au sein de l'UE.

Conseil : quelque soit le sujet, il ne faut pas traiter les documents indépendamment les uns des autres, mais, au contraire, établir des relations entre eux.

Épreuve composée (entraînement Chapitre 5)

PARTIE 1 Mobilisation des connaissances

QUESTION 1 (3 points) : Quelles sont les principales justifications économiques de la mise en place de l'euro ?
QUESTION 2 (3 points) : En quoi l'élargissement de l'UEM à l'Est en 2004 est-il différent des précédents ?

PARTIE 2 Étude d'un document

QUESTION (4 points) : Vous présenterez ce document puis direz si l'UE est, d'après lui, sur la voie de la convergence économique.

Évolution des salaires réels entre 2008 et 2011 (% de variation)

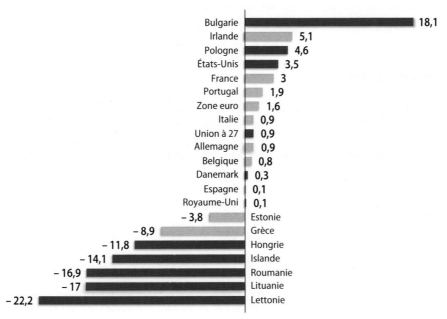

Pays	Variation
Bulgarie	18,1
Irlande	5,1
Pologne	4,6
États-Unis	3,5
France	3
Portugal	1,9
Zone euro	1,6
Italie	0,9
Union à 27	0,9
Allemagne	0,9
Belgique	0,8
Danemark	0,3
Espagne	0,1
Royaume-Uni	0,1
Estonie	– 3,8
Grèce	– 8,9
Hongrie	– 11,8
Islande	– 14,1
Roumanie	– 16,9
Lituanie	– 17
Lettonie	– 22,2

Source : Commission européenne, Ameco.

PARTIE 3 Raisonnement s'appuyant sur un dossier documentaire

SUJET (10 POINTS) : Montrez que les performances économiques de la zone euro, suite à la mise en place de l'UEM, n'ont pas été à la hauteur des effets attendus d'une telle construction.

DOCUMENT 1 Évolution de la productivité du travail

	Moyenne 1983-93	1994	1995	1996	1997	1998	1999	2000	2001	2002	2003	2004	2005	2006	2007	2008	2009	2010	2011	2012
Productivité du travail pour l'ensemble de l'économie Pourcentages de variation par rapport à l'année précédent																				
Japon	2,8	0,8	1,8	2,2	0,5	– 1,4	0,7	3,1	0,7	1,5	1,6	2,5	1,5	1,6	1,9	– 0,7	– 4,8	4,4	– 0,9	2,4
États-Unis	1,4	1	0,2	1,8	2,1	2,1	2,8	2,4	1,2	3	2,5	2,5	1,4	0,9	1,1	0,7	1,7	3,6	1,5	1,1
Zone euro	1,7	2,7	2	1,1	1,9	1	1	1,6	0,5	0,4	0,5	1,2	0,9	1,6	1,1	– 0,4	– 2,3	2,2	1,6	1,3
Total OCDE	2	1,4	1,6	2	2,2	1,2	2	2,9	0,6	1,7	1,8	2,2	1,7	1,7	1,5	– 0,1	– 1,6	2,9	1,5	1,7

Note : la productivité du travail est mesurée comme étant la division du PIB par le nombre de personnes ayant un emploi.

Source : Base de données des Perspectives économiques de l'OCDE, n° 89.

DOCUMENT 2 Solde de la balance commerciale

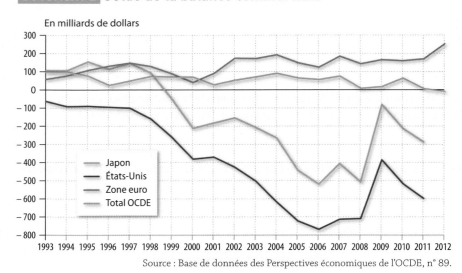

Source : Base de données des Perspectives économiques de l'OCDE, n° 89.

POUR VOUS AIDER

Structurer un raisonnement

Il s'agit ici de rappeler brièvement dans l'introduction quels sont les effets attendus, en matière économique, de la mise en place d'une monnaie commune. Ensuite, le raisonnement peut être structuré en rédigeant un paragraphe sur chaque agrégat (productivité, balance commerciale, croissance économique) en les mettant en relation, sans oublier de nuancer votre propos.

Conseil : lorsque le sujet vous invite à comparer les résultats empiriques à une situation théorique, rappelez brièvement la théorie dans l'introduction, puis comparez la théorie à la réalité dans le développement.

DOCUMENT 3 Croissance du PIB

	Moyenne 1983-93	1994	1995	1996	1997	1998	1999	2000	2001	2002	2003	2004	2005	2006	2007	2008	2009	2010	2011	2012
PIB en volume En % de variation par rapport à l'année précédente																				
Japon	3,2	1,6	– 2	– 0,1	2,9	0,2	0,3	1,4	2,7	1,9	2	2,4	– 1,2	– 6,3	4	– 0,9	2,2	4,4	– 0,9	2,4
États-Unis	2,9	4,5	4,4	4,8	4,1	1,1	1,8	2,5	3,6	3,1	2,7	1,9	0	– 2,6	2,9	2,6	3,1	3,6	1,5	1,1
Zone euro	2,4	2,6	2,8	2,9	4	1,9	1	0,8	1,9	1,8	3,2	2,8	0,3	– 4,1	1,7	2	2	2,2	1,6	1,3
Total OCDE	2,9	3,7	2,7	3,4	4,2	1,3	1,7	2	3,2	2,7	3,2	2,7	0,3	– 3,5	2,9	2,3	2,8	2,9	1,5	1,7

Note : la mise en place des systèmes de comptes nationaux a progressé à un rythme inégal selon les pays de l'OCDE. En conséquence, plusieurs séries nationales contiennent des ruptures. De plus, plusieurs pays utilisent des indices de prix en chaîne afin de calculer le PIB réel et les composantes des dépenses.

Source : D'après base de données des Perspectives économiques de l'OCDE, n° 89.

Comment présenter une copie ?

1. Pourquoi bien présenter sa copie ?

• Un devoir clair, bien écrit et aéré facilite la lecture de l'examinateur.
• Le soin apporté à l'écriture et à la présentation des arguments valorise la copie.
• Savoir rédiger proprement et rapidement en temps limité est un gage de réussite pour ses études futures.

2. Bien présenter une copie : une compétence qui s'acquière

• Respecter les consignes données par le professeur : introduction/développement/conclusion.
• Être attentif au contenu des documents écrits étudiés en classe.
• Effectuer régulièrement les travaux écrits demandés.

3. Quelques conseils pour la dissertation

• Bien préparer en amont le contenu du devoir.
• Rédiger complètement l'introduction et la conclusion au brouillon.
• Écrire complètement l'intitulé de chaque partie et sous-partie de façon à avoir clairement à l'esprit le raisonnement que l'on veut développer.
• Bien distinguer ses différentes parties, sous-parties et paragraphes en les présentant physiquement.
• Se souvenir : une idée = un paragraphe.

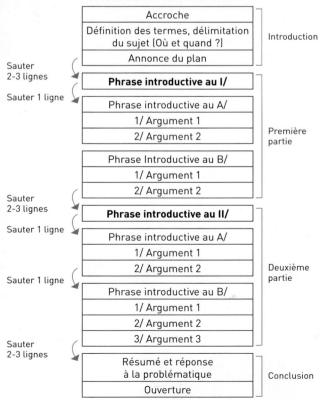

Pour équilibrer la longueur et le contenu du I/ et du II/, l'idéal est de les découper en un nombre égal de sous-parties (2 ou 3).
Ces sous-parties peuvent, en revanche, être dans une certaine limite de tailles différentes et comporter un nombre différent de paragraphes.

ACTIVITÉ À vous de jouer !

Échangez votre copie de dissertation (par exemple, le dernier devoir sur table) avec votre voisin, et lisez chacun la copie de l'autre.

1. Corriger l'introduction et de la conclusion en utilisant la grille ci-dessous

L'introduction
→ L'accroche (1er §) amène bien ce sujet et n'est pas une réponse au sujet.
→ Les termes-clés sont définis (2e §), le sujet est délimité si nécessaire (dans le temps et l'espace), le sujet est reformulé dans une problématique.
→ Le plan est annoncé de manière précise et explicite (3e §), ce plan est cohérent avec la problématique.

La conclusion
→ Le 1er § résume les idées-clés du développement et propose une réponse à la problématique de départ, sans pour autant apporter des idées nouvelles.
→ Le 2nd §, l'ouverture (facultative), prolonge le sujet par une problématique que soulève indirectement le sujet.

2. Corriger le développement en utilisant la grille ci-dessous

Le développement
Le développement est bien structuré : → Les 2 ou 3 parties sont équilibrées (+/− une page).
Le plan est apparent : → Saut de plusieurs lignes entre les parties, d'une ligne entre les sous-parties. → Chaque sous-partie comporte plusieurs paragraphes qui s'enchaînent logiquement (mots de liaison, etc.).
Richesse du contenu : → Les raisonnements essentiels sont présents. → Les concepts économiques ou sociologiques sont définis. → Il n'y a pas de répétition du même argument. → Il y a des exemples, des données pour illustrer. → Le hors-sujet est évité.

Pour évaluer votre copie

Si votre binôme a retrouvé votre plan sans difficulté, c'est que celui-ci est correctement construit et présenté. Sinon, sans doute, faut-il revoir la présentation de votre copie.

ÉCONOMIE DU DÉVELOPPEMENT DURABLE

SCE ÉCONOMIQUE

Que va-t-on étudier ?

Le développement durable est l'un des enjeux majeurs des économies contemporaines. La préoccupation n'est plus seulement esthétique (préserver notre planète), mais aussi éthique (permettre aux générations futures de maîtriser leur propre développement) et social (qui supportera l'essentiel des efforts nécessaires ?). Ce troisième thème cherche donc à répondre à deux questions fondamentales : la croissance économique est-elle compatible avec la préservation de l'environnement (chapitre 6) ? Quels sont les instruments de la politique climatique (chapitre 7) ?

ACQUIS DE 1re · Ce que vous savez déjà

Pour traiter ces questions, nous allons faire appel à vos connaissances de 1re.
Quelles sont les principales défaillances du marché ? Par quels moyens peut-on compenser ces défaillances ?

Avant d'entrer dans cette partie, rappelez-vous les notions suivantes :

Chapitre 6	Chapitre 7	
• Externalités	• Externalités	• Offre et demande
• Biens collectifs	• Institutions marchandes	• Allocation des ressources
	• Droits de propriété	• Défaillance du marché

Pour vous aider, voici quelques activités.

RÉVISER LES ACQUIS DE 1RE

➡ Réponses p

1 Les principales défaillances du marché

> Le marché est un lieu (réel ou fictif) où se rencontrent une offre et une demande, et où se détermine un prix d'équilibre.

> Mais il existe de nombreuses situations auxquelles le marché ne peut répondre efficacement.

Asymétrie d'information	Biens collectifs	Externalités
• Monopole • Oligopole	• Non-exclusion • Non-rivalité (ex. : justice, pompiers, armée, infrastructures...)	• Positives (vaccination, recherche...) • Négatives (pollution, épuisement des ressources naturelles...)
Intervention de l'État pour prendre en charge la production (monopoles publics) ou pour mettre en place des institutions encadrant le marché	Intervention de l'État pour produire ces biens collectifs non pris en charge par le marché	Intervention de l'État pour encourager la production (externalités positives) ou pour en limiter les effets (externalités négatives) par la réglementation, la taxation...

1. EXPLIQUER. Comment un marché fonctionne-t-il ?

2. CONSTATER. Quelles sont les limites du marché ?

3. EXPLIQUER. Pourquoi le bon fonctionnement du marché nécessite-t-il l'intervention de l'État ?

2 Une classification des biens

	Rivalité	Non-rivalité
Exclusion	Biens privés (ou privatifs)	Biens de club (ou à péage)
Non-exclusion	Biens communs (ou collectifs impurs)	Biens collectifs (ou publics purs)

1. DÉFINIR. Définissez les notions d'exclusion et de rivalité.

2. EXPLIQUER. Quelle institution doit prendre en charge la production des biens collectifs ? Pourquoi ?

3. ILLUSTRER. À quel type de biens appartiennent les exemples ci-dessous ? Baguette de pain • Autoroute à péage • Éclairage public • Poissons • Bibliothèque municipale • Eau du robinet • Chaîne cryptée • Électricité • Défense nationale • Eau d'une source • Bois d'une forêt • Émission de radio • Route

3 Les institutions marchandes

Le marché est parfois présenté comme un phénomène purement naturel, se produisant et se régulant seul. En fait, les activités marchandes ne peuvent s'exercer qu'à l'intérieur d'un cadre institutionnel qui en garantit l'efficacité. Ces institutions marchandes peuvent avoir un caractère officiel et contraignant (l'autorité des marchés financiers, par exemple), mais elles peuvent également relever d'autres logiques (labels, normes ISO…) et prennent parfois des voies auxquelles on ne songerait pas. Ainsi, les auteurs d'un livre paru en 2011 (*Vie et mort des institutions marchandes*, dir. Pierre François) montrent le rôle joué par un critique dans l'organisation du marché du vin. En effet, le guide publié par l'avocat Robert Parker produit des évaluations auxquelles chacun (producteurs, acheteurs…) se réfère, et devient ainsi le cadre structurant les échanges et contribuant à la détermination des prix. La force d'une institution réside donc également dans le poids que les acteurs lui confèrent.

Source : Hachette Éducation, 2012.

1. EXPLIQUER. Comment le guide de Robert Parker est-il devenu une institution encadrant le marché du vin ?

2. ILLUSTRER. Donnez des exemples d'autres institutions marchandes (officielles ou non).

3. RÉCAPITULER. Pourquoi le marché peut-il être qualifié d'institution ?

4 Biens publics et externalités

Les biens publics se caractérisent par la présence d'externalités, c'est-à-dire que leur production a un impact sur le bien-être d'agents qui n'y sont pas directement impliqués, et dont les avantages ou les coûts ne sont pas pris en compte dans les calculs de l'agent qui les génère. Par exemple, les émissions de gaz à effet de serre présentent un coût pour la collectivité qui n'est pas reflété dans le prix des énergies fossiles supporté par les consommateurs. Cette « externalité négative » conduit à une surconsommation d'énergie par rapport à ce qui serait optimal du point de vue du bien-être collectif. Pour « internaliser les externalités », c'est-à-dire amener les acteurs à intégrer dans leurs calculs les coûts induits pour la collectivité de leurs activités, l'instauration de taxes ou de redevances est l'instrument économique le plus classique et le plus simple d'usage. La proposition de James Tobin de créer une taxe sur les transactions internationales s'inspire de ces réflexions ; cette taxe obligerait les agents sur les marchés à internaliser les coûts supportés par la collectivité du fait de la volatilité du cours des devises.

Serge Lepeltier, « Mondialisation : une chance pour l'environnement ? », Rapport d'information, Sénat, 2004.

1. DÉFINIR. Définissez le terme externalités.

2. EXPLIQUER. En quoi la pollution génère-t-elle des externalités négatives ?

3. EXPLIQUER. Que peuvent faire les pouvoirs publics pour limiter les externalités négatives ?

5 Externalités et allocations de ressources

Sur des marchés pleinement concurrentiels, en l'absence d'externalités, les prix sont l'instrument d'une attribution efficace des ressources, aussi bien du côté production que du côté consommation. Les coûts externes résultant des imperfections et/ou de l'absence de marché, comme c'est le cas pour l'air pur et l'eau douce, empêchent une attribution optimale des ressources. Les prix de marché ne peuvent envoyer les bons signaux aux agents économiques et aux décideurs, tant que ces externalités subsistent. Ainsi, à défaut d'une « valeur du carbone » obtenue, par exemple, en taxant les émissions de carbone, les prix du marché ne peuvent inciter les producteurs et les consommateurs d'énergie à se tourner vers une source d'énergie émettant moins de carbone.

Agence pour l'énergie nucléaire et OCDE, « Électricité nucléaire : Quels sont les coûts externes ? », 2003.

1. DÉFINIR. Qu'est-ce que l'allocation des ressources ?

2. CONSTATER. Quel élément garantit l'allocation optimale des ressources ?

3. CONSTATER. Dans quel cas cette situation optimale des ressources n'est-elle pas vérifiée ?

4. EXPLIQUER. Comment remédier à cette situation ?

➡ Les notions suivantes ont déjà été revues : Droits de propriété, Externalités, p. 10-11 ; Offre et demande, p. 64-65, Capital social, p. 202-203.

La croissance est-elle compatible avec la préservation de l'environnement ?

La croissance économique se définit comme l'augmentation durable et soutenue de la production d'un pays. Cette croissance se mesure par l'augmentation du Produit intérieur brut (PIB) en volume. Mais cet indicateur présente des limites pour mesurer le bien-être de la population. Il ne prend pas en compte des critères importants, comme la santé, l'éducation ou l'environnement, susceptibles d'améliorer la qualité de vie des populations.

➜ Quels sont les principaux facteurs à prendre en compte pour mesurer le bien-être ?

La croissance économique basée sur l'utilisation d'énergies fossiles, comme le charbon ou le pétrole, engendre des conséquences néfastes pour l'environnement : augmentation de la concentration des gaz à effet de serre, épuisement des ressources naturelles et halieutiques, déforestation, émission de déchets, pollution de l'eau...

➜ Quelles sont les limites écologiques de la croissance ?

Face à ces limites, des initiatives ont été prises, des solutions ont été proposées. La décroissance ou le développement durable en font partie. Les mesures plus ou moins radicales avancées visent à rendre la vie sur Terre supportable pour les générations futures. Des mesures prises au niveau international trouvent des applications concrètes au niveau national et local, mais font l'objet d'intenses discussions entre les pays.

➜ Quels sont les différents aspects du développement durable ?

SOMMAIRE

Réviser les acquis de 1ʳᵉ		148
I Qu'est-ce que le bien-être ?		152
A Comment mesurer le bien-être des populations ?		152
B Quelles sont les origines du bien-être ?		154
II Quelles sont les limites écologiques de la croissance ?		156
A La croissance provoque des dégâts environnementaux		156
B La croissance épuise les ressources naturelles		158
III Qu'est-ce que le développement durable ?		160
A L'histoire d'un concept		160
B Le développement durable : une question en débat		162
C Le développement durable : penser global, agir local		164
TD **1.** Biodiversité, développement et bien-être humain		166
TD **2.** Les ressources halieutiques		167
Synthèse		168
Schéma Bilan		170
Autoévaluation		171
Vers le Bac		172
Aide au travail personnel		175

Notions au programme

- Capital naturel
- Capital physique
- Capital humain
- Capital social
- Capital institutionnel
- Biens communs
- Soutenabilité

Acquis de 1ʳᵉ

- Externalités
- Biens collectifs
- Capital social

1 Les objectifs du développement durable

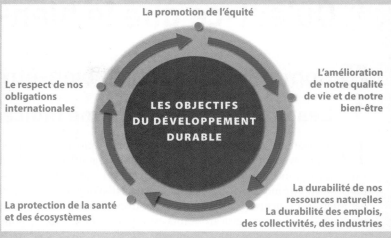

La promotion de l'équité

Le respect de nos obligations internationales

LES OBJECTIFS DU DÉVELOPPEMENT DURABLE

L'amélioration de notre qualité de vie et de notre bien-être

La protection de la santé et des écosystèmes

La durabilité de nos ressources naturelles
La durabilité des emplois, des collectivités, des industries

Des militants de Greenpeace lors d'une manifestation pendant le Festival de Cannes, le 15 mai 2010.

1. Le développement durable ne concerne-t-il que le domaine environnemental ? (Doc. 1)

2. Pourquoi demander l'arrêt de la pêche au thon rouge en Méditerranée ? (Doc. 2)

3. Pourquoi inclure une charte environnementale dans la Constitution française ? (Doc. 3)

3 **Article 1er.** Chacun a le droit de vivre dans un environnement équilibré et respectueux de la santé.

Article 2 Toute personne a le devoir de prendre part à la préservation et à l'amélioration de l'environnement.

Article 3 Toute personne doit, dans les conditions définies par la loi, prévenir les atteintes qu'elle est susceptible de porter à l'environnement ou, à défaut, en limiter les conséquences.

Article 4 Toute personne doit contribuer à la réparation des dommages qu'elle cause à l'environnement, dans les conditions définies par la loi.

Article 5 Lorsque la réalisation d'un dommage, bien qu'incertaine en l'état des connaissances scientifiques, pourrait affecter de manière grave et irréversible l'environnement, les autorités publiques veillent, par application du principe de précaution et dans leurs domaines d'attributions, à la mise en œuvre de procédures d'évaluation des risques et à l'adoption de mesures provisoires et proportionnées afin de parer à la réalisation du dommage.

Article 6 Les politiques publiques doivent promouvoir un développement durable. À cet effet, elles concilient la protection et la mise en valeur de l'environnement, le développement économique et le progrès social.

Extraits de la Charte de l'environnement inscrite dans la Constitution en 2005.

I. Qu'est-ce que le bien-être ?

A Comment mesurer le bien-être des populations ?

1. Les limites du PIB comme indicateur du bien-être

D'une manière générale, tout ce qui peut se produire et se vendre avec une valeur ajoutée monétaire va gonfler le PIB et la croissance, indépendamment du fait que cela ajoute ou non au bien-être individuel et collectif. La destruction organisée des forêts tropicales pour y planter du soja transgénique ou des végétaux destinés aux agrocarburants est bonne pour le PIB des pays concernés et pour le PIB mondial. […]

Par ailleurs, le PIB et sa croissance sont indifférents au fait que l'on puise dans les stocks pour continuer à croître : on puise dans les ressources naturelles, on puise dans les ressources sociales et dans les ressources humaines. […]

De nombreuses activités qui contribuent au bien-être ne sont pas comptées dans le PIB : le bénévolat, le travail domestique. Elles n'intègrent le PIB que lorsqu'elles sont réalisées par d'autres unités économiques, et qu'elles-mêmes ou les facteurs de production mobilisés peuvent faire l'objet d'un échange monétaire. Pourtant, ces activités et ces temps partagés sont extrêmement

importants pour le développement, la stabilité et la pérennité de notre société, mais également pour notre épanouissement personnel, notre bonheur individuel. […]

Le PIB est par ailleurs indifférent à la répartition des richesses comptabilisées, aux inégalités, à la pauvreté, à la sécurité économique, etc., qui sont pourtant presque unanimement considérées comme des dimensions du bien-être à l'échelle d'une société. De fait, cet indicateur, qui est au centre de l'attention des politiques publiques, n'est pas en mesure de donner des signaux sur d'éventuels facteurs de décohésion sociale. Enfin, les services non marchands dispensés par l'État sont très mal comptés. Qu'il s'agisse de services collectifs comme la sécurité, ou de services publics comme la santé ou l'éducation, ils sont comptabilisés dans le PIB sur la base des dépenses publiques allouées à leur fonctionnement, sans tenir compte de leur qualité.

Jean Gadrey et Dominique Méda, « Les limites du PIB »,
Alternatives économiques poche n° 48, mars 2011.

1. DÉFINIR. Qu'est-ce que le PIB ?

2. CONSTATER. Le PIB est-il un indicateur quantitatif ou qualitatif ?

3. DÉFINIR. Qu'est-ce que le patrimoine naturel ? Comment l'activité de production le fait-il évoluer ?

4. RÉCAPITULER. Quelles limites du PIB apparaissent dans ce document ?

2. La nécessité de prendre en compte d'autres éléments

Pour cerner la notion de bien-être, il est nécessaire de recourir à une définition pluridimensionnelle. À partir des travaux de recherche existants et de l'étude de nombreuses initiatives concrètes prises dans le monde, la Commission a répertorié les principales dimensions qu'il convient de prendre en considération. En principe au moins, ces dimensions devraient être appréhendées simultanément : les conditions de vie matérielles (revenu, consommation et richesse) ; la santé ; l'éducation ; les activités personnelles, dont le travail ; la participation à la

vie politique et la gouvernance ; les liens et rapports sociaux ; l'environnement (état présent et à venir) ; l'insécurité, tant économique que physique. Toutes ces dimensions modèlent le bien-être de chacun ; pourtant, bon nombre d'entre elles sont ignorées par les outils traditionnels de mesure des revenus. […]

Recommandation n° 6 : La qualité de la vie dépend des conditions objectives dans lesquelles se trouvent les personnes et de leurs « capabilités » (capacités dynamiques). Il conviendrait d'améliorer les mesures chiffrées de la santé, de

l'éducation, des activités personnelles et des conditions environnementales. En outre, un effort particulier devra porter sur la conception et l'application d'outils solides et fiables de mesure des relations sociales, de la participation à la vie politique et de l'insécurité, ensemble d'éléments dont on peut montrer qu'il constitue un bon prédicteur de la satisfaction que les gens tirent de leur vie.

« Rapport de la Commission
sur la mesure des performances économiques
et du progrès social », rapport Stiglitz, 2009.

1. DÉFINIR. Qu'est-ce que la qualité de vie ?

2. CONSTATER. Quels critères doivent être pris en compte pour mesurer le bien-être ?

3. ILLUSTRER. Donnez des exemples de chacun des critères de mesure du bien-être.

4. RÉCAPITULER. Que préconise le rapport Stiglitz ?

REPÈRE Joseph E. Stiglitz (économiste américain, né en 1943)

Prix Nobel d'économie en 2001, il appartient au courant de la nouvelle économie keynésienne. Le président français Nicolas Sarkozy lui a confié en 2008 la présidence d'une commission sur la mesure des performances économiques et du progrès social. Le rapport a été rendu en 2009.

REPÈRE Le BNB (Bonheur national brut)

En 1972, le Bhoutan, petit royaume situé dans l'Himalaya, a remplacé le PNB (Produit national brut) par le BNB (Bonheur national brut) pour mesurer le niveau de bonheur de ses habitants. Cet indice se base sur quatre dimensions, piliers du développement durable : la croissance et le développement économique responsables ; la conservation et la promotion de la culture bhoutanaise ; la sauvegarde de l'environnement ; la bonne gouvernance responsable.

3. L'Indicateur de progrès véritable (IPV[1])

a. L'IPV américain en 2002

En milliards de dollars de 1996

Consommation personnelle	6 576
Ajustement économique	
Inégalités de revenus	– 1 053
Dette extérieure nette	– 307
Coûts des biens durables	– 1 000
Ajustement social (coûts)	
Coûts des délits	– 32
Coûts des accidents automobiles	– 176
Coûts des déplacements quotidiens	– 484
Coûts des « fractures » familiales	– 64
Diminution du temps de loisir	– 343
Coût du chômage	– 172
Ajustement environnemental	
Coût de la pollution (domestique, eau, air, sonore)	– 126
Pertes écologiques (marécages, forêts...)	– 510
Réduction des terres cultivées	– 179
Destruction des ressources non renouvelables	– 1 578
Coûts des dommages environnementaux	– 1 232
Coût de la destruction de la couche d'ozone	– 314
Ajustements bénéfiques	
Valeur du travail domestique et du bénévolat	2 228
Services des biens durables	863
Services de l'infrastructure routière	100
Investissement net en capital physique	523
IPV (milliards de dollars 1996)	**2 720**
IPV/habitant (dollars 1996)	10 033
PIB/habitant (dollars 1996)	34 938

D'après Jean Gadrey, *Cahiers français*, n° 337, mars-avril 2007.

b. PIB et IPV par habitant aux États-Unis

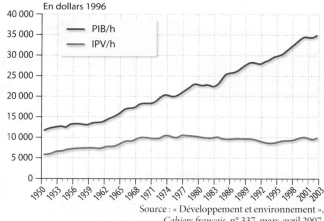

Source : « Développement et environnement »,
Cahiers français, n° 337, mars-avril 2007.

1. EXPLIQUER. Pourquoi le coût des accidents automobiles fait-il augmenter le PIB, et doit-il être pris en compte de façon négative dans l'IPV ? (Doc. a)

2. CONSTATER. Comparez la valeur de l'IPV par habitant américain en 2002 et celle du PIB par habitant. (Doc. a et b)

3. CONSTATER. Comparez l'évolution du PIB et de l'IPV par habitant entre 1950 et 2003. (Doc. b)

4. EXPLIQUER. Comment pouvez-vous expliquer l'écart constaté entre les deux indicateurs en 2003 ? (Doc. b)

1. L'IPV se calcule en ajoutant à la consommation personnelle les ajustements bénéfiques et en retirant les ajustements négatifs (d'un point de vue économique, social et environnemental).

4. Un indicateur de soutenabilité : l'épargne véritable[1]

a. Épargne véritable de la Nouvelle-Calédonie, en 2007

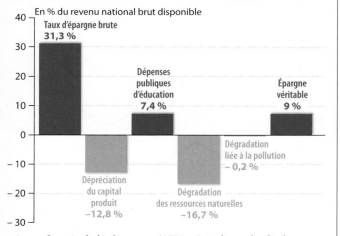

Agence française de développement (AFD), « Capital naturel et développement durable en Nouvelle-Calédonie », *Document de travail*, n° 91, avril 2010.

1. DÉFINIR. Qu'est-ce que l'épargne (brute) ?

2. CONSTATER. Comment l'épargne véritable se détermine-t-elle ?

3. EXPLIQUER. Pourquoi l'épargne véritable est-elle inférieure à l'épargne brute ?

b. Évolution de l'épargne véritable, 1995-2005

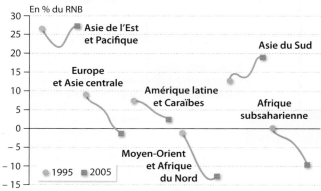

Source : Banque mondiale, « Rapport de suivi mondial 2008 ».

1. EXPLIQUER. Comment peut-on expliquer la forte épargne nette ajustée des pays du Sud-Est asiatique ?

2. CONSTATER. Comment l'épargne nette ajustée a-t-elle évolué au cours de la période 1995-2005 ?

3. EXPLIQUER. Comment peut-on expliquer l'évolution de cette épargne nette ?

1. L'épargne véritable, ou épargne nette ajustée, est un indicateur de soutenabilité élaboré par la Banque mondiale.

ENTRAÎNEMENT

QUESTION DE COURS. Pourquoi le PIB ne peut-il pas suffire à mesurer le bien-être des populations ?

SYNTHÈSE. Pourquoi faut-il prendre en compte les conséquences environnementales de la croissance ? (Doc. 3 et 4)

documents

B Quelles sont les origines du bien-être ?

1. Les principaux facteurs du bien-être

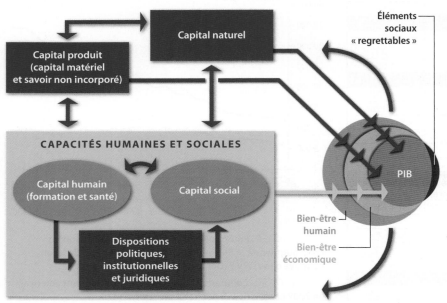

DÉFINITION

Les dispositions politiques, institutionnelles et juridiques
Elles correspondent au capital institutionnel. Ces institutions ont pour fonction : la protection (de la propriété, des contrats, des ressources...), la surveillance (de la concurrence), la régulation (le respect des équilibres économiques), la couverture (assurance, protection sociale) et l'arbitrage (des conflits sociaux).

Source : OCDE, *Du bien-être des nations. Le rôle du capital humain et social*, 2001.

1. DÉFINIR. Définissez la notion de capital produit. Donnez des exemples.

2. EXPLIQUER. En quoi le capital produit et le capital naturel influencent-ils le PIB ?

3. ILLUSTRER. Donnez des exemples d'éléments sociaux regrettables.

4. CONSTATER. Relevez les principaux facteurs qui contribuent au bien-être des populations.

2. Une mesure du bien-être économique : l'indice d'Osberg[1]

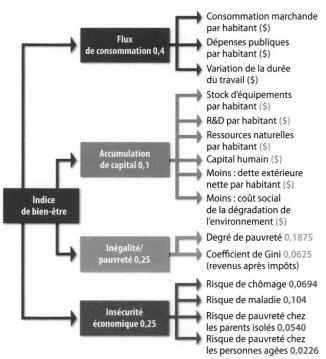

1. Lars Osberg est un économiste canadien.

Source : OCDE, *Du bien-être des nations. Le rôle du capital humain et social*, 2001.

1. CONSTATER. La mesure du bien-être économique ne dépend-elle que de critères économiques ?

2. CONSTATER. Quel sera l'effet sur la mesure du bien-être économique si l'on donne davantage de poids aux risques de chômage et de pauvreté ?

3. L'évolution du bien-être économique au Royaume-Uni

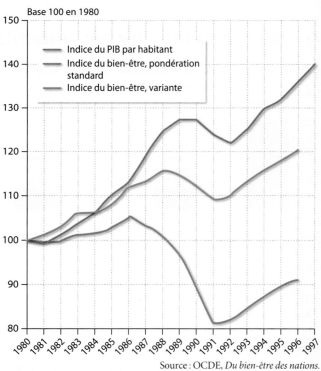

Source : OCDE, *Du bien-être des nations. Le rôle du capital humain et social*, 2001.

1. CONSTATER. Comment les différents indicateurs présentés évoluent-ils ?

2. EXPLIQUER. Pourquoi le bien-être économique n'évolue-t-il pas de la même façon que le PIB par habitant ?

3. EXPLIQUER. Comment peut-on justifier les évolutions divergentes des deux indicateurs du bien-être ?

4. La fonction du capital naturel

Le milieu naturel remplit trois fonctions indispensables au maintien de la vie en général et des activités économiques en particulier : une fonction de réserve de ressources, une fonction de décharge (absorption des déchets par l'air, l'eau et la terre) et une fonction de services d'habitat, dont certains sont indispensables à la survie (air, eau, couche d'ozone de la haute atmosphère…), tandis que d'autres (services d'agrément) affectent la qualité de la vie humaine (beauté des paysages, silence, variété de la faune et de la flore…).

[…] C'est seulement lorsque la rareté d'une ressource, la dégradation des fonctions de décharge ou des services d'habitat se traduisent par une perte pour le producteur ou le consommateur que l'on commence à y attacher un prix. Ainsi, historiquement, la prise de conscience des risques d'épuisement (ou de détérioration) des ressources a d'abord traduit des intérêts directs de propriétaires (propriétaires privés pour la terre, États pour les ressources minérales du sous-sol…). En revanche, lorsque les droits de propriété n'existent pas, chacun a intérêt à se comporter en « passager clandestin », à surexploiter la ressource gratuite à son profit en négligeant l'impact de ses décisions sur des tiers ou sur la collectivité (externalités) ; c'est pourquoi les difficultés sont particulièrement fortes concernant les biens publics globaux comme le climat. Or, des ponctions excessives sur les ressources peuvent porter atteinte de façon irréversible à la capacité de renouvellement naturel ou épuiser les ressources non renouvelables […].

> Guillaume Gaulier et Nina Kousnetzoff,
> « La mesure des liens entre environnement et croissance »,
> *L'économie mondiale 2007*, La Découverte, coll. « Repères », 2006.

1. CONSTATER. Quelles sont les fonctions essentielles du milieu naturel ?

2. DÉFINIR. Qu'est-ce qu'un « droit de propriété », un « passager clandestin », une « externalité » ? Que sont « les biens publics globaux » ?

3. EXPLIQUER. La protection de l'environnement est-elle une préoccupation essentielle des agents économiques ?

4. EXPLIQUER. Quelles sont les conséquences d'une ponction excessive sur les ressources ?

5. Le rôle du capital social

Les relations sociales soutiennent les règles de la vie sociale en produisant du capital social, qui profite aux individus, mais aussi à la communauté. Le capital social peut donc être simultanément un bien « privé » et un bien « public ». Les réseaux sociaux reposent sur des obligations mutuelles. Ils produisent une réciprocité spécifique et, surtout, une réciprocité générale : « Je fais cela pour toi sans attendre de ta part une contrepartie immédiate, mais je suis confiant qu'à l'occasion, quelqu'un me le rendra. » […]

La mesure du capital, souligne le rapport [de l'OCDE[1]], est problématique. […] On peut retenir comme source du capital social : la famille, l'école, la communauté locale, l'entreprise, la société civile, le secteur public, la politique à l'égard des femmes, l'appartenance ethnique.

Le rapport s'intéresse aux « effets » ou à l'impact du capital social d'un double point de vue : impact sur le bien-être et impact sur le bien-être économique. En ce qui concerne le premier point, le rapport relève que « l'impact positif le plus évident concerne la qualité de vie des individus […]. En ce qui concerne le second point, le rapport remarque que « la confiance est un ingrédient qui facilite la productivité, la recherche d'emploi et la promotion sociale, la croissance macroéconomique […] ».

1. Du bien-être des nations. Le rôle du capital humain et social, 2001.

> Dominique Méda, « Le capital social : un point de vue critique »,
> *L'économie politique*, n° 14, avril 2002.

1. DÉFINIR. Qu'est-ce que le capital social ?

2. CONSTATER. Dans quelles institutions s'acquiert le capital social ?

3. EXPLIQUER. Pourquoi le capital social est-il source de bien-être ?

6. L'importance du capital humain

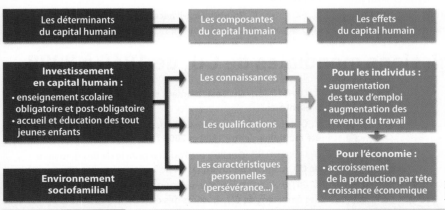

1. DÉFINIR. Qu'est-ce que le capital humain ?

2. EXPLIQUER. Comment est-il possible de développer ce capital humain ?

3. CONSTATER. Qui profite de l'investissement en capital humain ?

4. CONSTATER. Quelle est la conséquence de l'investissement en capital humain pour la société ?

D'après OCDE, *Du bien-être des nations. Le rôle du capital humain et social*, 2001.

ENTRAÎNEMENT

QUESTION DE COURS. Quels sont les principaux facteurs contribuant au bien-être des populations ?

SYNTHÈSE. À partir des documents 5 et 6, montrez l'intérêt des pouvoirs publics à promouvoir le capital humain et le capital social.

II. Quelles sont les limites écologiques de la croissance ?

A La croissance provoque des dégâts environnementaux

1. Une catastrophe écologique causée par l'homme

La mer d'Aral, qui couvrait en 1960 68 000 km², a perdu aujourd'hui plus de la moitié de sa surface (30 000 km²). [...] Le volume d'eau a baissé de plus de 75 % et le taux de salinité a triplé depuis 1950, atteignant aujourd'hui 30 g/l. L'assèchement de la mer d'Aral a pour origine la surexploitation du coton.

[...] La mer comptait alors une vingtaine d'espèces de poissons et la pêche industrielle et ses activités dérivées (conserveries) faisaient vivre une part importante de la population. Ces activités ont pratiquement cessé en 1982, car la salinité

des eaux a conduit à l'extinction de la plupart des espèces.

[...] Aujourd'hui, les kolkhozes sont à l'abandon, 80 % de la population active est au chômage et vit des maigres subsides du gouvernement.

Selon un rapport de la FAO (Organisation des Nations unies pour l'alimentation et l'agriculture), l'emploi excessif de pesticides et d'engrais a pollué les eaux de surface et souterraines. Cinq millions de personnes sont touchées par cette pollution. L'eau potable y contient quatre fois plus de sel que la limite recommandée par l'OMS (Organisation mondiale

de la santé). D'où la multiplication des maladies rénales, des diarrhées et autres affections graves comme le cancer de l'œsophage. [...] 90 % des femmes souffrent d'anémie et la mortalité infantile y est quatre fois supérieure à la moyenne des pays de la CEI (Communauté des États indépendants) et sept fois supérieure à celle des États-Unis.

« Mer d'Aral : une catastrophe écologique »,
ladocumentationfrançaise.fr, 2011.

1. CONSTATER. Quelle est la situation écologique de la mer d'Aral ?

2. EXPLIQUER. Quelles sont les origines de sa disparition et de sa pollution ?

3. RÉCAPITULER. Quelles sont les conséquences environnementales, économiques, sociales et sanitaires de la situation ?

> **REPÈRE** L'empreinte « eau »
>
> L'empreinte « eau » d'une tasse de café noir est de 140 litres. Ce chiffre comprend l'eau utilisée pour faire pousser le plant de café, récolter, raffiner, transporter et emballer les grains de café, vendre le café et préparer la tasse de café. L'empreinte « eau » d'une tasse de café au lait est quant à elle de 200 litres.

2. L'extraction du gaz de schiste

La proposition de loi vise un triple objectif : garantir la protection de l'environnement et la sécurité sanitaire [...] ; répondre à l'inquiétude de nos concitoyens [...] ; constituer une première étape vers la mise en place d'une information du Parlement sur les techniques d'exploration et d'exploitation du sous-sol [...], au service d'une politique énergétique ambitieuse et conforme à nos engagements.

[...] Au cours de nos travaux, nous avons compris que ce n'est pas la nature de l'hydrocarbure qui pose problème, mais la technique d'extraction employée dans certains cas : la fracturation hydraulique[1], du fait des risques environnementaux et sanitaires qu'elle présente. L'eau constitue le principal de ces problèmes, à tous les stades de la production : par la quantité utilisée [...] ;

du fait de la pollution des nappes phréatiques [...] ; et du fait du traitement des eaux usagées chargées de métaux lourds. Dès lors, les risques environnementaux et sanitaires de la fracturation hydraulique justifient son interdiction.

1. Technique permettant de fissurer des roches compactes au moyen d'injection d'un liquide sous pression, destinée à récupérer du pétrole ou du gaz.

Michel Havard, député, rapporteur,
le 4 mai 2011 à l'Assemblée nationale.

1. DÉFINIR. Qu'est-ce que le gaz de schiste ?

2. EXPLIQUER. En quoi son exploitation est-elle source de problèmes ?

3. EXPLIQUER. Pourquoi est-il nécessaire de légiférer sur l'extraction du gaz de schiste ?

3. L'évolution des émissions mondiales de CO_2 de 1860 à 2008

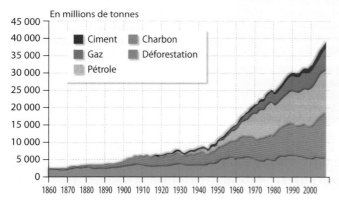

En millions de tonnes
Ciment — Charbon — Gaz — Déforestation — Pétrole

Source : manicore.com, 2011.

1. CONSTATER. Quel est l'élément du réchauffement climatique présenté ici ?

2. CALCULER. Par combien les émissions de CO_2 ont-elles été multipliées entre 1860 et 2008 ?

3. CONSTATER. Quelle a été l'origine principale des émissions de CO_2 jusqu'au début du XXe siècle ?

4. EXPLIQUER. Quels éléments ont entraîné la progression des émissions de CO_2 au cours des cent dernières années ?

4. Les émissions de CO$_2$ par habitant dans le monde

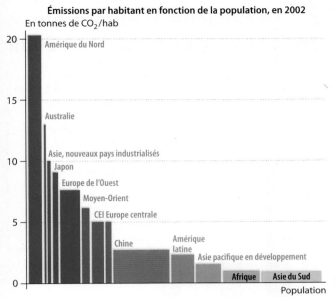

Émissions par habitant en fonction de la population, en 2002

En tonnes de CO$_2$/hab

Source : Ademe (Agence de l'environnement et de la maîtrise de l'énergie).

1. CONSTATER. Donnez la signification de la donnée concernant l'Amérique du Nord.

2. CONSTATER. Comparez les émissions de CO$_2$ d'un Américain du Nord et celle d'un Européen de l'Ouest, d'un Chinois, d'un Africain.

3. CALCULER. Sachant que l'Amérique du Nord, l'Europe de l'Ouest et la Chine comptaient respectivement 320 millions, 463 millions et 1 281 millions habitants en 2002, calculez les émissions totales de CO$_2$ de chacune de ces trois régions.

4. RÉCAPITULER. À la vue des résultats précédents, quels sont les deux pays (ou régions) qui émettent le plus de CO$_2$?

> **DÉFINITION   L'effet de serre**
>
> Il s'agit du réchauffement naturel de la terre dû à une accumulation dans l'atmosphère de gaz dits à effet de serre, tels que la vapeur d'eau, le dioxyde de carbone ou le méthane, provenant des rayons solaires. Cet effet de serre est nécessaire, car il permet le maintien d'une température qui rend possible la vie sur Terre, mais une trop forte concentration de ces gaz dans l'atmosphère conduit à l'élévation de la température moyenne du globe.

5. La production de déchets

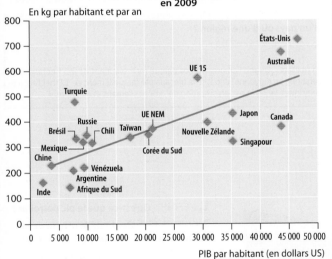

Déchets municipaux collectés en kg/hab./an et PIB/hab. en dollars, en 2009

En kg par habitant et par an

PIB par habitant (en dollars US)

Source : Philippe Chalmin et Catherine Gaillochet, *Du rare à l'infini. Panorama mondial des déchets 2009*, Economica, 2009.

1. CONSTATER. Faites une lecture de la donnée concernant les États-Unis.

2. CONSTATER. Quelle relation peut-on établir entre la collecte des déchets et le PIB par habitant ?

3. CALCULER. Comparez la situation des États-Unis et celle de l'Inde.

6. Évolution de la production d'ordures ménagères

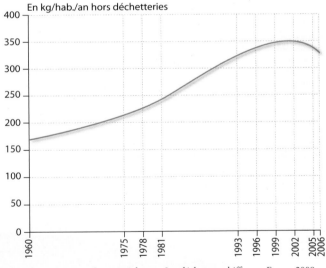

En kg/hab./an hors déchetteries

Source : Ademe, « Les déchets en chiffres en France 2009 ».

1. CONSTATER. Faites une lecture de la donnée de 2006.

2. CALCULER. Comment la production d'ordures ménagères évolue-t-elle entre 1960 et 2006 ?

3. EXPLIQUER. Recherchez les causes de cette évolution.

4. EXPLIQUER. Comment ces ordures ménagères peuvent-elles être traitées ?

ENTRAÎNEMENT

QUESTION DE COURS. En quoi la production est-elle source de pollution ?

SYNTHÈSE. À partir des documents 1 et 2, justifiez l'influence grandissante des préoccupations environnementales.

documents

B ▪ La croissance épuise les ressources naturelles

1 ▪ L'empreinte écologique par composante

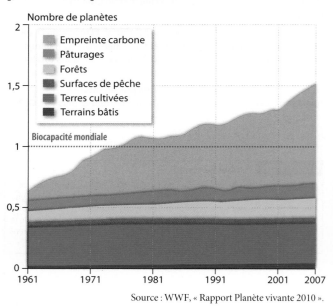

Nombre de planètes

- Empreinte carbone
- Pâturages
- Forêts
- Surfaces de pêche
- Terres cultivées
- Terrains bâtis

Biocapacité mondiale

Source : WWF, « Rapport Planète vivante 2010 ».

1. DÉFINIR. À quoi la biocapacité mondiale correspond-elle ?

2. CONSTATER. Comment l'empreinte écologique a-t-elle évolué depuis 1961 ?

3. EXPLIQUER. Quelle est la principale raison de l'évolution constatée ?

2 ▪ Biocapacité et empreinte écologique par région, en 2005

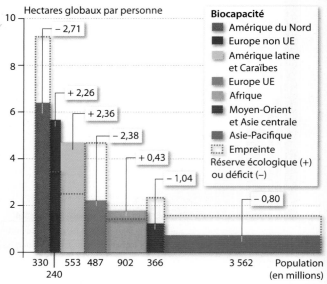

Hectares globaux par personne

Biocapacité
- Amérique du Nord
- Europe non UE
- Amérique latine et Caraïbes
- Europe UE
- Afrique
- Moyen-Orient et Asie centrale
- Asie-Pacifique
- Empreinte

Réserve écologique (+) ou déficit (−)

Population (en millions)

Source : WWF, « Rapport Planète vivante 2008 ».

1. EXPLIQUER. Que sont les notions de réserve écologique (+) et de déficit (−) ?

2. CONSTATER. Que signifient les données de l'Amérique du Nord ?

3. EXPLIQUER. Quels éléments déterminent l'empreinte écologique d'un pays ou d'une région ?

DÉFINITION | L'empreinte écologique

C'est un indicateur qui évalue toute la surface nécessaire pour produire ce que consomme un individu ou une population pour son alimentation, ses déplacements…, ainsi que pour absorber les déchets rejetés. La surface est mesurée en hectares. Quand l'empreinte écologique (actuellement de 2,5 hectares par personne en moyenne) dépasse la biocapacité (actuellement de 1,8 hectare par personne), la Terre est en situation de « dépassement écologique ».

---

3 ▪ Le pic pétrolier

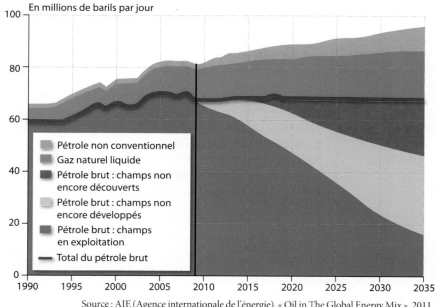

En millions de barils par jour

- Pétrole non conventionnel
- Gaz naturel liquide
- Pétrole brut : champs non encore découverts
- Pétrole brut : champs non encore développés
- Pétrole brut : champs en exploitation
- Total du pétrole brut

Source : AIE (Agence internationale de l'énergie), « Oil in The Global Energy Mix », 2011.

1. DÉFINIR. Qu'est-ce que le pic pétrolier ?

2. CONSTATER. Quel sera le niveau de la production de pétrole à l'horizon 2035 ?

3. CALCULER. Mesurez l'évolution de la part de production de pétrole des champs actuellement exploités entre 2011 et 2035.

4. CONSTATER. Quels éléments vont permettre le maintien d'une production satisfaisante en 2035 ?

POUR APPROFONDIR

Le pic pétrolier est derrière nous

Pour l'AIE, le pic pétrolier a été atteint en 2006 avec une production journalière de pétrole brut de 70 mb. À partir de 2009, la production de pétrole conventionnel devrait se maintenir à un niveau de 69 mb/j.

4. Les effets sur les prix du pétrole

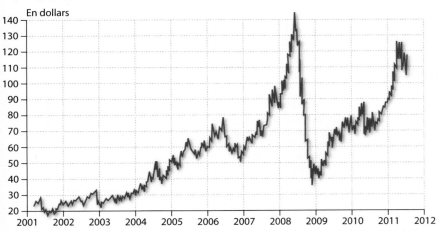

En dollars

Source : boursereflex.com, 2011.

1. RÉCAPITULER. Quelle loi économique vue en classe de 1re permet la détermination des cours du pétrole ?

2. CONSTATER. Comment le cours du pétrole a-t-il évolué au cours de dix dernières années ?

3. EXPLIQUER. Quels éléments peuvent expliquer les évolutions constatées ?

5. La déforestation

Stocks de carbone dans la biomasse[1] forestière en Asie et dans le Pacifique, 1990-2010

En gigatonnes

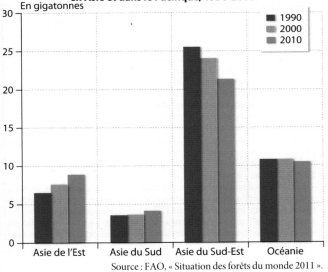

Légende :
- 1990
- 2000
- 2010

Source : FAO, « Situation des forêts du monde 2011 ».

DÉFINITION

Les biens communs
Un bien commun est un bien caractérisé par la non-exclusion (impossibilité d'exclure les mauvais payeurs) et par la rivalité (la consommation des uns diminue celle des autres). La tragédie des biens communs montre comment le libre accès à une ressource limitée, pour laquelle la demande est forte, entraîne une surexploitation de cette ressource et, à terme, sa disparition.

1. CONSTATER. Quelle fonction essentielle des forêts apparaît au niveau de ce graphique ?

2. CONSTATER. Comparez l'évolution des stocks de carbone dans la zone Asie-Pacifique, entre 1990 et 2010.

3. EXPLIQUER. Comment pouvez-vous expliquer les évolutions des stocks de carbone ?

Asie du Sud-Est : Brunei, Cambodge, Indonésie, Malaisie, Myanmar (Birmanie), Philippines, Laos, Singapour, Thaïlande, Timor, Vietnam.
Asie de l'Est : Chine, Japon, Mongolie, Corée (du Nord et du Sud).
Asie du Sud : Bangladesh, Bhoutan, Inde, Maldives, Népal, Pakistan, Sri Lanka.

1. Le terme biomasse correspond à l'ensemble des matières organiques d'origine végétale ou animale, pouvant devenir source d'énergie. Les principales formes de l'énergie biomasse sont le bois, les biocarburants, les déchets.

6. Superficies forestières dans le monde

Régions	Superficie (milliers d'ha)			Variation annuelle (milliers d'ha)	
	1990	2000	2010	1990-2000	2000-2010
Afrique	749 238	708 564	674 419	– 4 067	– 660
Asie et Pacifique	733 364	726 339	740 383	– 703	1 404
– dont Asie du Sud-Est	247 260	223 045	214 064	– 2 422	– 898
– dont Asie de l'Est	209 198	226 815	254 626	1 762	2 781
Europe (y compris Fédération de Russie)	989 471	998 239	1 005 001	877	676
Amérique	750 238	755 426	762 336	519	691
Monde	4 168 399	4 085 063	4 032 905	– 8 334	– 5 216

Source : FAO, rapport « Situation des forêts du monde 2011 ».

1. CONSTATER. Donnez la signification des données entourées.

2. EXPLIQUER. En quoi ce document permet-il d'expliquer les évolutions constatées dans le document 5 ?

3. EXPLIQUER. Pourquoi les forêts peuvent-elles être considérées comme un bien commun ?

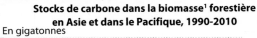

ENTRAÎNEMENT

QUESTION DE COURS. Quel est l'effet d'une augmentation de la demande de matières premières sur le prix de celles-ci ?

SYNTHÈSE. À partir des documents 1 et 2, montrez que les êtres humains sont en situation de « dépassement écologique ».

III. Qu'est-ce que le développement durable ?

A L'histoire d'un concept

1. Repères chronologiques

Janvier 1972

Le rapport Meadows, « The Limits to Growth » (paru en France sous le titre « Halte à la croissance ? »), est remis au Club de Rome. Selon ses prévisions, la croissance pourrait se traduire à terme par l'épuisement des ressources naturelles, l'effondrement du niveau de vie et la chute de la population mondiale. Une croissance zéro est donc préconisée pour anticiper ces risques majeurs.

1992

Le Sommet de la Terre à Rio, conférence des Nations unies sur l'environnement et le développement, consacre et élargit la notion de développement durable, avec trois piliers interdépendants : l'efficacité économique, l'équité sociale et l'intégrité environnementale.

2005

Entrée en vigueur du protocole de Kyoto et inscription dans la Constitution française d'une charte de l'environnement.

`1972` — `1987` — `1992` — `1997` — `2002` — `2005` — `2010`

1987

Le rapport Brundtland, « Our Common Future » (« Notre avenir à tous »), remis à l'ONU, repose sur la notion de développement durable, traduction de l'anglais « sustainable development ». Le développement doit répondre « aux besoins du présent sans compromettre la capacité des générations futures de répondre aux leurs ».

1997

Le protocole de Kyoto définit des objectifs chiffrés et contraignants : 38 pays industrialisés s'engagent à réduire leurs émissions de GES de 5,2 % en moyenne sur la période 2008-2012, par rapport au niveau atteint en 1990.

2002

Le Sommet de la Terre de Johannesburg présente un plan d'action sur de nombreux sujets : pauvreté et paupérisation, consommation, préservation des ressources naturelles, droits de l'homme…

2010

Le sommet de Cancùn conduit à un accord sur la création d'un fonds destiné à aider les pays en développement à s'adapter au changement climatique.

1. CONSTATER. Pourquoi la croissance de la production n'est-elle pas soutenable selon le rapport Meadows ?

2. CONSTATER. Quelle solution le rapport préconise-t-il ?

3. EXPLIQUER. En quoi le rapport Brundtland contredit-il le rapport Meadows ?

4. EXPLIQUER. En quoi le sommet de Rio élargit-il la notion de développement durable ?

POUR APPROFONDIR

De soutenable à durable

« Sustainable development » a été traduit dans une première version du rapport Brundtland par « développement soutenable », qui outre l'aspect environnemental (durabilité) faisait également référence à la notion de solidarité géographique et immédiate envers les pays pauvres. La notion de « développement durable » privilégie la première approche au détriment de la seconde.

2. Du rapport Brundtland aux Sommets de la Terre

C'est avec la commission Brundtland, commission mondiale de l'ONU pour l'environnement et le développement créée en 1983, que le développement durable acquiert une véritable reconnaissance internationale. […]

Cinq ans plus tard, en 1992 à Rio de Janeiro, la deuxième conférence des Nations unies sur l'environnement et le développement, dite conférence de la Terre, adopte l'« Agenda 21 », présenté comme une stratégie globale pour le développement durable. Rio popularise le développement durable dans une définition encore plus extensive que le rapport Brundtland : celle-ci englobe les rapports Nord-Sud, la lutte contre la pauvreté, les droits de la femme et l'équité sociale. Le rôle de la planification et de l'État est réduit, au bénéfice des approches décentralisées prenant appui sur les communautés rurales, l'action des entreprises et les organisations non gouvernementales (ONG). Cette conception large du développement durable est reprise par l'Organisation mondiale du commerce, la Banque mondiale, l'Union européenne… et elle est confirmée au Sommet mondial sur le développement durable à Johannesburg en 2002.

Ainsi, l'idée selon laquelle le développement durable et la croissance pourraient être antinomiques n'est plus présente comme elle l'était au début des années soixante-dix. On préfère envisager le développement durable comme un moyen de concilier croissance, équité et protection de l'environnement. Cependant, face à ce consensus « mou », une approche plus dure du développement durable demeure, qui rejoint souvent la contestation de la globalisation libérale.

Nina Kousnetzoff, « Le développement durable : quelles limites à quelle croissance ? », CEPII, *L'économie mondiale 2004*, La Découverte, coll. « Repères », 2004.

1. DÉFINIR. Qu'est-ce que le développement durable ?

2. CONSTATER. Quelles initiatives vont-elles être prises au niveau international pour populariser cette notion ?

3. DÉFINIR. Qu'est-ce que l'« Agenda 21 » ?

4. EXPLIQUER. Expliquez la phrase soulignée.

REPÈRE **Gro Harlem Brundtland**

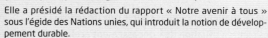
(femme politique norvégienne, née en 1939)

Elle a présidé la rédaction du rapport « Notre avenir à tous » sous l'égide des Nations unies, qui introduit la notion de développement durable.

3. Les trois piliers du développement durable

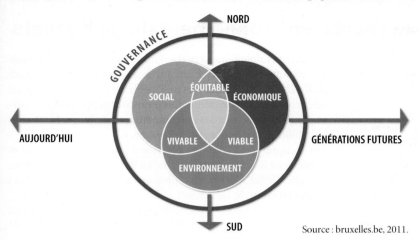

Source : bruxelles.be, 2011.

1. CONSTATER. Quels sont les trois piliers du développement durable ?

2. ILLUSTRER. Illustrez chacun de ces trois piliers par des mesures à adopter.

3. DÉFINIR. Qu'est-ce que la gouvernance ? Quelles sont les institutions chargées de la mettre en œuvre ?

4. EXPLIQUER. En quoi la notion de développement durable illustre-t-elle une double solidarité ?

4. Les deux approches du développement durable

Les tenants d'une « soutenabilité faible » retiennent l'idée d'une forte substituabilité entre les deux sortes de capital. Le courant néoclassique explore l'hypothèse d'une substituabilité parfaite : l'homme pourrait, à la limite, se passer de la nature, grâce au progrès technique. Il n'y aurait pas besoin de conserver le capital naturel : épuisé ou dégradé, il pourrait toujours être remplacé par des biens ou services fabriqués (la réalité virtuelle, par exemple, serait en mesure de remplacer le « stock » de paysages forestiers). L'hypothèse d'une substituabilité très forte conduit à considérer que le coût

des dégradations environnementales et de l'épuisement des ressources naturelles est uniquement le coût de leur remplacement, si celui-ci est nécessaire. Pour assurer cette « soutenabilité faible », il suffit que soit maintenu le revenu par tête, généré par le stock de capital total. La confiance dans le progrès technique qui sous-tend l'hypothèse de substituabilité forte laisse aussi penser que ce progrès permettra toujours d'économiser les ressources, d'optimiser leur exploitation (taux de récupération) ou de trouver des solutions alternatives (off-shore profond, pétroles synthétiques, séquestration du

carbone, énergies renouvelables, etc.). Beaucoup plus exigeante est la notion de « soutenabilité forte » qui considère qu'il n'y a pas (ou peu) de substituabilité entre les différents types de capital : chacun, y compris le capital naturel, doit être préservé dans ses différentes composantes, car ils sont tous complémentaires et non commensurables. Le concept de soutenabilité forte rejoint, de ce point de vue, l'approche écologique du développement durable.

Guillaume Gaulier et Nina Kousnetzoff, « La mesure des liens entre environnement et croissance », *L'économie mondiale 2007*, La Découverte, coll. « Repères », 2006.

1. DÉFINIR. Qu'est-ce que le progrès technique ?

2. CONSTATER. Sur quoi s'opposent les deux approches du développement durable ?

3. EXPLIQUER. Pourquoi l'hypothèse de substituabilité est-elle centrale dans la conception de chacune de ces deux approches du développement durable ?

5. La nécessité d'une intervention publique

Une approche économique intermédiaire consiste à définir différentes catégories de stocks de capital et à établir, pour chacune d'elles, des limites inférieures ou seuils critiques. La définition des « trois piliers » du développement durable, adoptée en particulier par l'Union européenne, illustre cette approche : il faut rechercher simultanément la soutenabilité des systèmes économique, social et environnemental, autrement dit, faire en sorte que les progrès réalisés dans l'un des domaines ne se fassent pas au détriment des deux autres.

Les « optimistes » quant à la substituabilité rejoignent les « pessimistes » sur la nécessité d'interventions publiques pour parvenir au développement durable. En effet, les agents économiques peuvent ne pas recevoir les bons signaux pour prendre les décisions nécessaires en matière d'investissement et de consommation, si le système de prix est défaillant et/ou si le degré d'incertitude est trop grand. Le rôle de l'État doit donc être de stabiliser l'horizon des prévisions et de créer les incitations manquantes, dans les activités de R&D notamment. Des

programmes publics sont nécessaires dans ce domaine, étant donné l'incertitude sur les débouchés de la recherche et les possibilités limitées d'appropriation privée de ses bénéfices.

Guillaume Gaulier et Nina Kousnetzoff, « La mesure des liens entre environnement et croissance », *L'économie mondiale 2007*, La Découverte, coll. « Repères », 2006.

1. EXPLIQUER. Quelle approche de substituabilité est privilégiée dans ce document ? (Voir aussi le doc. 4)

2. EXPLIQUER. Pourquoi l'intervention publique est-elle nécessaire ?

ENTRAÎNEMENT

QUESTION DE COURS. Le développement durable ne doit-il prendre en compte que l'aspect environnemental ?

SYNTHÈSE. À partir des documents 1 et 2, présentez les arguments des partisans de la décroissance et ceux du développement durable.

documents

B Le développement durable : une question en débat

1. Le fonctionnement de la courbe environnementale de Kuznets

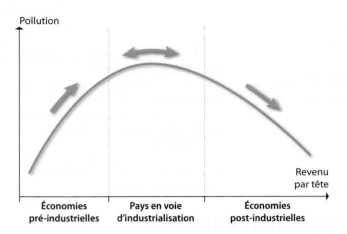

– L'effet technologique : à partir d'un certain niveau de richesses, une nation peut consacrer une partie de son capital aux activités de R&D et en particulier vers une meilleure efficacité écologique des procédés de fabrication. Les innovations consécutives permettent de substituer des machines toujours plus performantes à des équipements obsolètes et « sales ».

On comprend donc que l'existence d'une courbe environnementale de Kuznets suppose que, au-delà d'un seuil de revenu par tête, l'effet d'échelle est plus que compensé par les deux autres (surtout, le troisième).

André Meunié, « Controverses autour de la courbe environnementale de Kuznetz », CED, université de Bordeaux IV, 2004.

– L'effet d'échelle : un accroissement de l'activité économique conduit, en lui-même, à une pression plus forte sur l'environnement. Plus de production nécessite plus d'inputs et crée plus de déchets et d'émissions polluantes, car ce sont là des produits joints.
– L'effet de composition : à mesure que les richesses s'accumulent, la structure du système productif évolue. […] L'hypothèse est que, au-delà d'un seuil de développement, la société tend à augmenter la part des activités plus « propres ». Dans un premier temps, le passage d'une économie rurale à une société urbaine et industrielle aggrave les rejets polluants. Mais le déclin de la part des industries lourdes intensives en énergie et l'émergence des secteurs des services intensifs en technologie et en capital humain desserrent la contrainte écologique en exerçant une action baissière sur l'intensité en émissions du PIB.

1. CONSTATER. Que montre cette courbe ? À quelle approche du développement durable correspond-elle ?

2. EXPLIQUER. Quel effet semble prédominant pour expliquer l'accroissement de la pollution au début du développement ?

3. ILLUSTRER. Donnez un exemple d'activités plus « propres ».

4. RÉCAPITULER. Quels éléments permettent d'expliquer la forme de la courbe environnementale de Kuznets ?

 REPÈRE **Simon Kuznets (économiste américain, 1901-1985)**
Il a obtenu le prix Nobel d'économie en 1971. Ses recherches l'ont amené à construire une courbe en U inversé montrant une relation entre le PIB par habitant et les inégalités. Une relation similaire entre le revenu par tête et le niveau de pollution va être démontrée et va prendre le nom de courbe environnementale de Kuznets, et ce même si cette découverte ne découle pas des travaux de cet économiste.

2. La transition énergétique

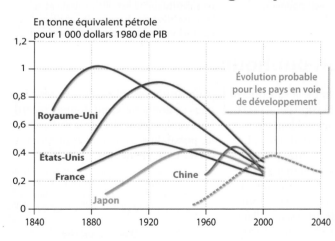

Source : *Le Monde diplomatique*, janvier 2005.

1. CONSTATER. Quelle est la consommation d'énergie prise en compte par ce graphique ?

2. CONSTATER. Ce graphique conforte-t-il la courbe environnementale de Kuznets (doc. 1) ?

3. EXPLIQUER. Comment expliquer la forme des courbes présentées ?

4. EXPLIQUER. Pourquoi la durée de transition énergétique en Chine est-elle inférieure à celle des pays développés ?

3. Une courbe contestée

Certaines tendances défavorables à l'environnement persistent dans les pays industrialisés riches. Certes, par analogie avec la relation en forme de U inversé entre inégalité et revenu par habitant avancée par Kuznets, on observe des « courbes de Kuznets » en économie de l'environnement : la pression sur l'environnement commence par augmenter lorsque le revenu moyen s'accroît, mais diminue par la suite. Cependant, cette relation favorable n'est vérifiée que pour certaines pollutions locales ou régionales, comme les concentrations moyennes de particules ou de dioxyde de soufre dans les villes. Ainsi les émissions totales dans l'air de polluants azotés et soufrés, et a fortiori les émissions par habitant, diminuent dans les pays de l'OCDE où l'industrialisation est ancienne, alors qu'elles continuent à augmenter dans les pays plus « jeunes » comme la Grèce, l'Irlande, l'Islande, le Portugal et la Turquie. En revanche, si le progrès technique permet de diminuer les consommations d'énergie fossile et de matières premières par unité de PIB, les consommations par habitant continuent à augmenter avec le revenu moyen. Ainsi la consommation totale et par habitant des principales ressources naturelles – énergie, ressources en eau – augmente dans presque tous les pays de l'OCDE. La production totale de déchets urbains augmente également, bien que, par habitant, elle se soit stabilisée à partir de 1990 ; les émissions de polluants dues à l'intensification du transport automobile sont en hausse constante dans les pays industrialisés comme dans les pays émergents.

Nina Kousnetzoff, « Le développement durable : quelles limites à quelle croissance ? », CEPII, *L'économie mondiale 2004*, La Découverte, coll. « Repères », 2004.

1. CONSTATER. La courbe environnementale de Kuznets est-elle vérifiée ?

2. CONSTATER. Quelles sont les conséquences de la hausse du revenu moyen ?

3. ILLUSTRER. Justifiez les propos du texte à partir de l'exemple du secteur automobile.

4. Une notion objet de critiques

Il y a donc dès le départ une divergence manifeste sur la signification du soutenable/durable. Pour les uns, le développement soutenable/durable, c'est un développement respectueux de l'environnement. L'accent est alors mis sur la préservation des écosystèmes. Le développement signifie, dans ce cas, bien-être et qualité de vie satisfaisants, et on ne s'interroge pas trop sur la compatibilité des deux objectifs, développement et environnement. Cette attitude est assez bien représentée chez les militants d'ONG et chez les intellectuels humanistes. La prise en compte des grands équilibres écologiques doit aller jusqu'à la remise en cause de certains aspects de notre modèle économique de croissance, voire même de notre mode de vie. Pour les autres, l'important est que le développement tel qu'il est puisse durer indéfiniment. Cette position est celle des industriels, de la plupart des politiques et de la quasi-totalité des économistes. À Maurice Strong déclarant le 4 avril 1992 : « Notre modèle de développement, qui conduit à la destruction des ressources naturelles n'est pas viable. Nous devons en changer », font écho les propos de George Bush (senior) : « Notre niveau de vie n'est pas négociable. » [...]

Il vaut la peine d'y regarder de plus près en revenant aux concepts pour voir si le défi peut encore être relevé. La définition du développement durable telle qu'elle figure dans le rapport Brundtland ne prend en compte que la durabilité. [...] Il ne faut pas se leurrer pour autant. Ce n'est pas l'environnement qu'il s'agit de préserver pour les décideurs, mais avant tout le développement. Là réside le piège. Le problème avec le développement soutenable n'est pas tant avec le mot soutenable, qui est plutôt une belle expression, qu'avec le concept de développement qui est carrément un mot toxique. En effet, le soutenable, si on le prend au sérieux, signifie que l'activité humaine ne doit pas créer un niveau de pollution supérieur à la capacité de régénération de la biosphère.

Serge Latouche, « L'imposture du développement durable ou les habits neufs du développement », *Mondes en développement*, n° 121, janvier 2003.

1. CONSTATER. Quelles notions sont, pour l'auteur du texte, contradictoires ?

2. ILLUSTRER. Donnez des exemples des oppositions au sein des décideurs sur la conception du développement durable.

3. ILLUSTRER. À quelle notion la phrase soulignée fait-elle référence ?

5. La nécessité d'une volonté politique

Notre maison brûle et nous regardons ailleurs. La nature, mutilée, surexploitée, ne parvient plus à se reconstituer et nous refusons de l'admettre. L'humanité souffre. Elle souffre de mal-développement, au Nord comme au Sud, et nous sommes indifférents. La Terre et l'humanité sont en péril et nous en sommes tous responsables.
[...] Notre responsabilité collective est engagée. Responsabilité première des pays développés. Première par l'histoire, première par la puissance, première par le niveau de leurs consommations. Si l'humanité entière se comportait comme les pays du Nord, il faudrait deux planètes supplémentaires pour faire face à nos besoins. Responsabilité des pays en développement aussi. Nier les contraintes à long terme au nom de l'urgence n'a pas de sens. Ces pays doivent admettre qu'il n'est d'autre solution pour eux que d'inventer un mode de croissance moins polluant. Dix ans après Rio, nous n'avons pas de quoi être fiers. La mise en œuvre de l'Agenda 21 est laborieuse. La conscience de notre défaillance doit nous conduire, ici, à Johannesburg, à conclure l'alliance mondiale pour le développement durable.

Une alliance par laquelle les pays développés engageront la révolution écologique, la révolution de leurs modes de production et de consommation. Une alliance par laquelle ils consentiront l'effort de solidarité nécessaire en direction des pays pauvres. [...][1]

1. Dans la suite de son discours, Jacques Chirac propose la mise en place de cinq chantiers prioritaires : le changement climatique, l'éradication de la pauvreté, la diversité biologique et culturelle, les modes de production et de consommation, la gouvernance mondiale pour maîtriser la mondialisation.

Extraits du discours du président français Jacques Chirac devant l'assemblée plénière du Sommet mondial du développement durable à Johannesburg, septembre 2002.

1. RÉCAPITULER. Quel constat Jacques Chirac fait-il de l'état de la planète ?

2. EXPLIQUER. Qui sont les principaux responsables de cet état ?

3. CONSTATER. Quelles difficultés sur la voie du développement durable Jacques Chirac met-il en avant ?

4. EXPLIQUER. Quels pays doivent initier les démarches vers un développement plus « propre » ?

ENTRAÎNEMENT

QUESTION DE COURS. Que montre la courbe environnementale de Kuznets ?

SYNTHÈSE. À partir des documents 4 et 5, montrez la position ambiguë des pays développés face au développement durable.

CHAPITRE 6 La croissance est-elle compatible avec la préservation de l'environnement ? | **163**

documents

C Le développement durable : penser global, agir local

1. Des objectifs pluridimensionnels

La Stratégie nationale du développement durable (SNDD) propose une architecture commune à tous les acteurs de la nation, publics et privés, pour les aider à structurer leurs propres projets de développement durable autour de choix stratégiques et d'indicateurs qui ont fait l'objet d'un large consensus.

Elle a notamment vocation à assurer la cohérence et la complémentarité des engagements internationaux et européens de la France et des politiques nationales, transversales ou sectorielles.

La stratégie nationale vise, en développant une économie plus sobre en ressources naturelles et décarbonée, à faire de la France un des acteurs majeurs de l'économie verte, qui est la seule compatible avec le développement des pays émergents, tout en poursuivant un objectif de justice et d'équité sociale.

Elle s'articule à cette fin autour de neufs défis stratégiques, cohérents avec nos engagements européens, et que nous devons relever pour aller vers une économie verte et équitable : une consommation et production durable, une société de la connaissance, la gouvernance, le changement climatique et les énergies, la conservation et la gestion durable de la biodiversité et des ressources naturelles, la santé publique, la prévention et la gestion des risques, la démographie, l'immigration et l'inclusion sociale, les défis internationaux en matière de développement durable et de pauvreté dans le monde.

Ministère de l'Écologie, du Développement durable, des Transports et du Logement, « Stratégie nationale de développement durable 2010-2013 ».

1. CONSTATER. Quels sont les agents économiques incités à s'engager dans cette stratégie de développement durable ?

2. CONSTATER. Quels sont les objectifs de cette stratégie ?

3. ILLUSTRER. Donnez des exemples des trois piliers du développement durable à partir des neuf défis stratégiques.

2. Lutter contre les inégalités de développement

a. Les écarts d'espérance de vie

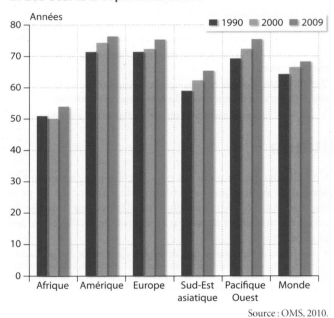

Source : OMS, 2010.

b. Les écarts d'alphabétisation

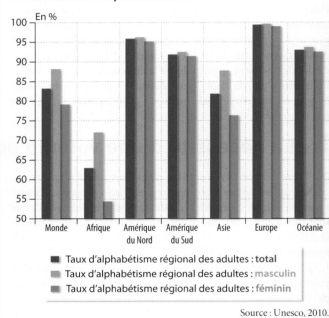

Source : Unesco, 2010.

1. CONSTATER. Quelles sont les inégalités mises en évidence par ces données ?

2. EXPLIQUER. Pourquoi la lutte contre ces inégalités relève-t-elle du développement durable ?

3. RÉCAPITULER. Les préoccupations sont-elles les mêmes dans toutes les régions du globe ? (Voir aussi doc. 1)

3. Des actions locales : l'Agenda 21 des collectivités

En mettant en place un Agenda 21, la Région propose un programme d'actions pour garantir un développement durable de la Bretagne. Il ne s'agit pas d'une politique supplémentaire, mais d'une manière de mettre les différentes politiques de la Région en accord. L'Agenda 21 se décline en deux volets, l'un « externe » en direction des partenaires et bénéficiaires des politiques régionales, l'autre « interne » dans les domaines relevant de la compétence directe de l'institution régionale (comme les lycées par exemple).

La responsabilité sociale

C'est la responsabilité de la Région en tant qu'employeur vis-à-vis de ses agents. Principaux objectifs de l'Agenda 21 : favoriser l'égalité professionnelle et l'épanouissement humain au sein de l'institution. [...]

La responsabilité économique

C'est la responsabilité de la Région en tant qu'acheteur et consommateur. Cette responsabilité s'exerce principalement au travers des commandes publiques, qui comportent désormais des clauses favorisant le développement durable.

Ainsi, le marché public pour le mobilier de bureau intègre des clauses sur la protection de l'environnement. [...]

Le textile des vêtements de travail des agents techniques des lycées provient maintenant du commerce équitable, etc.

La responsabilité environnementale

Cette responsabilité passe par des pratiques professionnelles plus responsables de la part des agents et des élus, ainsi que par des comportements personnels plus vertueux.

– L'institution régionale est ainsi, entre autres, en train de faire évoluer son parc automobile vers des véhicules moins polluants ;

– Elle développe un tri sélectif des déchets produits ;

– Elle régule au plus près l'éclairage et le chauffage de ses locaux, etc.

[...]

bretagne.fr, site de la Région Bretagne, 2011.

1. CONSTATER. Quel niveau de collectivité territoriale a mis en place cet Agenda 21 ?

2. CONSTATER. Quel volet de l'Agenda 21 est développé ici ?

3. DÉFINIR. Qu'est-ce que le commerce équitable ?

4. Le rôle des acteurs privés : l'exemple du groupe GDF-SUEZ

Les objectifs développement durable du groupe

10 objectifs développement durable chiffrés et datés au niveau du groupe ont été élaborés fin 2010 et validés par le Comité exécutif début 2011. Ceux-ci se répartissent sur les trois axes de la politique.

• **Énergies renouvelables**

Objectif : augmenter de 50 % la capacité installée en énergies renouvelables entre 2009 et 2015

• **Biodiversité**

Objectif : mettre en œuvre un plan d'action biodiversité sur chaque site sensible dans l'Union européenne d'ici à 2015

• **Santé et sécurité**

Objectif : atteindre un taux de fréquence inférieur à 6 en 2015

• **Mixité**

4 objectifs d'ici 2015

1 cadre dirigeant nommé sur 3 sera une femme, 25 % de femmes cadres, 30 % de femmes dans les recrutements, 35 % de femmes hauts potentiels

• **Formation**

Objectif : maintenir le niveau des 2/3 des salariés bénéficiant au minimum d'une formation par an

• **Actionnariat salarié**

Objectif : atteindre et maintenir le niveau de 3 % dans le capital de l'entreprise détenu par l'actionnariat salarié d'ici à 2015

• **Critère développement durable d'investissements**

Objectif : intégrer les « critères développement durable d'investissements » dans 90 % des projets de business développement présentés en Comité des engagements d'ici à fin 2012

Le nombre des 10 objectifs de développement durable permet à GDF-Suez de se positionner parmi les groupes mondiaux les plus performants en termes d'exigence de management de la responsabilité sociétale des entreprises.

Indicateurs environnementaux et sociaux		
	2009	2010
Renouvelable – puissance nette installée (M/Weq)	12 591	13 357
Consommation totale d'eau dans le processus industriel (Mm³)	76,8	70,99
Part de la flotte « verte » dans la flotte de camions (%)	89,27	97,58
Proportion de femmes dans l'encadrement (%)[1]	13,2	13,8
Pourcentage d'effectif formé (%)[1]	59,6	64,3
Taux de fréquence des accidents[1]	8,6	7,9

1. Ces données concernent la seule branche « Énergie services » qui employait en 2010 75 872 personnes dans le monde, dont 20 101 en France.

Source : Rapport développement durable 2010, GDF-Suez.

1. ILLUSTRER. Quelle est l'activité principale du groupe GDF-Suez ?

2. ILLUSTRER. Classez les différents objectifs du groupe GDF-Suez selon le critère de développement durable visé (environnemental, social, économique).

3. CONSTATER. Les données des indicateurs environnementaux et sociaux en 2009 et 2010 respectent-elles les objectifs de développement durable fixés par le groupe ?

REPÈRE

Des entreprises qui s'engagent

Environ 4 000 entreprises ont adhéré au programme « Global Compact », initié par l'ONU en 2000, par lequel elles s'engagent à respecter neuf principes en matière d'environnement (mise en place de pratiques environnementales plus responsables, mise au point et diffusion de technologies respectueuses de l'environnement), de droit du travail et de droits de l'homme (interdiction du travail forcé et du travail des enfants, respect de la liberté d'association...).

ENTRAÎNEMENT

QUESTION DE COURS. Rappelez ce qu'est l'Agenda 21.

SYNTHÈSE. À partir des documents 1, 3 et 4, montrez que le développement durable est une préoccupation de tous les agents économiques en France.

documents

NOTIONS • PIB • Développement durable • Bien-être • IDH • Soutenabilité

SAVOIR-FAIRE • Comparer deux indicateurs

1. Biodiversité, développement et bien-être humain

1. Corrélation entre IDH et empreinte écologique

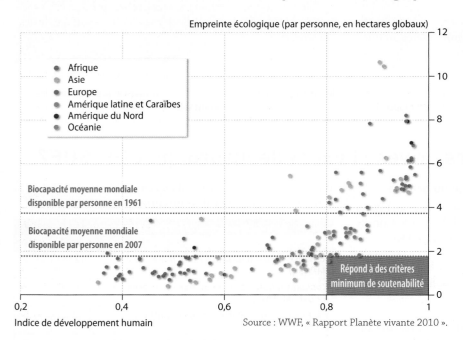

Empreinte écologique (par personne, en hectares globaux)

- Afrique
- Asie
- Europe
- Amérique latine et Caraïbes
- Amérique du Nord
- Océanie

Biocapacité moyenne mondiale disponible par personne en 1961

Biocapacité moyenne mondiale disponible par personne en 2007

Répond à des critères minimum de soutenabilité

Indice de développement humain

Source : WWF, « Rapport Planète vivante 2010 ».

1. Rappelez les définitions de l'IDH et de l'empreinte écologique.

2. Analysez l'évolution de la biocapacité moyenne mondiale disponible par personne, au cours de la période 1961-2007.

3. Combien de pays répondent aux critères de soutenabilité en 2007 ?

4. Comparez la situation des pays développés (comme ceux d'Europe, d'Amérique du Nord) et celle des pays en développement (comme ceux d'Afrique ou d'Asie).

2. Évolution de l'empreinte écologique individuelle

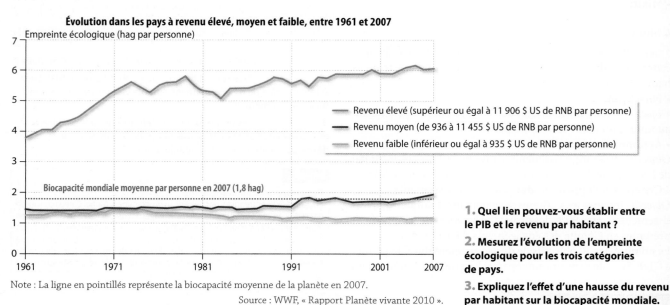

Évolution dans les pays à revenu élevé, moyen et faible, entre 1961 et 2007

Empreinte écologique (hag par personne)

— Revenu élevé (supérieur ou égal à 11 906 $ US de RNB par personne)
— Revenu moyen (de 936 à 11 455 $ US de RNB par personne)
— Revenu faible (inférieur ou égal à 935 $ US de RNB par personne)

Biocapacité mondiale moyenne par personne en 2007 (1,8 hag)

Note : La ligne en pointillés représente la biocapacité moyenne de la planète en 2007.

Source : WWF, « Rapport Planète vivante 2010 ».

1. Quel lien pouvez-vous établir entre le PIB et le revenu par habitant ?

2. Mesurez l'évolution de l'empreinte écologique pour les trois catégories de pays.

3. Expliquez l'effet d'une hausse du revenu par habitant sur la biocapacité mondiale.

SYNTHÈSE

À l'aide des documents 1 et 2, montrez que la croissance économique favorise le développement humain, mais qu'elle est un frein au développement durable.

NOTIONS • Soutenabilité • Bien commun   SAVOIR-FAIRE • Analyser l'évolution de la pêche au niveau mondial, en déterminer les effets négatifs et recenser les mesures de sauvegarde prises

TD ANALYSE

2. Les ressources halieutiques

1. La pêche dans le monde : production et utilisation

En millions de tonnes

	1990	2000	2005	2009
Total de la pêche de capture	85,9	94,8	92,1	90
Total de l'aquaculture	13,1	35,6	44,3	55,1
Total de la pêche mondiale	99	130,4	136,4	145,1
Consommation humaine	70,8	96,7	107,3	117,8
Utilisation à des fins non alimentaires	28,2	33,7	29,1	27,3
Population mondiale (en milliards)	5,3	6,1	6,5	6,8
Offre par habitant de produits alimentaires halieutiques (en kg)	13,4	16	16,5	17,2

Source : FAO, « La situation mondiale des pêches et de l'aquaculture », 1998, 2002 et 2010.

2. Les explications

La surpêche est la plus grande menace qui pèse sur les stocks de poissons et la biodiversité marine.

Une demande élevée en poissons et en produits dérivés, associée à la surcapacité de la flotte de pêche mondiale et à des techniques de pêche inefficaces ont mené à une surpêche massive. Cette situation est souvent accentuée par l'octroi de subventions encourageant la pêche, y compris pour des stocks épuisés, et qui autrement ne serait pas rentable.

70 % des stocks de poissons marins commerciaux sont à présent menacés et certaines pêcheries [...] sont déjà au bord de l'extinction. Comme les stocks de prédateurs de grande taille et à longévité importante, tels que la morue et le thon, sont très bas, les flottes de pêche se sont de plus en plus tournées vers des espèces petites et à courte longévité, situées plus bas dans la chaîne alimentaire [...] menaçant ainsi l'équilibre d'écosystèmes marins tout entiers. Les espèces et habitats marins sont également menacés par des pratiques de pêche destructrices et un taux élevé de capture d'espèces non ciblées (les prises accessoires).

Source : WWF, « Rapport Planète vivante 2010 ».

3. Les mesures de sauvegarde

La ligne de la Commission européenne est connue : elle veut réduire encore les capacités de pêche pour préserver les ressources halieutiques. Un des points forts de la réforme, les quotas transférables, divise déjà les Européens et suscite déjà l'hostilité des associations de protection de l'environnement. « Cela revient à privatiser les ressources publiques », explique une experte d'Océana. De surcroît, « leur introduction se fait généralement aux dépens de la pêche côtière ».

Les « pays pêcheurs » ont une inquiétude supplémentaire : le resserrement du budget du Fonds européen pour la pêche. Créé en 2007 avec un budget de 4,3 milliards d'euros jusqu'en 2013, il devait notamment financer l'adaptation de la flotte et la réduction des capacités de pêche [...].

[...] une autre bataille s'annonce, celle des taux de capture autorisée et des quotas pour 2012. Maria Damanaki [Commissaire européenne chargée de la pêche] a présenté à nouveau sa nouvelle méthodologie dite « simplifiée ». [...] Le projet de réduire d'un quart, au minimum, les taux de capture autorisés pour toutes les espèces dont les scientifiques n'apprécient pas ou mal l'état des stocks, a été particulièrement combattu. [...] De même que l'ambition de la commissaire d'aboutir dès 2015 à une exploitation dite « soutenable » de tous les stocks. « Personne ne remet en cause cet objectif. Mais il faut une approche plus progressive », explique un diplomate. « Elle a une approche fondamentaliste du principe de précaution », ajoute-t-il.

Florence Autret, « Surcapacités de pêche. Damanaki se fâche », *Le Télégramme*, 29 juin 2011.

1. Analysez la situation des ressources halieutiques.

a. Calculez l'évolution en % des différents indicateurs de la pêche sur la période 1990-2009. (Doc. 1)

b. Calculez la part de l'aquaculture dans la pêche mondiale pour chacune des années considérées. (Doc. 1)

2. Quelles sont les origines des évolutions des ressources halieutiques ?

a. Comment la population mondiale et la consommation des ressources halieutiques ont-elles évolué depuis 1990 ? (Doc. 1)

b. Quelles sont les raisons de la surpêche ? (Doc. 2)

3. Quelles sont les mesures à adopter pour préserver les ressources halieutiques ?

a. Pourquoi les ressources halieutiques peuvent-elles être considérées comme un bien commun ?

b. Relevez les différents intervenants du dossier de la pêche. Quelles sont leurs positions respectives ? (Doc. 3)

c. Quelles sont les mesures préconisées pour préserver les ressources halieutiques ?

d. Qu'est-ce qu'une exploitation dite « soutenable » ? Qu'est-ce que le principe de « précaution » ?

La croissance est-elle compatible avec la préservation de l'environnement ?

La croissance économique ne suffit pas à assurer le bien-être d'une population, principalement car elle est à l'origine de l'épuisement des ressources naturelles et de dégâts environnementaux. La notion de développement durable vise à tenir compte de ces limites et à prendre en compte d'autres critères pour mesurer le bien-être d'une population.

ACQUIS DE PREMIÈRE

➡ Voir **Réviser les acquis de 1ʳᵉ**, p. 148 et **Lexique**

■ **Externalités**
■ **Biens collectifs**
■ **Capital social**

I. Qu'est-ce que le bien-être ?

A. Comment mesurer le bien-être des populations ?

■ Le Produit intérieur brut (PIB) ne mesure pas forcément le niveau de bien-être de la population. En effet, il prend en compte des éléments socialement regrettables comme la pollution, l'épuisement des ressources naturelles ou la criminalité, alors qu'il néglige d'autres activités comme le bénévolat ou le travail domestique.

■ C'est pourquoi la santé, l'éducation, les activités personnelles, les rapports sociaux, la pollution, la disparition des ressources naturelles, le coût des délits… ont été intégrés dans de nouveaux indicateurs. Les résultats obtenus montrent un découplage entre les évolutions des indicateurs économiques (PIB par habitant, épargne brute) et celles de ces indicateurs.

B. Quelles sont les origines du bien-être ?

■ De nombreux facteurs contribuent au bien-être de la population. Le capital physique est nécessaire à l'activité productive, et contribue directement à la hausse du Produit intérieur brut. Le capital naturel est tout aussi nécessaire, mais il n'est pas toujours renouvelable et peut-être assimilé à un bien commun qu'il est nécessaire de préserver. À ces deux éléments viennent se rajouter d'autres types de capitaux : le capital humain, qui rend les individus plus performants, mais aussi le capital social et institutionnel. Ces différents facteurs s'influencent mutuellement.

II. Quelles sont les limites écologiques de la croissance ?

A. La croissance provoque des dégâts environnementaux

■ La croissance économique génère des externalités négatives sur l'environnement. Elle a été jusqu'ici essentiellement basée sur l'utilisation d'énergies fossiles dont la combustion émet des gaz à effet de serre. Ces émissions sont actuellement plus importantes dans les pays industrialisés que dans les pays émergents, mais la croissance soutenue de ces derniers rend les scientifiques inquiets quant au réchauffement climatique.

■ La croissance économique peut entraîner des catastrophes écologiques et génère aussi de nombreux déchets (ménagers, industriels…) qu'il faut collecter puis traiter de différentes manières (incinération, mise en déchetteries, méthanisation…). Tout cela a un coût très important pour la collectivité.

B. La croissance épuise les ressources naturelles

■ Les activités humaines sont également à l'origine de l'épuisement des ressources naturelles. La biocapacité mondiale est largement dépassée : l'empreinte écologique montre en effet qu'il faut 2,5 hectares pour satisfaire la demande d'un individu. La production d'une ressource non renouvelable comme le pétrole a atteint un pic à la fin des années 2000. Cela entraîne le cours du pétrole à la hausse, mais peut également être à la source de tensions politiques, et oblige à trouver d'autres sources d'énergie.

■ Les ressources naturelles ou renouvelables, mais à très long terme, sont aussi en danger, ce qui illustre un conflit entre intérêts individuels et biens communs. C'est le cas des surfaces forestières permettant de stocker le carbone, qui continuent de diminuer pour satisfaire la demande de bois ou d'huile de palme. La notion de tragédie des biens communs peut être utilisée pour caractériser cette situation.

III. Qu'est-ce que le développement durable ?

A. L'histoire d'un concept

■ Les premières prises de conscience des effets néfastes de la croissance sur notre environnement date de la fin des années 1960-début des années 1970. La notion de développement durable (ou soutenable) est apparue pour la première fois en 1987. Le développement durable vise à « répondre aux besoins des générations présentes sans compromettre la possibilité pour les générations futures de satisfaire les leurs ». Pour les défenseurs de cette notion, il est tout à fait possible de concilier la croissance avec la protection de l'environnement.

■ Cependant, la préservation de l'environnement, de la diversité des espèces et des ressources naturelles n'est qu'un des trois piliers du développement durable. Le volet social, c'est-à-dire la satisfaction des besoins de santé, d'éducation ou la lutte contre le processus d'exclusion sociale, est tout aussi important. Le domaine économique, à l'origine des créations de richesses permettant d'améliorer les conditions de vie matérielles, constitue la troisième branche du développement durable.

■ Pour atteindre l'objectif d'un développement soutenable, les positions divergent entre les partisans d'une soutenabilité faible et ceux d'une soutenabilité forte. Pour les premiers, le progrès technique permet de substituer aux ressources naturelles en déclin du capital physique manufacturé pour maintenir au moins constant le niveau de production. En revanche, pour les défenseurs d'une soutenabilité forte, le capital naturel et le capital artificiel ne sont pas substituables mais complémentaires. De ce fait, les ressources naturelles doivent être préservées. Les partisans de ces deux approches soulignent cependant le rôle tout à fait essentiel des pouvoirs publics.

B. Le développement durable : une question en débat

■ La courbe environnementale de Kuznets tend à confirmer le point de vue des tenants d'une soutenabilité faible. Au-delà d'un certain niveau de développement, un pays dispose alors des moyens et de la volonté de réduire ses émissions polluantes. Cependant, la forme de cette courbe n'est vérifiée que pour certains types de pollution. Il est ainsi prouvé que l'empreinte écologique ne diminue pas avec l'augmentation du revenu.

■ Prendre des décisions favorisant un développement durable s'avère long et difficile. Si les décideurs semblent conscients de la nécessité de changer notre mode de développement, peu sont prêts à prendre des mesures adéquates pour modifier notre mode de vie.

C. Le développement durable : penser global, agir local

■ Pour prendre des décisions en matière de développement durable, il est nécessaire de disposer d'indicateurs. L'Union européenne a retenu 11 indicateurs « phares », économiques, sociaux et environnementaux, correspondant aux objectifs majeurs.

■ Cette stratégie globale trouve un terrain d'application au niveau local. Chaque agent économique a un rôle important à jouer. La grande majorité des collectivités territoriales ont-ils ainsi élaboré un Agenda 21, non seulement dans les domaines environnementaux, mais aussi aux niveaux social et économique. Les entreprises se sont aussi engagées à adopter des comportements plus responsables socialement et au niveau environnemental. En France, les entreprises de plus de 500 salariés ont ainsi obligation de présenter annuellement, depuis 2011, un bilan social et un bilan environnemental pour rendre compte des conséquences de leurs activités. Les consommateurs sont également invités à avoir une attitude plus respectueuse de l'environnement.

NOTIONS AU PROGRAMME

Biens communs
Un bien commun est une ressource qui est non excluable, mais dont la consommation est rivale. Il est impossible d'empêcher un agent de consommer ce bien, mais sa consommation diminue les quantités disponibles pour les autres.

Capital naturel
Ensemble des ressources naturelles utilisées dans le cadre du processus de production, comme l'eau, la terre, les hydrocarbures, etc. Ces ressources naturelles peuvent être renouvelables ou non renouvelables.

Capital physique
Ensemble des biens de production durables utilisés dans le cadre du processus de production, comme les bâtiments, les machines…, auxquels s'ajoutent les stocks de matières premières, de produits finis et semi-finis.

Capital humain
Ensemble des connaissances, compétences et données d'expérience que possèdent les individus et qui les rendent économiquement productifs. Les dépenses d'éducation, de formation sont alors considérées comme des investissements en capital humain.

Capital social
Ensemble des relations sociales et des réseaux de connaissances possédés d'un individu.

Capital institutionnel
Ensemble des institutions politiques, institutionnelles et juridiques ayant pour fonction la protection (de la propriété, des contrats, des ressources…), la surveillance (de la concurrence), la régulation (le respect des équilibres économiques), la couverture (assurance, protection sociale) et l'arbitrage (des conflits sociaux).

Développement durable (ou soutenable)
Développement qui répond aux besoins du présent sans compromettre la capacité des générations futures à répondre à leurs propres besoins.

Soutenabilité
Notion équivalente au développement durable (ou soutenable).

synthèse

Synthèse (suite)

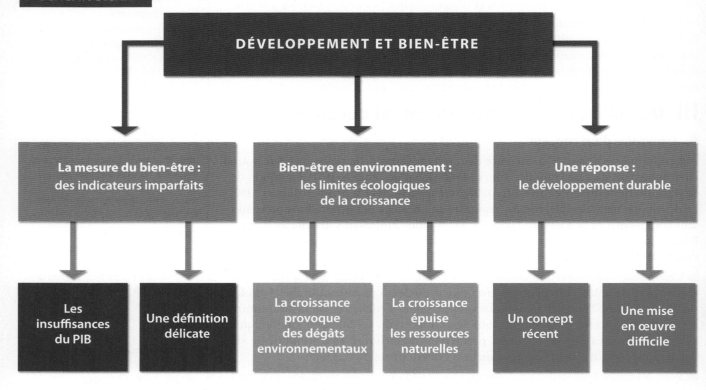

DÉVELOPPEMENT ET BIEN-ÊTRE

La mesure du bien-être : des indicateurs imparfaits	Bien-être en environnement : les limites écologiques de la croissance	Une réponse : le développement durable
Les insuffisances du PIB / Une définition délicate	La croissance provoque des dégâts environnementaux / La croissance épuise les ressources naturelles	Un concept récent / Une mise en œuvre difficile

À la fin du chapitre, assurez-vous que :

➡ Vous êtes capable de citer des indicateurs de mesure du bien-être de la population.	➡ Vous êtes capable de distinguer les différents types de capitaux qui concourent au bien-être de la population.	➡ Vous êtes capable d'expliquer ce qu'est l'empreinte écologique.	➡ Vous êtes capable de recenser les principales limites écologiques de la croissance.	➡ Vous êtes capable d'expliquer ce qu'est le développement durable.

POUR ALLER PLUS LOIN

Livres

- Dominique Bourg et Gilles-Laurent Rayssac, *Le développement durable. Maintenant ou jamais*, Gallimard, coll. « Découvertes Gallimard », 2006.
- Sylvie Brunel, *Le développement durable*, PUF, coll. « Que sais-je ? », 2007.
- OCDE, *Du bien-être des nations. Le rôle du capital humain et social*, 2001.
- Assen Slim, *Le développement durable*, Le Cavalier Bleu, coll. « Idées reçues », 2004.

Rapports et revues

- Commission Brundtland, « Notre avenir à tous », 1987.
- Commission Meadows, « Halte à la croissance ? », 1972.
- Commission Stiglitz, rapport de la Commission sur la mesure des performances économiques et du progrès social, 2009.
- WWF, « Rapport Planète vivante 2010 ».
- FAO, « La situation mondiale des pêches et de l'aquaculture 2010 ».
- « L'économie durable », *Alternatives économiques*, hors-série n° 83, décembre 2009.
- « L'économie verte », *Cahiers français*, n° 355, mars-avril 2010.

Sites

- www.developpement-durable.gouv.fr
- www.ademe.fr
- www.fao.org
- www.wwf.fr
- www.manicore.com (site de l'ingénieur conseil Jean-Marc Jancovici)
- archives.universcience.fr (pour calculer votre empreinte écologique)

Documentaires

- *GasLand*, un documentaire de Josh Fox, 2011.
- *Le dessous des cartes – Bhoutan : Bonheur national brut*, une émission de Jean-Christophe Victor, Arte, 2011.

autoévaluation

1 Associer une notion et sa définition

*Capital humain • Capital institutionnel • Capital social
• Capital naturel • Capital physique*

1. Ensemble des ressources naturelles utilisées
dans le cadre du processus de production.

2. Ensemble des relations sociales et des réseaux
de connaissances possédés par un individu.

3. Ensemble des connaissances, compétences et données
d'expérience que possèdent les individus.

4. Ensemble des biens de production durables utilisés
dans le cadre du processus de production.

5. Ensemble des institutions politiques, institutionnelles
et juridiques.

2 Compléter un schéma

*Créer des richesses et améliorer les conditions de vie
matérielle • Durable • Économie • Éducation • Emploi
• Environnement • Équitable • Habitat • Préserver
la diversité des espèces et les ressources naturelles
• Prévention de l'exclusion • Satisfaire les besoins en santé
• Société • Viable • Vivable*

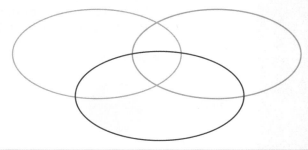

3 Compléter un texte

*Complémentaires • Économistes néoclassiques • Faible • Forte • Imparfaitement • Naturel • Parfaitement • Technique
• Tenants de l'approche du développement durable*

La thèse de la soutenabilité ... est défendue par les ... . Pour eux, les différents types de capital sont ... substituables,
ce qui signifie qu'il est toujours possible de remplacer un capital dégradé (par exemple, le capital ...) par un autre capital
(par exemple, le capital ...). Ainsi, le développement peut se poursuivre indéfiniment. En revanche, les ... soutiennent
la thèse de la soutenabilité ..., estimant que les différents types de capital sont ... substituables : ils sont ... .

4 QCM

1. La notion de développement durable :

    a. ☐ fait référence à la nécessité de promouvoir
un développement préservant le futur.

    b. ☐ fait référence au fait qu'une politique
de développement met du temps à produire
ses effets.

    c. ☐ s'oppose à la notion de croissance qui est
une notion de court terme.

2. La courbe environnementale de Kuznets montre que :

    a. ☐ les inégalités environnementales s'accroissent.

    b. ☐ le développement est d'abord facteur de pollution
puis ensuite de réduction de la pollution.

    c. ☐ le développement durable provoque des inégalités
puis ensuite les réduit.

3. La forêt, les ressources halieutiques, l'environnement...

    a. ☐ sont des biens collectifs.

    b. ☐ sont des biens communs.

    c. ☐ sont des biens partagés.

4. Le PIB n'est pas un indicateur de bien-être parce que :

    a. ☐ on ne peut pas mesurer le bien-être.

    b. ☐ il est calculé en valeur.

    c. ☐ il ne mesure que des flux.

Dissertation

SUJET Analysez les limites écologiques de la croissance.

POUR VOUS AIDER Délimiter le sujet

Le sujet ne porte pas sur les causes de la croissance mais sur ses conséquences. De plus, il convient d'aborder un aspect précis : les conséquences écologiques (épuisement des ressources énergétiques et des réserves halieutiques, déforestation...), et de distinguer au moins deux limites principales pouvant, chacune, faire l'objet d'une partie de votre développement.

Conseil : bien interpréter le terme de limite : il induit une borne, un obstacle, une difficulté, il comporte un aspect négatif.

DOCUMENT 1 La taille relative et la composition de l'empreinte écologique totale (OCDE, Bric, Union africaine et Anase[1]) en 1961 et 2007

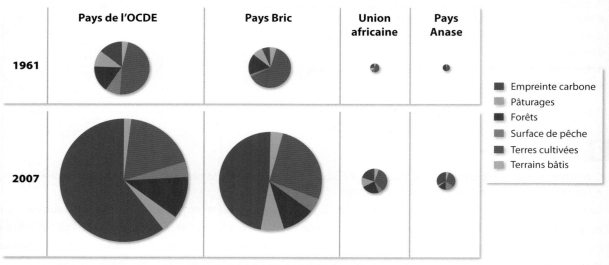

Note : la surface totale de chaque graphique montre l'ampleur relative de l'empreinte pour chaque entité supranationale (Global Footprint Network, 2010).
1. Ou Asean en anglais. Association des nations de l'Asie du Sud-Est.

Source : WWF, « Rapport Planète vivante 2010 ».

DOCUMENT 2 Émissions de CO_2 dues à l'énergie par combustible dans le monde

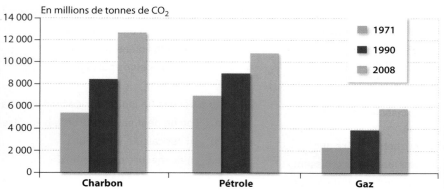

Source : Agence internationale de l'énergie, octobre 2010, « Chiffres clés du climat : France et mode – Édition 2011 », Commissariat général au Développement durable.

DOCUMENT 3 La superficie forestière en Amérique latine et dans les Caraïbes de 1990 à 2010

Sous-région	Superficie (milliers d'ha)			Variation annuelle (milliers d'ha)		Variation annuelle (%)	
	1990	2000	2010	1990-2000	2000-2010	1990-2000	2000-2010
Caraïbes	5 901	6 433	6 932	53	50	0,87	0,75
Amérique centrale	25 717	21 980	19 499	– 374	– 248	– 1,56	– 1,19
Amérique du Sud	946 454	904 322	864 351	– 4 213	– 3 997	– 0,45	– 0,45
Total Amérique latine et Caraïbes	978 072	932 735	890 782	– 4 534	– 4 195	– 0,47	– 0,46
Monde	4 168 399	4 085 063	4 032 905	– 8 334	– 5 216	– 0,20	– 0,3

Source : FAO, « Situation des forêts du monde », 2011.

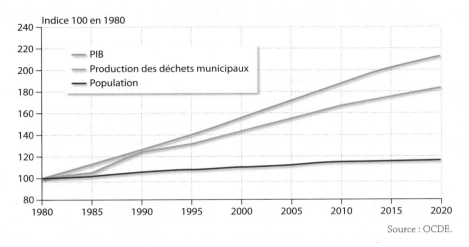

Source : OCDE.

Épreuve composée (entraînement Chapitre 6)

PARTIE 1 Mobilisation des connaissances

QUESTION 1 (3 points) : Qu'est-ce que le développement durable ?

QUESTION 2 (3 points) : Dans quelle mesure la croissance économique est-elle source de réchauffement climatique ?

PARTIE 2 Étude d'un document

QUESTION (4 points) : Vous présenterez ce document puis direz quelles sont les forces et les faiblesses de la France au niveau du développement durable par rapport aux autres membres de l'Union européenne (à 15) ?

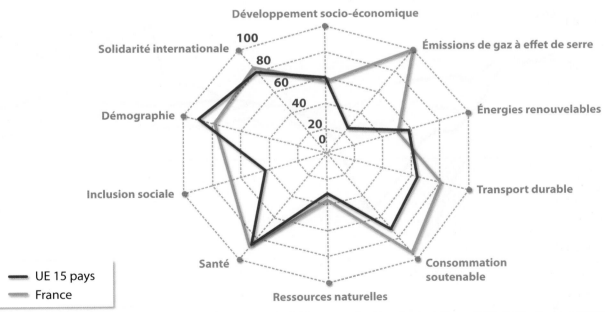

Forces et faiblesses du développement durable en France dans l'UE à 15 en 2005

Source : Odile Bovar et al., « Les indicateurs du développement durable », dossier de l'Insee, 2008. Chiffres Eurostat (2005).

POUR VOUS AIDER Lire un graphique en toile d'araignée

Ce graphique présente 16 indicateurs visant à estimer les effets des mesures prises sur les thèmes suivants : qualité de l'air, ressources en eau, ressources naturelles, énergies renouvelables, biodiversité, santé et environnement. Pour rendre les 16 indicateurs comparables, chacun a été converti en une valeur relative à la cible, avec une échelle comprise entre 0 et 100. Les scores obtenus sont ensuite agrégés avec un système de pondérations, le résultat final étant une note sur 100. Vous pouvez ainsi comparer la situation de la France avec celle de l'UE en choisissant un thème précis (social ou environnemental, par exemple).

Conseil : soyez attentifs à la construction du graphique présenté. Lorsque le graphique est inhabituel, une note de lecture précise son interprétation. Ne la négligez pas.

PARTIE 3 Raisonnement s'appuyant sur un dossier documentaire

Montrez que le produit intérieur brut (PIB) n'est pas nécessairement un bon indicateur de mesure du bien-être.

DOCUMENT 1

Ces éléments de définition permettent de cerner d'emblée les limites du PIB comme indicateur synthétique de bien-être et a fortiori comme indicateur de développement durable. Premièrement, le PIB comptabilisera tout ce qui a une valeur monétaire et rien que cela, sans préjuger de la contribution positive ou négative de cette activité au bien-être. C'est ainsi que les dommages causés aux biens environnementaux par l'activité productive – eaux de rivière polluées, rejets atmosphériques, forêts détruites, etc. – ne sont pas pris en compte, lorsque aucun agent économique n'en supporte les coûts. En revanche, les dépenses engagées pour la réparation de certains de ces dommages (dépollution, reforestation...) seront, elles, comptabilisées positivement. Deuxièmement, le PIB, en recensant les biens et services produits et consommés, ne peut constituer qu'une approximation du bien-être retiré de cette consommation (par exemple : même si les deux sont liés, il faut faire une différence entre la consommation de soins de santé et l'amélioration de l'état de santé lui-même). Enfin, le bien-être apporté par des activités non monétarisées (typiquement le temps libre) ou le travail effectué hors de la sphère marchande (le travail domestique) ne sont par définition pas pris en compte.

Pour conclure, mettre en question la pertinence du PIB au motif qu'il ne mesure pas le bien-être s'apparente à un faux débat, dans la mesure où il n'a pas été conçu pour cela mais pour décrire le fonctionnement d'une économie à l'aide d'un modèle comptable cohérent. Cependant, le PIB par habitant reste assez fortement corrélé (en niveau surtout, moins en évolution) avec certaines dimensions identifiées du bien-être (état de santé ou niveau d'études moyen notamment). À ce titre, il peut conserver une certaine légitimité en tant qu'indicateur synthétique de bien-être.

Odile Bovar et al., « Les indicateurs du développement durable », dossier de l'Insee, 2008.

DOCUMENT 2 **L'évolution de l'épargne nette ajustée dans quelques pays**

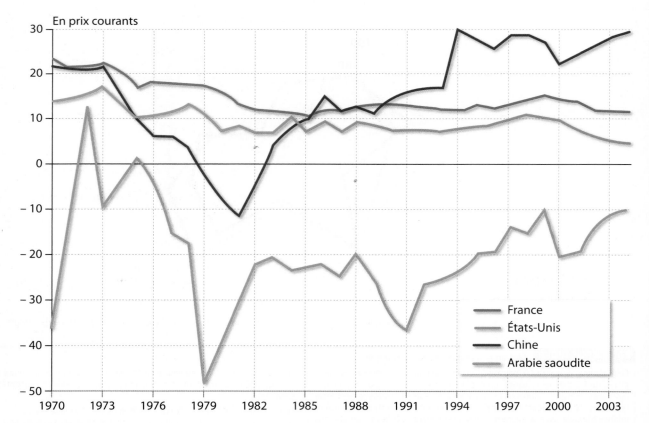

Source : Odile Bovar et al., « Les indicateurs du développement durable », dossier de l'Insee, 2008. Chiffres Banque mondiale.

S'exercer à répondre sans paraphraser

1. Pourquoi ne faut-il pas paraphraser ?

• La paraphrase ne permet pas au correcteur de savoir si vous avez compris le document.
• Le document est une matière première brute, il faut le travailler pour lui donner de la valeur.

2. Comment ne pas paraphraser ?

• Utiliser les éléments des documents pour illustrer, construire une argumentation.
• Utiliser des documents pour construire une information nouvelle.

Quelques conseils

Comment éviter la paraphrase d'un texte
• Commencer par bien identifier la source : le nom de l'auteur, le titre de l'ouvrage, l'année, autant d'indications qui doivent créer des attentes avant la lecture du texte.
• Repérer les mots-clés en lien avec le sujet ou la question : les définir, trouver des synonymes et/ou procéder par association d'idées.

Comment éviter la paraphrase d'un tableau statistique
• Travailler la lecture de chiffres qui montrent que l'on a bien compris les informations.
• Montrer ses capacités à transformer les chiffres à l'aide de calculs appropriés.
• Le jour du bac, il n'y aura pas de calculatrice : s'entraîner à effectuer des calculs simples.

Comment éviter la paraphrase d'un schéma
• Un schéma est forcément une simplification : compléter les relations décrites, préciser les étapes manquantes ou les conditions qui rendent possible ces relations.

3. Conseils généraux

À éviter

→ Ne pas exploiter les documents du dossier.

Important

→ Citer un document : ne pas oublier alors les guillemets, et indiquer les références entre parenthèses (*cf.* doc n°...).

Pour progresser encore

→ S'entraîner ! Par exemple, en résumant des documents (textes, mais aussi documents statistiques).

ACTIVITÉS À vous de jouer !

1. Sujet sur le rôle du capital social dans la mesure du bien-être

Reportez-vous au document 5, « Le rôle du capital social », p. 155.

1. Repérez les indications permettant d'identifier la nature et l'origine du texte. Qu'apportent ces indications à la compréhension du texte ?

2. Quels sont les mots-clés du texte ? Donnez-en le sens, et trouvez des mots ou expressions synonymes.

3. Répondez à la question suivante sans paraphraser le texte : pourquoi le capital social est-il source de bien-être ?

2. Taux de chômage des 15-29 ans selon le diplôme

Aucun diplôme	CAP, BEP	Bacca-lauréat	> Bac + 2	Ensemble
35 %	20,1 %	14,5 %	8,7 %	17,4 %

Source : Insee, « Enquête emploi 2009 ».

1. Faites une phrase avec la donnée en jaune. Notez le calcul ayant abouti à cette valeur.

2. Exprimez la donnée en rose en la modifiant à l'aide d'un calcul simple.

3. Comparez le taux de chômage des jeunes non diplômés et celui des jeunes détenteurs d'un diplôme supérieur à bac + 2, en utilisant un calcul simple.

4. Rédigez une phrase exprimant l'idée principale de ce tableau.

3. Du chômage à l'exclusion

Chômage ➡ Pauvreté ➡ Exclusion

On cherche à répondre à la question suivante : par quels mécanismes le chômage est-il un facteur d'exclusion ?
La réponse suivante paraphrase le document :
Le chômage entraîne la pauvreté parce que les revenus du chômeur diminuent. À son tour, la pauvreté favorise l'exclusion.

1. Quels éléments de cette réponse montrent qu'il s'agit d'une paraphrase ?

2. Explicitez chacune des flèches en apportant des connaissances personnelles.

3. Répondez à la question sans paraphraser le schéma.

Quels instruments économiques pour la politique climatique ?

L'extraordinaire croissance économique et le développement spectaculaire depuis le XIXe siècle sont dus en grande partie à l'utilisation d'énergies fossiles, comme le charbon et le pétrole. Or ces combustibles à base de carbone entraînent d'importantes émissions de gaz à effet de serre (GES) qui sont à l'origine du changement climatique de notre planète. Ce réchauffement climatique génère un certain nombre d'effets externes négatifs. D'où la tenue de conférences annuelles sous l'égide des Nations unies, chargées de réfléchir aux problèmes engendrés et de proposer un certain nombre de mesures visant à limiter l'impact du réchauffement climatique.

→ **Pourquoi une politique climatique s'avère-t-elle nécessaire ?**

Face à ces transformations du climat, différentes mesures d'ordre réglementaire – comme les normes d'émission ou de produit –, économique – comme les taxes environnementales ou les marchés de quotas d'émission de GES – ou des incitations – en particulier d'ordre fiscal – ont été adoptées par les pouvoirs publics pour limiter les impacts et modifier le comportement des agents économiques à l'origine des pollutions. Les innovations dans le domaine technologique permettent également de limiter l'impact des activités humaines sur l'environnement.

→ **Dans quelle mesure les décisions des autorités politiques peuvent-elles se révéler efficaces pour limiter le réchauffement climatique ?**

SOMMAIRE

■ **Réviser les acquis de 1re**		148
I **Pourquoi mener une politique climatique ?**		178
A Le climat est un bien public mondial		178
B Le réchauffement climatique génère des externalités négatives		180
C Le réchauffement a des conséquences économiques et sociales importantes		182
II **Quels sont les instruments des politiques climatiques ?**		184
A L'intervention des pouvoirs publics		184
B Les marchés des quotas d'émission		188
C Le rôle des innovations		190
TD **1.** « Un marché pour dépolluer ? Dans les coulisses d'une décision publique »		192
TD **2.** L'énergie nucléaire en débat		193
■ **Synthèse**		194
■ **Schéma Bilan**		196
■ **Autoévaluation**		197
■ **Vers le Bac**		198
■ **Aide au travail personnel**		201

Notions au programme

- Réglementation
- Taxation
- Marché de quotas d'émission

Acquis de 1re

- Externalités
- Institutions marchandes
- Droits de propriété
- Offre et demande
- Allocation de ressources
- Défaillances du marché

1 « Une paix plus solide, une prospérité mieux partagée, un environnement épargné, rien de ceci n'est hors de portée, si l'on en a la volonté politique. Mais ni les marchés ni les gouvernements ne peuvent, livrés à eux-mêmes, réaliser ces biens publics mondiaux. C'est pourquoi nos efforts doivent se tourner vers le terme manquant de l'équation : les biens publics à l'échelle mondiale. »

Kofi Annan, secrétaire général de l'ONU de 1997 à 2006, New York, 1er mars 1999.

2

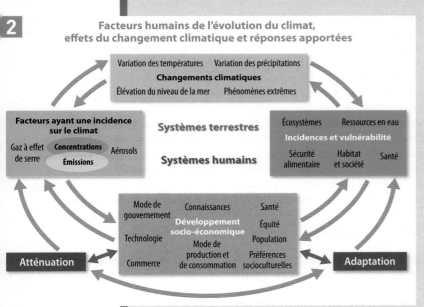

Facteurs humains de l'évolution du climat, effets du changement climatique et réponses apportées

Source : Giec, « Changements climatiques 2007, rapport de synthèse », 2008.

1. Qu'est-ce qu'un bien public mondial ? (Doc. 1)

2. Quelles sont les conséquences du changement climatique ? (Doc. 2)

3. Comment limiter le réchauffement climatique ? (Doc. 3)

3

Un parc éolien off-shore dans le détroit du Sund (Danemark), au sud de la mer Baltique.

L'étiquette énergie obligatoire pour les achats de téléviseurs.

I. Pourquoi mener une politique climatique ?

A Le climat est un bien public mondial

1. Le climat : un bien public mondial

La notion de climat comme « bien public mondial », si elle aide à clarifier des questions importantes, nécessite d'être explicitée. Un bien public local comme un phare, par exemple, se caractérise par le fait que tous les navires peuvent en faire un égal usage. Lorsqu'un navire s'en sert pour se diriger, il n'empêche pas les autres de faire de même. La défense nationale est un autre exemple : tous les habitants d'un pays en bénéficient de la même manière, quand bien même ils ne le souhaiteraient pas. Lorsqu'un bien public est disponible non seulement au niveau local ou national, mais également dans le monde entier, on parle de « bien public mondial » (BPM). Le climat constitue un bien public mondial, puisque aucun pays ne peut échapper à ses effets. Si un pays jouit d'un climat stable, il n'empêche pas les autres pays d'en bénéficier. Les émissions de gaz à effet de serre responsables du réchauffement climatique produisent le même effet, quel que soit le pays d'où elles proviennent. [...]

L'évolution du climat est étroitement liée à d'autres biens publics mondiaux, comme la biodiversité et l'air pur. L'augmentation de la température affecte non seulement les écosystèmes marins et terrestres, mais également les ressources. Les bienfaits résultant de la biodiversité se manifestent généralement sous la forme de services écosystémiques. Les écosystèmes sains produisent une large variété de biens, notamment des denrées alimentaires, du carburant, des matériaux de construction et des remèdes thérapeutiques, mais aussi des services, tels que la fertilisation des sols, la fixation du carbone, la purification de l'air et des eaux, la fourniture de matériaux génétiques et la maîtrise de l'érosion et des inondations. Ces bienfaits de la biodiversité constituent des biens publics locaux, nationaux ou mondiaux, qui, à ce titre, doivent être réglementés au niveau approprié.

« Biens publics mondiaux et changement climatique », ec.europa.eu, 2007.

1. CONSTATER. En quoi le climat est-il un bien public mondial ?

2. CONSTATER. Le climat est-il le seul bien public mondial ?

3. EXPLIQUER. Pourquoi faut-il prendre soin de ce bien public mondial ?

2. Les spécificités d'un bien public

Les biens publics ne peuvent être fournis par le marché. Ils requièrent une action collective et un dispositif de financement des coûts. Une des questions importantes posées par les biens publics est que ceux qui ne participent pas à leur financement peuvent tout de même en bénéficier – c'est ce que d'aucuns appellent les « passagers clandestins ». Pour le financement des biens publics nationaux, il existe des systèmes fiscaux élaborés, qui, en général, tendent à l'équité et tiennent compte des capacités financières de chacun. L'un des enjeux des biens publics mondiaux est de parvenir à mettre en place un dispositif équitable au niveau mondial. Cet enjeu est l'objet des négociations de la convention-cadre des Nations unies sur les changements climatiques et du protocole de Kyoto. Les pays participent au financement de la préservation du climat en tant que bien public mondial par des mesures d'atténuation des incidences du changement climatique (réduction des émissions) et des mesures d'adaptation. Les pays développés se sont engagés à respecter des objectifs de réduction des émissions et à aider les pays en développement à supporter le coût des mesures d'adaptation.

Le rapport Stern[1] a clairement démontré qu'une transition vers un monde émettant peu de gaz à effet de serre est compatible avec la poursuite du progrès économique et social. En revanche, un retard dans le passage à l'action, même de quelques décennies, pourrait avoir un coût quasiment insurmontable.

1. Le rapport Stern, « L'économie du changement climatique », a été rédigé, à la demande du gouvernement du Royaume-Uni, par l'économiste et vice-président de la Banque mondiale Nicholas Stern, et publié en 2006. Ce rapport chiffre l'impact économique du réchauffement climatique.

« Biens publics mondiaux et changement climatique », ec.europa.eu, 2007.

1. EXPLIQUER. Expliquez la phrase soulignée.

2. DÉFINIR. Qu'est-ce qu'un « passager clandestin » ?

3. CONSTATER. Quelle est la différence entre un bien public national et un bien public mondial ?

4. EXPLIQUER. Quels sont les obstacles à la prise en charge des biens publics mondiaux ?

> **POUR APPROFONDIR**
>
> **Les biens publics**
> Ce sont des biens à la fois non exclusifs (il est impossible d'exclure quiconque de la consommation de ces biens) et non rivaux (la consommation de ces biens par un usager n'entraîne aucune réduction de la consommation des autres usagers). Le marché ne peut les produire, il faut par conséquent une intervention publique pour le faire.

3. Une prise de conscience progressive

Sommets politiques et **rapports scientifiques**

1985. Protocole de Montréal de 1985, qui vise à protéger la couche d'ozone en réduisant fortement les émissions de certains gaz (CFC...).

1988. Conférence de Toronto, qui recommande de réduire les émissions de CO_2 de 20 % par rapport à leur niveau de 1988 d'ici l'an 2005.

1988. Création du Giec.

1990. 1er rapport du Giec.

1992. Sommet de la Terre à Rio, qui aboutit à deux conclusions : la nécessité de stabiliser la concentration des GES (gaz à effet de serre) dans l'atmosphère et le principe d'une responsabilité différenciée entre pays industrialisés et pays en développement.

1995. 2e rapport du Giec : « Une influence perceptible de l'homme sur le climat ».

1997. Conférence de Kyoto sur le changement climatique.

2001. 3e rapport du Giec : « Certains aspects de l'évolution climatique sont imputables aux activités humaines ».

2002. Sommet de la Terre à Johannesburg : « Notre maison brûle et nous regardons ailleurs » (Discours de Jacques Chirac).

2005. Entrée en application du protocole de Kyoto.

2007. 4e rapport du Giec : « Les conséquences du changement climatique seront irréversibles ».

2009. 15e conférence de l'ONU sur les changements climatiques à Copenhague.

2011. 17e conférence de l'ONU sur le climat à Durban.

2013-2014. 5e rapport du Giec consacré aux « impacts du changement climatique et au coût de la lutte contre le réchauffement planétaire ».

1. CONSTATER. Quelle institution internationale est à l'initiative de ces conférences ?

2. CONSTATER. Sur quels critères ces conférences se basent-elles ?

3. ILLUSTRER. Illustrez la difficulté d'une gouvernance mondiale en ce qui concerne le climat.

DÉFINITION La gouvernance

La gouvernance correspond au mode de contrôle, d'organisation, de coordination et de régulation s'exerçant au sein d'entités économiques ou géopolitiques. En matière environnementale, la gouvernance se fait essentiellement dans le cadre de l'ONU qui organise chaque année des conférences dites conférences des parties (COP) dans le cadre de la Convention cadre des Nations unies sur les changements climatiques (CCNUCC). La première de ces conférences a eu lieu à Berlin en 1995 et la 17e, à Durban en 2011.

REPÈRE Al Gore et le Giec récompensés

Al Gore (ancien vice-Président des États-Unis) et l'Indien Rajendra Pachauri, président du Giec (Groupe intergouvernemental d'experts sur l'évolution du climat) ont reçu le prix Nobel de la paix 2007 pour leurs efforts de collecte et de diffusion des connaissances sur les changements climatiques provoqués par l'Homme, et pour avoir posé les fondements pour les mesures nécessaires à la lutte contre ces changements.

---

4. Le protocole de Kyoto : illustration d'une gouvernance mondiale

Le protocole de Kyoto est l'outil issu de la Convention sur le changement climatique de Rio de Janeiro (1992). Adopté en 1997 et entré en vigueur le 16 février 2005 après que 55 pays représentant 55 % des émissions de gaz à effet de serre l'ont ratifié, ce texte impose une réduction de 5,2 % des gaz en 2012 par rapport à 1990, pour l'ensemble des pays développés. Les négociateurs ont en effet estimé que les États riches devaient montrer l'exemple, dans la mesure où ils sont responsables de la situation actuelle. Le protocole identifie au moins trois méthodes de réduction des émissions.

La première consiste à organiser un marché d'échange d'autorisation d'émission : les entreprises vertueuses qui émettent moins de gaz que ce que leur autorisent les pouvoirs publics peuvent vendre les tonnes épargnées aux concurrents ayant dépassé leur quota. La deuxième méthode promeut les technologies les moins polluantes et appelle à l'utilisation d'énergie renouvelable. Enfin, la reforestation est considérée comme un « puits de carbone » efficace, les arbres piégeant le CO_2 par photosynthèse pour une longue période. [...]

Responsables de 25 % des émissions, les États-Unis refusent de ratifier le protocole de Kyoto, le gouvernement républicain de George W. Bush considérant qu'il est néfaste pour leur économie. Les États-Unis craignent notamment la concurrence des pays émergents – Chine ou Inde – qui ne sont pas soumis au protocole (ces pays en effet ont déjà à prendre en charge la responsabilité de millions d'individus vivant dans une extrême pauvreté). La Chine, l'Inde et une grande partie du Sud-Est asiatique connaissent cependant une croissance très rapide. La Chine émet déjà plus de CO_2 que l'Union européenne ; elle devrait, dans moins de 10 ans, atteindre le niveau des États-Unis aujourd'hui, et l'ensemble des pays émergents devancera les pays développés peu après 2020.

Loïc Chauveau, *Le développement durable*, Larousse, coll. « Petite encyclopédie », 2009.

1. CONSTATER. Quels sont les objectifs recherchés lors de la conférence de Kyoto ? À quelles conditions ce traité est-il applicable ?

2. EXPLIQUER. Expliquez la phrase soulignée.

3. EXPLIQUER. Pour quelles raisons les États-Unis ont-ils refusé de ratifier le protocole ?

4. CONSTATER. Pourquoi ce protocole s'avère-t-il insuffisant pour limiter les émissions de gaz à effet de serre ?

---

5. L'application du protocole de Kyoto au sein de l'Union européenne

Situation de quelques pays de l'Union européenne par rapport à l'objectif de Kyoto				
Pays	Objectif Kyoto pour 2008-2012 (en %)[1]	Émissions 2008 hors UTCF[2]		Distance à l'objectif Kyoto (en points)
		En Mt CO_2éq[3]	Évolution (en %)[1]	
Allemagne	– 21	958	– 22,2	1,2
Espagne	15	406	42,3	– 27,3
France	0	527	– 6,4	6,4
Irlande	13	67	23	– 10
Luxembourg	– 28	12	– 4,8	– 23,2
Portugal	27	78	32,2	– 5,2
Royaume-Uni	– 12	632	– 18,5	6
Suède	4	64	– 11,7	15,7

1. Par rapport à l'année de référence, généralement 1990.
2. Utilisation des terres, leur changement et la forêt. 3. Millions de tonnes équivalent CO_2.

1. CONSTATER. Quelle est la signification des données de l'Allemagne ?

2. CALCULER. Calculez le niveau des émissions de CO_2 de l'Allemagne, de la France et du Portugal en 1990.

3. EXPLIQUER. D'après vous, pour quelles raisons l'Allemagne est-elle le pays qui émet la plus forte quantité de CO_2 dans l'Union européenne ?

4. EXPLIQUER. D'après vous, quelle spécificité de la production d'électricité française permet d'expliquer l'objectif Kyoto de la France ?

« Chiffres-clés du climat : France et monde – Édition 2011 », Commissariat général au Développement durable, 2011.

ENTRAÎNEMENT

QUESTION DE COURS. Quelles sont les caractéristiques d'un bien public mondial ?

SYNTHÈSE. À partir des documents 4 et 5, présentez la position des pays développés vis-à-vis du protocole de Kyoto.

documents

B Le réchauffement climatique génère des externalités négatives

1. Qu'est-ce qu'une externalité ?

Les décisions des particuliers, des ménages et des entreprises en matière de consommation, de production et d'investissement ont souvent des répercussions pour des personnes qui ne participent pas directement à la transaction. Parfois, ces effets indirects sont négligeables, mais ils peuvent aussi être sensibles au point de devenir problématiques : ils constituent alors ce que les économistes appellent des externalités.

Les externalités font partie des principales raisons qui poussent les pouvoirs publics à intervenir dans la sphère économique. La plupart des externalités sont dites techniques. C'est le terme employé lorsque les effets indirects influent sur les possibilités de consommation et de production d'autres personnes, mais que le prix du bien consommé ou produit n'en tient pas compte. De ce fait, il y a un écart entre les rendements ou les coûts privés et les rendements ou les coûts pour la société.

Dans le cas de la pollution, exemple classique d'externalité négative, le pollueur ne s'intéresse qu'au coût direct de la production et au profit qu'il peut en tirer, sans se soucier des coûts indirects pour les personnes qui subissent la pollution. Le coût social, c'est-à-dire le coût total de la production, est donc plus élevé que le coût privé. Ces coûts indirects, qui ne sont pas supportés par le producteur ou l'utilisateur, peuvent prendre plusieurs formes : dégradation de la qualité de vie, par exemple pour une personne résidant près d'une cheminée d'usine, hausse des frais médicaux et obligation de renoncer à une activité productive, par exemple lorsque la pollution décourage le tourisme. Bref, quand les externalités sont négatives, le coût privé est inférieur au coût social.

Thomas Helbling, « Qu'entend-on par externalités ? »,
Finances et développement, décembre 2010.

1. DÉFINIR. Qu'est-ce qu'une externalité ?
2. DÉFINIR. Qu'est-ce qu'un coût privé ? un coût social ?
3. EXPLIQUER. Quel coût intéresse les émetteurs d'externalités ?
4. CONSTATER. Que se passe-t-il en cas d'effets externes négatifs ?

2. Externalités et réchauffement climatique

Aujourd'hui, le problème d'externalité le plus urgent et le plus complexe est celui des émissions de gaz à effet de serre (GES). L'accumulation dans l'atmosphère de ces gaz issus des activités humaines est considérée comme une des principales causes du réchauffement climatique. Selon les experts, si rien n'est fait pour limiter ces émissions, le problème va s'aggraver et entraîner un changement climatique qui aura un coût, notamment sous forme de dommages à l'activité économique, en raison de la destruction de capital (par exemple, dans les zones côtières) et de la baisse de la productivité agricole. En l'occurrence, les externalités tiennent au fait que les coûts et les risques découlant du changement climatique sont supportés par l'ensemble de la planète, alors qu'il existe peu de mécanismes pour obliger ceux qui bénéficient des activités génératrices de GES à internaliser ces coûts et ces risques.

En réalité, l'atmosphère est un bien public mondial, dont chacun bénéficie, ce qui rend impossible les transactions privées. Compte tenu du coût que cela représenterait pour certains individus et certaines sociétés, ainsi que de la difficulté de faire respecter les décisions au niveau mondial, il est très difficile de s'entendre à l'échelle planétaire sur les moyens d'internaliser les coûts sociaux des émissions de GES.

Thomas Helbling,
« Qu'entend-on par externalités ? »,
Finances et développement, décembre 2010.

1. CONSTATER. À quel type d'externalité est-il fait référence dans ce document ?
2. CONSTATER. Pourquoi cette externalité doit-elle être prise en compte ?
3. EXPLIQUER. Expliquez la phrase soulignée.
4. EXPLIQUER. Quelle solution est préconisée pour que ces externalités soient prises en compte ?

3. La nécessité d'internaliser les effets externes

a. Les défis du transport de marchandises dans le corridor Paris-Amsterdam

L'augmentation des impacts environnementaux du système de transport, l'accroissement de la congestion routière provoquant nuisances et pertes de temps, la dépendance des modes de transport à l'égard des énergies fossiles, les preuves scientifiques du réchauffement de la planète mettent en cause le modèle de transport actuel. [...]

Le principe du « pollueur-payeur » (également appelé internalisation des coûts externes) est considéré comme une base pertinente de tarification des transports. Ce principe, selon lequel l'usager des transports paye le coût qu'il impose à la société, est enraciné dans la législation européenne puisque le Traité de l'Union européenne le mentionne.

Il contribue à améliorer l'efficacité du système de transports en incitant, par le biais du signal du prix, les usagers à choisir le mode qui réduit le coût pour la société.

« Internalisation des coûts externes
dans la tarification des modes de transport »,
vnf.fr, 2011.

b. Cinq scénarios d'internalisation des coûts externes

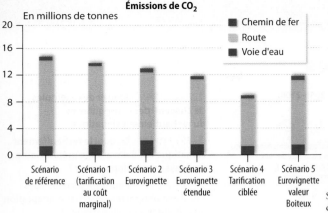

Émissions de CO$_2$

En millions de tonnes

Légende :
- Chemin de fer
- Route
- Voie d'eau

Scénario de référence · Scénario 1 (tarification au coût marginal) · Scénario 2 Eurovignette · Scénario 3 Eurovignette étendue · Scénario 4 Tarification ciblée · Scénario 5 Eurovignette valeur Boiteux

Source : « Internalisation des coûts externes dans la tarification des modes de transport », vnf.fr, 2011.

1. CONSTATER. Quelles externalités négatives sont générées par le transport des marchandises ?

2. DÉFINIR. En quoi l'internalisation des externalités consiste-t-elle ?

3. CONSTATER. Quels impacts sont attendus d'une internalisation des externalités ?

4. EXPLIQUER. En quoi le mode de transport a-t-il une influence sur les émissions de CO$_2$?

4. Coûts externes et surproduction

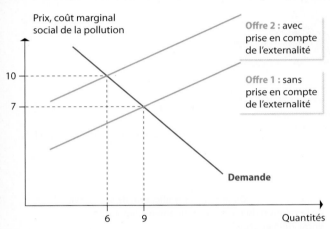

Prix, coût marginal social de la pollution

Offre 2 : avec prise en compte de l'externalité

Offre 1 : sans prise en compte de l'externalité

Demande

Quantités

1. EXPLIQUER. Quelle est la différence entre les deux courbes d'offre tracées sur ce graphique ?

2. CONSTATER. À quel niveau se situe l'équilibre du marché, si l'entreprise ne prend pas en compte des externalités ? Si elle les prend en compte ?

3. EXPLIQUER. Quelle va être la conséquence de la prise en compte des coûts externes sur les quantités produites ? Sur le coût de production, et donc le prix de vente ?

5. Une estimation des coûts externes

Bilan de couverture des coûts de la circulation routière en France en 2005 (rareté de l'infrastructure valorisée au coût de congestion), en Mds d'euros en 2005													
	Coûts externes						Recettes						
	CmU[1]	Rareté[2]	Pollution	GES[3]	Bruit	Insécu-rité	Total	Péages	TIPP[4]	Assu-rance	Essieu	Vignette	Total	Bilan
Poids lourds	1,6	6	5	1,1	0,5	2,7	16,9	2	5,3	0,2	0,2	0	7,7	– 9,2
Véhicules particuliers diesel	1,3	13,9	5,7	1,2	0,5	6,1	28,7	2	6,7	0,4	0	0,1	9,2	– 19,5
Total véhicules en circulation	4,6	35,8	16,1	3,9	1,6	15,3	77,3	6,2	23,7	1	0,2	0,2	31,3	– 46

1. Le CmU correspond au coût marginal d'usage, c'est-à-dire le coût supplémentaire engendré par la circulation d'un véhicule supplémentaire.
2. La rareté ou coût de congestion correspond au coût du temps perdu par les usagers dans les transports.
3. Les GES correspondent aux émissions de gaz à effet de serre. 4. La TIPP est la taxe intérieure sur les produits pétroliers.

Source : Gérard Voisin, député, rapport d'information sur la proposition de directive relative à la taxation des poids lourds, Assemblée nationale, 2010.

REPÈRE La vignette automobile

Impôt annuel sur les véhicules en circulation, calculé en fonction de la puissance fiscale de ceux-ci, qui se traduisait par l'obligation d'acheter et d'apposer une figurine fiscale spéciale, ou « vignette », sur le pare-brise de chaque véhicule assujetti. Elle a été mise en place en 1956 et a disparu en 2001 pour les véhicules particuliers.

1. ILLUSTRER. Donnez des exemples de coûts internes (privés) générés par le transport ?

2. ILLUSTRER. Quelles sont les principales externalités générées par le transport ?

3. CONSTATER. De quelle manière les données de la dernière colonne ont-elles été calculées ?

4. EXPLIQUER. Comment les pouvoirs publics pourraient-ils inciter les usagers de la route à prendre davantage en compte leurs externalités ?

ENTRAÎNEMENT

QUESTION DE COURS. Qu'est-ce qu'une externalité ?

SYNTHÈSE. À partir des documents 3 et 4, montrez les effets de l'internalisation des externalités sur les émissions polluantes.

documents

documents

C Le réchauffement a des conséquences économiques et sociales importantes

1. Des conséquences universelles

Les possibles effets d'un réchauffement climatique (projection 2050-2100)

Régions polaires
• Diminution de la calotte glaciaire arctique
• Impacts sur les zones de pêche

Asie
• Migrations de millions de personnes dues à la montée des eaux
• Écosystèmes en danger : mangroves, coraux

Europe
• Plus de pluie au nord, sécheresse au sud
• Fonte des glaciers
• Impact sur le tourisme des sports d'hiver

Amérique du Nord
• Baisse du niveau des grands lacs
• Agriculture des grandes plaines affectée
• Écosystèmes en danger : marais, toundras d'altitude

Amérique Latine
• Innondations, cyclones tropicaux
• Écosystèmes en danger : mangroves

Afrique
• Désertification
• Famines
• Risques d'inondations et d'érosion des zones côtières
• Maintien du sous-développement

Australie, Nouvelle-Zélande
• Sécheresse
• Écosystèmes en danger : mangroves, massifs montagneux australiens

0   3 000 km

Capacité d'adaptation aux changements climatiques
■ Forte   ■ Faible

🔹 Réduction des diponibilités en eau
🔹 Développement des maladies infectieuses
🔹 Multiplication des événements climatiques extrêmes
🔹 Diminution des ressources agricoles
🔹 Atteinte à la biodiversité
🔹 Fontes des glaciers

Source : Giec, La Documentation française, 2011.

1. ILLUSTRER. Donnez des exemples de chacune des conséquences du réchauffement climatique.

2. EXPLIQUER. En quoi le réchauffement climatique est-il davantage préjudiciable aux pays en développement ?

3. EXPLIQUER. Pourquoi certains pays ont-ils de plus fortes capacités d'adaptation aux changements climatiques ?

2. Les effets sur la croissance

Projection du PIB mondial

PIB tendanciel = 100 en 2005

— PIB tendanciel sans changement climatique
— PIB avec coût de l'action
— PIB avec coût des dommages (équivalent de croissance équilibrée)
— PIB avec coût réel des dommages

Source : Hallegatte et Hourcade pour Veolia environnement, *Trésor-Éco*, n° 30 , février 2008.

1. CONSTATER. Quelle est la signification de la donnée de l'évolution du PIB sans changement climatique entre 2005 et 2100 ?

2. CONSTATER. Quel est l'effet du changement climatique sur la croissance économique ?

3. EXPLIQUER. Quel serait l'effet des politiques de lutte contre le changement climatique sur la croissance ?

3. Les coûts de politiques climatiques (différents scénarios)

Scénario	Coûts	Coût moyen cumulé actualisé en 2000 (milliards de dollars)	Coût annuel en 2060 (milliards de dollars)
Scénario A2 (sans atténuation)	Coût des impacts des changements climatiques (sans adaptation)	1 240 000	2 400
	Coûts des impacts des changements climatiques (avec adaptation)	890 000	1 500
	Coût de la mise en place des mesures d'adaptation	6 000	nd
Scénario 450 ppm (avec atténuation)	Coût des impacts des changements climatiques (sans adaptation)	410 000	1 900
	Coûts des impacts des changements climatiques (avec adaptation)	275 000	1 200
	Coût de la mise en place des mesures d'adaptation	6 000	nd
	Coût de la mise en place des mesures d'atténuation	110 000	nd

Note : les impacts dont il est fait mention ici sont de trois types : 1. les impacts économiques, qui sont les impacts sur la production et les revenus (PIB) ; 2. les impacts non-économiques – sociaux et environnementaux (santé, biodiversité…) ; 3. les impacts de discontinuité, liés à l'augmentation des risques de catastrophes naturelles et autres événements climatiques extrêmes.
nd : données non disponibles.

Source : *Étude Climat*, n° 21, avril 2010. Chiffres CDC Climat Recherche d'après Parry et al. (2009).

1. DÉFINIR. Qu'est-ce qu'un coût d'adaptation ? Un coût d'atténuation ?

2. EXPLIQUER. Montrez l'intérêt des mesures d'adaptation et d'atténuation aux changements climatiques.

POUR APPROFONDIR Politiques d'atténuation et politiques d'adaptation

Il existe deux types de politique visant à lutter contre les conséquences du réchauffement climatique.
Les politiques d'atténuation visent à limiter l'ampleur des modifications climatiques en cours et réduire ainsi les impacts négatifs qui en découlent.
Les politiques d'adaptation visent, elles, à améliorer la capacité à résister aux dommages causés par les modifications potentielles du climat.

4. Les impacts de la pollution atmosphérique sur la santé

Le projet européen Aphekom coordonné par l'Institut de veille sanitaire a rendu ses résultats à l'issue de trois années de travaux. Il conclut notamment qu'une diminution des niveaux de particules fines dans l'air des villes européennes entraînerait un bénéfice non négligeable en termes d'augmentation de l'espérance de vie et de réduction des coûts pour la santé. […]
En s'appuyant sur des méthodes classiques, l'évaluation de l'impact sanitaire dans 25 grandes villes européennes montre que l'espérance de vie pourrait augmenter jusqu'à 22 mois pour les personnes âgées de 30 ans et plus (en fonction de la ville et du niveau moyen de pollution), si les niveaux moyens annuels de particules fines PM2,5 étaient ramenés au seuil de 10 microgrammes par mètre cube, valeur guide préconisée par l'OMS. D'un point de vue économique, le respect de cette valeur guide se traduirait par un bénéfice d'environ 31,5 milliards d'euros (diminution des dépenses de santé, de l'absentéisme, et des coûts associés à la perte de bien-être, de qualité et d'espérance de vie). […]
D'après les résultats d'Aphekom, il apparaît que la législation européenne visant à réduire les niveaux de soufre dans les carburants s'est traduite par une diminution marquée et pérenne des niveaux de dioxyde de soufre (SO_2) dans l'air ambiant. Cette mesure a permis de prévenir près de 2 200 décès prématurés, dont le coût est estimé à 192 millions d'euros dans les 20 villes étudiées.
L'ensemble de ces résultats souligne que la promulgation et la mise en œuvre de réglementations efficaces dans le domaine de la pollution atmosphérique se concrétisent par des bénéfices sanitaires et monétaires importants.

Carfree.free.fr, 8 mars 2011.

1. EXPLIQUER. D'après vous, pour quelle raison cette étude s'est-elle déroulée dans une vingtaine de grandes villes européennes ?

2. CONSTATER. Quels sont les coûts générés par la pollution atmosphérique ?

3. EXPLIQUER. Quelles mesures ont permis de réduire le niveau de cette pollution ?

5. La situation de l'océan glacial Arctique

La plupart des scénarios climatiques prévoient que la calotte glacière arctique continuera de se réduire de 40 à 50 % d'ici à 2100. La glace de mer pourrait ainsi passer d'une surface d'environ 10 millions de km² aujourd'hui, en plein hiver, à moins de 6 millions dans cent ans. […] De nombreux armateurs misent sur la diminution de la calotte glaciaire pour inaugurer, au moins en période estivale, de nouvelles liaisons maritimes. La « voie arctique » permettrait ainsi de joindre l'Asie à l'Europe en 13 000 km contre 21 000 actuellement en passant par le canal de Suez. Quant aux États-Unis, ils gagneraient 3 à 4 semaines pour rejoindre l'Alaska…
Outre l'intérêt commercial de ces routes, la navigation dans l'Arctique laisse entrevoir la possibilité d'exploiter une zone riche de promesses énergétiques et halieutiques.
Selon certains experts, l'Arctique renfermerait 10 % des réserves mondiales d'hydrocarbures et de gaz. Ces réserves pourraient bientôt être exploitées, grâce au réchauffement climatique, en en favorisant l'accès, et à la montée du prix du pétrole qui conduirait les grands groupes pétroliers à une prise de risque accrue. De fait, la course à l'or noir arctique est déjà lancée.
[…] S'approprier ces ressources, comment ne pas y songer ? L'ensemble des pays côtiers en rêve, et ils ne sont pas les seuls. Actuellement, la convention des Nations unies sur le droit de la mer limite l'exploitation des ressources marines par les pays qui possèdent une façade maritime, entre 12 et 200 milles de leurs côtes (entre 22 et 370 km). Toutefois, les pays peuvent demander à étendre cette zone d'exclusivité jusqu'à 350 milles dans certains cas particuliers (prolongation normale du plateau continental…).
La conquête de l'Arctique pose inévitablement des questions environnementales. Car ces routes maritimes resteront étroites et périlleuses, et un accident provoquant, par exemple, une marée noire s'avèrerait catastrophique dans cette région du monde où la biodiversité est extrêmement riche mais aussi extrêmement vulnérable…

« Réchauffement climatique : quelles perspectives en Arctique ? », universciences.fr, 21 décembre 2005.

1. ILLUSTRER. Quels sont les pays riverains de l'océan glacial Arctique ?

2. CONSTATER. La fonte de la calotte glacière n'a-t-elle que des désavantages ?

3. CONSTATER. Comment les pays riverains peuvent-ils réagir ?

4. RÉCAPITULER. Quelles peuvent être les conséquences négatives et positives de la fonte de la calotte glacière ?

ENTRAÎNEMENT

QUESTION DE COURS. Le changement climatique aura-t-il un impact similaire dans les pays développés et les pays en développement ?

SYNTHÈSE. À partir des docs 2, 3 et 4, montrez l'intérêt économique de prendre des mesures visant à limiter le réchauffement climatique.

documents

II. Quels sont les instruments des politiques climatiques ?

A L'intervention des pouvoirs publics

1. Les instruments réglementaires

Un moyen simple de s'assurer que le niveau optimal de pollution soit atteint par les agents consiste à leur imposer des normes, qui peuvent être de différentes natures.

La norme d'émission consiste en un plafond maximal d'émission qui ne doit pas être dépassé sous peine de sanctions administratives, pénales ou financières (émissions de dioxyde de soufre, SO^2, ou de carbone dans l'atmosphère, etc.). Dans la mesure où les agents pollueurs ont économiquement intérêt à polluer (ils subissent un coût de dépollution), la norme assure qu'ils choisiront toujours exactement le niveau maximal de pollution autorisé, ni plus ni moins. Si la norme est correctement spécifiée, l'objectif du planificateur est alors atteint.

Les normes de procédé imposent aux agents l'usage de certains équipements dépolluants (pots d'échappement catalytiques, stations d'épuration) ou de certaines pratiques dépolluantes, souvent les moins polluantes du moment : ce sont les « best available technologies ». Les normes de qualité spécifient les caractéristiques souhaitables du milieu récepteur des émissions polluantes (taux de nitrates dans l'eau potable, taux d'émission de dioxyde et monoxyde de carbone des véhicules automobiles). Enfin, les normes de produit imposent des niveaux donnés limites à certaines caractéristiques des produits (taux de phosphates dans les lessives, teneur en soufre des combustibles, caractère recyclable des emballages, etc.).

Mireille Chiroleu-Assouline,
« Efficacité comparée des instruments de régulation environnementale »,
Notes de synthèses du SESP 2, 2007.

1. DÉFINIR. Qu'est-ce qu'une « norme » ? Que peut entraîner son non-respect ?

2. EXPLIQUER. Pourquoi dit-on d'une norme qu'elle permet de réguler la pollution par les quantités et non par les prix ?

3. CONSTATER. Quels acteurs économiques sont destinataires des normes ?

4. EXPLIQUER. Expliquez la phrase soulignée.

2. Réduire la consommation électrique

Les ampoules inefficaces seront progressivement retirées du marché...

	1er sept. 2009	1er sept. 2010	1er sept. 2011	1er sept. 2012	à partir de 2013
100 watts*					
75 watts					
60 watts					
40 watts et 25 watts					

*Ainsi que toutes les ampoules dépolies (non claires) inefficaces quelle qu'en soit la puissance.

... tandis qu'un large choix d'alternives plus efficaces restera disponible.

Ampoules à incandescence améliorées

Ampoules fluocompactes

Diodes électroluminescentes (DEL)

Source : Commission européenne, 2009.

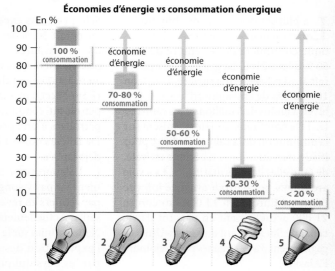

Économies d'énergie vs consommation énergique

1. Ampoules à incandescence classiques.
2. Ampoules à incandescence améliorées (classe énergétique C, lampes halogènes au xénon).
3. Ampoules à incandescence améliorées (classe énergétique B, lampes halogènes à revêtement infrarouge).
4. Lampes fluocompactes (LFC).
5. Diodes électroluminescentes (DEL).

Source : Commission européenne, 2009.

1. CONSTATER. À quel type de norme étudié dans le document 1 la norme évoquée dans ce document se réfère-t-elle ?

2. CONSTATER. Que signifient les données des lampes fluocompactes ?

3. EXPLIQUER. En quoi ces nouvelles normes consistent-elles ? À qui s'adressent-elles ?

4. EXPLIQUER. Quel argument est avancé pour promouvoir ces nouvelles normes ?

> **REPÈRE** Les dépenses pour l'éclairage
>
> Selon l'Ademe, l'éclairage représente 15 % de la facture d'électricité d'un ménage, ce qui correspond à une dépense annuelle moyenne de 360 euros.

3. Le bonus-malus écologique

	Taux d'émission de CO_2 (en g/km)	Barème 2011	Barème 2012	Exemples de véhicules
Bonus	Taux ≤ 50	5 000	5 000	Renault Kangoo ZE, Peugeot Ion, Citroën CZéro, Opel Ampéra
	50 < taux ≤ 60	3 500	3 500	Peugeot 3008 hybride rechargeable, Toyota Prius hybride rechargeable
	60 < taux ≤ 90	600	400	Citroën C3, Renault Twingo, VW Polo
	90 < taux ≤ 105	300	100	Citroën C3, Renault Clio, Opel Corsa
Zone neutre	105 < taux ≤ 140	0	0	Peugeot 3008, Peugeot 207, Citroën C4 Picasso, Citroën C5, Renault Laguna, VW Golf, Ford Focus
Malus	141 ≤ taux ≤ 150	200	200	VW Passat, Audi A3, Alfa Roméo Giuletta
	151 ≤ taux ≤ 155	500	500	Peugeot 807, BWM Série 3, Opel Meriva
	156 ≤ taux ≤ 180	750	750	Mercedes Série C, Citroën C5
	181 ≤ taux ≤ 190	1 100	1 300	Renault Espace, BMW Série 5, Audi A6
	191 ≤ taux ≤ 230	1 600	2 300	Citroën C6, Land Rover Freelander, Audi A8
	Taux > 230	2 600	3 600	Porsche Cayenne, Jaguar XK, Infiniti EX 37

Le barème du bonus-malus automobile (en euros)

Source : Ministère de l'Écologie, du Développement durable, des Transports et du Logement, 2012.

1. EXPLIQUER. Qu'est-ce que le principe du bonus-malus écologique ?

2. CONSTATER. À quoi la zone neutre correspond-elle ?

3. EXPLIQUER. Quel est l'objectif de cette mesure ?

4. CONSTATER. De quelle manière le barème a-t-il évolué entre 2011 et 2012 ?

4. Un exemple de taxation environnementale

Les Suédois ont mis en place, dès 1991, une taxe carbone qui porte sur la consommation d'énergie. Aux sceptiques qui affirment que cet impôt tue la croissance, ils répondent par leur bilan depuis l'introduction de la taxe, les rejets suédois de gaz à effet de serre ont été réduits de 9 %, alors que, dans le même temps, la croissance économique était de 48 %. « Si nous n'avions pas eu cette taxe, les rejets de CO_2 auraient été supérieurs de 20 % en 2010 au niveau de 1990 », souligne Susanne Akerfeldt, conseillère au ministère des Finances. La taxe carbone rapporte chaque année à l'État suédois 15 milliards de couronnes (1,4 milliard d'euros). En 1991, lors de son lancement, son montant était de 27 euros par tonne de CO_2. Aujourd'hui, il atteint 108 euros par tonne. Les hausses successives des taxes sur les carburants ont fait baisser les rejets de CO_2 liés aux transports, un phénomène essentiellement dû aux voitures individuelles. […]

Une taxe carbone, estime-t-on à Stockholm, envoie un signal politique clair, celui du principe du pollueur-payeur. Et la taxe est facile à administrer, insistent les Suédois. « Nous avons toujours suggéré de baisser les taxes sur le travail et d'augmenter à la place celle sur les rejets de CO_2. C'est ce qui se fait progressivement. Mais nous pensons encore que la taxe carbone est trop faible en Suède », affirme Anders Grönvall, porte-parole de l'Association de protection de l'environnement […]. Le patronat suédois, qui s'opposait jusqu'à récemment à cette taxe, a désormais mis une sourdine à ses critiques. « La taxe carbone ne s'est pas avérée être un obstacle majeur à la croissance, mais il faut rappeler que c'est

parce que l'industrie bénéficie d'une réduction de 79 % par rapport à ce que payent les foyers, précise Torbjörn Spector, spécialiste de la fiscalité de l'énergie à Svenskt Näringsliv, l'organisation patronale. Pour ne pas être pénalisées, il faut que les industries exposées à la concurrence internationale conservent cet avantage. » La Suède est mieux lotie que nombre de pays, d'abord parce que sa dépendance au pétrole est moins marquée. Grâce au nucléaire et aux centrales hydroélectriques qui, ensemble, produisent la quasi-totalité de l'électricité suédoise, mais aussi parce que, avec la Finlande, elle est l'État qui utilise le plus de combustibles non fossiles, essentiellement de la biomasse forestière. Les combustibles tirés de ressources renouvelables, comme l'éthanol, le méthane, les agrocarburants, la tourbe et les déchets, sont en effet exonérés de taxe carbone. Celle-ci a favorisé le recours à la biomasse pour le chauffage et l'industrie. Depuis son instauration, les propriétaires de maisons se chauffant au fuel sont devenus rares.

Olivier Truc, « En Suède, la taxe carbone a déjà fait ses preuves »,
Le Monde, 3 juillet 2009.

1. EXPLIQUER. En quoi la taxe environnementale instaurée en Suède consiste-t-elle ?

2. CONSTATER. Quelles inquiétudes peuvent apparaître avec la mise en place d'une telle taxe ?

3. EXPLIQUER. De quelles manières ces inquiétudes ont-elles été levées ?

4. CONSTATER. Quelles conditions sont nécessaires à la mise en place d'une telle taxe ?

5. Le projet avorté de taxe carbone en France

APRÈS 2011

COMMENT ?
On fixe un prix à payer pour chaque tonne de CO_2 émise. On intègre le prix de ces émissions dans celui de l'énergie : hausse des taxes sur les produits pétroliers (TIPP), le gaz naturel (TICGN) et le charbon (TICC).

POURQUOI ?
Modifier les comportements en incitant les Français à réduire la consommation de combustibles fossiles (pétrole, gaz naturel, charbon) et à recourir aux énergies renouvelables (solaire, éolien, biomasse...).

QUI ?
- Entreprises*, ménages et administrations.
- Transports et habitats.

COMBIEN ?
Elle rapporterait entre 6 à 12 milliards d'euros.

* À l'exception des grandes industries déjà soumises au système de quotas d'émissions.

Source : ladepeche.fr, 23 juillet 2009.

1. CONSTATER. Quels sont les agents économiques concernés par la taxe carbone ?

2. CONSTATER. Quel est l'objectif de cette taxe ?

3. EXPLIQUER. Quelle est la conséquence pour les finances de l'État ?

> **REPÈRE**
>
> **La taxation environnementale**
> L'idée d'une taxation environnementale revient à Arthur Cecil Pigou, un économiste britannique, qui en décrivit le principe dès 1920 : comme le marché ne donne aucune valeur aux biens environnementaux « gratuits » d'accès et communs à tous, tels que l'air, l'eau ou le vent, il convient que le gouvernement taxe leur usage pour les protéger d'une surexploitation.

6. Les normes : un instrument imparfait ?

Il se trouve que la réglementation par la norme, bien qu'adaptée à certaines problématiques environnementales, n'est pas la solution la plus judicieuse en toute circonstance. <u>Une première difficulté réside dans la définition du niveau de la norme, dans un contexte d'information imparfaite.</u> Trop ambitieux, l'objectif de réduction des émissions risque de ne pas être atteint ou uniquement à un coût très élevé. Trop laxiste, la norme n'a pas de réelle utilité environnementale. Par ailleurs, du point de vue de l'efficacité économique, l'utilisation de normes devient moins adaptée lorsqu'il s'agit de réguler des sources d'émission hétérogènes, comme dans le secteur de production d'électricité, où peuvent être utilisés différents combustibles et technologies selon la nature de la demande d'électricité à fournir. [...] Enfin, la norme n'a pas de caractère incitatif. Les agents économiques ne sont pas encouragés à faire mieux que ce qu'elle prescrit, contrairement à certains instruments économiques, tels que la taxe.

Le protocole de Montréal a montré la pertinence d'une approche réglementaire, concertée au niveau des Nations unies, pour contrer une pollution globale dans un contexte bien particulier : une source d'émission d'origine exclusivement industrielle avec un nombre limité et connu d'installations émettrices et l'existence de technologies de substitution déjà développées. [...] Aucune de ces conditions n'est remplie dans le cas du changement climatique. Il y a un très grand nombre d'activités humaines à l'origine des émissions de gaz à effet de serre (GES). Utiliser la méthode réglementaire exigerait une panoplie très large et très coûteuse de dispositions encadrant tous les recoins de la vie économique et sociale.

Christian de Perthuis et Suzanne Shaw,
« Normes, écotaxes, marchés de permis :
quelle combinaison optimale ? »,
Cahiers français, n° 355, mars-avril 2010.

1. EXPLIQUER. Expliquez la phrase soulignée.

2. CONSTATER. Quel peut être le comportement d'une entreprise qui se voit appliquer une norme trop rigoureuse ?

3. EXPLIQUER. Pour quelles raisons la norme n'est-elle pas l'instrument le plus pertinent pour lutter contre les émissions de GES ?

4. RÉCAPITULER. Quelles sont les limites des normes en tant qu'instruments de régulation des émissions de GES ?

7. Les taxes : une mesure critiquée

Dans la réalité, les taux des écotaxes sont trop faibles pour engendrer les incitations suffisantes et l'efficacité du signal-prix s'en trouve fort amoindrie. Le détournement de l'instrument, qui n'a plus une fonction incitative mais seulement une fonction financière, n'est que l'une des conséquences des vives résistances que suscite l'instauration d'écotaxes. [...]

L'une des principales difficultés de mise en œuvre des écotaxes réside dans la fixation des taux et l'acceptabilité de cet instrument. Les ménages estiment qu'elles sont injustes car elles frapperaient les plus bas revenus, et les entreprises considèrent qu'elles portent atteinte à leur compétitivité et même à leur survie. [...] Pour les entreprises, les craintes de perte de compétitivité sont d'autant plus fortes que leurs disparités selon les pays peuvent effectivement créer des distorsions de concurrence, même si les politiques de l'environnement pèsent encore assez peu sur les coûts de production. La coopération internationale et l'harmonisation des politiques sont souhaitables ; le principe du pollueur-payeur destiné à éviter les aides et subventions publiques en est l'un des plus anciens exemples. Il faut souligner que les outils économiques sont beaucoup plus adaptés que les normes à la coordination internationale, la multiplication de celles-ci se révélant vite impraticable.

Annie Vallée, « Les solutions économiques aux problèmes environnementaux »,
Cahiers français, n° 337, mars-avril 2007.

1. DÉFINIR. Qu'est-ce que le principe du « pollueur-payeur » ?

2. EXPLIQUER. Pour quelles raisons l'instauration d'une taxe est-elle difficilement acceptable par les ménages ? Par les entreprises ?

3. CONSTATER. De quelle façon cela peut-il influencer la décision des pouvoirs publics ?

4. CONSTATER. Comment éviter les effets pervers engendrés par l'instauration d'une taxe ?

8. Les conséquences d'une taxe carbone pour les ménages

Pour éviter de pénaliser les plus défavorisés, qui consacrent déjà 15 % de leur revenu à l'énergie, le produit de la taxe sera redistribué aux particuliers, sous forme de réduction d'impôt sur le revenu ou de chèque vert pour les non-imposables.

Ménage à la campagne

Taxe carbone
Chauffage
+ 104 €
Carburant
+ 169 €

Chèque vert
– 122 €

Coût net pour le ménage
151 €

Famille en banlieue

Taxe carbone
Chauffage
+ 0 €
Carburant
+ 48 €

Chèque vert
– 112 €

Gain net pour la famille
64 €

Famille en ville

Taxe carbone
Chauffage
+ 61 €
Carburant
+ 85 €

Chèque vert
– 112 €

Coût net pour la famille
34 €

Ademe, 2011.

1. CONSTATER. Quels éléments doivent être pris en compte pour déterminer le montant de la taxe carbone payée par les ménages ?

2. EXPLIQUER. Pour quelle raison la famille de banlieue ne doit-elle payer que 48 euros de taxe carbone ?

3. EXPLIQUER. Pour quelle raison le ménage à la campagne perçoit-il un chèque vert plus élevé ?

Note : il s'agit du mécanisme qui avait été prévu initialement dans le projet (abandonné depuis) de taxe carbone.

9. Le risque de dumping environnemental

La nécessité de lutter efficacement contre les activités nuisibles à l'environnement se heurte, dans le cadre d'une économie mondiale dominée par le libre-échange, à des pratiques de dumping environnemental comme il existe des pratiques de dumping social, ou fiscal. Les biens de consommation sont produits pour une grande part dans des pays dans lesquels les contraintes environnementales sont faibles, voire inexistantes, ce qui constitue d'ailleurs un avantage comparatif pour implanter des unités de production sur son sol, les multinationales allégeant ainsi leurs coûts. Ce n'est pas une vue de l'esprit : en 2007, 25 % des émissions de GES de la Chine sont dues à la production de produits destinés à l'exportation, 50 % de la croissance de ces mêmes émissions de ce pays mesurée entre 2002 et 2007 en provient.

Ces entreprises ont tout simplement délocalisé la pollution : si l'Union européenne a effectivement réduit ses émissions de gaz à effet de serre dans le cadre du protocole de Kyoto, la prise en compte du solde des émissions de CO_2 liées au commerce extérieur augmente de 33 % l'empreinte carbone française, si on compare ce niveau (9 tonnes par personne et par an) avec celui de la quantité de CO_2 émise sur le territoire français. C'est pourquoi la prise de mesures contraignantes en France ou même en Europe en matière environnementale serait inefficace si aucune mesure similaire n'était prise à l'encontre des produits importés sur le territoire.

Le projet de taxe carbone abandonné en 2010 se heurtait justement à cet écueil du dumping environnemental : les produits importés, non soumis à ce dispositif, auraient donc disposé d'un avantage comparatif supplémentaire par rapport aux produits obtenus sur le marché intérieur. Après une intense campagne de lobbying, le gouvernement a fini par retirer ce projet en invoquant ce point : fort justement, il était alors expliqué que la taxe carbone ne pouvait être opérante qu'à condition d'être complétée par un dispositif équivalent pour les produits importés.

Morvan Burel, Élie Lambert, marianne2.fr, 3 janvier 2012.

1. DÉFINIR. Qu'est-ce que le dumping environnemental ?

2. EXPLIQUER. Pourquoi le libre-échange favorise-t-il le dumping environnemental ?

3. EXPLIQUER. Que signifie « délocaliser la pollution » ?

ENTRAÎNEMENT

QUESTION DE COURS. Pourquoi l'instauration d'une taxe est-elle considérée comme un « signal-prix » ?

SYNTHÈSE. À partir des documents 7 et 8, expliquez l'opposition des ménages et des entreprises à l'instauration d'une taxe environnementale.

documents

B Les marchés des quotas d'émission

1. Les principes

Dans un système de permis échangeables, c'est la création d'un marché de droits d'émission qui fait émerger un prix pour les rejets de GES. L'origine de ce type d'instrument est attribuée à Ronald Coase, pour qui il suffit de fixer des droits de propriété sur l'usage du bien environnemental et de permettre des échanges entre les acteurs souhaitant utiliser ce bien, pour parvenir à un résultat économiquement efficace. Le marché de permis fixe, comme la norme, un plafond global d'émission ; cependant la quantité est répartie entre les différents agents économiques, qui ont le droit d'échanger leurs droits à polluer, en fonction de leurs capacités (c'est-à-dire leurs coûts) à réduire leurs émissions. Les marchés de permis échangeables régulent donc les émissions de GES par les quantités et non par les prix : les agents économiques peuvent soit réduire leurs émissions soit acheter des permis à quelqu'un d'autre qui n'en aurait pas besoin ; ceux dont les coûts marginaux de réduction des émissions sont les plus faibles réduiront donc leurs rejets davantage, afin de vendre les permis excédentaires aux acteurs ayant des coûts plus élevés. Les réductions d'émissions se font donc là où elles sont les moins chères. L'efficacité environnementale et l'efficacité économique sont atteintes simultanément : une seule information, le prix du permis d'émission, vient s'intégrer au processus décisionnel d'investissement et de gestion.

Christian de Perthuis et Suzanne Shaw, « Normes, écotaxes, marchés de permis : quelle combinaison optimale ? », *Cahiers français*, n° 355, mars-avril 2010.

1. DÉFINIR. Qu'est-ce qu'un marché de quotas d'émission ?

2. EXPLIQUER. Comment le prix du marché de quotas d'émission se détermine-t-il ?

3. CONSTATER. Quelles alternatives sont soumises à un agent économique émettant des GES ?

4. EXPLIQUER. Expliquez la phrase soulignée.

REPÈRE
Le premier marché du carbone
Le premier marché du carbone fut mis en place dans les années 1990 aux États-Unis, pour lutter contre les pluies acides dues aux émissions de SO_2 (dioxyde de soufre).

2. Le fonctionnement d'un marché du carbone : le cas de Bluenext

NYSE Euronext et la Caisse des dépôts ont le plaisir d'annoncer le lancement de Bluenext, la Bourse mondiale de l'environnement, gestionnaire des marchés du carbone.

Cette initiative s'inscrit dans le cadre d'accords internationaux, par lesquels les pays développés sont appelés à réduire de manière significative leurs émissions de gaz à effet de serre.

Détenue à 60 % par NYSE Euronext et à 40 % par la Caisse des dépôts, Bluenext gère aujourd'hui un marché de quotas de CO_2 au comptant leader en Europe, allant de la négociation au règlement-livraison en temps réel à l'échelle mondiale. [...] Bluenext a pour ambition de devenir un leader mondial dans la négociation de produits liés à l'environnement, grâce notamment au développement à l'international d'une gamme complète de produits et de services, et d'un élargissement de sa base d'utilisateurs, à la fois financière et industrielle.

euronext.com, communiqué de presse, 22 janvier 2008.

Chaque industriel reçoit un certain quota d'émissions qui lui donne le droit d'émettre une certaine quantité de CO_2.

2005 2020
Les quotas baissent tous les ans.

L'industriel B n'utilise pas tous ses quotas : il peut donc les vendre et réaliser des profits.

L'industriel A dépasse sa capacité et doit donc acheter des quotas.

A   B

Source : « Comprendre le marché du carbone », ddmagazine.com, 21 décembre 2009.

1. CONSTATER. Qu'est-ce que Bluenext ?

2. CONSTATER. Qu'échange-t-on sur ce marché ?

3. EXPLIQUER. Comment un tel marché peut-il contribuer à réduire les émissions de CO_2 ?

Exercice Stratégies des entreprises

A et B sont deux entreprises qui émettent chacune 100 000 tonnes de CO_2 par an. Les autorités du pays leur concèdent à chacune un quota de 90 000 tonnes d'émission annuelle.

1. De quelle manière peuvent-elles compenser les 10 000 tonnes de CO_2 manquantes ?

2. Avant de décider de l'option à appliquer, elles vont comparer les coûts des différentes méthodes. Sachant que le prix de marché d'un quota est de 20 euros la tonne, calculez le coût d'achat par les deux entreprises des quotas manquants.

3. L'entreprise A calcule que réduire ses émissions pour respecter le quota attribué lui reviendrait à 150 000 euros. Quelle solution va-t-elle adopter ? Justifiez votre réponse.

4. L'entreprise B estime que réduire ses émissions de CO_2 lui reviendrait à 30 euros la tonne.
Quelle solution va choisir l'entreprise B ?

5. La méthode adoptée par l'entreprise A s'avère très efficace pour réduire ses émissions de CO_2, qui ne sont plus que de 80 000 tonnes annuelles.
Que va-t-elle faire ?

6. Faites le bilan de la mise en place d'un marché d'échange de quotas pour chacune des deux entreprises et au niveau des émissions de CO_2.

3. Plans nationaux d'allocation des quotas des 25 États membres

a. Quotas du SCEQE[1] par pays de 2005 à 2012

Pays	Objectif Kyoto (% par rapport à l'année de référence, 1990)	2005-2007 Quotas d'émission de CO_2 alloués (en millions de tonnes par an)	2008-2012 Quotas d'émission de CO_2 alloués (en millions de tonnes par an)
Allemagne	– 21	499	451,5
Royaume-Uni	– 12	245,3	245,6
Pologne	– 6	239,1	205,7
Italie	– 6,5	223,1	201,6
Espagne	+ 15	174,4	152,2
France	0	156,5	132
Total UE	–	2 298,5	2 085,5

1. Système communautaire d'échange de quotas d'émission.

Source : Commission européenne, « Le système communautaire d'échange de quotas d'émission (SCEQE, édition 2009 ».

1. EXPLIQUER. Quelle organisation alloue les quotas à chaque pays ? Que vont-ils en faire ?

2. CONSTATER. Que signifient les données de la Pologne ?

3. EXPLIQUER. En quoi la France se singularise-t-elle par rapport à la situation des autres pays européens cités dans le tableau ?

> **POUR APPROFONDIR** L'avenir des quotas
>
> Une troisième phase, ou période d'échanges de quotas, va être mise en place pour la période 2013-2020. Celle-ci se traduira par une nouvelle baisse de l'allocation du nombre de quotas, afin de stimuler les investissements dans la réduction des émissions de GES sur le long terme. À partir de 2013, les quotas ne seront plus alloués gratuitement, mais seront progressivement mis en vente aux enchères.

b. Position nette en quotas de chaque pays (2005-2007)

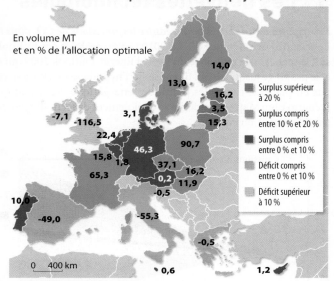

Note : les données sur les émissions de la Roumanie et de la Bulgarie n'étant pas disponibles à la date de publication, aucun résultat n'est présenté pour ces participants. Les émissions 2007 de Malte n'avaient pas été encore déclarées au moment de la rédaction du rapport et ont été estimées à partir de la moyenne 2005-2006.

Source : CITL, résultats cumulés 2005-2007, *Étude Climat*, n° 13, juin 2008.

1. EXPLIQUER. Comment la position nette en quotas se calcule-t-elle ?

2. CONSTATER. Décrivez la position de la France.

3. CONSTATER. Quels sont les pays en déficit net de quotas ?

4. EXPLIQUER. Que doivent faire ces pays ?

4. Volume de quotas échangés, prix des quotas et évolution

a. Volumes de transactions de quotas européens depuis le lancement du système d'échange de quotas

Dates	Volumes échangés (en millions de quotas)	Valeur des transactions (en millions d'euros)	Prix moyen du quota (en euros)
2005	262	5 400	20,6
2006	828	14 500	17,5
2007	1 458	25 200	17,3
2008	2 731	61 200	22,4
2009	5 016	65 900	13,1

Source : *Références économiques*, n° 12, Conseil économique pour le développement durable, 2010.

1. CALCULER. Par quelle méthode de calcul le prix moyen du quota est-il déterminé ? (Doc. a)

2. CONSTATER. Comment le volume des transactions a-t-il évolué depuis la mise en place du système en 2005 ? (Doc. a)

3. CONSTATER. Comment le prix du quota est-il appelé à évoluer selon les prévisionnistes ? (Doc. b)

4. EXPLIQUER. Comment les prévisionnistes peuvent-ils justifier cette évolution ? (Doc. b)

b. Prévisions de prix du quota européen des analystes financiers

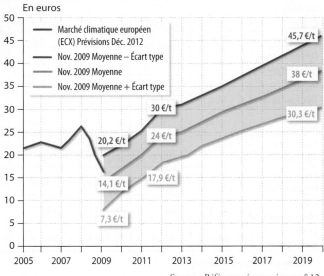

Source : *Références économiques*, n° 12, Conseil économique pour le développement durable, 2010.

> **ENTRAÎNEMENT**
>
> **QUESTION DE COURS. Pourquoi peut-on parler de « droit à polluer » à propos des marchés de quotas d'émission ?**
>
> **SYNTHÈSE. À partir des documents 2, 4 et 5, expliquez le fonctionnement du marché des quotas au sein de l'Union européenne.**

C Le rôle des innovations

1. Les nouvelles technologies

Principales technologies pour réduire les émissions de CO_2 dans le scénario Blue Map
Le scénario de référence d'ETP 2010 (« Perspectives des technologies de l'énergie ») suit le scénario de référence du World Energy Outlook 2009 qui s'étend jusqu'à 2030, et le prolonge jusqu'à 2050. Il repose sur l'hypothèse que les gouvernements ne mettent pas en place de nouvelles politiques énergétiques et climatiques. En revanche, le scénario Blue Map est fondé sur le déploiement de technologies existantes et nouvelles à faible teneur en carbone.

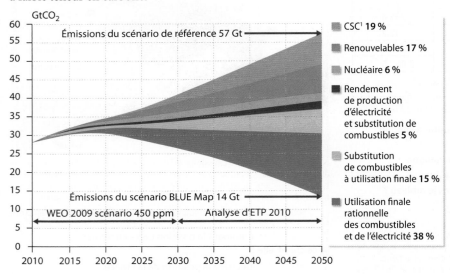

Légende :
- CSC[1] **19 %**
- Renouvelables **17 %**
- Nucléaire **6 %**
- Rendement de production d'électricité et substitution de combustibles **5 %**
- Substitution de combustibles à utilisation finale **15 %**
- Utilisation finale rationnelle des combustibles et de l'électricité **38 %**

1. CONSTATER. Comment les émissions de CO_2 évoluent-elles dans les deux scénarios présentés ?

2. EXPLIQUER. De quelles manières est-il possible de réduire les émissions de CO_2 liées à l'énergie ?

3. CALCULER. Quel montant d'émissions de CO_2 l'utilisation des énergies renouvelables permettrait d'économiser ?

1. La CSC (capture et la séquestration de carbone) consiste à récupérer le dioxyde de carbone et à l'injecter dans des pièges géologiques profonds (plus de 800 mètres) de manière à faire passer le gaz carbonique d'un état gazeux à un état liquide.

Source : « Perspectives des technologies de l'énergie », Agence internationale de l'énergie (AIE), 2010.

2. Le développement des énergies renouvelables

a. Production électrique par source en France et dans le monde

En TWh	2000 Monde	2000 France	2010 Monde	2010 France	TCAM[1] 10/00 Monde	TCAM[1] 10/00 France
Géothermie	52,1	0,02	68,6	0,089	2,8 %	16,1 %
Éolien	31,4	0,077	344,8	9,7	27,1 %	62,1 %
Biomasse	133,8	2,5	263,2	4,3	7 %	5,7 %
Déchets non renouvelables	34,7	1,1	39	2,1	1,2 %	6,7 %
Solaire	1,3	0,005	33,2	0,653	38,1 %	62,8 %
Hydraulique	2 694,4	71,8	3 448,2	68	2,5 %	– 0,5 %
Énergies marines	0,605	0,573	0,554	0,521	– 0,9 %	– 0,9 %
Nucléaire	2 590,6	415,2	2 754,3	428,6	0,6 %	0,3 %
Fossile	9 910,3	49,5	14 246,4	59	3,7 %	1,8 %
Total renouvelable	2 915,7	75	4 158,5	83,2	3,6 %	1 %
Total conventionnel	12 535,7	465,8	17 039,6	489,7	3,1 %	0,5 %
Total production	15 451,4	540,8	21 198,1	572,9	3,2 %	0,6 %

1. Taux de croissance annuel moyen.

Source : *Obser'ver*, « La production d'électricité dans le monde », 2010.

b. Des énergies qui ont leurs opposants

Manifestation à Paris (2008) contre l'implantation de parcs éoliens.

1. CALCULER. Retrouvez le mode de calcul de la donnée entourée. Que signifie ce résultat ?

2. CONSTATER. Quelles énergies sont considérées comme des énergies conventionnelles ? Comme des énergies renouvelables ?

3. CALCULER. Mesurez les parts des énergies renouvelables et conventionnelles en France et dans le monde, en 2000 et en 2010. Comment évoluent-elles au cours de la période ?

4. EXPLIQUER. Quels sont les arguments avancés par les opposants à l'implantation de parcs éoliens ? (Doc. b)

3. Inciter aux économies d'énergie au niveau du logement

Ce que vous entreprenez, si vous êtes propriétaire occupant	Aides possibles
Amélioration de la performance globale du logement	Crédit d'impôt, éco-prêt à taux zéro, TVA à 5,5 %, aide Anah (Agence nationale de l'habitat)
Achat « Bâtiment basse consommation »	Prêt à taux zéro +
Diagnostic de la performance énergétique	Crédit d'impôt
Isolation thermique	Crédit d'impôt, éco-prêt à taux zéro, TVA à 5,5 %, aide Anah
Régulation du chauffage	
Changement de chaudière	
Chauffage au bois	
Chauffage ou eau chaude solaires	
Pompe à chaleur	
Panneaux photovoltaïques, éolienne, microcentrale hydraulique	Crédit d'impôt, TVA à 5,5 %

Source : D'après « Les aides financières habitat 2011 », Ademe.

1. CONSTATER. Quels agents économiques sont à l'origine des aides à l'économie d'énergie au niveau du logement ?

2. EXPLIQUER. Pourquoi les mesures proposées peuvent-elles être considérées comme des incitations financières ?

REPÈRE

L'électricité hydrolienne
La première hydrolienne française, conçue pour capter l'énergie des courants sous-marins, a été immergée fin 2011 au large de la côte nord de la Bretagne. Selon EDF, le potentiel de production d'électricité hydrolienne est significatif : entre 2,5 et 3,5 gigawatts en France, soit environ 3 ou 4 % de la production hexagonale actuelle.

4. Les biocarburants

a. Bilan des gaz à effet de serre des biocarburants

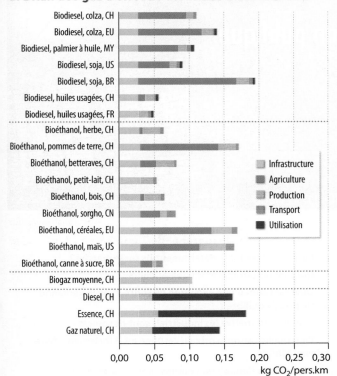

Infrastructure
Agriculture
Production
Transport
Utilisation

kg CO$_2$/pers.km

Source : plateforme-biocarburants.ch, 2011.

b. Biocarburant ou nourriture ?

1. ILLUSTRER. À quel type d'énergie renouvelable les biocarburants appartiennent-ils ? (Doc. a)

2. CONSTATER. Quelle est la principale source d'émission de gaz à effet de serre pour les carburants classiques et pour les biocarburants ? (Doc. a)

3. CONSTATER. Comparez les émissions de gaz à effet de serre entre une voiture fonctionnant à l'essence et une autre fonctionnant au bioéthanol de canne à sucre. (Doc. a)

4. EXPLIQUER. Quelle limite au développement des biocarburants l'illustration met-elle en avant ? (Doc. b)

ENTRAÎNEMENT

QUESTION DE COURS. Quelles sont les principales énergies renouvelables ?

SYNTHÈSE. À partir des documents 1, 2 et 3, montrez que le développement des énergies renouvelables ne suffira pas à limiter le réchauffement climatique.

documents

TD MULTIMÉDIA

NOTIONS • Marché de quotas d'émission
• Taxation • Réglementation • Loi de l'offre
et de la demande • Prix d'équilibre

SAVOIR-FAIRE • Analyser une vidéo
• Prendre des notes

1. « Un marché pour dépolluer ? Dans les coulisses d'une décision publique »

Cette séquence est construite à partir de la vidéo « Un marché pour dépolluer ? Dans les coulisses d'une décision publique ». Ce document de 16 min 13 s, réalisé par le Canal éducatif à la demande en partenariat avec le ministère de l'Éducation nationale, le Conseil général des Hauts-de-Seine et HEC Paris, est disponible sur le site du CED. Vous pouvez le visionner gratuitement après inscription à l'adresse suivante :
http://www.canal-educatif.fr/videos/economie/5/marchepollution/un-marche-pour-depolluer.html

RÉSUMÉ

Le droit d'émettre une tonne de CO_2 est coté en Bourse ! Comment les décideurs publics en sont-ils arrivés à mettre en place un marché de la « pollution », quels sont ses effets en termes d'écologie et d'activité économique, et à quels défis doit-il encore faire face ? Cette vidéo, nourrie de nombreux schémas explicatifs, croise les regards de quatre acteurs, du décideur public à l'entreprise pollueuse en passant par des experts de la Bourse du carbone et des pays en voie du développement. Elle souligne à la fois les avantages et les critiques dont fait l'objet cette solution originale.

canal-educatif.fr

I. Acte 1. Dans les coulisses d'une décision publique (de 0 à 7 min 37 s)

1. En quelle année et pour quelles raisons a-t-il été décidé de mettre en place un marché d'émission de CO_2 dans l'Union européenne ?

2. Quels sont les objectifs recherchés ?

3. L'émission de CO_2 est-elle due au seul secteur industriel ?

4. Quels sont les acteurs économiques directement concernés par ce marché ?

5. Quelles sont les autres mesures alternatives à la mise en place d'un tel marché ?

6. Quels sont les avantages et les inconvénients de ces autres mesures ?

7. Qu'est-ce qu'un quota ? Qui décide de son niveau ?

8. Comment un tel marché fonctionne-t-il ?

9. De quelle manière les quotas (et donc leur prix) doivent-ils évoluer sur long terme ?

10. Comment les industriels doivent-ils réagir à cette évolution ?

II. Acte 2. Le jeu du marché (de 7 min 38 s à 13 min 05 s)

1. Comment les prix se déterminent-ils sur le marché ?

2. Qui sont les offreurs et les demandeurs ?

3. Quel est l'effet d'une évolution de l'offre et de la demande sur le prix d'équilibre ?

4. À quelle alternative les industriels sont-ils soumis ?

5. Pour quelle raison le prix du carbone a-t-il fortement chuté à la mi-2006 ?

6. Comment la Commission européenne a-t-elle réagi ?

III. Acte 3. Est-ce la solution miracle ? (de 13 min 06 s à 16 min 13 s)

1. Quel est le déterminant du prix du quota ?

2. Les entreprises sont-elles à égalité devant un marché de quotas d'émission ?

3. Quelles conditions sont nécessaires pour qu'un marché de quotas fonctionne de manière optimale ?

TD ANALYSE

2. L'énergie nucléaire en débat

1 ▪ La mise en place de la filière nucléaire en France

Face aux chocs pétroliers des années 1970, la France, pauvre en ressources énergétiques immédiatement disponibles, a réagi par des mesures pour améliorer notre sécurité d'approvisionnement énergétique, en privilégiant le développement d'une offre nationale. [...]

Dès les années 1970, un programme nucléaire a ainsi été engagé, grâce auquel la France dispose aujourd'hui de 58 réacteurs pour une puissance installée de 63 GW, soit le deuxième parc au monde en taille après celui des États-Unis.

Le programme nucléaire français a représenté un investissement qui s'est étendu sur une trentaine d'années (1970-2000). Cet effort continu se traduit aujourd'hui par une place prépondérante du nucléaire dans la production d'électricité (78 %) qui, combiné à l'hydraulique (12 %), assure donc 90 % de production d'électricité sans émission de gaz à effet de serre.

developpement-durable.gouv.fr, 2011.

1. Quel événement économique est à l'origine du développement de la filière nucléaire en France ?

2. Quels étaient les avantages attendus de la mise en place de cette filière ?

3. En quoi peut-on dire que l'objectif recherché a été atteint ?

2 ▪ Les coûts de l'électricité nucléaire

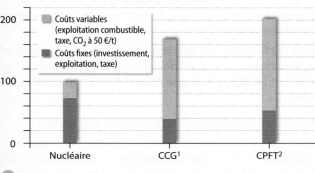

Coûts en indice, sur la base de calculs effectués en euros 2007, en monnaie constante

1. CCG : cycle combiné gaz.
2. CPTF : cycle au charbon pulvérisé avec traitement des fumées.

1. Comparez le coût des centrales au gaz et au charbon à celui des centrales nucléaires.

2. Quelle en est la conséquence sur le prix de l'électricité en France ?

3. Quelle autre caractéristique distingue le coût des centrales nucléaires des autres moyens de production d'électricité ?

Source : ministère de l'Écologie, 2008.

3 ▪ La remise en cause de la filière nucléaire

Comment les modèles énergétiques de nos sociétés peuvent-ils évoluer ?

Si l'on tient compte des objectifs de réduction des gaz à effet de serre préconisés par les scientifiques, il faudrait diviser par deux leurs émissions globales à l'horizon 2050. Dans ce scénario souhaitable, la sobriété et l'efficacité énergétique, les énergies renouvelables, l'énergie nucléaire, la capture et le stockage du CO_2 doivent être mobilisés. [...]

Quelles peuvent être les conséquences de l'accident de Fukushima ?

Il est trop tôt pour dire que la relance du nucléaire va être annulée, mais elle va au moins être retardée. Il est certain que le coût de l'énergie va être renchéri et sa compétitivité relative va être modifiée. Aujourd'hui, l'électricité en France est moins chère d'environ 20 % par rapport à d'autres pays européens. [...] Si on sortait du nucléaire, il faudrait recourir aux centrales au gaz et au charbon. La capture et la séquestration de carbone pourraient apporter une compensation. Mais cela sera-t-il faisable et acceptable à une échelle industrielle massive ?

Les énergies renouvelables pourront-elles répondre en 2050 à la quasi-totalité des besoins ?

Notre scénario le plus vertueux montre que l'efficacité énergétique augmente beaucoup et que les énergies renouvelables prennent une part croissante. Mais nous nous heurtons au caractère intermittent de ces énergies. Nous considérons que la part des énergies renouvelables plafonne à aujourd'hui 30 % de la production d'électricité. Mais peut-être sous-estimons-nous la capacité de nos sociétés à faire progresser rapidement la sobriété énergétique ou à trouver de nouvelles solutions techniques.

Interview de Patrick Criqui, économiste, *CFDT Magazine*, n° 374, juin 2011.

1. Quels événements ont amené à une remise en cause de la filière nucléaire dans le monde ?
2. Quels problèmes importants soulève cette remise en cause ?

Quels instruments économiques pour la politique climatique ?

La mise en place d'une politique climatique au niveau mondial s'avère nécessaire pour lutter contre le réchauffement car celui-ci engendre de nombreux effets négatifs. Quelles sont les principales conséquences du changement climatique ? Quelles sont les différentes mesures qui peuvent être mises en œuvre dans le cadre de cette politique ?

ACQUIS DE PREMIÈRE
➡ Voir Réviser les acquis de 1re, p. 148
et Lexique

- ■ Externalités
- ■ Institutions marchandes
- ■ Droits de propriété
- ■ Offre et demande
- ■ Allocation des ressources
- ■ Défaillances du marché

I. Pourquoi mener une politique climatique ?

A. Le climat est un bien public mondial

■ Un bien public, encore appelé bien collectif, est un bien (ou un service) caractérisé à la fois par l'impossibilité d'exclure les mauvais payeurs (principe de non-exclusion) et par le fait qu'il peut être consommé simultanément par plusieurs personnes (principe de non-rivalité). En raison de ces deux caractéristiques, un bien public ne peut être fourni par le marché. Le climat peut être considéré comme un bien public mondial car le réchauffement climatique qui résulte des activités humaines a des répercussions au niveau de l'ensemble de la planète.

■ Des publications scientifiques ont fait prendre conscience de la nécessité de proposer des solutions au changement climatique. Cependant de telles mesures nécessitent des efforts que consentent difficilement les pays à l'origine du réchauffement climatique, et en particulier les pays développés.

B. Le réchauffement climatique génère des externalités négatives

■ Le réchauffement climatique et la pollution génèrent des externalités négatives. Les agents à l'origine de la pollution ne sont pas sanctionnés, et ne sont donc pas incités à la réduire. Le marché apparaît dans ce cas défaillant en matière d'allocation des ressources.

■ Pour que ces externalités soient prises en compte, il faut les internaliser, c'est-à-dire faire en sorte que ces coûts externes soient pris en compte par les agents économiques à l'origine de la pollution, dans leurs décisions. Il faut donc estimer le niveau de ces coûts externes pour que ceux-ci entraînent un changement de comportement de la part des agents pollueurs. On retrouve, derrière cette notion d'internalisation, le principe du « pollueur-payeur ».

C. Le réchauffement a des conséquences économiques et sociales importantes

■ Le réchauffement climatique a des effets à l'échelle mondiale. Mais les capacités d'adaptation seront très différentes d'un pays à l'autre : fortes pour les pays développés qui disposent de moyens financiers et technologiques considérables, beaucoup plus faibles pour les pays en développement.

■ Les répercussions du changement climatique sont tout d'abord économiques. Il aura un impact négatif important sur la croissance économique au cours du siècle à venir. S'adapter va impliquer des dépenses, mais le coût de l'inaction sera bien plus élevé, d'autant plus que les mesures de sauvegarde de l'environnement mettront du temps à se mettre en place. La pollution atmosphérique a également une influence sur le bien-être de la population.

■ Le changement climatique n'a cependant pas que des effets négatifs. Le cas de l'océan glacial Arctique tend à le prouver. La fonte des glaces va ainsi donner accès à de nouvelles routes maritimes et de nouvelles ressources.

II. Quels sont les instruments des politiques climatiques ?

A. L'intervention des pouvoirs publics

■ Les pouvoirs publics interviennent par l'intermédiaire de mesures d'ordre réglementaire ou économique. Les **réglementations** prennent la forme de normes qui visent à limiter les émissions de gaz à effet de serre par unité produite ou consommée. Les pouvoirs publics cherchent ainsi à réguler les émissions par les quantités.

■ À la différence des normes, une taxe environnementale est un instrument économique visant à internaliser les effets externes générés par les activités polluantes en leur donnant un prix. C'est le principe du « pollueur-payeur ». La taxe va également générer des recettes fiscales permettant soit de subventionner les dépenses environnementales, soit de se substituer à d'autres ressources fiscales ou sociales. L'expression « double dividende » exprime ces deux effets : limitation de la pollution et recettes nouvelles.

■ Cependant, ces deux instruments présentent des limites. La détermination du niveau de la norme optimale est rendue difficile. Si celui-ci est trop faible, l'effet sur l'environnement sera négligeable. Au contraire, une réglementation trop stricte peut inciter les producteurs à essayer de la contourner en délocalisant leurs activités ou en n'informant pas les autorités de contrôle des véritables niveaux de production. La **taxation** est quant à elle contestée à la fois par les chefs d'entreprise, qui mettent en avant la perte de compétitivité et par les ménages, qui redoutent une augmentation des prix des biens et services.

B. Les marchés des quotas d'émission

■ Comme les taxes environnementales, les **marchés de quotas d'émission** constituent un instrument économique. Les responsables d'émission de carbone se voient attribuer annuellement par les pouvoirs publics une quantité maximale totale de rejets de gaz à effet de serre. Les entreprises qui n'arrivent pas à respecter le quota attribué doivent acheter les quotas manquants sur un marché du carbone ou directement auprès des firmes qui parviennent à émettre moins que leurs quotas, et disposent de ce fait d'un surplus à vendre.

■ Chaque entreprise peut donc choisir d'investir pour réduire ses émissions, ou d'acheter des permis en comparant le coût de chacune des deux options. Une forte demande de permis va entraîner une hausse des cours de ceux-ci et inciter les firmes à opter pour la première des solutions. À la différence de la taxation, le marché de quotas d'émission agit directement sur le volume d'émission de gaz à effet de serre.

C. Le rôle des innovations

■ La recherche-développement et le progrès technique qui en résulte ont procuré de nouvelles solutions pour limiter ou réduire les émissions de gaz à effet de serre. De nouvelles sources d'énergies dites renouvelables sont apparues et sont en plein développement. Il existe également la possibilité de capturer et stocker le carbone dans les profondeurs géologiques.

■ Les autorités politiques exercent un rôle important en incitant les consommateurs à s'équiper de panneaux photovoltaïques, d'éoliennes ou de moyens de chauffage peu énergivores, grâce à des mesures comme le crédit d'impôt, les prêts à taux zéro ou une TVA à taux réduit.

■ Cependant, certaines de ces mesures font l'objet de critiques, comme le développement des biocarburants qui se font au détriment des cultures vivrières et nécessitent l'usage de produits phytosanitaires (pesticides) et d'engrais, eux-mêmes sources de pollutions de l'eau et de l'air. De même, l'énergie éolienne a ses opposants, qui dénoncent le coût de cette énergie, le fait qu'elle ne puisse pas répondre à une forte augmentation de la demande d'électricité, le bruit généré par celles-ci et la dégradation des paysages.

Politique climatique
Mesures adoptées pour limiter le réchauffement climatique et faire face à ses effets.

Réglementation
Instrument visant à limiter, ici, les émissions de gaz à effet de serre par l'instauration de normes environnementales.

Taxation
Instrument économique visant à taxer, ici, les émissions de gaz à effet de serre, de manière à limiter le réchauffement climatique.

Marché de quotas d'émission
Marché d'émission et d'échange de droits d'émission de gaz à effet de serre. Le terme de « Bourse du carbone » est également utilisé.

synthèse

SCHÉMA BILAN

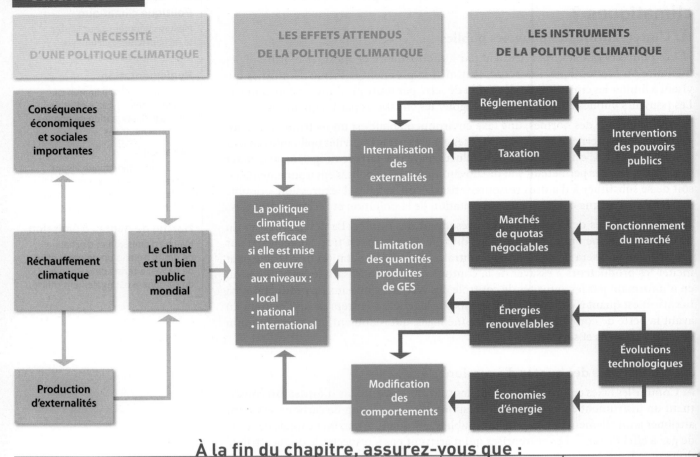

| LA NÉCESSITÉ D'UNE POLITIQUE CLIMATIQUE | LES EFFETS ATTENDUS DE LA POLITIQUE CLIMATIQUE | LES INSTRUMENTS DE LA POLITIQUE CLIMATIQUE |

Conséquences économiques et sociales importantes

Réchauffement climatique

Le climat est un bien public mondial

Production d'externalités

La politique climatique est efficace si elle est mise en œuvre aux niveaux :
• local
• national
• international

Internalisation des externalités

Limitation des quantités produites de GES

Modification des comportements

Réglementation

Taxation

Marchés de quotas négociables

Énergies renouvelables

Économies d'énergie

Interventions des pouvoirs publics

Fonctionnement du marché

Évolutions technologiques

À la fin du chapitre, assurez-vous que :

| ➜ Vous êtes capable d'expliquer la nécessité des politiques climatiques. | ➜ Vous êtes capable d'expliquer pourquoi le climat est un bien public mondial. | ➜ Vous êtes capable de comprendre pourquoi, en présence d'externalités, le marché peut être inefficace. | ➜ Vous êtes capable d'expliquer le rôle des pouvoirs publics. | ➜ Vous êtes capable de différencier les instruments des politiques climatiques. |

POUR ALLER PLUS LOIN

Revues, livres
■ « Développement et environnement », *Cahiers français*, n° 337, mars-avril 2007.
■ « L'économie verte », *Cahiers français*, n° 355, mars-avril 2010.
■ « L'économie du climat : l'après Kyoto », *Problèmes économiques*, n° 2904, juillet 2006.
■ « Relever le défi climatique », *Problèmes économiques*, n° 2983, novembre 2009.
■ Jean-Marc Jancovici, *Le changement climatique expliqué à mes filles*, Le Seuil, 2009.
■ Yves Sciama, *Le changement climatique*, Larousse, coll. « Petite encyclopédie », 2010.

Sites
■ www.ademe.fr
■ www.cdcclimat.com (filiale de la Caisse de dépôts active sur les marchés du carbone)
■ www.developpement-durable.gouv.fr (ministère de l'Écologie, du Développement durable, des Transports et du Logement)

Documentaires
■ *Une vérité qui dérange*, un documentaire de Davis Guggenheim, 2006.
■ *Home*, un documentaire de Yann Arthus-Bertrand, 2009.
■ *Le syndrome du Titanic*, un documentaire de Nicolas Hulot et Jean-Albert Lièvre, 2009.
■ *Océans*, un documentaire de Jacques Perrin et Jacques Cluzaud, 2010.

autoévaluation

1 Vrai ou faux ?

1. Les instruments de lutte contre le réchauffement climatique ci-dessous sont d'ordre économique.

a. Mise en place d'une taxe environnementale.

b. Mise en place d'une nouvelle réglementation.

c. Développement des énergies renouvelables.

d. Instauration d'un marché de quotas d'émission.

2. Une réglementation environnementale agit sur les quantités de pollution.

3. Un marché d'échange de quotas agit sur les quantités de pollution.

4. Une taxe environnementale agit sur les quantités de pollution.

5. L'objectif du protocole de Kyoto est de réduire les émissions de dioxyde de soufre.

6. L'objectif du protocole de Montréal est de protéger la couche d'ozone.

2 Associer une définition à la notion correspondante

1. Processus naturel de réchauffement de l'atmosphère dû à des gaz comme la vapeur d'eau, le dioxyde carbone ou le méthane.

2. Mesures adoptées pour limiter le réchauffement climatique et faire face à ses effets.

3. Marché d'émission et d'échange de droits d'émission de gaz à effet de serre. Le terme de « Bourse du carbone » est également utilisé.

4. Méthode qui consiste à récupérer le dioxyde de carbone et à l'injecter dans des pièges géologiques profonds.

5. Instrument visant à limiter, ici, les émissions de gaz à effet de serre par l'instauration de normes environnementales.

6. Source d'énergie se renouvelant assez rapidement pour être considérée comme inépuisable, et dont l'utilisation n'engendre pas ou peu de déchets et d'émissions polluantes.

3 Compléter un texte

Compléter le texte à l'aide des termes et expressions ci-dessous.

- *Externalités (2 fois)* • *Internes* • *Allocation* • *Prix (2 fois)* • *Externalités négatives* • *Sociaux* • *Privés*
- *Taxe environnementale* • *Externes* • *Internalise*

Sur des marchés pleinement concurrentiels, en l'absence d'…, les … sont l'instrument d'une … optimale des ressources. Or dans la réalité, toute activité de production génère des coûts. Une partie de ces coûts est supportée par l'agent à l'origine de la production. On parle dans ce cas de coûts … ou encore de coûts … . Les coûts non pris en charge par cet agent sont appelés coûts … . La somme de ces deux types de coûts est appelée coûts … . Les pouvoirs publics doivent prendre des mesures visant à réduire ces … de manière à ce que l'agent … ces … . La principale de ces mesures consiste à instaurer une … qui va entraîner une hausse du … de vente.

4 Expliquer le fonctionnement d'un marché d'émission

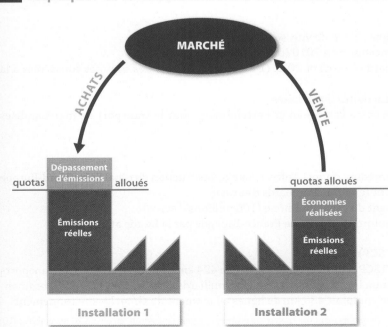

1. Qui décide du montant des quotas alloués aux entreprises ?

2. Expliquez la situation de chacune des installations.

3. Quelles possibilités sont offertes à l'installation 1 ?

4. Quel critère va déterminer son choix ?

Dissertation

SUJET Vous analyserez la politique climatique de la France depuis le début des années 2000.

DOCUMENT 1 Les énergies renouvelables

Électricité (données en ktep[1])	Situation 2006	Potentiel 2020	Supplément à réaliser	Obstacles à surmonter
Hydraulique	5 200	5 800	600	Classement des cours d'eau Gouvernance locale
Éolien	180	5 050	4 870	Acceptabilité
dont terrestre	180	3 650	3 470	Renforcement du réseau de transport
dont maritime	0	1 400	1 400	Apprentissage technologique Coût élevé
Photovoltaïque	0	450	450	Coût très élevé, même si forte décroissance
Biomasse dont biogaz	240	1 440	1 200	Approvisionnement
Géothermie	9	90	81	Ressources dans les DOM Maturité technologique des roches chaudes sèches
Divers : technologies marines, solaire thermodynamique	30	30		Technologie pas encore à maturité bien que prometteuse

1. Kilotonne d'équivalent pétrole, soit 1 000 tpe.

Source : legrenelle-environnement.fr.

POUR VOUS AIDER Pour analyser un document statistique

Pour analyser de façon pertinente un document statistique, vous devez bien faire attention au titre du document, à sa source, aux unités (dans le cas du document 3, il y a des données en euros et en %) et à d'éventuelles notes (dans le document 3, il est fait référence aux marchés de quotas qui sont comme la taxe un instrument économique visant à limiter les émissions de gaz à effet de serre).

Conseil : relevez les éléments chiffrés du document permettant d'étayer votre raisonnement. Soyez attentif aux informations qui fournissent des arguments pour votre analyse.

DOCUMENT 2 Le Grenelle de l'environnement en matière de transport

Secteur ferroviaire
– Lancement de 800 km de nouvelles lignes à grande vitesse ;
– Régénération de 1 000 km de lignes anciennes en 2010 (contre 600 km en 2005) ;
– Hausse de 60 % entre 2008 (1,1 milliard d'euros) et 2012 (1,8 milliard d'euros) des sommes consacrées à la régénération du réseau ferroviaire ;
– Création de l'agence de régulation des activités ferroviaires ;
– Lancement de l'autoroute ferroviaire entre Perpignan et Bettembourg pour le transport de marchandises (3 rotations par jour) ;

Secteur maritime
– Lancement de la dernière étape de la procédure d'appel d'offres pour la construction du canal Seine-Nord-Europe et finalisation de son plan de financement (environ 4 milliards d'euros) ;
– Engagement des travaux d'aménagement du canal du Rhône (100 millions d'euros) ;
– Lancement, en septembre 2010, de l'autoroute maritime France-Espagne par la façade atlantique ;

Transports collectifs en site propre (TSCP)
– Lancement du premier appel à projets TSCP : construction en cours de 424 km de nouvelles lignes de transports collectifs, dont 205 km de tramway, pour un investissement total de 6 milliards d'euros, dont 800 millions financés par l'État (à titre de comparaison : on comptait 430 km de lignes au moment du Grenelle environnement).

« Développement des transports propres », legrenelle-environnement.fr, 10 novembre 2010.

DOCUMENT 3 Le produit potentiel de la taxe carbone

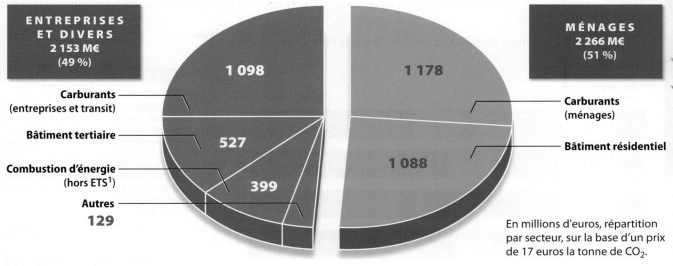

ENTREPRISES ET DIVERS
2 153 M€
(49 %)

Carburants
(entreprises et transit)
1 098

Bâtiment tertiaire
527

Combustion d'énergie
(hors ETS[1])
399

Autres
129

MÉNAGES
2 266 M€
(51 %)

Carburants
(ménages)
1 178

Bâtiment résidentiel
1 088

En millions d'euros, répartition par secteur, sur la base d'un prix de 17 euros la tonne de CO_2.

1. Marché européen des quotas.

Source : Mission climat de la Caisse des dépôts d'après une étude Ademe/Meedom.

Épreuve composée (entraînement Chapitre 7)

PARTIE 1 Mobilisation des connaissances
QUESTION 1 (3 points) : Pourquoi le climat est-il un bien public mondial ?
QUESTION 2 (3 points) : Présentez les instruments économiques permettant de limiter les émissions de gaz à effet de serre.

PARTIE 2 Étude d'un document
QUESTION (4 points) : Vous présenterez ce document et montrerez comment la notion de développement durable s'est construite progressivement.

Développement durable : une chronologie

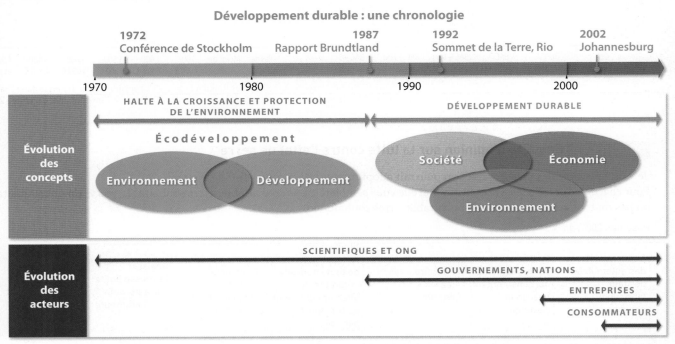

Source : d'après Walid Oueslati, professeur d'économie à l'École d'horticulture d'Angers.

PARTIE 3 Raisonnement s'appuyant sur un dossier documentaire

SUJET (10 POINTS) : Montrez que l'opinion des consommateurs est importante pour conduire une politique climatique.

DOCUMENT 1 L'opinion des Français sur les énergies renouvelables

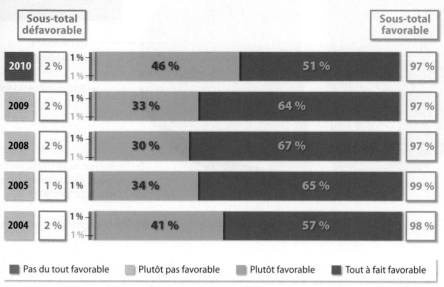

Source : Ademe, « Les Français et les énergies renouvelables », Baromètre 2010.

DOCUMENT 2 Les déterminants de la sensibilité écologique

Sensible et très sensible aux questions d'environnement
(4 + 5 sur échelle de 1 à 5)

Sensible et très sensible aux questions d'environnement
(4 + 5 sur échelle de 1 à 5)

Source : Bruno Maresca, Anne Dujin et Romain Picard, « La consommation d'énergie dans l'habitat entre recherche de confort et impératif écologique », Crédoc, *Cahier de recherche*, n° 264, décembre 2009.

DOCUMENT 3 Enquête d'opinion sur la lutte contre l'effet de serre

Je vais vous citer des mesures que l'on pourrait adopter pour lutter contre l'effet de serre.
Pour chacune d'entre elles, vous me direz si elle vous semblerait très souhaitable, assez souhaitable, pas vraiment souhaitable ou pas du tout souhaitable (total souhaitable + très souhaitable).

Résultats 2007, en %

Limiter la vitesse des automobiles dès leur fabrication en usine	Mettre une taxe sur les véhicules qui consomment beaucoup d'énergie	Interdire les 4 × 4 en ville	Stopper la construction de toute nouvelle autoroute et affecter cet argent au transport par rail	Taxer le transport aérien pour favoriser le transport par le train	Abaisser la vitesse limite sur autoroute à 110 km/heure	Augmenter modérément mais régulièrement le prix des carburants
80	75	73	61	54	50	20

Source : « Le réchauffement climatique : une prise de conscience grandissante du grand public », *Ademe&vous*, n° 9, février 2008.

Aide au travail personnel

Accompagnement personnalisé

Maîtriser les connecteurs logiques

1. Organiser ses écrits

• Répondre à une question nécessite d'organiser une démonstration construite autour d'une idée principale. Le plan est la colonne vertébrale de la réponse.
• Les transitions entre les différentes parties, entre les idées, sont fondamentales pour mettre en évidence la progression du raisonnement.

2. Bien choisir les mots de liaison

• Il existe des mots, des expressions qui permettent de commencer une phrase ou d'articuler deux phrases, deux idées, deux paragraphes : ce sont les connecteurs logiques.
• Maîtriser ces connecteurs est aussi un bon moyen d'apprendre à construire un plan.

ACTIVITÉ À vous de jouer !

1. Relier les séries de connecteurs à leurs utilisations

Connecteurs logiques	Utilisations
1. De surcroît, de plus, de même, d'autre part, en outre, non seulement … mais encore.	**Condition :** énoncer les hypothèses ou les conditions nécessaires à la validité d'un argument.
2. Car, parce que, puisque, en raison de, du fait que.	**Précision :** affiner une affirmation.
3. Ensuite, d'une part … d'autre part, non seulement … mais encore.	**Nuance :** apporter une limite à l'idée, au fait ou à l'argument précédent.
4. En définitive, enfin, en somme, finalement, donc.	**Opposition :** opposer deux faits ou deux arguments.
5. Si, à supposer que, en admettant que, dans l'hypothèse où, au cas où, à la condition que.	**Classification :** hiérarchiser, ordonner, les arguments ou les faits.
6. C'est pourquoi, en conséquence, donc, de sorte que, d'où, si bien que, aussi.	**Conséquence :** énoncer le résultat, l'aboutissement d'un fait ou d'un raisonnement (argument).
7. Ainsi, par exemple, d'ailleurs.	**Illustration :** éclairer son ou ses arguments par des faits.
8. Malgré, en dehors de, excepté, quoique, bien que, cependant.	**Addition :** ajouter un argument ou un exemple nouveau.
9. Mais, en revanche, alors que, pourtant, tandis que, par contre, néanmoins, d'un autre côté, en dépit de, au contraire, malgré, bien que.	**Cause :** exposer l'origine, la raison d'un fait ou d'une idée.
10. Plus précisément, en l'occurrence, notamment.	**Conclusion :** achever son argumentation.

2. Compléter les phrases

Complétez les phrases ci-dessous en utilisant les bons connecteurs.

Les sources de la croissance sont les facteurs de production (capital et travail) dont dispose une économie. .... un plus grand nombre d'heures de travail dans une économie peut être un facteur de croissance .... qu'une productivité du travail plus élevée. [...]
Le progrès technique fait disparaître des emplois. .... la production des innovations à l'origine des gains de productivité nécessite également des travailleurs, ... leur nombre est par définition plus faible que le nombre de travailleurs « économisés » .... aux innovations .... il n'y aurait, ..., pas de gains de productivité.
........., en réduisant la main-d'œuvre, les gains de productivité dans le secteur innovant permettent de diminuer les coûts et les prix, favorisant une augmentation de la demande et .... de nouvelles embauches pour produire plus.
........., les gains de productivité permettent une augmentation du pouvoir d'achat au niveau de l'ensemble de l'économie.

THÈME 4
CLASSES, STRATIFICATION ET MOBILITÉ SOCIALES

SOCIOLOGIE

Que va-t-on étudier ?

Les sociétés démocratiques s'opposent aux sociétés traditionnelles (sociétés de castes ou d'ordres, par exemple), par une double caractéristique : l'égalité de droit (tous les citoyens naissent égaux en droit) et la méritocratie (le statut social d'un individu ne lui est pas imposé, mais il est acquis par lui). De ce fait, la structure sociale n'est pas une donnée juridique et doit donc faire l'objet d'une analyse sociologique (chapitre 8). Il convient par ailleurs d'étudier la mobilité sociale qui est un bon indicateur du degré de fluidité sociale, c'est-à-dire de la capacité de notre société à garantir l'égalité des chances (chapitre 9).

 Ce que vous savez déjà

Pour traiter ces questions, nous allons faire appel à vos connaissances de 1re.
Qu'est-ce qu'un groupe social ? Par quels mécanismes l'individu intègre-t-il un groupe social ?

Avant d'entrer dans cette partie, rappelez-vous les notions suivantes :

Chapitre 8 • Groupe social   Chapitre 9 • Groupe d'appartenance   • Socialisation anticipatrice
• Groupe de référence   • Capital social

Pour vous aider, voici quelques activités.

RÉVISER LES ACQUIS DE 1RE

Réponses p. 447-

1 Qu'est-ce qu'un groupe social ?

Une file d'attente au remonte-pente.

Un équipage participant à une course de Snake boat (Kerala, Inde).

1. EXPLIQUER. Pour chacune des images, dites s'il s'agit d'un groupe social.

2. DÉFINIR. Quels sont les critères qui, en sociologie, permettent d'identifier les groupes sociaux ?

3. ILLUSTRER. Donnez d'autres exemples de groupes sociaux.

2 Qu'est-ce que le capital social ?

Plusieurs formes de liens sociaux entrent dans la notion de capital social. Le plus souvent, cette notion est approchée par des indicateurs de participation associative (adhésion à des associations, groupes, clubs…), de participation sociale ou politique (activités de bénévolat, participation électorale, inscription dans un parti politique), d'indicateurs de sociabilité[1] (rencontres et contacts avec la famille, les amis, les voisins), d'adhésion à des normes de civisme (degré de tolérance à la fraude notamment), de confiance (sentiment que l'on peut faire confiance à la plupart des gens). […]
[La sociabilité (amicale et familiale)] cristallise toutes les difficultés qui se posent pour la mesure plus générale du capital social. Faut-il s'intéresser à tous les types de contacts (y compris téléphoniques, par écrit, etc.), aux seules rencontres directes ou aux deux ? Il est de plus difficile d'interpréter la « quantité » de rencontres, qui dépend sans doute de la sociabilité des personnes, mais aussi de leur localisation qui peut être plus ou moins éloignée de celle des membres de leur famille ou de leurs amis. Enfin, on ne dispose pas d'information sur la « qualité » de ces contacts : des contacts fréquents avec la famille peuvent s'avérer être en fait désagréables pour une personne, en cas de tensions familiales par exemple. Les données disponibles montrent peu de résultats généraux : on peut cependant noter que les hommes, les personnes à faible niveau de vie et celles ayant des problèmes de santé ont un moindre degré de sociabilité que les autres.

1. Ensemble des relations qu'un individu ou un groupe noue avec les autres.

Michel Duée, « Qu'est-ce que le capital social ? », Insee, « France, portrait social », édition 2010.

1. DÉFINIR. Donnez une définition simple du capital social.

2. CONSTATER. Quels sont les trois problèmes que soulève la mesure de la sociabilité ?

3. EXPLIQUER. Les contacts sur les réseaux sociaux via Internet sont-ils révélateurs du capital social d'un individu ?

3 Une mesure de l'absence de capital social des individus en France

En %

	Tous	Personne seule	Famille mono-parentale	Couple avec un ou 2 enfants	16-29 ans	60 ans et plus	1er quartile de niveau de vie (Q1)	Dernier quartile de niveau de vie (Q4)
Pas de contacts avec les amis (hors rencontres)	8	10	8	6	2	15	12	5
Pas de rencontres avec les amis	6	8	7	3	2	11	8	3
Pas de contacts avec la famille	4	4	6	3	4	5	7	2
Pas de rencontres avec la famille (hors contacts)	2	3	4	2	1	2	4	1
Aucune participation aux activités d'associations	75	75	77	78	70	73	79	70

Champ : France métropolitaine, personnes âgées de 16 ans ou plus, vivant en ménages ordinaires.

Source : Valérie Albouy, Pascal Godefroy et Stéfan Lollivier, « Une mesure de la qualité de vie », Insee, « France, Portrait social », édition 2010.
Chiffres Insee, SRCV 2006, pondérations transversales.

1. CALCULER. Quelle est la part des individus, quel que soit le critère adopté, qui ont des contacts avec leurs familles ?

2. CONSTATER. L'absence de contacts ou de rencontres est-il plus fréquent avec les amis ou avec la famille ?

3. EXPLIQUER. Pourquoi le revenu a-t-il un impact sur la sociabilité ?

4. RÉCAPITULER. La sociabilité, qui mesure ici le capital social, est-elle la même quels que soient les individus ?

4 La socialisation

Cas 1 • Chloé Martin allait entrer en classe de 2de. Elle quittait son ancien collège, situé à deux pas de son domicile pour un grand lycée dans une ville voisine : alors qu'elle faisait partie des plus grands de son établissement en classe de 3e, elle était intimidée à l'idée de faire partie des plus petits l'année suivante et d'avoir à se faire de nouveaux amis. Elle trouvait que sa famille la prenait encore trop pour une petite fille. Ne se rendaient-ils pas compte qu'elle avait changé ? Elle s'était débarrassée de son ancien cartable et avait demandé un sac à dos pour aller en cours. Ses parents avaient enfin accepté de lui donner un téléphone portable, ce qui lui permettait de les rassurer quand elle ne respectait pas les horaires qui lui étaient fixés. Sans qu'ils le sachent, depuis cette année, elle fumait de temps en temps avec ses amis et se maquillait de plus en plus souvent.

Hachette Éducation, 2012.

Cas 2 • Michel Dupond, après 40 ans passés comme employé d'une grande administration s'apprêtait à prendre sa retraite. Lors de sa dernière année d'activité, il avait renoncé à un certain de nombre de fonctions qu'il occupait au sein du comité d'entreprise ou comme délégué syndical. Ses collègues lui ayant demandé ce qu'il souhaitait recevoir à l'occasion de son pot de départ, il avait établi une liste sur laquelle on trouvait pêle-mêle : un vélo, des guides de voyage, du matériel de pêche à la ligne, un fauteuil de jardin… Parce qu'il appréhendait sa nouvelle période d'inactivité, il s'était déjà renseigné dans sa mairie sur les activités proposées pour les retraités et sur les besoins en bénévolat de sa commune.

1. DÉFINIR. Rappelez ce que signifie la socialisation en sociologie.

2. EXPLIQUER. Montrez que ces deux exemples (cas 1 et cas 2) illustrent un phénomène de socialisation anticipatrice.

3. CONSTATER. Pour chacun des cas, dites quels sont les groupes de référence et les groupes d'appartenance des deux individus.

8

CHAPITRE

Comment analyser la structure sociale ?

La société, en plus d'un siècle, a changé : des métiers ont disparu, d'autres sont apparus, les conditions de travail ont changé, des lois protègent les salariés de certaines formes d'exploitation, les conditions de vie se sont améliorées en termes d'alimentation, de santé, d'éducation, de logement, l'État contribue, par la redistribution, à la solidarité entre les individus. Bref, le monde dans lequel nous vivons ne ressemble plus à celui dans lequel a vécu Karl Marx, qui voyait dans la lutte des classes le moteur de l'Histoire… Certains en déduisent que les classes sociales ont disparu. D'autres, au contraire, les voient réapparaître à certaines époques.

Dès lors, l'analyse en termes de classes sociales est-elle pertinente pour étudier la dynamique de la structure sociale ?

Certes, les individus se distinguent par leur situation professionnelle. Aujourd'hui, cependant, de multiples critères interviennent également pour les différencier les uns des autres. En effet, dans la société contemporaine, les inactifs (jeunes et retraités) sont de plus en plus nombreux, et chaque individu est amené au cours de sa socialisation à occuper des rôles et des statuts qui peuvent être assez divers : ainsi la profession mais aussi le sexe, l'âge, l'origine ethnique contribuent à différencier les individus.

Ces multiples critères qui forment autant d'inégalités bouleversent-ils la lecture de la stratification sociale ? Remettent-ils en cause les frontières entre les classes sociales ?

SOMMAIRE

Réviser les acquis de 1re	202
I Quelle est la dynamique de la structure sociale ?	206
A Au XIXe siècle : la domination des classes sociales	206
B Au XXe siècle : une tendance à la moyennisation	208
C Au XXIe siècle : assiste-t-on au retour des classes sociales ?	210
II La structure sociale contemporaine fait-elle disparaître les classes sociales ?	212
A De multiples critères de différenciation sociale	212
B Des frontières brouillées	214
C Une stratification plurielle	216
TD 1. Analyser l'appartenance de classe	218
TD 2. Les classes populaires forment-elles un groupe homogène ?	219
Synthèse	220
Schéma Bilan	222
Autoévaluation	223
Vers le Bac	224
Aide au travail personnel	227

Notions au programme
- Classes sociales
- Groupes de statut
- Catégories socioprofessionnelles

Acquis de 1re
- Groupe social

Fiches Notion 3 et 4
(voir p. 414-417)
- Strates et classes

1

Pour moi, la richesse est intérieure.

1. Qu'est-ce que la richesse ? (Doc. 1)

2. Consommer, n'est-ce qu'une question de pouvoir d'achat ? (Doc. 2)

3. La logique de la distinction est-elle inévitable ? (Doc. 3)

2 Classes d'œufs ou œufs de classes ?

Œufs de lump : 100 g = 2,5 €

Caviar Beluga : 100 g = 1 280 €

3 On se moque et on se scandalise souvent des dépenses arrogantes des milliardaires qui louent des chambres de palace à 5 000, 10 000 ou 20 000 € la nuit. Cette démesure fait partie de la compétition de prestige au sein de l'élite. Mais cette compétition existe aussi au sein des classes populaires. Elle peut s'exprimer par les vêtements (le poids des marques dans les cités), l'achat ou l'embellissement des voitures (les compétitions de tuning), le mobilier (les horloges comtoises ou les barbecues). Et quand ce n'est pas dans le domaine de la consommation, la lutte de prestige s'exprime dans les activités sportives, les concours canins, l'élection de la maison la plus fleurie ou l'élection de miss Morvan. Les milieux populaires ont aussi leur bling-bling.

Jean-François Dortier, « Le bling-bling du pauvre », *Sciences humaines*, n° 224, mars 2011.

I. Quelle est la dynamique de la structure sociale ?

A Au XIXᵉ siècle : la domination des classes sociales

1. Des classes à tous les étages ?

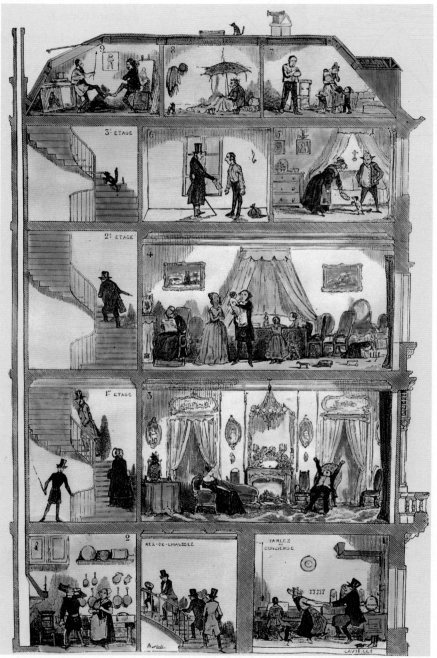

Coupe d'une maison parisienne, lithographie de Bertall publiée dans le journal l'*Illustration*, janvier 1845.

1. CONSTATER. Quels sont les différents milieux sociaux représentés dans ce document ?

2. CONSTATER. Comment les catégories sociales dans cet immeuble sont-elles réparties ?

3. EXPLIQUER. Ce document illustre-t-il l'approche que Karl Marx (doc. 2) fait des classes sociales ?

2. Une histoire de la lutte des classes

L'histoire de toute société jusqu'à nos jours est l'histoire de la lutte des classes. Homme libre et esclave, patricien[1] et plébéien, baron et serf, maître de jurande[2] et compagnon, en un mot oppresseurs et opprimés en perpétuelle opposition, ont mené une lutte ininterrompue, tantôt secrète, tantôt ouverte et qui finissait toujours soit par une transformation révolutionnaire de toute société, soit par la ruine commune des classes en lutte.

Dans les premiers temps de l'histoire, nous trouvons presque partout une organisation complète de la société en classes distinctes, une hiérarchie variée de conditions sociales. Dans la Rome antique, nous trouvons des patriciens, des chevaliers, des plébéiens, des esclaves ; au Moyen Âge, des seigneurs, des vassaux, des maîtres de jurande, des compagnons, des serfs et des hiérarchies particulières dans chacune de ces classes.

La société bourgeoise moderne, élevée sur les ruines de la société féodale, n'a pas aboli les antagonismes de classes. Elle n'a fait que substituer à celles d'autrefois de nouvelles classes, de nouvelles conditions d'oppression, de nouvelles formes de lutte. Notre époque – l'époque de la bourgeoisie – se distingue cependant par la simplification des antagonismes de classes. La société tout entière se divise de plus en plus en deux vastes camps ennemis, en deux grandes classes diamétralement opposées : la bourgeoisie et le prolétariat.

1. Citoyen appartenant à la classe aristocratique dans l'Antiquité romaine.
2. Groupement professionnel autonome sous l'Ancien Régime composés de membres égaux, unis par un serment.

Karl Marx et Friedrich Engels,
Le manifeste du parti communiste,
10/18, 1962 (1848 pour l'édition originale).

1. CONSTATER. Les classes sociales sont-elles, selon Marx et Engels, propres au XIXᵉ siècle ?

2. EXPLIQUER. Que décrit le dernier paragraphe de ce texte ?

3. EXPLIQUER. Qu'est-ce qui oppose la bourgeoisie et le prolétariat ?

4. RÉCAPITULER. Quelle est, pour Marx, la dynamique de la structure sociale ?

3. Une classe n'a pas qu'une dimension économique

Pour ce philosophe[1], les différences de richesse économique ne suffisent pas à différencier les classes sociales. Ce sont les (« bonnes ») manières de voir, de sentir et d'agir dans les différents domaines de l'existence (dans l'ordre du langage et du geste, dans le comportement en société comme dans le choix du vêtement, du logement ou du mobilier) qui font de la bourgeoisie ce qu'elle est en tant que classe dont les privilèges ne sont pas donnés à la naissance. Cette dernière installe donc des barrières entre elle et les classes subalternes qui sont légalement franchissables et continuellement franchies, lui imposant ainsi l'invention

Une famille bourgeoise avant de partir au bal, Édouard Debat-Ponsan, 1886.

régulière de nouveaux obstacles pour tenir les autres classes à bonne distance.

1. Edmond Goblot (1858-1935), philosophe des sciences, logicien et épistémologue, qui a publié en 1925 un ouvrage sur la bourgeoisie.

Bernard Lahire, préface du livre d'Edmond Goblot, *La barrière et le niveau*, PUF, 2010 (1925 pour l'édition originale).

1. CONSTATER. Sur quel fondement les classes sociales reposent-elles dans ce texte ?

2. ILLUSTRER. Donnez des exemples illustrant la phrase soulignée.

3. EXPLIQUER. Comment fonctionnent les « barrières » dont il est question dans ce texte ? Vous pourrez développer un exemple en particulier.

4. Les trois échelles de Max Weber

Les classes

La situation de classes renvoie aux chances d'accéder à des biens ou des revenus sur le marché des biens ou celui du travail. Les individus qui ont des chances comparables d'accéder à des biens, donc à certaines « chances de vie », sont considérés comme appartenant à la même classe. De ce point de vue, le clivage le plus fondamental est celui qui oppose les propriétaires aux non-propriétaires. […] Une autre conceptualisation des classes repose sur la notion de mobilité sociale. La classe sociale est ainsi définie par l'ensemble des situations de classe caractérisées par des chances de mobilité sociale élevée.

Les groupes de statut

Chaque groupe de statut est défini par le degré « d'honneur social » ou de prestige que les individus se reconnaissent mutuellement. En ce sens, les groupes de statut sont des communautés parce que leurs membres partagent des valeurs et des sentiments communs. Alors que les classes sociales sont différenciées en fonction de leur relation à la production et à la distribution de biens, les groupes de statut le sont à partir de leur mode de consommation et de leur style de vie. Appartenir à un même groupe de statut signifie avoir reçu un certain mode d'éducation et partager des goûts culturels […]. Les groupes de statut sont plus ou moins fermés, mais la plupart pratiquent l'endogamie, c'est-à-dire le mariage à l'intérieur du groupe.

Les partis politiques

Le parti est un groupe d'individus cherchant à conquérir le pouvoir ou tout du moins à influencer les prises de position dans le domaine politique. Les individus qui se regroupent en partis peuvent chercher à défendre un idéal, à bénéficier d'avantages matériels, ou encore à obtenir des positions de pouvoir personnel. La constitution de partis, au sens weberien, ne se limite pas à la conquête du pouvoir d'État. On peut la rencontrer à l'intérieur de toute organisation dès lors que se constituent des clans, des tendances qui s'affrontent pour la conquête du pouvoir institutionnel au sein de l'organisation.

Henri Mendras et Jean Étienne, *Les grands auteurs de la sociologie*, Hatier, 1996.

1. CONSTATER. La définition des classes selon Weber est-elle différente de celle de Marx (doc. 2) ?

2. DÉFINIR. Qu'est-ce qu'un groupe de statut ?

3. EXPLIQUER. Être en haut de l'échelle des classes sociales implique-t-il d'être bien placé sur les deux autres échelles ?

4. RÉCAPITULER. Quel est l'intérêt de distinguer trois échelles ?

B Au XXᵉ siècle : une tendance à la moyennisation

1. Un constat : la moyennisation de la société

Derrière un mot, la moyennisation, trois phénomènes liés entre eux		
Tendance générale de la société française	**Création d'une vaste classe moyenne**	**Une moyennisation culturelle issue des classes moyennes**
– Réduction des disparités socio-économiques – Convergence en matière de pratique de consommation avec diffusion par vagues successives de biens d'équipement dont les classes populaires étaient auparavant exclues	– Vaste classe moyenne allant des cadres aux strates supérieures des catégories « employés » et « ouvriers » – Tendance accentuée par la « fin des paysans » et le déclin de la classe ouvrière et, d'une manière générale, par l'effritement des clivages traditionnels de classes	Homogénéisation tendancielle des formes de sociabilité, des comportements et des pratiques dans la sphère privée, à partir de la diffusion dans le corps social des modèles culturels forgés par les couches moyennes salariées

Source : d'après Serge Bosc, *Sociologie des classes moyennes*, La Découverte, 2008.

1. ILLUSTRER. Donnez des exemples des phénomènes décrits dans la première colonne du tableau.

2. CONSTATER. À quoi la moyennisation s'oppose-t-elle ?

3. EXPLIQUER. La moyennisation invalide-t-elle ou élargit-elle la notion de classes sociales ?

2. Le constat empirique : l'évolution des classes sociales de 1954 à 1975

Répartition des classes sociales en 1954 et 1975 (en %)	1954	1975
Prolétariat (y compris les gens de maison de toute catégorie)	37,8	41,2
Classes rurales (y compris les salariés agricoles)	27,1	9,5
Classes moyennes (y compris les instituteurs)	29,7	40,6
Bourgeoisie	3,8	6,1
Population autonome (artistes, clergé, professeurs, intellectuels, scientifiques)	0,74	2

Note : du fait des arrondis, le total des colonnes n'est pas tout à fait égal à 100.

Source : Fernand Braudel et Ernest Labrousse, *Histoire économique et sociale de la France*, tome IV (1950-1980), PUF, 1993.

1. CALCULER. Avec le calcul de votre choix, mesurez l'évolution de la part des classes moyennes.

2. CONSTATER. Est-ce la seule catégorie dont la part a augmenté ?

3. EXPLIQUER. Ce tableau traduit-il une tendance à la moyennisation ?

3. Les explications : les transformations du capitalisme à la fin du XXᵉ siècle

Approfondissement de la division du travail	Progrès technique	Intervention croissante de l'État dans les domaines économique et social	Mutations structurelles de l'emploi	Évolution des modes de gestion de la main-d'œuvre
Il s'accompagne de l'inflation des tâches de gestion et explique pour partie la montée en puissance des cadres et des professions intermédiaires.	Il suppose le recours à une main-d'œuvre plus qualifiée. L'école devient un enjeu crucial dans « la lutte des places ».	– Poids des dépenses publiques – Mise en place d'un système redistributif	– Tertiairisation – Recul des effectifs ouvriers – Féminisation...	– Individualisation de la relation d'emploi – Externalisation de nombreuses activités – Précarisation sur fond de chômage structurel de masse, de mise en concurrence généralisée et de multiplication des statuts

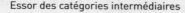

Essor des catégories intermédiaires

+

Fragmentation du tissu social et brouillage des frontières qui affecte presque tous les groupes (par exemple les catégories traversées par l'opposition entre public et privé, ou entre ceux qui sont protégés par un statut et les précaires)

Source : d'après Pascal Combemale, « Le tourbillon des classes sociales », *Alternatives économiques*, Hors série n° 89, avril 2011.

1. DÉFINIR. Que signifient les expressions « externalisation des activités », « multiplication des statuts » et « système redistributif » ?

2. CONSTATER. Comment les transformations du capitalisme conduisent-elles à une moyennisation ?

3. EXPLIQUER. Les transformations du capitalisme aboutissent-elles à une disparition des classes sociales ?

4. Des classes qui se distinguent entre elles

À grand renfort de statistiques, d'entretiens, de descriptions et de photos, le sociologue [Pierre Bourdieu] montrait [dans *La distinction* (1979)] comment la culture et les styles de vie fonctionnaient, dans la société française, comme des machines à produire des différences et des hiérarchies. [...] Les formes les plus légitimes, les plus « nobles », de culture (visite des musées et galeries, opéra) sont appropriées par les classes supérieures. Ces dernières sont singées par les classe moyennes, qui se contentent de produits dégriffés, ersatz[1] de culture légitime : jazz en lieu et place de musique classique, photographies, revues de vulgarisation, cinéma... Les classes populaires, elles, tendent à s'autoexclure du jeu de la culture (« ce n'est pas pour nous »), se contentant de « produits culturels de grande diffusion » : variété, spectacles sportifs, télévision, romans policiers... Même lorsque des pratiques sont partagées par tous les groupes en matière de musique classique, les ouvriers diront préférer *Le beau Danube bleu*[2], tandis que les cadres préféreront *Le clavecin bien tempéré*[3]. Certains iront à la piscine pour se détendre, d'autres iront, tôt le matin, pour faire des longueurs. C'est ainsi dans virtuellement toutes les pratiques (logement, tourisme, alimentation) que s'exprime ce système de différences de classes. Et même de fractions de classe : les classes supérieures sont par exemple les principales consommatrices de théâtre, mais, en leur sein, les individus les mieux dotés en capital culturel (enseignants du supérieur, par exemple) s'orienteront davantage vers le théâtre d'avant-garde et mépriseront le théâtre de boulevard prisés par les mieux dotés en capital économique (patrons, professions libérales).

1. Substitut, ce qui remplace quelque chose.
2. Célèbre valse de Johann Strauss (XIXe siècle), devenue une musique populaire.
3. Œuvre de Jean-Sébastien Bach (XVIIIe siècle), considérée comme de portée historique et artistique.

Xavier Molénat, « Les nouveaux codes de la distinction », *Sciences humaines*, n° 224, mars 2011.

1. ILLUSTRER. Donnez des exemples d'opposition de classes dans le domaine du logement, du tourisme et de l'alimentation.

2. CONSTATER. Combien y a-t-il de classes pour Bourdieu ? Quelles relations entretiennent-elles ?

3. CONSTATER. L'approche de Bourdieu paraît-elle plus proche de celle de Marx ou de celle de Weber ?

4. EXPLIQUER. Les classes s'opposent-elles seulement sur le type de biens ou services culturels qu'elles consomment ?

REPÈRE Pierre Bourdieu (sociologue français, 1930-2002)

Ses travaux, à partir de l'analyse de la domination des classes supérieures, ont porté sur des sujets variés (l'école, les pratiques culturelles, la consommation, l'art...). Le rôle du sociologue consiste pour Pierre Bourdieu à dévoiler les mécanismes sociaux à l'œuvre derrière les comportements les plus « naturels ». Son nom est associé à des notions comme l'habitus et le capital (social, économique, culturel et symbolique).

DÉFINITIONS

Capital culturel
Il s'agit de l'ensemble des connaissances, des savoirs, des pratiques culturelles, des qualifications (mesurées par les diplômes) et des biens culturels (livres, tableaux...) d'un individu ou d'une société.

Capital économique
Il s'agit de l'ensemble des biens, revenus et patrimoines d'un individu ou d'un ménage.

5. Styles de vie et positions sociales selon Bourdieu

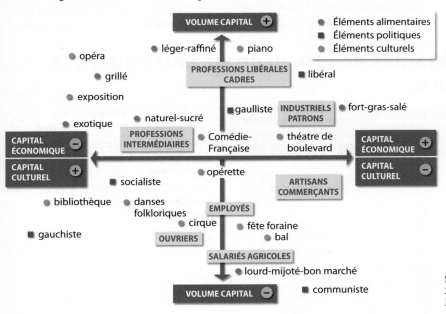

1. CONSTATER. À quoi correspondent les deux axes qui servent à construire ce graphique ?

2. EXPLIQUER. Quel est l'intérêt de faire correspondre les styles de vie et les catégories socioprofessionnelles ?

Source : Jean-Michel Morin, *La sociologie*, Nathan, 2010, d'après Pierre Bourdieu, *La distinction*, Minuit, 1979.

ENTRAÎNEMENT

QUESTION DE COURS. Quelles ont été au XXe siècle les principales caractéristiques de la dynamique de la stratification sociale ?

SYNTHÈSE. À partir des documents 3, 4 et 5, montrez que les évolutions de la structure sociale dans la seconde moitié du XXe siècle sont compatibles avec une lecture en termes de classes sociales.

C Au XXIᵉ siècle : assiste-t-on au retour des classes sociales ?

1. Les inégalités de revenus se creusent

Évolution des revenus annuels avant impôts par personne (en euros et en %)				
	2004	2008	Hausse en %	Hausse en valeur
Les 50 % les plus riches gagnent au moins	17 400	18 300	5	+ 900 €
Les 10 % les plus riches...	35 300	37 000	5	+ 1 700 €
Les 1 % les plus riches...	80 500	88 200	16	+ 7 700 €
Les 0,1 % les plus riches...	201 300	239 300	19	+ 38 000 €
Les 0,01 % les plus riches...	551 900	732 300	33	+ 180 400 €

Note : les données présentées ici sont des limites de quantiles et non des données moyennes.

Source : Insee, 2011, « Les chiffres 2012 », *Alternatives économiques*, hors-série n° 90, octobre 2011, chiffres Insee.

1. DÉFINIR. Que signifient les expressions « revenus annuels avant impôts » et « quantiles » ?

2. CONSTATER. Faites une phrase avec les données de la dernière ligne.

3. CONSTATER. Le dernier décile de la population forme-t-il une catégorie homogène ?

4. EXPLIQUER. Pourquoi ce tableau traduit-il une forme de polarisation de la société française ?

2. Le durcissement des frontières sociales ?

Le caractère de classe de la société s'est à certains égards accentué. Non seulement de grandes inégalités sociales se sont pour l'essentiel maintenues en se déplaçant, mais il n'est pas exagéré de dire que certaines se sont durcies. Les inégalités salariales, par exemple, qui baissaient dans les années 1960 et 1970, ne diminuent plus aujourd'hui. Plus largement, ce sont aussi certaines frontières sociales qui se sont durcies. Une partie des catégories populaires, par exemple, a été aspirée par des situations de précarité, alors que de l'autre côté de la hiérarchie sociale, les sociologues de l'urbain […] nous montrent qu'en termes de logement, de choix du quartier, de choix de la résidence et du lycée pour les enfants, les comportements d'une partie importante des catégories supérieures, notamment les cadres du privé et les professions libérales, sont de plus en plus autoségrégatifs et manifestent un évitement systématique de la mixité sociale. De nouvelles frontières sociales sont apparues avec l'importance prise par le diplôme. Les mobilités ouvrières dans les entreprises par exemple, sont aujourd'hui quasiment bloquées au-delà d'un certain seuil : faute de diplômes, il est de plus en plus difficile pour les ouvriers professionnels de sortir de la condition ouvrière.

Olivier Schwartz,
« Vivons-nous encore dans une société de classes ? »,
laviedesidées.fr, 22 septembre 2009.

1. ILLUSTRER. Donnez des exemples illustrant la phrase soulignée.

2. DÉFINIR. Qu'est-ce que la mixité sociale ?

3. CONSTATER. Par quels moyens les frontières sociales se reconstituent-elles ?

4. EXPLIQUER. Quel est, selon l'auteur, le critère de définition des classes sociales ?

3. L'évolution des inégalités de niveau de vie entre ouvriers et cadres supérieurs

Dates	Nombre d'années qu'il faudrait aux ouvriers pour atteindre le niveau de vie des cadres supérieurs[1]	Rapport du salaire cadres supérieurs/ ouvriers	Croissance du pouvoir d'achat moyen annuel des ouvriers au cours des cinq dernières années (en %)
1955	29	3,9	4,8
1960	50	3,9	2,8
1965	40	4	3,5
1970	37	3,8	3,7
1975	36	3,4	3,5
1980	65	2,9	1,6
1985	372	2,7	0,3
1990	353	2,8	0,3
1995	316	2,6	0,3
1998	151	2,5	0,6
2007	166	2,7	0,6

1. Compte tenu de l'évolution du pouvoir d'achat moyen des cinq dernières années.

Lecture : compte tenu du pouvoir d'achat moyen des ouvriers, il leur fallait 166 ans en 2007 pour atteindre le niveau de vie des cadres de cette année-là, contre 29 ans en 1955.

Source : Observatoire des inégalités, « Salaires : quand les ouvriers vont-ils rattraper les cadres ? », inegalites.fr, 25 novembre 2010.

1. CONSTATER. Faites une phrase avec les données de la première ligne.

2. CONSTATER. Caractérisez les grandes périodes qui se dégagent de l'étude de ce tableau.

3. EXPLIQUER. Pourquoi ce tableau contribue-t-il à l'idée d'un retour des classes sociales ?

4. Des classes sociales différentes de celles du passé ?

Dans notre pays plus que dans d'autres, c'est sans doute la subsistance d'une tradition de lutte des classes qui permet que nombre des inégalités les plus criantes redeviennent quelque peu lisibles et dicibles en termes d'inégalités de classes. Parce que les inégalités sont vues plus volontiers qu'ailleurs comme cumulatives et ancrées dans des rapports d'exploitation. Alors que la notion d'inégalités – de ressources, de pouvoir, de prestige – s'inscrit *a priori* dans une vision de l'espace social comme *continuum*, celle de classes incite à penser en termes de discontinuités et de conflits autour de l'appropriation des richesses sociales.

Pour autant, s'agit-il d'un retour au paysage des classes sociales d'avant la crise des années 1970, celui d'une société encore largement industrielle, ayant connu une vingtaine d'années de croissance keynésio-fordienne ? À l'évidence, non. […] Ainsi, les multiples rapports de domination qui se combinent toujours avec les rapports de classes apparaissent aujourd'hui de manière plus autonome et plus visible. Mais ils n'organisent plus les conflits sociaux de manière aussi centrale qu'avaient pu le faire les rapports de classes. En particulier, l'insertion durable des femmes dans le monde du travail salarié a bouleversé les relations entre sphère privée et sphère publique, bousculé la prééminence des valeurs viriles, renouvelé le regard sur le travail et sa valeur. […] Autre grand élément de rupture : la mondialisation capitaliste. La structure de classes est indissociable de l'État-nation. La crise de ce dernier se répercute nécessairement dans les formes objectives et subjectives de la division sociale. Si les classes dirigeantes épousent généralement ce mouvement en même temps qu'elles l'animent, peut-on en dire autant du mouvement ouvrier et des mouvements sociaux ? Le salariat lui-même n'est-il pas profondément différencié du point de vue des situations et de perceptions liées au déclin du cadre national ?

Paul Bouffartigue, introduction de Paul Bouffartigue (dir.), *Le retour des classes sociales*, La Dispute, 2004.

1. CONSTATER. Quels liens l'auteur fait-il entre inégalités et classes sociales ?

2. EXPLIQUER. Quel effet la mondialisation a-t-elle sur l'analyse en termes de classes sociales ?

3. RÉCAPITULER. Assiste-t-on à un retour des classes sociales à la manière dont Marx les analysait au XIXᵉ siècle ?

5. L'évolution de la structure sociale par GSP de 1936 à 2008

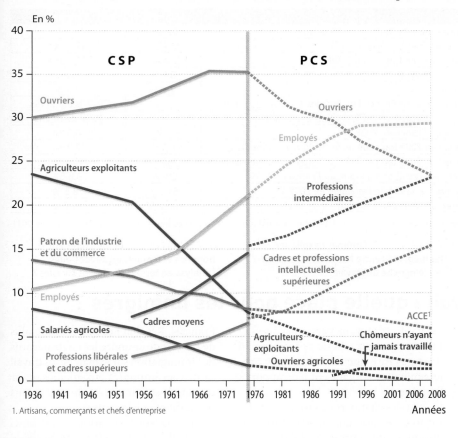

1. Artisans, commerçants et chefs d'entreprise

Champ : population active France métropolitaine, de plus de 15 ans.

Source : Insee, enquêtes Emploi.

1. DÉFINIR. Que sont les PCS ?

2. EXPLIQUER. La nomenclature des PCS fait-elle apparaître des classes sociales ?

3. CONSTATER. Quelles sont, selon l'Insee, les principales évolutions de la population active française ?

ENTRAÎNEMENT

QUESTION DE COURS. Les inégalités suffisent-elles à définir des classes sociales ?

SYNTHÈSE. À partir des documents 2, 3 et 4, présentez quelques arguments en faveur de la thèse d'un retour des classes sociales au XXᵉ siècle.

II. La structure sociale contemporaine fait-elle disparaître les classes sociales ?

A De multiples critères de différenciation sociale

1. CSP, statut professionnel et style de vie

Les groupes sociaux sont de moins en moins organisés autour de la profession au sens des CSP […]. Celles-ci ne font pas en effet la distinction importante entre les jeunes et les seniors, entre les fonctionnaires et les salariés du privé, entre les secteurs d'activité, parfois entre les salariés et les indépendants. Elles intègrent mal les nouveaux métiers et fonctions apparus depuis une vingtaine d'années, notamment dans le secteur des services. Elles sont en outre fondées sur la vie professionnelle, alors que le temps libre occupe aujourd'hui une place prépondérante dans les vies individuelles. Les 25,8 millions d'actifs occupés (hors chômeurs) début 2009 ne représentent d'ailleurs que la moitié de la population française adulte (18 ans et plus) ; les autres figurent dans le groupe hétérogène des « inactifs ».

Gérard Mermet, *Francoscopie 2010*, Larousse, 2009.

1. CONSTATER. Citez les critères qui servent à distinguer les CSP entre elles.

2. CONSTATER. En quoi la variété des statuts professionnels déstabilise-t-elle les classes sociales ?

3. EXPLIQUER. Pourquoi n'est-il pas toujours facile de déterminer à quelle classe appartient quelqu'un à la retraite ?

4. RÉCAPITULER. Montrez comment les différents changements que connaît la population française perturbent la lecture de la société française en termes de classes sociales.

> **DÉFINITION** **Style de vie**
> Il s'agit de la manière de vivre propre à un groupe social. Cela englobe les comportements, la sociabilité et les valeurs du groupe.

2. Les inégalités entre hommes et femmes (France et Europe)

		Hommes	Femmes
Éducation	Part des étudiants à l'université en France en 2009-2010	42,3 %	57,7 %
Santé	Espérance de vie à la naissance en France en 2010	78,1 ans	84,8 ans
	Espérance de vie à la naissance en Europe en 2008	76,4 ans	82,4 ans
Chômage	Taux de chômage en France en 2010	8,9 %	9,4 %
	Taux de chômage en Europe en 2010	9,6 %	9,5 %
Salaires	Tous temps de travail confondus, en France en 2006, les femmes gagnent	–	26,7 % de moins
	Pour des temps complets, en Europe en 2005, les femmes gagnent	–	23 % de moins
Emploi	Taux de temps partiel subi en France en 2009	3 %	8,3 %
Pauvreté	Taux de pauvreté en France en 2009 (au seuil de 50 % du revenu médian)	6,3 %	7,2 %
	Taux de pauvreté en Europe en 2009 (au seuil de 50 % du revenu médian)	9,5 %	10,3 %
Conditions de vie	Temps journalier consacré au travail domestique en France en 1999	2 h 24	3 h 52
Vie politique	Part des députés à l'Assemblée nationale française en 2007	81,5 %	18,5 %
	Part des députés au Parlement européen en 2009	65,1 %	34,9 %

Source : Observatoire des inégalités, « Synthèse : les inégalités entre les femmes et les hommes se réduisent en France et en Europe », inegalites.fr, mars et nov. 2011.

1. CONSTATER. Les inégalités entre hommes et femmes sont-elles plus fortes en France ou en Europe ?

2. EXPLIQUER. Comment expliquer les inégalités entre hommes et femmes sur le marché du travail ?

3. RÉCAPITULER. Les inégalités entre hommes et femmes invalident-elles l'analyse en termes de classes sociales ?

3. Le marché du travail : quelle place pour les immigrés ?

L'impact de l'immigration sur le marché du travail est beaucoup moins important que ce que croient bon nombre de Français et de responsables politiques. En réalité, la concurrence joue essentiellement entre anciens immigrés et nouveaux arrivants. Le marché du travail est en effet segmenté : les perspectives d'embauche des migrants non qualifiés sont souvent cantonnées à certains secteurs tels que la restauration, la construction, la garde d'enfants, le soin aux personnes âgées… Et y compris au sein de ces secteurs, il n'est pas rare que les hiérarchies professionnelles s'organisent par rapport à l'origine des salariés.

[…] Sur les chantiers de gros œuvre[1], les manœuvres non qualifiés sont majoritairement des immigrés d'Afrique de l'Ouest, les ouvriers les plus qualifiés sont en grande partie les Maghrébins, les chefs d'équipe les Portugais, et les cadres, les Français. Résultat : ceux qui ont le plus de raisons de craindre les effets négatifs de l'immigration sur le marché du travail sont… les immigrés eux-mêmes, pour peu qu'ils soient arrivés un peu moins récemment que les autres.

1. D'après une étude de Nicolas Jounin, menée auprès d'ouvriers de bâtiment (*Chantier interdit au public*, La Découverte, 2008).

Laurent Jeanneau, « Pourquoi l'immigration ne menace pas l'emploi », *Alternatives économiques*, n° 302, mai 2011.

1. EXPLIQUER. Quels sont les préjugés suggérés par la première phrase du texte ?

2. CONSTATER. Quelle est l'idée principale du texte ?

3. ILLUSTRER. Citez d'autres domaines où l'origine ethnique est discriminante.

4. Les différences en fonction de l'âge : l'exemple du vote

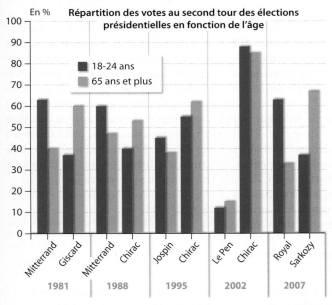

Répartition des votes au second tour des élections présidentielles en fonction de l'âge

En %

Légende :
■ 18-24 ans
▨ 65 ans et plus

	1981	1988	1995	2002	2007
	Mitterrand / Giscard	Mitterrand / Chirac	Jospin / Chirac	Le Pen / Chirac	Royal / Sarkozy

Source : d'après la Sofres.

1. CONSTATER. Le vote des jeunes a-t-il une orientation politique particulière (à gauche ou à droite de l'échiquier politique) ?

2. CONSTATER. Le vote des jeunes est-il le même que celui des plus âgés ?

3. EXPLIQUER. Pourquoi le vote semble-t-il dépendre de l'âge ?

5. L'accès au logement

Prix moyen des appartements en avril 2011 (en €/m²)

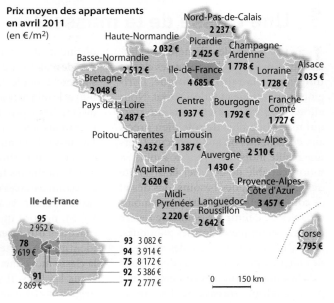

Nord-Pas-de-Calais 2 237 €
Haute-Normandie 2 032 €
Picardie 2 425 €
Champagne-Ardenne 1 778 €
Alsace 2 035 €
Lorraine 1 728 €
Basse-Normandie 2 512 €
Bretagne 2 048 €
Île-de-France 4 685 €
Pays de la Loire 2 487 €
Centre 1 937 €
Bourgogne 1 792 €
Franche-Comté 1 727 €
Poitou-Charentes 2 432 €
Limousin 1 387 €
Rhône-Alpes 2 510 €
Auvergne 1 430 €
Aquitaine 2 620 €
Midi-Pyrénées 2 220 €
Languedoc-Roussillon 2 642 €
Provence-Alpes-Côte d'Azur 3 457 €
Corse 2 795 €

Île-de-France
95 2 952 €
78 3 619 €
93 3 082 €
94 3 914 €
75 8 172 €
92 5 386 €
91 2 869 €
77 2 777 €

0   150 km

Source : « Les chiffres 2012 », *Alternatives économiques*, hors-série n° 90, octobre 2011.

1. CALCULER. Quel est l'écart maximum entre les prix des appartements (exprimé en %) observable entre départements ?

2. EXPLIQUER. Pourquoi le prix des appartements diffère-t-il en fonction des départements ?

3. CONSTATER. Quel critère de différenciation sociale ce document met-il en valeur ?

6. Des inégalités multiples

Alors que la structure de classes encadrait les inégalités dans un ensemble relativement stable et lisible, nous entrons dans un système d'inégalités multiples. Multiples dans le sens où les étalons de mesure des inégalités sont de plus en plus nombreux. La classe sociale agrégeait les inégalités autour du travail et d'une condition, les inégalités sont aujourd'hui diffractées sur une série d'indices et d'indicateurs plus ou moins cohérents. Inégalités multiples aussi dans la mesure où chacun de nous se définit dans une pluralité de registres et cristallise plusieurs caractéristiques sociales plus ou moins inégales et congruentes[1] entre elles. [...] À côté du revenu, de l'activité et de quelques autres variables, comme le statut matrimonial, nous introduisons dans nos programmes de recherche quantité d'autres dimensions : le sexe, l'âge, le niveau scolaire, l'origine culturelle, le lieu de résidence et d'autres plus « subjectives » comme le mode de vie, le type de consommation, la santé, la taille, le poids, les réseaux... [...]

Ces « nouvelles » inégalités ne sont pas nouvelles, elles sont seulement nouvellement connues. Il n'empêche qu'elles transforment profondément notre conception même des inégalités sociales à la manière dont une nouvelle machine transforme les représentations de la matière ou de la vie. Le déterminisme des classes ne résiste pas à ces outils. Les inégalités sociales se multiplient et se fractionnent en une série de dimensions conduisant à privilégier les discriminations, les stigmates, les handicaps divers, les plafonds de verre, les diverses formes de capital social, les liens forts et les liens faibles, les effets induits des politiques publiques et les discriminations indirectes, celles qui créent des inégalités sans le vouloir... La structure de classes s'y dissout, mais ce n'est pas pour atténuer l'image des inégalités. Au contraire celles-ci semblent se multiplier et se renforcer tout en décomposant le cadre de la société.

1. Qui vont dans le même sens.

François Dubet, *Le travail des sociétés*, Seuil, 2009.

1. DÉFINIR. Qu'est-ce que le « déterminisme des classes » ?

2. EXPLIQUER. Comment l'analyse en termes de réseaux avec des liens forts et faibles bouscule-t-elle l'analyse en termes de classe sociale ?

3. RÉCAPITULER. Les inégalités multiples remettent-elle en cause les classes sociales ?

ENTRAÎNEMENT

QUESTION DE COURS. Quelles sont les catégories dont dispose le sociologue pour analyser la structure sociale ?

SYNTHÈSE. À partir des documents 1 à 4, montrez que la multiplicité des critères de différenciation sociale brouille les frontières de classe.

B Des frontières brouillées

1. Une classe de la masse ?

La crise frappe les éléments sur lesquels se fondait l'essence des classes moyennes : la raison politique, l'origine économique et l'idéal social. Nous allons vers une société sans ouvriers qui n'attribue plus de rôle bien précis aux enseignants ou aux médecins ; vers une réalité indistincte […] de moins en moins capable de décliner la diversité des aspirations, des besoins, des désirs de consommation. Et de moins en moins capables de définir ses points de repère culturels et ses plates-formes politiques. Il ne s'agit pas de classe « des masses » de l'identité prolétaire, mais de la classe « de la » masse sans cloisonnement, qui perd de fait progressivement ses traits distinctifs de « classe » ; elle englobe la grande majorité du corps social duquel ne sont exclus que les travailleurs non spécialisés et le milieu restreint des bénéficiaires de la richesse produite par l'industrie de la connaissance[1]. […]

La classe de la masse se distingue par des consommations « low cost », des achats nomades facilement répétables et reconnaissables dans le monde entier. Ikea, Ryanair, Walmart, Virgin, Zara, H&M, ne sont que quelques-unes des marques qui interprètent la nouvelle identité comportementale de la fin de la classe moyenne. […]

Dans les faits, il s'agit d'un véritable magma[2] social, d'un contexte en ébullition permanente où l'un monte et l'autre descend dans la hiérarchie des potentialités de réalisation et de vie, mais toujours dans le cadre d'un espace de manœuvre « délimité » et partagé. On y trouve mille classes et aucune : chaque groupe tend à se distinguer des autres par des nuances plus ou moins subtiles, mais aucun n'a les caractéristiques requises pour être considéré comme « middle class » ou nouvelle classe de référence.

1. Ici, les catégories hautes de la société.
2. Masse épaisse.

Massimo Gaggi et Edoardo Narduzzi,
La fin des classes moyennes,
Liana Levi, 2006.

1. CONSTATER. Le texte conclut-il à une disparition des classes ?

2. EXPLIQUER. Quels sont les facteurs qui affaiblissent les classes moyennes ?

3. RÉCAPITULER. Distinguez « classes de masse » et « classes moyennes ».

2. Deux profils de cadres

	Cadres populaires ascendants	Cadres héritiers
Ascendance	Père ouvrier, petit artisan ou agriculteur	Père cadre ou profession intermédiaire
Niveau de diplôme	Études courtes (au plus baccalauréat)	Études longues, diplômes élevés (au moins bac +2)
Profession	Cadres du privé, cadres administratifs et commerciaux des entreprises	Souvent profession libérale, profession de l'enseignement, ingénieurs
Mobilité en cours de carrière	Ascendante (promotion en cours de carrière)	Cadres dès l'entrée dans la vie active
Conjointe	Peu diplômée, souvent ouvrière ou employée	Diplômée (au moins le baccalauréat), souvent cadre ou profession intermédiaire
Enfant	– Études de durée variable – Risques significatifs de mobilité descendante	– Études de durée variable, mais souvent longues – Probabilité significative de reproduire la position de cadre

Source : Camille Peugny, « Les enfants de cadres : fréquence et ressorts du déclassement », Paul Bouffartigue et al.,
Cadres, classes moyennes : vers l'éclatement ?, Armand Colin, 2011.

1. CONSTATER. Les deux profils ont-ils le même capital culturel ?

2. EXPLIQUER. Quel effet la situation de la conjointe peut-elle avoir sur les conditions de vie du ménage cadre ?

3. CONSTATER. Tous les cadres appartiennent-ils à la même classe sociale ?

4. RÉCAPITULER. Les cadres forment-ils une catégorie homogène ?

3. La nébuleuse des classes moyennes

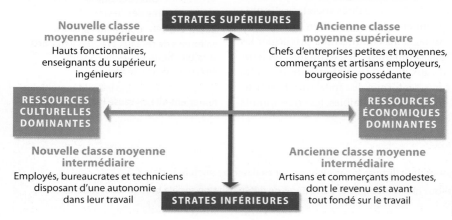

STRATES SUPÉRIEURES

Nouvelle classe moyenne supérieure
Hauts fonctionnaires, enseignants du supérieur, ingénieurs

Ancienne classe moyenne supérieure
Chefs d'entreprises petites et moyennes, commerçants et artisans employeurs, bourgeoisie possédante

RESSOURCES CULTURELLES DOMINANTES

RESSOURCES ÉCONOMIQUES DOMINANTES

Nouvelle classe moyenne intermédiaire
Employés, bureaucrates et techniciens disposant d'une autonomie dans leur travail

Ancienne classe moyenne intermédiaire
Artisans et commerçants modestes, dont le revenu est avant tout fondé sur le travail

STRATES INFÉRIEURES

Source : Louis Chauvel, *Les classes moyennes à la dérive,* Seuil, coll. « La République des idées », 2006.

1. CONSTATER. Caractérisez les deux dimensions qui distinguent les classes moyennes entre elles.

2. EXPLIQUER. Quelle différence y a-t-il entre les « anciennes » et les « nouvelles » classes moyennes ?

3. RÉCAPITULER. Les classes moyennes forment-elles une catégorie homogène ?

4. À quelle classe pense-t-on appartenir ?

PCS \ Classe sociale perçue	Classe sociale d'appartenance perçue par PCS en 2009 (en %)					
	Défavorisés ou exclus	Populaire/ ouvrière	Moyenne inférieure	Moyenne supérieure	Supérieure/ gens aisés	Aucune
Agriculteurs	0	28	37	26	0	9
Industriels, gros commerçants	0	0	75	13	0	13
Artisans/petits commerçants	1	12	51	27	1	8
Cadres/professions libérales	3	2	33	50	5	7
Professions intermédiaires	2	10	54	27	0	7
Employés	3	23	53	15	1	6
Ouvriers qualifiés	1	46	43	3	1	5
Ouvriers non qualifiés	4	56	32	4	0	3
Personnel de service	5	33	46	10	0	6
Étudiants	2	10	41	28	3	17
Ménagères/autres inactifs	9	25	41	16	1	9

Note : les retraités ont été rangés dans leurs anciennes PCS.

Source : Denis Phan, « Stratification sociale perçue : une société de classe moyenne ? »,
Michel Forsé et Olivier Galland (dir.), *Les Français face aux inégalités et à la justice sociale*, Armand Colin, 2011

1. CALCULER. Les 100 % se lisent-ils en ligne ou en colonne ?

2. CONSTATER. Le tableau confirme-t-il la moyennisation de la société française ?

3. EXPLIQUER. Après avoir relevé une ou deux données paradoxales dans ce tableau, essayez de les expliquer.

5. Les classes sociales : une construction complexe

Il y a longtemps que la définition des classes à partir de la position des individus dans la production pose plus de problèmes qu'elle n'en résout. Soit on oppose les salariés aux propriétaires des moyens de production et près de 80 % de la population est salariée, soit on ne retient que la classe ouvrière, et que deviennent les autres ? Il faut donc faire intervenir d'autres critères, comme la qualification, le revenu, l'autonomie dans le travail, le statut de l'emploi, et, à terme, la notion d'intérêt commun des membres d'une même classe est plus un postulat qu'une observation empirique. Bien que ce problème ait toujours existé, il a pris une dimension plus aiguë avec ce qu'on appelle, faute de mieux, la complexité de la vie sociale. Par exemple, même si les employés sont des salariés, est-il bien raisonnable de les assimiler aux ouvriers, qui, eux-mêmes, voient leurs situations de travail se diversifier à l'infini ? Les identités sexuelles et ethniques sont, de leur côté, de plus en plus prégnantes[1] dans la définition de la position des individus et de la conscience qu'ils s'en forgent. Comment définir la position d'une famille dont le père est ouvrier et immigré et dont la mère, française, est infirmière à l'hôpital ? Comment mettre ensemble les ouvriers d'EDF, dont le statut reste relativement protégé, et les ouvriers précaires des travaux publics et des PME sous-traitants des grandes entreprises, dont EDF ? Sans doute y a-t-il toujours eu de grandes difficultés à passer d'une analyse en termes de classes à une description des groupes sociaux, mais cette difficulté s'est fortement accentuée avec la multiplication des dimensions de l'identité et avec le développement des outils

Qu'est-ce qui définit l'appartenance sociale d'un individu ?
Scène du film *Intouchables* (2011).

statistiques et méthodologiques, qui affecte l'unité trop simple des critères de classe.

1. Ici, importante.

François Dubet, « Que faire des classes sociales ? »,
Lien social et Politiques-RIAC, n° 49, printemps 2003.

1. CONSTATER. À quelle classe sociale les salariés appartiennent-ils dans l'analyse marxiste ?

2. EXPLIQUER. Répondez à la question soulignée.

3. RÉCAPITULER. Pourquoi l'analyse en termes de classe est-elle plus complexe aujourd'hui ?

ENTRAÎNEMENT

QUESTION DE COURS. Quelles sont les caractéristiques des classes moyennes ?

SYNTHÈSE. À l'aide des documents 1 et 4, montrez que la notion de classes sociales est encore pertinente pour analyser la structure sociale.

C Une stratification plurielle

1. Toute situation nous met-elle en situation de classe sociale ?

1. CONSTATER. Est-ce contradictoire de se sentir citoyen et membre d'une classe sociale ?

2. EXPLIQUER. L'identité sociale peut-elle reposer sur autre chose que la classe sociale ?

3. RÉCAPITULER. Que suggèrent ces vignettes sur la place des classes sociales dans la société ?

2. Deux critères en concurrence ?

Il me fut plus facile d'écrire sur la honte sexuelle que sur la honte sociale. […] En retournant à Reims, j'étais confronté à cette question, insistante et déniée […] : en prenant comme point de départ de ma démarche théorique – donc en installant comme cadre pour me penser moi-même, penser mon passé et mon présent – l'idée, en apparence évidente, que ma rupture totale avec ma famille pouvait s'expliquer par mon homosexualité, par l'homophobie foncière de mon père et celle du milieu dans lequel j'avais vécu, ne m'étais-je pas donné, en même temps […], de nobles et incontestables raisons pour éviter de penser qu'il s'agissait tout autant d'une rupture de classe avec mon milieu d'origine ?

Dans ma vie, en suivant le parcours typique du gay qui va vers la ville, s'inscrit dans de nouveaux réseaux de sociabilité, fait l'apprentissage de lui-même comme gay, en découvrant le monde gay et en s'inventant comme gay à partir de cette découverte, j'ai en même temps suivi un autre parcours social cette fois : l'itinéraire de ceux que l'on désigne habituellement comme des « transfuges de classe ». Et je fus, à n'en pas douter, un « transfuge » dont le souci, plus ou moins permanent et plus ou moins conscient, aura été de mettre à distance sa classe d'origine, d'échapper au milieu social de son enfance et de son adolescence. […] Dans les premiers temps de mon installation à Paris, quand je continuais de

voir mes parents qui habitaient toujours à Reims dans la cité HLM où j'avais vécu toute mon adolescence […] une gêne difficile à cerner et à décrire s'emparait de moi devant des façons de parler et des manières d'être si différentes de celles des milieux dans lesquels j'évoluais désormais, devant des préoccupations si éloignées des miennes, devant des propos où un racisme primaire et obsessionnel se donnait libre cours dans chaque conversation […] Cela s'apparentait pour moi à une corvée, de plus en plus pénible à mesure que je me changeais en quelqu'un d'autre.

Note : Didier Eribon, intellectuel français né en 1953, dont un certain nombre d'écrits portent sur la question homosexuelle, revient au moment du décès de son père, à Reims, sa ville natale.

Didier Eribon, *Retour à Reims*, Fayard, 2009.

1. CONSTATER. Quelle dimension de son identité a préoccupé Didier Eribon toute une partie de sa vie, et a orienté ses écrits ?

2. DÉFINIR. Qu'est-ce qu'un « transfuge de classe » ?

3. EXPLIQUER. Quelle relation Didier Eribon entretient-il avec son milieu social d'origine ?

3. Individualisation et classes sociales

L'individualisation correspond à l'idée que les individus auraient de plus en plus la possibilité et le désir, voire l'obligation, de choisir leur façon de vivre, leurs pratiques culturelles et leurs orientations de valeurs, indépendamment de déterminations – liées notamment à leur éventuelle appartenance de classes – qui, auparavant, s'imposaient à eux sans qu'ils en aient conscience et faisaient correspondre des styles de vie et des pratiques culturelles à des groupes sociaux bien différenciés. Le développement de l'individualisation

des modes de vie et des valeurs, s'il était avéré, affaiblirait évidemment le pouvoir de structuration des comportements par d'éventuelles appartenances de classes. L'homogénéité interne de celles-ci serait remise en cause par l'apparition de style de vie divers, choisis par des individus de plus en plus en fonction d'idiosyncrasies[1] personnelles. […]

Lorsqu'on étudie la stratification sociale des valeurs, on trouve bien une organisation relativement linéaire : l'espace social se structure selon un « haut », des

positions « moyennes » et un « bas » qui correspondent à des places différentes et bien hiérarchisées sur les dimensions les plus importantes de l'espace des valeurs. Toutefois, si les catégories sociales ont des probabilités différentes d'adhérer à telle ou telle configuration de valeurs, il n'y a absolument pas de lien univoque entre catégories sociales et constellations de valeurs. Par contre, on trouve des arguments à l'appui de l'individua-lisation des « valeurs » dans le sens où les Français mettent bien l'individu et ses choix personnels au centre de dispositifs de valeurs.

1. Manières d'être.

Michel Forsé, Olivier Galland et Yannick Lemel, « La stratification et les inégalités », in Olivier Galland et Yannick Lemel (dir.), *La société française*, Armand Colin, 2011.

1. DÉFINIR. Qu'est-ce que l'individualisation ?

2. CONSTATER. Quel effet l'individualisation est-elle supposée avoir sur les comportements des individus ?

3. EXPLIQUER. Que signifie la phrase soulignée ?

4. RÉCAPITULER. L'individualisation remet-elle en cause les classes sociales ?

4. L'accès à la culture : des modalités diverses

Rapport à la culture et aux médias, génération et milieu social			
Génération	Milieu socioculturel défavorisé	Milieu socioculturel moyen	Milieu socioculturel favorisé
Générations Jeunes (moins de 30 ans)	Culture d'écran	Hommes : culture d'écran / Femmes : l'imprimé, média central	Cumul des modes d'accès
Générations Intermédiaires (30-44 ans)	Hommes : culture d'écran / Femmes : l'imprimé, média central	Hommes : culture d'écran / Femmes : l'imprimé, média central	Cumul des modes d'accès
Générations intermédiaires nées après la guerre (45-64 ans)	La télévision, média hégémonique (dominant)	Hommes : culture d'écran / Femmes : l'imprimé, média central	Cumul des modes d'accès
Générations nées avant guerre (65 ans et plus)	La télévision, média hégémonique (dominant)	L'imprimé, média central	L'imprimé, média central

Source : Olivier Donnat, *Les pratiques culturelles des Français à l'ère numérique, enquête 2008*, La Découverte-Ministère de la Culture et de la Communication, 2009.

1. CONSTATER. Quel est l'effet de la génération sur le rapport à la culture ?

2. CONSTATER. Le comportement des femmes par rapport à la culture est-il différent de celui des hommes ?

3. EXPLIQUER. Quel est l'intérêt de croiser les trois variables (sexe, génération, milieu social) ?

4. RÉCAPITULER. Le milieu social est-il complémentaire ou substituable aux autres critères sociaux ?

5. Rapports de classes et domination sociale

Je crois qu'il faut défendre la notion de classe car elle désigne la présence et la force de mécanismes de domination sociale. Au-delà de la pluralité des secteurs socio-économiques, de la société de masse et de la multiplication des clivages et des registres d'inégalité, d'âge, de sexe, d'ethnie… les rapports sociaux restent marqués par des principes de domination qui ne se réduisent pas aux seuls jeux de pouvoir. […] Nous avons même intérêt à maintenir l'idée de rapports de classe parce qu'elle invite à voir de la domination là où la pensée sociale ne voit que l'ordre banal des choses, celui du mérite dans la distribution des diplômes, celui de l'anomie dans l'exclusion, celui de la compétence dans la compétition économique et, plus simplement encore, celui de l'ordre des choses dans l'état

des mœurs et dans les décisions apparemment les plus techniques. La notion de classe garde donc une capacité critique essentielle quand elle montre, par exemple, que les exclus sont dominés par un système de classes ou que les mécanismes de reproduction scolaire sont aussi des mécanismes de domination, de la même manière que la violence des jeunes de banlieue s'efforce d'y répondre, ou que le vote populiste est, d'une certaine façon, un vote de classe. […]

Quand les rapports de classe et la stratification se détachent, la domination est vécue comme une épreuve individuelle et non comme un enjeu collectif. Il faut maintenir une analyse en termes de rapports de classes, non pas pour décrire des groupes sociaux, mais pour renverser l'ordre de lecture des problèmes sociaux

en montrant en quoi le stress des travailleurs, la dépression des cadres et la violence des jeunes de banlieue (entre autres) sont le produit d'une domination de classe. On ne peut sauver la notion de classe sociale qu'en lui réservant un usage précis, mais limité, celui des rapports de domination. La notion de classe sociale est utile parce qu'elle permet de renverser l'évidence des choses et des problèmes sociaux, cette notion est d'abord intellectuelle et politique.

Note : dans le même article, l'auteur rappelle que « le pouvoir est une ressource de l'action circulant entre les dominants et les dominés, et que même les dominés en possèdent un peu dans les sociétés normalement démocratiques, alors que la domination est la capacité à imposer un jeu et ses règles au nom de la nécessité économique, de la technique, de la science… ».

François Dubet, « Que faire des classes sociales ? », *Lien social et Politiques-RIAC*, n° 49, printemps 2003.

1. CONSTATER. Selon l'auteur, les classes sociales existent-elles ?

2. EXPLIQUER. En quoi consiste une situation de domination sociale ?

3. EXPLIQUER. Montrez que le stress des travailleurs peut faire l'objet d'une double interprétation, individuelle et collective.

ENTRAÎNEMENT

QUESTION DE COURS. Les critères d'âge et de sexe brouillent-ils l'analyse en termes de classes sociales ?

SYNTHÈSE. À l'aide des documents 2 et 3, montrez que les classes sociales et les autres critères de différenciation sociale s'opposent quelquefois, mais qu'ils peuvent aussi être complémentaires pour analyser la structure sociale.

CHAPITRE 8 Comment analyser la structure sociale ? **217**

TD MÉTHODE

NOTIONS • Classes sociales •
Stratification • Groupe social

SAVOIR-FAIRE • Construire, retranscrire
et analyser un entretien • S'initier
aux méthodes d'enquête en sociologie

1. Analyser l'appartenance de classe

1. L'entretien sociologique

Chams, 27 ans, d'origine maghrébine, vit en cité. Après une tentative d'études de médecine, il passe un diplôme de biochimie en deux ans à l'université et intègre une école d'ingénieurs. Il en sort avec un diplôme d'ingénieur chimiste. Au moment de l'entretien, il est au chômage, il a envoyé 700 CV sans obtenir de réponse.

« On nous bassine avec des histoires de discrimination positive. Moi je ne demande pas tout ça. J'ai fait mes preuves. J'ai fait des études. Mais quand on nous saoule avec l'école républicaine et l'intégration : à quoi elle sert cette putain d'école si à la fin, malgré les diplômes qu'on a, on vous bloque ? À quoi ça sert ? Franchement, tu vois les petits dans le quartier. Ils me disent : « T'as vu ? Tu as fait des études et tu galères comme nous ! » Comment voulez-vous que je sois crédible vis-à-vis de mon petit frère, vis-à-vis de mes cousins, quand je leur dis que l'école, c'est important ? [...] Dans le milieu étudiant, c'était le parcours du combattant. J'ai fait deux années de médecine. J'ai pris une claque : sélection sociale à mort ! Pas un numerus clausus[1], un numerus pauvrus ! Les gens se payent des écoles privées à 5 000 ou 10 000 € par an pour préparer les concours. Et ces écoles sont de mèche avec les profs d'université. Ceux qui y sont ont tout avant les autres : les examens avant... Moi je n'avais pas les moyens de me payer ça. Je vivais en cité U, je travaillais l'été, j'étais loin de la fac. Une vie de chien. Le concours, je l'ai raté à cause de la sélection sociale, pas parce que je n'avais pas les compétences. [...] À l'école [d'ingénieurs], il y avait des gens qui n'étaient pas du tout du même milieu que moi. J'étais dans les hautes sphères ! Ils ne savaient pas ce qu'était une cotisation sociale ! Ils se demandaient où ils allaient partir en vacances l'été, moi je me demandais où j'allais pouvoir travailler. Quand le prof nous disait de taper un truc à l'ordinateur, eux trouvaient que c'était long, moi je n'avais pas d'ordinateur. Pour les stages non rémunérés, c'était pareil : il fallait trouver une solution pour trouver un endroit où je puisse vivre sans rémunération. J'en suis arrivé à aller raconter des conneries à une assistante sociale pour payer mon stage ! [...] »

1. Numerus clausus : nombre limité de places disponibles pour accéder à une formation ou à une fonction.

Didier Lapeyronnie, *Ghetto urbain*,
Robert Laffont, 2008.

2. Quelle analyse peut-on faire de cet extrait d'entretien ?

A. Sur le fond	B. Sur la forme
1. Que signifient les expressions soulignées ? 2. Quelles difficultés matérielles Chams a-t-il rencontrées ? 3. Les difficultés ne sont-elles que matérielles ? 4. Par rapport à qui Chams est-il en décalage ? 5. Chams manifeste-t-il un décalage scolaire, économique ou social ?	1. Qu'apporte un entretien par rapport à un questionnaire pour faire une enquête sociologique ? 2. Peut-on deviner, à la lecture d'un entretien, quel est le milieu social d'appartenance de la personne interviewée ? Raisonnez à partir de l'entretien ci-dessus. 3. Le point de vue de Chams est-il objectif ? Est-ce un atout ou une faiblesse pour celui qui l'interroge ?

3. Comment réaliser un entretien ? Un exemple pratique

	Trouver une question	Mener l'enquête	Analyser l'entretien
Activité	Il s'agit de formuler une question concrète qui permette d'approcher le phénomène de décalage social.[1]	C'est-à-dire, dans ce cas précis, poser la question à un interlocuteur, enregistrer la réponse et la retranscrire mot à mot par écrit.	On peut : – analyser l'entretien sur le fond et sur la forme ; – comparer plusieurs entretiens retranscrits ensemble.
Lieu	Travail en classe	Travail hors des heures de cours	Travail hors des heures de cours et/ou en classe
Consignes	On fera attention : – au choix des mots ; – à la manière dont la question laisse ouverte la réponse ; – à voir s'il faut l'adapter en fonction de l'âge ou du milieu social de la personne.	L'exercice peut se faire entre lycéens de la même classe ou pas, ou avec une personne extérieure au lycée. L'enregistrement pourrait durer 15 min.	– Comment se manifeste l'épreuve sociale ? – La personne semble-t-elle ou non l'avoir surmontée ? – Y a-t-il des épreuves similaires entre les individus ? – Comment se manifeste la différence entre les individus ?

1. Exemples de questions :
– « Avez-vous eu l'impression que votre origine sociale était un frein (ou un atout) dans votre vie ? Racontez-moi... » ou « avez-vous eu l'impression que votre origine sociale ne vous préparait pas (ou vous préparait) à affronter certaines situations ? Racontez-moi... ».
– « Certaines personnes ont eu l'impression de faire l'objet d'une sélection sociale. Cela vous est-il déjà arrivé ? Expliquez-moi... ».

2. Les classes populaires forment-elles un groupe homogène ?

1. Le revenu des classes populaires

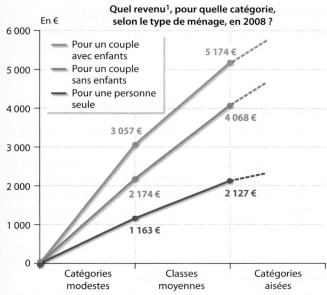

Quel revenu[1], pour quelle catégorie, selon le type de ménage, en 2008 ?

En €

- Pour un couple avec enfants
- Pour un couple sans enfants
- Pour une personne seule

5 174 €
4 068 €
3 057 €
2 174 €
2 127 €
1 163 €

Catégories modestes — Classes moyennes — Catégories aisées

1. Seuils obtenus en considérant les revenus après impôts et prestations sociales (données Insee 2008).

Source : Valérie Schneider et Louis Maurin, « Qui sont les classes moyennes ? », inegalites.fr, 4 mars 2011.

1. Pourquoi les seuils de revenu sont-ils différents selon la configuration des ménages ?

2. Quel effet le niveau de revenu de catégories modestes est-il susceptible d'avoir sur le mode de vie de ces ménages ?

3. Les GSP et la télévision

2. La place des classes populaires

Selon Olivier Schwartz[1], les historiens et les sociologues utilisent le concept de « classes populaires » pour mettre l'accent sur la permanence de la division sociale et pour « insister sur l'importance des inégalités, des écarts, de la distance qui séparent les catégories modestes des autres groupes sociaux, ceux qui sont à la fois plus riches, mieux instruits, mieux reconnus et intégrés socialement ». Cette proposition combine quatre échelles pour définir les populations qui se situent dans une position modeste : l'échelle de la richesse économique, celle des savoirs, celle de l'évaluation symbolique et enfin celle de l'intégration sociale. [...]

Les ouvriers, les employés, tout comme les paysans, les petits artisans ou commerçants, ainsi que les fractions modestes des classes moyennes (agents de maîtrise, contremaîtres), les salariés d'exécution stabilisés des entreprises publiques ou privées, les jeunes marginalisées, les bénéficiaires de minima sociaux, etc., tous ces groupes ont un point commun : ils occupent une place socialement subordonnée donnant lieu à une faible reconnaissance que ce soit de la part des individus qui occupent ces places ou de la part des autres groupes de la société.

1. Sociologue dont les recherches portent principalement sur les classes populaires, il enseigne à l'université Paris 5.

Philippe Alonzo et Cédric Hugrée, *Sociologie des classes populaires*, Armand Colin, 2010.

1. Comment, dans ce texte, les classes populaires sont-elles caractérisées par rapport aux classes favorisées ?

2. Montrez, à partir de l'analyse des exemples cités, que les classes populaires sont constituées de groupes différents.

Les programmes les plus regardés selon le groupe socioprofessionnel d'appartenance		
Sur 100 personnes de chaque catégorie	Ouvriers	Cadres et professions intellectuelles supérieures
Les émissions les plus citées comme regardées plusieurs fois en entier		
Qui veut gagner des millions ?	53	29
Capital	49	56
Thalassa	43	55
Les Guignols de l'info	28	38
Les enfants de la télé	43	26
Les séries citées comme les plus suivies régulièrement		
Desperate Housewives	5	12
Plus belle la vie	15	6
Prison Break	14	9
Les feux de l'amour	11	2

Lecture : 53 % des personnes vivant dans un ménage dont le chef de famille est ouvrier ont regardé plusieurs fois en entier l'émission *Qui veut gagner des millions ?*.

Source : Olivier Donnat, *Les pratiques culturelles des français à l'heure numérique, enquête 2008*, La Découverte-Ministère de la Culture et de la Communication, 2009.

1. Quelles sont les émissions et les séries préférées des ouvriers ?

2. Pour quelles émissions et pour quelles séries y a-t-il les plus forts écarts entre groupes socioprofessionnels ?

3. Peut-on en déduire que les ouvriers ont des goûts spécifiques qui les distinguent des autres groupes sociaux en matière de programmes télévisés ?

SYNTHÈSE Complétez le tableau ci-dessous avec, notamment, des arguments extraits des documents 1, 2 et 3.

Les classes populaires forment un groupe homogène…	… mais elles présentent aussi une certaine hétérogénéité.

Synthèse

Comment analyser la structure sociale ?

Depuis deux siècles, les sociologues cherchent à représenter les groupes qui constituent la société française en mouvement, en identifiant des classes sociales, par exemple. Aujourd'hui, la complexité des sociétés modernes semble brouiller la lecture en termes de classes sociales, sans pour autant la faire totalement disparaître.

ACQUIS DE PREMIÈRE
➡ Voir **Réviser les acquis de 1ʳᵉ**, p. 202 et Lexique

■ **Groupe social**

I. Quelle est la dynamique de la structure sociale ?

■ Depuis plus de cinquante ans en France, deux manières d'analyser la structure sociale se font concurrence : l'une en termes de strates et l'autre en termes de **classes sociales**. Alors que les strates reposent sur la société vue comme un continuum de situations, la lecture en termes de classes repose sur une analyse plus conflictuelle des rapports sociaux. On pourrait croire à une approche linéaire : quand l'une des formes disparaît, l'autre la remplace. En fait, elles coexistent à chaque époque, mais elles sont hiérarchisées : l'une ou l'autre semble l'emporter pour rendre compte des caractéristiques de la société.

A. Au XIXᵉ siècle : la domination des classes sociales

■ Historiquement et rétrospectivement, les classes sociales ont dominé la représentation sociale au XIXᵉ siècle, et Karl Marx a influencé durablement la conception des classes : la bourgeoisie et le prolétariat occupent des positions différentes (la première exploite économiquement la seconde, et ces deux classes sont en lutte l'une contre l'autre).

■ Pourtant, dès le XIXᵉ siècle, certains auteurs ne font des classes sociales qu'un des aspects de la stratification. Max Weber propose ainsi une vision tridimensionnelle de la société. À côté des classes, il y a des **groupes de statut** et des partis politiques, et le rang sur l'une des échelles peut ne pas correspondre au rang sur l'autre. On peut acquérir ainsi de la richesse économique sans avoir de prestige social particulier et, inversement, s'appauvrir sans pour autant perdre son prestige social ou son pouvoir politique.

B. Au XXᵉ siècle : une tendance à la moyennisation

■ Les Trente Glorieuses correspondent à une transformation des entreprises, un enrichissement de la population et une montée de l'État-providence qui font que des anciennes barrières entre classes semblent disparaître. Certains sociologues diagnostiquent alors une moyennisation de la société. À l'opposé du mouvement de bipolarisation, on assiste à la forte croissance des classes moyennes, avec diminution des écarts entre les groupes extrêmes. Et ce n'est pas le moindre des paradoxes de l'époque, que de nommer classes moyennes des groupes sociaux dont on prétend justement qu'ils échappent à la lecture en termes de classe…

■ Pourtant au même moment, des sociologues comme Pierre Bourdieu analysent la société française en termes de classes sociales, en insistant sur les différences culturelles et non plus sur le rapport au travail et en remplaçant la lutte des classes par une course à la distinction sociale.

C. Au XXIᵉ siècle : assiste-t-on au retour des classes sociales ?

■ La fin des Trente Glorieuses, la montée de la précarisation de l'emploi, ainsi que la croissance des écarts de revenu et de patrimoine amorcent un retour des classes sociales, notamment depuis la fin des années 1990, parce que les inégalités observées semblent se cristalliser au point de faire système et de construire des mondes différents. Mais la thèse ne fait pas l'unanimité et des sociologues maintiennent une analyse en termes de strates, considérant que tous les critères ne sont pas réunis pour parler des classes sociales, notamment celui de la conscience de soi ou de l'identité politique du groupe.

II. La structure sociale contemporaine fait-elle disparaître les classes sociales ?

■ Associées à une période historique spécifique et face aux transformations de la société française, les classes demeurent aujourd'hui un outil utile, mais insuffisant pour analyser la structure sociale.

A. De multiples critères de différenciation sociale

■ Dans certaines situations ou certains conflits, ce ne sont pas des classes qui s'opposent ou constituent un enjeu, mais des groupes d'âge, de sexe, d'origine ethnique ou religieuse différents. La remontée des inégalités peut laisser croire à un renouveau des classes sociales. Attention toutefois à ne pas confondre les deux phénomènes. Il ne suffit pas qu'il y ait des inégalités pour que l'on puisse parler de classes sociales, encore faut-il que ces inégalités se cumulent et se renforcent mutuellement.

B. Des frontières brouillées

■ Si les classes sont aussi discutées, c'est parce que leurs frontières semblent s'être brouillées, si tant est qu'elles aient jamais formé des groupes tout à fait homogènes. Quel que soit le groupe considéré (classes populaires, moyennes ou supérieures), il est constitué de sous-groupes qui, tant du point de vue de leur expérience du travail ou de l'emploi, de leurs pratiques culturelles ou de leur sentiment d'appartenance, se révèlent hétérogènes.

■ La situation se complique encore quand on interroge les individus sur leur sentiment d'appartenance à une classe sociale. On aurait pu croire qu'il suffisait de regrouper des catégories socioprofessionnelles (CSP) pour former les principales classes sociales. En fait, au sein de chaque CSP, les individus peuvent se répartir selon les cas dans des classes différentes : ainsi, si certains ouvriers se perçoivent comme appartenant à une classe populaire ouvrière, d'autres se rangent plutôt dans la classe moyenne inférieure. De sorte que les sociologues hésitent parfois sur le diagnostic actuel : quand les uns annoncent la disparition des classes sociales, d'autres voient au contraire une démultiplication des classes.

C. Une stratification plurielle

■ Faut-il pour autant abandonner une lecture en termes de classes sociales ? En fait, les classes ne sont qu'une grille de lecture de la stratification parmi d'autres. Si elles peuvent être opératoires pour comprendre certains phénomènes sociaux et notamment les rapports de domination, elles n'épuisent pas toutes les dimensions de la vie sociale. Dans les différentes circonstances de la vie, elles ne sont pas forcément premières : on peut se sentir avant tout citoyen à l'occasion d'un vote ou d'une manifestation, on peut endosser le rôle de consommateur quand il s'agit de décider de l'implantation d'une grande surface ou d'un nouveau parking, se sentir appartenir aux classes moyennes quand il s'agit de parler répartition des richesses et fiscalité.

■ Toutes ces dimensions ne sont pas incompatibles, il arrive aussi qu'elles soient complémentaires. Ainsi pour comprendre le rapport des individus à la culture, il ne suffit pas de distinguer selon leur milieu social d'appartenance. Il faut aussi tenir compte de leur sexe et de leur génération. Enfin, en accordant à l'individu la possibilité de s'émanciper de ses groupes sociaux d'origine, l'individualisation bouscule les déterminations traditionnelles, sans pour autant faire disparaître des affiliations de classes.

NOTIONS AU PROGRAMME

Classes sociales
Groupes sociaux regroupant des individus avec des caractéristiques économiques, sociales et culturelles qui leur donnent une identité propre. Les classes sociales sont souvent dans des rapports d'opposition réels ou symboliques les unes par rapport aux autres. On a l'habitude de distinguer trois grandes classes sociales : les classes populaires, les classes moyennes et les classes supérieures.

Groupes de statut
Groupes sociaux constituant une des formes de la stratification sociale et reposant sur des différences de prestige.

Catégories socioprofessionnelles
Un des niveaux de la nomenclature des professions et catégories socioprofessionnelles, dite PCS, qui a remplacé, en 1982, la CSP. Cette nomenclature classe la population selon une synthèse de la profession (ou de l'ancienne profession), de la position hiérarchique et du statut (salarié ou non). Elle comporte trois niveaux d'agrégation emboîtés :
– les groupes socioprofessionnels (8 postes) ;
– les catégories socioprofessionnelles (24 et 42 postes) ;
– les professions (486 postes).

synthèse

Synthèse (suite)

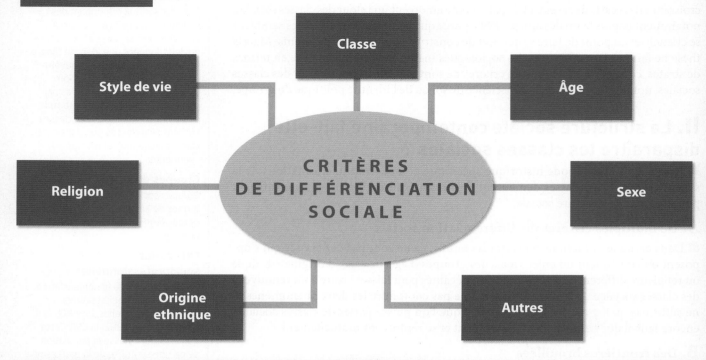

CRITÈRES DE DIFFÉRENCIATION SOCIALE

- Classe
- Style de vie
- Âge
- Religion
- Sexe
- Origine ethnique
- Autres

Période	Événements	Partisans d'une lecture en termes de strates	Partisans d'une lecture en termes de classe
XIXᵉ-début XXᵉ siècle	Industrialisation	Max Weber	Karl Marx
XXᵉ siècle	Moyennisation de la société Démocratisation de l'école Tertiairisation de l'économie	Henri Mendras	Pierre Bourdieu Alain Touraine
Fin XXᵉ siècle-début XXIᵉ siècle	Précarisation de l'emploi Mondialisation de l'économie	Insee	Louis Chauvel François Dubet

À la fin du chapitre, assurez-vous que :

➔ Vous savez distinguer classes et strates.	➔ Vous connaissez des auteurs comme Karl Marx et Max Weber, et quelques auteurs plus contemporains.	➔ Vous savez, à partir de données statistiques, faire le lien avec une lecture en termes de classes sociales.	➔ Vous savez identifier au moins quatre critères de différenciation sociale.

POUR ALLER PLUS LOIN

Livres
- Philippe Alonzo et Cédric Hugrée, *Sociologie des classes populaires*, Armand Colin, Coll. « 128 », 2010.
- Serge Bosc, *Stratification et classes sociales*, Armand Colin, 7ᵉ édition, 2011.
- Louis Chauvel, *Les classes moyennes à la dérive*, Seuil, coll. « La République des idées », 2006.
- Edmond Goblot, *La barrière et le niveau*, PUF, 2010 (1925 pour l'édition originale).
- Anne Jourdain et Sidonie Naulin, *La théorie de Pierre Bourdieu et ses usages sociologiques*, Armand Colin, coll. « 128 », 2011.
- Karl Marx et Friedrich Engels, *Le manifeste du parti communiste*, 10/18, 1962 (1848 pour l'édition originale).
- Michel Pinçon et Monique Pinçon-Charlot, *Sociologie de la bourgeoisie*, La Découverte, coll. « Repères », 2000.

Sites
- www.inegalites.fr (L'Observatoire des inégalités)
- laviedesidees.fr (magazine international d'analyse et d'information sur le débat d'idées)
- observationsociete.fr (Centre d'observation de la société)

Films
- *Pretty Woman*, un film de Garry Marshall, 1990.
- *Germinal*, un film de Claude Berri, 1993.
- *Le goût des autres*, un film d'Agnès Jaoui, 1999.

autoévaluation

1 Vrai ou faux ?

1. Pour Marx, les classes sociales reposent sur des différences culturelles.

2. Les inégalités de revenu ont tendance à se réduire depuis les années 2000.

3. Weber s'oppose à Marx de façon catégorique dans l'analyse de la stratification sociale.

4. Les classes moyennes forment un groupe homogène.

5. Aujourd'hui, la lecture en termes de classes sociales est totalement dépassée.

6. Le regroupement de certaines CSP permet de raisonner en termes de classes sociales.

7. Marx était le contemporain de Weber.

8. Les groupes de statut s'ordonnent selon un degré de plus ou moins grand prestige social.

2 QCM

Plusieurs réponses sont possibles.

1. Qui parmi ces auteurs raisonne en termes de classes sociales ?

a. ☐ Karl Marx
b. ☐ Max Weber
c. ☐ Henri Mendras
d. ☐ Pierre Bourdieu

2. Pour Max Weber, combien y a-t-il d'échelles sociales ?

a. ☐ 2
b. ☐ 3
c. ☐ 4
d. ☐ 5

3. Quels sont les trois sortes de capitaux distingués par Pierre Bourdieu ?

a. ☐ Le capital économique
b. ☐ Le capital financier
c. ☐ Le capital social
d. ☐ Le capital humain
e. ☐ Le capital culturel
f. ☐ Le capital physique

4. La moyennisation de la société désigne :

a. ☐ la montée des classes moyennes.

b. ☐ une tendance à l'homogénéisation culturelle de la société.

c. ☐ une certaine réduction des inégalités socio-économiques.

d. ☐ la croissance des petites et moyennes entreprises.

e. ☐ la tendance de la France à rentrer dans la moyenne des pays européens.

5. Le vote en France met en valeur une différence :

a. ☐ de classe d'âge.

b. ☐ de classe sociale.

c. ☐ de sexe.

6. Lesquelles de ces affirmations sont justes à propos des différences entre hommes et femmes ?

a. ☐ Les femmes sont moins touchées par le chômage que les hommes.

b. ☐ Les femmes sont autant représentées à l'Assemblée nationale que les hommes.

c. ☐ Les femmes sont en moyenne moins bien rémunérées que les hommes.

d. ☐ Les femmes sont moins nombreuses que les hommes à l'université.

3 Attribuer à chacun des auteurs suivants les thèmes ou idées qu'il défend

1. Karl Marx

2. Max Weber

3. Pierre Bourdieu

a. Le moteur de l'Histoire est la lutte des classes.

b. Les classes s'opposent en fonction du volume et de la structure de capital dont elles disposent.

c. La société repose sur l'opposition entre la bourgeoisie et le prolétariat.

d. Les classes relèvent d'un ordre économique, tandis que les groupes de statut reposent sur des différences culturelles et sociales.

4 Tester ses connaissances

1. Citez trois facteurs qui expliquent la remise en cause des classes sociales au XXe siècle.

2. Citez les trois classes sociales chez Pierre Bourdieu.

3. Citez au moins deux PCS qui font partie des classes populaires.

4. Citez quatre critères de différenciation sociale autres que les classes sociales.

5. Citez deux auteurs contemporains qui raisonnent en termes de classes sociales.

6. Citez les trois échelles de la stratification pour Max Weber.

➡ Voir les réponses p. 443.

SUJET Analysez le groupe social formé par les jeunes.

DOCUMENT 1 **Répartition des étudiants français selon la CSP du chef de famille, en 2009-2010**

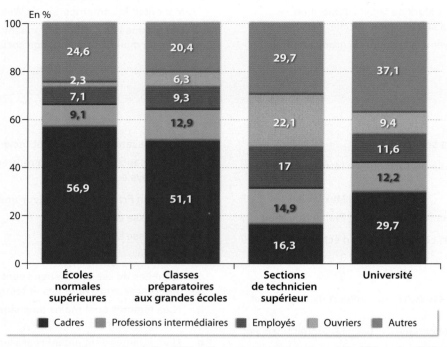

Source : « Les chiffres 2012 », *Alternatives économiques*, hors-série n° 90, octobre 2011.
Chiffres ministère de l'Éducation nationale.

DOCUMENT 2

Au cours des années 1980 et 1990, deux modes prégnants d'entrée dans la vie adulte ont été mis en lumière : celui, d'une part, des jeunesses ouvrières, sous-tendu par un « modèle de l'installation », caractérisé par des études courtes et un accès précoce à l'emploi salarié, associé à la construction concomitante d'un foyer ; et celui, d'autre part, des jeunesses plus favorisées, évoluant davantage vers un « modèle de l'expérimentation », davantage marqué par des études plus longues, une vie solitaire plus fréquente ainsi qu'une mise en couple plus tardive. Notons que les différenciations sexuées se sont principalement adossées à ces clivages, en s'affirmant de façon plus marquée en milieu populaire, notamment par une décohabitation plus précoce et des conditions d'insertion plus difficiles pour les femmes ; elle sont aujourd'hui réinterprétées dans un sens plus égalitaire. Toutefois, il semble que cette polarisation sociale change actuellement de contours. [...] Un cercle vicieux de l'échec scolaire repousse durablement les perspectives d'insertion, et maintient certaines franges des jeunesses populaires sous une dépendance familiale particulièrement prolongée – quand celle-ci est possible. Soulignons que ces inégalités sociales tendent à se superposer à des inégalités territoriales, clivant le destin des jeunesses aisées, mobiles et européanisées, et des jeunesses « immobiles », enclavées dans des endroits n'offrant guère de perspectives professionnelles – tant au sein des jeunesses rurales qu'au sein de celles des quartiers relégués de cité ou de « pavillons » de banlieue.

Vincent Caradec et Cécile Van de Velde,
« Être jeune, être vieux dans la société française contemporaine »,
Olivier Galland et Yannick Lemel, *La société française*,
Armand Colin, 2011.

L'autoposition sur l'axe gauche-droite selon l'âge

	Gauche (1-4)	Centre (5-6)	Droite (7-10)	Ne sait pas, refus
Ensemble	33	37	20	10
18-24 ans	33	42	18	7
25-34 ans	38	37	17	8
35-49 ans	34	38	16,5	12
50-64 ans	34	37	20	10
65 ans et plus	26	35	29	11

Source : Pierre Bréchon et Jean-François Tchernia (dir.), *La France à travers ses valeurs*, Armand Colin, 2009.

POUR VOUS AIDER

Questionner les mots-clés de l'énoncé pour comprendre le sujet

Qu'est-ce qu'un groupe social ? Qu'est-ce que la jeunesse ? En quoi se distingue-t-elle des catégories d'âge plus élevées ? Il conviendra de présenter les caractéristiques de cette classe d'âge et de montrer ce qui en fait l'unité, pour démontrer dans une seconde partie les limites internes (quelle unité ?) et externes (la jeunesse n'est qu'une période de la vie).

Conseil : pour analyser le sujet et comprendre la démonstration à conduire, vos connaissances personnelles sont indispensables.

Épreuve composée (entraînement Chapitre 8)

PARTIE 1 Mobilisation des connaissances

QUESTION 1 (3 points) : Comment Max Weber analyse-t-il la structure sociale ?

QUESTION 2 (3 points) : Qu'est-ce qu'une catégorie socioprofessionnelle ?

PARTIE 2 Étude d'un document

QUESTION (4 points) : Vous présenterez ce document puis comparerez les structures socioprofessionnelles de ces pays européens.

Structure socioprofessionnelle par pays, en %

CSP	RFA[1]	Espagne	France	GB	Suède	Pologne
Cadres supérieurs	13	11	15	19	11	14
Salariés intermédiaires	20	10	24	16	11	24
Employés	26	26	25	30	17	29
Ouvriers	27	34	24	28	36	23
Salariés agricoles	3	4	1	1	9	2
Indépendants	11	17	11	6	16	8

1. Allemagne avant la réunification en 1989.

Source : Jean Chiche et Guy Groux, « Les cadres, les classes moyennes et le clivage "droite-gauche" en France et en Europe. Que reste-t-il des débats d'hier ? » in Paul Bouffartigues, Charles Gadéa et Sylvie Pochic (dir.), *Cadres, classes moyennes : vers l'éclatement ?*, Armand Colin, 2011. Chiffres Enquête European Social Survey, vague 3, 2006.

POUR VOUS AIDER

Analyser un tableau statistique

Tout d'abord, présentez le document : le document est-il extrait d'un article ou d'un livre ? Quel est l'auteur ? La date de parution ? La nature du document ? Quels sont les pays choisis (et en quoi sont-ils significatifs ?), et ensuite étudiez méthodiquement les données.

Conseil : la source d'un document donne une indication précieuse pour l'interprétation des données, repérez-la bien.

PARTIE 3 Raisonnement s'appuyant sur un dossier documentaire

SUJET (10 POINTS) : Sur quels critères la construction des classes sociales repose-t-elle ?

DOCUMENT 1 Les salaires mensuels bruts moyens des 10 professions les mieux payées

En euros

Cadres des marchés financiers	13 649
Cadres d'état-major administratifs, financiers, commerciaux des grandes entreprises	11 842
Avocats	9 641
Directeurs techniques des grandes entreprises	8 726
Moniteurs et éducateurs sportifs, sportifs professionnels	8 505
Officiers et cadres navigants techniques et commerciaux de l'aviation civile	8 380
Médecins hospitaliers sans activité libérale	8 144
Médecins salariés non hospitaliers	7 031
Chefs d'établissements et responsables de l'exploitation bancaire	6 868
Chirurgiens dentistes	6 434

Champ : données pour des équivalents temps plein, dans les établissements de plus de 20 salariés, hors fonction publique.

Source : Observatoire des inégalités, « L'échelle des inégalités par profession », inégalités.fr, 25 novembre 2010. Chiffres Insee (2008).

DOCUMENT 2 Les salaires mensuels bruts moyens des 10 professions les moins bien payées

Agents de service des établissements primaires	1 703
Agents de service de la fonction publique (sauf écoles, hôpitaux)	1 693
Apprentis boulangers, bouchers, charcutiers	1 688
Ouvriers du maraîchage ou de l'horticulture	1 658
Ouvriers de production non qualifiés du textile, de la confection et du travail du cuir	1 657
Aides à domicile, aides ménagères, travailleuses familiales	1 635
Ouvriers agricoles sans spécialisation particulière	1 599
Nettoyeurs	1 544
Ouvriers non qualifiés divers de type artisanal	1 429

Champ : données pour des équivalents temps plein, dans les établissements de plus de 20 salariés, hors fonction publique.

Source : Observatoire des inégalités, « L'échelle des inégalités par profession », inégalités.fr, 25 novembre 2010. Chiffres Insee (2008)

DOCUMENT 3 Le contenu du sentiment d'appartenance à une classe sociale selon le groupe socioprofessionnel

En %

Avez-vous le sentiment d'appartenir à une classe sociale ?		Parmi les réponses positives, laquelle ?[1]			
Dernier groupe socioprofessionnel d'activité de l'enquêté	Oui	Haut	Milieu	Bas	Autre sentiment
Agriculteurs	38	6	25	27	42
Artisans commerçants et chef d'entreprise	38	19	46	22	12
Cadres et professions intellectuelles supérieures	57	47	38	6	9
Professions intermédiaires	54	15	50	26	9
Employés	47	7	42	43	8
Ouvriers	45	2	26	63	9
Chômeurs n'ayant jamais travaillé et inactifs (sauf retraités)	41	20	41	24	16
Ensemble	48	15	39	36	10

1. Somme des % en ligne (100 %). Les retraités sont classés dans leur dernier groupe socioprofessionnel d'activité.

Source : Paul Bouffartigues, Charles Gadéa et Sylvie Pochic (dir.), *Cadres, classes moyennes : vers l'éclatement ?*, Armand Colin, 2011
Chiffres : Insee, enquête Histoire de vie, construction des identités, 2003

Aide au travail personnel

Réaliser une fiche de lecture

1. Des lectures personnelles pour aller plus loin

Vos cours vont vous permettre de maîtriser les notions du programme mais vous pouvez aller au-delà en réalisant des lectures personnelles :
• pour approfondir vos connaissances sur des notions-clés ;
• pour satisfaire votre curiosité sur des sujets marginaux du programme ;
• pour réussir vos études supérieures, qui reposent en partie sur votre capacité à acquérir des connaissances de manière autonome.

2. Quelles compétences mobiliser ?

• La capacité à s'imprégner de l'argumentation d'un auteur.
• La capacité à se concentrer sur un texte long.
• La capacité à retransmettre éventuellement à un groupe les grandes lignes de sa lecture.

Quelques conseils

• Choisir un texte adapté à son niveau de connaissance du sujet.
• Choisir un texte lisible en quelques jours, voire une semaine ou deux.
• Établir des étapes dans sa lecture, prendre des notes à la fin de chaque étape.
• Selon le thème, le temps dont on dispose, choisir un article long d'un journal ou d'une revue, ou un livre entier.

Comment choisir

• Se reporter à la fin de chaque chapitre du manuel : les indications bibliographiques sont là pour vous guider.
• Demander conseil au professeur, même s'il s'agit d'une lecture strictement personnelle sans compte-rendu à la classe.

3. Conseils généraux

Pour être efficace

➜ Prendre des notes systématiquement : elles seront efficaces si elles sont courtes, concises et faciles à comprendre une semaine plus tard.
➜ Si vous êtes lent, privilégier la lecture d'articles.

Important

➜ Choisir des thèmes liés au programme.
➜ Choisir des auteurs connus, dont les ouvrages et les théories sont susceptibles d'être repris dans les sujets et dans vos études futures.

Pour rester zen

➜ Ne pas vous imposer de programme de lecture trop lourd.
➜ Profiter des périodes de vacances scolaires pour avancer rapidement dans la lecture de l'ouvrage.

ACTIVITÉS À vous de jouer !

1. Travailler sur un article de presse spécialisée

L'article choisi pour l'exercice est « Peut-on en finir avec la crise ? » de Sandra Moatti, paru dans *Alternatives écono-miques*, novembre 2011, p. 64-66.
1. Lisez une première fois l'article en soulignant les mots ou expressions difficiles.

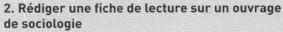

2. Cherchez la signification à l'aide du lexique en fin de manuel.
3. Relisez le texte en repérant les articulations du plan.
4. Dégagez précisément la problématique de l'article.
5. Présentez la réponse à cette problématique sous la forme d'un plan ; vous pourrez ensuite en résumer les idées principales. Vous êtes prêt pour présenter le contenu de cet article à votre groupe.

2. Rédiger une fiche de lecture sur un ouvrage de sociologie

Ce travail doit être fait chez vous. Il débouche ensuite sur une présentation de votre lecture à la classe (ou à votre groupe).
Le livre choisi pour l'exercice est celui de François Dubet, *Les places et les chances*, Le Seuil, coll. « La République des idées ». Vous trouverez cet ouvrage dans votre CDI. Bien sûr, vous pouvez renouveler l'expérience avec d'autres ouvrages !

1. Présentez l'auteur et ses principaux travaux, après une recherche sur Internet.
2. Allez à la table des matières, et lisez soigneusement l'intitulé de chaque chapitre. À partir de cette lecture, écrivez ce que vous comprenez du contenu du livre.
3. Lisez l'introduction et la conclusion : que vous indiquent-elles sur la thèse de l'auteur ?
4. Choisissez les chapitres que vous voulez lire précisément. Vous pouvez également partager la lecture avec votre binôme.
5. Lisez et résumez avec vos propres mots les idées principales du chapitre.
6. Faites le lien avec les notions abordées en cours sur le thème du livre (voir chapitre 13 du manuel).
7. Faites un bilan critique de votre lecture : qu'avez-vous appris ? Quels sont les passages ou chapitres qui vous ont semblé les plus pertinents, quels sont ceux qui demeurent obscurs ? Vous pouvez terminer en donnant trois ou quatre arguments majeurs susceptibles d'inciter vos camarades de classe à faire cette lecture.

Accompagnement personnalisé

Comment étudier la mobilité sociale ?

Au cours de leur vie et par rapport aux générations qui les précèdent, les individus sont amenés à changer de situation professionnelle et de position sociale. L'étude de ces changements s'appelle la mobilité sociale. Contrairement aux sociétés aristocratiques, où les places de chacun sont données et figées dès la naissance pour une majorité d'individus, une société démocratique est supposée permettre à chacun de s'élever selon son mérite. Elle se caractérise donc normalement par une certaine fluidité sociale, qui suppose une redistribution des cartes à chaque génération.

La société française contemporaine est-elle fluide ? De quels outils le sociologue dispose-t-il pour étudier la mobilité sociale ?

Le constat d'une société française mobile conduit à s'interroger sur les facteurs qui facilitent cette mobilité et sur ceux qui freinent. Si les transformations de la société (tertiarisation de l'économie, par exemple) produisent d'inévitables changements (augmentation des emplois de services à la personne ou dans les grandes organisations et diminution des emplois dans l'agriculture et l'industrie), certains changements tiennent aussi aux initiatives et stratégies des individus et de leurs familles, pour connaître une promotion sociale.

Les transformations structurelles qu'a connues la société française ont-elles eu seulement un impact positif sur la mobilité ? Quels facteurs influencent ou freinent la mobilité sociale ?

SOMMAIRE

Réviser les acquis de 1re		202
I Qu'est-ce que la mobilité sociale ?		230
A Les différents types de mobilité		230
B Une société de plus en plus fluide ?		232
C Les limites des tables de mobilité		234
II Quels sont les déterminants de la mobilité sociale ?		236
A Le rôle de la structure socioprofessionnelle		236
B Le rôle de l'école		238
C Le rôle de la famille		240
TD 1. Transformer une table de mobilité		242
TD 2. À quoi un individu doit-il sa réussite sociale ?		243
Synthèse		244
Schéma Bilan		246
Autoévaluation		247
Vers le Bac		248
Aide au travail personnel		251

Notions au programme

- Mobilité intergénérationnelle/ intragénérationnelle
- Mobilité observée/ fluidité sociale
- Paradoxe d'Anderson
- Déclassement
- Capital culturel

Acquis de 1re

- Groupe d'appartenance
- Groupe de référence
- Socialisation anticipatrice
- Capital social

Fiche Notion 4 (voir p. 416)

- Strates et classes sociales

1

2 Il y a chez certains parents, en particulier chez les plus modestes, une forme de malaise face au succès. Écrire, et fréquenter le milieu littéraire, devenir riche et connu, c'est trahir sa famille et sa classe en adoptant des habitudes qui viennent d'ailleurs. Le père de Marcel Pagnol, honnête instituteur marseillais, est réellement gêné de voir que son fils gagne de l'argent avec ses pièces. [...] La mère d'Albert Camus, veuve à 32 ans, illettrée, a consacré toute sa vie à élever son fils avec de modestes moyens. Fière de ses succès, elle est tout de même un peu dépassée par sa notoriété. Lorsqu'il lui apprend qu'il vient de refuser une invitation à dîner chez le président Vincent Auriol, elle le félicite : « C'est bien mon fils, ah ! Ce ne sont pas des gens comme nous ! »

Anne Boquel et Étienne Kern,
Une histoire des parents d'écrivains,
Flammarion, 2010.

1. Tous les individus ont-ils les mêmes chances de réussir socialement ? (Doc. 1)

2. Changer de milieu social a-t-il un prix ? (Doc. 2)

3. Qui se ressemble s'assemble, ou les contraires s'attirent ? (Doc. 3)

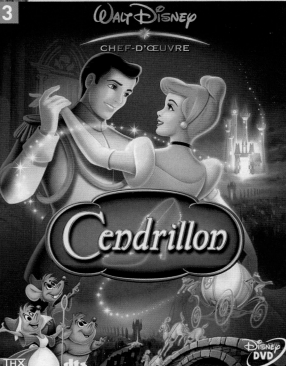

I. Qu'est-ce que la mobilité sociale ?

A Les différents types de mobilité

1. La mobilité géographique au début de la vie active

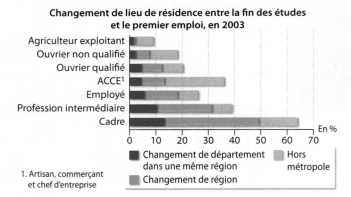

Changement de lieu de résidence entre la fin des études et le premier emploi, en 2003

1. Artisan, commerçant et chef d'entreprise

1. CALCULER. Comparez la part de la mobilité régionale des cadres et des ouvriers qualifiés.

2. CONSTATER. Quelles sont les catégories les plus mobiles géographiquement ?

3. EXPLIQUER. Comment expliquer la forte mobilité géographique des cadres ?

Champ : personnes âgées de 20 à 65 ans ayant déjà travaillé.

Lecture : parmi les personnes dont le premier emploi a été un emploi d'ouvrier non qualifié, 18 % ont changé au moins de département, entre le lieu de fin d'études et le lieu du premier emploi.

Source : Insee, enquête Formation et qualification professionnelle (FQP) 2003, *Insee Résultats*, n° 64, avril 2007.

2. Les salariés en France changent-ils souvent d'entreprise ?

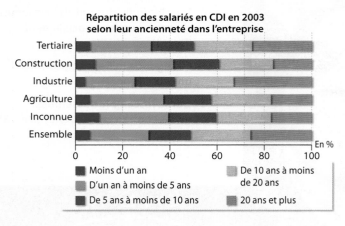

Répartition des salariés en CDI en 2003 selon leur ancienneté dans l'entreprise

1. CALCULER. Dans quelle fourchette, quel que soit le secteur, la part des salariés qui sont depuis plus de dix ans dans la même entreprise varie-t-elle ?

2. CONSTATER. Y a-t-il de fortes différences de mobilité entre les secteurs ?

3. CONSTATER. De quel type de mobilité ce document traite-t-il ?

4. EXPLIQUER. Quand un salarié reste dans la même entreprise, cela signifie-t-il qu'il ne connaît pas de mobilité ?

Note : le secteur d'activité est celui de l'établissement.

Lecture : parmi les salariés en contrat à durée indéterminée en 2003, âgés de 25 à 65 ans, et travaillant dans le tertiaire, 6 % ont moins d'un an d'ancienneté dans l'entreprise.

Champ : salariés en contrat à durée indéterminée en 2003, âgés de 25 à 65 ans.

Source : Insee, enquête FQP 2003, *Insee Résultats*, n° 64, avril 2007.

3. La mobilité professionnelle

Henri Quinson a bifurqué deux fois. À 28 ans, ce trader démissionne pour rejoindre un monastère en Savoie. Sa quête est spirituelle : il souhaite se consacrer à Dieu. Cinq ans plus tard, il change à nouveau et quitte le monastère. Mû par le besoin d'être « plus utile socialement », il s'installe dans un logement HLM à Marseille. Il y fonde une communauté d'entraide fondée sur le soutien scolaire. Son livre, Moine des cités, de Wall Street aux quartiers nord de Marseille (Nouvelle Cité, 2008), s'est vendu à 45 000 exemplaires.

Aline et Michel Macé ont changé de vie du jour au lendemain. Respectivement infirmière et dessinateur projeteur, ils ont démissionné de leur poste et vendu leur pavillon en banlieue parisienne. Ils ont retapé une bâtisse située dans le Morvan, La vieille diligence, qu'ils ont transformée en maison d'hôte. Ils se consacrent désormais à leur passion : l'équitation. Ils ont incontestablement gagné en qualité de vie, mais perdu beaucoup en revenu.

« Changer sa vie », numéro spécial, *Sciences humaines,* n° 205, juin 2009.

1. CONSTATER. Les deux cas présentés sont-ils des changements de profession ? de PCS ? de secteur d'activité ?

2. EXPLIQUER. Tous les individus peuvent-ils facilement changer de profession ?

3. CONSTATER. S'agit-il de mobilité verticale ou horizontale ?

4. RÉCAPITULER. Changer de profession, est-ce forcément changer de vie ?

DÉFINITIONS La mobilité verticale et horizontale

La mobilité verticale est un changement de position sociale d'un individu ou d'un groupe entraînant soit une promotion sociale (mobilité ascendante), soit un déclassement ou une chute sociale (mobilité descendante).

La mobilité horizontale est un changement de position sociale, mais pour des positions équivalentes socialement.

4. La mobilité sociale entre générations

L'analyse de la mobilité sociale entre générations au sein d'une société est conduite, de manière classique, en définissant, pour un échantillon représentatif d'individus, leur position dans la structure sociale à partir de la profession qu'ils exercent, puis en les rapprochant de la position qu'occupait l'un de leurs ascendants – usuellement le père, parfois la mère, mais l'interrogation par rapport à celle-ci n'a pas été posée dans les enquêtes françaises avant la fin des années 1970. Les données et faits de mobilité et d'immobilité sociales sont alors le plus souvent analysés dans l'ordre de la succession des générations, c'est-à-dire selon la perspective de la « destinée ». On y examine quel a été le destin professionnel et social des individus, hommes ou femmes, d'une origine donnée. Constater à quel point la destinée sociale des enfants d'ouvriers est différente de celles des enfants de cadres conduit alors à mettre en évidence « l'inégalité des chances » sociales en fonction du milieu d'origine.

La perspective inverse, dite du « recrutement », qui prend à rebours l'ordre de succession des générations est moins fréquente. Concentrées sur l'optique de la destinée, les études de mobilité examinent en effet beaucoup moins souvent de quel milieu d'origine sont les individus, hommes ou femmes, qui occupent telle ou telle position dans la structure sociale.

Louis-André Vallet, « L'évolution du recrutement social des cadres en France (1953-2003) », Paul Bouffartigue et al., *Cadres, classes moyennes : vers l'éclatement ?,* Armand Colin, 2011.

1. CONSTATER. La mobilité décrite dans ce document est-elle inter ou intragénérationnelle ?

2. CONSTATER. À quelle(s) question(s) une étude de la destinée et une étude du recrutement correspondent-elles respectivement ?

3. EXPLIQUER. En quoi l'égalité des chances consiste-t-elle d'après ce texte ?

5. La mobilité socioprofessionnelle

Table de destinée des hommes et des femmes en France en 2003 (en %)							
PCS du fils ou de la fille / PCS du père	Agriculteur (trice)	ACCE[1]	Cadre	Profession intermédiaire	Employé(e)	Ouvrier(ère)	Total
Agriculteur	27,6 / 11,9	5,8 / 3,3	9,8 / 6,3	18 / 20,4	8 / 46	30,8 / 12	100 / 100
Artisan, commerçant et chef d'entreprise	(0,7) / (1,2)	22,6 / 6,9	24 / 14,8	24,9 / 26,4	8,3 / 43,8	20,2 / 7	100 / 100
Cadre et profession intellectuelle supérieure	(0,4) / (0,4)	6,5 / 3	53,9 / 32,4	24,4 / 36,2	7 / 25,9	7,8 / 2,2	100 / 100
Profession intermédiaire	(0,4) / (0,5)	6,5 / 3	33,7 / 15,5	33,3 / 32,5	10 / 41,8	15,8 / 6,7	100 / 100
Employé	(0,4) / (0,7)	5,6 / 3,5	22,1 / 8,8	29,4 / 26,4	16,6 / 51	26 / 9,5	100 / 100
Ouvrier	0,7 / 1,4	6,4 / 3,6	10,8 / 4,6	23,5 / 16,4	13,2 / 54,5	(45,4) / (19,6)	100 / 100

Champ : hommes et femmes français à la naissance, actifs occupés ou anciens actifs ayant eu un emploi, âgés de 40 à 59 ans, en mai 2003.

Lecture : les chiffres entre parenthèses correspondent aux effectifs très réduits, et donc peu significatifs.

1. Artisan, commerçant et chef d'entreprise.

Source : d'après Dominique Merllié, « La mobilité sociale », Robert Castel et al., *Les mutations de la société française,* La Découverte, coll. Repères, 2007.

1. LIRE. Faites une phrase avec les données entourées.

2. CONSTATER. Les catégories où la reproduction est la plus forte sont-elles les mêmes pour les hommes et les femmes ?

3. EXPLIQUER. Pourquoi la destinée des filles ne ressemble-t-elle pas forcément à celles des fils ?

4. EXPLIQUER. La destinée des filles de cadre est-elle la même que celle des fils de cadre ?

DÉFINITION

La table de destinée
Tableau de mobilité à double entrée qui, en croisant CSP du père et du fils/de la fille, décrit ce que deviennent les fils/filles issus d'une catégorie donnée. Attention ! Habituellement, dans une table de mobilité, la PCS des fils est en colonne et celle des pères en ligne. Il arrive cependant que ce soit l'inverse : bien vérifier la construction du tableau avant d'en faire l'analyse.

POUR APPROFONDIR Les tables de mobilité

Les tables de mobilité sont élaborées par l'Insee au cours de l'enquête sur la formation et la qualification professionnelle (FQP), qui consiste à interroger un échantillon d'individus âgés de 40 à 59 ans. La première enquête remonte à 1964. En 2003, 40 000 personnes ont été interrogées sur leurs formations et leurs emplois. Elles ont indiqué aussi la profession de leurs pères lorsqu'elles ont fini leurs études (les pères avaient alors entre 35 et 60 ans). L'Insee établit ensuite des tables de mobilité qui repose sur une classification des PCS en six groupes. Même si depuis 1993 les femmes sont intégrées dans l'enquête, la plupart des comptes rendus croisent les PCS des pères et des fils. La prochaine enquête ne sera conduite qu'en 2014, mais l'enquête Emploi, réalisée elle en continu, permet d'actualiser certaines données.

ENTRAÎNEMENT

QUESTION DE COURS. En quoi l'étude de la mobilité sociale intergénérationnelle consiste-t-elle ?

SYNTHÈSE. À partir des documents 4 et 5, comparez la destinée des hommes et des femmes salariés en 2003.

documents

1. Tels pères, tels fils ?

Famille	Entreprise	Secteur	Fortune estimée[1]	Historique
Mulliez	Auchan, Décathlon, Leroy-Merlin, Boulanger, Nord Auto, Saint Maclou, Pimkie, Kiabi, Jules, Kiloutou, Flunch	Grande distribution	30	Dynastie du nord de la France ayant fait fortune dans le textile, les Mulliez ont réussi une reconversion éclatante dans la grande distribution, dans le sillage de Gérard Mulliez, fondateur d'Auchan. Les très nombreux membres du clan Mulliez restent liés par un pacte familial d'actionnaires très contraignant.
Arnault	LVMH	Luxe	16	Bernard Arnault est devenu une des premières fortunes françaises après avoir mis la main, pour une bouchée de pain, sur le groupe textile Boussac, qui comprenait Christian Dior et Le Bon Marché, et s'est rendu maître de LVMH. Il possède également 7 % de Carrefour. Ses enfants exercent des fonctions exécutives dans les différentes marques du groupe et sont présents au conseil d'administration.
Dassault	Groupe Dassault	Aéronautique et armement	6,8	Serge Dassault a succédé à son père, Marcel, fondateur du groupe présent dans l'aéronautique, l'informatique et la presse (Le Figaro). Ses enfants participent à la gestion du groupe.

1. En milliards d'euros.

Source : « Le retour des héritiers », *Alternatives économiques*, n° 298, janvier 2011.

1. DÉFINIR. Qu'est-ce qu'une dynastie ?

2. EXPLIQUER. Pourquoi ce document illustre-t-il la reproduction sociale à l'œuvre dans la société française ?

3. EXPLIQUER. Quels liens héritage et mobilité sociale entretiennent-ils ?

2. Une société française plus mobile ?

Évolution de la part des trajectoires intergénérationnelles 1983-2003 (en %)					
	1983	1988	1993	1998	2003
Immobiles	43,7	42,3	40,4	40	39,4
Ascendantes	37,7	38,2	39,5	38,6	38,7
Descendantes	18,6	19,5	20,1	21,5	21,9
Rapport ascendantes/descendantes	2,02	1,96	1,96	1,79	1,77

Champ : hommes et femmes âgés de 30 à 59 ans.

Source : Insee, enquêtes Emploi 1983-2003 et site de l'Observatoire des inégalités, « La mobilité sociale en France », 14 octobre 2008.

1. LIRE. Faites une phrase avec les données de 2003.

2. DÉFINIR. Qu'est-ce que les « immobiles » dans une table de mobilité ?

3. CALCULER. Comment la part des mobiles a-t-elle évolué ?

4. EXPLIQUER. D'après ce tableau, l'ascenseur social est-il en panne ?

3. Une mobilité relative entre groupes socioprofessionnels

Qu'en est-il de l'inégalité des chances ? Les chances pour un fils d'ouvrier, de connaître une mobilité sociale ascendante, de ne plus être ouvrier et d'accéder à une catégorie sociale supérieure peuvent en effet fort bien avoir augmenté avec la diminution du nombre des ouvriers et l'augmentation du nombre de professions intermédiaires et de cadres supérieurs ; mais les chances pour un fils de membre des professions intermédiaires ou de cadres supérieurs de ne pas sortir de ces catégories peuvent aussi avoir augmenté pour les mêmes raisons. Les situations relatives pourront a priori avoir évolué de manière quelconque.

Olivier Galland et Yannick Lemel (dir.), *La nouvelle société française*, Armand Colin, 1998.

1. CALCULER. À partir de la table de mobilité (voir doc. 5, p. 231), calculez la part de mobiles ascendants chez les ouvriers hommes en 2003.

2. CONSTATER. Peut-on en déduire qu'il y a eu augmentation de l'égalité des chances pour les ouvriers ?

3. EXPLIQUER. Pourquoi la mobilité relative entre deux générations est-elle plus pertinente pour étudier l'égalité des chances que la mobilité absolue observée entre ces deux générations ?

4. La mesure de la fluidité sociale

Destinée des fils de cadre et d'ouvrier en 2003 (en %)		
	Cadres	Ouvriers
Fils de cadre	52	9
Fils d'ouvrier	10	46

On calcule une probabilité pour chaque « fils de ».

Probabilité pour qu'un « fils de » devienne cadre, comparée à celle qu'il devienne ouvrier	52 / 9 = 5,7	10 / 46 = 0,21

Lecture : un fils de cadre a 5 fois plus de probabilité de devenir cadre que de devenir ouvrier, un fils d'ouvrier a 0,21 fois plus de probabilité de devenir cadre que de devenir ouvrier.

On calcule un rapport de rapport.

Rapport des rapports ou « odds ratio »	5,7 / 0,21 = 26,5

Lecture : en 2003, la probabilité qu'un fils de cadre devienne cadre, comparée à celle qu'il devienne ouvrier, est 26 fois supérieure à celle qu'un fils d'ouvrier devienne cadre plutôt qu'ouvrier.

Champ : hommes actifs occupés ou anciens actifs ayant eu un emploi, âgés de 40 à 59 ans en mai 2003.

Lecture : sur 100 fils de cadre en 2003, 52 sont devenus cadres.

Source : Insee, enquête FQP 2003, d'après Stéphanie Dupays, « En un quart de siècle, la mobilité a peu évolué », *Données sociales : la société française*, Insee, 2006.

1. CONSTATER. Sachant que lors de l'enquête FQP de 1993, le même « odds ratio » était de 39 environ, que peut-on en conclure de l'évolution de la distance sociale entre les cadres et les ouvriers ?

2. EXPLIQUER. Quel est l'intérêt de comparer ces probabilités ?

3. CALCULER. À partir des données du document 5 p. 231, calculez la « distance » (l'odds ratio) entre les femmes cadres et les femmes employées, en 2003.

POUR APPROFONDIR Les « odds ratio »

On peut assimiler les « odds ratio » (au sens propre : rapport de cotes, rapport des rapports) à un calcul d'avantages comparatifs. Il s'agit de calculer les avantages comparatifs d'une catégorie élevée (par exemple, les cadres) par rapport à une catégorie qui l'est moins (par exemple, les ouvriers) pour accéder aux meilleures positions sociales plutôt qu'aux moins bonnes.

---

5. De la mobilité observée à la fluidité sociale

Depuis la fin des années 1970, l'analyse des tables de mobilité repose sur un paradigme qui distingue deux points de vue, différents mais complémentaires. Celui de la mobilité observée (ou des taux absolus de mobilité) analyse cette dernière telle qu'elle est enserrée dans (et affectée par) la distribution socioprofessionnelle des pères et celles de fils (ou filles). On s'intéresse alors au poids total de l'immobilité, à l'examen des destinées sociales des fils (ou filles) d'une origine donnée comme au recrutement social des hommes (ou femmes) occupant une position donnée. D'un autre côté, le point de vue de la fluidité sociale (ou des taux relatifs de mobilité) consiste en l'étude de la structure et de la force du lien entre origine et position sociales lorsque cette association statistique est envisagée indépendamment de l'état de la structure socioprofessionnelle des pères et de celles des fils (ou filles). [...]

Un aspect crucial réside dans le fait que mobilité observée et fluidité sociale ne varient pas forcément de concert. Par exemple, dans beaucoup de pays, on a pu mettre en évidence que les tables de mobilité père-fils et père-fille étaient fort semblables quant à la fluidité sociale, mais très différentes pour la mobilité observée, en raison de la forte dissemblance entre la structure socioprofessionnelle des femmes et celle des hommes.

Louis-André Vallet, « La mobilité sociale », Sylvie Mesure et Patrick Savidan (dir.), *Le dictionnaire de sciences humaines*, PUF, 2006.

1. EXPLIQUER. Pourquoi la structure socioprofessionnelle, par exemple, entre la génération des fils et celle des pères, influence-t-elle la mobilité observée ?

2. DÉFINIR. Qu'est-ce que la fluidité sociale ?

3. RÉCAPITULER. Quelles sont les deux formes de mobilité, et quels sont leurs enjeux ? Vous pourrez présenter votre réponse sous forme d'un tableau.

ENTRAÎNEMENT

QUESTION DE COURS. Comment mesure-t-on la fluidité sociale ?

QUESTION DE SYNTHÈSE. À l'aide des documents 2, 3 et 4, vous montrerez que, pour étudier la mobilité sociale, il est nécessaire de distinguer mobilité observée et fluidité sociale.

C Les limites des tables de mobilité

1. Comment les femmes sont-elles prises en compte ?

Beaucoup des enquêtes de mobilité sociale ne portent que sur les hommes. La justification technique de cet état de fait renvoie au choix de la profession comme indicateur de position sociale. Dans les sociétés occidentales d'après-guerre, les femmes sont souvent inactives, ou actives seulement à certaines périodes de leur vie, avec des interruptions lors du mariage ou de la naissance des enfants. De ce fait, il a paru préférable de les classer en fonction de la profession du chef de famille, plutôt que de leur (éventuelle) profession personnelle. Malgré la forte augmentation de l'activité professionnelle féminine, cette justification garde une certaine pertinence, car la structure des emplois féminins est très différente de celle des hommes : rapporter la profession des femmes à celle de leur père donne ainsi des tableaux de mobilité qui ne peuvent avoir la même signification que ceux des hommes. <u>Ils font nécessairement apparaître plus de mobilité « descendante », puisque le marché de l'emploi féminin est moins ouvert aux emplois supérieurs.</u> Il s'agit, là encore, de différences structurelles, qui ne préjugent pas de la « fluidité ». Il serait alors logique de construire des tableaux croisant la profession des femmes avec celle de leurs mères, mais celles-ci appartiennent aux générations de faible activité professionnelle.

Les auteurs des enquêtes de mobilité sociale ont ainsi souvent estimé que si la profession ou le choix de l'activité était le principal canal de mobilité sociale ouvert aux hommes, le mariage ou le choix du conjoint était celui qui s'ouvrait aux femmes. Ils ont donc étudié la mobilité féminine à travers la stabilité ou la variation des milieux sociaux du père et du mari des femmes mariées.

Dominique Merllié, « La mobilité sociale »,
Pascal Combemale (dir.),
Les grandes questions économiques et sociales,
La Découverte, 2009.

1. CONSTATER. Pourquoi pendant longtemps n'a-t-on pas pris en compte la situation des femmes pour étudier la mobilité ?

2. EXPLIQUER. Une femme employée dont le père était ouvrier connaît-elle forcément une mobilité sociale ascendante ?

3. ILLUSTRER. Donnez des exemples de mariage ou d'union qui témoignent de stratégies familiales d'ascension sociale.

4. CONSTATER. Retrouvez dans le document 5 p. 231 des données qui illustrent la phrase soulignée.

2. Qui étudier : l'individu ou le ménage ?

Répartition en GSP en 2008 en %	Ensemble des actifs	Population des ménages[1]
Agriculteurs	1,8	0,9
Artisans, commerçants et chefs d'entreprise	6,1	3,3
Cadres et professions intellectuelles supérieures	16,2	8,7
Professions intermédiaires	24	13
Employés	29,3	16,5
Ouvriers	22,6	13,1
Inactifs ayant déjà travaillé	–	30,7
Autres inactifs sans activité	–	13,8
Total	100	100

1. Population de 15 ans et plus vivant en France métropolitaine. Pour l'Insee, la personne de référence du ménage est déterminée à partir de la structure familiale du ménage et des caractéristiques des individus qui le composent. Il s'agit le plus souvent de la personne de référence de la famille, quand il y en a une, ou de l'homme le plus âgé, en donnant priorité à l'actif le plus âgé.

Source : Insee, enquêtes Emploi, 2009.

1. CONSTATER. Faites une phrase avec les données de la ligne « Employés ».

2. CONSTATER. Quel effet la prise en compte des inactifs a-t-elle dans la répartition par GSP ?

3. EXPLIQUER. Qui sont les inactifs ayant déjà travaillé ?

4. EXPLIQUER. Pour mesurer la mobilité sociale, est-il plus pertinent de prendre l'individu ou le ménage ?

3. Le groupe socioprofessionnel est-il l'unité pertinente ?

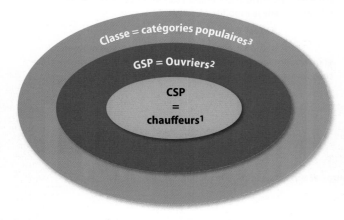

1. Chauffeurs : conducteurs routiers, conducteurs de transport en commun, chauffeurs de taxis, livreurs.
2. Dans le groupe social « ouvriers », l'Insee range aussi les ouvriers qualifiés (mécanicien, chaudronnier, plombier, couvreur…), les ouvriers non qualifiés (manutentionnaires, apprentis bouchers…) et les ouvriers agricoles.
3. Parmi les catégories populaires, on trouve aussi des agriculteurs, des employés.

1. CONSTATER. Quand un père était chauffeur routier et que son fils devient plombier, y a-t-il mobilité sociale du point de vue de l'Insee ?

2. CONSTATER. Imaginons que le fils devienne pompier, il entre alors dans le groupe des employés. Y a-t-il mobilité sociale du point de vue de l'Insee ? Le fils a-t-il changé de classe sociale ?

3. EXPLIQUER. Comment le choix de l'étude de la mobilité à partir des PCS influence-t-il la mobilité constatée ?

documents

4. Fait-on vraiment le même métier que ses parents ?

Je fais le même métier que mon père.

Je ne fais pas du tout le même métier que mon père.

1. CONSTATER. Le paysan d'hier et l'agriculteur d'aujourd'hui exercent-ils le même métier ?

2. EXPLIQUER. Quel effet le changement des conditions d'une profession à travers le temps a-t-il sur la représentation que l'on se fait de celle-ci ?

3. RÉCAPITULER. Avoir le sentiment d'exercer le même métier que ses parents signifie-t-il que l'on est dans une situation de reproduction sociale ?

5. Peut-on faire des comparaisons de mobilité entre pays ?

Nomenclature française des PCS	Nomenclature européenne (projet ESeC[1])
La position des groupes de salariés repose sur les niveaux de qualification des conventions collectives pour les salariés d'entreprise (cadres, techniciens, agents de maîtrise, OQ, ONQ) et sur les grades pour les salariés de la fonction publique (catégorie A, B, C). Au niveau 2 de la nomenclature, les salariés (à l'exception des ouvriers) sont distingués selon le statut public ou privé de l'établissement employeur.	La nomenclature européenne ne se réfère à aucun cadre juridique, les notions de manager (dirigeant) et de « supervisor » (superviseur) n'ayant aucune base légale.
Les agriculteurs indépendants sont classés dans un groupe unique, même si l'exploitation qu'ils dirigent compte plus de dix salariés. La taille des exploitations s'apprécie en fonction des superficies cultivées.	Les chefs d'entreprise agricole de plus de dix salariés sont classés dans les chefs d'entreprise de l'industrie du commerce et des services. L'importance d'une entreprise se mesure uniquement au nombre de salariés, y compris dans l'agriculture.
Les PCS établissent une distinction nette entre, d'un côté, chefs de grande entreprise (associés aux chefs de petite entreprise, artisans et commerçants) et, de l'autre, cadres supérieurs (associés à des catégories de salariés).	Les classes 1 et 2 d'ESeC regroupent les membres des professions libérales, les grands entrepreneurs et les salariés de niveau cadre.

1. ESeC pour European Socio economic Classification

Source : d'après Cécile Brousse, « ESeC, projet européen de classification socio-économique », *Courrier des statistiques*, n° 125, Insee, décembre 2008.

1. CONSTATER. À partir d'un exemple de votre choix, tiré du tableau, montrez que les critères pour ranger les professions ne sont pas les mêmes en France et dans le projet d'harmonisation européen.

2. EXPLIQUER. Quel serait l'intérêt d'avoir une nomenclature commune en l'Europe pour étudier la mobilité ?

3. EXPLIQUER. Quelle(s) difficulté(s) l'harmonisation présente-t-elle ?

ENTRAÎNEMENT

QUESTION DE COURS. Citez au moins trois limites des tables de mobilité.

QUESTION DE SYNTHÈSE. À partir des documents 1, 2 et 3, répondez à la question suivante : le changement de PCS est-il un bon indicateur pour étudier (ou évaluer) la mobilité sociale ?

documents

II. Quels sont les déterminants de la mobilité sociale ?

A Le rôle de la structure socioprofessionnelle

1. Les transformations de la population active

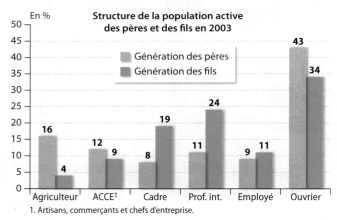

Structure de la population active des pères et des fils en 2003

En %
- Génération des pères
- Génération des fils

Agriculteur : 16 / 4
ACCE[1] : 12 / 9
Cadre : 8 / 19
Prof. int. : 11 / 24
Employé : 9 / 11
Ouvrier : 43 / 34

1. Artisans, commerçants et chefs d'entreprise.

Source : Insee, enquête FQP en 2003, Stéphanie Dupays, « En un quart de siècle, la mobilité a peu évolué », *Données sociales : la société française*, Insee, 2006.

1. CALCULER. Comment la part des agriculteurs entre la génération des pères et celle des fils a-t-elle évolué ?

2. CALCULER. La part des salariés a-t-elle augmenté entre les deux générations ?

3. CONSTATER. Peut-on déduire de ce tableau une tendance de la société française à la tertiarisation ?

4. EXPLIQUER. Quel effet l'augmentation de la part des professions intermédiaires a-t-elle sur le recrutement des fils ?

> **NE PAS CONFONDRE** La répartition en GSP et en secteurs d'activité
>
> **La répartition en GSP de la population :** c'est la profession de l'individu qui détermine la répartition de la population entre GSP.
> **La répartition en secteurs d'activité de la population :** c'est l'activité principale de l'entreprise qui détermine son secteur d'activité.
> Par exemple, un agent de sécurité est classé dans le secondaire, s'il exerce ses fonctions dans une entreprise automobile, mais dans le tertiaire, s'il travaille dans une grande surface.

2. La mobilité sociale est en partie structurelle

Dans un contexte de déclin de l'emploi agricole et de croissance des emplois ouvriers, par exemple, nombreux sont les enfants d'agriculteurs qui deviennent ouvriers, tandis que les agriculteurs sont très rarement recrutés en dehors de leur milieu. À l'inverse, avec la croissance forte des emplois classés comme cadres, leurs titulaires ont souvent leurs origines dans d'autres catégories. Plus généralement, on retrouve dans l'analyse des destins sociaux que permettent les tableaux de mobilité sociale les marques des grands changements de la société française dans les dernières décennies : exode rural et urbanisation, salarisation, industrialisation puis tertiarisation de l'emploi. C'est en ce sens que la mobilité peut être qualifiée de *structurelle* : elle est portée par des changements d'ensemble ou de structure de la société. Outre l'évolution de la structure des emplois, les différences de fécondité selon les groupes sociaux d'une part et les mouvements migratoires d'autre part sont les principales causes « structurelles » de la mobilité.

Dominique Merllié, « La mobilité sociale », Robert Castel et al., *Les mutations de la société française*, La Découverte, coll. Repères, 2007.

1. ILLUSTRER. Retrouvez à partir de la table de mobilité (doc. 5, p. 231) des éléments qui illustrent la phrase soulignée.

2. DÉFINIR. Qu'est-ce que la mobilité structurelle ?

3. EXPLIQUER. Quelle influence l'immigration peut-elle avoir sur les tables de mobilité ?

3. Le déclassement des fils par rapport aux pères

Diplôme du fils par rapport au père	Position sociale du fils par rapport au père (en %)						Ensemble
	Plus élevée		Analogue		Moins élevée		
	1970	1993	1970	1993	1970	1993	
Plus élevé	33	53	56	40	11	7	100
Analogue	15	23	73	69	12	8	100
Moins élevé	13	16	66	56	21	28	100

Note : les données ne sont pas disponibles pour 2003.
Lecture : en 1993, 16 % des fils ayant un diplôme moins élevé que celui de leur père ont atteint une position plus élevée que celui-ci.

Source : Insee, enquêtes FQP 1970 et 1993.

1. CONSTATER. Quelles sont les données paradoxales du tableau ?

2. EXPLIQUER. Pourquoi le diplôme identique n'assure-t-il pas une position sociale similaire entre la génération des pères et celle des fils ?

3. EXPLIQUER. Comment ce document illustre-t-il une forme de déclassement ?

> **REPÈRE** Le paradoxe d'Anderson
>
> En 1961, le sociologue américain Charles Anderson montre que, contrairement à l'idée communément admise, ce n'est pas parce que les enfants obtiennent un meilleur diplôme que leurs parents qu'ils sont assurés d'avoir une meilleure position sociale (c'est pourquoi l'on parle de paradoxe). Quand on compare les situations des pères et des fils, il n'y a pas de corrélation évidente entre niveaux de diplômes et positions sociales.

4. Déclassement et mutations du capitalisme

Comment expliquer cette fréquence accrue du déclassement parmi les enfants de cadres ? Tout d'abord, par un déclin de la mobilité ascendante structurelle dont ont bénéficié les individus nés au lendemain de la Seconde Guerre mondiale. Issus encore majoritairement de milieux populaires et ruraux, ces derniers bénéficient à la fois d'un premier mouvement d'expansion scolaire et de la diffusion massive du salariat moyen et supérieur qui accompagne les Trente Glorieuses. Pour les individus nés dans les milieux sociaux mieux dotés en capitaux économique et culturel, l'accès au salariat d'encadrement constituait une perspective probable et réaliste de sorte que le risque d'un déclassement apparaissait bien lointain. Vingt ans après, à partir de la fin des années 1970, lorsque les générations nées au début des années 1960 font leur entrée sur le marché du travail, les perspectives qu'elles rencontrent sont très différentes. La structure sociale est moins dynamique, la part des cadres et professions intermédiaires dans la population active augmentant moins rapidement et surtout de manière beaucoup plus irrégulière que lors des décennies précédentes. Dès lors, l'accès au salariat d'encadrement devient plus difficile, même si les enfants de cadres conservent en la matière, et toutes choses égales par ailleurs, un net avantage.

Camille Peugny, « Les enfants de cadres : fréquence et ressorts du déclassement », Paul Bouffartigue et al., *Cadres, classes moyennes : vers l'éclatement ?*, Armand Colin, 2011.

1. CONSTATER. De quel déclassement est-il question dans ce texte ?

2. EXPLIQUER. Qu'est-ce qui distingue la génération des années 1950 de celle des années 1960 ?

5. Les difficultés d'insertion professionnelle des jeunes

En dépit d'études de plus en plus longues et de niveaux de qualification toujours plus élevés, la précarisation du contrat de travail s'est accrue au cours du dernier quart de siècle. Et elle ne se limite pas au premier emploi. Entre 1983 et 2008, parmi les jeunes sortis de l'école depuis cinq ans et neuf ans, la part des titulaires d'un contrat à durée indéterminée (CDI) a diminué de 10 points, tandis que celle des contrats précaires a été multipliée par deux (passant de 8 % à 16 %). Quant au chômage pour ce type de public, il s'est maintenu à un niveau élevé (autour de 15 %). S'agit-il d'un retard pris en début de carrière par rapport aux générations précédentes et qui sera rattrapé par la suite ? Rien n'est moins évident : si les difficultés persistent, les jeunes de ce début de siècle feront alors face à un effet « cicatrice » qui pourrait avoir des conséquences profondes sur leurs conditions d'existence, en termes d'accès à la propriété du logement ou de conditions de départ à la retraite.

Camille Peugny, « Les jeunes sont-ils victimes des vieux ? », *Alternatives économiques*, hors-série, n° 89, 3e trimestre 2011.

1. DÉFINIR. En quoi la précarisation de l'emploi consiste-t-elle ?

2. EXPLIQUER. Quelle est l'influence de la précarisation de l'emploi sur la mobilité sociale des jeunes ?

3. RÉCAPITULER. Les difficultés rencontrées par les jeunes relèvent-elles d'un effet d'âge ou de génération ?

NE PAS CONFONDRE L'effet d'âge et l'effet de génération

Quand le comportement d'un individu varie en fonction de son âge, quelle que soit sa génération d'appartenance, on parle d'**effet d'âge**. Lorsque le comportement d'un individu est lié à sa génération, quel que soit son âge, on parle d'**effet de génération**.

6. Évolution des seuils de la jeunesse entre 1950 et aujourd'hui

Fin de l'école obligatoire		Sortie du système éducatif	Premier emploi stable	Majorité civile		1950
14 ans	16 ans	18 ans	20,5 ans	21 ans	23 ans	28 ans
	Fin de l'école obligatoire	Majorité civile		Sortie du système éducatif	Âge moyen de décohabitation	2010 Premier emploi stable

Source : « Les chiffres 2012 », *Alternatives économiques,* hors-série, n° 90, octobre 2011.

1. CALCULER. Comparez l'écart entre l'âge de sortie du système éducatif et le premier emploi stable pour les deux générations.

2. EXPLIQUER. Quel effet les changements de seuil entre générations peuvent-ils avoir sur la mobilité sociale ?

ENTRAÎNEMENT

QUESTION DE COURS. Pourquoi l'évolution de la structure socioprofessionnelle est-elle un déterminant de la mobilité sociale ?

QUESTION DE SYNTHÈSE. Vous montrerez, à partir des documents 1 et 2, comment les transformations structurelles de la société française ont provoqué en France de la mobilité sociale ascendante.

documents

B Le rôle de l'école

1 ▪ L'école contribue inégalement à la hausse des diplômes

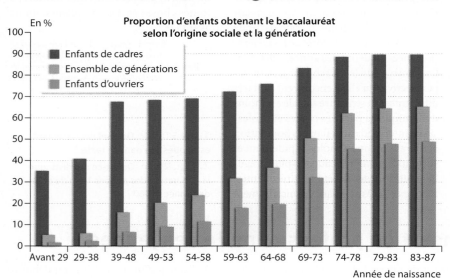

Proportion d'enfants obtenant le baccalauréat selon l'origine sociale et la génération

1. CONSTATER. Faites une phrase avec les données de la génération 1964-1968.

2. CONSTATER. Montrez que la démocratisation scolaire a profité à toutes les catégories sociales.

3. CALCULER. Comment les écarts entre les enfants de cadre et les enfants d'ouvrier ont-ils évolué ?

Lecture : parmi les jeunes nés de 1983 à 1987, 89 % de ceux dont le père est cadre sont bacheliers, contre 49 % des jeunes de père ouvrier. C'est nettement plus que dans les générations des années 1930, où 41 % des enfants de cadre obtenaient le baccalauréat, contre 2 % seulement des enfants d'ouvrier.

Source : « L'état de l'école 2010 », ministère de l'Éducation nationale.

2 ▪ Comment l'origine sociale est-elle prise en compte par l'école ?

L'école ne fonctionne pas selon le modèle de l'égalité des chances, en organisant une juste concurrence pour des compétiteurs mis dans une situation d'égalité. Car l'« offre scolaire » entérine[1] souvent les inégalités sociales entre élèves. Dans les établissements populaires, les enseignants sont moins expérimentés et moins qualifiés, la stabilité des équipes éducatives est moins forte, les progressions scolaires moindres. Et une partie de l'infériorité scolaire des élèves de milieu populaire s'explique par le fait qu'ils ont accès à une offre scolaire de moindre qualité.

De plus le fonctionnement quotidien de l'école est lui-même producteur d'inégalités. Tant les évaluations des maîtres que les décisions d'orientation portent la trace de l'appartenance sociale des élèves au-delà de leur seul mérite scolaire. Mais même si les évaluations étaient d'une précision et d'une objectivité parfaites, traduiraient-elles pour autant le mérite de chacun ? Les performances résultent d'efforts sans doute mais aussi de capacités ; or celles-ci échappent à la responsabilité individuelle. De plus, elles sont à la fois inégales et fortement corrélées avec l'origine sociale, sans qu'il soit possible, les êtres humains se développant dès la première heure dans un environnement social, de démêler ce qui relève de l'héritage génétique et

de l'influence familiale. En alignant les carrières scolaires sur les mérites relevés par les épreuves scolaires, au nom de la justice, on entérine[1] les inégalités tenant à l'origine sociale.

1. Confirme, valide.

Marie Duru-Bellat, « École et égalité des chances » Sylvie Mesure et Patrick Savidan (dir.), *Le dictionnaire de sciences humaines*, PUF, 2006.

1. CONSTATER. D'après ce texte, l'école est-elle indifférente aux différences sociales ?

2. EXPLIQUER. Comment l'école contribue-t-elle à reproduire les inégalités sociales ?

3. RÉCAPITULER. En quoi une école juste consisterait-elle d'après le texte ?

3 ▪ Un déclassement scolaire inévitable ?

Question : *Les jeunes Français vous semblent-ils exposés à un déclassement lié à la dévalorisation des diplômes ?*

Camille Peugny : La première chose à dire, c'est que jamais le diplôme n'a autant protégé du chômage et de la précarité. De plus, quand on regarde l'insertion en termes de nature d'emploi entre le début des années 1980 et aujourd'hui, on voit qu'il y a une certaine reprise de l'ascenseur social. La probabilité d'accès cinq à huit ans après la fin des études au salariat d'encadrement augmente, même si c'est au prix d'une progression des emplois précaires. Cette reprise est rendue possible par la diffusion des diplômes au sein de la jeunesse. Les politiques de démocratisation scolaire ont donc porté leurs fruits.

Mais cela n'empêche pas d'observer que pour un même niveau de diplôme, la probabilité d'accès au salariat d'encadrement a diminué avec le temps. En effet, le rendement social d'un diplôme du supérieur long était plus grand au début des années 1980 qu'aujourd'hui, ce qui ne signifie pas du tout qu'il faille renoncer à la démocratisation scolaire. En outre, on peut commencer sa carrière en étant dans une situation de déclassement par rapport à son niveau de diplôme et se « reclasser » par la suite. Cette probabilité est d'autant plus forte que le diplôme initial est élevé.

Camille Peugny et Guillaume Allègre, « Une génération en crise ? », *Alternatives économiques*, n° 300, mars 2011.

1. DÉFINIR. Qu'est-ce que le déclassement scolaire ?

2. EXPLIQUER. En quoi consiste le rendement social d'un diplôme ?

3. EXPLIQUER. Les phrases soulignées sont-elles contradictoires ?

4. RÉCAPITULER. Le diplôme protège-t-il du déclassement ?

4. Une tendance à la mobilité sociale ?

Évolution de la proportion de cadres et de professions intermédiaires parmi les personnes ayant un emploi, moins de cinq ans après la sortie de l'école, selon le milieu social

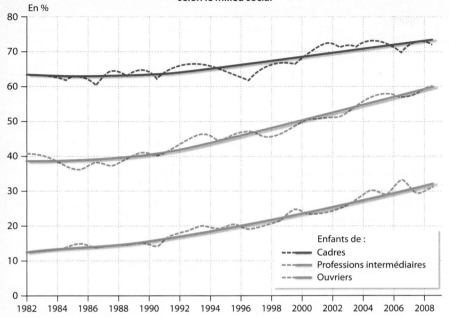

Enfants de :
- - - - Cadres
- - - - Professions intermédiaires
- - - - Ouvriers

1. CONSTATER. Faites une phrase avec les données de 2008.

2. CONSTATER. Montrez que, quel que soit le milieu social d'origine, il y a eu une ascension sociale en France de 1982 à 2008.

3. EXPLIQUER. Comment l'école explique-t-elle, en partie, cette évolution ?

4. RÉCAPITULER. Peut-on en conclure que la société est plus fluide ?

Lecture : en 1982, parmi les actifs occupés enfants d'ouvrier sortis de l'école depuis moins de cinq ans, 13 % sont cadres ou professions intermédiaires. En 2008, la proportion dépasse 30 %.

Source : Insee, enquêtes Emploi 1982-2008, Éric Maurin, *La peur du déclassement*, Seuil, 2009.

5. À quoi sert une grande école de commerce ?

« La formation que j'ai reçue, je trouve qu'elle ne vaut pas grand-chose, même si elle est estimée à un coût assez important. Mais ça m'a permis de rattraper beaucoup de retard, il y avait plein de trucs qui me manquaient et que je n'avais pas pu avoir de mes parents : un capital social et surtout savoir où s'orienter pour faire tel truc, connaître les filons pour pouvoir aller dans le public, passer des entretiens d'embauche, etc. » (S., fils de contremaître et de dactylo, élève boursier scolarisé dans une grande école de commerce).

Parce qu'elles procurent un capital social, notamment le réseau des anciens élèves, et un titre scolaire qui fonctionne comme une carte de visite à forte valeur marchande sur le marché du travail, les grandes écoles de commerce représentent un atout indéniable pour les étudiants issus des fractions dominées de l'espace social.

L'acquisition de cette sécurité est rendue possible grâce à une série de ressources compensatrices qui viennent combler au cours de la scolarité les manques de capital culturel hérité – qu'il s'agisse de l'organisation expressément scolaire de l'action pédagogique en classe préparatoire, du soutien et du travail d'orientation des enseignants ou de l'investissement des familles. Bien que très majoritairement dénuées de capital scolaire, celles-ci apparaissent largement appartenir aux fractions stables des classes populaires, parvenant à une relative sécurité économique au travers du statut d'emploi ou des conditions salariales. Elles sont plus à même de supporter les coûts d'une scolarité prolongée, avec l'aide capitale de bourses accordées par l'État et par les grandes écoles par le biais de leur fondation ; elles sont aussi souvent engagées dans des trajectoires

d'ascension sociale qui reposent désormais de manière déterminante sur l'acquisition de capital culturel et de diplômes.

Anne Lambert, « Le comblement inachevé des écarts sociaux », *Actes de la recherche en sciences sociales*, n° 183, juin 2010.

1. CONSTATER. Selon S., quel est le rôle d'une grande école ?

2. CONSTATER. Le capital culturel s'acquiert-il à l'école ou dans la famille ?

3. EXPLIQUER. Comment l'action conjuguée de la famille et l'école contribue-t-elle à la réussite scolaire en grande école ?

4. RÉCAPITULER. Sous forme d'un schéma, indiquez quels sont les différents capitaux en jeu dans ce texte.

ENTRAÎNEMENT

QUESTION DE COURS. Quel est le rôle de l'école dans la mobilité sociale ?

QUESTION DE SYNTHÈSE. À partir des documents 1, 2 et 4, vous montrerez que l'école contribue à la mobilité sociale ascendante, mais qu'elle n'y parvient pas toujours.

documents

C Le rôle de la famille

1. La mobilité par le mariage

Groupe socioprofessionnel du père du « mari »	Groupe socioprofessionnel du beau-père						
	Cadre	Profession intermédiaire	ACCE[1]	Employé	Ouvrier	Agriculteur	Ensemble
Cadre	27,8	18	16,5	11,1	19,2	7,3	100
Employé	7,3	14,9	16	14,7	38,9	8,1	100
Ouvrier	4,4	8,3	9,4	10	57,1	10,7	100

Champ : la population est constituée des hommes de l'enquête, mariés ou vivant en couple, Français de naissance, classés en fonction de la profession de leur père et de celle du père de leur conjointe.

Lecture : environ 28 % des fils de cadre ont épousé une fille de cadre.

1. Artisan, commerçant et chef d'entreprise.

Source : Insee, enquête FQP 1993, Dominique Merllié, « La mobilité sociale », Robert Castel et al., *Les mutations de la société française*, La Découverte, coll. Repères, 2007.

1. CONSTATER. Les fils d'ouvrier sont-ils originaires du même milieu social que leurs conjointes ? Cela se vérifie-t-il pour les autres catégories du tableau ?

2. CONSTATER. Observe-t-on une certaine tendance à l'homogamie ?

3. EXPLIQUER. L'union conjugale est-elle un moyen de mobilité sociale ?

DÉFINITIONS
L'homogamie
Tendance dans une société à ce que les conjoints appartiennent au même milieu social.

2. La taille de la fratrie influence la destinée sociale

Les effets propres à la taille de la famille sur la destinée des enfants peuvent passer par les conditions matérielles dans lesquelles ils sont élevés : avec l'accroissement du nombre d'enfants, les ressources qui peuvent être consacrées à chacun diminuent. Ainsi les enfants de familles nombreuses ont plus rarement une chambre indépendante et les conditions de leur travail scolaire en sont affectées, comme elles peuvent l'être aussi par leurs chances réduites de bénéficier de soutiens scolaires extérieurs ou encore par le temps consacré à ce soutien que les parents doivent partager entre les différents enfants.
Le montant global, et non seulement relatif, des ressources de la famille peut également être affecté par le nombre d'enfants : c'est par exemple le cas si la difficile conciliation entre vie familiale et vie professionnelle conduit à un retrait d'activité ou à une mise à temps partiel. Ces conditions de vie peuvent pousser les enfants à devenir économiquement indépendants de manière plus précoce, tandis que ceux qui ont peu de frères et sœurs peuvent davantage voir les études financées par la famille. […] Au-delà de l'impact du nombre de frères et sœurs sur les ressources matérielles dont chaque enfant peut disposer, d'autres effets dérivés de la taille des familles peuvent affecter les conditions de l'éducation familiale. Ainsi, des enfants nombreux vivent davantage en interaction entre eux, dans une société d'enfants ; des enfants uniques ou peu nombreux (et aussi d'âges espacés) sont plus continûment plongés dans une société d'adultes : les conditions de développement intellectuel peuvent en être affectées. Les mères des familles nombreuses sont plus souvent inactives, de sorte que leurs enfants, gardés chez eux, sont moins souvent ou moins précocement confrontés à d'autres lieux de socialisation que leur foyer.

Dominique Merllié et Olivier Monso, « La destinée sociale varie avec le nombre de frères et sœurs », Insee, *France, portrait social – édition 2007*.

1. EXPLIQUER. Que signifie la phrase soulignée ?

2. CONSTATER. Quel impact matériel une grande fratrie a-t-elle sur la réussite des enfants ?

3. RÉCAPITULER. À l'aide d'un schéma, identifiez les différents facteurs qui influencent la destinée sociale d'une grande fratrie.

3. Une réussite privilégiée ?

S'il existait une noblesse républicaine, nul doute qu'elle en serait une des étoiles les plus brillantes. Chez les Bérard, on est énarque[1] de père en fils et de mère en fille. Un grand-père conseiller d'État honoraire, un père préfet du Nord-Pas-de-Calais, une mère qui fut conseillère pour les affaires sociales de Jacques Chirac à Matignon […], un jeune frère à la direction du budget… Marguerite Bérard reconnaît du bout des lèvres avoir baigné dans une « culture familiale » qui l'a conduite tout droit à Sciences Po, puis à l'ENA, cette sorte de résidence secondaire de la maisonnée.

[…] Elle y fera la connaissance de son futur mari, Thomas Andrieu, lui aussi fils de préfet et lui aussi dans la botte[2] : il est entré en 2004 au Conseil d'État et est aujourd'hui l'adjoint du directeur général de l'administration et de la fonction publique. Marguerite, elle, a préféré Bercy et l'Inspection générale des finances. Un tropisme[3] pour les questions économiques qui est peut-être né de l'université de Princeton, où elle a passé deux ans entre Sciences Po et l'ENA dans le cadre d'un master d'économie et de politiques publiques avec la crème des professeurs.

1. Ancien élève de l'École nationale d'administration (ENA).
2. Parmi les mieux classés d'un concours.
3. Ici, orientation spontanée, réflexe.

Yann Verdo, « Marguerite Bérard-Andrieu, de Raymond Soubie à Xavier Bertrand », *Les Échos*, 3 décembre 2010.

1. CONSTATER. Quel est le rôle de la famille dans le cas de la trajectoire de Marguerite Bérard ?

2. EXPLIQUER. Pourquoi peut-on dire que la trajectoire de Marguerite Bérard illustre un cas de reproduction sociale ?

3. RÉCAPITULER. Quels sont les différents facteurs qui expliquent la réussite sociale de Marguerite Bérard ?

4. Des modèles de réussite ?

Parmi les étudiants français de familles musulmanes des quartiers populaires de la couronne parisienne, Leyla Arslan[1] distingue quatre groupes d'individus.

« Les intégrationnistes »	Ils réussissent scolairement, tout en cherchant à cantonner leur culture d'origine et leur religion à la seule sphère privée, conformément aux principes de la laïcité républicaine. Ils tracent leur petit bonhomme de chemin dans la société française. Ils vont grossir les rangs des classes moyennes qui comptent déjà de plus en plus d'enfants d'immigrés.
« Les galériens »	Si les discriminations, ethniques et religieuses, jouent un rôle dans les difficultés d'insertion, d'autres facteurs font que ces jeunes affrontent des obstacles parfois similaires à ceux des enfants d'origine populaire non issus de l'immigration : absence de réseaux, mauvaise connaissance des débouchés et des filières... Simplement, les « galériens » ont tendance à attribuer leurs difficultés à leur seule origine. Ils sont déçus et amers, car les études n'ont pas tenu leurs promesses. De plus, souvent premiers de leur famille à accéder à l'université, ils doivent éviter de perdre la face vis-à-vis de leur entourage. Pour leurs parents, l'accès à l'université était une grande victoire. Alors ils brandissent fréquemment, et *a posteriori*, la grille ethnique ou religieuse pour expliquer leur situation.
« Les critiques »	Eux ne questionnent pas le modèle républicain, mais plutôt sa mauvaise application, son « hypocrisie », face à l'instauration du « deux poids, deux mesures ». On les trouve à l'extrême gauche ou très engagés religieusement.
« Les grimpeurs »	Étudiants en grande école notamment, ils n'hésitent pas à se servir de leur « différence » pour surfer sur la mode de la diversité. Ambitieux et épris d'ascension sociale, ils se font courtiser par les partis, les clubs d'élite.

1. Docteur en sciences politiques, auteur d'*Enfants d'Islam et de Marianne*, PUF, 2010.

Source : d'après « L'intégration par les diplômes », propos de L. Arslan recueillis par Jacqueline de Linares, *Le Nouvel Observateur*, 26 août-1er septembre 2010.

1. CONSTATER. Qu'est-ce qui distingue les différents profils d'étudiants relevés dans ce texte ?

2. EXPLIQUER. Le critère ethnique et religieux est-il pour les étudiants de l'enquête un obstacle aux études et à la réussite sociale ?

3. RÉCAPITULER. La réussite sociale ne dépend-elle que de la famille ?

5. L'anticipation d'une mobilité

À l'adolescence, il s'était mis en tête de grimper l'échelle sociale.
Il s'y était préparé petit à petit. Pour cela, il lui avait fallu rompre avec certaines normes familiales et les codes valorisés par ses pairs. Il s'était mis à parler en soignant ses tournures, en évitant les expressions grossières, les « euh » inutiles, les « j'te dis pas » répétitifs, les « bâtards » qui ponctuaient la plupart de ses phrases : en somme, il avait économisé les mots. Il avait décidé de porter des lunettes, on lui avait fait remarquer que cela lui donnait « l'air intello », ça l'avait troublé et puis cela lui avait plu. Il avait remplacé son sac à dos par un sac en bandoulière, au départ en Skaï[1], ensuite en cuir. Il avait changé de vêtements : abandonné sa casquette, laissé ses joggings et ses jeans taille basse, porté une veste puis acheté un costume,

rangé ses baskets pour ne plus utiliser que des mocassins. Il ne mettait plus de tee-shirts, seulement des chemises.
Il avait élargi son répertoire de films et allait aux musées de temps en temps. Il lisait la presse et s'efforçait de consulter l'actualité chaque jour sur Internet : au départ, c'était une corvée, à force, c'était devenu une habitude et aujourd'hui il aurait presque pu y trouver du plaisir. D'autant que cela lui donnait des ressources : avant il avait de « la tchatche », mais ses phrases étaient courtes, ses opinions tranchées et son raisonnement limité, maintenant, il discutait et argumentait avec plus de nuance et d'à-propos.
Après avoir pratiqué pendant de longues années le foot, il s'était inscrit à un club de tennis. Il s'y était fait des relations puis des amis. Ses nouveaux amis lui avaient

permis de fréquenter de nouveaux lieux, d'apprécier d'autres musiques, de goûter de nouveaux plats, de connaître d'autres filles. Lui qui était habitué à parler fort, à rire et à réagir avec éclat, à apostropher son entourage, avait adopté d'autres codes sociaux. Il avait compris qu'il fallait qu'il pose sa voix, qu'il apprenne à contrôler ses émotions et à ne pas manifester ses sentiments. Son silence passait désormais pour de la réflexion, sa non-réaction pour le signe d'un grand sang-froid et d'une parfaite maîtrise de soi. Auprès des filles et pas seulement, il y gagnait un mystère qui suscitait la curiosité et l'intérêt. Bref, de fils de prolo, il était devenu bourgeois. Ou presque.

1. Matière synthétique qui imite le cuir.

Hachette Éducation, 2012.

1. CONSTATER. Dans quels domaines cet homme, pour changer d'identité, apporte-t-il des modifications ?

2. DÉFINIR. Comment nomme-t-on en sociologie le processus décrit dans ce texte ?

3. EXPLIQUER. Suffit-il de changer de comportement pour faire l'expérience d'une mobilité sociale ascendante ?

ENTRAÎNEMENT

QUESTION DE COURS. Comment la famille peut-elle être un atout pour la mobilité ?

QUESTION DE SYNTHÈSE. À l'aide des documents 2, 3 et 4, vous montrerez que, si la famille contribue à la mobilité sociale, l'individu n'est pas totalement déterminé par sa famille et garde des marges d'action.

documents

1. Transformer une table de mobilité

1. Présentation des tables de destinée et de recrutement

	Table de destinée	Table de recrutement
Elle permet de répondre à la question :	Que deviennent les « fils de... » ?	De quelle origine sont issus les fils qui sont... ?
La méthode	On calcule la part de chaque effectif (en milliers) dans le total de la catégorie des pères.	On calcule la part de chaque effectif (en milliers) dans le total de la catégorie des fils.
Exemple (table de 2003 ci-dessous)	Quelle est la destinée des fils d'agriculteur ?	Quel est le recrutement des fils d'agriculteur ?
Calcul	(252 / 1 143) × 100 = 22 (426 / 1 143) × 100 = 37,2	(252 / 285) × 100 = 88 (20 / 285) × 100 = 7
Lecture	– Sur 100 fils d'agriculteur en 2003, 22 sont devenus eux-mêmes agriculteurs et 37 sont devenus ouvriers. – Autre formulation : 22 % des fils d'agriculteur sont devenus agriculteurs et 37 % sont devenus ouvriers.	– Sur 100 agriculteurs en 2003, 88 ont un père qui était agriculteur et 7 sont fils d'ouvrier. – Autre formulation : 88 % des agriculteurs sont issus d'un père agriculteur et 7 % sont fils d'ouvrier.

2. Application à la table brute de mobilité en France en 2003

GSP des fils GSP des pères	1. Agriculteur	2. ACCE[1]	3. Cadre	4. Profession intermédiaire	5. Employé	6. Ouvrier	Ensemble
1. Agriculteur	252	72	105	190	98	426	1 143
2. Artisan, commerçant et chef d'entreprise	6	182	189	205	79	210	870
3. Cadre et profession intellectuelle sup.	2	37	310	152	37	52	591
4. Profession intermédiaire	2	60	266	263	73	135	800
5. Employé	3	43	144	179	108	169	644
6. Ouvrier	20	225	304	701	375	1 373	2 998
Ensemble	285	619	1 317	1 690	770	2 364	7 045

Champ : hommes actifs occupés ou anciens actifs ayant eu un emploi, âgés de 40 à 59 ans, en mai 2003.
1. Artisan, commerçant et chef d'entreprise.

Source : Insee, enquête FQP 2003, Stéphanie Dupays, « En un quart de siècle, la mobilité a peu évolué », *Données sociales : la société française*, Insee, 2006.

1. À partir de cette table brute, construisez les tables de destinée et de recrutement.
Vous pouvez reproduire les tableaux A et B en n'indiquant que les numéros des CSP en ligne et en colonne.

A. Table de ... en France en 2003

GSP des fils GSP des pères	1	2	3	4	5	6	Total
1. Agriculteur	22					37	100
2. ACCE							100
3. CPIS							100
4. PI							100
5. Employé							100
6. Ouvrier							100
Répartition de la population active à la génération des ...							100

1. Complétez le titre du tableau.

2. Que représente la diagonale du tableau ?

3. Faites une phrase avec les données les plus élevées de la ligne « Cadres et professions intellectuelles supérieures (CPIS) ».

4. Peut-on dire que les fils d'ouvriers qui sont devenus employés ont connu une mobilité ascendante ?

B. Table de ... en France en 2003

GSP des fils GSP des pères	1	2	3	4	5	6	Rép. de la PA à la géné. des ...
1. Agriculteur	88						
2. ACCE							
3. CPIS							
4. PI							
5. Employé							
6. Ouvrier	7						
Total	100	100	100	100	100	100	

1. Complétez le titre du tableau.

2. Que représente la diagonale du tableau ?

3. Faites une phrase avec les données les plus élevées de la colonne « Ouvriers ».

4. Dans quelles principales catégories ont été recrutés les cadres ?

TD DÉBAT

NOTIONS • Mobilité sociale • Capital culturel • Classes sociales • Déclassement

SAVOIR-FAIRE • Prendre la parole en public • Réunir les informations pertinentes pour argumenter

2. À quoi un individu doit-il sa réussite sociale ?

Qui dit quoi ?

Deux équipes sont constituées et tirent au sort le camp qu'elles auront à défendre. Un élève est chargé de distribuer la parole entre les deux équipes.

	Équipe A	Équipe B
Idées générales à défendre	La société ne fait que se reproduire à l'identique ou presque. Tout y contribue : la famille, l'école... Les obstacles à la mobilité sont plus forts que les tremplins qui permettent d'échapper à son milieu social d'origine. La réussite sociale dépend donc du milieu où l'on naît. Celui-ci détermine études, parcours professionnel et position sociale.	Même si l'individu est en partie déterminé, il exerce une certaine liberté. La mobilité sociale dépend de la volonté de chacun, rien n'est joué d'avance. La réussite sociale est donc une opportunité pour chacun, les « cartes » sont redistribuées à chaque génération.
Questions pour aider les équipes à préparer le débat	– Suffit-il de changer de métier pour changer de milieu social ? – Chacun est-il libre de faire les études qu'il veut ? – Toutes les professions et toutes les fonctions sont-elles ouvertes à tous ?	– Les membres d'une fratrie ont-ils forcément les mêmes parcours sociaux ? – Des mesures ont-elles été prises pour favoriser les études des enfants de milieux défavorisés ? – Quelles sont les transformations qu'a connues la France depuis cinquante ans ?
Pistes de recherche	– Dans le dossier documentaire de ce chapitre, faites la liste des documents qui peuvent vous servir pour argumenter. – Recherchez des arguments généraux (à partir de statistiques, par exemple) qui alimentent la thèse de votre équipe (statistiques sur l'école, sur la mobilité). Consultez le site de l'Observatoire des inégalités. – Trouvez des exemples de personnes qui illustrent la thèse défendue par votre équipe : personnages célèbres (hommes ou femmes politiques, sportifs, écrivains, cinéastes, chefs d'entreprise), individus appartenant au monde du spectacle, de la télévision. Quelles étaient les professions de leurs parents ?	

Synthèse

Comment étudier la mobilité sociale ?

Si dans une société de castes, les positions sociales sont figées et héritées, dans une société démocratique, même si les inégalités ne disparaissent pas, les individus ont la possibilité, en droit et en fait, de changer de position sociale. Comment se fait cette mobilité sociale ? Et à quoi est-elle due ?

ACQUIS DE PREMIÈRE

➡ Voir **Réviser les acquis de 1ʳᵉ**, p. 202 et **Lexique**

- Groupe d'appartenance
- Groupe de référence
- Socialisation anticipatrice
- Capital social

I. Qu'est-ce que la mobilité sociale ?

La mobilité sociale désigne, au sens large, la circulation des individus ou des groupes entre des positions sociales. L'Insee adopte une approche plus précise de la mobilité sociale en la définissant comme la mobilité intergénérationnelle.

A. Les différents types de mobilité

■ Étudier la mobilité sociale peut se faire de plusieurs manières : on peut étudier la mobilité géographique ou la mobilité professionnelle (ou **mobilité intragénérationnelle**). En France, l'Insee s'attache à comparer les changements de position sociale entre deux générations d'individus. Cette **mobilité intergénérationnelle** peut être soit verticale, soit horizontale. À partir d'une table de mobilité brute (qui croise les PCS des pères et des fils), on peut se poser deux types de question : soit on s'interroge sur ce que deviennent les fils d'une PCS donnée, on construit alors une table de destinée, soit on s'interroge sur l'origine des fils appartenant à une PCS donnée : on construit alors une table de recrutement. La diagonale d'une table informe sur la reproduction sociale.

B. Une société de plus en plus fluide ?

La société française se caractérise par une mobilité sociale réelle.

■ D'une part, les changements de structure de la population active et les transformations de l'économie ont provoqué une mobilité sociale ascendante. Ainsi, parce que les agriculteurs sont moins nombreux et que les cadres sont plus nombreux à la génération des fils, les enfants d'agriculteur ont mécaniquement connu une mobilité sociale.

■ D'autre part, une fois que l'on écarte la mobilité structurelle, on observe aussi une certaine **fluidité sociale**. Même si la probabilité qu'un fils de cadre devienne cadre (comparée à celle qu'il devienne ouvrier) est toujours largement supérieure à la probabilité qu'un fils d'ouvrier devienne cadre (plutôt qu'ouvrier), les distances sociales entre cadres et ouvriers semblent s'être quelque peu réduites.

C. Les limites des tables de mobilité

■ La mobilité sociale, telle qu'elle est étudiée par l'Insee, repose sur un certain nombre de conventions. Parmi les critiques qui lui sont faites, on retiendra :
– la prise en compte trop marginale des femmes. Dans une société où les taux d'activité féminins ont augmenté, on comprend mal que les tables de mobilité féminine ne soient pas systématiquement produites en parallèle de celles des hommes ;
– la question se pose de l'unité pertinente d'analyse de la mobilité. L'Insee raisonne sur des individus, alors qu'il pourrait être pertinent de raisonner en termes de ménage ;
– le choix des GSP comme catégorie d'analyse influence la représentation de la mobilité. Une société mobile du point de vue des GSP ne l'aurait peut-être pas été si l'on avait raisonné avec des catégories agrégées (par exemple, des classes sociales). Plus on réduit le nombre de catégorie, plus on donne le sentiment que la société est bloquée, plus au contraire on multiplie les catégories de la classification, et plus on peut donner l'impression que la société est mobile ;

– changer de GSP ne signifie pas forcément que l'on a changé radicalement de conditions de vie. En effet, le prestige et les conditions d'exercice des professions changent au cours du temps. On peut ne pas avoir changé de GSP par rapport à ses parents et avoir connu une mobilité descendante, ou au contraire avoir changé de GSP sans que pour autant les conditions de travail ou de vie aient changé. Il faut donc être prudent dans l'interprétation d'une table de mobilité, d'autant que la hiérarchie entre les GSP n'est pas évidente à établir ;
– enfin, à l'heure de la mondialisation, se pose la question de l'harmonisation des nomenclatures, au niveau européen notamment, qui aujourd'hui reste un défi à relever, chaque pays étant attaché à des outils et des conventions statistiques spécifiques.

II. Quels sont les déterminants de la mobilité sociale ?

Parmi les facteurs qui expliquent la mobilité sociale, on retiendra les transformations de la société et le rôle des instances de socialisation que sont l'école et la famille. C'est la contribution croisée de ces facteurs qui expliquent la mobilité ou, au contraire, la reproduction sociale. Dans tous les cas, si des déterminants sociaux agissent et contraignent une partie des trajectoires sociales, il reste une part de liberté aux individus.

A. Le rôle de la structure socioprofessionnelle

■ Une partie de la mobilité observée est d'abord structurelle : les transformations de la structure de la population active augmentent la probabilité de changer de catégorie sociale entre deux générations. Pourtant l'augmentation du nombre de diplômes a des effets pervers et ne garantit pas forcément une promotion sociale. C'est ce que, dès les années 1960, on a appelé le paradoxe d'Anderson et qu'aujourd'hui on désigne aussi avec le terme de déclassement intergénérationnel.

B. Le rôle de l'école

■ L'augmentation de la scolarisation a permis aux générations nées dans les années 1960 d'augmenter leur niveau de diplôme et, dans un pays où le diplôme est un facteur déterminant de la position sociale, de connaître une mobilité sociale ascendante.

■ Pourtant des différences sociales demeurent et agissent dès l'école : la réussite scolaire des enfants de cadre est supérieure à celle des enfants d'ouvrier. Les écarts entre groupes socioprofessionnels se seraient donc déplacés plus qu'ils n'auraient disparu. À cela s'ajoute un effet de génération. Malgré la hausse des diplômes, les jeunes générations semblent avoir plus de difficultés à s'insérer. On parle alors d'un phénomène de déclassement scolaire.

C. Le rôle de la famille

■ Le rôle de la famille dans la mobilité est multiple : il se joue dans la constitution du couple comme dans l'éducation des enfants. Historiquement, et dans certains milieux sociaux encore aujourd'hui, le choix du conjoint est stratégique : il permet de s'élever socialement ou de réaliser une stratégie de reproduction sociale en choisissant un conjoint qui partage les mêmes valeurs ou normes. La taille de la famille conditionne l'investissement (au sens propre et au sens figuré) des parents.

■ Par le capital culturel, social et économique qu'elles transmettent, les familles conditionnent la réussite sociale de leurs enfants. L'enfant sera plus ou moins doté des capitaux que l'école valorise, et qui seront la clé de sa réussite scolaire, elle-même déterminante dans l'obtention d'un emploi et donc dans la réussite sociale. C'est ainsi une certaine reproduction sociale. On pourrait alors croire qu'il y a un fort déterminisme social. Pourtant, une analyse plus fine montre qu'il existe plusieurs profils possibles de trajectoire, notamment au sein des familles défavorisées. Dans une société de plus en plus individualiste, au sens positif du terme, et qui a le souci de l'égalité des chances, aucun destin individuel n'est fixé à l'avance.

synthèse

Synthèse (suite)

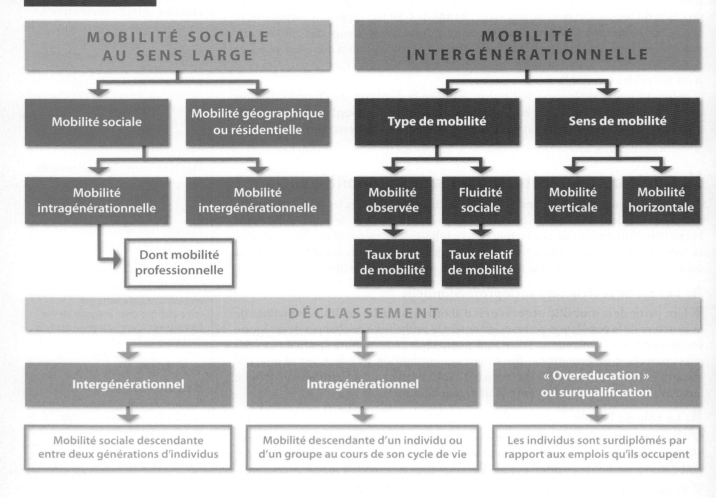

MOBILITÉ SOCIALE AU SENS LARGE
- Mobilité sociale
- Mobilité géographique ou résidentielle

Mobilité sociale →
- Mobilité intragénérationnelle
  - Dont mobilité professionnelle
- Mobilité intergénérationnelle

MOBILITÉ INTERGÉNÉRATIONNELLE
- Type de mobilité
  - Mobilité observée → Taux brut de mobilité
  - Fluidité sociale → Taux relatif de mobilité
- Sens de mobilité
  - Mobilité verticale
  - Mobilité horizontale

DÉCLASSEMENT
- Intergénérationnel
  - Mobilité sociale descendante entre deux générations d'individus
- Intragénérationnel
  - Mobilité descendante d'un individu ou d'un groupe au cours de son cycle de vie
- « Overeducation » ou surqualification
  - Les individus sont surdiplômés par rapport aux emplois qu'ils occupent

À la fin du chapitre, assurez-vous que :

➜ Vous êtes capable de définir mobilité sociale, fluidité sociale, déclassement, capital culturel et paradoxe d'Anderson.	➜ Vous ne confondez pas mobilité intergénérationnelle et intragénérationnelle.	➜ Vous savez distinguer une table de destinée et une table de recrutement.	➜ Vous connaissez les principaux déterminants de la mobilité sociale.	➜ Vous savez calculer un « odds ratio ».

POUR ALLER PLUS LOIN

Livres d'analyse
- Robert Castel et alii, *Les mutations de la société française*, La Découverte, Repères, 2007.
- Camille Peugny, *Le déclassement*, Grasset, 2009.
- Éric Maurin, *La peur du déclassement*, Seuil, 2009.
- Éric Maurin, *La nouvelle question scolaire*, Points Poche, 2008.

Livres de témoignage
- Annie Ernaux, *La place*, Poche Gallimard, 2006.
- Azouz Begag, *Les dérouilleurs*, Mille et une nuits, 2002.
- Michel Winock, *Jeanne et les siens*, Points Poche, 2004.

Sites
- www.inegalites.fr (Observatoire des inégalités)
- www.observationsociete.fr (Centre d'observation de la société)
- www.insee.fr

Films
- *Ressources Humaines*, un film de Laurent Cantet, 1999.
- *Tu seras mon fils*, un film de Gilles Legrand, 2011.

autoévaluation

1 Vrai ou faux ?

1. Quand un individu change de groupe socioprofessionnel au cours de sa carrière, il s'agit de mobilité intragénérationnelle.

2. Quand une société connaît une forte mobilité observée, elle connaît aussi une forte fluidité sociale.

3. Les femmes ne sont pas prises en compte dans les tables de mobilité.

4. La mobilité structurelle désigne la mobilité qui provient des changements de structure de la population active entre la génération des pères et celles des fils (filles).

5. Une grande fratrie diminue la possibilité de mobilité sociale ascendante.

6. Le paradoxe d'Anderson aborde la question du déclassement social des individus.

7. Le capital culturel désigne les diplômes d'un individu.

2 Associer des notions

Sur deux colonnes, constituez quatre paires à l'aide des huit termes ci-dessous. Ces termes peuvent s'opposer ou se compléter.

Mobilité intergénérationnelle • fluidité sociale • mobilité intragénérationnelle • table de destinée • mobilité observée • mobilité professionnelle • mobilité géographique • table de recrutement.

3 Exploiter les données d'un tableau

	Cadre	Ouvrier	Total
Cadre	80	20	100
Ouvrier	25	75	100

Mesurez la distance sociale (l'« odds ratio ») entre les cadres et les ouvriers à partir des données de ce tableau et intégrez votre résultat dans une phrase.

4 QCM

Plusieurs réponses sont possibles.

1. La lecture de la destinée des ouvriers permet de répondre à la question :

a. ☐ De quelles catégories sont issus les ouvriers ?

b. ☐ Que deviennent les fils d'ouvrier ?

2. Le déclassement scolaire désigne le fait :

a. ☐ d'avoir une position sociale inférieure à celle de son père.

b. ☐ d'être en situation de mobilité descendante.

c. ☐ d'avoir une position sociale inférieure à celle que son diplôme permettait d'obtenir plusieurs années auparavant.

d. ☐ de manquer d'ambition scolaire.

3. Une fille de cadre qui devient ouvrière fait l'objet :

a. ☐ d'une mobilité sociale ascendante.

b. ☐ d'une mobilité sociale descendante.

c. ☐ d'un déclassement.

d. ☐ d'une mobilité intergénérationnelle.

e. ☐ d'une mobilité intragénérationnelle.

f. ☐ impossible de répondre sans plus de détail sur les caractéristiques des deux CSP visées.

4. Un fils d'ouvrier qui devient agriculteur fait l'objet :

a. ☐ d'une mobilité sociale ascendante.

b. ☐ d'une mobilité sociale descendante.

c. ☐ d'un déclassement.

d. ☐ d'une mobilité intergénérationnelle.

e. ☐ d'une mobilité intragénérationnelle.

f. ☐ impossible de répondre sans plus de détail sur les caractéristiques des deux CSP visées.

5 Lire une table de mobilité

PCS du fils ou de la fille / PCS du père	Agriculteur (trice)	ACCE[1]	Cadre	Prof. inter.	Employé(e)	Ouvrier(ère)	Total
Employé	0	7	22	28	17	26	100
	(0,7)	3,5	8,8	26,4	51	9,5	100

1. Artisans, commerçants et chefs d'entreprise.

1. 7 % des fils d'employé sont devenus artisans, commerçants et chefs d'entreprise en 2003.

2. 28 % des filles des professions intermédiaires sont devenues employées.

3. Il y a un écart de 34 % entre la destinée des filles d'employé et celle des fils d'employé.

4. La reproduction des filles d'employé est plus forte que celle des fils d'employé.

5. Ce tableau représente le recrutement des employés.

Dissertation

SUJET Montrez que le déclassement peut prendre différentes formes.

DOCUMENT 1 Destinées socioprofessionnelles en 1985 et 2003

En %

Socioprofessionnel de départ	Groupe socioprofessionnel d'arrivée	Agri-culteurs	ACCE[1]	Cadres	Professions intermé-diaires	Employés	Ouvriers	Total
Agriculteurs	1985	96,6	0,3	0,1	0,3	0,7	1,9	100
	2003	96,6	1,3	0	0,1	0,5	1,5	100
Artisans, commerçants et chefs d'entreprise	1985	0,3	90,3	0,5	2,3	3,3	3,3	100
	2003	0,3	81,3	2,7	3,8	5,9	5,9	100
Cadres et professions intellectuelle supérieure	1985	0	3	94,6	1,8	0,5	0,1	100
	2003	0	1,5	90,4	6,7	1,2	0,2	100
Professions intermédiaires	1985	0,2	2,3	6	87,7	2,7	1,2	100
	2003	0,1	1,4	9,6	80,8	5	3,2	100
Employés	1985	0,2	2	0,8	6,3	88,1	2,8	100
	2003	0,1	1,3	1,6	9	83,1	5	100
Ouvriers	1985	0,5	2,5	0,1	3,9	4,4	88,6	100
	2003	0,4	2,4	0,5	7,1	6,5	83,1	100

Champ : actifs occupés en 1980 et 1985, d'une part, et en 1998 et 2003, d'autre part, âgés de 20 à 65 ans en fin de période.
1. Artisans, commerçants et chefs d'entreprise.

Source : Insee, enquêtes FQP 1985 et 2003, *Économie et statistique*, n° 431-432, 2010.

DOCUMENT 2

La diffusion des diplômes a contribué à bouleverser profondément leurs débouchés, face à des emplois dont la structure n'évoluait pas forcément au même rythme. Dans les années 1970, les diplômés de l'université deviennent majoritairement et rapidement cadres. L'enquête menée par le CEREQ sur les licenciés de 1970 montre que 3 ans après l'obtention du diplôme, la proportion de cadres oscille selon les grandes disciplines entre 70 % et 80 % ; pour les 3es cycles, elle dépasse les 85 %. Il convient de préciser que cette part élevée est liée au fait que l'enseignement constitue un débouché très important (et même quasi exclusif des diplômés littéraires).

Qu'en est-il trente ans plus tard ? Le suivi des jeunes sortis du supérieur en 1998 montre que trois ans après l'obtention du diplôme, la part des cadres est moindre par rapport à celle qui prévalait dans les années 1970 : les licenciés de 1998 sont cadres à hauteur de 15 %, tandis qu'à l'issue du troisième cycle, le chiffre correspondant est d'environ 68 %. Dans le même temps, 92 % des sortants des écoles d'ingénieurs deviennent cadres. Les chiffres plus récents confirment cet écart : en 2006, la DEPP estime que 5 ans après la fin de leurs études, 21 % des titulaires d'une licence occupent des emplois de cadres supérieurs, contre 75 % des sortants des « écoles supérieures » et 73 % des sortants de 3e cycle. On assiste sans doute à un fossé grandissant entre les jeunes sortants des grandes écoles et les autres. Une raison en est que les jeunes sortants des universités sont particulièrement affectés par la baisse des possibilités offertes dans l'enseignement.

Source : Marie Duru-Bellat, « Le système scolaire et universitaire : expansion, transformations et résistances », Olivier Galland, Yannick Lemel (dir.), *La société française*, Armand Colin, 2011.

DOCUMENT 3 Le devenir professionnel (à l'âge de 35-39 ans) des enfants de cadres supérieurs

Génération de naissance	Cadres et professions intellectuelles supérieures	Professions intermédiaires dont contremaîtres	Employés et ouvriers qualifiés	Employés et ouvriers non qualifiés	Indépendants	Total employés, ouvriers et contremaîtres
Fils						
1949-1953	54,9	22,8	12,3	4,3	5,8	20
1959-1963	46,9	25,3	13,1	7,8	6,9	23,7
1969-1973	52,5	22,9	14,3	5,7	4,6	20
Filles						
1949-1953	32,2	36,7	21,8	5,9	3,6	28,2
1959-1963	29	33,7	25,1	8,2	4,1	34,3
1969-1973	37,9	30,5	19,4	8,8	3,4	29,2

Source : d'après Camille Peugny, « L'école, vecteur de reproduction sociale ? »,
Marie Duru-Bellat et Agnès Van Zanten, *Sociologie du système éducatif*, PUF, 2009.

POUR VOUS AIDER Construire un raisonnement

Il s'agit, à partir des connaissances du cours, d'illustrer les différentes formes de déclassement (intergénérationnel, intragénérationnel et en termes de sur-qualification) avec des données factuelles. Pour ce sujet, le document 1 permet d'étudier le déclassement intragénérationnel, le document 2, le phénomène de surqualification, et le document 3, le déclassement intergénérationnel.

Conseil : lorsqu'un raisonnement consiste à présenter les différentes modalités d'un phénomène, distinguez la présentation théorique de ce phénomène (l'analyse de la définition ou des mécanismes attendus) et l'analyse empirique (l'analyse des faits).

Épreuve composée (entraînement Chapitre 9)

PARTIE 1 Mobilisation des connaissances

QUESTION 1 (3 points) : Qu'est-ce que le paradoxe d'Anderson ?

QUESTION 2 (3 points) : Pourquoi distingue-t-on mobilité observée et fluidité sociale ?

PARTIE 2 Étude d'un document

QUESTION (4 points) : Vous présenterez ce document puis comparerez les destinées et recrutements des cadres et des ouvriers.

En %   Tables de destinée et de recrutement des hommes en France en 2003

GSP des pères \ GSP des fils	Agriculteurs	ACCE	Cadres	Professions intermédiaires	Employés	Ouvriers	Ensemble
Agriculteurs	22 / 88	6 / 12	9 / 8	17 / 11	9 / 13	37 / 18	100 / 16
Artisans, commerçants et chefs d'entreprise	1 / 2	21 / 29	22 / 14	24 / 12	9 / 10	24 / 9	100 / 12
Cadres et professions intellectuelles supérieures	0 / 1	6 / 6	52 / 24	26 / 9	6 / 5	9 / 2	100 / 8
Professions intermédiaires	0 / 1	8 / 10	33 / 20	33 / 16	9 / 9	17 / 6	100 / 11
Employés	0 / 1	7 / 7	22 / 11	28 / 11	17 / 14	26 / 7	100 / 9
Ouvriers	1 / 7	8 / 36	10 / 23	23 / 41	12 / 49	46 / 58	100 / 43
Ensemble	4 / 100	9 / 100	19 / 100	24 / 100	11 / 100	34 / 100	100 / 100

Champ : hommes actifs occupés ou anciens actifs ayant eu un emploi, âgés de 40 à 59 ans, en mai 2003.
Source : d'après Stéphanie Dupays, « En un quart de siècle, la mobilité a peu évolué », Données sociales –
La société française 2006, Insee. Chiffres Insee, enquête FQP 2003.

PARTIE 3 Raisonnement s'appuyant sur un dossier documentaire

SUJET (10 POINTS) : **Vous présenterez les principaux déterminants de la mobilité sociale.**

DOCUMENT 1 **Les niveaux de diplôme selon la génération**

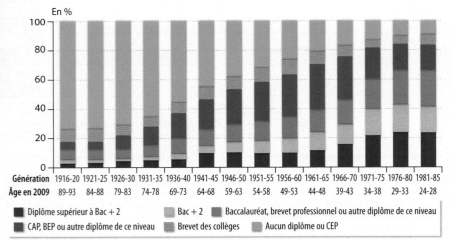

Champ : France métropolitaine.
Note : pour la génération 1951-1955 et les générations antérieures, la structure par diplômes a été recalculée en utilisant des anciennes enquêtes Emploi (1980, 1985, 1990), pour s'assurer que considérer les générations en coupe instantanée (et donc à des âges différents) influençait peu le résultat. En d'autres termes, l'estimation du niveau de diplôme de générations anciennes à une date où une partie de ces générations est décédée ne semble pas donner lieu à un « biais de mortalité ».

Source : Marie-Émilie Clerc, Olivier Monso et Erwan Pouliquen, « Les inégalités entre générations depuis le baby-boom », dossier de l'Insee, 2011.

DOCUMENT 2

On dispose à présent d'enquêtes très précises sur l'aide au travail scolaire [...]. Ces enquêtes montrent l'importance que les parents déclarent consacrer à l'aide aux devoirs de leurs enfants, près de 19 heures par mois, ainsi qu'une tendance à l'augmentation de ce temps, particulièrement chez les mères. En primaire, elles sont de presque dix points plus nombreuses qu'il y a dix ans à intervenir de leur propre initiative et elles suivent aussi leur enfant plus loin dans leur scolarité : aujourd'hui 90 % des mères disent suivre les devoirs de leur enfant en classe de 4ᵉ, proportion qui, il y a dix ans, n'était observée que jusqu'en 6ᵉ. Mais cette aide aux devoirs se poursuit d'autant plus longtemps dans la scolarité que les parents ont eux-mêmes suivi des études : quand l'enfant est au lycée, la moitié des mères diplômées du supérieur et la quasi-totalité de celles ayant eu au plus le certificat d'études s'avouent dépassées. Au total, ces observations suggèrent que la mobilisation autour des enjeux scolaires est sans doute de plus en plus forte, mais que les stratégies concrètes pour aider son enfant restent très dépendantes des ressources culturelles des parents.

Source : Marie Duru-Bellat,
« Le système scolaire et universitaire :
expansion, transformations et résistances »,
Olivier Galland, Yannick Lemel (dir.),
La société française, Armand Colin, 2011.

POUR VOUS AIDER

Étudier un texte en exploitant ses connaissances

Le texte dresse un constat (l'importance de l'aide des mères pour le travail scolaire de leurs enfants) et analyse une évolution (l'augmentation de cette aide et de sa durée). Essayez d'enrichir le texte avec les connaissances du cours. Par exemple ici, le texte ne traite-t-il pas du capital culturel et de sa transmission par les parents ?

Conseil : ne vous contentez pas de citer un texte, essayez de l'articuler avec les connaissances du cours.

DOCUMENT 3 **L'évolution de la structure de la population active en France**

	1962		2009	
	Effectif (en milliers)	Part (en %)	Effectif parmi les actifs occupés (en milliers)	Part (en %)
Agriculteurs exploitants	3 045	15,4	519	2
Artisans, commerçants et chefs d'entreprise	2 084	10,5	1 617	6,3
Cadres et professions intellectuelles supérieures	892	4,5	4 253	16,6
Professions intermédiaires	2 114	10,7	6 233	24,3
Employés	3 535	17,8	7 556	29,4
Ouvriers	7 488	37,8	5 512	21,4
Chômeurs n'ayant jamais travaillé	76	0,4		
Militaires du contingent[1]	557	2,81		
Total de la population active (actifs occupés en 2009)	19 791	100	25 690	100

1. Jeunes hommes qui faisaient leur service militaire.

Source : TEF de l'Insee pour les données de 1962, et « Les chiffres de l'économie 2012 »
Alternatives économiques, pour celles de 2009. Les calculs de parts sont des auteurs du manuel

Accompagnement
personnalisé

Savoir exploiter l'actualité

1. Les SES sont au cœur de l'actualité

- L'enseignement des SES est ancré dans la réalité économique, sociale et politique.
- Le programme permet d'avoir un cadre et des outils théoriques pour décrypter l'actualité.

2. Utiliser l'actualité

- Pour mieux comprendre son cours.
- Pour disposer d'arguments pour illustrer une démonstration.
- Pour envisager sérieusement des filières sélectives postbac.

Quelques principes

Hubert Beuve-Méry, fondateur et ancien directeur du *Monde*, affirmait : « La radio annonce l'événement, la télévision le montre, la presse l'explique. »

- **Ne pas se contenter d'une seule source médiatique !**

Les médias sont complémentaires. Pour exploiter au maximum son potentiel intellectuel, se servir de tous les supports d'information : écouter la radio, regarder la télévision, mais aussi lire la presse écrite, ce qui permet de mieux s'approprier l'information.

- **De bonnes habitudes à prendre**

– Écouter la radio le matin : les matinales des radios nationales (France Inter, RTL, Europe 1) offrent des tranches d'informations complètes comme *Le 7-9* de France Inter (qui propose également à 8 h 30 une revue de presse de 7 min).

– Des informations retiennent votre attention ?

Visionner le JT le jour même.

– Feuilleter régulièrement la presse (*Le Monde* est disponible au CDI, ainsi que les quotidiens régionaux) et lire au moins un article.

L'ancrage du programme de SES dans l'actualité : un extrait des vœux du président de la République aux Français, le samedi 31 décembre 2011

« Maintenant, il nous faut travailler en priorité pour la croissance, pour la compétitivité, pour la réindustrialisation, qui seules nous permettront de créer des emplois et du pouvoir d'achat.

Trois sujets me paraissent dominer les autres.

Nous ne nous en sortirons pas en laissant de côté ceux qui souffrent déjà des conséquences douloureuses d'une crise dont ils ne sont pas responsables. Nous ne bâtirons pas notre compétitivité sur l'exclusion, mais sur notre capacité à donner à chacun une place dans la nation. C'est pourquoi, ceux qui ont perdu leurs emplois doivent être l'objet de toute notre attention.

Nous devons changer notre regard sur le chômage. Faire en sorte que la formation des chômeurs devienne la priorité absolue, afin que chacun puisse se reconstruire un avenir. Former et pas seulement indemniser, tel doit être notre but. Personne ne doit pouvoir s'exonérer de cette obligation ni être exclu de cette possibilité.

Le deuxième sujet est celui du financement de notre protection sociale qui ne peut plus reposer principalement sur le travail, si facilement délocalisable. Il faut alléger la pression sur le travail et faire contribuer financièrement les importations qui font concurrence à nos produits avec de la main-d'œuvre à bon marché. Ce sujet est au cœur de tous les débats depuis des années. J'écouterai les propositions des partenaires sociaux, puis nous déciderons. »

ACTIVITÉS À vous de jouer !

1. Faire le lien avec le programme et analyser

1. Retrouvez les notions du programme présentes dans le texte et définissez-les.

2. Construisez un schéma illustrant les mécanismes permettant à Nicolas Sarkozy de relier croissance et compétitivité à emploi et pouvoir d'achat.

3. Quelles sont, en lien avec le programme, « les conséquences douloureuses » de la perte d'un emploi évoquées par le président de la République ?

4. « Former et pas seulement indemniser » : à quels types de politique de l'emploi fait-il allusion ?

5. Précisez les problèmes et enjeux du financement de la protection sociale. Quelle solution envisage-t-il sans la nommer ?

2. Approfondir

1. Selon le président de la République, il faut travailler en priorité sur la croissance et la compétitivité de la France. Quelle est la situation de la France par rapport à ces principaux partenaires ?

a. Cherchez des informations chiffrées de 2008 à 2011 pour la France, l'Allemagne, l'Espagne, le Royaume-Uni, l'UE et les États-Unis concernant la croissance. Commentez-les.

b. Quels indicateurs pouvez-vous prendre pour mesurer la compétitivité de la France par rapport à ces mêmes partenaires ? Qu'en est-il en 2011 ?

2. « La formation des chômeurs doit devenir la priorité absolue ». Sur le site de l'Insee, identifiez la répartition des dépenses de l'emploi en France depuis 2000. Commentez la structure et l'évolution de cette structure.

3. La solution d'une TVA sociale a ses partisans et ses détracteurs. Cherchez des arguments sur les bienfaits et les limites d'une telle option.

3. S'entraîner

1. En heure d'accompagnement personnalisé, écoutez la revue de presse de France Inter, en podcast.

2. Sélectionnez l'actualité qui peut être exploitée dans le cadre de votre programme de SES.

3. Cherchez des articles dans la presse en lien avec cette sélection.

4. Adoptez la même démarche que dans l'activité 1.

3. Conseils généraux

À éviter

➜ Se contenter du cours du professeur.

Important

➜ Suivre l'actualité permet d'aiguiser son intérêt pour les SES : c'est le meilleur atout pour réussir.

Pour progresser encore

➜ Lire régulièrement des articles d'*Alternatives économiques*, des *Échos*, de *Challenge* ou de *L'Expansion*, en lien avec le programme.

INTÉGRATION, CONFLIT, CHANGEMENT SOCIAL

SOCIOLOGIE

Que va-t-on étudier ?

Les sociétés démocratiques contemporaines sont des sociétés d'individus, c'est-à-dire des sociétés dans lesquelles l'individu s'autonomise par rapport au groupe, dans lesquelles il revendique sa singularité et la liberté de ses choix. Dans ces conditions, comment les relations entre les individus, et entre les individus et la société s'organisent-elles (chapitre 10) ? Dans quelle mesure ces relations peuvent-elles être conflictuelles ? Quelle peut alors être la fonction des conflits sociaux (chapitre 11) ?

 1re ### Ce que vous savez déjà

Pour traiter ces questions, nous allons faire appel à vos connaissances de 1re.
Quels sont les principaux modes de relations entre les individus et les groupes ? Comment ces relations peuvent-elles être perturbées ? Comment les conflits structurent-ils les organisations ?

Avant d'entrer dans cette partie, rappelez-vous les notions suivantes :

Chapitre 10		Chapitre 11
• Socialisation	• Anomie	• Groupe d'intérêt
• Capital social	• Désaffiliation	• Conflit
• Sociabilité	• Disqualification	
	• Réseaux sociaux	

Pour vous aider, voici quelques activités.

RÉVISER LES ACQUIS DE 1RE

➡ Réponses p. 448-4

1 Les instances de socialisation

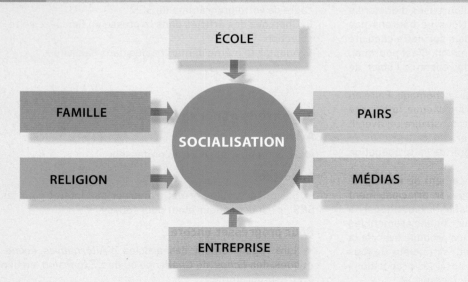

1. DÉFINIR. Distinguez les instances qui socialisent plutôt les individus pendant leur enfance et leur adolescence (socialisation primaire), et celles qui les socialisent plutôt à l'âge adulte (socialisation secondaire).

2. ILLUSTRER. Donnez des exemples d'apprentissage effectués dans la famille.

3. EXPLIQUER. La socialisation effectuée pendant l'enfance dans la famille peut-elle évoluer par la suite ?

2 Les mécanismes de la socialisation

La ...... consiste dans l'apprentissage de règles de conduite et de valeurs qui vont orienter l'action des individus. Ces règles étant intégrées par les individus, leurs comportements s'y conforment la plupart du temps. Mais quand le contrôle social se relâche et ne devient plus suffisant pour imposer le respect des normes sociales, la société peut connaître une situation de ....

La ...... se fait souvent au sein des groupes sociaux dans lesquels chaque individu est inscrit. Mais les relations d'un individu ne se limitent pas aux groupes dont il fait partie. L'ensemble des relations d'un individu constitue ainsi un .... Celui-ci constitue la base de la ...... de l'individu. Celle-ci prend des formes très diverses : fréquentation d'autres individus dans des lieux spécifiques (comme les cafés ou les salles de cinéma), au sein d'institutions dont l'individu et ses relations font partie (l'école, l'entreprise, une association, etc.).

Compléter le texte en utilisant les mots ci-dessous.
Anomie • Réseau social • Sociabilité • Socialisation (2 fois)

3 Les mécanismes de l'exclusion sociale

Le concept de « disqualification sociale » renvoie au processus d'affaiblissement ou de rupture des liens de l'individu à la société au sens de la perte de la protection et de la reconnaissance sociales. L'homme socialement disqualifié est à la fois vulnérable face à l'avenir et accablé par le poids du regard négatif qu'autrui porte sur lui. Ce concept [...] correspond alors au processus de refoulement hors du marché de l'emploi de franges nombreuses de la population et aux expériences vécues de la relation d'assistance qui en accompagnent les différentes phases.

Sylvie Mesure et Patrick Savidan (dir.), *Le dictionnaire des sciences humaines*, PUF, 2006.

1. ILLUSTRER. **Pour chacun des exemples ci-dessous, indiquez s'il correspond à un processus de désaffiliation ou de disqualification sociale, en justifiant votre choix.**
Exemple 1 : un jeune homme, qui alterne les contrats à durée déterminée et les périodes de chômage, doit demander le RSA (revenu de solidarité active) pour compléter ses revenus.

Parler de désaffiliation [...], ce n'est pas entériner une rupture, mais retracer un parcours. [...] Il y a risque de désaffiliation lorsque l'ensemble des relations de proximité qu'entretient un individu sur la base de son inscription territoriale, qui est aussi son inscription familiale et sociale, se trouve en défaut pour reproduire son existence et pour assurer sa protection.

Robert Castel, *Les métamorphoses de la question sociale*, Fayard, 1995.

Exemple 2 : un homme est licencié par l'entreprise qui l'employait depuis plusieurs années. Récemment divorcé, il ne sait pas comment retrouver un emploi, ni sur quelles personnes s'appuyer dans sa recherche.
Exemple 3 : une femme qui élève seule ses enfants et est sans emploi depuis plusieurs années a arrêté ses recherches d'emploi. Elle vit grâce aux prestations sociales.

2. EXPLIQUER. **Pourquoi un individu socialement disqualifié peut-il être « accablé par le poids du regard négatif » porté sur lui ?**

4 Les groupes d'intérêt et l'État, entre coopération et conflit

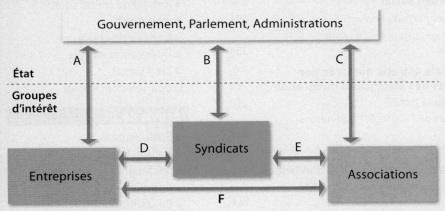

1. DÉFINIR. **En vous appuyant sur le schéma, proposez une définition des groupes d'intérêt.**
2. ILLUSTRER. **Illustrez le schéma en complétant le tableau suivant :**

	Conflit	Coopération
A	Des buralistes manifestent contre la hausse du prix du tabac.	Le gouvernement réduit les cotisations sociales patronales sur les bas salaires.
B	......	Le gouvernement réunit les syndicats pour un « sommet social ».
C	......	Les associations de lutte contre le sida organisent des journées d'information dans les écoles.
D	......	L'assurance chômage est gérée par les syndicats de salariés et les représentants des chefs d'entreprise.
E	Les associations d'aide aux chômeurs reprochent aux syndicats de mal représenter les salariés privés d'emploi.	......
F	......	Les entreprises font des dons aux associations humanitaires.

3. RÉCAPITULER. **De quelle(s) manière(s) les groupes d'intérêt peuvent-ils influencer les politiques menées par l'État ?**

Quels liens sociaux dans les sociétés contemporaines ?

Les liens qui relient les individus et leur permettent de former une société sont multiples. En observant les sociétés sur le long terme, on constate que ces liens se transforment : les individus sont de plus en plus différents, leurs relations changent. La société devient une société d'individus.

▶ Dans une société, sur quoi les liens qui unissent les individus reposent-ils ?

Les institutions qui socialisent et intègrent les individus connaissent elles aussi des changements profonds. La famille rencontre des transformations démographiques. L'école accueille de plus en plus d'élèves, sans que les inégalités scolaires ne disparaissent. Le travail se précarise et les formes d'organisation du travail changent. L'État assure une protection croissante contre les risques sociaux.

▶ Comment les transformations des instances d'intégration modifient-elles les relations sociales ?

Certes, le modèle social français s'appuie sur le principe d'égalité de tous, cependant l'intégration ne se fait pas d'une manière unique en France aujourd'hui. Les inégalités demeurent élevées et fragilisent la cohésion sociale. Des liens de proximité, dans de petits groupes, se maintiennent. Le changement technologique favorise de nouvelles formes de relation.

▶ Comment la cohésion se reconstruit-elle dans nos sociétés contemporaines ?

SOMMAIRE

Réviser les acquis de 1re		252
I Qu'est-ce que le lien social ?		256
A Les différents supports du lien social		256
B Le primat de l'individu dans les sociétés contemporaines		258
II La cohésion sociale est-elle menacée par l'évolution du rôle des instances d'intégration ?		260
A Les mutations de la famille		260
B Les insuffisances de l'action des institutions publiques		262
C La précarisation de l'intégration sociale par le travail		264
III Quels liens sociaux dans une société d'individus ?		266
A L'intégration sociale aujourd'hui : un modèle en question		266
B De nouvelles formes de liens sociaux		268
TD 1. Les révoltes dans les banlieues : une crise du lien social ?		270
TD 2. Comment analyser l'exclusion ?		271
Synthèse		272
Schéma Bilan		274
Autoévaluation		275
Vers le Bac		276
Aide au travail personnel		279

Notions au programme

- Solidarité mécanique/organique
- Cohésion sociale
- Intégration sociale
- Lien social
- Changement social

Acquis de 1re

- Socialisation
- Capital social
- Sociabilité
- Anomie
- Désaffiliation
- Disqualification
- Réseaux sociaux

Fiche Notion 4 (voir p. 416)

- Les grandes transformations sociales

1

Promeneurs sur le Miroir d'eau. Quai de la Garonne, Bordeaux.

2 « Comment se fait-il que, tout en devenant plus autonome, l'individu dépende plus étroitement de la société ? Comment peut-il être à la fois plus personnel et plus solidaire ? »

Émile Durkheim, *De la division du travail social*, préface à la première édition (1893), PUF, coll. « Quadrige », 5ᵉ édition, 1998.

3

1. Dans la société, n'y a-t-il des liens qu'entre des personnes qui se connaissent ? (Doc. 1)

2. À quels signes peut-on voir que l'individu est de plus en plus « autonome » de nos jours ? (Doc. 2)

3. Comment l'école permet-elle de s'intégrer ? (Doc. 3)

I. Qu'est-ce que le lien social ?

A Les différents supports du lien social

1. Des liens sociaux divers

a. La rentrée des classes

b. Le lien marchand commerçant-client

c. La famille

1. CONSTATER. Pour chaque photo, indiquez quels sont les liens qui unissent les personnes présentes.

2. EXPLIQUER. Comment les différences observées s'expliquent-elles ?

2. Les différentes formes du lien social

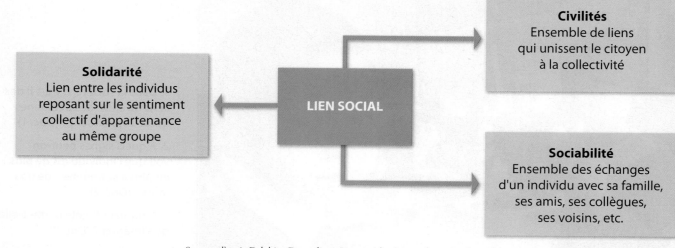

Civilités
Ensemble de liens qui unissent le citoyen à la collectivité

Solidarité
Lien entre les individus reposant sur le sentiment collectif d'appartenance au même groupe

LIEN SOCIAL

Sociabilité
Ensemble des échanges d'un individu avec sa famille, ses amis, ses collègues, ses voisins, etc.

Source : d'après Delphine Desmulier, « Lien social », *Sciences humaines*, hors-série n° 38, septembre-octobre-novembre 2002.

1. ILLUSTRER. Donnez un exemple pour chaque forme de lien social.

2. EXPLIQUER. Comment ces différents liens se complètent-ils ?

3. RÉCAPITULER. Comment le citoyen s'intègre-t-il à la société ?

3. De la solidarité mécanique à la solidarité organique

a. La socialisation diffère selon le type de société

La vie sociale dérive d'une double source, la similitude des consciences et la division du travail social. L'individu est socialisé dans le premier cas, parce que, n'ayant pas d'individualité propre, il se confond, ainsi que ses semblables, au sein d'un même type collectif ; dans le second, parce que, tout en ayant une physionomie et une activité personnelles qui le distinguent des autres, il dépend d'eux dans la mesure même où il s'en distingue, et par conséquent de la société qui résulte de leur union.

Émile Durkheim, *De la division du travail social*, PUF, coll. « Quadrige », 5ᵉ édition, 1998.

1. DÉFINIR. Qu'est-ce que la division du travail social ? (Doc. a)

2. EXPLIQUER. Sur quoi la solidarité organique repose-t-elle ? la solidarité mécanique ? (Doc. b)

3. EXPLIQUER. En quoi la socialisation des individus va-t-elle être différente dans les deux formes de solidarité ? (Doc. a et b)

4. EXPLIQUER. À quel type de solidarité la société française contemporaine vous semble-t-elle correspondre le plus ? (Doc. b)

b. Les différences entre solidarité mécanique et solidarité organique

Solidarité	Fonction	Fondements des liens entre les individus	Conscience collective
Solidarité mécanique (caractéristique des sociétés traditionnelles)	Intégration sociale	– Similitude des individus et de leurs fonctions – Valeurs et croyances partagées – Nombreux rituels	– Forte – Existence commandée par des impératifs et des interdits sociaux
Solidarité organique (caractéristique des sociétés modernes)	Intégration sociale	– Différenciation des individus et complémentarité des fonctions reposant sur la division du travail – Valeurs et croyances distinctes – Pluralité des liens sociaux et variation de leur intensité selon les individus	– Faible et en déclin – Marge d'interprétation plus étendue des impératifs sociaux

Source : d'après Serge Paugam, *Le lien social*, PUF, coll. « Que sais-je ? », 2008.

REPÈRE **Émile Durkheim (sociologue français, 1858-1917)**
Considéré comme l'un des fondateurs de la sociologie française, il s'est attaché à définir une méthode sociologique. Selon lui, la société peut être analysée comme un tout qui dépasse les individus qui la composent (cela correspond au holisme méthodologique). Les faits sociaux doivent être expliqués à l'aide d'autres faits sociaux, c'est ainsi que Durkheim explique la transformation du lien social par le développement de la division du travail dans la société.

4. La cohésion sociale repose sur les différences

Il en est tout autrement de la solidarité que produit la division du travail. Tandis que la précédente[1] implique que les individus se ressemblent, celle-ci suppose qu'ils diffèrent les uns des autres. La première n'est possible que dans la mesure où la personnalité individuelle est absorbée dans la personnalité collective ; la seconde n'est possible que si chacun a une sphère d'action qui lui est propre, par conséquent une personnalité. Il faut donc que la conscience collective laisse découverte une partie de la conscience individuelle, pour que s'y établissent ces fonctions spéciales qu'elle ne peut pas réglementer ; et plus cette région est étendue, plus est forte la cohésion qui résulte de cette solidarité. En effet, d'une part, chacun dépend d'autant plus étroitement de la société que le travail est plus divisé, et, d'autre part, l'activité de chacun est d'autant plus personnelle qu'elle est plus spécialisée. Sans doute, si circonscrite qu'elle soit, elle n'est jamais complètement originale ; même dans l'exercice de notre profession, nous nous conformons à des usages, à des pratiques qui nous sont communes avec toute notre corporation. Mais, même dans ce cas, le joug que nous subissons est autrement moins lourd que quand la société tout entière pèse sur nous, et il laisse bien plus de place au libre jeu de notre initiative. Ici donc, l'individualité du tout s'accroît en même temps que celle des parties ; la société devient plus capable de se mouvoir avec ensemble, en même temps que chacun de ses éléments a plus de mouvements propres. Cette solidarité ressemble à celle que l'on observe chez les animaux supérieurs. Chaque organe, en effet, y a sa physionomie spéciale, son autonomie, et pourtant l'unité de l'organisme est d'autant plus grande que cette individuation des parties est plus marquée. En raison de cette analogie, nous proposons d'appeler « organique » la solidarité qui est due à la division du travail.

1. La solidarité mécanique.

Émile Durkheim, *De la division du travail social* (1893), PUF, coll. « Quadrige », 5ᵉ édition, 1998.

1. DÉFINIR. Qu'est-ce que la cohésion sociale ?

2. CONSTATER. À quoi la conscience collective correspond-elle ?

3. EXPLIQUER. Que signifie la phrase soulignée ?

4. EXPLIQUER. Pourquoi Durkheim nomme-t-il cette solidarité « organique » ?

ENTRAÎNEMENT

QUESTION DE COURS. Comment, selon Émile Durkheim, la division du travail peut-elle créer du lien social ?

SYNTHÈSE. À partir des documents 1 à 4, montrez quelles sont les différentes sources du lien social.

documents

B Le primat de l'individu dans les sociétés contemporaines

1. Les personnes vivant seules dans leur logement

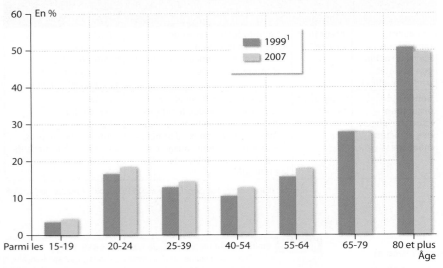

En %

1999[1]
2007

Parmi les 15-19 / 20-24 / 25-39 / 40-54 / 55-64 / 65-79 / 80 et plus
Âge

1. Données révisées.
Champ : France, population des ménages, personnes de 15 ans et plus.
Source : Insee, Recensements de la population 1999 et 2007, exploitations principales.

1. CONSTATER. Comment le fait de vivre seul dans son logement a-t-il évolué depuis 1999 ?

2. EXPLIQUER. Quels changements de la société peuvent expliquer cette évolution ?

3. EXPLIQUER. Quelles conséquences l'isolement de certaines personnes peut-elle avoir sur leurs relations sociales ?

2. De l'individualisme à la solitude

Campagne organisée par le collectif
Pas de solitude dans une France fraternelle,
contre la solitude, grande cause nationale 2011.

1. CONSTATER. Les personnes qui vivent seules connaissent-elles forcément la solitude ?

2. EXPLIQUER. Peut-on dire que le développement de la solitude est lié à l'individualisme ?

3. EXPLIQUER. Avoir un emploi suffit-il pour être intégré ?

3. Des individus plus libres ?

a. Les individus choisissent leurs valeurs

L'individualisation peut aussi se lire dans les valeurs politiques et religieuses qui sont de plus en plus des constructions bricolées. Les Français s'intéressent plutôt un peu plus qu'avant à la politique, ils sont aussi plus facilement critiques et protestataires, mais leurs valeurs politiques font moins système.

Les valeurs de gauche et de droite sont aujourd'hui beaucoup plus en camaïeu[1] qu'autrefois, chacun composant son mélange de convictions politiques, en général quelque peu décalé par rapport aux grands systèmes constitués. Il en va de même dans le domaine religieux. Les croyances des individus empruntent

souvent à des univers très composites, elles sont très flottantes, et c'est seulement pour des minorités que l'intégration d'un système de pensée religieux ou laïque colore l'ensemble de la vie et de l'action.

1. Plusieurs nuances d'une même couleur.

Pierre Bréchon, « L'individualisation progresse, mais pas l'individualisme », *Le Monde*, 24 avril 2009.

b. Les valeurs religieuses

	À quoi croyez-vous ? (en %)		
	Au pêché	À une vie après la mort	À la réincarnation
Catholique	58	53	46
Musulman	10	9	6
Autre religion	6	5	5
Sans religion	26	33	44
Ensemble	100	100	100

Lecture : sur 100 personnes qui croient au pêché, 58 % se déclarent de religion catholique.

Source : Enquête sur les valeurs des Français et des Européens, 2008, Pierre Bréchon et Olivier Galland, *L'individualisation des valeurs*, Armand Colin.

1. DÉFINIR. Qu'est-ce que l'individualisation ? (Doc. a)

2. CONSTATER. Y a-t-il une corrélation entre l'appartenance à une religion et les croyances citées dans le tableau ? (Doc. b)

3. EXPLIQUER. L'individualisation des croyances et des valeurs politiques confirme-t-elle le développement de la solidarité organique ? (Doc. a et b)

4. Le développement de liens plus choisis et plus libres

L'individualisme a mauvaise image. Il est associé à la dictature du marché, à la lutte de chacun contre chacun. Il est considéré comme l'expression d'une raison qui peut même aller jusqu'à engendrer des individus irresponsables, mus uniquement par la rationalité et oubliant toute éthique. Il est aussi perçu comme la cause du repli sur soi, de l'égoïsme, de l'indifférence à autrui, de l'incivilité. Confondu avec toute la modernité occidentale, l'individualisme aurait eu et aurait tant d'effets négatifs qu'il serait temps d'en finir avec lui. [Ce] diagnostic est partiel – notamment par l'oubli d'autres formes de l'individualisme – et donc erroné. En effet, l'individualisme sous-tend aussi la démocratie représentative, et aussi les droits de l'homme. […] L'individu singulier acceptera certaines limites à sa propre liberté si et seulement si celles-ci soutiennent son autonomie. Il tente d'équilibrer indépendance et autonomie. Autrement dit, il ne suffit pas à l'individu de dire « je veux », « je suis libre » pour exister en tant que tel, il doit aussi donner un contenu à cette libre volonté. […] L'individu n'existe que par les liens sociaux. La différence entre les sociétés individualistes et les sociétés non individualistes ne tient donc pas à la diminution des liens sociaux. Elle réside dans l'importance accordée aux liens plus personnels, plus électifs, plus contractuels. La reconnaissance interpersonnelle est centrale. Toutefois, les autres formes de reconnaissance – juridique, et plus largement statutaire – sont aussi nécessaires à la construction de l'individu contemporain. Idéalement, l'individualisme est une forme de vie en société permettant à chacune, chacun, d'avoir les reconnaissances dont il a besoin pour écrire sa vie, d'avoir les moyens de réaliser, sur le temps de travail ou de loisir, ce qu'il veut produire.

François de Singly, *L'individualisme est un humanisme*, L'Aube, 2005.

1. CONSTATER. Quels sont les risques de l'individualisme présentés dans ce document ? D'après l'auteur, ces risques sont-ils vérifiés ?

2. EXPLIQUER. Comment le développement de l'individualisme s'accompagne-t-il du développement de la liberté ?

3. ILLUSTRER. Donnez un exemple de reconnaissance juridique de l'individu, dont il est question dans la phrase soulignée.

4. EXPLIQUER. Que signifie la phrase soulignée ?

> **DÉFINITION** Les liens électifs
>
> Dans les sociétés caractérisées par un processus d'individuation, les liens sont de moins en moins contraints et reposent de plus en plus sur le choix des individus. On parle alors de liens électifs.

5. Interdépendance des individus et liberté des choix individuels

Si réglementée que soit une fonction, elle laisse toujours une large place à l'initiative de chacun. Même beaucoup des obligations qui sont ainsi sanctionnées ont leur origine dans un choix de la volonté. C'est nous qui choisissons notre profession et même certaines de nos fonctions domestiques. Sans doute, une fois que notre résolution a cessé d'être intérieure et s'est traduite au-dehors par des conséquences sociales, nous sommes liés : des devoirs s'imposent à nous que nous n'avons pas expressément voulus. C'est pourtant dans un acte volontaire qu'ils ont pris naissance.

Émile Durkheim, *De la division du travail social* (1893), PUF, coll. « Quadrige », 5e édition, 1998.

1. ILLUSTRER. Est-on obligé de se marier ?

2. RÉCAPITULER. Y a-t-il de la place pour la liberté dans la solidarité organique ?

3. EXPLIQUER. Le libre choix de chacun permet-il de s'affranchir des contraintes sociales ?

ENTRAÎNEMENT

QUESTION DE COURS. À quoi le processus d'individualisation sociale correspond-il ?

SYNTHÈSE. À partir des documents 1, 2, 3 et 4, montrez que le développement de l'individualisme peut avoir des effets négatifs mais aussi positifs sur la cohésion sociale.

documents

II. La cohésion sociale est-elle menacée par l'évolution du rôle des instances d'intégration ?

A Les mutations de la famille

1. Des évolutions démographiques transforment la famille

	1960	1970	1980	1990	2000	2005	2009
Mariages	319 944	393 686	334 377	287 099	297 922	276 303	245 151
Pacs	–	–	–	–	22 108	59 837	173 045
Divorces	30 182	38 949	81 156	105 813	114 005	152 020	127 578
Naissances	819 819	850 381	800 376	762 407	774 782	774 355	793 420
Naissances hors mariage en %	6,1	6,8	11,4	30,1	42,6	47,4	52,9

Source : Ined.

1. CALCULER. Mesurez l'évolution du nombre de mariages et de Pacs depuis 2000.

2. CONSTATER. Quelles sont les principales transformations démographiques qu'a connues la famille depuis le milieu du XXe siècle ?

3. EXPLIQUER. L'individualisation de la société permet-elle d'expliquer certaines évolutions présentées dans ce tableau ?

2. Les aides reçues et données au sein de la famille, en %

		Aides reçues			Aides données		
		Aide financière	Service rendu	Soutien moral	Aide financière	Service rendu	Soutien moral
Âge	15-24 ans	76	93	89	37	91	91
	25-39 ans	53	92	79	43	87	87
	40-59 ans	30	78	70	53	83	83
	60-69 ans	25	75	64	51	76	76
	70 ans et plus	15	76	73	30	69	69
Sexe	Hommes	35	82	69	45	81	81
	Femmes	47	85	80	46	85	85
Revenus mensuels du foyer	Inférieurs à 900 euros	45	75	75	30	69	69
	De 900 à 1 500 euros	44	84	78	40	82	82
	De 1 500 à 2 300 euros	44	82	72	50	86	86
	De 2 300 à 3 100 euros	43	88	79	51	90	90
	Supérieurs à 3 100 euros	31	89	74	61	90	90

Champ : 1 015 personnes âgées de 15 ans et plus, résidant en France métropolitaine, ont été interrogées en mai 2007.

Lecture : 76 % des jeunes de 15-24 ans ont déclaré avoir reçu au moins une aide financière de la part d'un membre de leur famille dans l'année précédant l'enquête.

Source : Credoc (Centre de recherche pour l'étude et l'observation des conditions de vie), Le baromètre des solidarités familiales en France, 2e vague, 2007.

1. CALCULER. À l'aide d'un calcul approprié, comparez les aides financières reçues par les 15-24 ans et par les 70 ans et plus.

2. ILLUSTRER. Donnez un exemple de service rendu aux 25-39 ans.

3. CONSTATER. Les aides reçues et données varient-elles selon l'âge ? selon le sexe ?

4. RÉCAPITULER. Ce tableau permet-il de conclure que les solidarités familiales se sont effacées ?

3. Les solidarités familiales s'adaptent au changement économique et social

Les jeunes adultes sont aux prises avec des difficultés spécifiques liées à l'augmentation de la durée des études, l'insertion sur un marché de l'emploi peu favorable ou encore l'instabilité des premières relations de couple. Le corollaire de ces difficultés est une dépendance accrue à l'égard des parents. Depuis plus d'une trentaine d'années, on remet en cause le modèle d'entrée dans la vie adulte caractérisé par la succession de la fin des études, le début de la vie professionnelle, le départ de chez les parents et la formation d'un couple. [...] Que ce soit par un séjour prolongé au domicile parental, par des aides financières pour combler les besoins des premières années de travail précaire ou lors de l'installation dans un nouveau foyer, que ce soit par une sollicitation accrue pour assurer la garde des jeunes enfants, la mobilisation des solidarités familiales est particulièrement importante lors de cette phase de la vie. [...] Les pratiques de solidarité familiale se déploient également lors des périodes de transition et de crise. Par exemple, lors de la perte d'un emploi, le réseau familial peut aider temporairement la personne dans le besoin, non seulement en lui fournissant une aide financière (prêt ou don) mais également en lui fournissant un logement ou encore des supports informationnels pour effectuer des démarches administratives ou trouver un nouvel emploi. [...] La souplesse et l'accessibilité des solidarités familiales permettent en effet une prise en charge rapide sinon immédiate et correspondant aux besoins spécifiques du moment, ce que ne peuvent assurer les services publics de l'État ou le milieu communautaire.

Isabelle Van Pevenage, « La recherche sur les solidarités familiales : quelques repères », *Idées*, n° 162, décembre 2010.

1. ILLUSTRER. Donnez des exemples de solidarité familiale en direction des familles monoparentales.

2. EXPLIQUER. De quel changement économique majeur est-il question dans le dernier paragraphe ?

3. RÉCAPITULER. Complétez le tableau ci-dessous.

Âge ou situation	Changement socio-économiques qui rend les solidarités familiales nécessaires	Exemple de solidarité familiale
Jeunes adultes		
Perte d'un emploi		
Personnes âgées		

4. Les liens familiaux intègrent la plus grande liberté des individus

Si dans l'isoloir les citoyens peuvent avoir la nostalgie d'une société bien tenue, ils ne veulent pas d'un tel ordre dans leur vie personnelle. Tel est le cas pour le mariage rendu plus fragile avec le divorce par consentement mutuel. Cette précarité a des effets qui ne sont pas toujours positifs au moment de la séparation pour les partenaires et pour leurs enfants. Personne n'ose cependant proposer la suppression d'un tel divorce. [...] Ainsi, apparaît une contradiction principale des sociétés contemporaines : si les individus souhaitent plutôt un lien social « fort », ils ne veulent pas, pour autant, en payer le prix qui consisterait à diminuer leur liberté. Ils apprécient aussi ce lien social moderne électif. On le saisit avec une dénonciation qui fait l'unanimité, celle du lien traditionnel qui unit les époux dans un mariage arrangé, dans un mariage forcé. En Inde, un père n'est-il pas satisfait d'avoir marié le même jour tous ses fils, âgés de 14 à 4 ans, à des petites filles du même âge ? Signe d'une alliance entre groupes, un tel mariage prend peu en compte les individus[1]. Il en existe des traces encore dans les sociétés occidentales mais le « droit d'aimer » fait aujourd'hui partie des droits approuvés[2]. L'indignation ressentie à l'évocation des mariages arrangés renvoie au fait que l'amour doit être libre même dans le mariage. Un couple réunit deux individus qui se sont choisis et qui ne sont pas contraints de rester pour d'autres raisons que leurs propres satisfactions. L'amour forme une des figures centrales du lien dans les sociétés contemporaines. [...] Pour résoudre la contradiction entre l'élection et la permanence de l'union, Durkheim pensait que les époux devaient changer de nature une fois mariés : libres à l'entrée, ils devenaient ensuite, selon son expression, des « fonctionnaires de la vie domestique ». Cette formule magique, pour être efficace, présupposait que l'individu renonce à sa liberté, ne pouvant plus, selon les exigences de l'institution, rompre un lien même trop serré, même étouffant. Un tel renoncement est devenu irréaliste, les individus contemporains se définissant d'abord par ce sentiment de liberté.

1. Pierre Prakash, « Mariages de déraison en Inde », *Libération* le 9 juillet 2002.
2. Titre en couverture d'un numéro de juin 2002 de *Paris-Match* : « Le cadeau de la Reine à Charles. Pour son jubilé, Élisabeth II offre à son fils le droit d'aimer. » À plus de 50 ans, le prince est autorisé à rendre public son amour pour Camilla.

François de Singly, *Les uns avec les autres. Quand l'individualisme crée du lien*, Armand Colin, 2003.

1. ILLUSTRER. Trouvez d'autres exemples pour montrer que les individus veulent une plus grande liberté dans leurs relations familiales.

2. EXPLIQUER. Le désir de liberté des membres de la famille peut-il remettre en cause la capacité de la famille à intégrer ?

ENTRAÎNEMENT

QUESTION DE COURS. Quels sont les principaux changements qu'a connus la famille française au cours des dernières décennies ?

SYNTHÈSE. À partir des documents 1, 2, 3 et 4, montrez que les solidarités familiales se maintiennent malgré le changement des formes de famille.

B Les insuffisances de l'action des institutions publiques

1. L'école républicaine : une volonté d'intégration et de lutte contre les inégalités

« L'inégalité d'éducation est, en effet, un des résultats les plus criants et les plus fâcheux, au point de vue social, du hasard de la naissance.[1] » Pour Jules Ferry, la construction d'un service public d'éducation laïque et gratuite avait bien sûr pour mission d'élever le niveau général d'instruction. Mais, ce faisant, il avait en même temps vocation à réduire les inégalités sociales. Peut-on dire, en ce début de XXIe siècle, que l'école a pleinement atteint ce dernier objectif ? Sur longue période, le niveau général d'instruction s'est considérablement accru, les niveaux de qualification des catégories qui quittent le plus tôt le système scolaire n'ont plus rien à voir avec ceux de la France rurale de la fin du XIXe. La transformation est encore plus forte pour les femmes, très majoritairement illettrées à l'époque. [...] Au XIXe siècle, le premier souci des Guizot, Gambetta et Ferry est d'apprendre à lire et à écrire aux Français. Jusqu'à la fin du siècle, les deux tiers d'entre eux travaillent la terre dans des campagnes parfois reculées et n'ont d'autres préoccupations que d'accéder au savoir livresque. Au début du XXe siècle, plus de la moitié des hommes actifs (56 %) et les trois quarts des femmes actives ne savent pas écrire. Ce sera la tâche des instituteurs – les « hussards noirs » de la République – de le leur apprendre, au fil des générations. L'investissement de la nation tout au long du siècle va porter ses fruits.

[...] Si l'on raisonne en termes d'accès à un savoir de base (maîtrise des mécanismes de la lecture, de l'écriture, des mathématiques ou des grands enseignements de l'histoire, des langues ou autres), cette massification a sans conteste réduit les écarts entre l'élite dirigeante de la société et les catégories les moins qualifiées.

1. Discours sur l'égalité d'éducation, 1870, René de la Borderie, *Les grands noms de l'éducation*, Nathan, coll. « 128 », 2001.

Louis Maurin, « Une école inégale », *Alternatives économiques*, hors-série n° 52, avril 2002.

1. DÉFINIR. Qu'est-ce que la « massification » de l'école ?

2. RÉCAPITULER. Quels sont, d'après ce texte, les objectifs de l'école républicaine ?

2. Massification scolaire et démocratisation

a. De moins en moins d'élèves sortent du système scolaire sans diplôme...

Niveau d'études à la sortie du système éducatif	Hommes				Femmes			
Diplôme et classe les plus élevés	1996	2000	2005	2009	1996	2000	2005	2009
Diplômes d'enseignement supérieur, baccalauréat et équivalents	50	57	60	60	(60)	67	72	(72)
CAP et BEP	25	23	21	21	19	16	14	14
N'ont ni diplôme d'ens. sup., ni bac, ni BEP, ni CAP								
Ont étudié en classe terminale de second cycle	15	12	10	9	11	9	7	7
Ont arrêté avant la fin d'un second cycle	10	8	9	10	10	8	7	7
Ensemble	100	100	100	100	100	100	100	100

Champ : diplômes et classes les plus élevées des jeunes âgés de 20 à 24 ans, résidant en France métropolitaine, selon leur genre.

Source : Calculs de la Depp, ministère de l'Éducation nationale, à partir des enquêtes Emploi de l'Insee.

b. ...mais tous les élèves n'ont pas accès aux mêmes diplômes

La réussite au brevet et au baccalauréat 2009 selon la PCS de la personne responsable de l'élève (en %)					
PCS	Diplôme national du brevet	Baccalauréat général	Baccalauréat technologique	Baccalauréat professionnel	Ensemble des baccalauréats
Agriculteurs exploitants	91,1	93,2	87,7	92,5	91,8
Artisans, commerçants, chefs d'entreprise	85,7	89,2	82,3	89,4	87,4
Cadres et prof. intellectuelles supérieures	94,4	(93,4)	85	90,2	91,8
Professions intermédiaires	88,2	90	82,3	89,6	87,8
Employés	81,8	87	80,5	88,2	85,1
Ouvriers	76,2	(84,2)	78,4	87,4	83,3
Retraités	75,7	86,9	76,6	85,1	83,4
Ensemble	82,7	88,9	79,8	87,3	86,2

Champ : élèves diplômés du secondaire, résidant en France métropolitaine et dans les DOM.

Source : Ministère de l'Éducation nationale, enquêtes n°s 60 et 61, 2009.

1. CONSTATER. Faites une phrase avec les données entourées. (Doc. a et b)

2. CALCULER. À l'aide d'un calcul approprié, mesurez l'évolution de la part des hommes et des femmes titulaires du baccalauréat ou d'un diplôme de l'enseignement supérieur, entre 1996 et 2009. (Doc. a)

3. CALCULER. Comparez, à l'aide d'un calcul approprié, le taux de réussite au brevet et au baccalauréat général des enfants de cadre et des enfants d'ouvrier. (Doc. b)

4. RÉCAPITULER. Ces documents permettent-ils de confirmer que les inégalités sociales de parcours scolaire se sont réduites ?

3. Les bénéficiaires de minima sociaux depuis 1990

Les bénéficiaires des minimas sociaux (en milliers)	1990	1995	2000	2005	2009
Revenu de solidarité active (RSA) socle[1]	–	–	–	–	1 313,9
Revenu minimum d'insertion (RMI)	422,1	840,8	965,2	1 134,5	2,5
Allocation de parent isolé (API)	131	148	156,8	182,3	0,2
Allocation aux adultes handicapés (AAH)	519	593,5	687,4	774,2	854,2
Allocation de solidarité spécifique (ASS)	336,1	485,8	425,3	376,1	323,1 (p)[2]
Ensemble des minima sociaux	2 862,4	3 113,8	3 071,6	3 198,5	3 199,7

1. Le RSA a remplacé le RMI et l'API en France métropolitaine depuis le 1er juin 2009.
2. Données provisoires.

Champ : France métropolitaine.

Note : la ligne « Ensemble » est supérieure à la somme des autres lignes, car tous les minima sociaux ne sont pas détaillés ici.

Source : insee.fr.

> **DÉFINITION**
>
> **Le Revenu de solidarité active (RSA)**
> Ce dispositif remplace, depuis le 1er juin 2009, le RMI et l'API. Il se compose du RSA socle, qui est versé aux ménages dont les revenus sont inférieurs à un certain seuil. Le RSA activité est un complément de revenu versé aux actifs occupés dont les revenus du travail sont faibles. Les RSA socle et activité peuvent être cumulés, mais seul le RSA socle est considéré comme un minimum social.

1. DÉFINIR. Qu'est-ce qu'un minimum social ?

2. CALCULER. Par combien le nombre de bénéficiaires de minima sociaux a-t-il été multiplié depuis 1990 ?

3. EXPLIQUER. Comment les prestations sociales versées par l'État peuvent-elles contribuer à l'intégration sociale ?

4. EXPLIQUER. Comment le RSA peut-il encourager les bénéficiaires à reprendre une activité professionnelle ?

4. Le risque de stigmatisation des « assistés »

Vous décrivez dans vos travaux un « cycle de culpabilisation » des allocataires des minima sociaux depuis la fin des années 1990, notamment avec la précarisation et l'individualisation des travailleurs…

À partir du moment où la précarité s'est répandue dans les franges du salariat, avec une difficulté à être protégé par son emploi et son salaire, l'idée a progressé qu'il y a des salariés nantis et d'autres qui sont exposés. Cela fragmente le salariat et affaiblit la conscience de classe. Il n'émerge pas l'idée d'une classe précaire, ouvrière ou employée, qui serait unie. […]

Le problème du RSA, c'était le risque d'enfermer les salariés précaires dans un destin de travailleur pauvre assisté. On rendait possible la conciliation d'un revenu d'assistance et de quelques heures de travail précaire, peu valorisant, sur la base de cette idée, à laquelle les libéraux croient fermement, qu'il faut une incitation pour que les gens sortent de la pauvreté. Cela s'oppose à l'accompagnement

social en profondeur vers de la formation et des emplois qualifiants. L'avantage du RMI était de proposer toute une palette de mesures d'insertion, permettant aux individus d'aller vers l'horizon d'un emploi stable. Avec le RSA, l'insertion est absorbée par le principe de l'incitation, qui pousse à accepter des emplois précaires. Aujourd'hui, on franchit une nouvelle étape en introduisant le principe de gratuité du travail, avec l'idée que ce serait une contrepartie aux allocations qui s'imposerait au nom de l'intérêt général et du bien-être des allocataires, qu'il faudrait resocialiser. Si auparavant, on disait que l'injustice était la cause de la pauvreté… aujourd'hui, c'est devenu la paresse !

À tel point que certaines personnes ne viennent pas demander les minima sociaux auxquels elles peuvent prétendre ?
La honte ou la peur d'être stigmatisé sont réelles. Surtout dans les communes rurales où tout se sait, où il faut aller faire la demande au secrétariat de la mairie. Cela devient d'autant plus stigmatisant qu'on

Le Figaro Magazine, 4 juin 2001.

laisse croire aujourd'hui qu'il s'agit d'un droit indu et qu'il existe des paresseux qui en bénéficient. Nous sommes entrés dans un régime de culpabilisation des pauvres.

« RSA : Serge Paugam répond à Wauquiez », interview de Serge Paugam par Erwan Manac'h, politis.fr, 10 mai 2011.

1. DÉFINIR. Qu'est-ce que la « stigmatisation » sociale ?

2. EXPLIQUER. Pourquoi les bénéficiaires du RSA sont-ils considérés comme des « assistés » ?

3. EXPLIQUER. Comment cette stigmatisation peut-elle nuire à la cohésion sociale ?

> **ENTRAÎNEMENT**
>
> **QUESTION DE COURS.** Comment le chômage et la précarité fragilisent-ils l'action de l'État providence ?
>
> **SYNTHÈSE.** À partir des documents 1 et 2, montrez que l'institution scolaire ne parvient que partiellement à lutter contre les inégalités entre les élèves.

documents

C La précarisation de l'intégration sociale par le travail

1. De plus en plus de suicides au travail

Quatre suicides chez Renault, un chez Peugeot, quatre à EDF [...]. Cette série montre que la situation est grave [...]. Les suicides sur les lieux du travail ou à proximité, c'est un phénomène nouveau, qui prend de l'ampleur depuis quelques années seulement. [...]
Bien sûr, il y a la charge de travail qui a considérablement augmenté, mais cela n'est pas suffisant en soi pour expliquer la situation de souffrance psychique qui conduit des gens à se supprimer. Le travail a toujours été dur. Seulement, depuis dix ans, la charge de travail et les transformations de l'organisation ont contribué à réduire les espaces où il y avait des discussions et du lien social entre les gens. Maintenant, l'isolement s'aggrave. Les salariés ne se parlent plus, ne discutent plus du travail. Ils reçoivent les consignes par mail. Il n'y a plus de dialogue sur le contenu des ordres, sur

les contradictions qu'ils vont générer, sur les priorités, sur les difficultés [...]. Les collègues ne se rendent même plus compte que quelqu'un est en train de couler.
C'est effrayant, d'autant plus que, me semble-t-il, les suicides affectent souvent les « meilleurs », ceux qui sont les plus investis dans le travail. [...] Ceux qui sont moins impliqués, pour qui « la vie n'est pas dans le travail », ceux-là sont moins vulnérables. Mais où va cette société qui se détruit elle-même, qui retourne le travail contre ce qu'il y a d'humain dans l'homme ?

Interview de Christophe Dejours, « Suicides au travail : une vague inquiétante », *Santé & Travail*, n° 58, avril 2007.

La souffrance psychique au travail peut conduire au suicide.

1. ILLUSTRER. Donnez un exemple de « souffrance psychique » au travail.
2. EXPLIQUER. À l'aide de ce texte, montrez que la division du travail ne permet pas toujours de créer du lien social.
3. EXPLIQUER. Peut-on dire que les suicides au travail sont une manifestation de l'anomie ?

2. Le bonheur se trouve-t-il dans le travail ?

Qu'est-ce qui, pour vous, est le plus important pour être heureux ? (en %)				
Population active	Santé	Famille	Travail	Argent
Actifs en CDI et indépendants	42	36	32	20
Chômeurs	27	24	43	23
Actifs en CDD	34	24	44	26

Note : Les enquêtes doivent indiquer les trois choses qui leur paraissent les plus importantes, ce qui explique que le total des lignes soit supérieur à 100.

Source : Enquête travail et modes de vie, Insee, Hélène Garner, Dominique Méda et Claudia Senik, « La place du travail dans les identités », *Économie et statistique*, n° 393-394, 2006.

1. CONSTATER. Faites une phrase avec la donnée entourée.
2. CONSTATER. Quelles catégories de personnes considèrent le travail comme essentiel au bonheur ?
3. EXPLIQUER. Comment peut-on expliquer ce paradoxe ?

3. Travailler ne suffit pas

Lundi dernier, Nicolas, jeune SDF, s'enchaînait devant la mairie de Draveil (91). Cadenassé à un poteau de signalisation interdisant le stationnement, le jeune homme de vingt et un ans se voulait « décidé ». Les traits tirés par la fatigue et l'air grave, il se dit « déterminé jusqu'à la mort ». « Je ne partirai pas d'ici avant d'obtenir un logement. Je ne peux plus me permettre d'attendre », expliquait-il. La nuit, il s'attache par les pieds pour dormir dans une tente de fortune. À la rue depuis six mois, à la suite d'« un conflit familial », le jeune homme enrage : « J'ai tout essayé. Je travaille depuis l'âge de quatorze ans. J'ai cherché dans le public, dans le privé. Sans succès. » Éternelle rengaine chaque jour plus insupportable. « Soit je touche trop soit pas assez et je n'ai ni garant ni caution à apporter. C'est usant. » Un dossier de logement social a été déposé à Draveil. Sans suite. [...] Sa crainte : perdre son emploi. « Pour le moment, mon employeur est compréhensif, mais ça ne pourra pas durer éternellement. Si je n'ai pas de logement, je vais me faire virer et, sans emploi, je suis condamné à rester SDF. Je suis quoi pour la société ? À

quoi bon continuer dans ces conditions ? » s'interrogeait-il. [...]. Préparateur de commandes en fruits et légumes, en CDD depuis trois ans au marché de Rungis, Nicolas s'interroge sur son sort. « Je ne comprends pas. Je ne demande rien hormis un logement. Je ne suis pas fainéant. Je travaille. J'embauche tous les jours à quatre heures du matin. » Son premier mois sans toit, Nicolas l'a passé à l'hôtel [...]. « Je gagne 1 300 euros, je peux pas me permettre tous les mois de claquer 1 000 euros à l'hôtel. » [...] Hier après-midi, la nouvelle est tombée. Il sera hébergé à l'hôtel, en attendant d'obtenir une place en foyer de jeunes travailleurs.

Lionel Decottignies, *L'Humanité*, 29 juillet 2011.

1. CONSTATER. Présentez en quelques lignes le problème auquel est confronté Nicolas.
2. EXPLIQUER. Expliquez la phrase soulignée.
3. RÉCAPITULER. À quelles conditions le travail contribue-t-il au bonheur des individus ?

4. Le vécu de la précarité

K.,« employée à La Poste au tri du courrier en CDD : « [Je] faisais mon travail exactement comme je l'aurais fait si j'avais un CDI. Le seul problème c'est que, forcément, j'espérais être CDIsée un jour, mais je savais que je ne faisais pas partie du vivier, je faisais mon travail, je savais que je le faisais très bien, mais dès qu'il y avait un souci du fait que j'étais que CDD, moi ça euh… comment dire, moi ça me terrorisait, je suis pas une personne de nature stressée, je suis très zen, mais le fait d'être seulement CDD, et de voir comment les CDI et les fonctionnaires travaillent, c'est-à-dire de façon très solennellement en se disant "on travaille très tranquillement, sans avoir de pression", moi je me faisais, pas en ayant la pression personnellement, mais qu'il y avait un souci je le prenais sur moi et ça c'était affreux, parce que je me disais s'ils croient que le souci vient de moi alors que je savais très bien que cela ne venait pas de moi, cela me retombait dessus parce que dans l'équipe où je travaillais j'étais la seule en CDD, et dès qu'il y a un problème cela retombe toujours sur les CDD, voilà comment je voyais le travail. Forcément, quand je sortais de là je laissais mon travail au travail, mon état de personnalité que j'avais au travail je le laissais au travail, quand je rentrais chez moi, j'étais une "autre personne". »

Faïta Daniel, « Subjectivité et travail. Soi, l'activité, les autres, dans la parole des personnes en situation précaire », Yves Clos et Dominique Lhuilier (dir.), *Travail et Santé*, Érès, coll. « Clinique du travail », 2010.

1. EXPLIQUER. Pourquoi considère-t-on généralement que le travail intègre les individus ?

2. CONSTATER. Comment cette employée vit-elle son statut précaire dans son entreprise ?

3. CONSTATER. Quel est l'objectif de cette employée ? Comment pense-t-elle l'atteindre ?

4. EXPLIQUER. Ce témoignage confirme-t-il les données du document 2 sur le lien entre bonheur et travail ?

5. Des emplois de plus en plus incertains

Emplois (en % de l'emploi total)	1982	1990	2002	2007
Formes particulières d'emploi	5,4	8,2	11,5	12,3
Contrats à durée déterminée et saisonniers	3,7	4,8	6,6	7,1
Intérimaires	0,4	0,8	1,7	2,1
Stagiaires et contrats aidés	0,6	1,8	2,2	1,7
Apprentis	0,7	0,8	1	1,4
Actifs occupés à temps partiel	9,2	12	16,2	17,2
Sous-emploi[1]	ND	3,9	5	5,5

1. Correspond aux personnes qui travaillent à temps partiel mais souhaiteraient travailler davantage.

Jean-Louis Dayan, « L'emploi, nouveaux enjeux », Insee, 2008.

1. CALCULER. Mesurez, à l'aide d'un calcul approprié, la progression des formes particulières d'emploi entre 1982 et 2007.

2. CONSTATER. Quels emplois précaires connaissent la plus forte progression ?

3. EXPLIQUER. Pourquoi les emplois précaires sont-ils susceptibles de fragiliser le lien social ?

6. Un travail moins protecteur ?

C'est le collectif qui protège : c'est par son inscription dans des collectifs (organisations, conventions collectives, droits et protections collectives) que l'individu prolétaire du début de l'industrialisation, complètement livré à son malheur, est devenu un salarié à part entière.

Ce qu'on a pu voir à l'œuvre depuis les années 1970, c'est un processus de décollectivisation, ou de réindividualisation, dans l'organisation du travail elle-même, qui fait appel à de nouveaux impératifs : responsabilité, autonomie, initiative, nécessité de conduire sa carrière…

Dans ce nouveau contexte, certaines personnes se tirent bien d'affaire. C'est d'ailleurs là-dessus que repose le discours néolibéral : à travers cette nouvelle capacité d'initiative, des travailleurs peuvent maximiser leurs potentialités.

Mais il y a individu et individu. Certains ont les ressources, les supports pour se conduire positivement comme des individus (leur formation par exemple) et assumer le changement pour en tirer les bénéfices. Les autres sont complètement perdus, comme le chômeur de longue durée ou le jeune qui galère, c'est-à-dire qu'ils n'arrivent pas à s'inscrire de manière un peu stable et durable dans ces systèmes de protection et restent dans cet état de flottaison ou de précarité permanente. S'ils perdent ces protections, ou ne parviennent pas à en trouver, ils sont cassés.

Interview de Robert Castel, Xavier Molénat (dir.), *L'individu contemporain*, Éditions Sciences humaines, 2006.

1. ILLUSTRER. Donnez des exemples de droits « collectifs » qui protègent le salarié.

2. EXPLIQUER. Pourquoi le travail se « réindividualise »-t-il aujourd'hui ?

3. EXPLIQUER. Que signifie la phrase soulignée ?

ENTRAÎNEMENT

QUESTION DE COURS. Sous quelles formes la fragilisation du lien social par le travail se manifeste-t-elle aujourd'hui ?

SYNTHÈSE. À l'aide des documents 3 à 6, montrez que la précarisation de l'emploi entraîne une précarisation sociale.

documents

III. Quels liens sociaux dans une société d'individus ?

A L'intégration sociale aujourd'hui : un modèle en question

1. Une société de l'entre-soi ?

Les annonces fleurissent sur les sites Internet immobiliers et dans les brochures des promoteurs : « Résidence entièrement close », « sécurisée », cadre « protégé », portail de fermeture pour interdire les voitures, « Digicode pour l'accès piéton »… […] Les résidences collectives fermées derrière des grilles se développent en France, portées par la recherche de l'entre-soi et les préoccupations sécuritaires, construites par des promoteurs qui veulent faire du calme et de la tranquillité des arguments de vente.

Quelque 13 % des nouvelles résidences commercialisées présenteraient ces caractéristiques, jusqu'à 20 % dans le sud de la France […].

Le phénomène n'a pas grand-chose à voir avec les « gated communities », ces résidences importées des États-Unis, fermées, sécurisées et dotées de multiples services, destinées aux plus riches, pour qu'ils protègent leurs pavillons derrière barrières, grilles et Digicodes. En France, le mouvement se révèle assez différent, beaucoup moins spectaculaire mais plus diffus, concentré dans l'habitat collectif plutôt que dans les pavillons. La « banalisation » des résidences collectives fermées touche tous les types de publics. […] D'anciennes copropriétés font aussi le choix de fermer leurs espaces pour limiter les problèmes de sécurité et de stationnement intempestif – une autre préoccupation majeure. Même chose pour le logement social qui « résidentialise » à tour de bras ses immeubles HLM afin de séparer espaces privés et publics, et ainsi tenter d'attirer ou de retenir les rares classes moyennes.

Mais la recherche de tranquillité emprunte aussi des voies plus discrètes. Le survol des espaces périurbains met en évidence le succès de ce que les urbanistes appellent joliment des lotissements « en raquette » – des mini-quartiers avec une route d'accès unique, en impasse, qui limite la circulation de personnes étrangères au territoire. « Aux yeux des habitants, l'enclavement d'un lotissement permet d'éviter les effets négatifs des rues traversantes. Cela construit de la sécurité, de la cohésion sociale entre propriétaires », relève Renaud Le Goix, maître de conférences à l'université Paris 1. Avec l'immense avantage de construire de l'entre-soi discret.

Luc Bronner, *Le Monde*, 26 décembre 2010.

1. CONSTATER. Le développement de résidences fermées n'a-t-il que des préoccupations sécuritaires ?

2. ILLUSTRER. Comment les riches peuvent-ils choisir leur entre-soi ?

3. EXPLIQUER. Quelles conséquences les résidences fermées entraînent-elles sur la cohésion sociale ?

2. Scouts et Guides de France : une solidarité communautaire

Les activités du mouvement ont vocation à former des adultes autonomes et responsables tout en leur transmettant des valeurs de citoyenneté et de solidarité. […] Être scout ou guide permet de conforter l'éducation catholique reçue de ses parents, de faire vivre avec ses semblables et de transmettre, souvent à ses propres enfants, cette identité héritée. […]

Le mouvement représente la principale sphère de développement de liens amicaux des bénévoles ; il est un lieu de rencontres de ses proches, parfois même d'un conjoint. L'émotion partagée du recueillement lors des rassemblements, la régularité des activités tout au long de l'année, dans un contexte très convivial et festif, les moments de vie partagés lors des camps sont le terreau d'amitiés profondes et durables. […] Le scoutisme est ainsi un puissant facteur d'intégration sociale. Les bénévoles en mobilité géographique, par exemple, utilisent le mouvement comme vecteur d'insertion locale dans un lieu où ils ne connaissent personne. Pour certains bénévoles sans activité professionnelle, s'engager est aussi, autre exemple, un moyen de rester dans la société et de lutter contre l'isolement. Enfin, il n'est pas rare que ce capital social soit mobilisé pour faciliter l'intégration professionnelle ; les réseaux qui y sont développés peuvent aider à (re)trouver un travail. […] Le mouvement est un « monde en soi » où les individus conjuguent vie affective, vie familiale, vie spirituelle et parfois même vie professionnelle. […]

La vie associative, fortement axée sur la convivialité, les festivités, les rassemblements, nourrit les sociabilités collectives. […] L'engagement Scouts et Guides de France repose sur un socle commun de valeurs et sur une dimension religieuse qui fournit les moyens de penser le rapport au monde. […] Les symboles d'appartenance sont nombreux (chemise, insigne, foulard) et les parcours au sein du mouvement sont fortement sacralisés (chaque section comporte son rite d'intégration et ses attributs symboliques). Ces symboles et rituels multiples étayent l'engagement individuel en l'encadrant et contribuent à créer un fort sentiment d'appartenance commune.

Blaise Barbance et Alexandra Ughetto-Schloupt, « La permanence d'un engagement communautaire : le cas des Scouts et Guides de France », *Sociologies pratiques*, n° 15, février 2007.

1. EXPLIQUER. Justifiez le titre du document.

2. EXPLIQUER. Comment le scoutisme constitue-t-il un réseau de relations ? En quoi ce réseau peut-il être utile ?

3. RÉCAPITULER. À l'aide des documents 1 et 2, montrez que les liens fondés sur la ressemblance et les croyances communes n'ont pas disparu.

3. Comparaison du modèle français et du modèle américain d'intégration

Pays	Source principale de l'intégration sociale	Place des « minorités » (ethniques, religieuses, etc.)	Principe fondamental de traitement des inégalités	Évolutions récentes
France Intégration « républicaine »	L'intégration nationale forgée par l'État	Les minorités ne sont pas reconnues en tant que telles ; l'appartenance à une minorité relève de la vie privée.	Égalité des droits : il ne peut y avoir de discrimination (de traitement différent) entre les individus et les groupes.	Développement des politiques de « discrimination positive » pour corriger les inégalités réelles subies par une partie de la population
États-Unis Intégration « communautaire »	La réussite économique et sociale de chaque individu	L'appartenance à une minorité est reconnue publiquement et est un élément de la personnalité sociale des individus.	Recherche de l'équité : elle passe par un traitement plus favorable des populations défavorisées (politiques d'« affirmative action »).	Limitation de l'« affirmative action », qui ne produit pas toujours la baisse des inégalités espérée et stigmatise les populations ciblées

Source : d'après « La France sait-elle encore intégrer les immigrés ? Bilan de la politique d'intégration en France depuis vingt ans et perspectives », rapport du Haut Conseil à l'intégration, avril 2011.

1. EXPLIQUER. Pourquoi qualifie-t-on le modèle français d'intégration de « républicain » ?

2. EXPLIQUER. Comment ce modèle permet-il l'intégration sociale des individus ?

3. ILLUSTRER. Donnez des exemples de mesures correspondant à la discrimination positive en France.

4. EXPLIQUER. Quels sont les risques des politiques de discrimination positive ?

4. L'intégration des immigrés par la citoyenneté

S'appuyant sur le rapport du Haut Conseil à l'intégration pour l'année 2000, une politique d'accueil est créée pour l'accueil des nouveaux immigrés entrant légalement en France […]. Cela constitue sans conteste une phase clé du processus d'intégration.

S'inspirant directement du modèle canadien, et plus précisément québécois, elle comprend, tout d'abord, un contrat d'accueil et d'intégration (CAI) généralement d'une durée d'un an, qui offre gratuitement aux immigrés qui en ont besoin, une formation linguistique de 400 heures maximum, pour tous une formation civique d'une journée, ainsi qu'une présentation du mode de vie en France d'une journée également, un accompagnement social le cas échéant et, depuis le 1er janvier 2009, une évaluation des compétences professionnelles. […] Le respect du CAI conditionne depuis le 1er janvier 2007 […] le renouvellement de la première carte de séjour et l'obtention de la carte de résident de longue durée. […] La mise en place du CAI a si bien réussi que plus de 500 000 contrats ont été signés depuis sa création jusqu'au début de l'année 2010. […] La mise en place rapide d'une vraie politique d'accueil des immigrés dans notre pays ne doit cependant pas faire oublier

Une cérémonie d'accueil des naturalisés français.

que plus de 2 millions et demi d'étrangers, en particulier les femmes issues de l'immigration familiale arrivées avant 2006, n'ont disposé d'aucun accompagnement particulier.

« La France sait-elle encore intégrer les immigrés ? Bilan de la politique d'intégration en France depuis vingt ans et perspectives », rapport du Haut Conseil à l'intégration, avril 2011.

1. CONSTATER. Quels apprentissages la formation des immigrés dans le cadre du contrat d'accueil et d'intégration comporte-t-elle ?

2. EXPLIQUER. D'après le contrat d'accueil, qu'est-ce qui est important pour l'intégration des immigrés dans la société française ?

3. EXPLIQUER. L'existence de ces procédures d'accueil des immigrés garantit-elle leur intégration ?

ENTRAÎNEMENT

QUESTION DE COURS. Peut-on encore parler d'intégration communautaire dans la France d'aujourd'hui ?

SYNTHÈSE. À l'aide des documents 3 et 4, montrez que l'intégration républicaine repose sur des valeurs communes.

documents

B De nouvelles formes de liens sociaux

1. Comment Internet transforme les relations

La Toile doit s'envisager avant tout comme une gigantesque machine à produire des contacts, à tisser des liens, à générer des relations. L'ordinateur produit désormais des aventures et des histoires d'amour, et les couples Internet se comptent déjà par milliers. Si pendant longtemps on s'est marié en obéissant à des logiques de classes et de communautés, on privilégie aujourd'hui l'épanouissement personnel et professionnel, et des expériences relationnelles et amoureuses plurielles. [...] Révolution sociale et amoureuse, Internet constitue une révolution relationnelle. [...]

Et la logique sentimentale qui s'impose est ostensiblement consumériste [...] avec, souvent, cette illusion que l'on sélectionne au mieux celui (ou celle) à aimer, en fonction de multiples critères physiques, sociaux et moraux : il faut en fait avoir les bonnes croix dans les bonnes cases. On peut à bon droit parler de « marketing » amoureux.

Mais le contexte numérique est aussi le premier qui voit des inconnus devenir intimes, tomber amoureux virtuellement, se séduire sans se connaître, reconfigurant (si l'on peut dire) le statut social et philosophique de la relation. [...]

Qu'est-ce qu'une relation ? Plus seulement un face-à-face, mais des liens qui peuvent outrepasser la présence et le visage, pour trouver leur origine ailleurs, avant ceux-ci, pour exister sans eux.

Pascal Lardellier, « Rencontres sur Internet : l'amour en révolution », *Sciences humaines*, hors-série n° 50, septembre-octobre-novembre 2005.

En %	2004	2005	2006	2007	2008	2010
Ménages équipés d'une connexion à Internet	30,5	35,6	41,8	48,5	54,7	64,4

Champ : ensemble des ménages en France métropolitaine.

Source : Insee, Statistiques sur les ressources et les conditions de vie.

1. CONSTATER. Comment l'accès à Internet a-t-il évolué depuis 2004 ?

2. EXPLIQUER. Que signifie la phrase soulignée ?

3. EXPLIQUER. En quoi peut-on dire qu'Internet « constitue une révolution relationnelle » ?

2. Des liens plus éphémères dans la société en réseau ?

Dans la société en réseau, [...] le lien social doit être repensé autrement que dans la logique des appareils intégrateurs : l'école, la famille, le travail, etc. [...] Dans le mode réticulaire[1], le rôle de l'action devient essentiel dans la construction des liens collectifs. Ceux-ci ne sont plus déterminés par des collectifs imposés : ils s'élaborent dans l'action et deviennent un des résultats de cette action. Les groupements n'ont plus la forme d'entités sociales stables, aux limites communes aisément identifiables, mais ressemblent davantage à des réseaux d'individus. C'est le cas des collectifs qui accueillent des individus aux engagements éphémères, résiliables à tout moment, limités dans le temps comme la tâche à accomplir. [...] L'individu s'implique dans des réseaux de solidarité, s'engage dans des groupements mais garde une distance par rapport à ses engagements. Ceux-ci ne déterminent pas les autres sphères de sa vie individuelle ou collective.

Si l'individualisation semble saper les fondements de la cohésion des collectifs, cela ne signifie pas la fin des collectifs mais la fin des collectifs établis et prévisibles, ainsi que l'émergence de nouveaux collectifs qui ne sont pas imposés par le haut aux individus. [...] Le collectif ne peut plus être ordonné du sommet vers la base, mais doit être librement demandé et construit sur la base des biographies individuelles, à travers l'expérience et l'action et avec des individus pluriels.

1. En réseau.

Patricia Vendramin, *Le travail au singulier, le lien social à l'épreuve de l'individualisation*, L'Harmattan, 2004.

1. DÉFINIR. Sur quoi le lien social dans la société « en réseau » repose-t-il ?

2. ILLUSTRER. Donnez des exemples de collectifs éphémères dans lesquels les individus s'engagent de manière temporaire.

3. EXPLIQUER. À quel type d'institution les collectifs éphémères s'opposent-ils ?

3. Les associations : une nouvelle forme de lien social

a. Pourquoi s'engage-t-on ?

Étrangement, les discours sur la montée de l'altruisme coexistent avec d'autres formes exactement contraires : montée des égoïsmes, repli sur soi, individualisme généralisé seraient tout autant la caractéristique de nos sociétés en crise ! [...]

Il est certain que le nombre d'associations déclarées ne cesse de croître très rapidement (plus de trente mille environ par an). [...] Sur plusieurs décennies, il apparaît bien que le pourcentage de personnes participant à des activités associatives ne cesse de croître ; et, à côté du bénévolat dans les clubs sportifs, c'est de plus en plus des associations à but humanitaire et social qui sont le lieu de ces engagements.

Mais on ne saurait apprécier l'altruisme et le bénévolat selon des seuls critères quantitatifs. [...] On peut même se demander si l'inscription croissante des pratiques d'aide dans un cadre associatif ne va de pair avec une diminution des pratiques d'entraide informelle au sein du groupe des appartenances primaires. Le développement des associations d'« écoutants » (SOS-Amitiés par exemple, qui revendique 1 800 bénévoles), correspond [...] à une transformation des liens de sociabilité. [...] Mais les enquêtes montrent aussi qu'en période de crise, les aides entre grands-parents, enfants et petits-enfants s'intensifient. [...]

Un autre trait significatif des engagements contemporains est la déconnexion entre l'aide concrète et les fins qui peuvent la justifier. [...] La montée en puissance des engagements de type pragmatique, à durée limitée et à la recherche de résultats concrets se traduit par un accroissement des initiatives visant directement à aider autrui sans attente d'un changement politique.

Jacques Ion, « Bénévolat, assistance... Pourquoi s'engage-t-on ? », *Sciences humaines*, n° 223, février 2011.

b. Taux d'adhésion à différentes associations selon le sexe en 2008 (%)

Type d'association	Femmes	Hommes	Ensemble
Association sportive	9	15	12
Club du troisième âge[1]	11	8	10
Syndicat, groupement professionnel[2]	6	8	7
Association culturelle	6	5	6
Association de loisirs	4	5	5
Association sanitaire, sociale, humanitaire, caritative	5	4	4
Ensemble	30	36	33

1. Personnes âgées de 60 ans et plus.
2. Personnes occupant un emploi, chômeurs et retraités.

Champ : France métropolitaine, individus âgés de 16 ans ou plus.

Lecture : en 2008, 9 % des femmes ont adhéré à une association sportive au cours des douze derniers mois. La somme des taux d'adhésion (en colonne) est supérieure à la ligne « ensemble », puisque les individus peuvent adhérer à plusieurs associations.

Source : Insee, Statistiques sur les ressources et les conditions de vie, 2008.

1. CONSTATER. La participation aux associations confirme-t-elle la « montée des égoïsmes » et l'« individualisme généralisé » évoqués par l'auteur ? (Doc. a)

2. CONSTATER. Quels types d'associations présentés dans le tableau correspondent à un engagement « altruiste » ? (Doc. a et b)

3. EXPLIQUER. Montrez que l'engagement actuel dans les associations correspond aux transformations du lien social, familial et politique. (Doc. a et b)

4. Les enjeux de la refondation du lien social

Difficile [...] d'estimer au bord de la rupture une société dont les membres acceptent, en râlant certes, mais acceptent tout de même de mettre en commun 45 % des richesses produites chaque année pour redistribuer du revenu et, surtout, pour produire les services collectifs nécessaires au bon fonctionnement de la maison commune. La nation demeure un espace de solidarité acceptée sans équivalent. [...]

Si la France a pu se constituer en rassemblant des Alsaciens, des Basques, des Savoyards, des Flamands, des Franc-comtois, des Occitans ou des Bretons, sans parler même des Corses, c'est qu'une autorité commune s'appliquait en tous lieux. C'est aussi que la République portait des valeurs à vocation universelle, de nature à unifier sinon le peuple, tout au moins ses élites et ses représentants. [...] Faire société n'est donc jamais donné. Et le problème se pose aujourd'hui dans les mêmes termes qu'hier : dans une nation construite comme l'est la France, l'idée nationale et son incarnation dans le projet républicain n'ont de sens que si la distance qui sépare la promesse égalitaire et la réalité vécue par les citoyens demeure suffisamment limitée pour que nul ne puisse la considérer comme un mensonge, sinon une arnaque. [...] Tout l'enjeu est [...] de conserver les acquis de l'individualisme en matière de libertés et d'autonomie des individus (à commencer par celle acquise par les femmes), tout en renforçant la cohésion sociale du pays et en rebâtissant les solidarités, de telle manière que les évolutions du monde ne soient plus perçues comme une menace, comme un instrument au service d'une régression, mais comme un défi à relever par l'ensemble du pays.

Philippe Frémeaux, *Alternatives économiques*, hors-série n° 69, avril 2006.

1. EXPLIQUER. Sur quelles « valeurs à vocation universelle » la cohésion sociale en France repose-t-elle ?

2. EXPLIQUER. Justifiez la phrase soulignée.

3. EXPLIQUER. Comment, selon l'auteur, maintenir la cohésion sociale ?

5. Les limites de la division sociale du travail comme source du lien social

La seule division sociale semble [...] bien insuffisante pour assurer la cohésion de la société. La conscience collective, l'autorité morale, la communauté et le sacré, loin d'être des éléments obsolescents propres aux sociétés primitives, restent finalement pour Durkheim, dans les sociétés modernes, des éléments essentiels qui permettent de faire tenir ensemble les individus et la société. Voilà bien l'une des leçons essentielles que nous enseignent les fondateurs de la sociologie : la société ne peut se fonder uniquement sur l'existence de contrats rationnels et froids, elle ne peut reposer seulement sur les résultats de la division du travail. L'intégration sociale repose aussi, in fine, sur l'existence de liens affectifs, non rationnels, chauds, qui relient les individus entre eux et avec la société dans son ensemble.

Pierre-Yves Cusset, *Le lien social*, Armand Colin, coll. « 128 », 2007.

1. ILLUSTRER. À l'aide des documents 1 à 4, donnez des exemples de « liens chauds » qui se développent aujourd'hui dans la société française.

2. EXPLIQUER. Justifiez la phrase soulignée.

ENTRAÎNEMENT

QUESTION DE COURS. Quels sont les enjeux du lien social aujourd'hui ?

SYNTHÈSE. À l'aide des documents 1, 2 et 3, montrez que de nouveaux liens sociaux se construisent dans la société contemporaine.

NOTIONS • Intégration sociale
• Cité/citoyenneté • Chômage
• Disqualification sociale

SAVOIR-FAIRE • Analyser un fait
d'actualité à l'aide de théories sociologiques
• Lire et analyser un texte

1. Les révoltes dans les banlieues : une crise du lien social ?

1. Les révoltes urbaines en France et en Grande-Bretagne

Peut-on voir, entre les émeutes de France et d'Angleterre, des causes ou des éléments déclencheurs similaires ? Il y a un premier élément de comparaison qui saute aux yeux : en Angleterre, l'émeute suit la mort d'un jeune du quartier dans le cadre d'une opération de police [...]. En France, c'est le même type de facteur déclenchant : la mort de deux jeunes électrocutés dans un site EDF à Clichy-sous-Bois, au cours d'une opération de police « pour rien » puisque les soupçons de vol étaient infondés. À Villiers-le-Bel en 2007, c'est le décès de deux adolescents à moto, percutés par une voiture de police, qui provoque également les émeutes. [...]
Ces éléments déclencheurs font exploser la situation dans un contexte de fort chômage et de misère économique dans les quartiers pauvres. Les motivations plus profondes qui expliquent ces crises sont toujours un sentiment d'injustice, des humiliations, des contrôles de police, une impression de « no future » qui, accumulés au quotidien, finissent par déchaîner une vague d'émotion collective, c'est-à-dire une émeute. Spécificité française : la cible des émeutiers n'était pas seulement la police et l'État, mais aussi l'éducation. L'échec scolaire est davantage dramatisé dans le pays du mythe de l'école républicaine intégratrice.

Cocktails Molotov, lancers de projectiles sur les policiers, voitures brûlées : les moyens utilisés par les émeutiers paraissent similaires dans les deux pays… Oui, mis à part les pillages, qui semblaient moins répandus en France, peut-être à cause de la configuration urbaine : que voulez-vous piller dans les quartiers excentrés de Clichy-sous-Bois, loin des commerces ? Pour le reste, si le même type de violence est employé, c'est parce que c'est le dernier moyen d'expression qui reste dans ces quartiers.
[...] Les jeunes des ZUS [zones urbaines sensibles] n'ont aucune représentation, pas de syndicats, de banderoles, de slogans, de service d'ordre… Bref, il n'y a pas d'organisation politique, les populations sont totalement isolées. Ce qui se ressent d'ailleurs dans les taux d'abstention [...].

« La réaction politique est de traiter les émeutes comme un problème de délinquance », interview de Laurent Mucchielli, *Le Monde*, 10 août 2011.

1. Quels sont les événements qui ont déclenché les émeutes urbaines en France en 2005 et en Grande-Bretagne en 2011 ?

2. Quelles sont, selon l'auteur, les causes réelles des émeutes ?

3. Quelles sont les différences entre les émeutes françaises et britanniques ?

2. Des émeutes « shopping » ?

Difficile [...] selon Alain Bertho[1] de nier « l'exaspération devant un système qui en Angleterre a ramené les inégalités sociales au niveau où elles étaient il y a un siècle, un affichage immodéré de l'aisance et de la consommation par les plus riches et un discours politique qui n'arrête pas de dire que tout le monde devra payer l'endettement des États. Cela se traduit par des coupes sombres dans les budgets sociaux, l'augmentation des droits d'inscription dans les universités. Il y avait déjà eu des signaux forts qui prouvaient que le gouvernement britannique n'a plus les moyens d'engager un dialogue avec sa société : les manifestations étudiantes de fin 2010 et la mise à sac du Parti conservateur, la façon dont s'est terminée la manifestation contre le plan d'austérité et les émeutes aujourd'hui ».

1. Alain Bertho est professeur d'anthropologie à l'université de Paris 8-Saint-Denis.

Régis Soubrouillard, « Angleterre : émeutes shopping ou émeutes sociales ? », *Marianne*, 10 août 2011.

Un supermarché londonien après le passage des pilleurs.

1. Quel rôle l'augmentation des inégalités a-t-elle joué dans le déclenchement des émeutes ?

2. Pourquoi les inégalités menacent-elles la cohésion sociale aujourd'hui ?

SYNTHÈSE

À l'aide des deux documents, montrez que les révoltes urbaines en France et en Grande-Bretagne s'expliquent par le changement économique et social dans ces pays, puis que ces révoltes traduisent une fragilisation du lien social.

2. Analyser la notion d'exclusion

1 ▪ L'exclusion, une notion proche d'autres notions sociologiques

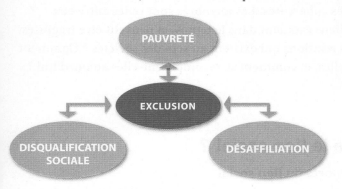

1. Cherchez les définitions des trois notions liées à l'exclusion : pauvreté, désaffiliation et disqualification sociales.

2. Cherchez des exemples de situations dans lesquels les individus concernés sont pauvres mais pas exclus, ou au contraire exclus mais pas pauvres.

2 ▪ L'exclusion, un processus aux causes multiples

Se référer à la notion d'exclusion conduit à mettre l'accent sur les spécificités actuelles des inégalités. Tout en se reproduisant, ces dernières, ainsi que les formes diverses de ségrégation, deviennent plus complexes [...]. Les situations d'instabilité, qu'elles soient d'ordre professionnel (précarité du statut de l'emploi, chômage), familial (rupture conjugale, recomposition des familles) ou social (difficultés d'accès au logement...), se sont diffusées. La difficulté consiste alors à analyser les inégalités, non plus de façon statique, c'est-à-dire en identifiant les groupes défavorisés et en recherchant pourquoi leur condition sociale n'évolue pas, mais, au contraire, à repérer dans des trajectoires diverses, les processus qui conduisent certains individus à un cumul de handicaps et d'autres à un cumul d'avantages, à l'origine d'une nouvelle forme de fragmentation sociale.

Serge Paugam, « L'exclusion existe-t-elle ? », La table ronde pédagogique, CNDP, 2001.

1. Comment les « situations d'instabilité » sociale peuvent-elle conduire à l'exclusion ?

2. Illustrez le « cumul de handicaps » qui peut mener à un processus d'exclusion.

3. Montrez que, même pour les personnes en situation d'instabilité, les institutions peuvent protéger de l'exclusion.

3 ▪ Quand l'institution scolaire exclut au lieu d'intégrer

Parmi les transformations qui ont affecté le système d'enseignement depuis les années 1950, une des plus lourdes de conséquences a été sans nul doute l'entrée dans le jeu scolaire de catégories sociales qui s'en excluaient ou en étaient pratiquement exclues jusque-là [...].

Les élèves ou les étudiants issus des familles les plus démunies culturellement ont toutes les chances de n'obtenir, au terme d'une longue scolarité souvent payée de lourds sacrifices, qu'un titre dévalué ; et, s'ils échouent, ce qui est encore le destin le plus probable pour eux, ils sont voués à une exclusion sans

doute plus stigmatisante et plus totale que par le passé [...]. Ainsi, l'institution scolaire tend à apparaître de plus en plus, tant aux familles qu'aux élèves eux-mêmes, comme un leurre, source d'une immense déception collective : cette sorte de terre promise, pareille à l'horizon, recule à mesure qu'on avance vers elle. La diversification des filières, qui s'associe à des procédures d'orientation et de sélection de plus en plus précoces, tend à instaurer des pratiques d'exclusion douces [...].

L'École exclut comme toujours, mais elle exclut désormais de manière continue à tous les niveaux du cursus [...], et elle

garde en son sein ceux qu'elle exclut ; se contentant de les reléguer dans des filières plus ou moins dévalorisées.

Pierre Bourdieu et Patrick Champagne, « Les exclus de l'intérieur », *Actes de la recherche en sciences sociales*, n° 91-92, mars 1992.

1. Qui étaient les « exclus » de l'institution scolaire jusqu'aux années 1980 ?

2. L'école joue-t-elle, selon les auteurs, son rôle d'intégration sociale pour tous les enfants ?

3. Montrez que l'échec scolaire peut être l'un des facteurs à l'origine d'un processus d'exclusion sociale.

SYNTHÈSE

Montrez que l'exclusion est un phénomène aux multiples réalités. Pour cela, mettez en évidence ses différentes causes, formes et conséquences.

Synthèse

Quels liens sociaux dans les sociétés contemporaines ?

Les sociétés ne sont pas seulement des rassemblements d'individus, mais forment des entités cohérentes. Les membres sont reliés entre eux par des liens. Mais ces liens évoluent dans le temps, et peuvent être fragilisés. Quelle est la nature des relations qui existent au sein des sociétés ? Comment ces relations évoluent-elles, et comment se recomposent-elles aujourd'hui ?

ACQUIS DE PREMIÈRE

➡ Voir **Réviser les acquis de 1ʳᵉ**, p. 252 et **Lexique**

- Socialisation
- Capital social
- Sociabilité
- Anomie
- Désaffiliation
- Disqualification
- Réseaux sociaux

I. Qu'est-ce que le lien social ?

A. Les différents supports du lien social

■ Dans les sociétés, les individus sont reliés par des liens de solidarité, de civilité et de sociabilité. L'intégration sociale consiste pour les individus à participer à ces liens, pour former une société, et non rester simplement juxtaposés. La cohésion sociale repose sur l'intensité de ces relations.

■ Les sources de cette cohésion évoluent dans le temps. Selon Émile Durkheim, la solidarité sociale est fondée sur les ressemblances et sur une conscience collective forte dans les sociétés traditionnelles : c'est la solidarité mécanique, communautaire. Dans les sociétés modernes, les individus se différencient et la conscience collective devient moins forte. Cela change la nature de la solidarité sociale, qui devient organique : elle repose sur la division du travail, qui crée l'interdépendance entre les individus.

B. Le primat de l'individu dans les sociétés contemporaines

■ Dans la société française, on assiste à une individualisation sociale : les individus sont de plus en plus différents et de plus en plus autonomes. C'est le changement social qui explique ce phénomène : évolution du statut des femmes, des modes d'éducation dans les familles, instauration de l'État providence, développement des médias.

■ Cette individualisation comporte des risques pour la cohésion sociale : l'isolement, de plus en plus fréquent, peut conduire à la solitude, quand les liens sociaux se relâchent. Mais elle correspond aussi à une plus grande liberté : les individus choisissent aujourd'hui leurs valeurs et leurs croyances. Les liens sociaux sont de plus en plus électifs, donc plus fragiles, et s'appuient sur une reconnaissance interpersonnelle.

II. La cohésion sociale est-elle menacée par l'évolution du rôle des instances d'intégration ?

A. Les mutations de la famille

■ L'institution familiale, qui constitue la première instance d'intégration, connaît de profondes transformations. Les liens matrimoniaux sont plus instables, et la taille des familles se réduit. Cependant, les échanges entre les membres d'une même famille restent très nombreux : échanges de services, d'argent, soutien moral.

■ Ces solidarités familiales s'adaptent au changement social et économique. Les effets de l'allongement des études, du vieillissement, du développement du chômage et de la précarité sont en partie compensés par les aides familiales. L'évolution de la famille ne provoque donc pas un affaiblissement de son rôle d'intégration, mais plutôt son adaptation aux transformations du lien social. Ainsi, les liens familiaux sont de plus en plus libres et électifs, comme dans l'ensemble de la société.

B. Les insuffisances de l'action des institutions publiques

■ Depuis les lois des années 1880, l'école républicaine vise à participer à l'intégration sociale en transmettant aux enfants une culture commune, mais aussi en luttant contre les inégalités. Depuis, la massification scolaire a bien eu lieu, et les inégalités scolaires se sont réduites. Elles n'ont pourtant pas disparu : la démocratisation scolaire est inachevée. Les élèves des milieux populaires continuent d'être défavorisés à l'école.

■ L'intervention de l'État pour entretenir la cohésion sociale se heurte également à des difficultés. Le développement du chômage a rendu cette intervention de plus en plus nécessaire, mais de plus en plus incertaine et critiquée. Alors que l'emploi donne aux individus une place dans la division sociale du travail, les prestations telles que les minima sociaux font peser des soupçons sur leurs bénéficiaires, parfois vus comme des « assistés ». La stigmatisation qu'ils subissent fragilise le lien social.

C. La précarisation de l'intégration sociale par le travail

■ Le travail se précarise : de plus en plus d'individus ont des emplois à durée déterminée ou des temps partiels imposés. Ceci s'ajoute au chômage de masse et aux transformations de l'organisation du travail. Pour ceux qui ont un emploi, l'isolement est de plus en plus fréquent, et le travail peut être facteur de stress, voire de souffrance psychique. Ceci remet en partie en cause la solidarité organique fondée sur la division sociale du travail. La précarisation du travail devient une précarisation sociale.

■ Paradoxalement, ce sont ceux qui en sont privés, les chômeurs et les précaires, qui considèrent que le travail est indispensable au bonheur. Les travailleurs précaires souhaitent avant tout obtenir un emploi stable. C'est dire que le travail reste un élément essentiel du lien social. Ce n'est pas l'emploi lui-même qui est en cause, mais l'affaiblissement des droits collectifs qui lui sont associés (droit du travail, protection sociale).

III. Quels liens sociaux dans une société d'individus ?

A. L'intégration sociale aujourd'hui : un modèle en question

■ Si le lien sociétaire s'est généralisé, les liens sociaux de type communautaire subsistent. Des groupes sociaux construisent des solidarités fondées sur une conscience collective forte, des valeurs et des croyances communes, des similitudes entre les membres. Mais ces liens peuvent aussi être un moyen de s'intégrer au reste de la société, en mobilisant par exemple les réseaux de relations construits dans le groupe.

■ Le modèle républicain d'intégration des immigrés en France repose sur l'égalité devant la loi. Ce modèle considère que les valeurs républicaines doivent permettre l'intégration de chacun, sans tenir compte des particularités individuelles. Mais la persistance des inégalités économiques et sociales que subissent les immigrés conduit à s'interroger sur ce modèle : faut-il tenir compte des particularités individuelles, en développant des politiques de discrimination positive ?

B. De nouvelles formes de liens sociaux

■ Le changement technologique conduit à tisser de nouveaux liens sociaux. Sur Internet, la relation ne se réduit plus au face-à-face entre individus, mais prend de nouvelles formes. À côté de la solidarité mécanique et organique, on peut donc observer le développement d'une solidarité en réseau. Les institutions y perdent de leur importance, et les individus construisent leur intégration au gré de leur parcours : ils sont pluriels. Les engagements sont plus librement construits, mais aussi de plus courte durée.

■ La participation aux associations montre cependant que les individus continuent à s'engager de manière durable, y compris pour défendre leurs valeurs. C'est que l'enjeu de la cohésion sociale n'est plus seulement de former une société moins inégalitaire, mais plutôt de concilier lutte contre les inégalités et autonomie des individus, source du lien démocratique. Pour cela, les liens rationnels issus de la division du travail sont insuffisants : des liens « affectifs et amicaux » sont indispensables.

synthèse

Synthèse (suite)

LA FAMILLE | L'ÉCOLE | L'ÉTAT | LE TRAVAIL

Le changement social modifie les institutions et leur rôle intégrateur

INTÉGRATION SOCIALE

COHÉSION SOCIALE

SOLIDARITÉ MÉCANIQUE

SOLIDARITÉ ORGANIQUE

- les ressemblances
- la proximité entre les membres du groupe

- la division sociale du travail
- l'interdépendance et la complémentarité des membres

Le lien social est fondé sur

À la fin du chapitre, assurez-vous que :

| ➔ Vous êtes capable de distinguer solidarité mécanique et solidarité organique. | ➔ Vous êtes capable de distinguer intégration sociale et cohésion sociale. | ➔ Vous êtes capable d'identifier les transformations des instances d'intégration (famille, école, État, travail) qui modifient le lien social. | ➔ Vous êtes capable de démontrer que la solidarité mécanique n'a pas totalement disparu dans les sociétés contemporaines. | ➔ Vous êtes capable d'analyser les effets de l'individualisation de la société. |

POUR ALLER PLUS LOIN

Livres
- Serge Paugam, *Le lien social*, PUF, « Que sais-je ? », 2008.
- Serge Paugam (dir.), *L'exclusion, l'état des savoirs*, La Découverte, coll. « Textes à l'appui », 1996.
- François de Singly, *Libres ensemble*, Nathan, coll. « Essais & Recherches », 2000.

Revues
- « La protection sociale : quels débats ? quelles réformes ? », *Cahiers français*, n° 358, septembre-octobre 2010.
- « La France au pluriel », *Cahiers français*, n° 352, septembre-octobre 2009.

Sites
- www.solidarite.gouv.fr (ministère des Solidarités et de la Cohésion sociale)
- www.valeurs-France.fr (résultats d'une enquête qui a lieu tous les neuf ans sur les valeurs des Français)

Films
- *J'ai (très) mal au travail*, un documentaire de Jean-Michel Carré, 2006.
- *Voyage dans les ghettos du Gotha*, un documentaire de Jean-Christophe Rosé, 2008.
- *Entre les murs*, un film de Laurent Cantet, 2008.

autoévaluation

1 Vrai ou faux ?

1. La participation aux associations diminue en France.

2. Les chômeurs considèrent, davantage que les actifs occupés, que le travail est indispensable au bonheur.

3. La volonté de lutter contre les inégalités entre les enfants est une préoccupation très récente à l'école.

4. Les liens sociaux désignent les relations entre les personnes qui se connaissent.

5. Pour Émile Durkheim, la solidarité mécanique décline progressivement et laisse place à la solidarité organique.

2 À quels mots correspondent les définitions suivantes ?

Changement social • Intégration sociale • Solidarité mécanique

1. Processus par lequel les individus deviennent des membres d'un groupe ou d'une société, en établissant des relations avec les autres membres, et en adoptant les normes et valeurs du groupe.

2. Ensemble des transformations à long terme des structures et de la culture d'une société.

3. Type de relation sociale caractéristique des sociétés traditionnelles. La relation repose sur les similitudes entre les membres. La conscience collective est forte et les croyances sont semblables dans le groupe.

3 Rédiger un court texte

Écrire un court texte (3 à 5 phrases) en utilisant ces mots :
Famille • Individualisme • Liberté • Intégration (sociale) • Solidarités familiales • Liens familiaux

5 Compléter le schéma en choisissant le mot qui convient.

Passage d'une solidarité mécanique à une solidarité organique

↓

Déclin / Développement
de la division du travail

↓

De plus en plus / De moins en moins
d'interdépendance entre les individus

↓

Déclin / Développement
de la complémentarité entre les individus

↓

INDIVIDUALISATION SOCIALE

↓

De plus en plus / De moins en moins
d'individus isolés

↓

Affaiblissement / Renforcement
de la conscience collective

Déclin / Développement
des libertés

↓

Déclin / Développement
des croyances religieuses

Déclin / Développement
des liens électifs

4 QCM

Plusieurs réponses sont possibles.

1. La solidarité organique :

a. ☐ repose sur la division du travail.

b. ☐ se développe dans les sociétés modernes.

c. ☐ repose sur une conscience collective forte.

d. ☐ favorise le développement de l'individualisme.

2. La précarisation du travail :

a. ☐ touche tous les individus de la même manière.

b. ☐ déstabilise la société dans son ensemble.

c. ☐ peut être à l'origine du processus de désaffiliation sociale.

d. ☐ est moins importante ces dernières années.

3. L'intervention de l'État est fragilisée par :

a. ☐ le développement du chômage.

b. ☐ la paresse des bénéficiaires d'aides sociales.

c. ☐ la stigmatisation dont sont victimes les bénéficiaires d'aides sociales.

d. ☐ la diminution du nombre de pauvres.

4. Le modèle français d'intégration des immigrés :

a. ☐ repose sur la reconnaissance des particularités de chacun.

b. ☐ repose sur l'égalité devant la loi.

c. ☐ est semblable au modèle d'intégration américain.

d. ☐ connaît des évolutions ces dernières années.

➡ Voir les réponses p. 443-444.

Dissertation

SUJET Analysez les formes du lien social aujourd'hui en France.

DOCUMENT 1 **Nombre de bénéficiaires de quelques prestations sociales et nombre de personnes pauvres en France**

En milliers	1990	1995[1]	2000	2006	2007	2008	2009
Retraités de droit direct	9 544	10 715	11 838	13 530	13 860	14 266	14 580
Personnes bénéficiaires du minimum vieillesse	1 213	989	766	599	586	575	576
Familles bénéficiaires des prestations familiales	6 057	6 154	6 404	6 667	6 659	6 710	6 741
Personnes bénéficiaires du revenu minimum d'insertion (RMI)	510	946	1 097	1 279	1 172	1 142	139
Nombre de foyers bénéficiaires du RSA	–	–	–	–	–	–	1 314
Nombre de personnes pauvres, seuil à 60 % du revenu médian[2]	7 848	8 179	7 838	3 828	8 035	7 836	8 173

1. Données 1996 pour le nombre de pauvres.
2. Cela correspond aux personnes dont le revenu disponible est inférieur à 60 % du revenu médian de l'ensemble des Français.
Champ : France entière pour les prestations sociales. France métropolitaine pour le nombre de pauvres. France métropolitaine, personnes vivant dans un ménage dont le revenu déclaré au fisc est positif ou nul et dont la personne de référence n'est pas étudiante.

Source : Insee, Drees, Cnaf, Insee-DGI, enquêtes revenus fiscaux 1970 à 1990, Insee-DGI, enquêtes revenus fiscaux et sociaux rétropolées 1996 à 2004, Insee-DGFiP-Cnaf-Cnav-CCMSA, enquêtes revenus fiscaux et sociaux 2005 à 2009.

DOCUMENT 2 **L'appartenance religieuse en France**

En %	1981	1990	1999	2008
Catholiques pratiquants réguliers	17	15	10	9
Catholiques pratiquants irréguliers	12	14	12	10
Catholiques non pratiquants	41	28	31	23
Autres religions	3	4	5	8
Sans appartenance déclarée	18	29	30	33
Athées convaincus	9	10	12	17
Ensemble	100	100	100	100

Source : Claude Dargent, « Déclin ou mutation de l'adhésion religieuse », Pierre Bréchond et Olivier Galland, *L'individualisation des valeurs*, Armand Colin, 2010. Chiffres enquête sur les valeurs des Français et des Européens.

DOCUMENT 3 **Équipement en micro-ordinateur et accès à Internet selon la situation sur le marché du travail**

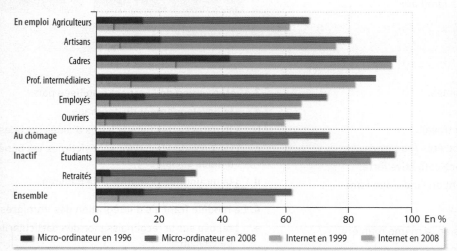

■ Micro-ordinateur en 1996 ■ Micro-ordinateur en 2008 ■ Internet en 1999 ■ Internet en 2008

POUR VOUS AIDER

Faire le lien avec le sujet

Avant d'étudier le document, vous devez vous demander quel est le lien entre l'équipement en micro-ordinateur, Internet, le marché du travail et le lien social. Le document aborde de fait le thème de la communication, de la relation avec autrui. Cette dernière est aujourd'hui fortement conditionnée par l'accès à Internet ; or ce taux d'équipement ne dépend pas seulement du revenu mais aussi de la situation professionnelle.

Conseil : pour interpréter un document statistique de façon complète, il faut comprendre en quoi les items abordés peuvent apporter des arguments utiles pour traiter le sujet.

Champ : France métropolitaine, personnes de 15 ans ou plus.
Lecture : 15 % des personnes possédaient un micro-ordinateur en 1996. En 2008, elles sont 62 % dans ce cas.

Sources : Insee, enquêtes permanentes sur les conditions de vie (EPCV) 1996 et 1999, enquête technologies de l'information et de la communication (TIC) 2008.

Épreuve composée (entraînement Chapitre 10)

PARTIE 1 Mobilisation des connaissances

QUESTION 1 (3 points) : Différenciez solidarité mécanique et solidarité organique.

QUESTION 2 (3 points) : Comment le développement de l'individualisme se traduit-il dans les familles ?

PARTIE 2 Étude d'un document

QUESTION (4 points) : Vous présenterez ce document puis mettrez en évidence les caractéristiques de l'engagement associatif en France.

Taux d'adhésion à différents types d'associations en 2008

En %		Sport	Syndicat, groupement profes-sionnel[3]	Culture	Action sanitaire et sociale ou humanitaire et caritative	Loisirs	Défense de droits et d'intérêts communs	Clubs de 3e âge, de loisirs pour personnes âgées[4]
Niveau de diplôme[1]								
Aucun diplôme		4,9	3,1	1,6	1,7	2,5	0,9	10
Inférieur BAC		11,2	5,9	4,2	3,3	5,1	1,5	10
BAC		17	9,8	7,7	5	5,4	3,6	5
Supérieur BAC		16,9	11,2	11,3	7	5,3	5	6
Catégorie socioprofessionnelle[2]	**Ensemble**							
Agriculteurs	34,8	5,4	16,5	5,2	2,2	6	5,9	nd
Artisans	30,4	11,3	3,4	4,1	3,8	6,6	1,5	nd
Cadres	46,9	19,7	13	10,9	5,9	4,1	5,6	nd
Professions intermédiaires	42,9	19,3	13,1	7	4,2	5	3,9	nd
Employés	30,1	10,7	10,7	4,8	3,2	2,9	2,2	nd
Ouvriers	26,4	12	9,4	2,3	1,6	3,6	1,3	nd
Ensemble	35,1	14,3	11	5,6	3,6	4	3	nd

1. Champ : France métropolitaine.
2. Champ : France métropolitaine, personnes ayant un emploi.
3. Personnes occupant un emploi, chômeurs et retraités.
4. Personnes dont l'âge est strictement supérieur à 59 ans.

Source : Insee, enquête SRCV-SILC 2008.

POUR VOUS AIDER

Mettre en évidence les caractéristiques d'un phénomène

La question posée dans la deuxième partie de l'épreuve composée invite à caractériser un phénomène, ici la participation aux associations. On peut commencer par classer les types d'associations auxquelles les Français adhèrent, par ordre décroissant d'adhésion. On peut ensuite comparer les taux d'adhésion par niveau de diplôme et par catégorie socioprofessionnelle. Il sera enfin utile de chercher à expliquer les constats effectués.

Conseil : pour caractériser un phénomène, décrivez-le précisément et mettez en avant les éléments importants.

PARTIE 3 Raisonnement s'appuyant sur un dossier documentaire

SUJET (10 POINTS) : Montrez que la massification de l'école n'a pas permis de faire disparaître toutes les inégalités scolaires.

DOCUMENT 1 Proportion d'élèves en retard à l'entrée en sixième selon le sexe et l'origine sociale de l'élève en 2010

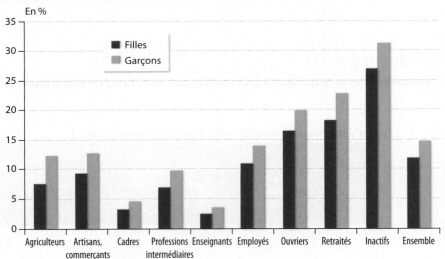

Champ : France métropolitaine + DOM, établissements sous tutelle du ministère de l'Éducation nationale, publics et privés.

Sources : Insee, MENJVA-MESR Depp/Système d'information Scolarité.

DOCUMENT 2

Arrêtons-nous sur la socialisation qui prend place dans le contexte scolaire, par laquelle l'école participe à la construction des individus, et donc des différences entre garçons et filles. Bien qu'officiellement les élèves n'aient pas de sexe, ils reçoivent dans les classes, au jour le jour, au-delà des interactions strictement pédagogiques, une grande quantité d'informations sur les comportements adéquats pour leur sexe : celles-ci passent par le biais des attentes de leurs maîtres et leurs réactions à leurs propres comportements, par le jeu des contacts avec les pairs, par la confrontation aux contenus des programmes et des manuels. [...]

De manière générale, les observations faites en classe montrent que les garçons dominent l'espace sonore, aussi bien par la fréquence de leurs interventions que par les rappels disciplinaires émanant des maîtres. [...] Les chercheurs estiment [...] que les enseignants consacrent un peu moins de temps aux filles (environ 44 % de leur temps, contre 56 % aux garçons, différence qui peut paraître minime, mais qui doit être mise en regard avec le temps qu'un élève passe en classe). [...]

Ce temps plus long alloué aux garçons signifie-t-il des interactions plus positives sur le plan pédagogique ? Il faut pour répondre examiner les formes qu'il prend : non seulement les enseignants interrogent plus souvent les garçons et leur parlent plus souvent, mais ils passent aussi plus de temps à réagir à leurs interventions et à attendre leurs réponses. À travers ces contacts, les garçons reçoivent un enseignement plus personnalisé, alors que les filles sont davantage traitées et perçues comme un groupe. [...]

À travers ces interactions, les enseignants expriment des attentes diversifiées en fonction du sexe de l'élève [...]. Si les garçons sont plus réprimandés, et poussés à réussir, c'est peut-être parce que les enseignants considèrent a priori qu'ils n'exploitent pas toutes leurs possibilités (indéniables). [...] Cela ne veut pas dire que les maîtres ont globalement des attentes négatives à l'encontre des filles ; au contraire, ils reconnaissent que celles-ci leur facilitent la vie par leur bonne adaptation à la vie quotidienne de la classe, et ils déclarent les apprécier pour leurs qualités tant scolaires que personnelles (concentration, attention, maturité...) ; mais ils trouvent les garçons plus stimulants, et disent avoir plus de plaisir à leur enseigner.

Marie Duru-Bellat, *L'école des filles*, L'Harmattan, 2004.

DOCUMENT 3 Évolution de la proportion de bacheliers dans une génération selon la filière

En %	1970	1980	1985	1990	1995	2000	2005	2006	2007	2008	2009	2010
Bac général	16,7	18,6	19,8	27,9	37,2	32,9	33	34	33,9	33,8	35,2	35,1
Bac technologique	3,4	7,3	9,6	12,8	17,6	18,5	17	16,8	16,4	16,3	15,9	16,4
Bac professionnel	–	–	–	2,8	7,9	11,4	11,4	12,1	12,6	12,4	14,4	14,3
Tous baccalauréats	20,1	25,9	29,4	43,5	62,7	62,8	61,4	62,8	62,9	62,5	65,5	65,7

Champ : France métropolitaine, établissements publics et privés.

Sources : Insee/MENJVA Depp/Système d'information Océan et enquête n° 60 sur les résultats définitifs du baccalauréat 2010, Insee.

Accompagnement
personnalisé

Préparer l'oral

1. L'oral ne doit pas être négligé

• Le rattrapage au baccalauréat se fait uniquement sur des épreuves orales. Il faut se préparer à cette éventualité.
• Pour être admis dans certaines filières postbac, vous serez sélectionné sur des épreuves orales ou des entretiens.

2. Réussir l'oral en mettant toutes les chances de son côté

• S'exprimer clairement.
• Maîtriser son sujet.
• Présenter sa réponse de façon organisée.

Quelques conseils

• Arriver un peu avant l'épreuve pour se familiariser avec les lieux.
• Préparer soigneusement son exposé en surlignant les titres et les passages importants.
• Parler distinctement et de façon très compréhensible pour le jury en regardant ses interlocuteurs.
• Prendre le temps de bien comprendre les questions posées et éventuellement demander à l'examinateur de répéter, si on n'est pas sûr d'avoir bien compris.
• Détailler sa réponse, valoriser ses connaissances.

3. Conseils généraux

À éviter

➜ Lire ses notes sans regarder son interlocuteur.
➜ Une expression orale incorrecte.

Important

➜ Parler pendant tout le temps imparti.
➜ Ne pas hésiter à exploiter les documents.
➜ Montrer les prolongements possibles.

Pour rester zen

➜ Bien utiliser tout le temps de préparation.
➜ Concevoir sa réponse jusqu'à la conclusion.

ACTIVITÉS **À vous de jouer !**

1. Travailler la forme de l'oral

Constituez un binôme avec un camarade.

1. Travaillez la clarté. Lisez un texte en prenant des notes, puis exposez le contenu du texte devant votre binôme à partir de ces notes. Ensuite, votre interlocuteur restitue ce qu'il a compris. Comparez avec le texte initial.

2. Travaillez la gestion du temps. Lisez un texte à haute voix devant votre binôme qui vous chronomètre, de façon à bien réaliser ce que signifie « parler 10 min » !

3. Travaillez l'improvisation. Demandez à votre binôme de vous poser des questions sur le programme de SES (aidez-vous des « questions de cours »). Répondez le plus clairement possible et demandez-lui de noter tout ce qui peut perturber la transmission du message : hésitations, tics de langage, bafouillages... Recommencez jusqu'à parvenir à une réponse claire. Enchaînez les questions sur des thèmes les plus éloignés.

4. Travaillez la communication non verbale. Même dispositif que précédemment, mais cette fois, demandez à votre camarade de noter votre comportement : regardez-vous votre interlocuteur ou avez-vous tendance à détourner le regard ? Êtes-vous correctement assis ? Avez-vous des « tics » (balancement de pieds, mains qui tapotent la table...) ?

5. Répétez ce travail en alternant les rôles.

2. Travailler le fond

Vous disposez de 30 min pour préparer le sujet d'oral proposé page 357 du manuel. Chronométrez chacune des étapes suivantes :

1re étape : questions 1 et 2 (6-7 min)

1. Au brouillon, sans rédiger, inscrivez les mots et expressions-clés que vous devrez utiliser dans votre réponse.

2e étape : question 3 (6-7 min)

2. Construisez rapidement au brouillon un graphique mettant en évidence la périodisation des deux variables concernées par la question.
3. Répondez à la question en construisant un schéma simple.
4. Notez les mots et expressions que vous ne devez pas oublier dans votre réponse.

3e étape : question principale (15 min)

5. Lisez attentivement le sujet. Que savez-vous du RSA ? Notez-le sur votre brouillon.
6. Analysez le document 2 : écrivez au brouillon les mots importants ; repérez les phrases ou expressions qui donnent des indications sur le lien entre RSA et pauvreté.
7. Comment le document 2 répond-il à la question posée ?
8. Quelle utilisation peut-on faire du document 1 ?
9. Construisez un plan en deux parties : pour chacune des parties, notez les mots importants à utiliser, les enchaînements principaux (vous pouvez utiliser des schémas simples) et les renvois aux documents.
10. Pensez à ce que vous direz dans votre introduction et dans votre conclusion.

4e étape : l'oral (10 min)

11. Testez votre travail en simulant un oral avec votre binôme.

Comment analyser les conflits sociaux ?

Qu'y a-t-il de commun entre un « blocus » lycéen, la Révolution française, une grève de la faim, Mai 1968 ou l'occupation d'une usine ? Ce sont des conflits sociaux, c'est-à-dire des situations où des individus affrontent collectivement une institution ou un autre groupe social. Mais au-delà de ce point commun, la longue histoire de la conflictualité dans les sociétés occidentales est celle d'une grande diversité et d'une série de mutations.

> **Comment saisir la diversité et les mutations des conflits sociaux sur le moyen et le long terme ?**

Quand un conflit social éclate, s'il est médiatisé, les commentaires abondent. Les uns s'indignent contre les perturbations qu'il crée : voitures brûlées, production arrêtée, transports bloqués, etc. Les autres cherchent à en comprendre les causes. Tous s'accordent cependant sur un point : les conflits sociaux seraient le symptôme d'une société malade. Et s'ils étaient au contraire une preuve de vitalité des groupes mobilisés ? S'ils étaient, au-delà d'un désordre temporaire, une forme du lien social ?

> **Faut-il voir dans les conflits sociaux une pathologie de l'intégration, ou un facteur de cohésion sociale ?**

Quand un groupe se mobilise, c'est toujours à la fois *pour* (pour des salaires plus élevés, des papiers, le droit d'avorter, etc.) et *contre* (contre un patron, une politique, un gouvernement, etc.). Sur cette base, les conflits sociaux sont dénoncés comme une entrave aux « réformes », ou acclamés comme l'aube d'une société meilleure. Une réflexion sociologique doit permettre de dépasser cette opposition.

> **Par quels canaux les conflits mènent-ils au changement social ? Dans quelles conditions le freinent-ils ?**

SOMMAIRE

Réviser les acquis de 1ʳᵉ	252
I Quelles mutations les conflits sociaux ont-ils connues ?	282
A Mutations de long terme : la normalisation de la contestation	282
B Mutations récentes : de nouveaux mouvements sociaux ?	284
II Le conflit est-il un moment de rupture du lien social ?	286
A La fragilisation du lien social, facteur de conflit ?	286
B Le conflit, facteur paradoxal de cohésion	288
III Dans quelle mesure les conflits contribuent-ils au changement social ?	290
A Le conflit, facteur de changement(s)	290
B Des protagonistes opposés au changement ?	292
TD **1.** Compter les grévistes	294
TD **2.** Intégration et conflit : le modèle d'Oberschall	295
Synthèse	296
Schéma Bilan	298
Autoévaluation	299
Vers le Bac	300
Aide au travail personnel	303

Notions au programme
- Conflits sociaux
- Mouvements sociaux
- Régulation des conflits
- Syndicat

Acquis de 1ʳᵉ
- Groupe d'intérêt
- Conflit

Fiche Notion 4 (voir p. 416)
- Les grandes transformations sociales

Un jeune homme lançant un pavé sur les CRS,
le 25 mai 1968 dans le Quartier latin à Paris.

2 « La réforme oui, la chienlit non ! »

Charles de Gaulle, président de la République,
à propos des événements de Mai 1968.

« Les occupations des Assédic par les chômeurs sont illégales. »

Martine Aubry, ministre de l'Emploi et
de la Solidarité, à propos d'une mobilisation
de chômeurs durant l'hiver 1997-1998.

« Ce n'est pas la rue qui gouverne en démocratie. »

Dominique Paillé, porte-parole de l'UMP
et secrétaire national en charge des relations
avec les organisations syndicales, à propos des
manifestations contre la réforme des retraites
menée par le gouvernement Fillon,
en 2010-2011.

3

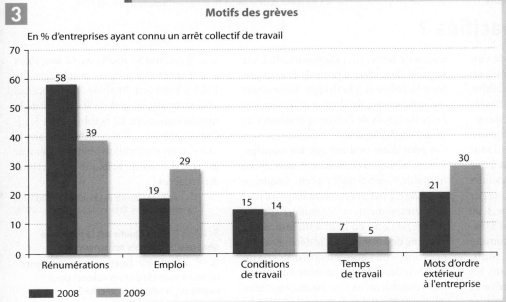

Motifs des grèves

En % d'entreprises ayant connu un arrêt collectif de travail

	Rénumérations	Emploi	Conditions de travail	Temps de travail	Mots d'ordre extérieur à l'entreprise
2008	58	19	15	7	21
2009	39	29	14	5	30

■ 2008 ■ 2009

Champ : entreprises de 10 salariés ou plus (secteur marchand non agricole) ayant déclaré un arrêt collectif de travail. Le total des motifs peut être supérieur à 100 % car un même arrêt de travail peut porter sur plusieurs revendications.

Source : enquête Acemo « Négociation et représentation des salariés », Dares.

1. Que s'est-il passé en Mai 1968 ? (Doc. 1)

2. Comment les trois dirigeants politiques présentent-ils les mouvements sociaux ? (Doc. 2)

3. Quels sont les principaux motifs de grève ? (Doc. 3)

I. Quelles mutations les conflits sociaux ont-ils connues ?

A Mutations de long terme : la normalisation de la contestation

1. Des conflits divers, mais récurrents

1. Barricade pendant la révolution des Trois glorieuses en juillet 1830.
Le combat de l'Hôtel de ville, Tableau de Victor Schnetz (1833).

2. Grève et occupation d'une usine en 1936.

3. Une manifestation féministe pour l'avortement à Paris en 1979.

1. CONSTATER. Montrez la diversité des conflits sociaux, en vous posant les questions suivantes : Qui s'oppose à qui ? Que veulent les groupes mobilisés ? Quels moyens de contestation utilisent-ils ? Comment sont-ils organisés ?

2. ILLUSTRER. Décrivez deux autres exemples de conflits sociaux, passés ou contemporains, à partir des quatre critères précédents.

3. DÉFINIR. Proposez une définition du conflit social susceptible d'englober tous les exemples précédents.

2. Des conflits pacifiés ?

Premier constat, les niveaux de violence dans les manifestations en Europe continentale demeurent faibles. […] [En France, les actions violentes] surviennent dans moins de 5 % des démonstrations de rue. […] Sur le moyen terme, la violence dans les manifestations a sans conteste décru. Cela tient sans doute à une certaine pacification des conflits sociaux et à la maîtrise de plus en plus grande par les protestataires du recours à la rue, telle qu'elle se donne à voir notamment à travers des innovations techniques comme l'invention des services d'ordre. Mais, surtout, le recul des violences dans les interactions entre forces de l'ordre et contestataires est à mettre en relation avec l'évolution considérable et continue des techniques de répression des rassemblements de foule. […] Bien souvent, dans le passé, la violence pouvait être imputée à la police et à la troupe, faute d'une reconnaissance du droit à manifester et faute de forces de l'ordre spécialisées de maintien de l'ordre.

On peut donc avancer que les manifestations actuelles connaissent sans doute moins de violence qu'il y a cent cinquante ans. Elle n'a pas pour autant disparu. […] Plus précisément, et de manière spectaculaire, si l'on s'en tient à un indicateur extrême de la violence – le décès des manifestants – on s'aperçoit que, depuis la fin du siècle dernier, leur nombre ne connaît pas véritablement une baisse continue qui permettrait d'avérer une évolution linéaire. Au contraire, la période 1872-1914 apparaît relativement moins meurtrière : [on y] recense 51 morts en 42 ans, alors que d'après nos propres comptages, de 1919 à 1989 (en 70 ans), on en recense 118, auxquels s'ajoutent les morts de la manifestation du 17 octobre 1961 […]. Cela suggère […] la possibilité, dans le cadre d'une pacification tendanciellement avérée, du retour brusque aux actions meurtrières.

Olivier Fillieule et Danielle Tartakowsky,
La manifestation, Presses de Sciences Po, 2008.

1. CONSTATER. Quelle est la tendance générale décrite par les auteurs ?

2. RÉCAPITULER. Quels sont les différents facteurs avancés par les auteurs pour expliquer la tendance décrite ?

3. EXPLIQUER. À quelle(s) autre(s) transformation(s) sociale(s) peut-on relier cette tendance ?

3. La transformation du « répertoire » de l'action collective

Toute population a un répertoire limité d'actions collectives, c'est-à-dire de moyens d'agir en commun sur la base d'intérêts partagés. [...] Quelque part au XIXe siècle, les Français délaissent les moyens d'action collective dont ils se servent depuis deux siècles et adoptent le répertoire nouveau encore en usage aujourd'hui. Ce changement, d'abord hésitant, ne devient définitif qu'à partir des années 1850. En quoi consiste-t-il ? Grosso modo, le répertoire en vigueur du XVIIe siècle se joue dans un cadre *communal*, par des acteurs locaux ou les représentants locaux d'acteurs nationaux. De plus, il se fonde en grande partie sur le patronage, comptant sur les pouvoirs locaux pour transmettre les sujets de plainte ou régler les disputes, n'envisageant l'action que comme un remède à l'indignité ou à l'inefficacité temporaire des autorités, abandonnant le pouvoir aussitôt l'objectif atteint. Qu'on les qualifie d'« émeutes » ou de « désordres », les prises de grain, invasions de champ, sabotages de machines et autres actions similaires n'en ont pas moins une logique commune et un ordre intérieur. [...]

Par comparaison, le répertoire qui prend corps au XIXe siècle et prévaut encore aujourd'hui est d'envergure plus nationale ; quoiqu'il puisse également servir sur le plan local, il se prête à une coordination facile entre localités. En outre, ses actions sont relativement autonomes : plutôt que d'en passer par les puissants et de s'adapter aux moyens qu'ils approuvent, les acteurs du nouveau répertoire s'expriment directement et sur un mode qui leur est propre. Les grèves, les manifestations, les réunions électorales et autres formes d'action dont ils se servent pour faire entendre leurs plaintes et leurs revendications reposent de façon générale sur une organisation nettement plus consciente que par le passé.

Charles Tilly, *La France conteste, de 1600 à nos jours*, Fayard, 1986.

1. DÉFINIR. Qu'est-ce qu'un répertoire, au sens propre d'abord, au sens que lui donne Charles Tilly ensuite ?

2. CONSTATER. Quelle transformation le répertoire d'action collective a-t-il connue sur le long terme, en France ?

3. EXPLIQUER. Expliquez ce qui a changé, entre le XVIIe siècle et aujourd'hui, du côté des groupes mobilisés, d'une part, du côté des pouvoirs auxquels ils s'adressent, d'autre part.

REPÈRE	La légalisation de la contestation
1789	La « résistance à l'oppression » devient un « droit naturel et imprescriptible » (Déclaration des droits de l'homme et du citoyen, article 2).
1791	La loi Le Chapelier interdit les organisations ouvrières.
1864	La grève est légalisée.
1884	La loi Waldeck-Rousseau autorise les syndicats.
1901	Reconnaissance du droit d'association.
1946	Le droit de grève et le droit syndical sont inscrits dans le préambule de la Constitution.
1971	La liberté d'association devient constitutionnelle.
1982	Les lois Auroux imposent aux entreprises une obligation de négocier avec les représentants des salariés.

4. Histoire et fonctions d'une organisation : le syndicat

À l'origine du syndicat, on trouve toujours la coalition de petits groupes de salariés d'un même métier, pour obtenir de meilleurs salaires et organiser une entraide envers ceux qui sont au chômage, malades ou trop vieux pour retrouver de l'embauche. Ces petits groupes, en se rassemblant dans des organisations de plus en plus complexes, ont dépassé ces objectifs limités pour embrasser tous les aspects de la condition salariale. [...] Le recours à la grève a été l'arme utilisée pour faire plier les employeurs et les obliger à reconnaître le syndicat. C'est aussi la raison pour laquelle les syndicats ont eu recours à l'action politique afin d'obtenir, par la loi ou par la pression de l'État, ce qu'ils ne parvenaient pas à imposer directement. [...] La journée de huit heures ou la semaine de travail de cinq jours ont été les principales revendications. [...]

Pendant longtemps, la principale activité des responsables syndicaux d'entreprise a été de fournir à leurs adhérents une aide individuelle contre les sanctions, les brimades, les incidents de la vie quotidienne au travail : machines dangereuses, mauvaises conditions de travail, heures supplémentaires non payées, congés refusés, etc. Cette fonction « défense et recours », consistant à résoudre les problèmes individuels, dans une coopération conflictuelle avec la hiérarchie, a engendré une sorte de droit coutumier régissant la vie quotidienne au travail. [...] Aujourd'hui, cette fonction de régulation prend la forme de la négociation collective – dans l'entreprise, la région ou la branche – et les résultats de cette négociation peuvent servir de référence au-delà des seuls signataires. [...] En dehors de l'entreprise, les syndicats remplissent beaucoup d'autres fonctions importantes [...] Paritairement avec les organisations d'employeurs, ils gèrent des organismes sociaux de toute nature, en particulier les caisses d'assurance maladie, les caisses d'allocations familiales, les caisses de retraite, l'assurance-chômage. Ils fournissent également la moitié des juges élus des conseils de prud'hommes – qui tranchent les litiges individuels entre salariés et patrons – ou les membres des commissions de recours gracieux de la Sécurité sociale, qui examinent les réclamations des assurés. [...] En contrepartie de ces activités, les syndicats français, plus que dans tout autre pays, reçoivent de nombreuses aides publiques.

Dominique Andolfatto et Dominique Labbé, *Sociologie des syndicats*, La Découverte, 2007.

1. ILLUSTRER. Donnez au moins cinq exemples de syndicats français.

2. CONSTATER. Les syndicats ont-ils pour seule fonction d'organiser des grèves ?

3. RÉCAPITULER. Comment pourrait-on résumer l'histoire des syndicats, telle qu'elle est décrite ici ?

ENTRAÎNEMENT

QUESTION DE COURS. Qu'est-ce qu'un conflit social ?

SYNTHÈSE. Quelles transformations de long terme les conflits sociaux ont-ils connues en France ? (Doc. 2, 3, 4)

B Mutations récentes : de nouveaux mouvements sociaux ?

1. Nouveaux acteurs, nouveaux enjeux

Au cours des deux dernières décennies, les exceptions au modèle traditionnel de la politique de classe ont augmenté en nombre et en importance. Les questions traditionnelles gauche/droite ont perdu de leur force : en effet, la polarisation des partis autour du conflit de classe est rendue, de jour en jour, plus obsolète par l'émergence d'enjeux et de clivages plus ou moins nouveaux, qui se combinent dans une nouvelle culture politique. [...] Depuis les années 1970, sont apparus de nouveaux clivages qui échappent aux classes et sont liés au sexe, à l'appartenance ethnique, à l'attachement à une région, à la préférence sexuelle, au souci écologique et à la participation plus active des citoyens. Ces enjeux sociaux sont distincts des enjeux fiscaux et économiques [...] ; ils concernent de nouveaux modèles sociaux, autrement dit des normes culturelles relatives aux modes de vie des individus. [...] Ce changement est provoqué par la prospérité économique : plus celle-ci s'élève, plus des préoccupations liées au style et à la qualité de vie viennent se greffer sur les préoccupations économiques traditionnelles. [...]

Ces mouvements encouragent les gouvernements à répondre plus directement aux électeurs concernés. Inversement, les partis traditionnels hiérarchisés, les administrations et les syndicats sont perçus comme archaïques. Les citoyens militants et avertis, qui refusent d'être traités comme des « sujets » ou des « clients » dociles, articulent de nouvelles demandes. [...] Les conceptions de la nouvelle culture politique trouvent leurs plus fervents partisans parmi les sociétés et les individus les plus jeunes, les plus instruits et les plus aisés. [Elle] est née avec l'apparition de changements fondamentaux dans l'économie et dans la famille. Son émergence et sa diffusion sont favorisées par l'existence d'une hiérarchie sociale et économique moins forte, d'un consensus sur les valeurs plus large et par le développement des mass media.

Terry Nichols Clark et Ronald Inglehart,
« La nouvelle culture politique : modification des dynamiques favorables à l'État providence et aux politiques des sociétés post-industrielles » in Terry Nichols et Vincent Hoffmann-Martinot, *La nouvelle culture politique*, L'Harmattan, 2003.

1. ILLUSTRER. Donnez des exemples de mouvements sociaux illustrant cette « nouvelle culture politique ».

2. CONSTATER. Qu'est-ce qui différencie les « nouveaux » conflits sociaux des « anciens » ? Vous pouvez vous appuyer sur les quatre critères dégagés dans le document 1, p. 282, et compléter le tableau ci-dessous.

	Conflits de classe	Nouveaux mouvements sociaux	Exemple
...	Travail	...	...
Protagonistes	...	...	...
...	Syndicats, partis	Associations, collectifs temporaires	...
Répertoire	...	Actions à visée médiatique	...

3. EXPLIQUER. Quelles sont les changements sociaux qui ont produit cette transformation ?

> **DÉFINITION**
>
> **Conflit de classe**
> Il s'agit d'un conflit social opposant des classes sociales définies par leur position dans la production, et structurant l'ensemble des rapports sociaux. Dans la théorie de Marx : « bourgeois » (propriétaires des moyens de production) contre « prolétaires » (individus sans autre ressource que la vente de leur force de travail).
> (Voir chapitre 8, p. 206-207)

2. Qui descend dans la rue ?

Si l'on croise les données sur les organisations appelant à manifester, celles sur les manifestants et celles sur les revendications, on peut espérer une approximation valable des groupes sociaux ayant le plus recours à tel ou tel mode d'action[1]. [...] D'abord, dans la quasi-totalité des cas, les identités mises en avant par les manifestants sont des identités déclinées en termes de statut professionnel et/ou de profession. Seules s'en dégagent les catégories « parents d'élèves », « antiracistes », « femmes » et « étrangers/travailleurs immigrés ». On peut en déduire que l'action protestataire fait essentiellement référence aux occupations professionnelles, au travail. [...] Parmi [les groupes qui sont le plus souvent descendus dans la rue], les ouvriers viennent largement en tête, puisqu'ils sont présent dans 10 % des manifestations marseillaises et 15 % des manifestations nantaises. [...] Viennent ensuite les enseignants (avec 9 % des manifestations marseillaises et 12 % des nantaises), suivies par les parents d'élèves (5 % à Nantes, 7 % à Marseille), les étudiants et les lycéens (7 % à Marseille, 9 % à Nantes). [...]

Plus de 90 % des manifestations ont été appelées par une ou plusieurs organisations, contre toujours moins de 7 % de manifestations spontanées. [...] Les organisations ayant le plus souvent recours à la stratégie de la rue sont d'abord les syndicats. Ceux-ci sont présents dans 77 % des manifestations nantaises, 70 % des marseillaises et 43 % des parisiennes.

1. L'auteur a recensé les manifestations à Paris, Marseille et Nantes, notamment à partir des mains courantes tenues par les policiers chargés du maintien de l'ordre.

Olivier Fillieule, *Stratégies de la rue. Les manifestations en France*, Presses de Sciences Po, 1997.

1. CONSTATER. Quels sont les trois principaux résultats de l'enquête menée par l'auteur ?

2. EXPLIQUER. Confrontez ces résultats à la thèse exposée dans le document 1.

3. RÉCAPITULER. Les nouveaux mouvements sociaux se sont-ils substitués aux anciens ?

3. Des conflits du travail en recul ?

Assiste-t-on à un mouvement continu, depuis le dernier quart du XXᵉ siècle, de baisse des conflits [du travail] ? Ces derniers sont-ils [...] devenus plus radicaux dans le secteur industriel marqué par les délocalisations, les externalisations et les fermetures d'usines ? Ne s'agit-il que de conflits défensifs centrés sur l'emploi ? Connaissent-ils, au contraire, des formes nouvelles, [plus individuelles], liées aux transformations des organisations et des activités productives, témoignant d'une phase « postfordiste » et du déploiement, au sein de « l'entreprise néolibérale », d'un « nouvel esprit » et de nouvelles configurations du capitalisme ? N'existent-ils plus, finalement, que dans des secteurs protégés (transports, énergies, fonctions publiques) au sein desquels les protestations ritualisées et fréquentes témoigneraient d'un « retard » en matière de dialogue social ? La contestation est-elle devenue l'apanage de catégories de salariés dotées d'un fort pouvoir de nuisance (pilotes d'avion, contrôleurs aériens, conducteurs de train, etc.) qui entretiendraient une « gréviculture » spécifiquement française ? [...]
Outre leur perception latente du conflit comme dysfonctionnement du social, la plupart [de ces thèses] réduisent implicitement la notion de conflit du travail à la seule définition juridique de la grève : la « cessation collective de travail ». [...] [Ceci] a ouvert la voie à la liaison simplificatrice, à partir des années 1980, entre le processus de déstructuration du groupe ouvrier et l'effondrement de la pratique gréviste. [...] Cette réduction du conflit à la grève, c'est-à-dire à l'une de ses formes a contribué à laisser de côté « la poussière des petits conflits », selon la formule de Michelle Perrot. Elle a eu pour conséquence directe, à l'orée de la décennie 1980, avec la baisse des journées individuelles non travaillées pour fait de grève[1], l'idée que l'ère des conflits était close dans la sphère du travail. Or, à l'évidence, il n'en est rien [...].

1. Voir TD, p. 294.

Sophie Béroud, Jean-Michel Denis, Guillaume Desage, Baptiste Giraud et Jérôme Pélisse, *La lutte continue ? Les conflits du travail dans la France contemporaine*, Éditions du Croquant, 2008.

1. CONSTATER. Les auteurs exposent les thèses qui rendent compte des transformations des conflits du travail depuis 1975 : quelles sont ces transformations ?

2. ILLUSTRER. À partir de recherches, donnez un exemple (données statistiques, article de presse) illustrant chacune de ces transformations.

3. EXPLIQUER. Quelle est, selon les auteurs, la limite de ces thèses ?

> **DÉFINITION**
>
> **Le répertoire des conflits du travail**
> **Grève.** Arrêt collectif du travail.
> **Débrayage.** Interruption collective du travail, moins d'une journée.
> **Freinage.** Ralentissement de la production, sans arrêt de travail.
> **Grève du zèle.** Ralentissement de la production par application pointilleuse des consignes.
> **Prud'hommes.** Juridiction spécialisée dans les contentieux professionnels. Les conseillers prud'homaux sont à parité des salariés et des employeurs.

4. Évolution des conflits du travail, par type et par secteur

Proportion d'entreprises ayant connu des conflits entre 2002 et 2004 et évolution depuis la période 1996-1998													
	Débrayage		Grève de moins de 2 jours		Grève de plus de 2 jours		Refus d'heures supplémentaires		Manifestation		Pétition		Au moins un conflit collectif	
	%	Évol. (pts)	%	Évol. (pts)	%	Évol. (pts)	%	Évol. (pts)	%	Évol. (pts)	%	Évol. (pts)	%	Évol. (pts)
Industrie	19,1	+ 3,6	13,8	+ 3,8	5,4	+ 1,9	14,9	+ 9,6	13,9	+ 5,6	14,9	+ 5,7	42	+ 12,9
Construction	2,8	+ 1,4	2	+ 0,4	1,2	+ 0,7	12,1	+ 7,9	3,4	+ 1,6	5,4	+ 1,8	18,1	+ 6
Commerce	6	+ 3,4	2,7	− 0,2	0,4	+ 0,1	7,6	+ 5,6	1,5	=	4,6	+ 0,1	18,1	+ 7,5
Transport	8,8	+ 1	16,8	+ 3,1	4,5	− 1,4	14,3	+ 10,3	4,1	− 2,1	9,2	− 1,1	36,3	+ 11,9
Finance, immobilier	21,2	+ 11	18,5	− 5,4	4,2	− 3,7	3	+ 2,6	5,3	− 0,8	16,6	+ 7,5	39,6	+ 5,6
Services	5,7	+ 1	6,2	+ 0,5	1,7	− 2,8	6,6	+ 3,9	5,6	+ 2,2	10,5	+ 2,4	25,3	+ 8
Éduc., santé, social, admin.	8,9	+ 4,7	10,4	+ 2,5	0,8	+ 0,4	5,3	+ 4,5	6,8	+ 1,1	15,1	+ 0,2	33,6	+ 11,3
Ensemble	10	+ 2,5	8,8	+ 1,3	2,5	− 0,5	9,6	+ 6,4	6,7	+ 1,8	10,6	+ 2,1	29,6	+ 8,9

Source : Sophie Béroud, Jean-Michel Denis, Guillaume Desage, Baptiste Giraud et Jérôme Pélisse, *La lutte continue ? Les conflits du travail dans la France contemporaine*, Éditions du Croquant, 2008.

1. CONSTATER. Que signifient les données entourées ?

2. EXPLIQUER. Peut-on dire que les conflits du travail sont en baisse ?

3. EXPLIQUER. Parmi les différents types de conflit du travail, quel est celui qui fait exception à la tendance générale ?

4. CONSTATER. Quel est le secteur en pointe dans les conflits du travail ?

> **ENTRAÎNEMENT**
>
> **QUESTION DE COURS.** Quelles sont les caractéristiques des « nouveaux mouvements sociaux » ?
>
> **SYNTHÈSE.** Les conflits de classe sont-ils dépassés aujourd'hui ? (Doc. 1, 2, 3 et 4)

II. Le conflit est-il un moment de rupture du lien social ?

A La fragilisation du lien social, facteur de conflit ?

1. Deux théories

a. « Anomie » et conflit

Pour l'auteur des *Règles de la méthode sociologique* (1895), toute société « normale » implique la mise en œuvre de mécanismes d'intégration qui limitent considérablement l'ampleur des conflits. Dans *De la division du travail social* (1893), Durkheim décrit le passage d'une forme d'intégration reposant sur la solidarité mécanique [...] à une nouvelle forme d'intégration liée cette fois à la mise en œuvre d'une forte division du travail. [...] Élaborée à un moment où la France connaît un fort développement des luttes sociales, des grèves provoquées par une mobilisation ouvrière croissante, de même que des luttes politiques liées tout à la fois à ces affrontements sociaux et aux partis de gauche qui les amplifient mais aussi aux conséquences dramatiques de l'affaire Dreyfus qui fait figure de conflit central provoquant une coupure presque radicale dans la société française, l'œuvre de Durkheim concerne les moyens de rétablir cette intégration si indispensable au fonctionnement de l'ordre social. [...] [Il] en vient ainsi à considérer la crise morale de la société française si propice à l'épanouissement des conflits extrêmes comme le résultat d'une grave déficience de la fonction régulatrice que doivent toujours exercer à ses yeux les normes collectives.

Pierre Birnbaum, « Conflits », in Raymond Boudon (dir.), *Traité de sociologie*, PUF, 1992.

b. « Société de masse » et conflit

Les premiers théoriciens, en accord avec ce qu'il est convenu d'appeler la théorie de la société de masse, ont soutenu l'idée que les conflits sociaux, surtout dans leurs formes les plus intenses, ont tendance à apparaître quand les formations sociales traditionnelles et les solidarités communautaires font défaut. La désorganisation sociale, affirment-ils, provoque d'énormes tensions, frustrations et insécurité parce que les gens sont privés de leurs attaches traditionnelles. Les plus frustrés, c'est du moins ce qu'ils disent, en accord avec la célèbre hypothèse de la frustration-agression, seront sans doute les plus enclins à participer à un comportement déviant et à être recrutés dans des mouvements sociaux. Là où l'anomie est forte, dans des centres industriels en développement ou dans des communautés rurales en déclin et en voie de désorganisation, on peut constater un taux de criminalité et de maladies mentales élevé, mais aussi des formes d'action politique et sociale absolument irrationnelles. On peut dire ici que les mouvements sociaux particulièrement violents résultent du brusque relâchement de tensions principalement irrationnelles et ne sont pas le fait d'une action rationnelle.

Lewis A. Coser, *Les fonctions du conflit social* (1956), PUF, 1982.

1. DÉFINIR. Qu'est-ce que l'intégration ? Qu'est-ce que l'anomie ? (Voir chapitre 10). Quelles sont les deux formes de lien social distinguées par Durkheim ? (Doc. a)

2. ILLUSTRER. Quels conflits sociaux ces deux théories cherchent-elles à expliquer ? (Doc. a et b)

3. EXPLIQUER. Quelle est la thèse commune de ces deux théories ? (Doc. a et b)

2. Sociologie de l'attitude protestataire

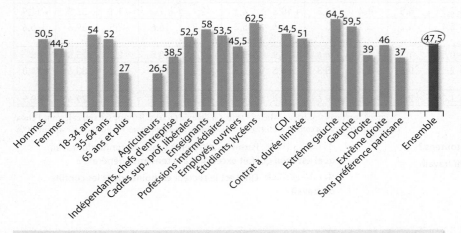

1. CONSTATER. Que signifie la donnée entourée ?

2. CONSTATER. Ces données confirment-elles les théories exposées dans le document 1 ?

3. EXPLIQUER. Comment peut-on expliquer que les ouvriers et employés fassent partie des groupes sociaux les moins enclins à déclarer être prêts à manifester, alors que les ouvriers sont en tête des groupes qui descendent effectivement dans la rue ? (Voir doc. 2, p. 284)

« En ce moment, seriez-vous prêt(e) à participer à une manifestation pour défendre vos idées ? ».
Proportion de réponses « tout à fait » ou « plutôt » (en %).

Source : Guy Groux, « Le potentiel protestataire et le vote. La propension à manifester », Cevipof, 2007.

3. La difficulté des groupes les moins intégrés à se mobiliser

Il n'est guère contestable que les mouvements de chômeurs mobilisent finalement peu par rapport à la base théoriquement mobilisable. [...] Une enquête menée auprès du Mouvement national des chômeurs et des précaires (MNCP) montre que, tant du point du vue de leurs bénévoles que de celui des publics qui s'adressent aux associations, les organisations de chômeurs sont en contact direct avec le noyau dur du chômage de crise, soit les composantes les plus fragilisées des populations de sans-emploi [...] : le plus souvent d'origine sociale (très) populaire (ouvriers, employés), peu – voire pas – diplômées, aux durées de chômage longues (voire définitives), aux conditions d'existence très précaire, bien souvent prises dans les circuits des minima sociaux et du RMI [...].

Bien évidemment, mobiliser pour revendiquer constitue, pour toutes ces associations, un objectif central. Pourtant, dans les faits, les engagements sont fluides, fragiles et restreints. Rappelons que la sociabilité et la participation à des associations sont très inégalement distribuées dans l'espace social : elles dépendent très étroitement du niveau de ressources économiques et culturelles détenues, lequel détermine aussi très largement le degré de politisation des individus. La capacité – socialement inégale – à maîtriser des catégories abstraites, des discours spécifiquement « politiques » (ne serait-ce que les « théories » du chômage), à les retraduire pratiquement dans un engagement militant, est évidemment largement absente dans cette composante du chômage contemporain qu'est le chômage de crise. [...] L'urgence économique, couplée au déficit de politisation (i.e. de ressources culturelles) et au stigmate social que constitue la situation de chômage (rappelons que très peu de chômeurs s'identifient à la catégorie), ne peut que rendre improbable voire impossible une mobilisation des chômeurs et des précaires sur une très large échelle.

Emmanuel Pierru, *Guerre aux chômeurs ou guerre au chômage*, Éditions du Croquant, 2005.

1. CONSTATER. Pourquoi ce groupe social a-t-il des difficultés à se mobiliser ?

2. EXPLIQUER. À partir de cet exemple, montrez que les mobilisations supposent des ressources matérielles et culturelles, dont les groupes sociaux sont inégalement dotés.

3. EXPLIQUER. Confrontez les résultats de cette enquête aux théories du document 1.

4. Pathologie de l'intégration ou demande d'intégration ?

En dépit de leurs différences, les [mobilisations de prostituées] n'en contiennent pas moins une revendication de reconnaissance officielle de l'activité prostitutionnelle [...] en tant que « profession comme une autre ». Les enjeux matériels de cette reconnaissance sont explicites chez celles et ceux qui l'exigent : elle permettrait aux prostituées jusqu'à présent placées dans une zone de vulnérabilité sociale de bénéficier des avantages propres aux « vraies » activités professionnelles que sont par exemple l'accès à la Sécurité sociale ou à la retraite. Les enjeux symboliques sont eux aussi évident : l'institutionnalisation de la prostitution [...] pourrait à terme contribuer à annuler le stigmate et l'indignité de celle ou celui qui l'exerce. [...] Ces enjeux concernent la place occupée par les prostituées au sein du monde social, et s'expriment dans ce qu'on pourrait qualifier de demande d'intégration sociale. Souffrant d'être des « exclues » ou des « marginales » « rejetées de la société » – toutes expressions que l'on a pu entendre dans la bouche de prostituées –, celles-ci adressent au travers de leurs mobilisations des demandes désespérées que soit mis fin à l'ambiguïté de leur statut afin qu'elles puissent intégrer ce qu'elles se représentent comme « la société » et en être véritablement considérées comme une des composantes à part entière. [...]

De ce point de vue, les mouvements que nous avons étudiés présentent bien des points communs avec les luttes, apparues principalement aux États-Unis, s'inscrivant dans ce que Charles Taylor a appelé la politique de la reconnaissance, et menées le plus souvent par des minorités ethniques ou sexuelles pour obtenir la double reconnaissance de leur spécificité – qui les distingue des autres – et de leur égale dignité.

Lilian Mathieu, *Mobilisations de prostituées*, Belin, 2001.

1. CONSTATER. Quel est le point commun entre ce groupe social et celui qui est étudié dans le document 3 ?

2. ILLUSTRER. Donnez d'autres exemples de ces « politiques de la reconnaissance ».

3. EXPLIQUER. Laquelle des deux affirmations ci-dessous résume le mieux la thèse de l'auteur ?
a. « Les conflits sociaux sont le résultat d'un déficit d'intégration. »
b. « Quand les groupes exclus se mobilisent, c'est pour revendiquer leur intégration. »

POUR APPROFONDIR

L'action collective comme « mobilisation de ressources »
Dans les années 1960, dans le sillage de Mancur Olson, des chercheurs américains, notamment Charles Tilly et Anthony Oberschall (voir TD, p. 295), forgent une nouvelle grille de lecture des mouvements sociaux, qui renverse les thèses antérieures : l'action collective n'est pas le fruit spontané de la souffrance, ni le résultat d'une désagrégation des liens sociaux : c'est une entreprise qui suppose de mobiliser (rassembler) des ressources (des moyens), dont les groupes sociaux sont inégalement dotés.

ENTRAÎNEMENT

QUESTION DE COURS. Présentez au moins une théorie sociologique qui explique les conflits sociaux comme une pathologie de l'intégration.

SYNTHÈSE. Quelles objections empiriques peut-on faire à ce genre de théorie ? (Documents 2 et 3).

documents

B Le conflit, facteur paradoxal de cohésion

documents

1. Le conflit comme « dissolution » : la Révolution vue par Taine

Dans la nuit du 14 au 15 juillet 1789, le duc de la Rochefoucauld-Liancourt fit réveiller Louis XVI pour lui annoncer la prise de la Bastille. « C'est donc une révolte, dit le roi. – Sire, répondit le duc, c'est une révolution. » L'événement était bien plus grave encore. Non seulement le pouvoir avait glissé des mains du roi, mais il n'était point tombé dans celles de l'Assemblée ; il était par terre, aux mains du peuple lâché, de la foule violente et surexcitée, des attroupements qui le ramassaient comme une arme abandonnée dans la rue. En fait, il n'y avait plus de gouvernement ; l'édifice artificiel de la société humaine s'effondrait tout entier ;

on rentrait dans l'état de nature. Ce n'était pas une révolution, mais une dissolution. […] Ajoutez à cela les clameurs, l'ivrognerie, le spectacle de la destruction, le tressaillement physique de la machine nerveuse tendue au-delà de ce qu'elle peut supporter, et vous comprendrez comment, du paysan, de l'ouvrier, du bourgeois, pacifiés et apprivoisés par une civilisation ancienne, on voit tout d'un coup sortir le barbare, bien pis, l'animal primitif, le singe grimaçant, sanguinaire et lubrique, qui tue en ricanant et gambade sur les dégâts qu'il fait.

Hippolyte Taine, *Les origines de la France contemporaine* (1878), Robert Laffont, 1972.

1. DÉFINIR. Hippolyte Taine est un homme de lettres français du XIXe siècle (1828-1893), considéré comme conservateur, voire réactionnaire : quelle est la signification de ces deux termes ?

2. CONSTATER. Comment Taine décrit-il la Révolution de 1789 ?

2. Le conflit, facteur de cohésion : Simmel et Coser

Fonction	Explication	Conditions de validité
Le conflit est, en soi, un lien social	« Si toute interaction entre les hommes est une [manière de faire société], alors le conflit, […] doit absolument être considéré comme une [manière de faire société]. » (Simmel)	Si le conflit conteste les valeurs centrales sur lesquelles repose la société, il divise. S'il est mené dans le cadre et au nom de ces valeurs, il les renforce.
Le conflit structure la société	« Les hostilités […] fournissent souvent aux classes et aux individus des positions réciproques […]. » (Simmel)	Les clivages (revenus, religions, langues, etc.) doivent être multiples (société différenciée), et ils ne doivent pas se superposer. Dans le cas contraire, il y a cassure en deux blocs.
Le conflit renforce la solidarité interne de chaque camp	« La lutte qui concentre les énergies du groupe pour sa propre défense lie plus étroitement les membres les uns aux autres et contribue à l'intégration. » (Coser)	Le groupe doit être suffisamment cohérent avant le conflit. Dans le cas contraire, le conflit désagrège le groupe.
Lutter, c'est participer	Le conflit amène les groupes mobilisés à participer à la « sphère des activités sociales publiques ». (Coser)	Suppose la reconnaissance des formes de participation non conventionnelles. Dans le cas contraire, il y a violence.
Le conflit est un exutoire des tensions sociales	« Simmel a présenté, au sujet du conflit, une ¨théorie de la soupape de sûreté¨. Le conflit sert d'exutoire qui, sans cette issue, briseraient les rapports entre les antagonistes. » (Coser)	Suppose une régulation des conflits. Dans le cas contraire, il y a radicalisation.

D'après Georg Simmel, *Le conflit* (1903), Circé, 1995 et Lewis A. Coser, *Les fonctions du conflit social* (1956), PUF, 1982

1. ILLUSTRER. À quelle fonction des conflits sociaux énumérés dans la première colonne les phénomènes suivants correspondent-ils ?
a. Lancer une grève, cela suppose de s'organiser et cela crée des liens entre individus engagés.
b. C'est au nom de l'égalité, valeur républicaine, que les groupes féministes dénoncent la sous-représentation des femmes dans les lieux de pouvoir.
c. Suite aux événements, parfois violents, de Mai 1968, le gouvernement et les syndicats s'accordent sur une forte hausse du Smic.
d. Quand des sans-papiers entament une grève de la faim, ils quittent la clandestinité et entrent dans l'espace public.
e. Les conflits de classe produisent des identités collectives : ouvriers/patrons.

2. ILLUSTRER. Illustrez la troisième colonne en donnant des exemples de conflits sociaux qui ne remplissent pas ces fonctions.

3. RÉCAPITULER. Quel effet les conflits sociaux ont-ils sur le lien social ?

> **REPÈRE** **Georg Simmel** (philosophe et sociologue allemand, 1858-1918)
> Il est notamment l'auteur de textes fondamentaux sur le conflit social, écrits entre 1903 et 1908 (traduction en français : *Le conflit*, Circé, 1995), sur lesquels le sociologue américain Lewis A. Coser s'appuiera dans les années 1950 et 1960. Sa thèse centrale : loin d'être une pathologie sociale, le conflit est une forme normale des relations sociales.

3. Un exemple : le mouvement des droits civiques (1955-1965)

Boycott. [Dans un bus de Montgomery, capitale de l'Alabama], le 1er décembre 1955, Rosa Parks refusa de laisser sa place à un voyageur blanc. [...] Elle fut immédiatement arrêtée. Un boycott spontané de la compagnie se déclencha dans la foulée. Mais il fallait mieux s'organiser, si le boycott devait durer : la Montgomery Improvement Association (MIA) fut donc créée le 5 décembre, avec à sa tête un jeune pasteur prometteur du nom de Martin Luther King. [...]

Sit-in. L'organisation de sit-in – occupation pacifique de lieux publics ségrégués – constitua une autre forme d'action. [...] La vague de sit-in commença en février 1960 lorsque quatre étudiants de Greensboro, en Caroline du Nord, s'assirent dans la cafeteria d'un magasin Woolworth's réservée aux Blancs. Personne n'osa les en expulser. [...]

Riders. Les « freedoms rides » (voyages de la liberté) rassemblaient des jeunes, Noirs et Blancs confondus, les « riders », qui voyageaient ensemble à travers le Sud, afin d'apporter leur soutien à la population noire et défier les lois de la ségrégation. Le premier bus quitta Washington pour la Nouvelle-Orléans le 4 mai 1961 : le voyage fut émaillé de violences, car les Blancs racistes et les autorités entendaient mettre fin à cette provocation. [...] D'autres « riders » prirent le relais de celles et ceux qui étaient en prison ou à l'hôpital, et ainsi de suite. À leur retour dans le Nord, les militants étaient accueillis en héros, et suscitaient de nouvelles vocations. [...]

I have a dream. À l'été 1963, une grande manifestation fut prévue, cette fois à Washington. [...] [Devant plus de 250 000 personnes], King prit enfin la parole. [...]. Ce discours enflammé, qui rappelait les idéaux de justice et d'égalité, et affirmait que la couleur de peau ne devrait pas être un handicap ou un malheur aux États-Unis, faisait écho au Discours d'émancipation de Lincoln, prononcé un siècle plus tôt [...]. Le premier objectif des militants était atteint : le Civil Right Act, proposé par Kennedy le 11 juin 1963 et finalement voté le 2 juillet 1964, interdisait toute discrimination et ségrégation dans les lieux publics. [...]

Affirmative action. Il fallut attendre 1967, qui marqua un tournant politique important, pour constater des progrès dans la représentation politique des Noirs avec l'élection de maires noirs dans plusieurs métropoles du pays. [...] À partir des années 1970, on assista à la consolidation de la classe moyenne-supérieure noire, qui accéda à des domaines jadis réservés aux Blancs, en particulier dans la fonction publique moyenne et supérieure et dans les grandes entreprises. Ce développement fut favorisé en grande partie par la mise en place des programmes d'« affirmative action » à partir de 1965.

Pap Ndiaye, *Les Noirs américains en marche pour l'égalité*,
Gallimard, coll. « Découvertes », 2009.

1. EXPLIQUER. En quoi ce mouvement social illustre-t-il les thèses exposées dans le document 2 ?

2. ILLUSTRER. En vous appuyant sur vos connaissances de l'histoire et de la société américaines, nuancez la thèse selon laquelle ce mouvement social a accru la cohésion sociale.

4. Un paradoxe : légaliser les syndicats pour limiter les grèves

La structuration du phénomène syndical et sa reconnaissance légale – en 1884 – a également répondu à une contrainte de régulation sociale. Moyen de « défense » et de « conquête » pour ceux qui ont été les artisans directs de son histoire, le syndicalisme a aussi été perçu comme [...] nécessaire pour rendre [la société] plus aisément gouvernable. Les conditions dans lesquelles la loi de 1884 a été discutée et votée le montrent bien. On attend d'abord d'elle qu'elle favorise une canalisation constructive des revendications et des protestations. « Nous avons la conviction profonde, écrit par exemple le rapporteur du projet de loi au Sénat, Tolain, que c'est dans les syndicats professionnels que se trouveront bientôt les plus puissants éléments de sécurité publique, de progrès industriels et de progrès social. » [...]

Brialou, un député ouvrier, donne bien le ton du sentiment général qui va décider l'assemblée. « Ce qui facilite les grèves, dit-il, c'est le manque d'organisation sérieuse qui livre la plupart du temps les corporations à la merci de coups de tête irréfléchis de quelques hommes inconséquents, qui lancent les ouvriers dans une grève pour un oui ou pour un non. Tandis qu'avec les syndicats, composés généralement des hommes les plus sérieux et les plus intelligents des corporations, vous pouvez être certains que tous les moyens de conciliation seront toujours employés jusqu'à la dernière extrémité ; et alors vous n'aurez plus ces grèves intempestives qui surgissent du jour au lendemain [...]. »

[...] Des chefs d'entreprise viennent d'ailleurs dans cet esprit appuyer le projet de loi devant les commissions du Parlement. Les délégués de l'Union nationale du commerce et de l'industrie, le lointain ancêtre du [Medef], disent ainsi : « On ne s'entend pas, on ne contracte pas, on ne transige pas avec une foule [...]. »

Pierre Rosanvallon, *La question syndicale*,
Hachette, 1998.

1. CONSTATER. Les représentants des ouvriers, des chefs d'entreprise et de l'État ont chacun un intérêt spécifique à la reconnaissance légale des syndicats : lequel ?

2. EXPLIQUER. Expliquez la phrase soulignée.

3. ILLUSTRER. En vous appuyant sur le document 4, p. 283, montrez que l'évolution ultérieure des syndicats a renforcé cette fonction de régulation.

ENTRAÎNEMENT

QUESTION DE COURS. Qu'est-ce que la « régulation des conflits » ?

SYNTHÈSE. Par quels mécanismes les conflits sociaux contribuent-ils à la cohésion sociale ?

documents

III. Dans quelle mesure les conflits contribuent-ils au changement social ?

A Le conflit, facteur de changement(s)

1. Une rupture radicale : la révolution

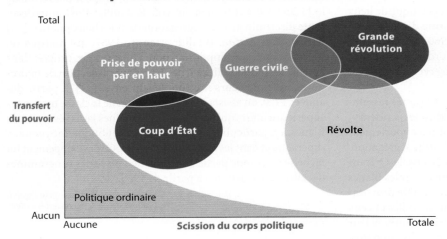

Une révolution a deux composantes : une situation révolutionnaire et une issue révolutionnaire. Une situation révolutionnaire […] implique une souveraineté multiple : deux blocs ou davantage manifestent concrètement des prétentions, incompatibles entre elles, à contrôler l'État, ou à être l'État. […] Il y a issue révolutionnaire quand le pouvoir d'État est transféré de ceux qui le détenaient avant le début de la période de souveraineté multiple à une nouvelle coalition de gouvernement.

Charles Tilly, *Les révolutions en européennes, 1492-1992*, Seuil, 1993.

1. CONSTATER. Qu'est-ce qui distingue une « grande révolution » (comme celle de 1789) d'un coup d'État ?

2. EXPLIQUER. Pourquoi les zones « guerre civile », « révolte » et « grande révolution » se chevauchent-elles ?

3. ILLUSTRER. En partant de l'exemple de la Révolution française, illustrez les changements sociaux qu'une révolution est susceptible de produire.

2. Le changement sans la révolution : la lutte contre le sida

1981. Les premiers cas de sida sont signalés aux États-Unis : cinq jeunes hommes, homosexuels.

1982. Création de la première association de lutte contre le sida : Gay Men Health Crisis.

1984. En France, création de Aides. Objectifs : l'information, la prévention, l'aide aux malades et le soutien à la recherche.

1985. Déclaration de Denver : « Nous condamnons ceux qui tentent de nous étiqueter comme "victimes", terme qui implique la défaite […]. Nous sommes des "personnes atteintes du Sida". »

1985. Expérimentation de l'AZT, qui restera longtemps le seul traitement effectif.

1987. À New York, des gays créent l'association Act Up. Elle dénonce les « complices » de l'épidémie : conservatisme moral, stigmatisation des minorités, insuffisance des politiques. Modes d'actions offensifs.

1987. Le gouvernement français autorise la publicité sur les préservatifs, et autorise la vente libre de seringues dans les pharmacies.

1989. Création d'Act Up-Paris, sur le modèle américain. Slogan de la première manifestation : « Sida : l'État meurtrier ».

1991. Début de « l'affaire du sang contaminé » : entre 1984 et 1985, des hémophiles ont été transfusés avec des produits sanguins contaminés. Colère des associations, longue procédure judiciaire, forte médiatisation. Trois ministres comparaîtront en 1999 pour « homicide involontaire ». Ils seront relaxés.

1992. Création, par cinq associations de malades, d'un groupe de travail sur les questions relatives aux traitements et à la recherche clinique, le TRT-5. « Nous sommes les experts. »

1996. Présentation à Washington des résultats spectaculaires des premières « trithérapies ». C'est le tournant médical de l'épidémie.

1996. Publication d'un manifeste pour une reconnaissance légale du couple homosexuel. Arrière-plan : le dénuement juridique et matériel du conjoint survivant au moment du deuil.

1997. Vote d'une loi instaurant le « pacte civil de solidarité » (Pacs), ouvert aux couples homosexuels.

1998. Vote d'une loi « relative au renforcement de la veille sanitaire et du contrôle de la sécurité sanitaire des produits destinés à l'homme ».

2002. Vote d'une loi « relative aux droits des malades et à la qualité du système de santé ».

2005. Les dirigeants du G8 s'engagent à atteindre l'accès universel à la prévention et aux traitements d'ici la fin 2010.

2006. L'enquête CSF confirme que l'utilisation du préservatif au premier rapport sexuel progresse.

2011. À Paris, lors de la manifestation annuelle du 1er décembre, les associations interpellent les candidats à l'élection présidentielle de 2012.

Hachette Éducation, 2012.

1. CONSTATER. Quel est le groupe social qui se mobilise le premier contre l'épidémie de sida ?

2. EXPLIQUER. Quels changements sociaux la lutte contre le sida a-t-elle produit ?

3. ILLUSTRER. À partir de vos connaissances, montrez que le mouvement féministe a produit des changements sociaux du même genre, et par des canaux comparables.

3. Quand le conflit transforme les groupes mobilisés : naissance de la classe ouvrière anglaise

C'est sous la forme des coalitions qu'ont toujours lieu les premiers essais des travailleurs pour s'associer entre eux. La grande industrie agglomère dans un endroit une foule de gens inconnus les uns aux autres. La concurrence les divise d'intérêts. Mais le maintien du salaire, cet intérêt commun qu'ils ont contre leur maître, les réunit dans une même pensée de résistance – coalition. Ainsi la coalition a toujours un double but, celui de faire cesser entre eux la concurrence, pour pouvoir faire une concurrence générale au capitaliste. Si

le premier but de résistance n'a été que le maintien des salaires, à mesure que les capitalistes à leur tour se réunissent dans une pensée de répression, les coalitions, d'abord isolées, se forment en groupes, et en face du capital toujours réuni, le maintien de l'association devient plus nécessaire pour eux que celui du salaire. [...] Dans cette lutte – véritable guerre civile – se réunissent et se développent tous les éléments nécessaires à une bataille à venir. Une fois arrivée à ce point-là, l'association prend un caractère politique. Les conditions économiques avaient

d'abord transformé la masse du pays en travailleurs. La domination du capital a créé à cette masse une situation commune, des intérêts communs. Ainsi cette masse est déjà une classe vis-à-vis du capital, mais pas encore pour elle-même. Dans la lutte, dont nous n'avons signalé que quelques phases, cette masse se réunit, elle se constitue en classe pour elle-même. Les intérêts qu'elle défend deviennent des intérêts de classe.

Karl Marx, *Misère de la philosophie.*
Réponse à la Philosophie de la misère
de M. Proudhon, 1847.

1. DÉFINIR. Qu'est-ce qu'une « coalition » ? De quel type d'organisation est-elle l'ancêtre ?

2. EXPLIQUER. Comment passe-t-on de la première phrase soulignée à la deuxième ?

3. ILLUSTRER. En vous appuyant sur le document 3, p. 289, montrez que les Noirs américains ont connu une histoire comparable.

> **POUR APPROFONDIR** Classe en soi et classe pour soi
>
> Dans le vocabulaire marxiste, une classe en soi est un agrégat d'individus ayant des caractéristiques objectives communes, mais n'éprouvant pas le sentiment de former un collectif. Une classe pour soi est un groupe social au sens plein : outre leurs caractéristiques objectives, ses membres partagent une « conscience de classe », aiguisée par l'action collective.

4. Quand le conflit transforme les individus engagés : les sans-papiers en grève de la faim

Un aspect est ainsi particulièrement marquant dans les grèves de la faim de sans-papiers : l'affirmation de soi comme sujet politique, la reconquête d'une identité publique, d'abord aux yeux des militants français présents sur les lieux de grève, et par extension aux yeux de la population française. [...] Si peu de discours sont produits par les anciens grévistes de la faim sur l'aspect douloureux des grèves, les remarques des anciens grévistes abondent à l'inverse sur le statut qu'ils estimaient avoir reconquis du fait de la grève. Il faut se souvenir en effet de ce que suppose l'état de clandestin, privé d'existence publique, légale et reconnue, voire de nom (on pense, par exemple, aux demandeurs d'asile ayant effectué des demandes multiples de statut de réfugié sous des noms différents), pour comprendre comment cet aspect marque

certaines phases des grèves de la faim : « *Pendant tout ce temps-là ils avaient une identité. Du jour où ils ont attaqué la grève de la faim, ils avaient plus peur, ils avaient leur nom, ça je l'ai super ressenti après dix-sept ans en clandestinité avec les faux papiers. T'arrêtes de te cacher, tu dis je suis là, je m'appelle comme ça. [...] La fin a été la plus dure. Arrêter la grève ça a été beaucoup plus dur que faire la grève. C'était un truc hyper fort.* » (Entretien avec un gréviste de la faim de la double peine, 21 mai 1992).
[...] Les grèves de la faim semblent ainsi avoir fonctionné comme des lieux de socialisation des protestataires, à l'instar d'autres formes d'action [...]. Beaucoup de sans-papiers ont réalisé leur apprentissage politique sur les lieux de la grève de la faim et ont continué ensuite à militer, soit au sein de l'ASTI [Association de soutien

aux travailleurs immigrés], soit au sein d'organisations « communautaires ». Les grèves de la faim sont ainsi, pour beaucoup de grévistes, le lieu d'une modification de leur image et de leur identité. Lors de la grève de la faim contre la double peine, des grévistes se sont retrouvés auréolés d'une autorité morale qui constituait le symétrique parfait de leur statut antérieur de délinquants, vendeurs de drogues, « braqueurs », voire proxénètes. Beaucoup des grèves liées à la double peine ont consisté en une redéfinition de l'image publique de ces expulsables, passant du statut de suspects à celui de victimes, montrant leur capacité à user d'un répertoire non violent, alors même qu'ils étaient accusés de violences, ou considérés comme susceptibles d'y avoir recours.

Johanna Siméant, *La cause des sans-papiers*,
Presses de Science Po, 1998.

1. DÉFINIR. En quoi une grève de la faim consiste-t-elle ?

2. CONSTATER. Quels sont les effets sociaux de ces grèves sur ceux qui les ont pratiquées ?

3. EXPLIQUER. En quoi cet exemple illustre-t-il les théories qui présentent les conflits sociaux comme un facteur de cohésion sociale, exposées dans le document 2, p. 288 ?

ENTRAÎNEMENT

QUESTION DE COURS. **De quelle manière les conflits sociaux contribuent-ils au changement social ?**

SYNTHÈSE. **À l'aide des documents 3 et 4, montrez que les conflits construisent des identités sociales.**

documents

B ▮ Des protagonistes opposés au changement ?

1. ▮ Se mobiliser : une demande de changement ?

B. 30 mai 1968. Marche de soutien au gouvernement de de Gaulle réunissant sur les Champs-Élysées plusieurs centaines de milliers de personnes. On voit André Malraux et Michel Debré en tête, mais aussi, comme ici, des anciens combattants.

B. Juin 1984. Forte manifestation des défenseurs de « l'école libre » contre un projet du gouvernement socialiste visant à mettre fin à la distinction entre école publique et école privée.

C. Janvier 1999. Manifestation contre l'instauration du Pacs adopté en première lecture à l'Assemblée nationale.

1. CONSTATER. Quels sont les points communs à ces trois mobilisations ?

2. EXPLIQUER. La mobilisation contre le Pacs relève de ce que certains sociologues désignent comme des « contre-mouvements sociaux ». Expliquez cette appellation.

3. ILLUSTRER. Cherchez d'autres exemples de mobilisations du même genre aux États-Unis.

2. ▮ Les « briseurs de machines » : une résistance au changement ?

Les Luddites du Nottinghamshire, Leicestershire et Derbyshire utilisaient les attaques contre les machines, neuves ou anciennes, comme un moyen pour contraindre leurs employeurs à leur accorder des concessions sur les salaires et sur d'autres points. Ce genre de destruction constituait un aspect traditionnel et établi des conflits industriels au cours de la période proto-industrielle et au premier âge de l'usine et de la mine. […] La prégnance de cette « négociation collective par l'émeute » est bien attestée. […] [Elle] avait à voir avec les conflits que suscitait la relation sociale typique que génère la production capitaliste, celle entre les entrepreneurs embaucheurs et les hommes qui dépendaient, directement ou indirectement, de la vente de leur force

de travail, bien que cette relation n'existât encore que dans des formes primitives et se mêlât encore aux relations propres à la petite production indépendante.

Tournons-nous maintenant vers le second type de destructions, que l'on considère généralement comme l'expression de l'hostilité de la classe ouvrière envers les machines nouvelles de la révolution industrielle, et en particulier celles qui permettaient des économies de main-d'œuvre. […] Le travailleur était concerné, non par le progrès technique dans ce qu'il a d'abstrait, mais par le double problème pratique du chômage à éviter et d'un niveau de vie à maintenir, niveau de vie qui tenait autant au salaire qu'à des facteurs non monétaires tels que la liberté et la dignité. Ainsi, le travailleur

ne s'opposait pas à la machine en tant que telle, mais à tout ce qui pouvait menacer ces divers éléments – et en premier lieu à l'ensemble des changements des rapports de production qui le menaçaient. […] Les tisserands de Spitalfields se révoltèrent en 1675 contre des machines qui permettaient « à un homme d'en faire autant […] que presque vingt hommes sans », […] et dans les années 1760 ils brisèrent des métiers pour protester contre la baisse des tarifs […].

Éric J. Hobsbawm, « Les briseurs de machines », *Revue d'histoire moderne et contemporaine*, n° 53-4 bis, mai 2006.

1. CONSTATER. Pourquoi les travailleurs décrits ici brisent-ils les machines ?

2. EXPLIQUER. Ces mobilisations doivent-elles être interprétées comme des résistances au changement social ?

3. ILLUSTRER. Recherche personnelle : en quoi le conflit social qui a éclaté dans l'entreprise Cellatex, en juillet 2000, est-il comparable ? En quoi est-il différent ?

> **REPÈRE** Le luddisme
>
> Il s'agit d'un conflit social qui a opposé dans les années 1811-1812, en Angleterre, des artisans de la laine et du coton aux employeurs et aux manufacturiers qui mécanisaient la production. Caractérisé par le « bris de machines », ce mouvement clandestin doit son nom à celui d'un ouvrier anglais, John ou Ned Ludd, peut-être imaginaire, qui aurait détruit deux métiers à tisser en 1780.

3. Quand les organisations restent étanches au changement : la sous-représentation des femmes

Les femmes restent sous-représentées dans les instances syndicales, notamment dans les plus hautes sphères du pouvoir. Comment expliquer une telle difficulté d'insertion des femmes dans des organisations pourtant tournées vers le changement social ? […]

Que ce soit au niveau local ou national, l'activité syndicale suppose, selon ses protagonistes, de s'y impliquer corps et âme. Par la beauté de ses principes et de ses missions – défendre les petit(e)s contre les grand(e)s –, ils et elles considèrent que l'activité oblige à un don de soi, de son temps, de son énergie. […] Les rares femmes syndicalistes rencontrées n'ont pas encore d'enfants ou les ont déjà eus depuis longtemps, alors que les hommes, souvent mariés et/ou divorcés, ont généralement des enfants et parlent

même de la grande « compréhension » de leur femme qui a géré la maison, les enfants et l'attente régulière. Le rapport aux enfants ou au projet d'enfant est clairement évoqué par les femmes concernées pour expliquer leur implication retenue, envisagée sur un mode temporaire. […] La militance est souvent vécue (et présentée) par les hommes syndicalistes comme un investissement professionnel, voire une promotion sociale intéressante […]. En revanche, l'essentiel des femmes rencontrées privilégie des formes de retrait de l'activité professionnelle, classiques dans cette catégorie de sexe – la maternité, les parents âgés, le travail domestique, l'investissement dans des associations locales. […]

Le fonctionnement même de l'activité syndicale semble encore très marqué

par des conventions masculines […]. Les premières actions sont publiques et nécessitent de s'exposer physiquement et verbalement : prendre la parole en public, distribuer des tracts, aller voir le patron pour obtenir des explications ou défendre un(e) salarié(e) […]. Lors de nos entretiens, [les hommes] sont souvent fiers d'évoquer ces « faits d'armes » qui ont marqué leur entrée dans le syndicat. […] Et, si l'on en croit les différents commentaires positifs sur ces comportements masculins, ils semblent bien participer à légitimer l'action des syndicalistes et leur capacité à accéder à des positions supérieures.

Marie Buscatto, « Syndicaliste en entreprise : une activité si "masculine" », Olivier Fillieule et Patricia Roux, *Le sexe du militantisme*, Presses de Sciences Po, 2009.

1. DÉFINIR. Que signifie le terme « sous-représentation » ?

2. EXPLIQUER. En quoi la sous-représentation des femmes dans les syndicats est-elle contradictoire avec leurs objectifs ?

3. CONSTATER. Quelles sont les deux raisons mises en avant par l'auteure pour expliquer cette sous-représentation ?

4. Quand les autorités répriment les demandes de changement : les « red scares » américaines

La vie politique d'avant la guerre de Sécession était centrée sur la répression des Indiens et des Noirs, et ce n'est qu'après la fin de cette guerre que vint le tour des ouvriers. La rhétorique du conflit entre barbarie et civilisation quitta alors l'Ouest et sa frontière pour gagner l'Amérique urbaine […]. Dans les années 1870 d'abord, puis en 1886 et en 1919, une série de « red scares » (peurs des rouges) devait marquer le demi-siècle qui va de 1870 à 1920, chacune d'elles attribuant la source des idées politiques subversives à une classe ouvrière étrangère, constituée d'immigrants. […] Les grandes villes se dotèrent de brigades armées contre les soulèvements ouvriers, les États recommencèrent à recruter des milices, et la police eut à maintes reprises l'occasion de charger des manifestations de grévistes et de chômeurs. […] En juillet 1919, sans l'approbation du Congrès, [fut] créé au sein du ministère de la Justice la General Intelligence Division (division générale de renseignements), dont la mission était d'infiltrer les organisations révolutionnaires pour y recueillir des renseignements. À sa tête, John Edgar Hoover […]. [Après la Seconde Guerre mondiale], l'Union soviétique devait remplacer la classe ouvrière immigrée dans le rôle d'épouvantail. Le conflit entre ouvriers et capitalistes cédait le pas à celui entre les agents de Moscou (intellectuels, fonctionnaires, étudiants,

et militants des couches moyennes) et l'appareil d'État chargé de la sécurité nationale. […] Le nom du sénateur McCarthy est resté attaché à l'atmosphère de suspicion et de terreur politique qui régna sur l'Amérique de 1947 jusqu'après la fin de la guerre de Corée. […] Pour « criminaliser » la dissidence politique à la fin des années 1940, on eut recours aux procès à sensation comme ceux d'Alger Hiss, de Judith Coplón et des époux Rosenberg, tous accusés d'espionnage. […] Diverses commissions du Congrès se mirent alors à enquêter auprès des associations politiques fréquentées par des personnes privées et des fonctionnaires du gouvernement. Les individus suspects furent contraints de nommer leurs prétendus associés communistes […]. Tout comme la tentative de briser les tribus indiennes ou la réquisition des grévistes, le rituel des dénonciations avait pour objectif de vider de son contenu le droit d'association politique en l'atomisant.

Michael Rogin, « La répression politique aux États-Unis », *Actes de la Recherche Sociale*, n° 120, décembre 1997.

1. DÉFINIR. Qu'est-ce qu'une « red scare » ?

2. CONSTATER. Qu'est-ce qui différencie les « red scares » des années 1870-1920 de celles de l'après-Seconde Guerre mondiale ?

3. EXPLIQUER. Qu'ont ces mobilisations en commun ?

ENTRAÎNEMENT

QUESTION DE COURS. En 1946, le sociologue Herbert Blumer proposait cette définition des mouvements sociaux : « Des entreprises collectives visant à établir un nouvel ordre de vie. » Commentez.

SYNTHÈSE. À l'aide des documents 1, 2, 3 et 4, récapitulez les phénomènes qui obligent à nuancer la thèse selon laquelle le conflit social mène au changement social.

documents

1. Compter les grévistes

1 ■ Journées individuelles non travaillées et taux de syndicalisation en France depuis 1975

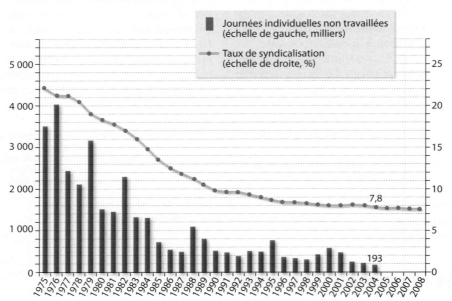

Champ : pour les données sur les grèves, toutes entreprises, hors fonction publique sur l'ensemble de la période, hors entreprises publiques du secteur des transports à partir de 1996 ; la série s'interrompt en 2004, remplacée par un autre mode de comptabilisation.

Sources : Dares pour les données sur les grèves, OCDE pour les données sur la syndicalisation.

2 ■ Les limites des statistiques sur les grèves

L'indicateur de référence est celui du nombre de journées individuelles non travaillées (JINT), c'est-à-dire le produit du nombre de jours de grèves par le nombre de grévistes. Les statistiques couvrent l'ensemble des entreprises privées et nationalisées[1]. [...] [Elles rassemblent les] fiches de début et de fin de conflit, remplies par les inspecteurs du travail. [...] Rarement prévenus par les directions, les inspecteurs du travail sont informés des conflits lorsque des salariés les sollicitent, pour des conseils juridiques, une médiation, la rédaction d'un procès-verbal de fin de conflit. [...] Par ailleurs, le recensement des conflits n'est qu'une petite partie de l'activité des inspecteurs du travail. Le champ d'intervention de ces derniers s'est considérablement développé avec le déclin du syndicalisme [...].

Interrogés par enquête en 1993, 17 % des employeurs de plus de 50 salariés signalaient au moins une grève dans leurs entreprises au cours des trois années 1990-1992, alors que la proportion n'était que de 8 % d'après la mesure administrative. Tous les arrêts de travail ne parviennent donc pas à la connaissance des inspecteurs du travail. [...]

[Ces statistiques] enregistrent pourtant bien quelque chose, une sorte d'évolution sur le long terme de grandes tendances. La baisse des conflits est indéniable, liée à la hausse du chômage, à l'arrêt de l'inflation, au démantèlement des grandes entreprises, à la désindustrialisation, la crise du syndicalisme, la hausse des contrats précaires, la raréfaction des grandes mobilisations interprofessionnelles. Mais [elles] lissent les pics de conflictualité, négligent les petites entreprises et surreprésentent le poids des entreprises publiques [...].

1. Les grèves dans la fonction publique font l'objet de statistiques séparées, mais ne couvrent pas les fonctions publiques territoriale et hospitalière.

Sophie Camard, « Compter les grévistes », *Vacarme*, n° 26, hiver 2004.

1. **Comment calcule-t-on le nombre annuel de journées individuelles non travaillées ?**

2. **Selon vous, comment calcule-t-on un taux de syndicalisation ?**

3. **Faites des phrases avec les données de 2004.**

4. **À l'aide de calculs appropriés, chiffrez l'évolution des deux indicateurs entre le début et la fin de la période.**

5. **Distinguez deux sous-périodes. (Piste : il s'agit d'identifier l'année où la tendance générale connaît une inflexion.)**

6. **Quelle corrélation observe-t-on ici ? S'agit-il également d'une causalité ?**

7. **Plus généralement, comment peut-on expliquer la baisse du nombre de JINT depuis 1975 ?**

8. **Comment les statistiques des grèves sont-elles produites ?**

9. **Elles on un défaut général : ont-elles tendance à sous-estimer ou à surestimer les grèves ? Comment cela se fait-il ?**

10. **Elles ont trois défauts plus spécifiques : expliquez la phrase soulignée.**

2. Intégration et conflit : le modèle d'Oberschall

Les conditions minimales requises pour une protestation collective sont des cibles et des objets communs d'hostilité tenus pour responsables des injustices, des privations et des souffrances [...]. [Mais] pour que la résistance ou la protestation soit soutenue, une base organisationnelle et la présence d'un leader sont également nécessaires. La base organisationnelle peut être enracinée dans deux types différents de structure sociale. La collectivité peut être intégrée et organisée le long de liens traditionnels encore vivaces et fondés sur une organisation familiale, villageoise, ethnique ou tribale, ou d'autres formes de communauté [...]. À l'opposé, la collectivité peut être dotée d'un dense réseau de groupes secondaires d'ordre professionnel, religieux, politique, économique et autres associations volontaires [...].

Les liens existant entre la collectivité de référence et les autres collectivités de la société, en particulier celles qui sont plus élevées dans le système de stratification, sont également d'une importance centrale [...]. Une caractéristique structurelle propice à une mobilisation sous forme de mouvements de protestation apparaît dès que la société n'est plus seulement stratifiée mais segmentée. Quand prévaut la segmentation, la collectivité dont nous examinons la capacité de mobilisation a peu de liens et d'attaches, sinon peut-être à travers des relations d'exploitation, avec les classes les plus élevées ou avec d'autres collectivités de la société. [...]

Ces idées sont éclairées par [le tableau ci-dessous] [...]. Si la collectivité est une communauté solidaire verticalement intégrée (région **A**), la probabilité d'une protestation collective contre les groupes de statuts supérieurs est faible parce que la communauté a accès aux centres de décision de la société globale par l'intermédiaire de ses propres leaders pour la réparation des injustices. [...] Si une collectivité est verticalement intégrée et est dotée de faibles liens horizontaux (région **B**), [...] les membres des classes inférieures sont divisés, se suspectent mutuellement, sont en compétition les uns avec les autres pour le prestige et les ressources matérielles, et sont peu enclins à constituer des associations pour protéger leur intérêt commun [...].

Si une collectivité est à la fois intégrée verticalement et dotée d'un dense réseau d'associations (région **C**), la probabilité d'une opposition collective extérieure aux canaux institutionnels est faible parce que les intérêts communs à la collectivité reçoivent aussitôt l'attention des partis politiques, des syndicats ou autres organisations ayant accès au pouvoir. Dans le cas où un groupe enraciné dans une structure communautaire est segmenté ou coupé des groupes de statuts (région **D**), on peut s'attendre à une défense, particulièrement rapide et intense, des intérêts communs par le moyen de l'action collective. Cette situation correspond à une rébellion de la part de tribus, d'ethnies ou de nationalités encore solides contre l'imposition d'un régime colonial. Lorsque les liens basés sur la communauté s'effritent sous l'effet du changement social et dans la mesure où l'intégration verticale se brise également (région **E**), un type de protestation collective inorganisée, éphémère mais violente comme la jacquerie paysanne ou les émeutes urbaines [apparaît]. [...] C'est sous les conditions de forts liens secondaires et de segmentation (région **F**) que la possibilité d'un rapide élargissement des mouvements d'opposition sur une base commune existe avec une force particulière. [...]

[Cette théorie] va précisément à l'encontre de [celles] qui mettent l'accent sur le lien entre dissolution de la structure sociale traditionnelle et les attaches communautaires, l'absence d'intégration dans de nouvelles formes d'association, et la possibilité de troubles.

Anthony Oberschall, « Une théorie sociologique de la mobilisation »,
in Pierre Birnbaum et François Chazel, Sociologie politique. Textes,
Armand Colin, 1978 (traduction partielle
de Social Conflict and Social Movements, 1973).

Collectivités classées selon les dimensions verticales et horizontales de l'intégration	Dimension horizontale : lien à l'intérieur de la collectivité		
	organisation de type communautaire	pas ou faiblement organisé	organisation de type associatif
Dimension verticale : **liens entre les collectivités** — intégrée	...	...	...
segmentée	...	...	...

1. Le premier paragraphe du texte (qui correspond à la « dimension horizontale » du tableau) reprend une distinction entre deux grands types de groupes sociaux (Oberschall parle de « collectivités ») établie par les sociologues classiques (Durkheim et Weber notamment). Laquelle ? (Voir chapitre 10)

2. Le deuxième paragraphe du texte (qui correspond à la « dimension verticale » du tableau) établit une distinction entre société « intégrée » et société « segmentée ». Expliquez les deux termes.

3. Complétez le tableau avec les lettres (A, B, C, D, E, F) utilisées par l'auteur.

4. Associez à chaque lettre un exemple de groupe social.

5. Quelles sont les conditions sociales propices à l'émergence d'une mobilisation ?

6. Qu'est-ce qui fait varier les formes prises par ces mobilisations ?

7. Expliquez le dernier paragraphe du texte.

Synthèse

Comment analyser les conflits sociaux ?

Des jacqueries paysannes aux blocus lycéens, les **conflits sociaux** sont des situations où des individus affrontent collectivement les institutions ou les groupes qu'ils tiennent pour responsables d'un tort. Sont-ils le symptôme d'une société fragilisée, ou de sa vitalité démocratique ? Accélèrent-ils le changement social, ou l'entravent-ils ?

ACQUIS DE PREMIÈRE
➡ Voir **Réviser les acquis de 1re**, p. 252 et Lexique

- ■ **Groupe d'intérêt**
- ■ **Conflit**

I. Quelles mutations les conflits sociaux ont-ils connues ?

A. Mutations de long terme : une normalisation de la contestation

■ L'histoire des conflits sociaux est celle d'une grande diversité : diversité des groupes mobilisés (ouvriers, étudiants, sans-papiers, femmes, homosexuels, etc.), des enjeux (conflits du travail, revendications de nouveaux droits, contestation des rapports de pouvoir, etc.), des techniques de protestation (manifestation, grève, grève de la faim, émeute, etc.) et des formes d'organisation, formelles ou informelles, temporaires ou permanentes (groupes de pairs, coordinations, associations, **syndicats**).

■ Sur le long terme, ils ont connu quatre grandes mutations. Une pacification relative : on ne tire plus sur la foule. Une légitimation progressive : un droit à la contestation a vu le jour. Une institutionnalisation partielle : les syndicats sont devenus les interlocuteurs officiels du gouvernement et du patronat, contribuant à la **régulation des conflits**. Et une transformation du « répertoire de l'action collective » (Tilly), liée à l'urbanisation et au rôle croissant de l'État : l'émeute paysanne locale a cédé le pas à la manifestation nationale.

B. Mutations récentes : de nouveaux mouvements sociaux ?

■ Si les années 1970 et 1980 marquent une nouvelle inflexion, celle-ci fait débat. Les conflits sociaux ont-il changé de nature ? Certes, de nouveaux **mouvements sociaux** sont apparus, sous des traits qui les distinguent des conflits de classe : un autre enjeu que le travail, d'autres instruments que la grève, un autre recrutement social que le métier, des formes d'organisation plus souples, un engagement plus intermittent (Touraine, Inglehart). Mais ils n'ont pas supplanté les « anciens » : le travail reste le premier motif de manifestation en France.

■ Les conflits du travail ont-ils cependant reflué ? Certes, la grève s'est effondrée à partir de 1975, parallèlement au taux de syndicalisation, sous l'effet de nombreux facteurs : désindustrialisation, précarisation de l'emploi, chômage, crise du syndicalisme. Mais le recours à d'autres formes d'action (débrayage, pétition, contentieux juridique, etc.) a au contraire augmenté dans la dernière décennie. Par ailleurs, l'industrie reste le premier foyer de conflit, rejoint par la fonction publique.

II. Le conflit est-il un moment de rupture du lien social ?

A. La fragilisation du lien social, facteur de conflit ?

■ Durkheim voit dans les conflits une pathologie de l'intégration : quand l'anomie croît, le conflit survient. D'autres théories ultérieures vont dans le même sens : fruits de bouleversements sociaux trop rapides (Park), ou de l'isolement des individus dans une « société de masse » (Kornhauser), les conflits seraient le signe d'un relâchement du lien social. Cette manière d'interpréter les conflits sociaux a été remise en cause par les sociologues contemporains.

SOCIOLOGIE • THÈME 5 Intégration, conflit, changement social

Empiriquement, ce sont en effet les groupes les plus solidaires qui sont les plus enclins à faire valoir leur cause, et les groupes les plus précarisés qui ont le plus de difficultés à se mobiliser. Les mouvements sociaux ne sont pas le fait d'individus anomiques. Il sont le fait de groupes sociaux qui rassemblent des ressources pour faire entendre une demande d'intégration, dans des sociétés segmentées qui les marginalisent. Leur mobilisation est d'autant plus probable et durable que leurs liens internes sont forts (Oberschall).

B. Le conflit, facteur paradoxal de cohésion

■ Au-delà du désordre temporaire qu'ils créent, les conflits sociaux peuvent être un facteur de cohésion sociale. Ils structurent la société, en produisant des identités sociales. Ils socialisent les individus qui s'y engagent. Ils les amènent à participer à la vie publique. Ils renforcent la cohésion interne des protagonistes. Ils offrent un exutoire aux tensions sociales. Plus fondamentalement, ils sont une forme de lien social (Simmel).

■ Tout dépend cependant de la nature des conflits : quand les luttes sont menées au nom des valeurs centrales de la société, celles-ci sont renforcées ; quand les mobilisations contestent les principes mêmes sur lesquels la société est organisée, celle-ci est ébranlée. Tout dépend également du type de structure sociale : quand les clivages sont multiples, ils s'équilibrent mutuellement ; quand ils se superposent, la société se casse en deux. Tout dépend également des systèmes politiques : dans les systèmes souples, les conflits sont un moment du débat démocratique ; dans les systèmes rigides, quand ils adviennent, ils se radicalisent (Coser).

III. Dans quelle mesure les conflits contribuent-ils au changement social ?

A. Le conflit, facteur de changement(s)

■ Les conflits sociaux qui ont marqué l'Histoire sont ceux dont les acteurs revendiquaient et ont obtenu, avec ou sans révolution, des changements sociaux de grande ampleur : une transformation de la structure sociale, la création de nouvelles institutions, l'instauration de nouveaux droits, la mise en place de nouvelles politiques. La Révolution française, le mouvement ouvrier, le mouvement des droits civiques, le mouvement féministe, relèvent de cette catégorie.

■ Mais indépendamment de son issue, le conflit a des effets sociaux. D'une part, il transforme le groupe mobilisé, qui d'un simple agrégat d'individus, parfois divisés, devient au fil du combat un collectif dont les membres découvrent leurs intérêts communs et éprouvent un sentiment d'appartenance (Marx). Il a aussi un effet sur les individus engagés eux-mêmes, dont l'identité sociale se transforme dans et par l'engagement.

B. Des protagonistes opposés au changement ?

■ Les conflits sociaux ne débouchent cependant pas nécessairement sur des changements sociaux. D'abord, pour des raisons qui tiennent aux mouvements sociaux eux-mêmes. D'une part, certains ne réclament pas le changement, mais au contraire s'y oppose. D'autre part, même progressistes dans leurs revendications, leurs organisations peuvent s'avérer conservatrices dans leur fonctionnement interne : les femmes et les immigrés restent sous-représentés dans les syndicats français.

■ Ensuite, pour des raisons qui tiennent à l'attitude des autorités. Celles-ci ne donnent pas nécessairement satisfaction aux groupes mobilisés : les mobilisations pleinement victorieuses sont rares. Elles peuvent au contraire choisir de les réprimer. Elles peuvent également s'en servir pour renforcer leur pouvoir, en soufflant sur la peur du désordre provoqué par un « ennemi intérieur ». De la « peur des rouges » à la dénonciation de la « chienlit », les exemples ne manquent pas. Ils rappellent que même dans les démocraties pacifiées, un conflit social reste une lutte, parfois sans merci.

Conflits sociaux
Situations dans lesquelles des individus affrontent collectivement une institution ou d'autres groupes sociaux qu'ils tiennent pour responsables d'un tort.

Syndicat
Organisation chargée de défendre les intérêts du groupe professionnel qu'elle représente : travailleurs pour les syndicats de salariés, chefs d'entreprise pour les syndicats patronaux.

Régulation des conflits
Mise en place de normes, d'organisations, de procédures et d'institutions ayant pour double fonction de permettre l'expression des mouvements sociaux et d'encadrer leurs formes.

Mouvements sociaux
Actions collectives, de durée et d'ampleur variable, visant à défendre une cause, par d'autres moyens que le vote. Synonyme : mobilisations.

synthèse

Synthèse (suite)

MUTATIONS DE LONG TERME

Légalisation
Institutionnalisation
Pacification
Local → national

MUTATIONS RÉCENTES

« Nouveaux » mouvement sociaux ?
Baisse des conflits du travail ?

DIVERSITÉ DES CONFLITS

Diversité des groupes mobilisés
Diversité des enjeux
Diversité des répertoires
Diversité des organisations

PATHOLOGIE DE L'INTÉGRATION ?

Anomie → conflit ? (Durkheim)
Ressources (inégales) → mobilisations

FREIN AU CHANGEMENT SOCIAL ?

Freins du côté des mouvements sociaux
Freins du côté des gouvernements

FACTEUR DE COHÉSION ?

Conflit = désordre ?
Le conflit comme lien social (Simmel)

FACTEUR DE CHANGEMENT SOCIAL ?

Transformation de la société
Transformation des groupes mobilisés (Marx)
Transformation des individus engagés

À la fin du chapitre, assurez-vous que :

➲ Vous êtes capable de décrire et de comparer plusieurs conflits sociaux, afin d'en montrer la diversité (protagonistes, enjeux, répertoires, organisations).	➲ Vous êtes capable de décrire les mutations des conflits sociaux, à long terme et depuis les années 1970.	➲ Vous êtes capable de présenter et discuter la thèse selon laquelle un conflit social est le produit d'un affaiblissement du lien social.	➲ Vous êtes capable de fournir au moins quatre arguments montrant que les conflits sociaux sont un facteur de cohésion sociale.	➲ Vous êtes capable de montrer que les conflits sociaux peuvent produire des changements sociaux, mais que ce n'est pas toujours leur but, ni toujours leur effet.

POUR ALLER PLUS LOIN

Livres

- Lilian Mathieu, *Comment lutter ? Sociologie des mouvements sociaux*, Textuel, 2004.
- Pap Ndiaye, *Les Noirs américains en marche pour l'égalité*, Gallimard, coll. « Découvertes », 2009.
- Pierre Barron, Anne Bory, Lucie Tourette, Sébastien Chauvin et Nicolas Jounin, *On bosse ici, on reste ici ! La grève des sans-papiers : une aventure inédite*, La Découverte, 2011.

Sites

- www.cgt.fr (le syndicat CGT)
- www.actupparis.org (l'association de lutte contre le sida Act Up-Paris)
- www.labarbelabarbe.org (le groupe féministe La Barbe)
- www.jeudi-noir.org (le collectif contre le mal-logement des jeunes Jeudi noir)

Film, documentaire

- *Norma Rae*, un film de Martin Ritt, 1979.
- *Les Lip, l'imagination au pouvoir*, un documentaire de Christian Rouaud, 2005.

autoévaluation

1 Vrai ou faux ?

Justifiez votre réponse.

1. Un divorce est un conflit social.

2. Un conflit du travail, c'est quand des salariés se mettent en grève.

3. Un mouvement social, c'est quand un conflit social produit un changement social, quand il fait « bouger » la société.

4. Les conflits du travail ont diminué.

5. De nouveaux mouvements sociaux ont remplacé les conflits du travail.

6. Le conflit social est une instance de socialisation.

7. Ce sont les groupes les plus marginalisés qui sont le plus enclins à se mobiliser.

8. Quand ils sont reconnus et organisés, les mouvements sociaux ont une fonction de régulation des conflits.

9. Les mouvements sociaux sont « de gauche ».

10. Le conflit social renforce la cohésion interne du groupe qui se mobilise.

2 QCM

1. Les conflits sociaux diffèrent les uns des autres selon :

a. ☐ les groupes sociaux qui les mènent.

b. ☐ les modes d'action qu'ils emploient.

c. ☐ leurs revendications.

d. ☐ leur manière de s'organiser.

2. Un conflit social, dans la théorie de Durkheim et dans les théories du même genre, c'est :

a. ☐ l'exercice normal d'un droit à la contestation.

b. ☐ l'effet d'un affaiblissement du lien social.

c. ☐ un facteur paradoxal de cohésion sociale.

d. ☐ une lutte de classe entre « bourgeois » et « prolétaires ».

3. Un syndicat, cela sert :

a. ☐ à organiser des grèves.

b. ☐ à représenter les salariés dans une entreprise ou une administration.

c. ☐ à négocier des accords avec les représentants des chefs d'entreprise à l'échelle nationale.

d. ☐ à gérer la protection sociale.

4. Un mouvement social :

a. ☐ est l'effet du chômage, de la précarité, de la pauvreté ou de l'exclusion.

b. ☐ est l'expression d'un sentiment d'injustice.

c. ☐ suppose des ressources.

d. ☐ est souvent violent.

5. Les conflits sociaux peuvent :

a. ☐ déboucher sur une révolution, sans quoi ils ne produisent pas de changement sociaux.

b. ☐ transformer les individus qui s'y engagent, même lorsqu'ils ne transforment pas la société.

c. ☐ s'opposer à un changement social, voire réclamer le retour à un état antérieur de la société.

d. ☐ s'institutionnaliser.

3 Compléter un schéma

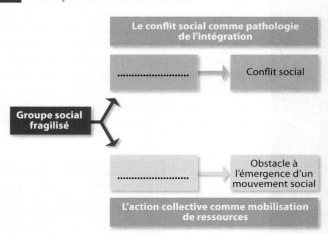

4 Compléter un texte

Face aux mouvements sociaux, les gouvernements, pour ramener l'ordre, peuvent adopter quatre stratégies. La première consiste à donner satisfaction aux ... des groupes mobilisés, totalement ou – c'est moins rare – partiellement : le groupe mobilisé a alors toutes les chances de se diviser sur la question « continuer ou pas ? ». La deuxième est la ... . Cette réponse à la contestation n'a pas disparu, mais ses modalités ont changé : dans les démocraties occidentales, on n'appelle plus l'armée pour tirer sur la foule. Ceci n'exclut pas les violences policières, mais a permis, sur le temps long, une ... relative des conflits sociaux. Une troisième stratégie consiste à vaincre le mouvement social non pas dans la rue, mais sur le terrain de l'opinion publique, en cherchant à montrer qu'il n'est pas ... : par exemple en rappelant que le canal normal d'expression des opinions dans une démocratie, c'est le vote. Une quatrième stratégie consiste à ... les conflits : on n'empêche pas les mobilisations, on cherche à empêcher qu'elles ne prennent des formes radicales et incontrôlables ; on ne réprime pas les groupes mobilisés, on leur accorde au contraire une ... légale et on leur fait une place dans les institutions ; en contrepartie, on demande à leurs représentants une attitude « responsable » et de « tenir » leurs troupes. Les quatre stratégies ne sont pas exclusives.

Dissertation

SUJET En quoi les conflits sociaux contribuent-ils à la cohésion sociale ?

DOCUMENT 1

Cette idée de tract en plusieurs langues plaît à tout le monde. Elle n'a pas seulement une fonction utilitaire. C'est une marque de respect vis-à-vis de chacune des cultures représentées dans l'usine. C'est une façon de demander aux différentes communautés immigrées de prendre les choses en main.

Maintenant, rédiger le texte. Pourquoi nous refusons la récupération. Les explications fusent. On peut parler de la fatigue de la journée de dix heures. Ceux qui ont une heure de transport aller et une heure retour n'ont plus aucune vie en dehors de l'usine. La fatigue multiplie les accidents. Chaque changement d'horaire est l'occasion d'intensifier les cadences. Pourquoi ne pas en profiter pour rappeler les revendications particulières ? La qualification des peintres, des soudeurs. Parler aussi des locaux insalubres. Et le racisme des chefs ? Et la rémunération des heures supplémentaires ? [...] Primo, encore : « Mais ce n'est pas la peine de raconter toutes ces histoires. Si le patron veut nous faire travailler à nouveau dix heures avec vingt minutes gratuites, c'est pour nous humilier. Ils veulent montrer que les grandes grèves, c'est bien fini, et que Citroën fait ce qu'il veut. C'est une attaque contre notre dignité. Qu'est-ce qu'on est ? Des chiens ? "Fais ci, fais ça, et ferme ta gueule !" Ça ne marche pas ! Nous allons leur montrer qu'ils ne peuvent pas nous traiter comme ça. C'est une question d'honneur. Ça, tout le monde peut le comprendre, non ? Il n'y a qu'à dire ça, ça suffit ! »

Le contenu du tract est trouvé. Je rédige brièvement, sur le coin de la table, ce que Primo vient de dire d'un trait. Lecture. On change deux ou trois mots, version finale : tout le monde approuve. Le tract sera traduit en arabe, en espagnol, en portugais, en yougoslave. J'ai l'idée, fugitive, que ces mots sonnent très fort dans toutes les langues : « insulte », « fierté », « honneur »...

Robert Linhart, *L'établi*, Éditions de Minuit, 1978.

POUR VOUS AIDER Utiliser un document factuel

Ce document illustre comment un conflit contribue à rapprocher les différents groupes dans l'entreprise, et comment l'élaboration du tract fait émerger ce qui est commun à l'ensemble des membres de l'usine. Il est possible à partir des exemples développés dans chaque paragraphe de trouver des arguments : un conflit permet de créer des liens sociaux (1er paragraphe), un conflit permet d'améliorer les conditions de travail, un conflit porte également sur des valeurs (dernier paragraphe).

Conseil : évitez de résumer le document et faites le lien avec les notions vues dans le cours pour construire votre argumentation.

DOCUMENT 2 Sentiment d'appartenance à la classe ouvrière, taux de syndicalisation et journées de grèves en France, de 1985 à 2010

	1985	1994	2001	2010
Parmi les réponses « oui » à la question « Avez-vous le sentiment d'appartenir à une classe sociale ? », proportion de réponses « la classe ouvrière, les ouvriers » (en %)	29	22	17	9
Taux de syndicalisation (en %)	13,6	9	8	7,6[1]
Journées individuelles non travaillées pour cause de grève (en milliers)	727	501	463	nd[2]

1. En 2008.
2. Série interrompue en 2004.
Champ : toutes entreprises jusqu'en 1996, hors entreprises publiques du transport après 1996.

Sources : TNS-Sofres, OCDE, Dares.

	Part des entreprises ayant engagé au moins une négociation collective[1] (en %)	Part des entreprises ayant déclaré au moins une grève (en %)
Ensemble	15,8	2,2
10 à 49 salariés	7,4	0,5
50 à 199 salariés	51,2	6,3
200 à 499 salariés	80,9	17,6
500 salariés ou plus	94,2	38,9
Industrie	25,5	4,8
Transports et entreposage	22,4	4
Services hors transport	16,7	2
Commerce (y compris réparation automobile)	11,1	0,8
Construction	9	0,4
Entreprises ayant un délégué syndical	82,8	nd
Entreprises n'ayant pas de délégué syndical	7,8	nd

1. Négociation menée entre les représentants de la direction et les représentants des salariés en vue de la signature d'un accord.
Champ : entreprises de 10 salariés ou plus, du secteur marchand non agricole.

Source : « Négociation collective et grèves dans les entreprises du secteur marchand en 2009 : l'emploi au cœur des négociations et des grèves », *Dares Analyses*, n° 47, juin 2011.

Épreuve composée (entraînement Chapitre 11)

PARTIE 1 Mobilisation des connaissances

QUESTION 1 (3 points) : Quelles sont les fonctions d'un syndicat ?
QUESTION 2 (3 points) : Quelles mutations les conflits sociaux ont-ils connu depuis les années 1960 ?

PARTIE 2 Étude d'un document

QUESTION (4 points) : Vous présenterez ce document et vous vous demanderez si les conflits sociaux s'expliquent toujours par la situation économique.

Évolution des conflits du travail et du chômage, en France, entre 1975 et 2009

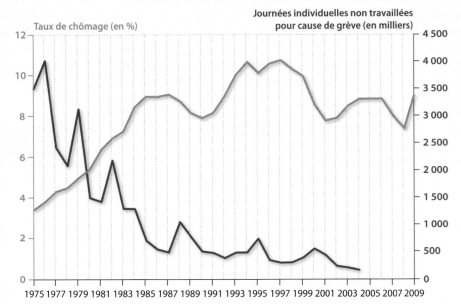

Champ : pour le taux de chômage, France métropolitaine, actifs de 15 ans ou plus. Pour les journées non travaillées, toutes entreprises jusqu'en 1996, hors entreprises publiques des transports à partir de 1996 ; série interrompue en 2004.

Source : Insee, Dares.

> **POUR VOUS AIDER**
>
> **Comment être exhaustif dans votre réponse**
>
> Vous devez mobiliser vos connaissances de cours de façon efficace, et présenter votre réponse sous la forme d'un plan assez précis pour être synthétique. Ici, il est possible de trouver un découpage par thème : mutations dans la forme, dans les thèmes abordés, dans les acteurs mobilisés, et à chaque fois proposer un ou des faits à l'appui de votre affirmation.
>
> Conseil : ne récitez pas votre cours sans réfléchir à l'ordre des idées à présenter. Préparez votre trame avant de rédiger, sans faire un brouillon complet qui vous prendrait trop de temps.

PARTIE 3 Raisonnement s'appuyant sur un dossier documentaire

SUJET (10 POINTS) : Peut-on considérer les conflits sociaux comme une pathologie de l'intégration ?

DOCUMENT 1 Recours déclaré à la manifestation et à la grève en France, en 2009

« Pour chacun des modes d'action suivants, dites-moi si vous y avez déjà eu recours ? »		Manifester dans la rue	Faire grève	
Sexe	Homme	50	45	
	Femme	42	39	
Statut	Salarié du secteur public	65	69	
	Salarié du secteur privé	44	36	
	Chômeur	50	38	
	Inactif	39	39	
Groupe socioprofessionnel	Commerçant, artisan, chef d'entreprise	29	21	
	Cadre, profession intellectuelle	53	48	
	Profession intermédiaire	51	53	
	Employé	44	38	
	Ouvrier	43	42	
Préférence syndicale	CGT	62	65	
	CFDT	47	55	
	Force ouvrière	57	52	
	Autres (SUD, CGC, CFTC…)	69	66	
	Sans préférence syndicale	34	26	
Ensemble		46	42	

Source : sondage TNS-Sofres/Logica, « Les nouveaux modes de revendications des salariés », avril 2009.

DOCUMENT 2

La première grève de la faim commence à Bordeaux, le 3 avril, autour d'un Turc débouté[1] et menacé d'expulsion. [...] Benali Kalkan jouissait d'un profil tout à fait exemplaire qui sera mis à profit par les associatifs : arrivé en France en 1982 et débouté en 1991 [...], parfaitement « intégré » (jouissant d'un travail déclaré après avoir fondé une entreprise, vivant avec une Française et parlant très bien le français), il s'agissait d'un cas particulièrement médiatique. La menace d'expulsion qui pesait sur lui et qui semblait devoir être mise à exécution par la police bordelaise fut perçue par tous les militants comme particulièrement injuste, au point que certains décidèrent de le cacher. Pourtant, devant l'impossibilité de prolonger une telle situation, Benali Kalkan décidait de se mettre en grève de la faim. Cette éventualité, à Bordeaux comme dans le reste de la France, était déjà évoquée par de nombreux déboutés turcs, qui se réunissaient dans les locaux de l'ASTI[2]. Devant la décision de Benali Kalkan, un compatriote arrivé en 1986 le rejoindra, suivi de 23 autres Turcs arrivés aux alentours de 1989, transformant ce qui avait déjà pris la tournure d'une petite mobilisation locale en un début de mobilisation nationale pour la régularisation des déboutés du droit d'asile. Par ailleurs, les Turcs de Bordeaux trouveront un soutien essentiel en la personne de Monseigneur Eyt, archevêque de Bordeaux, qui mettra à la disposition des grévistes une salle paroissiale adéquate pour mener une grève de la faim. [...] Or c'est sur toute la France que de nombreux déboutés évoquaient, depuis le début de 1991, le passage à la grève de la faim : la grève de Bordeaux va représenter un signal pour eux.

1. À qui on a refusé le droit d'asile.
2. Association de solidarité avec les immigrés.

Johanna Siméant, « Le mouvement des déboutés du droit d'asile, 1990-1992 », Olivier Fillieule (dir.), *Sociologie de la protestation. Les formes de l'action collective dans la France contemporaine*, L'Harmattan, 1993.

Aide au travail personnel

Accompagnement personnalisé

Dernières révisions avant le bac

1. Pourquoi ces dernières révisions sont-elles importantes ?

• Pour réactiver votre mémoire : certains cours sont déjà loin.
• Pour vous rassurer : vous allez constater que vous n'avez pas tout oublié !

2. Quels objectifs poursuivre ?

• Avoir une vision globale de chaque chapitre : il ne s'agit pas ici d'entrer dans le détail.
• Remettre en mémoire les notions associées à chaque chapitre.
• Repérer les points de cours qui restent obscurs : si nécessaire, demander de l'aide !

Quelques principes

• Prévoir un planning et s'y tenir.
• Cibler les points les plus délicats (ne pas perdre son temps à réviser ce que l'on est sûr de savoir).
• Travailler avec un stylo : écrire les notions revues permet de mieux les mémoriser ; relier les différentes notions par des schémas simples.
• Exploiter les pages d'autoévaluation du manuel. Les corrigés figurent en fin de manuel.
• Utiliser les fiches réalisées pendant l'année (voir la fiche 2, p. 63).

3. Conseils généraux

À éviter

→ Recopier ses fiches ! Inutile de refaire le travail.
→ Se contenter de relire le cours ou ses fiches.
→ Faire des « impasses » !

Important

→ Ne pas hésiter à demander de l'aide au professeur.
→ Quand un point est difficile, y revenir plus tard (le lendemain ou le surlendemain).

Pour rester zen

→ Ne pas attendre la dernière minute pour réviser.
→ Se ménager des temps de détente.

ACTIVITÉS À vous de jouer !

Dans les activités ci-dessous, nous avons choisi le chapitre 1 (« D'où vient la croissance ? ») à titre d'illustration, mais il faut évidemment répéter ces activités pour chaque chapitre !

1. Exercer sa mémoire

Sans ouvrir votre cours ni le manuel, écrivez les notions qui se rapportent à ce chapitre, puis comparez avec la liste figurant au programme (cette liste figure sur la page d'ouverture de chaque chapitre). Repérez les notions qui manquent : elles devront faire l'objet d'une attention particulière.
Rédigez de mémoire, et avec vos propres mots, les définitions de ces notions, puis comparez-les avec les définitions du lexique (il n'est pas nécessaire qu'elles soient identiques).

2. Approfondir ses connaissances

Faites les exercices d'autoévaluation (pour le chapitre 1, voir p. 33) ; comparez avec le corrigé en fin de manuel. S'il subsiste des erreurs, il faudra y revenir plus tard.
Pour les notions les plus difficiles ou pour celles que vous avez oubliées, reprenez le cours : aidez-vous de vos fiches et de la synthèse figurant à la fin de chaque chapitre.

3. Exploiter ses connaissances

Reprenez les entraînements figurant en bas de page dans le manuel. Il ne s'agit pas de refaire les activités proposées mais de vous familiariser avec les questions qui pourraient vous être posées. Attardez-vous sur celles qui vous semblent les plus délicates.
Faites la même chose avec les pages de sujets de bac figurant à la fin de chaque chapitre.

JUSTICE SOCIALE ET INÉGALITÉS

REGARDS CROISÉS

Que va-t-on étudier ?

L'égalité de droit fondant les sociétés démocratiques conduit-elle nécessairement à l'égalité de fait ? La réponse née de l'observation étant négative, il convient de s'interroger sur la nature et les formes des inégalités (chapitre 12). Il faut en particulier distinguer les inégalités pouvant être considérées comme justes, parce que découlant des écarts de mérite des individus, et les inégalités contrevenant à notre conception de la justice sociale. Comment les pouvoirs publics peuvent-ils lutter contre ces inégalités et promouvoir ainsi la justice sociale (chapitre 13) ?

 Ce que vous savez déjà

Pour traiter ces questions, nous allons faire appel à vos connaissances de 1re.
Comment sont répartis la richesse et les revenus ? Comment l'État providence contribue-t-il à la cohésion sociale ? Comment le budget de l'État permet-il d'agir sur l'économie ?

Avant d'entrer dans cette partie, rappelez-vous les notions suivantes :

Chapitre 12
- Salaire
- Revenu
- Profit
- Revenus de transfert

Chapitre 13
- État providence
- Prélèvements obligatoires
- Revenus de transfert

Pour vous aider, voici quelques activités.

RÉVISER LES ACQUIS DE 1RE

➡ Réponses p. 4

1 Du revenu primaire au revenu disponible

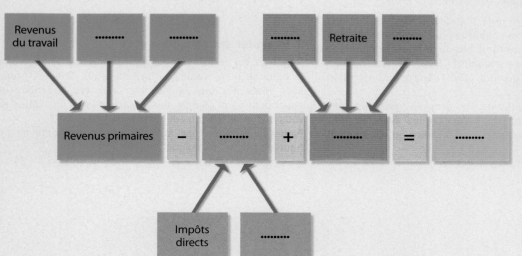

Compléter le schéma en utilisant les mots ou expressions ci-dessous :
- *Revenu disponible*
- *Revenus de transfert*
- *Revenus du capital*
- *Revenus mixtes*
- *Allocations chômage*
- *Prélèvements obligatoires*
- *Cotisations sociales*
- *RSA*

2 Le partage de la valeur ajoutée

L'économie française est déjà, selon les données publiées récemment par Eurostat, celle, parmi toutes les économies de l'Union européenne, où la part des profits dans la valeur ajoutée des entreprises est la plus faible. Avec 31,2 % en 2007, cette part se situe 8 points en dessous de la moyenne de la zone euro (39,3 %). La France est de plus l'une des rares économies de l'Union où la part des profits n'a pas augmenté depuis 2000. Alors qu'elle est montée de 5,1 points en Allemagne, de 3,2 aux États-Unis, de 1,4 au Royaume-Uni…

Cela n'a pas que des inconvénients : c'est une des raisons pour lesquelles la consommation des ménages s'est mieux tenue chez nous ces dernières années, et cela sans recourir de façon excessive à l'endettement. Mais cette faiblesse exceptionnelle des profits indique aussi un réel problème d'offre. Il se traduit notamment par une désindustrialisation rapide et par une dégradation inquiétante des comptes extérieurs du pays. Est-ce vraiment le moment d'en rajouter, alors que de toute façon les profits des entreprises vont chuter du fait de la crise ? On peut en douter. Y compris du point de vue des salariés : une hausse de leur part dans la valeur ajoutée risquerait fort de n'être qu'une victoire à la Pyrrhus comme à la fin des années 1970 et au début des années 1980, quand une telle évolution avait débouché sur une restructuration douloureuse de l'économie française.

Guillaume Duval, « Partage des bénéfices : la grande illusion »,
Alternatives économiques, n° 280, mai 2009.

78 % des salariés estiment que la répartition de la valeur ajoutée entre dirigeants, actionnaires et salariés est inéquitable.

Le Monde, 28 juin 2011.

1. CONSTATER. Quelle est la part des profits dans la valeur ajoutée en France ?

2. CONSTATER. À quels agents économiques revient la part restante de la valeur ajoutée ?

3. RÉCAPITULER. Quels sont les avantages et les inconvénients d'une part faible des profits dans la valeur ajoutée ?

3 Les prélèvements obligatoires

Évolution du taux de prélèvements obligatoires de l'État, des administrations de sécurité sociale et des administrations publiques locales de 1978 à 2008

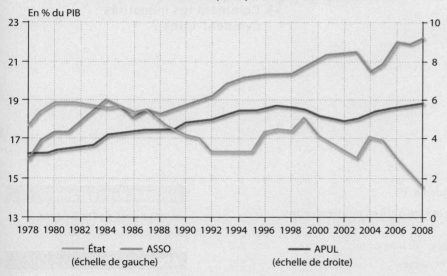

État — ASSO
(échelle de gauche)

APUL
(échelle de droite)

Source : Ministère de l'Économie, de l'Industrie et de l'Emploi, « Rapport sur les prélèvements obligatoires et leur évolution », 2010. Chiffres Insee, comptes nationaux.

1. DÉFINIR. Comment calcule-t-on le taux de prélèvements obligatoires ?

2. CONSTATER. Mettez en évidence l'évolution du taux de prélèvements obligatoires de l'État central.

3. EXPLIQUER. Comment peut-on expliquer que le taux de prélèvements obligatoires des administrations de sécurité sociale ait augmenté ?

4 Qu'est-ce que l'État providence ?

La naissance de l'État …… marque la rupture avec la conception libérale de l'État comme État …… […]. L'État …… […] accorde un rôle …… à l'État ; en revanche, l'État …… donne à l'État un rôle important dans la vie sociale et économique au nom d'impératifs ……. . Aujourd'hui, le terme peut être pris dans deux sens. Au sens large, adopté par ceux qui critiquent la place trop importante prise par l'État, la notion désigne l'État …… qui s'institutionnalise après la Seconde Guerre mondiale. Au sens restreint […], l'État …… est celui qui intervient pour assurer la prise en charge …… des fonctions de …… .

La notion d'État …… évoque clairement l'une des nouvelles fonctions de l'État moderne : s'occuper du …… des citoyens, et non plus seulement de la ……, de battre ……, de gérer ses relations internationales ou de faire la …… .

François-Xavier Merrien, *L'État providence*, PUF, coll. « Que sais-je ? », 2007 (3e édition).

Compléter le texte en utilisant les mots ou expressions ci-dessous (certains peuvent être utilisés plusieurs fois) :

• *Police* • *Minimal* • *Bien-être* • *Guerre*
• *Providence* • *Sociaux* • *Interventionniste*
• *Gendarme* • *Collective* • *Solidarité* • *Monnaie*

Comment analyser et expliquer les inégalités ?

Depuis plus de deux siècles, l'égalité a progressé en France. Néanmoins, la société française reste une société différenciée dans laquelle demeurent de multiples inégalités sociales, sans que ces dernières ne relèvent forcément d'injustices ou de discriminations, notions auxquelles le sens commun les réduit parfois. Les inégalités qui traversent la société française sont à la fois économiques (revenus, patrimoine) et socioculturelles. Ces dernières recouvrent un champ assez vaste incluant les conditions de vie des individus et leurs pratiques culturelles. Ces différentes formes d'inégalités peuvent se cumuler et s'auto-entretenir, et leur mesure est délicate.

➜ **Comment décrire et mesurer les inégalités ?**

Les Français sont caractérisés par une forte sensibilité aux inégalités, et ils sont nombreux à juger que les inégalités s'accroissent. Qu'en est-il réellement ? Les inégalités, notamment économiques, ont eu tendance à décliner sur une longue période, mais on observe aujourd'hui une réouverture de l'éventail des revenus. Le développement du chômage et des emplois atypiques a contribué, à côté d'autres facteurs, à cette évolution. Mais la tendance n'est pas proprement française, et les performances de l'Hexagone ne sont sans doute pas les pires. Le bilan est donc contrasté, tandis que le paysage des inégalités semble partiellement se recomposer. On assiste en effet à l'émergence de nouvelles inégalités.

➜ **Comment les inégalités évoluent-elles ?**

SOMMAIRE

Réviser les acquis de 1re   304

I Quelles formes les inégalités peuvent-elles prendre ?   308

   A Définir et mesurer les inégalités   308

   B Des inégalités multiples   312

   C Des inégalités cumulatives   314

II Des sociétés de plus en plus inégalitaires ?   316

   A Des évolutions contrastées   316

   B Les transformations de l'emploi au cœur des inégalités   318

   C De nouvelles inégalités   320

   TD **1.** Les inégalités territoriales   322

   TD **2.** Mesurer les inégalités avec la courbe de Lorenz   323

Synthèse   324

Schéma Bilan   326

Autoévaluation   327

Vers le Bac   328

Notions au programme

- Inégalités économiques
- Inégalités sociales

Acquis de 1re

- Salaire
- Revenu
- Profit
- Revenus de transfert

Fiche Notion 5 (voir p. 418)

- Les théories de la justice sociale

1 SUR UNE AUTRE PLANÈTE...	Rémunération 2009 en euros (et en années de Smic)	Coût horaire en euros
Thierry Henry Footballeur	18 800 000 (999)	6 267
Tony Parker Basketteur	11 100 000 (590)	3 700
Johnny Hallyday Chanteur	11 000 000 (584)	3 667
Bernard Arnault PDG de LVMH	9 100 000 (483)	3033
Karim Benzema Footballeur	8 800 000 (467)	2 933
Sébastien Loeb Pilote rallye	8 500 000 (451)	2 833
Mylène Farmer Chanteuse	7 800 000 (414)	2 600
Christopher Viehbacher PDG de Sanofi	7 100 000 (377)	2 367
Antonio Belloni DG délégué de LVMH	7 100 000 (377)	2 367
Franck Riboud PDG de Danone	6 000 000 (319)	2 000
Christophe de Margerie PDG de Total	4 500 000 (239)	1 500
Christopher Condron PDG d'AXA Financial	4 500 000 (239)	1 500
Jean Dujardin Acteur	4 400 000 (234)	1 467

Alternatives économiques, n° 291, mai 2010.
Chiffres Edubourse, *Le Figaro*, *L'Équipe*.

Campagne de sensibilisation du Laboratoire de l'égalité
pour la parité aux postes de responsabilité, l'égalité salariale,
la conciliation des temps de vie ou la lutte contre les stéréotypes.

1. Les écarts de rémunération présentés dans le tableau sont-ils des inégalités ? (Doc. 1)

2. Montrez que les inégalités entre hommes et femmes n'ont pas disparu. (Doc. 2)

3. Notre lieu d'habitation donne-t-il des informations sur notre identité sociale ? (Doc. 3)

I. Quelles formes les inégalités peuvent-elles prendre ?

A Définir et mesurer les inégalités

1. Qu'est-ce qu'une inégalité ?

Une inégalité sociale correspond à une différence de situation des individus en raison des ressources qu'ils détiennent (éducation, revenus, capital social, etc.) ou de pratiques (santé, logement, situation d'emploi, etc.) qui peuvent être classées hiérarchiquement.

Une discrimination est une différence de traitement fondée sur un critère illégitime et donc prohibé (âge, sexe, handicap, etc.). Les discriminations produisent des inégalités, mais les inégalités ne sont pas uniquement la conséquence de discriminations.

En pratique, il est souvent difficile de démêler ce qui relève de la discrimination entre des individus du fait de certaines de leurs caractéristiques, et ce qui relève des inégalités entre leurs milieux sociaux d'origine. Par exemple, si les étrangers sont plus souvent au chômage que les Français, cela tient d'une part à une discrimination à l'embauche, mais aussi à une inégalité de niveau de qualification ; le taux de chômage est plus élevé pour les peu diplômés. Les deux effets se cumulent. De même, les femmes sont en moyenne moins payées que les hommes car elles subissent des discriminations, mais aussi parce qu'elles s'orientent vers des filières moins rémunératrices, qu'elles exercent plus souvent à temps partiel, et que le poids des tâches domestiques et familiales freine leurs carrières.

On a longtemps mis en avant les inégalités sociales et sous-estimé les discriminations. Aujourd'hui, c'est l'inverse [...]. L'accent mis sur les discriminations a tendance à masquer les mécanismes sociaux qui produisent les inégalités.

« Quelle est la différence entre inégalité sociale et discrimination », inegalites.fr, site de l'Observatoire des inégalités.

1. ILLUSTRER. Donnez des exemples d'inégalités associées à chacun des éléments soulignés.

2. EXPLIQUER. Les différences de situations en matière d'éducation sont-elles la cause, la manifestation et/ou la conséquence d'inégalités ?

3. CONSTATER. Quelle différence peut-on établir entre inégalité et discrimination ?

4. EXPLIQUER. Expliquez la dernière phrase du document.

2. Différence ou inégalité ?

Les candidats obèses **ont deux fois moins de chances** de décrocher un rendez-vous.

Source : Jean-François Amadieu, « L'Obèse : l'incroyable discriminé », Observatoire des discriminations, Université Paris-1 Panthéon-Sorbonne.

Les personnes de petite taille gagnent en moyenne **5 % de moins**.

Source : Barry Harper, « Beauty. Stature and the Labour Market : a British Cohort Study », *Oxford Bulletin of Economics and Statistics*.

Les chauves ont **un tiers de chances en moins** d'être convoqués à un entretien.

Source : Bernd Tischer, « Influence of hair loss on employment decisions », Emnid Institut.

Les salariés au physique disgracieux gagnent **15 % de moins** que la moyenne.

Source : Barry Harper, « Beauty. Stature and the Labour Market : a British Cohort Study », *Oxford Bulletin of Economics and Statistics*.

45 % des obèses régressent socialement par rapport à leurs parents.
Source : Jean-Pierre Poulain, *Sociologie de l'obésité*, PUF.

D'après *Capital*, août 2010.

1. EXPLIQUER. Pourquoi est-on, a priori, enclin à penser que la diversité des apparences physiques renvoie à des différences et non à des inégalités ?

2. CONSTATER. Que met en évidence le document ?

3. EXPLIQUER. Comment expliquer les constats du document ?

3. Les inégalités sont-elles toujours injustes ?

Attachons-nous ici à la tendance, [...] irrépressible, à lire ces différences de cursus comme des inégalités injustes. Les inégalités de carrières – par exemple, la rareté des enfants d'ouvriers à Poly-technique – sont lues comme d'évidentes inégalités des chances : ces enfants ont sans doute rencontré plus de difficultés scolaires du fait des contenus de formation – selon la thèse de l'« inégale distance » entre cultures familiales et culture scolaire –, ou d'une scolarisation dans des contextes scolaires de qualité inégale – du fait de la ségrégation sociale notamment – ; ils ont sans doute aussi été mal informés de toutes les possibilités d'études. [...] La question du degré de justice éventuel de ces inégalités de carrières scolaires apparaît sacrilège, et elle est souvent éludée. Pour trancher, un surcroît d'information serait nécessaire : il conviendrait de savoir comment ces inégalités ont été fabriquées, en particulier si, au départ, les aptitudes scolaires, la mobilisation et les visées étaient identiques. Concrètement, les inégalités d'accès à Polytechnique entre enfants de cadres et enfants d'ouvriers ne seraient injustes que si les uns comme les autres en étaient tous capables et en avaient tous l'ambition, certains ayant été injustement empêchés de réaliser leurs rêves…

Marie Duru-Bellat,
Le mérite contre la justice,
Les presses de Sciences Po, 2009.

1. EXPLIQUER. Pourquoi les différences de cursus scolaire peuvent-elles apparaître comme des inégalités injustes ?

2. EXPLIQUER. Comment l'auteure relativise-t-elle l'idée évoquée à la question précédente ?

3. ILLUSTRER. Cherchez d'autres exemples d'inégalités qui vous semblent justifiées ou, au contraire, injustes.

4. La délicate mesure des inégalités de revenus

La réponse à la question « combien gagnent les Français ? » pourrait bien être « tout dépend »… Il existe de nombreuses façons de mesurer les niveaux de vie, et, du coup, autant de réponses valables. Pour la grande majorité des salariés, le revenu est ce qui figure au bas de la fiche de paie, le salaire net. [...] Sur cette base, au sommet des professions les mieux payées, on trouve les cadres des marchés financiers, avec 11 400 euros bruts mensuels en moyenne. Tout en bas, et pour un temps complet, les ouvriers non qualifiés de l'artisanat et les apprentis, avec un peu plus de 1 200 euros (données 2006). [...] Pour l'essentiel, l'immense majorité des salaires, pour un temps plein, se situe dans un rapport de un à quatre : le Smic étant de 1 254 euros bruts en 2006, une moitié des salariés à temps complet touche moins de 1 500 euros nets mensuels, [...] 5 % plus de 4 000 euros. Ces moyennes sont trompeuses. Elles masquent les disparités selon l'ancienneté, le secteur et la taille de l'entreprise, etc. [...] Elles n'intègrent pas non plus les primes et autres bonus, ainsi que les diverses formes d'intéressement aux résultats de l'entreprise. Enfin, ces données ne reflètent pas le niveau de rémunération des personnes à temps partiel, loin d'être toujours choisi. [...] Certains ménages disposent d'actifs dont ils tirent rémunération, les revenus du patrimoine [...]. Enfin, les retraités, les chômeurs et les plus démunis perçoivent des revenus issus du système d'assurances sociales ou de solidarité.

Ces inégalités de revenus conduisent à une distribution très inégale de la richesse nationale. Le dixième le plus riche en reçoit un quart (après impôts et prestations sociales), davantage que les 40 % du bas de l'échelle réunis.

Louis Maurin, *Cahiers français*, n° 351, juillet-août 2009.

1. CONSTATER. Replacez les données chiffrées sur une échelle.

2. EXPLIQUER. Quel est l'intérêt de prendre en compte le niveau de vie plutôt que le revenu disponible pour mesurer les inégalités ?

3. CALCULER. Calculez le rapport entre le salaire des cadres des marchés financiers et le Smic. Cet écart est-il représentatif des inégalités salariales en France ?

4. CONSTATER. Quels sont les facteurs explicatifs des différences de rémunération évoquées dans le document ?

DÉFINITION

Le niveau de vie
Le niveau de vie est égal au revenu disponible du ménage divisé par le nombre d'unités de consommation (uc). Le niveau de vie est donc le même pour tous les individus d'un même ménage.
Les unités de consommation sont généralement calculées selon l'échelle d'équivalence dite « de l'OCDE modifiée » qui attribue 1 uc au premier adulte du ménage, 0,5 uc aux autres personnes de 14 ans ou plus, et 0,3 uc aux enfants de moins de 14 ans. Cela permet de tenir compte de la taille des ménages et des économies d'échelle en leur sein.

5. Les inégalités de revenu salarial[1]

Décile[2]	Distribution du revenu salarial annuel par sexe ou catégorie socioprofessionnelle sur l'ensemble des salariés en 2008 en euros courants						
	Ensemble	Hommes	Femmes	Cadres[3]	Prof. interm.	Employés	Ouvriers
1er décile (D1)	2 309	3 014	1 821	10 782	5 832	1 425	1 758
1er quartile (Q1)	8 999	11 782	7 208	23 947	15 274	5 546	6 980
Médiane (D5)	16 746	18 473	14 930	33 037	21 226	13 102	14 771
3e quartile (Q3)	23 632	26 045	21 165	45 506	26 628	17 593	18 978
9e décile (D9)	33 514	38 367	28 816	65 789	32 425	21 725	22 989
D9/D1	14,5	12,7	15,8	6,1	5,6	15,2	13,1
Moyenne	18 800	21 640	15 750	38 880	20 980	12 340	13 630

1. Correspond à la somme des salaires nets de cotisations perçus par un individu au cours d'une année.
2. Sur un effectif donné, correspond à un intervalle qui comprend un dixième des individus.
3. Y compris chefs d'entreprise salariés.

Champ : France métropolitaine, ensemble des salariés des secteurs public et privé, hors salariés agricoles et apprentis-stagiaires.

Source : Insee, Emploi et salaires, édition 2011, DADS 2008 définitif et fichiers de paie des agents de l'État, exploitation au 1/12.

1. CONSTATER. Que signifie chacune des données de la colonne « Ensemble » ?

2. CONSTATER. À l'aide de coefficients multiplicateurs, comparez le revenu salarial moyen des hommes et des femmes, puis celui des cadres et des employés.

3. EXPLIQUER. Pourquoi le rapport interdécile est-il plus élevé pour les femmes que pour les hommes ? pour les employés que pour les cadres ?

documents

6. Les inégalités de niveau de vie

Catégorie	Niveau de vie moyen	1er décile (D1)	Médiane (D5)	9e décile (D9)	D9/D1	D5/D1	D9/D5	Taux de pauvreté à 60 % (%)
Distribution des niveaux de vie selon la catégorie socioprofessionnelle des personnes en 2007 (montants annuels en euros)								
Agriculteur[1]	19 770	7 390	15 320	36 520	4,9	2,1	2,4	25,7
Artisan, commerçant, chef d'entreprise	27 740	8 980	21 080	49 580	5,5	2,3	2,4	15,2
Cadre et profession intellectuelle supérieure	34 700	17 790	30 170	53 240	3	1,7	1,8	2,7
Profession intermédiaire	23 580	13 510	22 020	34 480	2,6	1,6	1,6	5,1
Employé	19 020	10 600	17 770	27 990	2,6	1,7	1,6	11,1
Ouvrier	17 190	10 040	16 490	24 620	2,5	1,6	1,5	13,8
Retraité	21 540	10 950	18 120	34 610	3,2	1,7	1,9	9,8
Autre sans activité professionnelle	18 760	8 610	15 850	30 400	3,5	1,8	1,9	21
Ensemble	21 080	10 010	18 170	33 900	3,4	1,8	1,9	13,4

1. Les niveaux de vie des agriculteurs ne sont pas directement comparables à ceux des autres catégories. Relevant de différents régimes d'imposition, les revenus agricoles sont réestimés en fonction de ces régimes.

Champ : personnes vivant en France métropolitaine dans un ménage dont le revenu déclaré au fisc est positif ou nul, et dont la personne de référence n'est pas étudiante.
Lecture : les 10 % d'ouvriers appartenant aux ménages les plus modestes ont un niveau de vie inférieur à 10 040 euros.

Sources : Insee, Les revenus et le patrimoine des ménages 2010. Insee ; DGFIP ; Cnaf ; Cnav ; CCMSA, Enquête revenus fiscaux et sociaux 2007.

1. DÉFINIR. Qu'est-ce que le niveau de vie ?

2. CONSTATER. Comparez le neuvième décile de niveau de vie des cadres et professions intellectuelles supérieures, et celui des ouvriers.

3. CONSTATER. Quelles sont les deux catégories où les inégalités de niveau de vie sont les plus fortes ? celles où le taux de pauvreté est le plus élevé ?

4. EXPLIQUER. Pourquoi les écarts de niveau de vie sont-ils moins élevés que les écarts salariaux ?

> **DÉFINITION**
>
> **Le taux de pauvreté**
> Ce taux correspond à la proportion d'individus (ou de ménages) dont le niveau de vie est inférieur au seuil de pauvreté (exprimé en euros). Le seuil de pauvreté est, en Europe, fixé à 60 % du niveau de vie médian, soit pour la France environ 950 euros en 2011.

7. Quel revenu pour les plus riches...

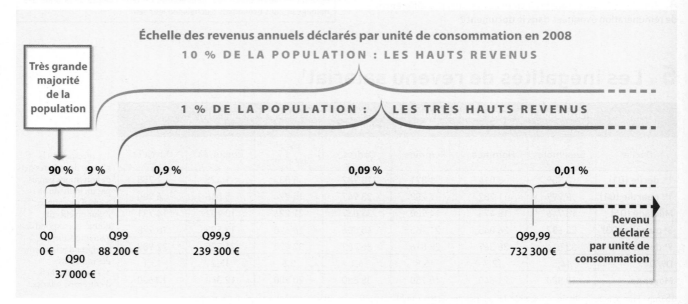

Source : Insee, Les revenus et le patrimoine des ménages, 2011.

1. DÉFINIR. Que représente la valeur 732 300 ?

2. CONSTATER. Peut-on dire que les 10 % de la population les plus riches ont un niveau de vie avant redistribution de 37 000 euros en 2008 ?

3. CONSTATER. Comparez le revenu par unité de consommation minimum des 0,01 % les plus riches et celui des 10 % les plus riches.

4. EXPLIQUER. Pourquoi le rapport interdécile rend-il imparfaitement compte de l'importance des inégalités et de leur évolution ?

8. ...et pour les plus pauvres ?

Seuil à 60 % de la médiane	2006	2007	2008	2009
Nombre de personnes pauvres (en milliers)	7 828	8 035	7 836	8 173
Taux de pauvreté (en %)	13,1	13,4	13	13,5
Seuil de pauvreté (euros 2009/mois)	915	935	950	954
Niveau de vie médian des personnes pauvres (euros 2009/mois)	750	765	774	773
Intensité de la pauvreté (en %)	18	18,2	18,5	19

Lecture : en 2009, 13,5 % de la population vit en dessous du seuil de pauvreté (taux de pauvreté). La moitié des personnes pauvres a un niveau de vie inférieur à 773 euros par mois, soit un écart de 19 % au seuil de pauvreté. Cet écart représente l'intensité de la pauvreté.

Champ : France métropolitaine, personnes vivant dans un ménage dont le revenu déclaré au fisc est positif ou nul, et dont la personne de référence n'est pas étudiante.

Source : « Les niveaux de vie en 2009 », *Insee Première*, n° 1365, août 2011.

1. CALCULER. Calculez l'évolution (en %) du nombre de pauvres entre 2006 et 2009.

2. EXPLIQUER. Quel est l'intérêt de mesurer l'intensité de la pauvreté ?

3. EXPLIQUER. Ce document permet-il de tirer des conclusions quant à l'importance des inégalités de revenus en France ?

4. CONSTATER. Comparez le seuil de pauvreté à la valeur de D1 (ligne Ensemble) dans le document 6 pour l'année 2007.

9. Les pays riches sont-ils moins inégalitaires ?

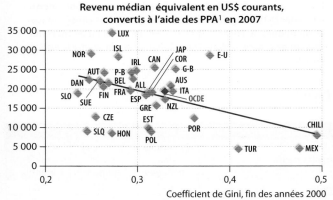

Revenu médian équivalent en US$ courants, convertis à l'aide des PPA[1] en 2007

Coefficient de Gini, fin des années 2000

1. Parités de pouvoir d'achat.　Source : OCDE, Panorama de la société 2011 – Les indicateurs sociaux de l'OCDE.

1. CONSTATER. Que signifient les données concernant la France ?

2. CONSTATER. Comparez la situation de la Norvège à celle du Mexique. Quelle corrélation est ici suggérée ?

3. EXPLIQUER. Comment peut-on expliquer la corrélation constatée à la question précédente ?

4. CONSTATER. Montrez que la corrélation appelle quelques nuances.

> **DÉFINITION**　**L'indice (ou coefficient) de Gini**
>
> C'est un indicateur synthétique d'inégalités de salaires (de revenus, de niveaux de vie...). Il varie entre 0 et 1. Il est égal à 0 dans une situation d'égalité parfaite, où tous les salaires, les revenus, les niveaux de vie... seraient égaux. À l'autre extrême, il est égal à 1 dans une situation la plus inégalitaire possible, celle où tous les salaires (les revenus, les niveaux de vie...), sauf un, seraient nuls. Entre 0 et 1, l'inégalité est d'autant plus forte que l'indice de Gini est élevé. (D'après Insee.)

10. Comment le patrimoine est-il distribué ?

a. Niveau de patrimoine[1] médian des ménages en 2010 en euros

Âge de la personne de référence du ménage	Patrimoine
Moins de 30 ans	7 200
De 30 à 39 ans	48 600
De 40 à 49 ans	132 500
De 50 à 59 ans	203 700
De 60 à 69 ans	211 500
70 ans et plus	148 600

Catégorie sociale de la personne de référence du ménage	Patrimoine
Agriculteur	539 200
Artisan, commerçant, industriel	266 800
Profession libérale	482 600
Cadre	214 500
Profession intermédiaire	111 000
Employé	21 700
Ouvrier qualifié	28 800
Ouvrier non qualifié	5 500
Ensemble	113 500

Lecture : 50 % des ménages de moins de trente ans disposent d'un patrimoine inférieur à 7 200 euros.　Source : Insee, Enquête patrimoine 2009-2010.

b. Part du patrimoine[1] détenue par les 10 % de ménages les plus riches

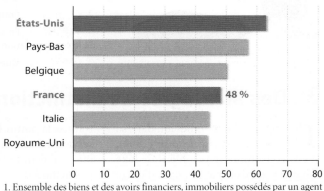

États-Unis ／ Pays-Bas ／ Belgique ／ France **48 %** ／ Italie ／ Royaume-Uni

1. Ensemble des biens et des avoirs financiers, immobiliers possédés par un agent économique.　Source : *Le Figaro*, 20 janvier 2011.

1. CONSTATER. Que signifient les données entourées ? (Doc. a)

2. EXPLIQUER. Qu'est-ce qui peut expliquer l'importance du patrimoine des indépendants ? (Doc. a)

3. EXPLIQUER. Que suggère la comparaison de la France avec les autres pays de l'OCDE ? (Doc. b)

ENTRAÎNEMENT

QUESTION DE COURS. Qu'est-ce qu'une inégalité de revenus ?

SYNTHÈSE. À partir des documents 4, 5 et 6, montrez que la mesure des inégalités de revenus dépend des indicateurs choisis.

documents

B ▪ Des inégalités multiples

1 ▪ Des inégalités face à la culture

a. Temps passé devant la télévision

Proportion de personnes regardant la télévision vingt heures et plus par semaine en 2008 (en %)	
Agriculteur	38
Patron de l'industrie et du commerce	28
Cadre supérieur et profession libérale	⑩
Cadre moyen	25
Employé	39
Ouvrier	㊽
Ensemble	㊸

Champ : ensemble des Français de 15 ans et plus (actifs et ex-actifs).

Source : Insee.

1. CONSTATER. Que signifient les données entourées ? (Doc. a)

2. EXPLIQUER. Selon vous, les différences de pratiques observées relèvent-elles d'inégalités ? (Doc. a)

b. La télévision : une pratique dévalorisée ?

La télévision apparaît [...] comme le loisir de prédilection de ceux dont le temps libre est la seule ressource disponible en abondance, loisir par défaut des exclus de la haute culture, privés des ressources sociales, économiques et culturelles nécessaires à la fréquentation des œuvres et des lieux de la « culture cultivée » [...]. Pratique culturelle la plus banalisée, la télévision est aussi la plus largement dévalorisée.

Philippe Coulangeon, *Sociologie des pratiques culturelles,*
La Découverte, coll. « Repères », 2010.

3. EXPLIQUER. À partir du texte, justifiez l'idée que pour mettre en évidence les inégalités, « ce sont en général les conséquences économiques ou encore le prestige actuel de tel ou tel choix qui servent de repère » (Marie Duru-Bellat, *Le mérite contre la justice, op. cit.*).

2 ▪ Des inégalités de consommation

Gérard Mathieu, « Les inégalités en France »,
Alternatives économiques, poche n° 43, mars 2010.

Prix moyen à l'achat en fonction du quintile de revenu des ménages			
Équipements neufs	Ensemble des ménages	Ménages du 1er quintile	Ménages du 5e quintile
Buffet, bahut, bibliothèque	517	㉒㊿	800
Téléviseur, combiné TV/magnétoscope/DVD	626	464	879
Baladeur lecteur CD portable, lecteur MP3	87	65	112
Four micro-ondes	131	85	178

Source : Maël Theulière, « Inégalités de consommation : quelles évolutions sur 20 ans ? quelles évolutions récentes ? », séminaire Inégalités de l'Insee, 12 septembre 2008.

1. CONSTATER. Que signifie la donnée entourée ?

2. EXPLIQUER. Pourquoi consacrer 800 euros plutôt que 250 à l'achat d'un buffet ?

3. EXPLIQUER. En quoi le document nuance-t-il l'idée d'une homogénéisation de la consommation ?

4. CONSTATER. Que suggère la caricature ?

3 ▪ Des stratégies de distinction

Thorstein Veblen[1] indiquait, dans sa *Théorie de la classe de loisir* (1899), que la consommation de biens de luxe n'était pas motivée par la valeur d'usage de ces derniers, mais par leur fonction ostentatoire : le fait qu'ils permettent aux plus riches d'affirmer leur supériorité sociale et de montrer en particulier qu'ils peuvent les pratiquer au lieu de travailler. Cela étant, il prête un caractère volontaire à ces attitudes, alors que pour Bourdieu, elles sont largement inconscientes. Surtout, dans *La barrière et le niveau* (1925), Edmond Goblot soulignait déjà, avec une verve inimitable, la tension entre conformisme et différenciation qui traverse la culture bourgeoise : le premier servant à entretenir un sentiment d'égalité et d'identité en son sein, la seconde permettant de se distinguer des classes inférieures et de les tenir à l'extérieur – la barrière, elle-même constamment recomposée au fil des modes : « Faites comme tout le monde ! voilà le niveau. Ne soyez pas commun ! voilà la barrière. » Et d'expliquer notamment comment un diplôme comme le baccalauréat, alors atteint par une minorité, constituait à la fois une barrière et un niveau.

1. Économiste et sociologue américain (1857-1929).

Igor Martinache, *Alternatives économiques,*
n° 303, juin 2011.

1. EXPLIQUER. Que signifie le passage souligné ?

2. EXPLIQUER. Quel lien peut-on faire avec le document 2 ?

3. ILLUSTRER. Recherchez des exemples relatifs aux modes de vie des catégories favorisées, illustrant la tension entre conformisme et différenciation.

4. Les inégalités face à la santé

a. Espérance de vie à 35 ans

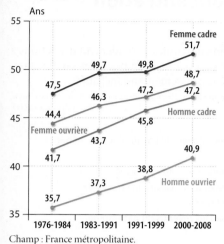

Champ : France métropolitaine.

Source : *Insee Première*, n° 1372, octobre 2011.

b. « Santé : les inégalités s'aggravent en France »

Les Français sont en bonne santé. Tel est le constat que fait la [...] DREES[1], dans son rapport 2010 sur l'état de santé. Mais ce qui inquiète les experts, c'est que les inégalités sociales se sont aggravées au cours des dernières décennies. [...] Plusieurs facteurs entrent en jeu : l'exposition aux risques, l'environnement ou les comportements socioculturels – habitudes de vie, attention portée à la santé, recours aux soins, etc. Le niveau d'études et de revenus joue aussi [...]. Malgré son niveau de vie, la France s'en sort moins bien que ses voisins. [...]

Les Français les plus précaires se soignent moins bien que les autres. [...] En 2008, 15 % des adultes métropolitains ont déclaré avoir renoncé à des soins pour des raisons financières, soit 2 % de plus qu'un an auparavant. [...]

« Les enfants d'agriculteurs, d'ouvriers, d'inactifs, de même que les enfants scolarisés en ZEP ou en zone rurale ont un état de santé bucco-dentaire plus mauvais, ou sont plus souvent en surcharge pondérale que les autres », cite en exemple le rapport. [...]

« On dénombre dix fois plus d'enfants obèses chez les ouvriers que chez les cadres, contre quatre fois plus en 2002. »

1. Direction de la recherche, des études, de l'évaluation et des statistiques du ministère de la Santé.

Alexia Eychenne, « Santé : les inégalités s'aggravent en France », *L'Expansion*, 30 juillet 2010.

1. CONSTATER. Comparez l'espérance de vie des ouvriers et des cadres entre 2000 et 2008. (Doc. a)

2. EXPLIQUER. Quels facteurs peuvent expliquer l'écart constaté à la question précédente ? (Doc. b)

3. EXPLIQUER. Comment le document b explique-t-il l'accroissement des inégalités face à la santé ? (Doc. b)

4. CONSTATER. L'accroissement des inégalités face à la santé se vérifie-t-il dans les écarts d'espérance de vie ? (Doc. a et b)

5. CONSTATER. Comment la France se situe-t-elle dans l'Union européenne en matière d'inégalités face à la santé ? (Doc. b)

5. Inégalités hommes-femmes : les pays européens passés au crible

	Part des femmes dans la population active, en % (2008)	Part des femmes à temps partiel, en % (2008)	Impact de la maternité sur l'emploi (2007)[1]	Rémunération horaire brute moyenne, différence hommes-femmes en % du salaire des hommes (2008)[2]	Nombre de femmes pour 100 hommes, diplômées de l'enseignement supérieur (2008)	Part des femmes dans les parlements nationaux, en % (2009)	Part des femmes dans les plus hautes instances dirigeantes des entreprises cotées, en % (2009)
Union à 27	45	31,5	− 12,4	17,4*	147,1	24	11
Allemagne	46	45,3	− 16,2	23,2	131,3	32	13
Belgique	45	41,5	− 5,5	9,1*	142	38	8
Bulgarie	47	2,7	− 11,5	12,4*	159,1	22	17
Danemark	47	37,9	n.d.	17,7*	137	37	18
Espagne	43	23	− 11,2	17,1	140,1	36	10
France	48	29,9	− 10,1	19,2	123,3	19	10
Hongrie	46	7,5	− 27,5	17,5	200,8	11	13
Irlande	43	33,8	− 19,7	17,1*	128,7	13	8
Italie	41	27,9	− 9,2	4,9	146,7	21	4
Pays-Bas	46	75,8	− 8,7	23,6*	131,1	42	15
Pologne	45	11,6	− 11,1	14,3	192,7	20	10
Portugal	47	16,4	− 0,8	8,3	147,8	30	4
Royaume-Uni	46	42,5	− 17,4	21,4	137,4	20	12
Suède	47	41,2	n.d.	17,1	174,3	47	27

*2007. **2008. ***Suivi d'un congé parental de 75 semaines. **n.d.** : non disponible.
1. Lecture : en France, le taux d'emploi des mères d'enfants de moins de 12 ans est de 10 % inférieur à celui des femmes sans enfant.

2. Lecture : en France, le salaire horaire brut moyen des femmes est inférieur de 15,8 % à celui des hommes.

Source : d'après Claire Alet, « Femmes : la révolution inachevée », *Alternatives économiques*, n° 299, février 2011.

1. CONSTATER. Que signifient les données des trois dernières colonnes concernant la France ?

2. CONSTATER. Montrez que les différences hommes-femmes relatives à la sphère privée peuvent influencer l'insertion professionnelle des femmes.

3. EXPLIQUER. Quelles pourraient être les conséquences, sur d'autres variables du tableau, d'une présence supérieure des femmes parmi les diplômés de l'enseignement supérieur ?

4. CONSTATER. Situez les performances de la France au sein de l'Union européenne en matière d'inégalités hommes-femmes.

ENTRAÎNEMENT

QUESTION DE COURS. Les inégalités sont-elles seulement économiques ?

SYNTHÈSE. Montrez les liens que les inégalités culturelles et de consommation entretiennent avec la distinction. (Doc. 1, 2 et 3)

documents

C ▪ Des inégalités cumulatives

1 ▪ Les inégalités de revenus favorisent la concentration des richesses

Les inégalités de revenus jouent un rôle prépondérant pour expliquer la concentration des richesses. Les ménages forment un patrimoine en épargnant à chaque période une fraction de leurs revenus. Plus les revenus sont distribués de façon inégalitaire, plus les montants épargnés par les ménages diffèrent, ce qui se traduit à moyen et long terme par des écarts de richesse de grande ampleur. [...] Le comportement des ménages les plus riches s'explique principalement par le désir de transmettre un patrimoine à leurs descendants. [...] Un facteur de concentration supplémentaire des richesses vient du fait que tous les ménages ne font pas face au même rendement de leur épargne. [...] Les ménages les plus riches détiennent une part disproportionnée des actions de l'économie. [...] Sur un horizon de plusieurs décennies, le rendement des actions a été significativement supérieur à celui des titres sans risques, ce qui a contribué à l'accroissement des inégalités.

Alexis Direr, « L'évolution récente des inégalités de richesse aux États-Unis », *Cahiers français*, n° 351, juillet-août 2009.

1. CONSTATER. Par quels moyens le patrimoine des ménages peut-il s'accroître ?

2. EXPLIQUER. Expliquez le passage souligné.

3. ILLUSTRER. Quels revenus le patrimoine financier et immobilier peut-il générer ?

4. EXPLIQUER. Pourquoi les revenus du patrimoine sont-ils inégalitaires ?

2 ▪ La distribution des revenus et du patrimoine en 2010

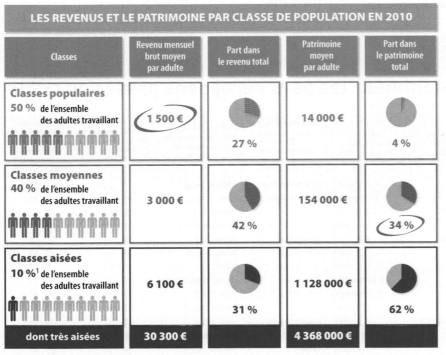

Classes	Revenu mensuel brut moyen par adulte	Part dans le revenu total	Patrimoine moyen par adulte	Part dans le patrimoine total
Classes populaires 50 % de l'ensemble des adultes travaillant	1 500 €	27 %	14 000 €	4 %
Classes moyennes 40 % de l'ensemble des adultes travaillant	3 000 €	42 %	154 000 €	34 %
Classes aisées 10 %[1] de l'ensemble des adultes travaillant	6 100 €	31 %	1 128 000 €	62 %
dont très aisées	30 300 €		4 368 000 €	

1. Moyennes aisées : 9 %, très aisées : 1 %.

Source : d'après Camille Landais, Thomas Piketty et Emmanuel Saez, *Pour une révolution fiscale*, Le Seuil – La République des Idées, 2011.

1. CONSTATER. Que signifient les données entourées ?

2. CONSTATER. Le document permet-il d'établir un lien entre revenu et patrimoine ?

3. CONSTATER. Comparez la concentration du patrimoine et celle du revenu.

4. EXPLIQUER. Comment expliquer le constat fait à la question précédente ?

3 ▪ L'endogamie accroît les inégalités de revenus et de patrimoine

On l'oublie souvent, mais la formation des couples est l'un des moteurs de la hausse des inégalités de niveau de vie entre les ménages depuis les années 1970, selon le Pew Research Center. Les couples unissent en effet le plus souvent des personnes issues de milieux semblables, ce n'est pas nouveau. Ce qui l'est davantage, c'est l'élévation du taux d'activité des femmes, et donc de leur niveau de vie. Le couple agrège les revenus élevés d'un côté et les bas revenus de l'autre. L'impact de l'endogamie sociale [...] sur les écarts de revenu est démultiplié. En outre, l'étude note que les moins diplômés vivent plus souvent seuls.

Alternatives économiques, n° 291, mai 2010.

1. DÉFINIR. Qu'est-ce que l'endogamie ?

2. CONSTATER. En quoi l'élévation du taux d'activité des femmes contribue-t-elle à accroître les inégalités de revenus ?

3. EXPLIQUER. Pourquoi l'endogamie a-t-elle aussi des conséquences sur le patrimoine des ménages ?

4. Inégalités : un effet boule-de-neige

Les inégalités réelles sont produites par l'accumulation de petites inégalités qui finissent par créer des écarts considérables […]. Rien ne montre mieux ce processus que la formation des inégalités scolaires. La part qui revient aux inégalités initiales (par exemple le milieu social des parents) est à la fois précoce et relativement faible lorsqu'on mesure les performances de très jeunes élèves. Mais, au fil du parcours scolaire, ces inégalités ne cessent de se creuser. On sait que la concentration des élèves les plus faibles dans les mêmes classes et les mêmes écoles accentue leur faiblesse relative. On sait aussi que les maîtres sont moins optimistes à l'égard de ces élèves et que, leurs parents étant moins ambitieux et moins informés, les inégalités s'accroissent encore. Les familles modestes utilisent moins de ressources éducatives non scolaires susceptibles de faire des différences scolaires (visites de musée, jeux « éducatifs », tourisme cultivé, etc.) et, en fin du parcours, les petites inégalités initiales se sont transformées en grandes inégalités scolaires.

François Dubet, *Les places et les chances*, Le Seuil-La République des idées, 2010.

1. EXPLIQUER. Expliquez la phrase soulignée.

2. EXPLIQUER. Qu'est-ce qui favorise la concentration des élèves les plus faibles dans les mêmes classes et les mêmes écoles ?

3. RÉCAPITULER. Faites un schéma expliquant l'amplification des inégalités scolaires.

5. Les immigrés face aux inégalités

	Population immigrée	Population non immigrée
Taux de chômage (2009)	16 %	8,5 %
Part des emplois précaires dans l'emploi (2006)	12 %	7 %
Part des ouvriers parmi les actifs occupés (2007)	46 %	35 %
Niveau de vie mensuel (2007)	1 220 €	1 810 €
Taux de pauvreté (2007)	36,1 %	11,3 %
Ménages en situation de surpeuplement du logement (2002)	28,4 %	5 %
Proportion d'enfants[1] en lycée général en 2002 parmi les entrants en 6e en 1995	27,2 %	39,7 %

1. Ces enfants ne sont pas nécessairement eux-mêmes immigrés.

Sources : Insee, Enquête emploi 2009, Les revenus et le patrimoine des ménages 2010 ; l'Observatoire des inégalités.

1. CONSTATER. Que signifient les données entourées ?

2. EXPLIQUER. Comment peuvent s'expliquer, selon vous, les écarts en matière de taux de chômage ?

3. CONSTATER. Montrez que l'importance de la part des ouvriers dans la population active immigrée a des conséquences sur d'autres variables du tableau.

6. Les inégalités s'entretiennent

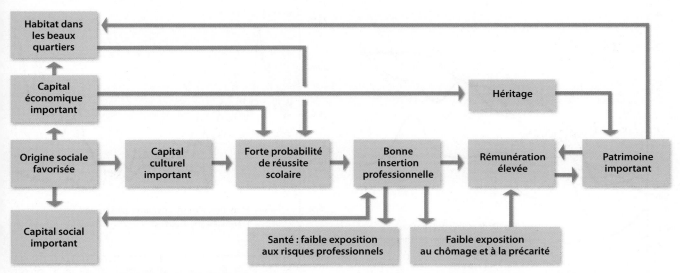

1. DÉFINIR. À quoi les notions de capital économique, social, culturel font-elles référence ?

2. EXPLIQUER. Pourquoi le capital social influence-t-il l'insertion professionnelle ?

3. CONSTATER. En quoi le document met-il en évidence un phénomène de reproduction sociale ?

4. RÉCAPITULER. Faites un schéma similaire en partant d'une origine sociale défavorisée.

ENTRAÎNEMENT

QUESTION DE COURS. Montrez le caractère multiforme des inégalités.

SYNTHÈSE. À l'aide des documents 1 et 2, expliquez comment inégalités de revenus et inégalités de patrimoine s'entretiennent mutuellement.

documents

II. Des sociétés de plus en plus inégalitaires ?

A Des évolutions contrastées

1. Les inégalités ne baissent plus en France

Niveau de vie des 10 % les plus riches rapporté à celui des 10 % les plus pauvres

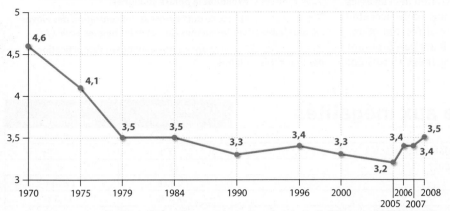

Source : « L'évolution des inégalités en France », inegalites.fr, site de l'Observatoire des inégalités, 27 octobre 2010. Chiffres Insee.

1. CONSTATER. Exprimez la signification de la valeur relative à 1970.

2. CONSTATER. Périodisez l'évolution des inégalités de niveau de vie.

3. EXPLIQUER. Comment peut-on expliquer la tendance observée dans les années 1970 ? (voir aussi Doc. 2)

2. Inégalités de revenus : une réouverture par le haut

a. Les hauts salaires ont le vent en poupe

Évolution des plus hauts salaires (en millions d'euros)
Échelle logarithmique

- Top 100 des cadres de la finance
- Top 100 des cadres hors de la finance
- Top 100 des P-DG
- Top 25 des sportifs
- Top 20 du cinéma, télévision et vidéo

Source : *Le Monde*, 12 juin 2011.

1. CALCULER. Calculez le taux de variation des salaires du top 100 des cadres de la finance entre 1996 et 2007. (Doc. a)

2. CONSTATER. Sachant que, entre 1996 et 2007, le Smic mensuel brut est passé de 971 euros à 1 280 euros, comparez l'évolution du Smic à celle des salaires des cadres de la finance. (Doc. a)

b. Les hauts revenus progressent moins vite qu'aux États-Unis

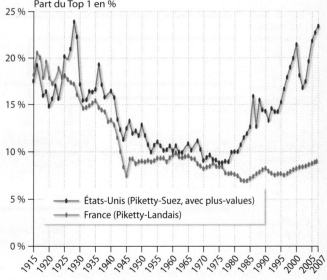

Part du centile supérieur dans le revenu total en France et aux États-Unis de 1915 à 2007

Part du Top 1 en %

- États-Unis (Piketty-Suez, avec plus-values)
- France (Piketty-Landais)

Note : Le revenu comprend ici tous les revenus primaires, y compris les plus-values de patrimoine pour les États-Unis, avant transferts.

Source : « Les contributions d'Emmanuel Saez », ses.ens-lyon.fr, site des sciences économiques et sociales de l'ENS de Lyon, 19 janvier 2010.

3. EXPLIQUER. Que peut-on conclure du constat fait à la question précédente sur la manière dont les inégalités s'accroissent ? (Doc. a)

4. EXPLIQUER. En quoi le document b nuance-t-il les constats précédents ?

3. L'emploi non qualifié est à la peine, tandis que l'épargne est mieux rémunérée...

L'inégalité des revenus primaires augmente [...], en France depuis les années 1980. [...] Plusieurs phénomènes semblent avoir joué.

Le progrès technique, en modifiant les méthodes de production, peut économiser le travail non qualifié ou exiger plus de travail qualifié, ce qui accroît les inégalités.

Le développement des échanges internationaux, en créant une concurrence entre les salariés peu qualifiés des pays développés et ceux (nettement moins bien payés) des pays en développement, contribue également au phénomène. Pour l'instant, cet effet est limité, car les échanges ne concernent pas le bâtiment, le commerce ou certains services, dans lesquels se trouvent beaucoup d'emplois à bas salaire.

La demande de biens se déplace, et ce au détriment des secteurs employant beaucoup de main-d'œuvre non qualifiée. [...] L'infléchissement du partage de la valeur ajoutée au profit des revenus du capital, sous la pression d'actionnaires plus influents que par le passé, est favorable aux titulaires de hauts revenus, qui détiennent l'essentiel des valeurs mobilières.

Les réformes fiscales parties des pays anglo-saxons ont nettement réduit les taux les plus élevés de l'impôt sur le revenu et la fiscalité des revenus du capital, ce qui profite essentiellement aux plus riches. Ces réformes sont en partie une réponse au risque, réel ou supposé, de fuite des capitaux.

Arnaud Parienty, *Alternatives économiques*, poche n° 46, novembre 2010.

1. DÉFINIR. Rappelez la définition des revenus primaires.

2. EXPLIQUER. Pourquoi les inégalités de revenus salariaux se sont-elles accrues depuis les années 1980 ?

3. EXPLIQUER. Expliquez la phrase soulignée.

4. RÉCAPITULER. Faites un schéma récapitulatif des facteurs ayant favorisé une hausse des inégalités de revenus.

4. ... et les inégalités de patrimoine augmentent...

Si le patrimoine des Français a augmenté, sa répartition est aussi devenue de plus en plus inégalitaire. Fin 2003, dernière année citée par le rapport, 10 % des Français possédaient à eux seuls près de la moitié du patrimoine brut total des ménages, et le 1 % des plus riches en possédaient 13 %. Ce sont eux qui ont bénéficié de la forte progression du patrimoine pendant la décennie. Dans le même temps, le patrimoine des 10 % des ménages les plus modestes a stagné. La forte disparité des revenus, qui s'est accélérée dans les années 1990, accentue la distorsion et a un effet cumulatif sur le patrimoine : tandis que les ménages les plus modestes épargnent moins de 5 % de leurs revenus annuels, ceux qui ont les revenus les plus élevés ont un taux d'épargne dépassant les 30 à 35 %.

Martine Orange, « Les inégalités patrimoniales se sont creusées en dix ans », Médiapart.fr, 4 mars 2009.

1. DÉFINIR. Comment calcule-t-on un taux d'épargne ?

2. EXPLIQUER. Pourquoi la répartition du patrimoine est-elle devenue de plus en plus inégalitaire ?

5. ... mais la dynamique inégalitaire en France reste modérée

Taux de pauvreté, ratio S80/S20[1] (colonnes 1998-2008) et évolution des inégalités (en %)

Taux de pauvreté[2]	1998	2008	Évolution 1998-2008 (en %)
Bulgarie 21	3,7[4]	6,5	+ 76
Allemagne 15	3,6	4,8	+ 33
Danemark 12	3[3]	3,6	+ 20
Suède 12	3,1[3]	3,5	+ 13
Union à 25 puis à 27 17	4,6	5	+9
Royaume-Uni 19	5,2	5,6	+8
Belgique 15	4	4,1	+ 3
France 13	4,2	4,3	+2
Espagne 20	5,9	5,4	− 8
Irlande 16	5,2	4,4	−15

− 20 − 10 0 10 20 30 40 50 60 70 80

1. CONSTATER. Que signifient les données relatives à la France ?

2. CONSTATER. Les pays qui ont connu une baisse du rapport interquintile sont-ils pour autant moins inégalitaires que la France ?

3. CONSTATER. Existe-t-il une corrélation entre le rapport interquintile et le taux de pauvreté en 2008 ?

4. RÉCAPITULER. Justifiez le titre du document à l'aide de données chiffrées.

1. Ratio entre le revenu le plus faible des 20 % les plus riches et le revenu le plus élevé des 20 % les plus pauvres.
2. Seuil de pauvreté : 60 % du revenu médian (après transferts sociaux).
3. 1999.
4. 2000.

Source : d'après Arnaud Lechevalier, « Un modèle qui ne fait guère envie », *Alternatives économiques*, n° 300, mars 2011 (Chiffres Eurostat, enquête SILC) et Eurostat 2008 pour le taux de pauvreté.

ENTRAÎNEMENT

QUESTION DE COURS. Pourquoi les inégalités de patrimoine sont-elles plus élevées que les inégalités de revenus ?

SYNTHÈSE. À l'aide des documents 2, 3 et 4, expliquez pourquoi les écarts entre catégories extrêmes se sont accrus en France au cours des vingt dernières années.

documents

documents

B Les transformations de l'emploi au cœur des inégalités

1. Taux de chômage selon le diplôme en 2010

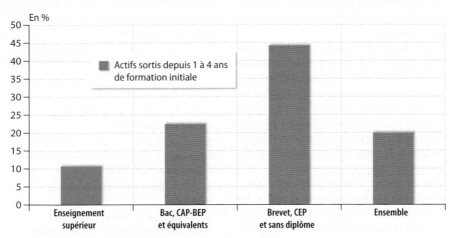

Champ : actifs sortis de formation initiale en France métropolitaine.

Source : Insee, Enquêtes emploi 2010.

1. CONSTATER. Faites une phrase avec la donnée Brevet, CEP et sans diplôme.

2. CONSTATER. Quel est l'impact du diplôme sur le risque d'être au chômage ? Justifiez avec des données chiffrées.

2. Les transformations de l'emploi augmentent les inégalités de revenus

a. Distribution des salaires et des revenus salariaux[1]

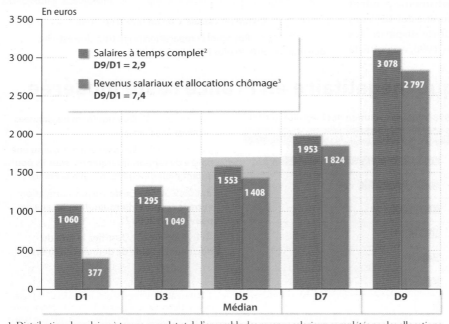

1. Distribution des salaires à temps complet et de l'ensemble des revenus salariaux complétés par les allocations chômage en 2006, en euros et par mois.
2. Salariés à temps complet du secteur privé et semi-public (salaires nets).
3. Pour chaque individu, ensemble des salaires et des allocations chômage perçus au cours de l'année.

Source : « Les chiffres de l'économie 2010 », *Alternatives économiques*, hors-série n° 82, octobre 2009.

b. Des chômeurs de plus en plus exposés à la pauvreté

Le taux de pauvreté des chômeurs est 2,8 fois plus élevé que celui de l'ensemble de la population en 2008, contre 2,4 fois en 1996. Il se situe aux alentours de 35 % durant toute la période, tandis que celui de l'ensemble de la population diminue. La seule catégorie dont le taux de pauvreté augmente entre 1996 et 2008 est celle des personnes inactives qui ne sont ni étudiantes ni retraitées. L'emploi reste le meilleur rempart contre la pauvreté et son rôle protecteur se renforce : le taux de pauvreté des personnes en emploi s'élève à 7,4 % en 2008, un niveau nettement plus faible qu'en 1996 (9,2 %).

Insee, Les revenus et le patrimoine des ménages, édition 2011.

1. CONSTATER. Comparez l'impact de la prise en compte des revenus salariaux plutôt que des seuls salaires à temps complet, sur les valeurs des 1er et 9e déciles. Quelle est la conséquence sur le rapport interdécile ?

2. EXPLIQUER. Comment peut-on expliquer le constat fait à la question précédente ?

3. CONSTATER. Reformulez la donnée chiffrée du passage souligné.

4. EXPLIQUER. Comment peut-on expliquer le taux élevé de pauvreté chez les chômeurs ?

3. Chômage et emplois précaires nuisent à la santé

a. Précarité : un risque majoré d'exposition aux risques professionnels

Toutes catégories confondues, les salariés en situation précaire ou instable courent plus de risques d'être exposés à des horaires variables d'un jour à l'autre ou peu prévisibles, de subir de fortes contraintes industrielles et des cadences automatiques, de manquer d'autonomie et de moyens pour faire leur travail, de cumuler des pénibilités physiques, de manquer du soutien d'un collectif de travail et, enfin, de ne pas bénéficier de mesure de prévention des risques professionnels.

Dares, *Premières informations synthèses*, n° 28.2, juillet 2009.

1. DÉFINIR. À quoi la notion de risques professionnels fait-elle référence ? (Doc. a)

2. EXPLIQUER. Pourquoi les travailleurs en emploi précaire sont-ils davantage confrontés aux risques professionnels ? (Doc. a)

3. CONSTATER. Quelle est la mesure de la surmortalité des chômeurs ? (Doc. b)

b. La surmortalité des chômeurs

Le premier constat est que, en France et quels que soient les indicateurs retenus, les chômeurs sont en moins bonne santé que les actifs occupés. Les écarts concernent les troubles mentaux, certaines affections somatiques, la santé perçue et la mortalité générale. En termes de mortalité, la France se distingue notamment des autres pays par l'amplitude de la surmortalité des chômeurs. [...] le risque de décès des chômeurs par rapport aux actifs occupés est de 2,7 – presque trois fois supérieur – sur une période de cinq ans suivant l'observation du chômage et après ajustement sur la profession et le diplôme.

Myriam Khlat et Catherine Sermet, « Quels liens entre maladie et perte d'emploi ? », *Santé & travail*, n° 73, janvier 2011.

4. RÉCAPITULER. Montrez que la précarité et le chômage peuvent aggraver les inégalités face à la santé et en matière d'espérance de vie. (Doc. a et b)

4. L'emploi participe à la « fracture générationnelle »

L'expression [« fracture générationnelle »] est du sociologue Louis Chauvel et désigne le fait que les jeunes générations, pourtant en moyenne mieux formées que leurs aînées, supportent bien plus que leur part des difficultés auxquelles notre société est confrontée depuis la fin des Trente Glorieuses [...].

Le premier indicateur concerne les salaires [...]. En 1975, un jeune homme de 21 à 25 ans travaillant à temps plein toute l'année dans le secteur privé ou semi-public percevait en moyenne un salaire égal à 71 % du salaire moyen de l'ensemble des salariés hommes. Une génération plus tard, en 2003, cette proportion était descendue à 63 %.

[...] la proportion des salariés à temps non complet n'a cessé de progresser depuis 1978. Une tendance largement liée à la

Manifestation de stagiaires réclamant l'obtention d'un vrai statut.

recherche d'une flexibilité accrue du côté des employeurs [...]. Et ces emplois incomplets sont nettement plus souvent occupés par des jeunes que par les autres classes d'âge. [...]

Quant aux emplois temporaires [...], qui ne pesaient pas grand-chose en 1975, ils sont devenus quasiment une règle puisque plus d'un jeune en emploi sur deux (50,5 %) occupe ce type d'emploi en 2008. [...] la conjonction entre salaires en baisse relative et précarité accrue donne naissance à des revenus salariaux (à savoir les revenus du travail réellement perçus compte tenu des périodes de non-emploi et des temps partiels) nettement plus faibles que pour les autres classes d'âge. [...]

Denis Clerc, « Lutte des classes... d'âge ? », *Alternatives économiques*, hors-série n° 85, avril 2010.

1. DÉFINIR. Qu'exprime la notion de « fracture générationnelle » ?

2. CONSTATER. Quel lien peut-on établir entre l'emploi et cette fracture générationnelle ?

3. EXPLIQUER. Existe-t-il, selon vous, d'autres facteurs qui participent à cette fracture générationnelle ?

4. CONSTATER. En quoi la photographie illustre-t-elle le document ?

5. Les nouveaux retraités : de la précarité au mal-logement

Les professionnels de l'action sociale sont unanimes : parmi leurs nouveaux publics, il y a les retraités et notamment les retraités récents. [...] En effet, la rupture de carrières professionnelles à plusieurs moments de la vie active a pu significativement altérer les périodes contributives aux régimes de retraites (généraux et complémentaires). Les retraités récents (nés vers la fin du baby-boom), contrairement à leurs aînés qui ont bénéficié de la stabilité de leur statut professionnel, d'une croissance économique durable et des protections mises en œuvre durant les Trente Glorieuses, peuvent basculer dans la catégorie des personnes défavorisées du jour au lendemain. Le

phénomène concerne de plus en plus de retraités isolés dont la pension se situe aux alentours de 1 000 €, et qui sont au-dessus des barèmes leur permettant de bénéficier d'aides au logement.

Fondation Abbé Pierre, Rapport 2011 sur l'état du mal-logement en France.

1. CONSTATER. Quelle influence la précarité et le chômage ont-ils sur le montant des retraites ?

2. EXPLIQUER. Pourquoi certains retraités peuvent-ils être privés de logement ?

3. EXPLIQUER. Pourquoi la précarité rend-elle aussi plus difficile l'accès au logement pour les actifs ?

ENTRAÎNEMENT

QUESTION DE COURS. **Justifiez le titre de la double page.**

SYNTHÈSE. **À l'aide des documents 2 et 4, montrez l'impact du chômage et de la précarité sur les inégalités de revenus.**

documents

C De nouvelles inégalités

1. « Territoires : nouvelles mobilités, nouvelles inégalités »

Trois grands mouvements résument les profondes transformations de la géographie sociale et économique de la France ces cinquante dernières années. D'abord, les différences entre régions se sont fortement estompées, alors que les inégalités se sont aiguisées à l'échelle fine des villes et des territoires locaux. Ensuite, la montée des mobilités a accentué des phénomènes de multi-appartenance territoriale pour une partie de la population, tout en créant de nouvelles inégalités. Enfin, une nouvelle division émerge entre une France des très grandes agglomérations, bien insérée dans le jeu des concurrences économiques mondiales, et une France qui vit pour l'essentiel de revenus de redistribution.

[…] Parmi les inégalités vécues dans le rapport au territoire, l'une des plus importantes est celle qui a trait aux mobilités. Mobilités intra-urbaines d'abord : <u>les perdants sont ici, d'un</u> <u>côté, les immobiles que l'exclusion sociale et économique</u> <u>assigne à résidence et, de l'autre, les hypermobiles qui paient</u> <u>le prix fort de la péri-urbanisation.</u> […] entre le cadre parisien, par exemple, qui dispose du vélo et du métro, et l'employé ou le cadre moyen de banlieue, condamné à l'automobile et qui consacre, sans toujours bien le mesurer, une part de son budget 4 à 5 fois supérieure aux transports quotidiens, l'écart s'est creusé.

Laurent Davezies et Pierre Veltz, « Territoires : nouvelles mobilités, nouvelles inégalités », *Le Monde,* 20 mars 2006.

1. CONSTATER. Quels sont les trois grands mouvements qui affectent les inégalités territoriales ?

2. ILLUSTRER. À quels territoires peut-on, selon vous, associer une « France qui vit pour l'essentiel de revenus de la redistribution » ?

3. EXPLIQUER. Expliquez la phrase soulignée.

2. Les zones urbaines sensibles[1] cumulent les handicaps

a. Un concentré de retard scolaire

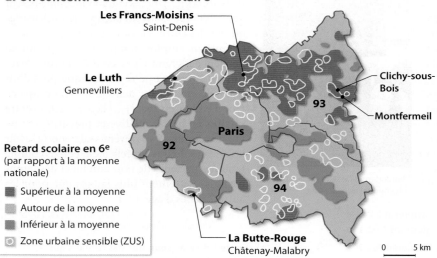

Retard scolaire en 6ᵉ
(par rapport à la moyenne nationale)
- Supérieur à la moyenne
- Autour de la moyenne
- Inférieur à la moyenne
- Zone urbaine sensible (ZUS)

La probabilité d'avoir un an de retard en classe de 6ᵉ pour un enfant résidant en ZUS est de 24 % contre 19 % hors ZUS. La Seine-Saint-Denis (93) est l'un des départements français qui enregistre la plus grande concentration des retards scolaires par rapport à la moyenne.

Note : Paris et les Hauts-de-Seine (92) ont une forte concentration de population à hauts revenus.

Source : *Le Monde,* 5 octobre 2011.

b. Une santé plus dégradée

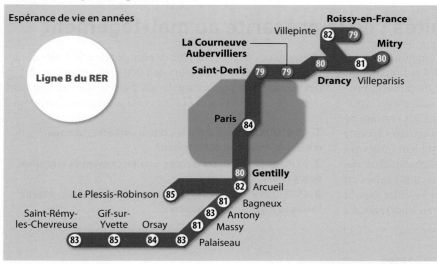

Entre la station Luxembourg, au centre de Paris, et celle de La Courneuve, située dans le 93, à moins d'un quart d'heure par le RER B, l'espérance de vie varie de cinq ans. Dans le même espace-temps, le revenu passe de 37 000 euros à 10 000 euros (par unité de consommation).

1. CONSTATER. Le retard scolaire est-il uniformément réparti sur le territoire francilien ? (Doc. a)

2. CONSTATER. Qu'est-ce qui différencie le centre parisien et le nord-est de Paris ? (Doc. b)

3. CONSTATER. Que constaterait-on si l'on superposait les deux cartes ?

4. EXPLIQUER. Quel lien peut-on faire avec le document 1 ?

Source : *Le Monde,* 5 octobre 2011.

1. Quartiers en difficulté, marqués par un chômage élevé et un habitat dégradé.

3. Le fossé numérique

Les années 1990 ont assisté à l'invasion des technologies de l'information dans la vie privée des citoyens. […] Désormais, les technologies de l'information allaient servir à communiquer, à offrir des produits informationnels et à proposer des services. […] Et les technologies de l'information constituent un outil de communication pratique et puissant qui se positionne dans un rapport de complémentarité avec les modes de communication traditionnels. Mais l'extraordinaire extension des technologies de l'information dans notre société a généré un phénomène dont on commence à mesurer le caractère problématique : la fracture numérique. […] Cette fracture ou fossé numérique connaît un double mouvement. D'une part, cette fracture a tendance à se réduire au rythme des nouveaux utilisateurs qui adoptent chaque jour ces nouveaux outils. Mais, d'autre part, elle a tendance à s'approfondir dans la mesure où tant le développement des nouveaux services et contenus que l'extension des utilisateurs isolent un peu plus chaque jour les citoyens qui n'ont pas accès à ces contenus et services.

« La fracture numérique en global », site du SPP Intégration sociale (équivalent belge du ministère), 8 mars 2011.

1. ILLUSTRER. Présentez les différents usages possibles des TIC dans la vie quotidienne.

2. EXPLIQUER. Les usages des adolescents sont-ils les mêmes que ceux des adultes ?

3. EXPLIQUER. Expliquez la phrase soulignée.

4. Le poids de l'âge et du revenu dans la fracture numérique

a. Accès à un ordinateur et à Internet à domicile selon le niveau de revenus

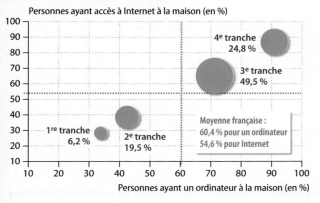

Note : les pourcentages indiquent la part de chaque groupe dans la population totale.

1. CONSTATER. Caractérisez les populations les plus démunies en matière de TIC. D'autres variables pourraient-elles entrer en ligne de compte ? (Doc. a et b)

b. Accès à un ordinateur et à Internet à domicile par tranches d'âge

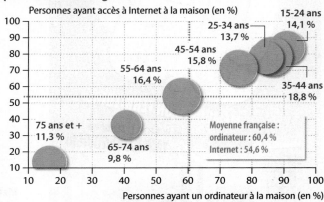

Source : Le fossé numérique en France, rapport du Conseil d'analyse stratégique, avril 2011. Chiffres Insee, Enquête sur les TIC (auprès des ménages) 2008, analyse CAS.

2. EXPLIQUER. Doit-on voir, dans les différences d'accès en fonction de l'âge, un effet proprement lié à l'âge ou à la génération ? (Doc. b)

5. Des inégalités intracatégorielles

Les inégalités ont changé de nature. Si subsistent évidemment les inégalités entre catégories (les riches et les pauvres, les cadres et les ouvriers, etc.), elles se sont d'une certaine façon individualisées, ce qui en change la perception. Les inégalités résultent dorénavant autant de situations (donc individuelles) qui se diversifient, que de conditions (donc sociales) qui se reproduisent. Les économistes parlent d'inégalités intracatégorielles pour caractériser ces nouvelles inégalités. Elles ont un caractère équivoque. Elles sont en effet parfois les plus durement ressenties, car elles font ressortir des variables de trajectoires personnelles susceptibles d'être jugées comme marquées par l'échec ou l'incapacité : elles n'ont pas le caractère évidemment objectif, et donc psychologiquement « rassurant », des inégalités traditionnelles de condition. Si elles peuvent aussi être attribuées à la malchance ou à l'injustice, elles ne s'en lient pas moins dans les têtes à un nouveau rapport à l'idée de responsabilité. Cette dernière est en effet mécaniquement réhabilitée dans un monde qui valorise la singularité. La responsabilité devient indissociablement une contrainte et une valeur positive dans une société qui se réindividualise sur ce mode.

Pierre Rosanvallon, *La société des égaux*, Le Seuil, 2011.

1. DÉFINIR. Définissez la notion d'inégalités intracatégorielles.

2. ILLUSTRER. Trouvez des exemples illustrant ces inégalités.

3. EXPLIQUER. Pourquoi ces inégalités sont-elles durement ressenties ?

4. ILLUSTRER. Montrez, à partir des exemples de l'école, de la santé ou des revenus que les inégalités peuvent être expliquées soit par la responsabilité individuelle, soit par les déterminismes sociaux.

ENTRAÎNEMENT

QUESTION DE COURS. Quelles sont les principales transformations des inégalités depuis les années 1980 ?

SYNTHÈSE. À partir des documents 4 et 5, montrez que les inégalités intracatégorielles ont surtout des causes économiques.

1. Les inégalités territoriales

1. Première partie

« 9-3, UNE VÉRITÉ QUI DÉRANGE » Télérama
« L'HISTOIRE PASSIONNANTE D'UN TERRITOIRE SACRIFIÉ ET LONGTEMPS OUBLIÉ AUX PORTES DE PARIS » Obs

GLOBE DE CRISTAL DU MEILLEUR DOCUMENTAIRE 2009
FIGRA PRIX TERRES D'HISTOIRE DU FESTIVAL INTERNATIONAL GRAND REPORTAGE D'ACTUALITÉ ET DOCUMENTAIRE DE SOCIÉTÉ 2009

93
MÉMOIRE D'UN TERRITOIRE

UN FILM ÉCRIT ET RÉALISÉ PAR
YAMINA BENGUIGUI

Visionnez un extrait de 4 minutes du documentaire de Yamina Benguigui, *9.3, mémoire d'un territoire* (2008). Pour ce faire, allez sur la page Internet suivante : www.youtube.com/watch?v=8kJPAlc-ZsM&NR=
L'extrait se trouve dans le chapitre 5 du DVD (58'-102').

1. Mettez en évidence les éléments qui participent au sentiment d'isolement exprimé dans le témoignage.

2. Quelles sont les spécificités démographiques et économiques de Clichy-sous-Bois décrites ici ?

3. Quelles sont les discriminations évoquées dans le témoignage ?

2. Seconde partie

L'extrait du documentaire souligne l'importance des inégalités auxquelles sont confrontés les habitants de Clichy-sous-Bois. Les données statistiques tendent-elles à confirmer ce témoignage ? Pour le savoir, rendez-vous sur le site de l'Observatoire des inégalités territoriales à l'adresse suivante : www.inegalitesterritoriales.fr
Une fois sur le site, allez dans les « indicateurs-clés », puis entrez le nom de la commune : « Clichy-sous-Bois ».

1. Recherchez des données pertinentes permettant de confirmer ou d'infirmer les éléments suivants : importance des faibles revenus ; importance des inégalités de revenus à l'intérieur de la commune, importance de l'habitat social, difficultés d'emploi de la population, faiblesse du niveau de qualification de la population. Pensez à situer les performances de la commune, par rapport à l'Île-de-France et à la France métropolitaine.

2. La situation de Clichy-sous-Bois s'est-elle améliorée au cours du temps ? Justifiez votre réponse à l'aide des données du site.

3. Après avoir effectué une nouvelle recherche concernant Le Raincy dans les « indicateurs-clés », comparez la situation de Clichy-sous-Bois avec celle de cette autre commune sur les indicateurs relatifs aux revenus, au logement social et à la formation. Les informations recueillies tendent-elles à valider l'opinion exprimée dans le témoignage de la vidéo ?

SYNTHÈSE

À partir de l'exemple de Clichy-sous-Bois, rédigez un paragraphe montrant les inégalités territoriales, en vous appuyant sur des données statistiques précises.

APPROFONDISSEMENT

En utilisant les ressources du site de l'Observatoire des inégalités territoriales, analysez la situation de la commune où vous résidez par rapport à celle de votre département.

2. Mesurer les inégalités avec la courbe de Lorenz

La courbe de Lorenz propose une représentation graphique des inégalités de revenus ou de patrimoine. Pour tracer cette courbe, on porte en abscisse, la part cumulée des ménages ou des individus classés par ordre croissant de revenus ou de patrimoine. En ordonnée, on place la part cumulée des revenus ou du patrimoine total. La courbe de Lorenz représente graphiquement la fonction qui, à la part (x) des ménages

les moins riches, associe la part (y) de l'ensemble du revenu total qu'ils perçoivent.

La répartition égalitaire des revenus ou du patrimoine est représentée par la première bissectrice (10 % des ménages perçoivent 10 % des revenus, 50 % des ménages perçoivent 50 % des revenus…). Cette droite est appelée « droite d'équi-répartition ».

1 ▪ Tracer la courbe de Lorenz

Voici un document, issu du site de l'Insee, qui va vous permettre de tracer la courbe de Lorenz.

a. Masse des niveaux de vie et du patrimoine détenue par les x % les plus riches

En %	Niveaux de vie 2008	Patrimoine 2003
Les 10 % les plus riches	24,3	46
Les 20 % les plus riches	38,3	64
Les 30 % les plus riches	49,8	76
Les 40 % les plus riches	60	86
Les 50 % les plus riches	69,1	93
Les 60 % les plus riches	77,3	97
Les 70 % les plus riches	84,6	99
Les 80 % les plus riches	91	100
Les 90 % les plus riches	96,3	100

b. Masse des niveaux de vie et du patrimoine détenue par les x % les plus pauvres

En %	Niveaux de vie 2008	Patrimoine 2003
Les 10 % les plus pauvres		
Les 20 % les plus pauvres		
Les 30 % les plus pauvres		
Les 40 % les plus pauvres		
Les 50 % les plus pauvres		
Les 60 % les plus pauvres		
Les 70 % les plus pauvres		
Les 80 % les plus pauvres		
Les 90 % les plus pauvres		

Champ : France métropolitaine, individus dont le revenu déclaré au fisc est positif ou nul, et dont la personne de référence n'est pas étudiante.

Sources : Insee-DGI, Enquêtes revenus fiscaux et sociaux rétropolées de 1996 à 2004 ; Insee-DGFiP-Cnaf-Cnav-CCMSA, Enquêtes revenus fiscaux et sociaux de 2005 à 2008 ; Insee, Enquêtes patrimoine 1998 et 2004.

1. Transformez les données du tableau de gauche (a) de manière à compléter le tableau de droite (b).

2. Reproduisez les axes sur le modèle ci-dessous, puis tracez la courbe de Lorenz pour les niveaux de vie et du patrimoine.

2 ▪ Interpréter la courbe de Lorenz

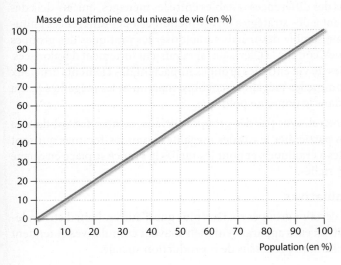

Masse du patrimoine ou du niveau de vie (en %)

Population (en %)

1. Repérez graphiquement la masse des niveaux de vie puis du patrimoine détenue par les **20 % les plus pauvres.** Faites une phrase avec la valeur obtenue.

2. Repérez graphiquement la masse des niveaux de vie puis du patrimoine détenue par les **10 % les plus riches.** Faites une phrase avec la valeur obtenue.

3. Comparez la répartition des niveaux de vie et du patrimoine. Que constate-t-on ? Comment peut-on l'expliquer ?

Comment analyser et expliquer les inégalités ?

La marche des sociétés vers le progrès est liée à la baisse des inégalités. Mais de quelles inégalités parle-t-on ? Appréhender les inégalités qui traversent la société française nécessite d'en cerner la nature et d'en mesurer l'importance. Les Français sont nombreux à partager une vision assez pessimiste de l'évolution de la société, selon laquelle les inégalités s'aggravent depuis bon nombre d'années. Cette vision ne doit pas occulter certaines avancées accomplies depuis le début du XXe siècle. Mais cette dynamique ne s'est-elle pas enrayée depuis une bonne vingtaine d'années ?

ACQUIS DE PREMIÈRE

➡ Voir Réviser les acquis de 1re, p. 304 et Lexique

- ■ **Salaire**
- ■ **Revenu**
- ■ **Profit**
- ■ **Revenus de transfert**

I. Quelles formes les inégalités peuvent-elles prendre ?

A. Définir et mesurer les inégalités

■ Au sens courant, les inégalités sociales sont souvent associées aux injustices, car elles seraient la conséquence d'événements qui nous échappent. Néanmoins, ce n'est pas toujours le cas. Il peut, par exemple, sembler légitime que la poursuite d'études longues soit récompensée par une rémunération élevée. De même, il peut paraître étrange de qualifier d'injuste le fait que certains se rendent au stade plutôt qu'au musée.

■ Les inégalités renvoient d'abord à des écarts dans l'accès à des ressources valorisées. Elles peuvent donc faire l'objet d'un constat statistique. Mais ce dernier n'est pas toujours simple à établir. Prenons l'exemple des inégalités de revenus. Quel revenu prendre en compte : salaire, revenu salarial, niveau de vie, revenu disponible ? À partir de quel indicateur mesurer les écarts : rapport interdécile, coefficient de Gini ?

■ Enfin, de nombreux facteurs interviennent ici, comme l'âge, le sexe, le niveau de diplôme, l'apparence physique, le secteur d'activité, l'origine sociale ou géographique, générant autant de mesures possibles des inégalités.

B. Des inégalités multiples

■ Si les inégalités économiques ont parfois tendance à focaliser l'attention, bon nombre d'autres inégalités perdurent dans la société française. Certes, les Trente Glorieuses ont été marquées par un processus d'homogénéisation de la consommation. Il n'en demeure pas moins des différences notables entre les ménages, qui, au-delà des écarts de revenus, renvoient à des stratégies de distinction et à des différences culturelles. Même si l'éclectisme semble désormais caractériser les pratiques des groupes favorisés, certaines pratiques, comme la télévision, apparaissent fortement dévalorisées. Et les différences de modes de vie entre les groupes impactent des éléments cruciaux de la vie des individus, comme les inégalités scolaires, mais aussi les inégalités face à la santé ou les inégalités dans le domaine politique.

■ D'autres clivages, qui ne relèvent pas des groupes sociaux, se manifestent dans la société française. C'est en particulier le cas des inégalités hommes-femmes qui sont plus transversales, difficiles à éradiquer, et pour lesquelles la France se place en queue de peloton parmi les pays riches.

C. Des inégalités cumulatives

■ Les inégalités affectent certains groupes sociaux plus que d'autres. Loin d'être indépendantes les unes des autres, elles apparaissent bien souvent cumulatives et tendent à s'auto-entretenir, favorisant un processus de reproduction sociale.

II. Des sociétés de plus en plus inégalitaires ?

A. Des évolutions contrastées

■ Si l'on s'intéresse aux inégalités de revenus, le rapport interdécile montre que la France de ce début du XXIe siècle est moins inégale que celle des années 1960, pourtant en pleine prospérité. La phase de forte réduction des inégalités de revenus n'est d'ailleurs engagée qu'à la toute fin des Trente Glorieuses, et s'achève dans les années 1980, sans que l'on enregistre, dans les deux décennies qui suivent, un accroissement très net des inégalités. Néanmoins, un changement de tendance se dessine alors. Plusieurs facteurs vont progressivement se cumuler pour modifier le discours sur l'évolution des inégalités de revenus, dont l'éventail semble se rouvrir aux extrêmes. La mondialisation et le progrès technique pénalisent les moins qualifiés, tandis que les très hauts salaires augmentent. Les revenus du patrimoine ont eux aussi fortement progressé avant la crise récente, alors que la fiscalité s'est allégée sur le capital : ces évolutions bénéficient principalement aux plus aisés.

■ Les changements intervenus ne sont pas spécifiques à la France. Ils affectent dans des proportions variables la plupart des pays développés. L'aggravation des inégalités semble beaucoup plus modérée en France que dans d'autres pays de l'OCDE.

B. Les transformations de l'emploi au cœur des inégalités

■ Depuis les années 1980, la France est confrontée au chômage de masse, face auquel le développement de la flexibilité du marché du travail a pu apparaître comme une solution au moins partielle. On a ainsi assisté à un fort accroissement des emplois atypiques. Ces évolutions ont contribué à renouveler, voire à approfondir les inégalités. En effet, le chômage et la précarité ne frappent pas au hasard. Ils affectent en premier lieu les moins qualifiés, les ouvriers, les employés, mais aussi les plus jeunes. Ces catégories connaissent une baisse de leurs revenus salariaux, et les inégalités de revenus augmentent. Mais d'autres aspects de la vie sociale des individus sont affectés par ces transformations. De fait, la précarité, qui favorise une grande exposition aux risques professionnels, et le chômage, qui fragilise les individus, s'accompagnent d'une dégradation de l'état de santé des populations concernées ; tandis que, dans le même temps, l'accès aux mécanismes de protection collective devient plus incertain. La faiblesse des ressources n'est pas sans conséquence sur d'autres inégalités, comme celles relatives à l'accès au logement, au crédit, à la consommation.

■ Les mutations observées dans le domaine de l'emploi pénalisent particulièrement les générations récentes, qui cumulent difficultés d'insertion, faibles salaires, perspectives de carrière et de retraite peu réjouissantes. Le phénomène serait à l'origine d'un accroissement des inégalités intergénérationnelles, voire d'une « fracture générationnelle ».

C. De nouvelles inégalités

■ Une société est toujours en mouvement et ce mouvement peut être simultanément porteur d'une réduction de certaines inégalités et de l'émergence de nouvelles. Ainsi, les transformations de l'emploi ont favorisé l'apparition d'inégalités intracatégorielles. Le chômage et la précarité menacent désormais chaque actif occupé, tandis que la responsabilité de son parcours devient de plus en plus individuelle. Dans chaque catégorie, les inégalités opposent les victimes de la précarité et du chômage à ceux qui ont su conserver leurs emplois.

■ D'autres transformations émergent dans la société contemporaine. Le progrès technique, à travers notamment le développement des moyens de communication, a favorisé l'intégration du territoire national. Mais, si les inégalités régionales déclinent, les inégalités à l'intérieur de l'espace urbain semblent s'accroître. La hausse du prix de l'immobilier mais aussi l'histoire du logement social ont poussé en périphérie des grandes agglomérations les classes populaires et une partie des classes moyennes. Il en va de même des inégalités d'accès aux nouvelles technologies, pour lesquelles l'âge et le diplôme constituent des facteurs discriminants.

NOTIONS AU PROGRAMME

Inégalités sociales
Différences socialement structurées qui se traduisent par des avantages ou des désavantages dans l'accès aux ressources valorisées.

Inégalités économiques
Elles désignent la répartition non uniforme dans la population des richesses disponibles (revenu et patrimoine).

synthèse

Synthèse (suite)

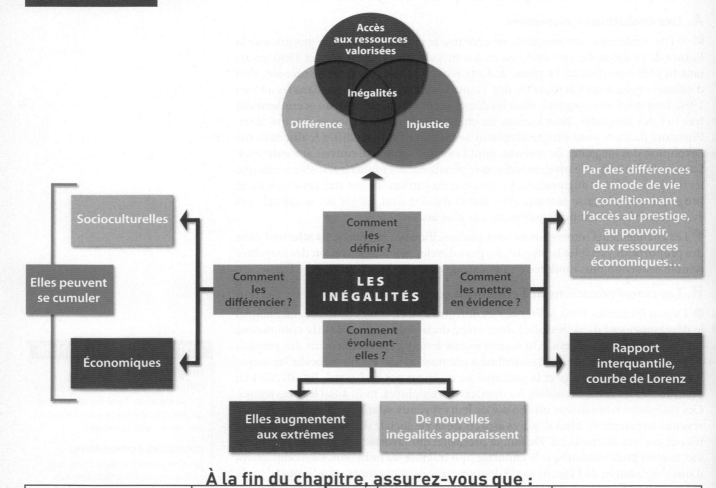

À la fin du chapitre, assurez-vous que :

➔ Vous êtes capable de distinguer inégalités économiques et inégalités socioculturelles, et d'en donner quelques facteurs explicatifs.	➔ Vous savez lire et interpréter les principaux indicateurs d'inégalités : quantiles (déciles, quintiles), rapport interquantile, courbe de Lorenz.	➔ Vous êtes capable d'expliquer les liens entre revenus et patrimoine, et plus largement de montrer que les inégalités sont cumulatives.	➔ Vous maîtrisez quelques arguments justifiant l'accroissement récent des inégalités, en particulier économiques.

POUR ALLER PLUS LOIN

Livres et revues

- Alain Bihr et Roland Pfefferkorn, *Le système des inégalités*, La Découverte, 2008.
- Philippe Coulangeon, *Sociologie des pratiques culturelles*, La Découverte, coll. « Repères », 2010.
- Jean-Paul Fitoussi et Pierre Rosanvallon, *Le nouvel âge des inégalités*, Le Seuil, 1996.
- Michel Forsé et Olivier Galland (dir.), *Les Français face aux inégalités et à la justice sociale*, Armand Colin, 2011.
- « Inégalités économiques, inégalités sociales », *Cahiers français*, n° 351, juillet-août 2009.

Sites

- www.inegalites.fr (Observatoire des inégalités)
- www.laboratoiredelegalite.org
- www.observatoire-parite.gouv.fr
- www.credoc.fr

Films

- *Le goût des autres*, un film d'Agnès Jaoui, 1999.
- *Le plafond de verre*, un documentaire de Yamina Benguigui, 2005.
- *9/3, mémoire d'un territoire*, un documentaire de Yamina Benguigui, 2008.
- *La domination masculine*, un documentaire de Patric Jean, 2009.

1 Classer

1. Classez par ordre d'inégalités croissantes les termes ci-dessous.

- *Revenus salariaux* • *Niveau de vie*
- *Revenus du patrimoine* • *Revenus d'activité*

2. Retrouvez, dans la liste ci-dessous, les éléments qui sont à l'origine d'inégalités, qui sont la conséquence d'inégalités antérieures, et qui n'ont aucun rapport avec les inégalités.

- *Taille des pieds* • *Détention d'un portefeuille d'actions*
- *Lieu d'habitation* • *Goûts musicaux*
- *Embonpoint* • *Résultats scolaires* • *Sexe* • *Revenus*
- *Couleur des cheveux* • *Gentillesse* • *Espérance de vie*

3. Relevez, dans la liste précédente, les inégalités qui permettent de repérer des groupes sociaux hiérarchisés.

4. Distinguez, parmi les inégalités sociales relevées à la question précédente, celles qui sont associées à des inégalités économiques et à des inégalités socioculturelles.

2 Associer

Retrouvez, dans la liste ci-dessous, les éléments du patrimoine des ménages et les revenus qui leur sont associés.

Salaire • *Maison* • *Intérêts* • *Automobile* • *Rente* • *Loyer*
• *Actions* • *Compte épargne* • *Dividendes* • *Assurance-vie*
• *Crédit*

3 Vrai ou faux

1. Les inégalités sont toujours injustes.

2. Les différences de salaires entre hommes et femmes ne s'expliquent que par les discriminations.

3. Le rapport interdécile mesure la différence entre le revenu des plus riches et celui des plus pauvres.

4. Le patrimoine augmente puis diminue avec l'âge.

5. Le patrimoine est plus concentré que les revenus.

6. Les inégalités de consommation ne dépendent que du revenu.

7. Le revenu n'a aucune incidence sur les inégalités scolaires.

8. Les inégalités d'espérance de vie dépendent de facteurs à la fois culturels et économiques.

9. La France est le pays européen où les femmes sont les mieux représentées en politique.

10. Les inégalités face à la santé ont tendance à s'aggraver en France.

11. Le chômage et la précarité participent à l'apparition d'une fracture générationnelle.

12. Les inégalités de revenus augmentent faiblement en France par rapport à la plupart des autres pays de l'Union européenne.

13. Les inégalités territoriales augmentent dans l'espace urbain.

4 Retrouver la bonne formulation

Quelques indicateurs sur le revenu disponible des ménages	
Indicateurs	**2008**
Revenu disponible médian (montant annuel en euros constants 2008)	28 570
Revenu disponible moyen (montant annuel en euros constants 2008)	34 450
1er décile (D1)	12 870
9e décile (D9)	59 490
Rapport interdécile	4,6
Rapport interquintile	5,9

Source : Insee, Les revenus et le patrimoine des ménages 2011.

1a. En 2008, 50 % des ménages français avaient un revenu disponible inférieur ou égal à 34 450 euros.

1b. En 2008, 50 % des ménages français avaient un revenu disponible égal à 34 450 euros.

1c. En 2008, 50 % des ménages français avaient un revenu disponible inférieur ou égal à 28 570 euros.

2a. En 2008, les 10 % des ménages les plus pauvres percevaient un revenu disponible inférieur ou égal à 12 870 euros.

2b. En 2008, les 10 % des ménages les plus pauvres percevaient un revenu disponible égal à 12 870 euros.

3a. En 2008, les 20 % des ménages les plus riches percevaient un revenu disponible supérieur de 5,9 % à celui des 20 % des ménages les plus pauvres.

3b. En 2008, les 20 % des ménages les plus riches percevaient un revenu disponible 5,9 fois supérieur à celui des 20 % des ménages les plus pauvres.

3c. En 2008, les 20 % des ménages les plus riches percevaient un revenu disponible plus de 5,9 fois supérieur à celui des 20 % des ménages les plus pauvres.

SUJET Montrez que l'accès à la propriété s'inscrit dans un processus cumulatif d'inégalités.

DOCUMENT 1

Moins les ressources sont élevées, moins le ménage a de chances de détenir un patrimoine. De même, un ménage connaissant ou ayant connu des difficultés à faire face à des échéances a deux fois plus de chance de ne pas posséder de patrimoine qu'un ménage qui n'en a pas connues. Un ménage a plus de chance de ne posséder aucun patrimoine, si sa personne de référence est ouvrier non qualifié ou chômeur (respectivement trois fois plus et deux fois plus). Le risque de ne rien détenir augmente également avec la taille de l'agglomération dans laquelle réside le ménage. [...] Avoir un ou plusieurs enfants diminue la probabilité de ne pas détenir de patrimoine, de même que le fait de vivre en couple. En effet, la probabilité que le ménage possède au moins un bien augmente mécaniquement avec le nombre de personnes composant le ménage. Outre les facteurs propres au ménage, avoir des parents qui ne disposaient pas de patrimoine ne favorise pas la détention de patrimoine. À l'inverse, bénéficier d'une donation ou d'un héritage réduit le risque de ne rien détenir.

Insee, « Les revenus et le patrimoine des ménages 2011 ».

DOCUMENT 2 Le patrimoine immobilier en 2010

En euros	Médian	D9	D1
Agriculteurs	154 900	465 200	10 100
Artisans, commerçants, industriels	205 300	626 800	0
Professions libérales, cadres	354 000	996 600	0
Cadres	232 700	590 400	0
Professions intermédiaires	134 200	364 200	0
Employés	0	258 000	0
Ouvriers qualifiés	0	258 900	0
Ouvriers non qualifiés	0	191 000	0
Retraités anciens agriculteurs	90 600	274 100	0
Retraités anciens salariés	204 500	611 400	0
Salariés retraités	127 000	388 100	0
Autres inactifs	0	173 500	0

Source : Insee, enquête patrimoine 2009-2010.

DOCUMENT 3 Prix des loyers et revenus des locataires

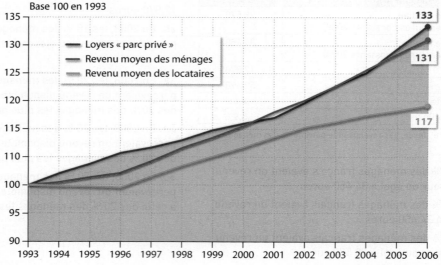

Source : *Le Monde*, 7 septembre 2011.

ans son rapport, la Cour des comptes note que la richesse nette des ménages a connu une « augmentation exceptionnelle » entre 1997 et 2007. Elle a progressé de 3 800 milliards d'euros à 9 400 milliards d'euros, pour s'établir en moyenne à 380 000 euros par ménage. La valeur du patrimoine a ainsi crû de 147 % en dix ans, tandis que les revenus du patrimoine n'ont progressé que de 31 % durant la même période, pour atteindre 160 milliards d'euros en 2007 contre 122 milliards d'euros en 1997. Plusieurs facteurs expliquent cette forte progression du patrimoine, à commencer par l'évolution des prix de l'immobilier (+ 148 %) alliée à la faiblesse des taux d'intérêt, qui ont permis à de nombreux ménages de recourir au crédit pour acheter leur résidence principale.

Guirec Gombert, *Le Figaro*, 3 mars 2009.

POUR VOUS AIDER Bien comprendre le sujet pour bâtir un plan

Le sujet proposé invite à se pencher sur les interactions entre les inégalités, à travers l'exemple de l'accès à la propriété. Il faut donc se demander, d'une part, quelles sont les inégalités à l'origine de cet accès inégal à la propriété et, d'autre part, quelles en sont les conséquences. En lisant attentivement les documents, il s'agira de recenser, d'une part, les arguments permettant d'expliquer que l'accès à la propriété reste inégalitaire et, d'autre part, ceux qui montrent les conséquences de ces inégalités.

Conseil : pour vous aider à construire un plan, réalisez au brouillon un tableau en deux colonnes, reprenant les thèmes de chacune des parties. Puis reportez les informations pertinentes dans le tableau au fur et à mesure de la lecture. Vous pourrez ensuite numéroter vos arguments pour définir l'ordre dans lequel vous allez les présenter.

Épreuve composée (entraînement Chapitre 12)

PARTIE 1 Mobilisation des connaissances

QUESTION 1 (3 points) : Comment les inégalités de revenu se manifestent-elles ?

QUESTION 2 (3 points) : Montrez que les inégalités économiques et socioculturelles, bien que différentes, ne sont pas indépendantes.

PARTIE 2 Étude d'un document

QUESTION (4 points) : Vous présenterez ce document puis montrerez l'impact de la catégorie socioprofessionnelle sur les dépenses de culture-médias.

Niveau de dépenses annuelles et coefficient budgétaire en culture-médias selon la catégorie socioprofessionnelle de la personne de référence du ménage en 2006

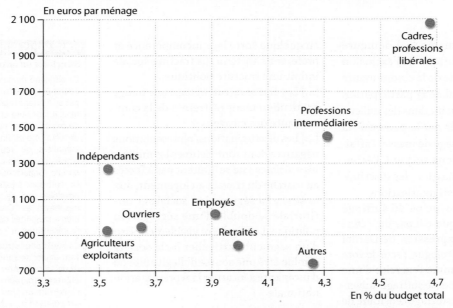

Source : d'après l'enquête Insee budget des familles 2006, Crédoc/DEPS, 2011, *Culture études*, mars 2011.

PARTIE 3 Raisonnement s'appuyant sur un dossier documentaire

SUJET (10 POINTS) : **Mettez en évidence la persistance d'inégalités politiques en France aujourd'hui.**

DOCUMENT 1 **Part des femmes parmi chaque catégorie d'élus**

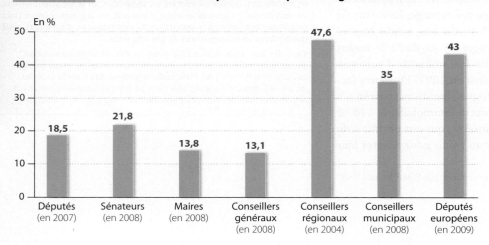

« Les inégalités en France », *Alternatives économiques*, Poche n° 43, mars 2010. Chiffres : Observatoire de la parité, ministère de l'intérieur.

DOCUMENT 2 **Répartition socioprofessionnelle des députés et de la population active occupée**

En %	Origine sociale des députés en 2007[1]	Part dans la population active occupée en 2009[2]
Agriculteurs exploitants	2	2
Artisans, commerçants, chefs d'entreprise	8	6,3
Cadres et professions intellectuelles supérieures	81	16,6
Professions intermédiaires	8	24,3
Employés	1	29,4
Ouvriers	0	21,5
Ensemble	100	100

1. Dominique Andolfatto, *Revue politique et parlementaire*, juillet-août-septembre 2007.
2. Champ : France métropolitaine, population des ménages, personnes en emploi de 15 ans ou plus (âge au 31 décembre).

Source : Insee, enquêtes emploi du 1er au 4e trimestre 2009.

DOCUMENT 3

L'abstentionnisme [...] demeure un signe politique de l'exclusion sociale d'une partie de la communauté nationale. Le recul de la participation électorale est prégnant dans des milieux populaires frappés par la pauvreté, la précarité, le chômage de masse, l'affaiblissement des liens sociaux, l'échec scolaire, la ghettoïsation, les discriminations et autres stigmatisations.
[...] Dès lors, le principe du suffrage universel ne masque-t-il pas un « cens caché », selon l'expression de Daniel Gaxie ? Pour le politologue, l'acte de vote doit s'analyser comme l'exercice d'une compétence. Dès lors, le suffrage universel est toujours un suffrage censitaire de facto, au sens où ces gouvernés intègrent en quelque sorte leur incompétence et préfèrent s'abstenir. La fracture sociale induit une fracture politique.
[...] Les élus se recrutent dans une frange particulièrement restreinte de la communauté des citoyens.
[...] Les discriminations/représentations négatives dont sont victimes les minorités « visibles » ne se limitent pas à l'accès au marché du travail, au logement, aux loisirs... La ségrégation sociale et territoriale se double d'une ségrégation politique. Le fait d'être visiblement issu d'un segment particulier de la société semble être une source d'illégitimité ou d'incapacité à incarner la représentation nationale.

Terra nova, mediapart.fr, 1er février 2011.

POUR VOUS AIDER

Structurer un raisonnement

La difficulté du sujet porte sur le découpage à opérer pour construire le raisonnement. Il ne faut pas se limiter à reprendre l'ordre des documents, mais il faut faire apparaître les caractéristiques de ces inégalités politiques. Ces inégalités sont de deux ordres (inégalités de participation et inégalités de représentation) pouvant être croisés avec trois causes (le genre, la catégorie sociale, l'appartenance à une minorité ethnique). On voit donc apparaître plusieurs progressions possibles : on peut choisir un plan « Constat des inégalités / Causes de leur persistance » ou bien « Inégalités de participation / Inégalités de représentation ».

Conseil : pour structurer un raisonnement, il faut éviter de suivre l'ordre des documents, et de se contenter d'en reprendre les éléments (paraphrase). Il faut au contraire construire un plan qui respecte une progression rigoureuse.

Sujet d'oral

Questions de connaissance

QUESTION 1 (3 points) : Définissez la notion d'inégalités sociales.

QUESTION 2 (3 points) : En quoi les inégalités de revenus primaires consistent-elles ?

Outils et savoir-faire

QUESTION 3 (4 points) : En utilisant les indicateurs pertinents, caractérisez les inégalités économiques. (Doc. 1)

Question principale (10 points)

Mettez en évidence l'existence d'inégalités multiples et cumulatives.

DOCUMENT 1 Inégalités : quelques indicateurs

Indicateurs d'inégalités	1997	2001	2003	2004	2005	2006	2007	2008	2009
Rapport entre le taux de chômage des ouvriers non qualifiés et des cadres	–	–	–	3,8	3,8	4,3	4,9	5,1	5,5
Rapport entre le niveau de vie moyen du dernier décile et celui du premier décile	–	–	6,07	6,1	6,53	6,64	6,6	6,67	-
Rapport entre le patrimoine moyen du dernier décile et celui du premier décile	1 631,6	–	2 134,5	–	–	–	–	–	–
Note moyenne en mathématiques aux évaluations d'entrée en 6e (Rapport enfants de cadres/enfants d'ouvriers)	–	–	–	1,32	1,28	1,25	1,26	1,27	–
Coefficient budgétaire culture et loisirs (Rapport cadres/ouvriers)	–	1,27	–	–	–	1,42	–	–	–
Coefficient budgétaire logement (Rapport cadres/ouvriers)	–	0,88	–	–	–	0,66	–	–	–
Part du surpeuplement des logements (Rapport entre le premier décile de niveau de vie et le dernier décile de niveau de vie)	–	9,5	–	–	–	11,8	–	–	–

Source : Insee, « France, portrait social », édition 2010.

DOCUMENT 2

Les différents types d'inégalités interagissent [...] très largement entre elles et constituent au total un processus cumulatif au terme duquel la richesse (dans ses différentes dimensions) s'accumule à l'un des pôles de l'échelle sociale, et la pauvreté, elle aussi multidimensionnelle, à l'autre [...]. Les interactions entre les différentes formes d'inégalités sont complexes. Mais on conçoit facilement que les inégalités de revenus disponibles engendrent quasi mécaniquement des inégalités de patrimoine ou dans les différents domaines concernés par les pratiques de consommation. Par ailleurs, plus les patrimoines sont importants, plus la part qui occupe les patrimoines de rapport est élevée. Ces inégalités de patrimoine contribuent ainsi réciproquement aux inégalités de revenus [...]. De manière analogue, tendanciellement, les inégalités de situation des parents dans la division sociale du travail engendrent chez leurs enfants des dispositions et des capacités diverses face à la formation scolaire qui se traduiront par des résultats scolaires inégaux, débouchant sur des qualifications professionnelles inégales et des insertions inégales dans la division sociale du travail.

Louis Maurin et Patrick Savidan,
L'État des inégalités en France 2007, Belin, 2006.

13

Comment les pouvoirs publics peuvent-ils contribuer à la justice sociale ?

Depuis la Révolution française et l'adoption de la devise « Liberté, Égalité, Fraternité », l'égalité a joué un rôle crucial dans la société française. C'est l'égalité politique qui a été la première préoccupation des constituants de 1789, mais celle-ci reste impuissante à contenir les inégalités réelles. D'autres dimensions de l'égalité s'avèrent alors essentielles dans la recherche d'une certaine justice sociale.

→ L'égalité politique suffit-elle à assurer la justice sociale ?

Dans l'après-guerre, la lutte contre les inégalités relatives aux conditions de vie des individus devient un objectif essentiel de l'action de l'État providence, qui se concrétise par la mise en place de la Sécurité sociale et avec elle d'une redistribution horizontale. La logique assurantielle est complétée par des prestations de solidarité. Ces dernières,

associées à l'impôt sur le revenu, contribuent à la redistribution verticale. Mais l'État dispose d'autres moyens d'intervention comme les services publics, la législation, la politique du logement.

→ Quels moyens l'État met-il en œuvre pour contribuer à la justice sociale ?

La crise des années 1970 a affecté l'État providence, ravivant les débats sur son efficacité. Les effets redistributifs de l'intervention publique sont à certains égards remis en cause, et l'on s'interroge sur leurs effets pervers en matière de croissance et d'emploi. Les difficultés financières conduisent à mettre l'accent sur le coût de l'intervention publique et poussent à son recentrage.

→ Quelles sont les limites de l'intervention de l'État ?

CHAPITRE

SOMMAIRE

■ **Réviser les acquis de 1re**		304
I	**Une société juste est-elle une société d'égaux ?**	334
	A De quelle égalité parle-t-on ?	334
	B Une société méritocratique est-elle une société juste ?	336
II	**Comment l'État peut-il contribuer à la justice sociale ?**	338
	A La redistribution permet de réduire les inégalités	338
	B L'État dispose d'autres moyens d'intervention	340
III	**L'intervention de l'État est-elle toujours efficace ?**	342
	A Les effets pervers de la redistribution	342
	B Réduction des déficits ou des inégalités : un compromis difficile à trouver	346
TD	**1.** Les politiques de discrimination positive sont-elles efficaces ?	348
TD	**2.** Des principes de justice concurrents	349
	Synthèse	350
	Schéma Bilan	352
	Autoévaluation	353
	Vers le Bac	354

Notions au programme

- Égalité
- Équité
- Discrimination
- Méritocratie
- Assurance/assistance
- Services collectifs
- Fiscalité
- Prestations et cotisations sociales
- Justice sociale
- Redistribution

Acquis de 1re

- État providence
- Prélèvements obligatoires
- Revenus de transfert

Fiche Notion 5 (voir p. 418)

- Les théories de la justice sociale

1 Les hommes naissent et demeurent libres et égaux en droit

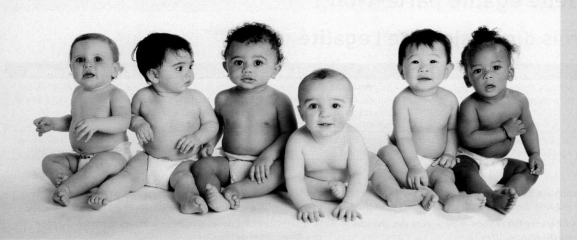

2

Présentation, Entretien d'embauche: LYON 02:16 PM

TROP VIEUX

TROP JEUNE

TROP FEMME...

Fib

3

1 900 000

1 600 000

1 300 000

1 000 00

ISF
2 050 802 M.

ISF
1 220 324 M.

1. Que signifie le principe selon lequel les hommes naissent et demeurent libres et égaux en droit ?

2. Quels éléments des trois documents constituent selon vous une remise en cause de ce principe de liberté et d'égalité ?

3. Que peut faire l'État pour assurer une plus grande égalité ?

I. Une société juste est-elle une société d'égaux ?

A De quelle égalité parle-t-on ?

1. Les trois dimensions de l'égalité

	Égalité des droits	Égalité des chances	Égalité des situations
Principe	Mêmes droits civils et politiques pour tous	– La possibilité d'accéder à n'importe quelle position sociale ou diplôme est offerte à tous ; – La probabilité d'accéder à n'importe quelle position sociale ou diplôme est la même pour tous.	Réduction des inégalités de revenus, de conditions de vie
Manifestations	Droit de vote, liberté d'expression, égalité devant la loi...	Zones d'éducation prioritaire, internats d'excellence...	Impôt progressif, couverture maladie universelle (CMU)...

Source : Hachette Éducation, 2012.

1. CONSTATER. Distinguez, parmi les exemples relatifs à l'égalité des droits, ceux qui relèvent des droits civils ou des droits politiques.

2. DÉFINIR. Quelle différence faites-vous entre égalité des chances scolaires et égalité des chances sociales ?

3. EXPLIQUER. Pourquoi de trop fortes inégalités de situation peuvent-elles affecter l'égalité des chances ?

4. ILLUSTRER. Proposez d'autres exemples illustrant chacune des dimensions de l'égalité.

2. « Les SDF sont-ils des citoyens comme les autres ? »

Officiellement, la pauvreté a depuis longtemps cessé d'être un obstacle à la citoyenneté. Être électeur ou être élu ne supposent plus comme au XIXe siècle le paiement du cens (l'impôt). Les seules conditions exigées sont la nationalité française, la majorité [...] et un domicile fixe (au moins depuis six mois). C'est cette dernière condition qui pose problème. Jusqu'à une date récente, elle a même constitué un obstacle à la citoyenneté pour de nombreux sans domicile fixe, à qui elle interdisait de s'inscrire sur les listes électorales [...]. Depuis la loi sur le revenu minimum d'insertion (RMI), en 1988, a été introduite la possibilité pour toutes les personnes « sans résidence » d'« élire domicile » auprès d'un organisme agréé par la préfecture.[...] avoir le droit de voter est une chose, le faire en est une autre. Or, on constate que les populations relevant de la précarité ou de la grande pauvreté sont également celles qui sont les moins inscrites sur les listes électorales, les plus abstentionnistes, et adhérant le moins aux associations et aux partis politiques. Les plus démunis sont donc toujours absents du seul lieu – l'isoloir – où ils pourraient se faire entendre.

Marie-Claire Laval-Reviglio, « Les SDF sont-ils des citoyens comme les autres ?, *Sciences humaines*, n° 138, mai 2003.

1. CONSTATER. Pouvait-on parler d'égalité des droits politiques au XIXe siècle ?

2. CONSTATER. À quelle difficulté les SDF se heurtent-ils pour exercer leur droit de vote ?

3. EXPLIQUER. Comment expliquer le constat effectué dans le passage souligné ?

4. RÉCAPITULER. Pourquoi peut-on dire que de trop fortes inégalités de situations sont un obstacle à l'égalité des droits ?

3. L'école et l'idéal égalitaire

a. Égalité des chances : le poids de l'école

En France, l'égalité des chances renvoie avant tout aux chances scolaires ; l'école occupe, dans notre système de représentations collectives, la place que tient la mobilité sociale dans l'idéologie américaine. C'est l'égalité des droits qui a longtemps constitué l'enjeu principal, et la création de l'école publique obligatoire au XIXe siècle a semblé suffire à déclarer réalisé l'idéal d'égalité en faisant, Jules Ferry le soulignait, disparaître ce qui était à ses yeux l'inégalité la plus choquante, à savoir l'inégalité d'éducation. Longtemps, il est apparu suffisant que quelques « boursiers » puissent, grâce à l'école républicaine, monter dans l'échelle sociale, pour que les hiérarchies scolaires soient perçues comme légitimes, jusqu'à ce que la sociologie de l'éducation dévoile la fonction effective de l'école, à savoir la reproduction sociale...

Marie Duru-Bellat, *Le mérite contre la justice*, Presses de Sciences Po, coll. « Nouveaux débats », 2009.

1. CONSTATER. En vous aidant du document 1, à quelle formulation de l'égalité des chances la mise en place de l'école obligatoire est-elle associée ? (Doc. a)

b. Les inégalités scolaires

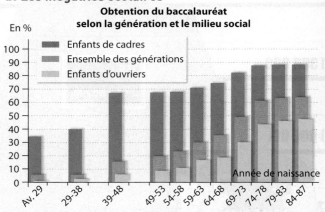

Obtention du baccalauréat selon la génération et le milieu social

Lecture : parmi les jeunes nés de 1983 à 1987, 89 % de ceux dont le père est cadre sont bacheliers, contre 49 % des jeunes de père ouvrier.

Source : Ministère de l'Éducation nationale, « L'état de l'école », n° 20, novembre 2010.

2. CONSTATER. Le graphique permet-il d'illustrer la réalisation du principe d'égalité des chances ? (Doc. b)

3. EXPLIQUER. Expliquez le passage souligné. (Doc. a)

4. Le développement des droits sociaux

Les droits sociaux regroupent un ensemble de droits, tels que le droit au logement, les droits des travailleurs, le droit à la protection de la santé, le droit à la scolarisation ou le droit à des moyens convenables d'existence. [...] Les droits sociaux sont des droits garantis par les textes constitutionnels et internationaux dans le champ social (droits des travailleurs, droit à des prestations, droit aux services publics), afin de réduire les inégalités économiques et dans une perspective de justice sociale : « Droits des victimes de l'ordre existant » (selon le mot célèbre de l'universitaire français Georges Burdeau), les droits sociaux sont, si ce n'est des instruments de transformation sociale, du moins des correctifs au libéralisme économique, et ont pour objectif de réaliser la fraternité.

Diane Roman, *La lettre*,
Observatoire de la pauvreté et de l'exclusion sociale,
n° 4, mai 2011.

1. DÉFINIR. Que recouvre la notion de droits sociaux ?

2. CONSTATER. Ces droits sociaux ne sont-ils que les droits des salariés ?

3. CONSTATER. En vous appuyant sur le document 1, à quelles dimensions de l'égalité ces droits sont-ils associés ?

5. Concilier justice et égalité : le principe d'équité

Il n'est pas de théorie sociale, même les plus critiques eu égard à certains critères d'égalité, qui ne soit fondée elle-même sur l'exigence de l'égalité dans au moins une dimension. [...] La difficulté vient du fait [...] que la définition de l'égalité dans l'une de ses dimensions implique, au sens causal, l'acceptation d'inégalités en d'autres dimensions. Par exemple, l'approche libérale la plus radicale est fondée sur le critère de l'égalité devant la loi. « Cette majestueuse égalité devant la loi, qui permet aux riches, comme aux pauvres, de dormir la nuit sous les ponts », ironisait Anatole France. C'était définir à la fois le critère choisi et les dimensions où l'on acceptait que les inégalités se développent. Car garantir également la liberté à chacun implique [...] que le gouvernement ne cherche pas à infléchir la répartition primaire des revenus et des richesses. Même ceux qui proposent de supprimer le Smic le font au nom d'un critère d'égalité : l'égalité devant l'emploi [...]. On peut définir dans ce cadre l'équité comme étant une propriété du ou des critères d'égalité que l'on choisit. Il apparaît donc vain de vouloir opposer égalité et équité. [...]. L'équité peut conduire à rechercher une dimension plus exigeante de l'égalité, mais en aucun cas à y renoncer. Par exemple, certains auteurs, notamment Sen, considèrent plus équitable de définir l'égalité non pas dans l'espace des revenus [...] mais dans celui de la liberté de réalisation de ses projets et de la capacité de le faire. Pour ne prendre que l'exemple le plus simple, deux personnes disposant d'un même revenu, mais dont l'une serait handicapée, ne jouiraient pas de la même liberté de poursuivre leurs objectifs. [...]

L'équité, sur la base d'un critère d'égalité d'ordre supérieur, exige alors une plus grande inégalité dans la répartition des revenus. Mais il s'agit dans ce cas d'une inégalité correctrice, destinée à réduire ou à compenser une inégalité première.

Jean-Paul Fitoussi et Pierre Rosanvallon (dir.),
Le nouvel âge des inégalités, Le Seuil,
coll. « Points essais », 1998.

1. ILLUSTRER. Illustrez la phrase soulignée pour chacune des dimensions de l'égalité présentées dans le document 1.

2. EXPLIQUER. Pourquoi ne peut-on pas opposer égalité et équité ?

3. CONSTATER. Tout le monde a-t-il la même appréhension de ce qui est équitable ?

4. EXPLIQUER. Quel lien peut-on faire entre la photographie et la notion d'équité ?

REPÈRES **Amartya Sen** (économiste indien, né en 1933)
Il a reçu le prix Nobel d'économie en 1998 pour ses travaux sur l'économie du bien-être. Il a ainsi montré que les famines étaient créées par l'absence de démocratie plus que par le manque de nourriture. On lui doit aussi l'invention de l'IDH (indicateur de développement humain). Ses travaux sur la justice sociale mettent l'accent sur la notion de capabilité, qui mesure les possibilités effectives qu'ont les individus de profiter des libertés offertes.

ENTRAÎNEMENT

QUESTION DE COURS. Qu'est-ce que le principe d'équité ?

SYNTHÈSE. À l'aide des documents 1, 2 et 3, montrez que la réduction des inégalités de situations peut être nécessaire pour assurer l'égalité des droits et des chances.

documents

B Une société méritocratique est-elle une société juste ?

1. Deux conceptions de la justice sociale

Il existe aujourd'hui deux grandes conceptions de la justice sociale : l'égalité des places et l'égalité des chances. Leur ambition est identique : elles cherchent toutes les deux à réduire la tension fondamentale, dans les sociétés démocratiques, entre l'affirmation de l'égalité de tous les individus et les inégalités sociales issues des traditions et de la concurrence des intérêts à l'œuvre. Dans les deux cas, il s'agit de réduire certaines inégalités, afin de les rendre sinon justes, du moins acceptables. Et pourtant, ces deux conceptions diffèrent profondément. La première de ces conceptions est centrée sur les places qui organisent la structure sociale [...]. Cette représentation de la justice sociale vise à réduire les inégalités de revenus, de conditions de vie, d'accès aux services, de sécurité, qui sont associées aux différentes positions sociales [...]. La seconde conception de la justice, majoritaire aujourd'hui, est centrée sur l'égalité des chances : elle consiste à offrir à tous la possibilité d'occuper les meilleures places en fonction d'un principe méritocratique. Elle vise moins à réduire l'inégalité entre les différentes positions sociales qu'à lutter contre les discriminations qui perturberaient une compétition au terme de laquelle des individus égaux au départ occuperaient des places hiérarchisées. Dans ce cas, les inégalités sont justes puisque toutes les places sont ouvertes à tous [...]. Ces deux conceptions de la justice sociale sont excellentes [...]. Une société démocratique véritablement juste doit combiner l'égalité fondamentale de tous ses membres et les « justes inégalités » issues d'une compétition méritocratique équitable.

François Dubet, *Les places et les chances*, Le Seuil-La République des idées, 2010.

1. CONSTATER. Quelles sont les deux conceptions de la justice sociale évoquées dans le document ?

2. CLASSER. Quels sont les points communs et les différences entre ces deux conceptions de la justice sociale ?

3. DÉFINIR. Qu'est-ce que la méritocratie ?

4. EXPLIQUER. Dans une société méritocratique, toutes les inégalités sont-elles justes ?

2. Une société juste aux yeux des Français

En % — Êtes-vous tout à fait d'accord, plutôt d'accord, plutôt pas d'accord ou pas d'accord du tout avec les propositions suivantes ? Il s'agit cette fois de ce que vous estimez souhaitable et juste :	Tout à fait d'accord	Plutôt d'accord	Plutôt pas d'accord	Pas d'accord du tout
a. Pour qu'une société soit juste, elle doit garantir à chacun la satisfaction de ses besoins de base (logement, nourriture, habillement, santé et éducation).	(67)	28	4	1
b. Il faudrait réduire en France les différences entre les revenus importants et les revenus faibles.	52	37	7	4
c. Il ne devrait y avoir en France aucune différence de revenus, quelle que soit la raison de cette différence.	12	20	38	30
e. Des inégalités de revenu sont inévitables pour qu'une économie soit dynamique.	16	41	27	16
f. De grandes différences de revenu sont contraires au respect de la dignité individuelle.	39	38	17	6
g. Des différences de revenu sont acceptables lorsqu'elles rémunèrent des mérites individuels différents.	26	59	10	5
h. En France, les revenus du travail devraient mieux prendre en compte les efforts individuels accomplis au travail.	49	46	4	1
i. En France, les revenus du travail devraient davantage dépendre des talents personnels.	31	53	12	4
j. En France, les revenus du travail devraient dépendre davantage du niveau de diplôme.	15	36	36	13
k. En France, les rémunérations devraient dépendre davantage des résultats obtenus dans le travail.	36	52	9	3

Michel Forsé et Olivier Galland (dir.), « *Les Français face aux inégalités et à la justice sociale* », Armand Colin, coll. « Sociétales », 2011.

1. CONSTATER. Que signifie la donnée entourée ?

2. ILLUSTRER. Associez les différents items du tableau aux conceptions de la justice présentées dans le document 1.

3. CONSTATER. L'une des conceptions semble-t-elle l'emporter ?

4. CONSTATER. Montrez que le mérite peut être appréhendé de différentes manières.

3. Qu'est-ce que le mérite ?

Quand on parle aujourd'hui de mérite et d'excellence, de sélection au mérite, de recrutement ou de promotion au mérite, on n'a pas en tête les mérites moraux et vertus qui commandent le respect d'une personne, mais l'idée que les individus sont responsables de leur sort à travers leurs efforts et leur performance. Le mérite, c'est le contraire des statuts hérités et des privilèges de naissance fixant une fois pour toutes les espérances des individus.

[...] Les capacités, sources de mérite, sont multiples et diverses : capacités physiques ou mentales, capacités morales aussi si l'on pense à la sensibilité et à la sociabilité. [...] Ce sont pour la plupart des données de départ qui ouvrent ou ferment des possibilités à l'agent. [...] À quoi s'ajoute l'idée d'un effort particulier pour mettre en œuvre le reste des capacités. Être intelligent, doué physiquement, être beau ne suffisent pas si ces capacités ne sont pas mises en œuvre. L'individu doué à qui tout réussit n'a pas à proprement parler de mérite. Celui qui laisse en jachère ses talents les gâche. En revanche, l'effort et la ténacité peuvent, jusqu'à un certain point, pallier le manque de dons et de capacités. La dimension morale du mérite prend alors le pas sur les capacités et parfois les remplace. Les « success stories » de personnes handicapées, accidentées, défavorisées parvenant à vaincre leur handicap et à devenir « comme les autres » sont un des lieux communs de la littérature du mérite et des émissions de télé-compassion.

Yves Michaud, *Qu'est-ce que le mérite ?*, Gallimard, coll. « Folio essais », 2010.

1. CONSTATER. Montrez que la notion de mérite insiste sur la responsabilité individuelle.

2. EXPLIQUER. Pourquoi peut-on dire que l'idée de mérite est liée à la démocratie ?

3. EXPLIQUER. En quoi cette idée du mérite peut-elle justifier l'absence d'intervention publique pour réduire les inégalités ?

4. CONSTATER. Quels éléments conduisent à relativiser le poids de la responsabilité individuelle ?

4. Quand les dés sont pipés

Si l'on considère que la méritocratie est une sélection basée sur les talents et que ces derniers font l'objet d'une transmission héréditaire, alors la réussite relève d'une loterie génétique, ce qui est l'antithèse de la justice sociale. De plus, dans les sociétés comme la nôtre où la famille est responsable de l'éducation des enfants, les parents vont chercher tout naturellement à transmettre leur position et leurs avantages, ce qui va contrarier singulièrement le jeu du pur mérite […]. « Last but not least », le principe de l'égalité des chances, même si on parvenait à le réaliser complètement, ne ferait, dès lors qu'il s'agit d'allouer des places inégales, que recréer l'inégalité à chaque génération.

Marie Duru-Bellat, *Le mérite contre la justice*, Presses de Sciences Po, coll. « Nouveaux débats », 2009.

1. CONSTATER. Quels sont les deux arguments, présentés dans le document, qui remettent en cause la sélection par le mérite ?

2. EXPLIQUER. Expliquez la phrase soulignée.

5. Une sélection au mérite entachée d'arbitraire

En fait la sélection au mérite est inévitablement remise en question par la nature des activités sociales et professionnelles contemporaines. Dès lors que le diplôme ne garantit pas la compétence ou la totalité de la compétence, on doit faire intervenir des normes subsidiaires ou complémentaires propres à la profession ou au métier, ou à la situation sociale […]. Quiconque fait l'expérience de se retrouver face à un monceau de CV, quand il s'agit de recruter pour une fonction complexe nécessitant des capacités variées, sait très bien que malgré toute sa bonne volonté, il fera un choix largement arbitraire et en tout cas entaché d'irrationalité. […] Dans le foisonnement des diplômes et des qualifications possibles, les recommandations, les effets de réseaux, les informations privilégiées, les expériences antérieures, les préjugés et les faveurs prennent le pas sur le mérite.

Yves Michaud, *Qu'est-ce que le mérite ?*, Gallimard, coll. « Folio essais », 2010.

1. CONSTATER. Pourquoi une sélection au mérite rigoureuse est-elle particulièrement difficile à mettre en œuvre ?

2. EXPLIQUER. Quelles sont les conséquences du constat précédent sur les modalités du recrutement et le choix final des candidats ?

6. La reproduction sociale : un défi pour la méritocratie

Position socioprofessionnelle des jeunes en emploi en fin de 3e année de vie active, en %

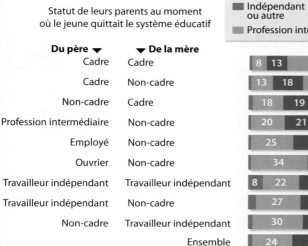
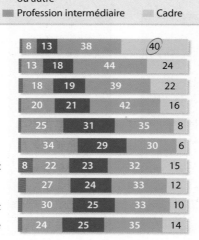

Statut de leurs parents au moment où le jeune quittait le système éducatif

Légende : Indépendant ou autre | Ouvrier | Employé | Profession intermédiaire | Cadre

Du père	De la mère	Indépendant ou autre	Ouvrier	Employé	Profession intermédiaire	Cadre
Cadre	Cadre		8	13	38	40
Cadre	Non-cadre		13	18	44	24
Non-cadre	Cadre		18	19	39	22
Profession intermédiaire	Non-cadre		20	21	42	16
Employé	Non-cadre		25	31	35	8
Ouvrier	Non-cadre		34	29	30	6
Travailleur indépendant	Travailleur indépendant	8	22	23	32	15
Travailleur indépendant	Non-cadre		27	24	33	12
Non-cadre	Travailleur indépendant		30	25	33	10
Ensemble			24	25	35	14

1. CONSTATER. Faites une phrase pour exprimer la signification de la donnée entourée.

2. CONSTATER. Montrez l'importance de la reproduction sociale.

3. EXPLIQUER. Les enfants d'ouvriers et d'employés sont-ils moins méritants que les enfants de cadres ?

4. EXPLIQUER. Quels liens peut-on faire entre ce document et les documents 4 et 5 ?

Champ : jeunes dont la position professionnelle des deux parents est connue et ayant un emploi en fin de troisième année de vie active (521 000 individus).

Source : Céreq, « Quand l'école est finie... Premiers pas dans la vie active de la génération 2004 », 2008.

ENTRAÎNEMENT

QUESTION DE COURS. Qu'est-ce que la justice sociale ?

SYNTHÈSE. À l'aide des documents 2, 4 et 5, montrez que la méritocratie, seule, ne parvient pas à assurer la justice sociale.

II. Comment l'État peut-il contribuer à la justice sociale ?

A La redistribution permet de réduire les inégalités

1. La sécurisation des places

Au XXe siècle, les inégalités sociales ont été régulièrement réduites avec l'apparition de l'impôt sur le revenu, l'augmentation des droits de succession et les diverses charges prélevées sur les entreprises. […] Non seulement les plus pauvres ont acquis un niveau de vie décent, mais leur statut social a été garanti par tout un ensemble de droits sociaux et de prestations. […] En fait, le mouvement vers l'égalité est surtout passé par la sécurisation des places occupées par les travailleurs grâce à l'assurance chômage, aux droits aux soins médicaux, aux loisirs, au logement, à la retraite, etc. Cette égalité visait donc moins à réduire directement les écarts de revenus qu'à protéger les salariés (notamment les plus modestes) des risques engendrés par les aléas de la vie.

[…] le travail y tient une place essentielle, puisque la majorité des droits sociaux en dérivent (et c'est encore le cas aujourd'hui). […] il a fallu attendre longtemps pour que le RMI accorde des droits à ceux qui n'en détenaient plus du fait de leur exclusion du monde du travail et, plus longtemps encore, pour que la couverture médicale universelle soit accordée aux plus démunis.

François Dubet, *Les places et les chances*, Le Seuil-La République des idées, 2010.

1. CONSTATER. Quelles sont les mesures qui ont contribué à réduire les inégalités au cours du XXe siècle ?

2. CONSTATER. Parmi les mesures précédentes, distinguez celles qui ont pour objectif premier de réduire les inégalités et celles qui cherchent avant tout à protéger les salariés.

3. EXPLIQUER. Quelle est la spécificité du RMI ou de la CMU au regard des autres droits sociaux ?

> **REPÈRES**
>
> **Le mouvement vers l'égalité**
> **1882** Lois Ferry : école primaire gratuite, obligatoire, publique et laïque pour les garçons et les filles de 6 à 13 ans
> **1936** Congés payés pour tous les salariés
> **1945** Création de la Sécurité sociale
> **1958** Création des allocations chômage
> **1988** Création du revenu minimum d'insertion (RMI)
> **1999** Création de la couverture maladie universelle (CMU), voir DÉFINITION, p. 345.
> **2005** Loi pour l'égalité des droits et des chances, la participation et la citoyenneté des personnes handicapées
> **2007** Loi sur le droit au logement opposable (loi Dalo)
> **2009** Création du revenu de solidarité active (RSA), voir DÉFINITION, p. 339.

2. Distribution des revenus bruts et de l'impôt net[1] sur le revenu parmi les foyers fiscaux

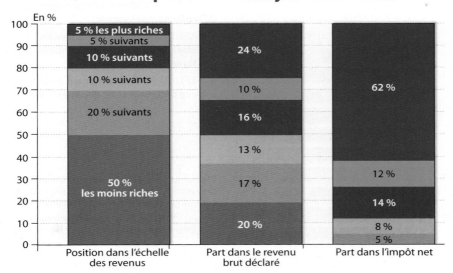

1. CONSTATER. Quelle part du revenu déclaré, puis de l'impôt sur le revenu, se partagent les 10 % des foyers fiscaux les plus riches ? Les 50 % les moins riches ?

2. EXPLIQUER. Quelle est alors la caractéristique de l'impôt sur le revenu ?

3. RÉCAPITULER. Analysez l'impact de l'impôt sur le revenu sur les inégalités.

1. Net de réductions et de crédit d'impôt.

Source : Conseil des prélèvements obligatoires, « Prélèvements obligatoires sur les ménages : progressivité et effets redistributifs », mai 2011.

3. Protection sociale et redistribution des richesses

a. Deux types de redistribution

La distinction essentielle est à effectuer entre les opérations de redistribution « transversale », qui transfèrent du pouvoir d'achat entre des individus différents, et des opérations « longitudinales », qui redistribuent du pouvoir d'achat d'un individu à lui-même à un autre point du temps. Financer des allocations logement aux moins favorisés par un impôt progressif sur le revenu peut être considéré comme une opération de redistribution transversale entre des ménages se situant dans la moitié supérieure de la distribution des revenus et des ménages se trouvant dans la moitié inférieure. En revanche, acquitter une cotisation de retraite [...] peut être considéré comme un transfert que l'on se fait à soi-même dans le futur, et ceci même si le produit de cette cotisation finance effectivement les retraités d'aujourd'hui. [...] En théorie, les choses semblent donc simples : on aurait deux types de redistribution. D'un côté, le système d'assurances sociales opère une redistribution instantanée entre les cotisants et ceux qui sont touchés par les risques assurés : chômage, maladie, retraite. De l'autre, des prélèvements de nature fiscale couvrent les transferts sans contrepartie, ou « prestations non contributives », qui relèvent quant à eux d'une logique « d'assistance » plutôt que « d'assurance sociale ».

Conseil des prélèvements obligatoires, « Prélèvements obligatoires sur les ménages : progressivité et effets redistributifs », mai 2011.

b. Un modèle mixte

La construction de l'État providence en France a paru tout d'abord hésiter entre une approche assistancielle, apportant un secours aux personnes incapables de satisfaire leurs besoins élémentaires et privées de la solidarité familiale, et une logique assurantielle, liant des droits sociaux à la place occupée par les individus dans le processus productif. C'est ce second modèle [...] qui va progressivement s'imposer – 1945 marquera sa consécration avec la création de la Sécurité sociale –, non sans laisser pourtant à l'assistance une place pour certaines catégories de la population exclues du monde des actifs, personnes âgées ou handicapées principalement. Mais le développement d'un chômage de masse a remis en question les dispositifs de protection liés à l'activité, aussi, à partir des années 1980 assiste-t-on à un retour de plus en plus prononcé [...] des logiques assistancielles.

« La protection sociale : quels débats ? quelles réformes ? », Cahiers français, n° 358, septembre-octobre 2010.

1. CONSTATER. Présentez précisément la différence entre redistribution verticale et horizontale. (Doc. a)

2. EXPLIQUER. Expliquez le passage souligné. (Doc. a)

3. CONSTATER. Quel lien peut-on faire entre les deux formes de redistribution et les logiques d'assurance et d'assistance ? (Doc. a)

4. CONSTATER. Montrez l'évolution du système de protection sociale français, à partir de ces deux logiques, depuis l'après-guerre. (Doc. b)

4. Les effets redistributifs des dépenses sociales

a. Les pays à fortes dépenses sociales ont une plus faible inégalité de revenus

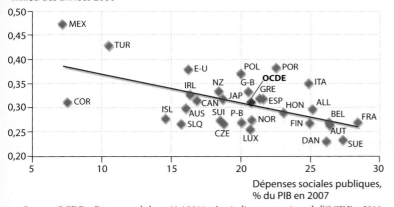

Coefficient de Gini de l'inégalité de revenus, milieu des années 2000

Dépenses sociales publiques, % du PIB en 2007

Source : OCDE, « Panorama de la société 2011 – Les indicateurs sociaux de l'OCDE », 2011.

1. CONSTATER. Faites une phrase avec les données de la France. (Doc. a)

2. CONSTATER. Peut-on établir une relation entre dépenses sociales et inégalités de revenus ? (Doc. a)

3. EXPLIQUER. À l'aide du document a, précisez à quel type de redistribution et de prestations se rattachent les minima sociaux. (Doc. b)

4. EXPLIQUER. Quel lien peut-on faire entre le graphique et le tableau ? (Doc. a et b)

b. Montants de quelques minima sociaux en France en 2012 pour une personne seule, en euros

	Montants mensuels
Allocation de solidarité pour les personnes âgées (ASPA)	742
Allocation adulte handicapé (AAH)	743
RSA majoré sans revenu d'activité, personne seule avec un enfant (allocation parent isolé avant 2009)	609
RSA sans revenu d'activité (RMI avant 2009)	474
Allocation de solidarité spécifique (chômeurs en fin de droits)	468

DÉFINITION

Revenu de solidarité active (RSA)
Ce dispositif remplace, depuis le 1er juin 2009, le RMI et l'API. Il se compose du RSA socle, qui est versé aux ménages dont les revenus sont inférieurs à un certain seuil. Le RSA activité est un complément de revenu versé aux actifs occupés dont les revenus du travail sont faibles. Les RSA socle et activité peuvent être cumulés, mais seul le RSA socle est considéré comme un minimum social.

ENTRAÎNEMENT

QUESTION DE COURS. Quelle est la différence entre les principes de l'assurance et ceux de l'assistance ?

SYNTHÈSE. À l'aide des documents 1, 2 et 4, montrez comment la redistribution agit sur les inégalités.

documents

B L'État dispose d'autres moyens d'intervention

1. Les biens collectifs contribuent à la réduction des inégalités

La seconde conséquence est plus universelle et concerne la création d'équipements collectifs qui visent à « démarchandiser », comme dit Esping Andersen[1], l'accès à certains biens. Ici, l'égalité procède moins de l'égalisation des revenus que de la mise à disposition de tous de biens longtemps réservés à quelques-uns. C'est le cas notamment des transports publics, de l'implantation des services publics, de l'éducation et de tous les équipements publics gratuits parce que leur charge est répartie sur l'ensemble des contribuables. Ces biens n'entrent pas directement dans la statistique qui mesure les inégalités

sociales ; pourtant, eux aussi contribuent à l'égalisation progressive des places, puisque chacun peut en bénéficier. D'ailleurs, la République a longtemps conçu son rôle social par rapport à l'équipement du territoire, chaque commune devant avoir ses écoles, son collège, sa poste, son commissariat, sa piscine, sa bibliothèque, sa salle polyvalente, etc. Les services publics et leur gratuité sont perçus comme une des conditions de l'égalité des places.

1. Gosta Esping-Andersen est un sociologue danois, spécialiste de l'État providence.

François Dubet, *Les places et les chances*, Le Seuil-La République des idées, 2010.

1. DÉFINIR. Rappelez la définition de la notion de service public.

2. CONSTATER. À quelle dimension de l'égalité l'auteur fait-il référence lorsqu'il évoque l'égalité des places ?

3. EXPLIQUER. À partir d'un des exemples proposés, montrez comment les services publics peuvent réduire les inégalités.

2. L'exemple des dépenses d'éducation : une redistribution verticale et horizontale

La fourniture gratuite de ce service [d'éducation] par l'État peut être analysée comme un transfert en nature dont le montant unitaire est, en première analyse, le même pour tous. Dès lors, il s'agit d'une dépense progressive ; ce d'autant plus que cette dépense se substitue à celle que les parents auraient consenti en son absence. [...] Les dépenses de l'Éducation nationale ont également des effets redistributifs particulièrement importants au plan horizontal. En effet, en raison de l'obligation de scolarisation, les ménages comportant plusieurs enfants en bénéficient davantage que ceux qui n'en ont

qu'un et, *a fortiori*, que ceux qui n'en comportent pas. Compte tenu du fait que les personnes appartenant à un ménage comportant trois enfants ou plus disposent, en moyenne, d'un niveau de vie plus faible que les autres ménages, cette composante horizontale de la redistribution opérée par l'Éducation nationale augmente son caractère redistributif au plan vertical. [...] Les ménages les plus modestes et les familles bénéficient particulièrement de ces transferts liés à l'éducation.

Conseil des prélèvements obligatoires, « Prélèvements obligatoires sur les ménages : progressivité et effets redistributifs », mai 2011.

1. EXPLIQUER. Expliquez la phrase soulignée.

2. EXPLIQUER. En rapportant la valeur du service fourni au revenu des ménages les plus pauvres et à celui des plus riches, que peut-on conclure quant au rôle de l'éducation en matière de redistribution verticale ?

3. CONSTATER. Comment les dépenses de l'Éducation nationale assurent-elles une forme de redistribution horizontale ?

4. RÉCAPITULER. Justifiez le titre du document.

3. Inégalités face au logement et politiques publiques

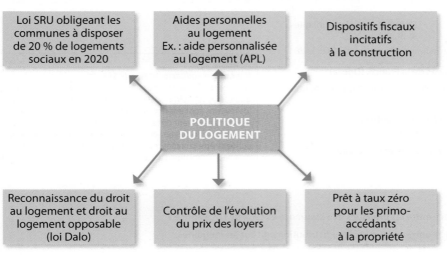

Loi SRU obligeant les communes à disposer de 20 % de logements sociaux en 2020

Aides personnelles au logement
Ex. : aide personnalisée au logement (APL)

Dispositifs fiscaux incitatifs à la construction

POLITIQUE DU LOGEMENT

Reconnaissance du droit au logement et droit au logement opposable (loi Dalo)

Contrôle de l'évolution du prix des loyers

Prêt à taux zéro pour les primo-accédants à la propriété

1. CONSTATER. Distinguez, parmi les différentes mesures, celles qui relèvent principalement de la loi et celles qui nécessitent des moyens financiers de l'État.

2. EXPLIQUER. En quoi chacune des mesures proposées ici peut-elle contribuer à la lutte contre les inégalités ?

3. ILLUSTRER. À partir de l'exemple de votre choix, montrez que les mesures prises n'ont pas forcément d'effets significatifs sur les inégalités de logement.

4. La lutte contre les discriminations

Le constat de l'ampleur des discriminations qui minent la société française est malheureusement bien documenté. Ainsi par exemple, une étude de l'université d'Évry, menée par la méthode du « testing[1] », a fait apparaître que, pour un poste de comptable, un candidat de nationalité marocaine, de nom et prénom à consonance arabe recevait une convocation à un entretien pour 277 lettres envoyées, contre une pour 19 pour les candidats de nationalité et de nom et prénom à consonance française, à compétences et expérience semblables…
Les opinions divergent beaucoup plus sur la façon de réduire ces discriminations. Faut-il mettre en place des discriminations positives, c'est-à-dire réserver un traitement de faveur aux populations généralement victimes de discriminations, celles-ci étant caractérisées sur une base « ethno-culturelle » ?
En France, de telles politiques existent, mais elles ne s'appliquent pas aux minorités « visibles », au sens où elles ne différencient pas les publics visés selon les origines ethno-culturelles. Dans l'emploi, par exemple, un certain nombre de dispositifs visent ainsi à favoriser les handicapés. Dans le domaine de la vie politique, on recherche la parité en sanctionnant financièrement les partis qui ne présentent pas autant de candidats des deux sexes pour la plupart des élections. Enfin, de nombreux mécanismes sont censés favoriser les habitants des territoires les plus défavorisés, par exemple les zones urbaines sensibles (ZUS, les grands ensembles où vivent les catégories les plus défavorisées), auxquelles l'État dévolue davantage de moyens.

1. Méthode qui vise à mesurer des discriminations dans l'accès à l'emploi, au logement, et qui consiste à présenter des candidats aux caractéristiques similaires, hormis un critère à propos duquel on cherche à mesurer une discrimination (couleur de peau, patronyme, sexe, etc.).

Louis Maurin, « Les discriminations positives sont-elles la solution ? », *Alternatives économiques*, hors-série n° 80, février 2009.

1. EXPLIQUER. Pourquoi les discriminations remettent-elles en cause les différentes dimensions de l'égalité ?

2. DÉFINIR. En quoi une politique de discrimination positive consiste-t-elle ?

3. ILLUSTRER. Donnez d'autres exemples de discrimination positive.

4. EXPLIQUER. Pourquoi en France ces mesures ne s'appuient-elles pas sur des différences ethno-culturelles ?

5. Discrimination positive : l'exemple de Sciences Po

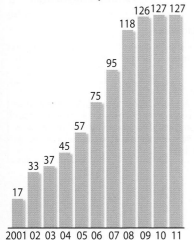

Nombre d'étudiants qui entrent à Science Po grâce à la convention d'éducation prioritaire[1]

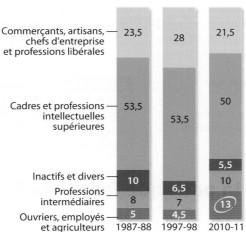

Origine sociale des étudiants à Sciences Po, en %

1. « Les conventions éducation prioritaire sont une voie de recrutement sélective et spécifique destinée à des élèves méritants, scolarisés dans des établissements en zone d'éducation prioritaire partenaires de Sciences Po. » (sciences-po.fr)

Source : *Le Monde*, 7 septembre 2011. Chiffres Sciences Po.

1. CONSTATER. Exprimez la signification de la donnée entourée.

2. EXPLIQUER. En quoi la convention éducation prioritaire constitue-t-elle une mesure de discrimination positive ?

3. CONSTATER. Montrez que cette voie d'entrée à Sciences Po a eu un impact limité sur le recrutement de l'école.

ENTRAÎNEMENT

QUESTION DE COURS. Qu'est-ce que la discrimination positive ?

SYNTHÈSE. À l'aide des documents 1 et 2, expliquez comment les services publics permettent de réduire les inégalités.

documents

III. L'intervention de l'État est-elle toujours efficace ?

A Les effets pervers de la redistribution

1. Un système fiscal faiblement progressif voire dégressif ?

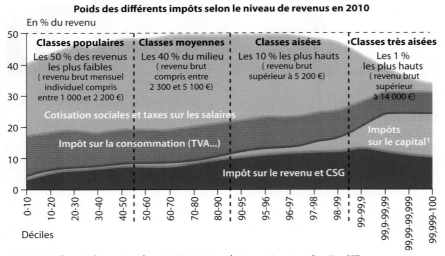

Poids des différents impôts selon le niveau de revenus en 2010

1. Impôts sur le capital : impôt sur les sociétés, impôt sur les successions, taxe foncière, ISF.

Sources : D'après « Les chiffres 2012 », *Alternatives économiques,* hors-série n° 90, octobre 2011 et revolution-fiscale.fr, Thomas Piketty, Emmanuel Saez et Camille Landais.

1. CONSTATER. Quel est le poids des prélèvements dans le revenu des 10 % les plus pauvres ? dans celui des 0,001 % les plus riches ?

2. DÉFINIR. Qu'est-ce qu'un impôt progressif ? dégressif ?

3. ILLUSTRER. Illustrez la notion d'impôt progressif et dégressif.

4. RÉCAPITULER. Peut-on qualifier le système fiscal français de dégressif ?

> **DÉFINITION**
>
> **Contribution sociale généralisée (CSG)**
> La CSG est un prélèvement obligatoire à la source sur les revenus d'activité, de remplacement (hors minima sociaux) et de placement. Ses recettes sont affectées au financement de la protection sociale.

2. Quelle place pour l'impôt sur le revenu ?

L'impôt sur le revenu (IR) a vu son poids se réduire presque continûment depuis trente ans, sous l'effet de baisses générales (réformes du barème) et de dépenses fiscales en nombre croissant : il n'a jamais dépassé 5,2 % du PIB, le taux le plus faible des pays de l'OCDE. [...] sa concentration est demeurée importante et s'est même renforcée au cours des dernières années. Sa progressivité a diminué. Elle est par définition inexistante parmi les foyers qui n'acquittent pas d'IR – environ la moitié d'entre eux en France – ce qui constitue une spécificité de notre pays. Elle s'est également réduite en raison de la diminution des taux marginaux d'imposition qui sont désormais inférieurs à ceux de nombre d'autres pays. [...] L'IR est aujourd'hui marqué par une dualité de fait ayant pour effet de taxer de façon moindre les revenus des capitaux mobiliers.

Conseil des prélèvements obligatoires, « Prélèvements obligatoires sur les ménages : progressivité et effets redistributifs », mai 2011.

1. EXPLIQUER. Pourquoi le poids de l'impôt sur le revenu et la progressivité ont-ils baissé ?

2. CONSTATER. En vous appuyant sur des données chiffrées, peut-on dire que le document 1 confirme la faible progressivité de l'impôt sur le revenu ?

> **DÉFINITION** **Taux marginal**
>
> « Le barème de l'impôt sur le revenu décompose le revenu imposable en un certain nombre de tranches de revenus auxquelles sont associés des taux d'imposition croissants. La notion de taux marginal est parfois utilisée pour désigner le taux appliqué à la dernière tranche atteinte par le revenu du contribuable considéré. » (senat.fr)

3. Doit-on renoncer à la politique familiale ?

Cette politique [familiale] est généreuse mais elle offre peu de services aux parents : les crèches sont rares – elles concernent à peine 10 % des enfants – et la préscolarisation des enfants de 2 ans est en chute libre – elle a diminué de près de 30 % de 2003 à 2007. Elle a en outre tendance à aggraver les inégalités sociales : elle aide, certes, les familles pauvres, mais elle est aussi très prodigue avec les plus riches. [...] Ce travers de la politique familiale française est dû, pour l'essentiel, à un mécanisme fiscal unique en Europe : le quotient familial. Introduit en 1945, ce dispositif réduit l'impôt des foyers qui comptent des enfants en leur attribuant des « parts » supplémentaires. Le quotient familial mobilise plus de 10 milliards d'euros par an, mais il aide surtout les plus fortunés [...]. D'abord, parce que cet avantage fiscal ne concerne – par définition – que les foyers imposables, c'est-à-dire la moitié des Français les plus riches. Ensuite parce que la réduction d'impôt liée au quotient familial est proportionnelle aux revenus : plus les salaires sont élevés, plus l'avantage fiscal est important.

Anne Chemin, « Selon Terra Nova, la politique familiale française, peu redistributive, est injuste », *Le Monde,* 20 août 2011.

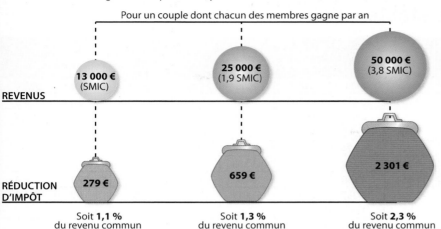

Le quotient familial favorise les familles les plus aisées

Avantage en euros par enfant, pour une famille de deux enfants

Pour un couple dont chacun des membres gagne par an

REVENUS

13 000 € (SMIC)

25 000 € (1,9 SMIC)

50 000 € (3,8 SMIC)

RÉDUCTION D'IMPÔT

279 €

659 €

2 301 €

Soit **1,1 %** du revenu commun

Soit **1,3 %** du revenu commun

Soit **2,3 %** du revenu commun

Source : *Le Monde*, Terra Nova.

1. CONSTATER. Quel est l'objectif principal de la politique familiale ?

2. DÉFINIR. Qu'est-ce que le quotient familial ?

3. EXPLIQUER. Pourquoi ce quotient familial favorise-t-il les ménages aisés ?

4. EXPLIQUER. La faiblesse des infrastructures de prise en charge collective des tout-petits peut-elle avoir un impact sur les inégalités ?

4. Faut-il augmenter les droits universitaires ?

« Au lieu d'offrir gratuitement à tous un service qui profite surtout aux plus aisés, une logique redistributive bien comprise supposerait le paiement, par la grande majorité des étudiants issus de classes favorisées, de frais de scolarité significatifs, conjugué à une dispense au-dessous d'un certain seuil de ressources familiales, et à un système de bourses beaucoup plus développé qu'aujourd'hui pour les étudiants issus de milieux réellement défavorisés. »[1]

Si beaucoup d'économistes jugent le système de quasi-gratuité de l'université injuste socialement pour les étudiants, certains s'inscrivent en faux, à l'image de Jean Gadrey, ancien économiste de l'Université Lille-I, qui explique sur son blog : « Selon cette thèse, le système éducatif public pratiquerait, surtout dans le supérieur, une « redistribution à l'envers », qui verrait les contribuables modestes payer les études des enfants des riches. Si cet argument était vérifié, ce serait un beau scandale […]. Mais il est en réalité inexact. » « Même dans l'enseignement supérieur, il existe un effet de redistribution : en proportion de leurs revenus, les ménages pauvres reçoivent en moyenne plus que les riches en dépenses publiques d'enseignement supérieur », assure-t-il.

1. Propos de Pierre-André Chiappori, économiste à l'université de Columbia, aux États-Unis.

Philippe Jacqué, « Deux think tanks proposent d'augmenter les droits d'inscription à l'université », *Le Monde*, 24 août 2011.

1. EXPLIQUER. Pourquoi peut-on considérer que la gratuité de l'enseignement est socialement injuste ?

2. CONSTATER. Quelles mesures peuvent-être mises en œuvre pour y remédier ?

3. CONSTATER. Comment Jean Gadrey conteste-t-il l'iniquité de l'enseignement supérieur ?

4. EXPLIQUER. Ses propos atténuent-ils l'intérêt des mesures proposées à la question 2 ?

5. Faut-il revoir le calcul des retraites ?

a. Espérances de retraite par catégorie sociale

Retraite mensuelle

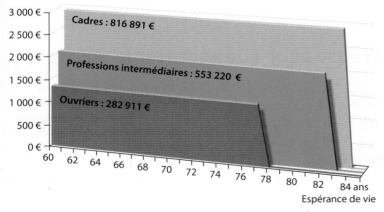

Cadres : 816 891 €

Professions intermédiaires : 553 220 €

Ouvriers : 282 911 €

Espérance de vie

Source : Noam Leandri et Louis Maurin, « Les inégalités face aux retraites », Observatoire des inégalités, 6 septembre 2010.

b. Retraites et inégalités

Le premier facteur qui alimente les écarts de pension est lié à leur mode de calcul. Les retraites sont proportionnelles aux niveaux des salaires. Les inégalités de retraite reflètent d'abord les écarts qui existent en matière de fiches de paie. Mais les mécanismes du système de cotisations permettent aussi aux cadres de toucher plus, car ils cotisent davantage pour la partie dite « complémentaire » de la retraite […].

Le deuxième facteur qui explique les inégalités est la durée de vie. En moyenne, à l'âge de 60 ans, un cadre peut espérer vivre 23,3 ans, un ouvrier 17,4. Soit six années ou un tiers de pensions de retraite de plus.

Noam Leandri et Louis Maurin, *op. cit.*

1. CONSTATER. Faites une phrase pour exprimer la signification de la valeur des cadres. (Doc. a)

2. CALCULER. Comparez l'espérance de retraite des cadres à celles des ouvriers. (Doc. a)

3. EXPLIQUER. Comment expliquer cet écart ? (Doc. a et b)

4. EXPLIQUER. Comment pourrait-on réduire cet écart ? (Doc. b)

documents

6. Des prestations non contributives en hausse et un taux de pauvreté stable

Prestations non contributives par risque	Montants en millions d'euros et taux de pauvreté en %					Évolution du montant des prestations non contributives en %		
	1990	2000	2007	2008	2009	08/07	09/08	09/00
Santé	7 746	10 611	14 525	15 029	15 838	3,5	5,4	4,6
Vieillesse – survie	3 692	4 590	11 512	12 208	12 669	6	3,8	11,9
Maternité – famille	3 805	8 003	11 462	12 055	12 708	5,2	5,4	5,3
Emploi	7 319	5 694	5 349	4 616	4 593	– 13,7	– 0,5	– 2,4
Logement	5 835	9 649	10 629	11 408	11 652	7,3	2,1	2,1
Pauvreté – exclusion	1 558	4 660	6 500	6 503	8 398	0	29,1	6,8
Ensemble des risques	29 956	43 207	59 978	61 819	65 858	3,1	6,5	4,8
Taux de pauvreté à 60 % du revenu médian	13,8	13,6	13,4	13	13,5			

Champ : France métropolitaine, personnes vivant dans un ménage dont le revenu déclaré au fisc est positif ou nul, et dont la personne de référence n'est pas étudiante.

Source : « Les comptes de la protection sociale 2009 », *Séries statistiques*, n° 153, Drees, février 2011. Insee pour le taux de pauvreté.

1. CONSTATER. Exprimez la signification des données entourées.

2. ILLUSTRER. Donnez des exemples de prestations non contributives pour chacun des risques du tableau.

3. CONSTATER. La hausse des dépenses a-t-elle permis de réduire la pauvreté ?

4. EXPLIQUER. Peut-on en conclure que les prestations non contributives sont inefficaces ?

7. La pauvreté change de visage

Nous sommes passés en France de 4,3 millions de personnes pauvres à 8 millions. Pour l'essentiel, cette augmentation est d'ordre statistique. On ne mesure plus la pauvreté de la même manière. Jusqu'à présent était considérée comme pauvre une personne dont le revenu était inférieur à 50 % du revenu médian. [...] Aujourd'hui, l'Insee utilise, comme au niveau de l'Europe, un seuil de référence qui correspond à 60 % du revenu médian. À partir de là, l'augmentation est mécanique.

[...] Ce qui est vrai, en revanche, c'est que les visages de la pauvreté ont changé. Pendant longtemps, les personnes pauvres étaient pour une bonne part des personnes âgées. Aujourd'hui, ce sont aussi beaucoup de jeunes et les familles monoparentales – ou pour dire les choses plus précisément : les femmes seules élevant des enfants. Il est vrai aussi qu'une partie plus significative de la pauvreté est celle qui frappe des travailleurs. Cela tient aux suppressions d'emploi d'une part, et à la création d'emplois paupérisants [...]. La France n'est pas si inefficace que cela dans la lutte contre la pauvreté. On pourrait sans doute mieux réussir, mais notre système social fonctionne encore. C'est d'ailleurs lui qui a permis d'amortir en partie le choc de la crise en cours.

Entretien de Patrick Savidan (à l'époque président de l'Observatoire des inégalités) par Jacky Sanudo, « Les visages de la pauvreté ont beaucoup changé », *Sud Ouest*, 19 décembre 2010.

1. CONSTATER. Montrez que la notion de pauvreté est relative.

2. CONSTATER. Quels sont les changements intervenus dans la population pauvre ?

3. EXPLIQUER. En vous aidant des réponses aux deux questions précédentes, expliquez pourquoi l'éradication de la pauvreté est impossible.

4. ILLUSTRER. Justifiez la dernière ligne du texte à partir du document 6.

8. Une protection sociale généreuse peut-elle aggraver la pauvreté ?

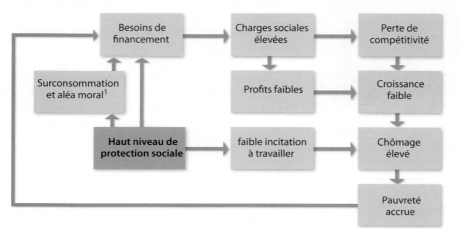

1. DÉFINIR. Qu'est-ce qui caractérise un haut niveau de protection sociale ?

2. EXPLIQUER. Pourquoi un haut niveau de protection sociale peut-il dégrader la compétitivité ?

3. EXPLIQUER. Pourquoi peut-on aussi considérer qu'un haut niveau de protection sociale peut améliorer la compétitivité ?

4. RÉCAPITULER. Pourquoi le lien entre haut niveau de protection et pauvreté accrue peut-il sembler paradoxal ?

1. Augmentation de la prise de risque du fait d'être protégé financièrement de ses conséquences.

9 ■ Protection sociale, taux de chômage et de pauvreté en Europe

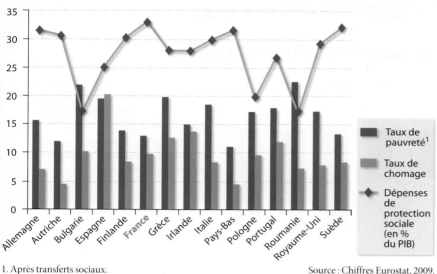

1. Après transferts sociaux.

Source : Chiffres Eurostat, 2009.

1. CONSTATER. Faites une phrase avec les données de l'Allemagne.

2. CONSTATER. Le document permet-il de confirmer la thèse du document 8 ?

10 ■ RSA : des effets pervers ?

a. Le RSA : une trappe à inactivité ?

Le problème, ce sont les aides auxquelles il faut renoncer ou qui sont diminuées lors de la reprise d'un emploi à temps plein. Un chômeur qui reprend une activité à temps plein perd la couverture médicale universelle (CMU) complémentaire, les aides de certaines communes pour la restauration scolaire et les transports, une partie des aides au logement, la prime de Noël, la gratuité des places de crèche ou de cantine dans d'autres communes. Il doit aussi payer une partie de sa taxe d'habitation, la redevance pour sa télévision. Les sommes en jeu sont loin d'être anecdotiques. La société ne reconnaît pas assez la valeur du retour au travail. […] En effet, comment demander à quelqu'un d'aller travailler si c'est pour gagner seulement 2 ou 3 euros de l'heure de plus ? […] Ce que nous voulons, c'est une vraie différence entre les revenus du travail et les revenus de la solidarité.
[…] Le RSA constitue en effet un véritable effort de solidarité de la part de la société. Il est important qu'il repose sur un système de droits et de devoirs. Nos compatriotes, et notamment les classes moyennes, n'accepteront pas de financer une protection sociale coûteuse si les droits qu'elle confère ne comportent pas de devoirs en contrepartie. C'est une condition d'efficacité et d'équité de notre système social.

Élisabeth Morin-Chartier, députée européenne, Laurent Wauquiez,
à l'époque ministre des Affaires européennes,
« Une société de droits mais aussi de devoirs », *Le Monde*, 10 juin 2011.

1. CONSTATER. Pourquoi n'est-il pas toujours rationnel de reprendre un emploi lorsque l'on est au chômage ?

2. DISCUTER. Le retour à l'emploi ne dépend-il que des aspects financiers ?

3. EXPLIQUER. Pourquoi le passage souligné est-il ambigu ?

4. EXPLIQUER. Le RSA peut-il inciter à la reprise d'activité ?

b. Le RSA sous condition

2,023 millions de bénéficiaires

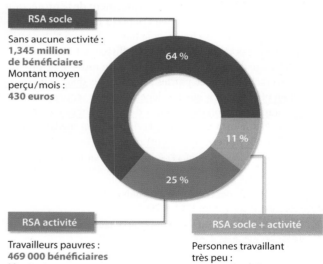

RSA socle
Sans aucune activité :
1,345 million de bénéficiaires
Montant moyen perçu/mois :
430 euros

RSA activité
Travailleurs pauvres :
469 000 bénéficiaires
Montant moyen perçu/mois :
170 euros

RSA socle + activité
Personnes travaillant très peu :
209 000 bénéficiaires
Montant moyen perçu/mois :
400 euros

Source : rsa-revenu-de-solidarite-active.com, 2011.

> **DÉFINITION**
>
> **La couverture maladie universelle (CMU)**
> Ce dispositif permet l'accès, sous conditions de ressources, à l'assurance maladie (remboursement des soins, des médicaments...). Elle assure aussi les missions d'une complémentaire santé (CMU complémentaire) en complément ou non de la CMU de base.

ENTRAÎNEMENT

QUESTION DE COURS. Qu'est-ce qu'une prestation non contributive ?

SYNTHÈSE. À l'aide des documents 6, 7 et 8, dites quels sont les effets de la protection sociale sur la pauvreté.

documents

B Réduction des déficits ou des inégalités : un compromis difficile à trouver

1. La crise financière de la protection sociale

Le déficit de la Sécurité sociale en milliards d'euros

Évolution du solde annuel du régime général

2002	2003	2004	2005	2006	2007	2008	2009	2010	2011
−3,5	−10,2	−11,9	−11,6	−8,7	−9,5	−10,2	−20,3	−23,9	−19,5[1]

1. Estimation.

Source : AFP, *Le Point*, 9 juin 2011

1. CONSTATER. Faites une phrase pour exprimer la signification de la donnée 2011.

2. CONSTATER. Montrez l'évolution du déficit entre 2002 et 2010.

3. EXPLIQUER. Comment peut-on expliquer l'aggravation du déficit en 2009 et 2010 ?

2. Une hausse ininterrompue des dépenses

Depuis trente ans, l'ensemble des prestations sociales ne cesse d'augmenter pour représenter plus d'un tiers du produit intérieur brut (PIB). Le mode de financement de la protection sociale, qui repose à plus des deux tiers sur les cotisations prélevées sur les salaires, se heurte à la baisse de la part des actifs occupés dans la population. Outre le vieillissement, la persistance d'un chômage de masse sape les bases d'un modèle de protection universelle financée par les salariés. Ces deux tendances pèsent en effet à la fois sur les dépenses de la sécurité sociale, par une augmentation des besoins des assurances vieillesse et chômage, et sur ses recettes, par la diminution mécanique de la base de prélèvements qu'ils entraînent.

David Belliard, « Protection sociale : un modèle à réformer », *Alternatives économiques*, hors-série n° 90, octobre 2011.

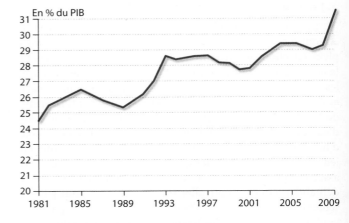

En % du PIB

1. CALCULER. Calculez l'évolution du poids des dépenses de protection sociale entre 1981 et 2009.

2. CONSTATER. Quels sont les facteurs de la hausse continue des dépenses évoqués dans le texte ?

3. EXPLIQUER. Expliquez le passage souligné.

4. DISCUTER. Existe-t-il, selon vous, d'autres facteurs explicatifs de cette hausse des dépenses ?

3. Peut-on réduire les déficits sans pénaliser les plus pauvres ?

L'expérience passée montre qu'il est très difficile d'alléger les dépenses sociales sans accentuer les inégalités. Pour réaliser des économies notables à court terme, il faut réduire les prestations ; or celles-ci, naturellement, concernent essentiellement les familles à bas revenu. [...] Du côté de la fiscalité, en remplaçant des mécanismes coûteux et mal ciblés de modération des prélèvements indirects (pour l'alimentation, l'habillement, etc.) par des mesures de soutien direct au profit des ménages à bas revenus, on réaliserait des gains financiers appréciables et on réduirait les inégalités. Des mesures progressives comme le relèvement du plafond pour les cotisations de sécurité sociale ou la réduction des phénomènes de fraude ou d'évasion fiscale dans les groupes à hauts revenus permettraient aussi de générer des recettes tout en renforçant la redistribution.

[...] Du côté des prestations également, les mesures ciblées peuvent aider à rendre l'effort d'assainissement budgétaire plus équitable. Le renforcement de la mise sous conditions de ressources peut réduire les dépenses en prestations tout en protégeant les plus vulnérables.

OCDE, réunion ministérielle de l'OCDE sur les politiques sociales, mai 2011.

1. CONSTATER. Pourquoi est-il difficile de réduire les dépenses sans accroître les inégalités ?

2. CONSTATER. Quelles sont les mesures qui visent à accroître les recettes ?

3. EXPLIQUER. Expliquez la phrase soulignée.

4. Les dangers du ciblage des prestations

L'égalité des chances [...] risque fort de produire, si les pouvoirs publics entreprennent de mettre en œuvre une politique large et systématique de ciblage en réorientant la protection sociale sur ceux qui en ont le plus besoin, des effets doublement désastreux. [...] Une telle politique déboucherait inévitablement sur une société duale articulée autour de ceux qui, incapables de s'intégrer dans le jeu social, auraient suffisamment de ressources pour subvenir seuls à leurs besoins en recourant notamment à l'assurance privée, et ceux qui, pour subsister, ne pourraient que dépendre du soutien de la collectivité, perdant progressivement leur statut d'assuré au profit de celui d'assisté. [...] Cette réorientation aurait tout lieu de se retourner contre ceux-là mêmes qu'on veut aider [...]. Dans un premier temps, les personnes concernées ne tarderaient pas à se voir stigmatisées car soupçonnées de ne pas produire tous les efforts nécessaires pour sortir de leur statut d'assisté ; puis elles ne manqueraient pas de subir l'hostilité croissante des plus riches, lesquels, n'attendant plus qu'un bénéfice très limité du système, menaceraient sans cesse d'en sortir : autant dire que le risque serait grand alors de voir la protection des plus faibles régresser car constamment contestée par tous ceux qui, tout en la finançant, n'en tireraient aucun profit…

Michel Borgetto, « Quel type d'égalité défendre ? », *Cahiers français*, n° 358, septembre-octobre 2010.

1. DÉFINIR. En quoi consiste le ciblage des prestations ?

2. CONSTATER. Pourquoi le ciblage peut-il s'accompagner d'une stigmatisation des populations pauvres ?

3. EXPLIQUER. À partir du texte, expliquez l'expression suivante : « Les prestations pour les pauvres sont de pauvres prestations. »

5. Une couverture sociale inégale

a. Les effets de seuil fragilisent les ménages modestes

Les mutuelles et les assurances assurent près de 14 % des dépenses de santé, une part en constante augmentation depuis trente ans. Si on y ajoute les frais payés directement par les ménages, ce sont en moyenne quelque 625 euros annuels par personne qui ne sont pas pris en charge par l'assurance maladie. Un coût très important pour ceux qui ne bénéficient pas d'une couverture complémentaire via leur employeur. Même si la CMU permet de couvrir 4,2 millions de bénéficiaires parmi les plus pauvres, cinq millions de personnes, dont les revenus dépassent le seuil maximal pour en bénéficier, vivent sans aucune mutuelle.

« Les chiffres 2011 », *Alternatives économiques*, hors-série n° 86, octobre 2010.

1. CONSTATER. Faites une phrase avec la donnée du premier décile.

2. CONSTATER. Pourquoi 5 millions de Français sont-ils sans mutuelle ?

3. EXPLIQUER. Quelles en sont les conséquences en termes d'accès aux soins ?

b. Les ménages sans mutuelle

Part des ménages dépourvus de couverture complémentaire

En 2006, en %, par niveau de revenu

5 millions de Français n'ont pas de mutuelle.

Note : chaque décile représente 10 % de la population, soit environ 6,3 millions de personnes (en 2006). Pour D1, 19 % de ces 6,3 millions sont concernés, pour D2, 14 %, pour D3, 11 %, soit au total : 0,19 × 6,3 + 0,14 × 6,3 + 0,11 × 6,3, etc. On arrive à 0,8 × 6,3, soit environ 5 millions.

Source : *Études et résultats*, n° 663, Drees, octobre 2008.

documents

1. Les politiques de discrimination positive sont-elles efficaces ?

Depuis plus d'une vingtaine d'années, des politiques de discrimination positive ont été mises en place en France. En tant que membre d'un groupe d'experts, vous êtes chargé(e) de réaliser un rapport présentant les effets de ces politiques.

1. De l'égalité formelle à l'égalité réelle

La discrimination positive est une politique visant à avantager un groupe de personnes lésées par le passé ou l'étant encore actuellement du fait de son appartenance ethnique ou de son sexe. [...] Des droits, des allocations, des places sont ainsi réservées à des groupes déterminés. [...] En pratique, cette politique se concrétise par un nombre de places réservées aux Noirs dans les universités américaines. En Inde, elle favorise les intouchables en leur réservant de droit 17 % des emplois publics. En France, elle avantage les populations habitant en ZEP et, depuis une époque plus récente, les femmes dans l'arène politique avec l'adoption de la loi sur la parité. Une telle discrimination positive à l'égard de populations désavantagées du fait de leur sexe ou de leur origine permet une égalité non plus seulement garantie par le droit, mais réalisée dans les faits *hic et nunc*[1]. [...] Pour mieux prendre la mesure de l'adoption de la loi sur la parité, il est impératif de tenir compte du retard de la France en matière de représentation féminine au sein d'assemblées politiques.

1. Ici et maintenant.   Marie Boéton, « Discrimination positive en France », Études, tome 398, février 2003.

2. Les quotas de boursiers dans les grandes écoles

Il ne s'agirait pas de faire un mauvais procès aux quotas : alléguer qu'ils font baisser le niveau ou qu'ils seraient source d'humiliation, c'est refuser au nom d'arguments spécieux de réduire les inégalités. Pour autant, les quotas sont un coup porté à l'idée même d'un système éducatif égalitaire. Ils posent également un problème d'équité, notamment pour les élèves des classes moyennes inférieures, au seuil d'obtenir une bourse. Ils ne concerneraient par ailleurs que les grandes écoles, et ne permettraient certainement pas de rééquilibrer l'accès à l'ensemble de l'enseignement supérieur. Enfin, ils risquent de créer un clivage, humain et de niveau, entre les élèves issus des concours « normaux », et ceux issus d'un concours dédié aux boursiers.

Terra Nova, mediapart.fr, 25 janvier 2011.

3. La discrimination positive génère de nouvelles injustices

La discrimination positive consiste à redresser après coup, et très à la marge, des inégalités qu'on a laissées s'installer. Ce n'est pas une solution de corriger une injustice par une autre. Il y a un problème technique, d'abord. Il faudrait, pour être juste, répondre à une multiplicité de facteurs de discrimination. Or on ne peut juxtaposer les pourcentages : tant de femmes, tant de gens de telle couleur ou de telle confession, tant d'homosexuels, tant d'obèses, tant de handicapés, tant de plus de 50 ans... C'est impossible ! On va finir par promouvoir certaines minorités aux dépens d'autres minorités, au risque d'aggraver la situation de ces dernières.

Interview du sociologue Jean-François Amadieu, L'Express, 1er novembre 2004.

4. Une dynamique positive

Je crois qu'avec une procédure du type de celle mise en place à l'IEP de Paris, tous les acteurs gagnent : l'école accroît la diversité de son recrutement sans faire baisser son niveau, les étudiants qui entrent par concours ne perdent pas de place et peuvent s'enrichir de la mixité sociale, et les lycées de ZEP d'où sont issus les jeunes de milieux défavorisés connaissent une véritable dynamique scolaire. Ces jeunes qui ont enfin la preuve que la mobilité sociale n'est pas seulement une idée théorique : l'effet sur les banlieues est loin d'être négligeable. Il est possible d'en sortir par le haut.

Éric Keslassy, auteur du livre *De la discrimination positive*, Observatoire du communautarisme, 21 juin 2004.

5. L'arbre qui cache la forêt

S'il est souhaitable que les enfants de pauvres forment 15 % des effectifs des grandes écoles, puisqu'ils composent 15 % de la société, il n'est pas sûr que cela change grand-chose à la société française : les pauvres se comptent par millions, alors que les élèves des grandes écoles se comptent seulement par centaines. [...]
Il est juste sans doute d'ouvrir les classes préparatoires aux 5 % des meilleurs élèves des lycées difficiles ; tout le problème vient du fait que ceux qui s'en sortent quittent un quartier qui perd ainsi ses membres les plus actifs.

François Dubet, *Les places et les chances*, Le Seuil-La République des idées, 2010.

6. 30 % d'élèves boursiers dans les grandes écoles

Chaque grande école française devra accueillir au moins 30 % d'élèves boursiers. Malgré l'opposition des écoles concernées, le chef de l'État a réaffirmé sa volonté d'ouvrir les « élites » à plus de « diversité sociale ». Les grandes écoles ne sont pas réservées « à quelques initiés, ni à quelques enfants de la grande bourgeoisie ». [...] Le taux d'élèves boursiers est pour le moment très loin d'atteindre les 30 % : il est ainsi de 11 % à Polytechnique et d'un peu plus de 12 % à HEC et à l'Essec.

France Info, 11 janvier 2010.

1. Construisez un tableau en deux colonnes présentant les arguments « à charge » et « à décharge ».

2. Les opinions divergent dans le groupe d'experts : un débat a lieu.

3. Vous devez rédiger un compte rendu synthétique de vos débats (une vingtaine de lignes).

TD ANALYSE

2. Des principes de justice concurrents

« Trois enfants et une flûte »

Il s'agit de décider lequel de ces trois enfants – Anne, Bob ou Carla – doit recevoir la flûte qu'ils se disputent. Anne la revendique au motif qu'elle est la seule des trois à savoir en jouer (les autres ne le nient pas) et qu'il serait vraiment injuste de refuser cet instrument au seul enfant capable de s'en servir. Sans aucune autre information, les raisons de lui donner la flûte sont fortes.

Autre scénario : Bob prend la parole, défend son droit à avoir la flûte en faisant valoir qu'il est le seul des trois à être pauvre au point de ne posséder aucun jouet. Avec la flûte, il aurait quelque chose pour s'amuser (les deux autres concèdent qu'ils sont plus riches et disposent d'agréables objets). Si l'on n'entend que Bob et pas les autres enfants, on a de bonnes raisons de lui attribuer la flûte.

Dans le troisième scénario, c'est Carla qui fait remarquer qu'elle a travaillé assidûment pendant des mois pour fabriquer cette flûte (les autres le confirment) et au moment précis où elle atteint au but, « juste à ce moment-là », se plaint-elle, « ces extirpateurs tentent de [lui] prendre la flûte ». Si l'on n'entend que les propos de Carla, on peut être enclin à lui donner la flûte, car il est compréhensible qu'elle revendique un objet fabriqué de ses propres mains.

Mais si l'on a écouté les trois enfants et leurs logiques respectives, la décision est difficile à prendre. Les théoriciens de différentes tendances, comme les utilitaristes, les partisans de l'égalitarisme économique ou encore les libertariens purs et durs, diront peut-être que la solution juste, évidente crève les yeux. Mais il est à peu près certain que ce ne sera pas la même.

Il est probable que Bob, le plus pauvre, serait assez énergiquement soutenu par l'égalitariste économique, bien décidé à réduire les écarts entre les ressources économiques des gens. Et que Carla, la fabricante, éveillerait la sympathie immédiate du libertarien. C'est peut-être l'hédoniste utilitariste qui aurait le plus de mal à se décider, mais il serait sûrement enclin à trouver important, plus que le libertarien ou l'égalitariste, le plaisir d'Anne, qui sera probablement le plus intense des trois puisqu'elle est la seule à savoir jouer de la flûte. Néanmoins, il verrait aussi que le « gain de bonheur » serait chez Bob plus grand que chez les autres, en raison de son état de privation relative. Le « droit » de Carla à posséder ce qu'elle a fabriqué risque fort de ne pas éveiller chez l'utilitariste d'écho immédiat, mais une réflexion utilitariste plus poussée ferait néanmoins une place à la nécessité d'inciter au travail, de créer une société qui soutient et encourage la production d'utilités en autorisant chacun à garder ce qu'il produit par ses propres efforts.

Le soutien du libertarien à Carla ne dépendra pas, comme ce serait nécessairement le cas pour l'utilitariste, d'une réflexion sur les incitations : un libertarien admet d'emblée le droit d'une personne à posséder ce qu'elle a produit.

Amartya Sen, *L'idée de justice*, Flammarion, 2009.

1. Présentez l'argument avancé par chaque enfant pour réclamer la flûte.

2. Si Clara était à la place de Bob, changerait-elle de point de vue quant à l'attribution de la flûte ?

3. Quel problème cela pose-t-il quant à la définition commune d'un principe de justice ?

4. Retrouvez, dans le texte, le ou les soutiens dont bénéficie chaque enfant en précisant les raisons de ce soutien.

5. Montrez que si l'objectif de la justice est d'accroître le bien-être collectif, chaque modalité d'attribution peut y contribuer. Comment l'utilitariste peut-il choisir ?

6. De quelle dimension de l'égalité (voir p. 334-335) se réclament respectivement les égalitaristes et les libertariens ? Quelles en sont, dans chacun des cas, les conséquences sur les autres dimensions de l'égalité ?

Organisez vos réponses sous forme de tableau.

	Anne	Bob	Clara
Argument avancé pour réclamer la flûte			
Théorie de la justice de référence et justifications avancées			

7. Quel est le principe de justice qui vous semble le plus légitime ? Justifiez votre choix.

8. Confrontez votre opinion à celle du reste de la classe. Y a-t-il unanimité en faveur de l'un des arguments ?

9. À quelle difficulté est alors confrontée l'action politique ?

APPROFONDISSEMENT

Au CDI ou sur Internet, recherchez des informations sur les trois approches de la justice mobilisées dans le texte, puis réalisez une fiche de présentation de l'une d'entre elles.

Comment les pouvoirs publics peuvent-ils contribuer à la justice sociale ?

Chacun d'entre nous a une opinion particulière sur ce que peut être la justice sociale, chacune s'appuyant sur une conception particulière de l'égalité. Cette difficulté à s'accorder sur ce qu'est une société juste s'accompagne d'une interrogation sur la forme et l'importance de l'intervention de l'État pour réduire les inégalités.

NOTIONS AU PROGRAMME

Équité
L'équité consiste à traiter inégalement des individus inégaux, afin d'assurer une exigence d'égalité jugée essentielle.

Justice sociale
Elle renvoie au choix d'un des principes concurrents d'attribution des droits et des ressources entre les différents membres de la société. La justice sociale cherche à réaliser au moins l'une des dimensions de l'égalité (égalité des droits, des chances, des situations).

Égalité
L'égalité consiste à traiter les individus de manière identique. Dans le domaine politique, l'égalité se réalise par le principe « un homme = une voix ». Dans d'autres domaines, comme l'égalité des situations, l'égalité nécessite au préalable un traitement différencié et donc inégal des individus.

Méritocratie
Principe de répartition des positions et des ressources, qui consiste à rétribuer les individus en fonction de leurs talents et de leurs efforts. Pour être effective, la méritocratie suppose que l'égalité des chances soit réalisée.

I. Une société juste est-elle une société d'égaux ?

A. De quelle égalité parle-t-on ?

■ Dans la démocratie, l'égalité des droits civils et politiques fut la première à s'imposer. Par ailleurs, dans une société où l'idéal méritocratique est mis en exergue, l'égalité des chances constitue aussi un principe assez communément accepté. Mais toutes les inégalités ont-elles vocation à être supprimées dans une société démocratique ? Les principaux débats portent ici sur la réduction des inégalités de situations. Pour les atténuer, des mesures sont prises, comme la mise en place de droits sociaux et de prestations, dont certaines sont réservées aux plus modestes. Ici, un traitement inégal des individus permet d'accéder à une exigence supérieure d'égalité, conformément à l'équité.

B. Une société méritocratique est-elle une société juste ?

■ La justice sociale est loin d'être un principe univoque. Pour certains, la simple garantie des droits fondamentaux civils et politiques suffit à assurer cette justice sociale. Aller au-delà, en ponctionnant par exemple fortement les revenus des plus riches serait contraire au droit de propriété, et de ce fait injuste. Pour d'autres, la justice sociale impose d'égaliser les conditions de vie des individus. On voit ainsi que de nombreuses conceptions de la justice sont adossées à l'égalité, mais que chacune d'entre elles ne convoque pas la même dimension de l'égalité.

■ Dans une société mettant en avant la responsabilité individuelle, la justice sociale semble souvent associée à la méritocratie. Dans ce cadre, l'intervention publique doit permettre à tous les individus de tirer parti de leurs talents et égaliser les chances. Les inégalités de situations qui en découlent sont justes, les plus méritants étant récompensés de leurs efforts. Pourtant, si le mérite des individus semble inégal, il peut paraître nécessaire, au nom de la justice sociale, de permettre à tous de satisfaire leurs besoins et d'éviter de trop fortes inégalités de revenus.

■ Enfin, la mise en place de la méritocratie suppose que la notion de mérite soit précisément circonscrite et que sa reconnaissance soit assurée. Méritons-nous nos talents ? L'exploitation de ces derniers peut-elle être indépendante de notre origine sociale ? Au demeurant, l'importance de la reproduction sociale montre que la méritocratie est encore devant nous.

II. Comment l'État peut-il contribuer à la justice sociale ?

A. La redistribution permet de réduire les inégalités

■ La volonté d'assurer à tous un certain bien-être matériel a conduit l'État à mettre en place un système de protection sociale. Celle-ci repose en premier lieu sur le principe de l'assurance : les cotisations sociales, assises sur les salaires, ouvrent droit à des revenus de transfert. Ces mécanismes de redistribution horizontale ont néanmoins été complétés par des prestations sociales non contributives relevant d'un principe d'assistance. En effet, le chômage de masse et le développement des emplois atypiques ont réduit les droits acquis par le travail et ont contribué à l'émergence d'une nouvelle pauvreté. La mise en place du RMI, de l'allocation parent isolé, puis du RSA ou de la CMU visent à réduire la pauvreté et à permettre la couverture de besoins fondamentaux. Ces prestations, versées sous conditions de ressources, participent, en complément de la politique fiscale, à la redistribution verticale. En effet, la fiscalité, par le biais des prélèvements progressifs comme l'impôt sur le revenu, permet de réduire les inégalités de revenus conformément à une certaine conception de l'équité.

B. L'État dispose d'autres moyens d'intervention

■ Les inégalités qui traversent la société française ne se limitent pas aux inégalités de revenus, et l'État dispose d'autres moyens d'action pour les combattre. Les services collectifs jouent ici un rôle important. En permettant l'accès de tous, et notamment des plus démunis, à des services jugés essentiels, ils contribuent à réduire les inégalités. Il en va ainsi de l'éducation, mais aussi des bibliothèques, des transports en commun…

■ Certaines politiques publiques peuvent être mobilisées dans cette lutte contre les inégalités, comme la politique du logement, la politique de la ville, la politique salariale…

■ Enfin, l'importance accordée aujourd'hui au problème des discriminations a conduit à mettre en place des institutions (la Halde) et des mesures spécifiques dénommées discriminations positives. Ces mesures s'inspirent de l'« affirmative action » américaine, mais elles ne reposent pas en France sur une base ethnique. Dans le domaine politique, la loi sur la parité, obligeant les partis à présenter un nombre équivalent d'hommes et de femmes aux élections, les quotas de handicapés imposés aux entreprises en matière d'emploi sont autant d'exemples de ces mesures de discrimination positive.

III. L'intervention de l'État est-elle toujours efficace ?

A. Les effets pervers de la redistribution

■ La redistribution joue un rôle essentiel dans la réduction des inégalités. Pourtant, la redistributivité de notre système fiscal est aujourd'hui remise en cause. Parallèlement, la gratuité des services publics, les différences d'espérance de vie en matière de retraite peuvent réduire l'impact des dépenses publiques sur les inégalités.

■ La critique de l'efficacité de l'intervention publique repose aussi sur le poids jugé trop lourd des prélèvements obligatoires. Les plus aisés se sentent injustement spoliés ce qui alimente à la fois les stratégies de fuite devant l'impôt, mais aussi la baisse de la solidarité. Des prélèvements élevés sur les plus hauts revenus et sur les entreprises nuisent à l'investissement, et donc à la croissance économique. De la même manière, les prélèvements sociaux, en alourdissant le coût du travail, réduisent l'emploi.

■ Ainsi la fiscalité pénalise les éléments les plus dynamiques et finalement les plus méritants de la société sans pour autant servir l'intérêt général. Par ailleurs, la redistribution, à travers les prestations sociales, favorise l'assistanat et avec lui l'apparition de trappes à pauvreté. Ces comportements ruinent les bases mêmes de la solidarité collective, contribuant à la crise de financement mais aussi de légitimité de l'État providence.

B. Réduction des déficits ou des inégalités : un compromis difficile à trouver

■ Les difficultés financières auxquelles l'État est confronté depuis déjà bon nombre d'années ont pris récemment une acuité particulière. La réduction des déficits et de la dette apparaît comme une priorité. Cette réduction implique notamment une baisse des dépenses qui risque d'affecter les plus démunis. Pour en limiter l'impact sur les plus pauvres, des politiques de ciblage des prestations ont été développées. Elles présentent cependant un certain nombre d'effets pervers. Elles risquent en effet d'engendrer une baisse de la solidarité et du niveau de prestation et génèrent par ailleurs des effets de seuil.

NOTIONS AU PROGRAMME

Assurance
Principe qui consiste à se prémunir contre certains risques. Il repose sur des cotisations volontaires ou obligatoires en contrepartie de prestations monétaires ou en nature.

Cotisations sociales
Prélèvements obligatoires affectés à la protection sociale, qui ouvrent droit à des prestations sociales.

Prestations sociales
Transferts en nature (remboursement de médicaments) ou en espèces (retraite, allocations chômage) versés aux ménages confrontés à l'un des risques couverts.

Assistance
Principe de solidarité qui garantit à tous un minimum de ressources, afin d'assurer la satisfaction des besoins fondamentaux. Ce principe repose sur des prestations non contributives versées sous condition de ressources.

Fiscalité
Ensemble des règles relatives à la définition des prélèvements obligatoires (types de prélèvements, taux, assiette…).

Services collectifs
Activités économiques d'intérêt général exécutées par l'État ou sous son contrôle (transports collectifs, cantines, écoles…).

Discrimination
La discrimination consiste à traiter différemment les individus en fonction de leur sexe, origine, handicap, orientation sexuelle… Bien qu'interdites, ces discriminations persistent. Pour les compenser, des actions correctrices ont été mises en place. Il s'agit alors de discriminations dites positives, qui tentent d'inverser les effets des discriminations négatives antérieures.

Redistribution
Ensemble des prélèvements et des réaffectations de ressources opérés par les administrations publiques sur les revenus des ménages, afin de les protéger contre certains risques et de réduire les inégalités.

synthèse

Synthèse (suite)

Égalité
Quelles formes prend-elle ?

- Égalité des droits
- Égalité des chances
- Égalité des situations

Équité
Quelle dimension privilégier ?

- Méritocratie
- Égalité des places

Intervention publique
Comment en assurer la réalisation ?

- Fiscalité
- Protection sociale
- Services publics
- Discriminations positives

Résultats
Les objectifs sont-ils atteints ?

- Des inégalités atténuées mais persistantes
- Des effets pervers
- Une intervention coûteuse en temps de crise

À la fin du chapitre, assurez-vous que :

➔ Vous pouvez définir, distinguer et illustrer les notions suivantes : égalité des droits, des chances, des situations, équité, méritocratie et discriminations (positives et négatives).

➔ Vous êtes capable de distinguer le principe d'assurance de celui d'assistance, et de leur associer des prélèvements obligatoires et des prestations sociales spécifiques.

➔ Vous êtes capable de montrer comment la redistribution verticale et horizontale, ainsi que les services publics permettent de réduire les inégalités.

➔ Vous êtes capable de présenter des arguments mettant en évidence chacun des aspects de la crise de l'État providence (crise financière, crise d'efficacité).

POUR ALLER PLUS LOIN

Livres
- Michel Forsé et Olivier Galland (dir.), « *Les Français face aux inégalités et à la justice sociale* », Armand Colin, coll. « Sociétales », 2011.
- Pierre Rosanvallon, *La société des égaux*, Le Seuil, 2011.
- Marie Duru-Bellat, *Le mérite contre la justice*, Presses de Sciences Po, coll. « Nouveaux débats », 2009.
- François Dubet, *Les places et les chances*, Le Seuil-La République des idées, 2010.
- Yves Michaud, *Qu'est-ce que le mérite ?*, Gallimard, coll. « Folio essais », 2010.

Sites
- www.inegalites.fr (Observatoire des inégalités)
- www.observatoire-parite.gouv.fr (Observatoire de la parité)
- www.halde.fr
- www.observatoiredesdiscriminations.fr (Observatoire des discriminations)
- www.solidarite.gouv.fr/etudes-recherche-et-statistiques, 898 (Drees)
- www.insee.fr

Films
- *Entre les murs*, un film de Laurent Cantet, 2008.
- *We Want Sex Equality*, un film de Nigel Cole, 2010.
- *Toi, moi, les autres*, un film d'Audrey Estrougo, 2010.

auto**évaluation**

1 Associer des mesures au type d'égalité dont elles relèvent

1. Associer chaque élément de la colonne de gauche à un des trois éléments de celle de droite.

1. Conventions éducation prioritaire à Sciences Po	
2. Obligation de faire progresser la part des femmes dans les conseils d'administration des grandes entreprises	
3. Liberté de réunion	
4. Mise en place du collège unique en 1975	**A**. Égalité des droits
5. Mise en place de quotas de handicapés dans les entreprises	**B**. Égalité des chances
6. Droit de propriété	
7. Obligation pour chaque municipalité de détenir un parc de logements sociaux	**C**. Égalité des situations
8. Loi sur la parité hommes-femmes	
9. Droit d'éligibilité	
10. Aides au logement	
11. Impôt sur le revenu des personnes physiques	
12. Droit à l'image	

2. Parmi les mesures ci-dessus, quelles sont celles qui peuvent être associées à une politique de discrimination positive ?

2 Chasser l'intrus

a. Protection sociale • Désincitation à l'effort • Perte de compétitivité • Soutien à la demande • Élévation du coût du travail

b. Allocation chômage • Minimum vieillesse • Revenu de solidarité active • Couverture maladie universelle • Bourse scolaire

c. RSA • CMU • CSG • AAH

d. Revenu de solidarité active • Contribution sociale généralisée • Couverture maladie universelle • Allocation adulte handicapé

3 Mots-croisés

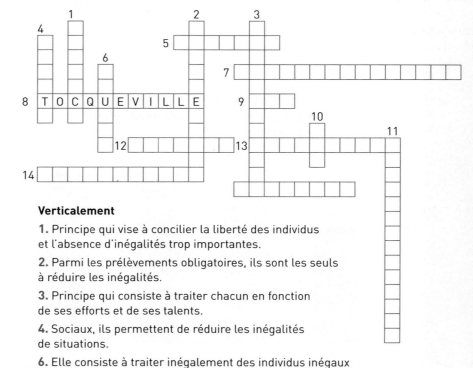

Horizontalement

5. Favorisant la pauvreté, on peut y tomber, quand l'assistance est trop développée.

7. Positives, elles cherchent à compenser les effets de celles qui le sont moins.

8. Penseur français du XIXᵉ siècle qui a mis en évidence l'importance et les risques de la démocratie.

9. Prestation non contributive qui garantit l'accès à la santé des plus démunis.

12. Des droits, des chances et des résultats.

13. Principe qui consiste à mettre en place des prestations réservées aux plus démunis.

14. Les prestations sociales versées dépendent de leur montant et de leur durée.

15. Publics, ils profitent à tous et contribuent à réduire les inégalités.

Verticalement

1. Principe qui vise à concilier la liberté des individus et l'absence d'inégalités trop importantes.

2. Parmi les prélèvements obligatoires, ils sont les seuls à réduire les inégalités.

3. Principe qui consiste à traiter chacun en fonction de ses efforts et de ses talents.

4. Sociaux, ils permettent de réduire les inégalités de situations.

6. Elle consiste à traiter inégalement des individus inégaux en vertu d'un critère de justice.

10. Il a remplacé le RMI.

11. Elle peut être horizontale ou verticale.

Dissertation

SUJET L'intervention de l'État peut-elle permettre d'accéder à l'égalité hommes-femmes ?

DOCUMENT 1

1944. Droit de vote et l'éligibilité aux femmes sans restriction.

13 juillet 1965. Les femmes peuvent gérer leurs biens propres et exercer une activité professionnelle sans le consentement de leur mari.

4 juin 1970. Autorité parentale conjointe (les deux époux assurent ensemble la direction morale et matérielle de la famille).

22 décembre 1972. Une loi pose le principe de l'égalité de rémunération entre les hommes et les femmes.

Avril 1982. Projet de loi relatif au statut général des fonctionnaires reconnaissant le principe d'égalité d'accès aux emplois publics.

13 juillet 1983. La loi Roudy établit l'égalité professionnelle entre les femmes et les hommes.

8 mars 1998. Publication au *Journal officiel* (*JO* n° 57 du 8) d'une circulaire du 6 relative à la féminisation des noms de métier, de fonction, grade ou titre.

6 juin 2000. Promulgation de la loi n° 2000-493 tendant à favoriser l'égal accès des femmes et des hommes aux mandats électoraux et fonctions électives (*JO* n° 131 du 7).

4 mars 2002. La loi n° 2002-304 relative au nom de famille vise à renforcer l'égalité entre les pères et les mères, en substituant la notion de nom de famille à celle de nom patronymique.

23 mars 2006. Promulgation de la loi n° 2006-340 relative à l'égalité salariale entre les femmes et les hommes. (Suppression des écarts de rémunération entre femmes et hommes dans un délai de 5 ans)

20 janvier 2010. Adoption en première lecture par l'Assemblée nationale d'une proposition de loi relative à la représentation équilibrée des femmes et des hommes au sein des conseils d'administration et de surveillance.

D'après vie-publique.fr.

POUR VOUS AIDER Utiliser une chronologie

Il est possible de regrouper les dates qui relèvent du champ politique, du champ professionnel et du champ familial. Ces informations peuvent ensuite être commentées dans un paragraphe spécifique. Vous pouvez également montrer l'alternance des divers textes de lois selon les thèmes.

Conseil : sélectionnez les dates importantes et opérez des regroupements en fonction des thèmes que vous allez aborder dans votre devoir. Ne négligez pas la chronologie elle-même : elle vous permettra de mettre en évidence les évolutions constatées, le rythme de ces évolutions, les périodes d'accélération ou au contraire les retards...

DOCUMENT 2 **Évolution du nombre de femmes dans les conseils d'administration du CAC 40**

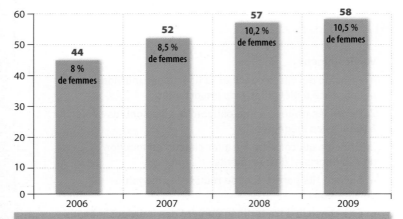

Malgré une légère amélioration en quatre ans, les femmes n'occupent qu'un siège sur dix dans les conseils d'administration du CAC 40.

Source : *Le Monde*, 20 janvier 2010.

DOCUMENT 3 **Évolution de la part des femmes au Sénat**

En %

	Part des femmes élues
1952	2,5
1980	2
1992	5
2001	10,3
2011	21,8

Source : « La représentation des femmes en politique », Observatoire des inégalités, 14 avril 2010. Chiffres Insee.

	Femmes	Hommes
Temps de travail domestique (en moyenne par jour)	3 h 52	2 h 24
Taux de chômage (en 2010)	9,7 %	9 %
Part des diplômés du supérieur (en 2008)[1]	51 %	37 %
Salaire médian annuel net de prélèvements (en 2008) secteur privé et semi-public	17 600	20 259
Pourcentage de retraités ayant validé une carrière complète (en 2008)	42 %	74 %

1. Parmi les sortants de formation initiale depuis moins de six ans.

Source : Insee, enquête emploi 2010, enquête emploi du temps 2009-2010, *Insee première*, n° 1284, février 2010, Drees, échantillon interrégimes de retraités 2008, Insee-Dads 2008.

Épreuve composée (entraînement Chapitre 13)

PARTIE 1 Mobilisation des connaissances

QUESTION 1 (3 points) : **En quoi la redistribution consiste-t-elle ?**

QUESTION 2 (3 points) : **Présentez deux difficultés auxquelles se heurte l'application du principe méritocratique.**

PARTIE 2 Étude d'un document

QUESTION (4 points) : **Vous présenterez ce document puis vous vous demanderez s'il permet d'illustrer les progrès de l'égalité des chances.**

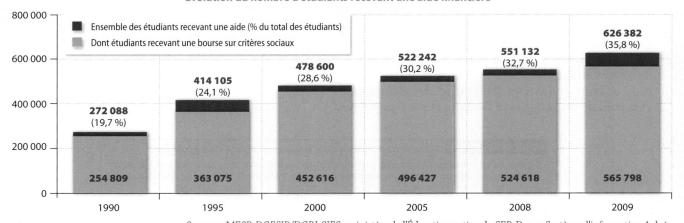

Évolution du nombre d'étudiants recevant une aide financière

Sources : MESR-DGESIP/DGRI-SIES ; ministère de l'Éducation nationale-SER-Depp ; Système d'information Aglaé.

PARTIE 3 Raisonnement s'appuyant sur un dossier documentaire

SUJET (10 POINTS) : **Vous discuterez des effets d'une protection sociale élevée sur la croissance.**

Comme la création et le développement d'entreprises n'est pas une obligation, qu'est-ce qui peut motiver un entrepreneur, si en définitive la création de richesse, qui résulte de sa prise de risques, est à ce point confisquée au profit des autres ? On le voit lors des dépôts de bilan de nombre d'entreprises qui surviennent si souvent non en raison de lourds passifs bancaires ou fournisseurs, mais de charges sociales dont le poids les place dans des situations de vulnérabilité financière structurelle. [...] L'effet ultime de notre modèle social est de mettre hors combat la quasi-totalité des travailleurs peu qualifiés [...]. Il faut alors multiplier les allocations de toutes sortes pour éviter l'effondrement social, quitte à soigner la douleur et non la maladie, et à laisser se produire les effets pervers de la trappe à pauvreté. Dès lors qu'on accumule les droits, le travail devient marginalement désutile. À terme, on finit par enfermer dans l'exclusion.

Alain Fabre, *Les Échos*, 25 mai 2011.

DOCUMENT 2 Évolution du coût horaire de la main-d'œuvre en France et en Allemagne

Évolution du coût horaire de la main-d'œuvre

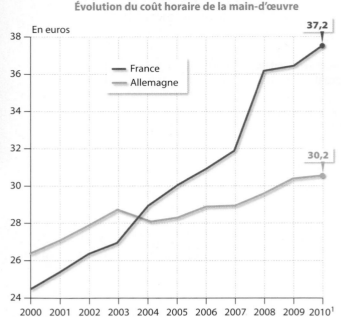

En euros

37,2

30,2

France
Allemagne

2000 2001 2002 2003 2004 2005 2006 2007 2008 2009 2010[1]

Taux de charges sur les rémunérations
(Cotisations patronales et autres charges annexes)

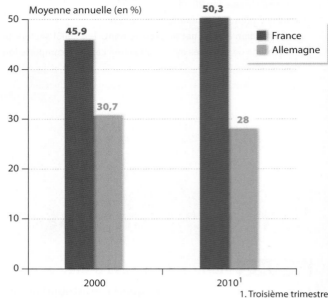

Moyenne annuelle (en %)

45,9
30,7
50,3
28

France
Allemagne

2000   2010[1]

1. Troisième trimestre

Source : blog de Jean Matouk, économiste, rue89.fr.

DOCUMENT 3

Les réductions massives d'impôts opérées depuis 2000 devaient relancer la croissance. [...] Cela est aisé à comprendre : les prélèvements obligatoires se traduisent, dans leur majorité, par des dépenses qui injectent du pouvoir d'achat [...] ou qui contribuent à l'investissement, aux commandes publiques, etc. Il n'y a pas de raison a priori pour que ces injections aient moins d'impact sur la croissance que celles qui résultent, par exemple, de baisses d'impôts et de cotisations sociales.

[...] Les rares évaluations de l'impact des exonérations et baisses de cotisations sur l'activité et sur l'emploi sont plutôt négatives (ce sont les exonérations liées aux 35 heures qui s'en sortent le mieux). Il est clair qu'une partie de ces exonérations a nourri l'augmentation de la part des profits dans la valeur ajoutée.

[...] Trop de protection sociale réduirait la motivation au travail. Une vaste enquête européenne [...] a montré que les pays où les chômeurs manifestent le plus de désir de retrouver un emploi sont ceux où la protection sociale est la plus généreuse. À nouveau les pays nordiques.

Source : Jean Gadrey, *Alternatives économiques*,
Poche n° 46, novembre 2010.

POUR VOUS AIDER Construire un raisonnement économique à partir d'un document

Repérez les informations qui vont vous permettre d'établir un lien entre protection sociale et croissance. Clarifiez-les en précisant les éléments implicites. Construisez les étapes ultérieures du raisonnement qui permettront de relier ces informations au sujet, en faisant attention aux connecteurs logiques.
L'individu est ⎡*ainsi*⎤ *poussé à se maintenir dans l'oisiveté, ce qui réduit l'offre de travail et* ⎡*donc*⎤ *les ressources en main-d'œuvre de l'économie affectant les possibilités de croissance économique.* ⎡*Par ailleurs*⎤ *, indirectement, la réduction de l'offre de travail pousse les salaires à la hausse affectant les coûts de production et la compétitivité des entreprises. Une baisse de la compétitivité peut se traduire par une baisse de la production.*
Concluez sur ce que vous venez de montrer.
La protection sociale exerce ⎡*par conséquent*⎤ *un effet négatif sur la croissance.*

Conseil : il faut avoir en tête ce que vous cherchez à démontrer, en prenant bien soin de préciser toutes les étapes du raisonnement. Dans cette démarche, vous devez avoir recours aux connecteurs logiques qui permettront de relier rigoureusement les termes-clés du raisonnement (voir la fiche « Maîtriser les connecteurs logiques », p. 201).

Sujet d'oral

Questions de connaissance

QUESTION 1 (3 points) : Définissez le principe d'égalité des chances.

QUESTION 2 (3 points) : Quelle différence établissez-vous entre assurance et assistance en matière de protection sociale ?

Outils et savoir-faire

QUESTION 3 (4 points) : Quel lien peut-on établir entre la croissance économique et le nombre de bénéficiaires de prestations non contributives ? (Doc. 1)

Question principale (10 points) : Quels sont les effets du RSA ?

DOCUMENT 1 Évolution[1] du nombre de bénéficiaires de RMI, de l'API ou du RSA socle, de chômeurs[2] et du PIB

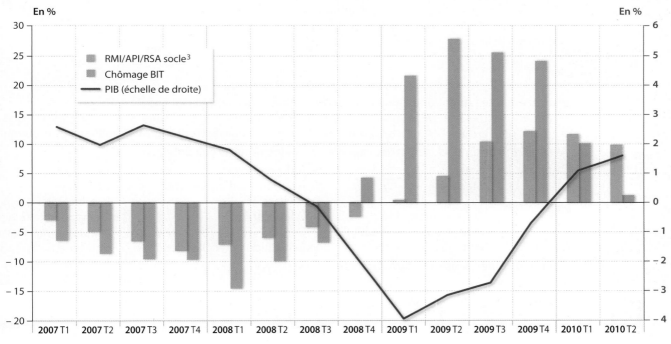

1. En glissement annuel.
2. Au sens du BIT.
3. Données brutes Cnaf (hors MSA), France métropolitaine.

Sources : Drees, *Séries statistiques*, n° 153, février 2011. Chiffres Cnaf, Insee-comptes nationaux.

DOCUMENT 2

Pour justifier ces attaques récurrentes contre les revenus minimaux, on met aussi en avant une autre idée reçue : ils désinciteraient au travail. [...] Selon une étude de la Caisse nationale des allocations familiales, 29 % des allocataires de minima sociaux ne rechercheraient certes pas de travail. Mais c'est surtout à cause de problèmes de santé, de garde d'enfants ou parce qu'ils sont très âgés. [...] D'ailleurs, 200 000 bénéficiaires du RSA socle ont un emploi. [...] Mais ils gagneraient la même chose, s'ils ne travaillaient pas, ce qui ne les empêche pas de le faire... Tout simplement parce que le travail n'est pas seulement une affaire de sous, mais aussi de dignité, de confiance en soi et de sociabilité. En outre, le RSA activité apporte désormais un complément de revenu aux travailleurs en situation de pauvreté, justement pour inciter à la reprise d'une activité.

Les effets pervers du RSA sont à chercher ailleurs : il risque surtout d'inciter les employeurs à créer des emplois mal payés, puisque l'État compense la faiblesse des revenus proposés. Ce qui alimenterait la pauvreté laborieuse.

Camille Dorival et Laurent Jeanneau,
Alternatives économiques, n° 303, juin 2011.

REGARDS CROISÉS

Que va-t-on étudier ?

L'emploi est un enjeu crucial des économies de marché. S'il peut être analysé comme résultant du fonctionnement du marché du travail, on ne peut se limiter à cette explication. Il convient aussi d'analyser l'aspect institutionnel de la relation salariale. Comment ces deux dimensions s'articulent-elles dans la gestion de l'emploi (chapitre 14) ? Derrière la question de l'emploi se profile celle du chômage, dont l'ampleur n'est pas sans conséquences économiques et sociales. Quelles politiques de l'emploi peuvent être mise en œuvre pour lutter contre le chômage (chapitre 15) ?

ACQUIS DE 1re Ce que vous savez déjà

Pour traiter ces questions, nous allons faire appel à vos connaissances de 1re.
Comment un marché fonctionne-t-il ? Quelles en sont les limites ? Comment les rapports sociaux s'organisent-ils dans l'entreprise ? Quels sont les principaux instruments de la politique économique ?

Avant d'entrer dans cette partie, rappelez-vous les notions suivantes :

Chapitre 14
- Salaire
- Marché
- Productivité
- Offre et demande
- Prix et quantité d'équilibre
- Preneur de prix

- Rationnement
- Asymétries d'information
- Hiérarchie
- Coopération
- Conflit
- Institutions marchandes

Chapitre 15
- Chômage
- Productivité
- Demande globale
- Politique monétaire
- Politique budgétaire
- Rationnement

Pour vous aider, voici quelques activités.

RÉVISER LES ACQUIS DE 1RE
➡ Réponses p.

1 Rationnement de beurre et d'œufs

1. DÉFINIR. Caractérisez la situation économique de cette photo. Quelle tension existe-t-il entre l'offre et la demande de beurre et d'œufs ?

2. EXPLIQUER. Comment le prix de ces produits risque-t-il d'évoluer ?

3. EXPLIQUER. Toutes les personnes qui font la queue sont-elles certaines de pouvoir acheter ces produits ? Quel est le risque concernant l'offre ?

2 Le marché des cornets de glace

L'équilibre entre l'offre et la demande

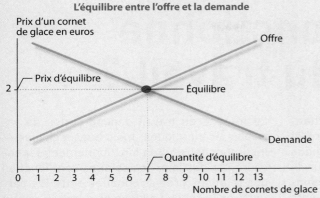

L'équilibre est trouvé lorsque les courbes d'offre et de demande se croisent.

Source : Gregory Nicholas Mankiw et Mark P. Taylor, *Principes de l'économie*, De Boeck, 2010.

Contexte spatio-temporel : en plein mois d'août, à Farniente Ville, célèbre station balnéaire du Sud de la France, 35° C à l'ombre… Les vendeurs de cornets se trouvent à tous les coins de rue. Ils proposent le même type de prestations : des cornets de glace italienne à la fraise absolument délicieux, c'est la spécialité de Farniente Ville. Sur le graphique ci-contre, on représente la situation d'équilibre du marché des cornets de glace.

1. EXPLIQUER. Comment caractériser la situation d'équilibre ?

2. EXPLIQUER. Un nouveau vendeur de glaces s'installe. La demande est si forte qu'il est le bienvenu ! Pourra-t-il vendre son cornet de glace à 3 euros ? Pourquoi ?

3. EXPLIQUER. Avis de tempête sur Farniente Ville, la température chute de 20 °C. Les glaces n'ont plus aucun succès. Comment le prix d'équilibre va-t-il évoluer ?

3 Organigramme d'une entreprise de travaux publics

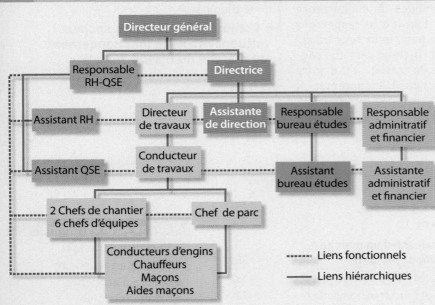

1. CONSTATER. Que représente une couleur ?

2. EXPLIQUER. Qu'est-ce qui distingue les liens fonctionnels et les liens hiérarchiques ?

3. EXPLIQUER. Pourquoi les liens hiérarchiques ne suffisent-ils pas à représenter les relations professionnelles dans l'entreprise ?

4. DÉFINIR. À l'aide de vos connaissances et du document, retrouvez la définition de la notion de coopération.

4 Qu'est-ce qu'une asymétrie d'information ?

Jeune femme, 27 ans, titulaire BTS assistant PME-PMI, 3 ans d'expérience cherche poste assistante direction.
Personne dynamique et motivée ayant l'habitude du travail en équipe.
Anglais et espagnol lus, parlés, écrits.

1. CONSTATER. Quelles sont les informations dont dispose l'employeur potentiel pour s'assurer que la personne possède les qualités requises pour occuper le poste demandé ?

2. CONSTATER. Toutes ces informations sont-elles vérifiables ?

3. COMPARER. Comparez le niveau d'information de l'entreprise et du salarié sur la qualité du travail faisant l'objet du contrat, au moment de l'embauche.

→ Les notions suivantes ont déjà été revues : Productivité, Chômage, Demande globale, Politique budgétaire, Politique monétaire, p. 10 ; Offre et demande, p. 64 ; Conflit, p. 252 ; Salaire, p. 304.

14

Comment fonctionne le marché du travail ?

Considérer le travail comme une marchandise qui s'échange selon la loi de l'offre et de la demande est une hypothèse défendue par les économistes néoclassiques. Sur le marché du travail, l'équilibre – dit de plein-emploi – est atteint grâce à des ajustements à la hausse ou à la baisse du prix du travail. Hormis le chômage frictionnel, le chômage ne peut être que volontaire, et provient d'un salaire trop élevé par rapport au salaire d'équilibre. Il faut accepter que le salaire baisse pour que le chômage diminue. Néanmoins, les conditions économiques de concurrence pure et parfaite sont loin d'être respectées sur ce marché : d'une part, le facteur travail n'est pas homogène et l'on tend vers une segmentation du marché du travail ; et, d'autre part, l'information n'est pas transparente.

→ **La théorie néoclassique peut-elle expliquer le chômage contemporain ?**

Le marché du travail dépend certes de variables économiques, mais aussi sociales et institutionnelles. Son fonctionnement est encadré par des lois. Les salaires sont fonction des relations professionnelles entre les partenaires sociaux. La façon de gérer un conflit social et le plus ou moins bon niveau de coopération influent sur les variations de salaire et les embauches. Les salaires évoluent aussi en fonction des négociations collectives. Enfin, l'intervention de l'État est plus ou moins contraignante selon l'orientation politique d'un pays.

→ **Comment les facteurs sociaux influencent-ils le fonctionnement du marché du travail ?**

SOMMAIRE

Réviser les acquis de 1re		358
I	**Le marché du travail est-il un marché de concurrence pure et parfaite ?**	362
	A L'approche des économistes néoclassiques	362
	B Marché du travail et concurrence imparfaite	364
II	**Le marché du travail est-il une construction sociale ?**	368
	A La gestion de l'emploi encadrée par les lois	368
	B Relations professionnelles et négociations collectives	370
	C Formation des salaires, et processus sociaux et institutionnels	372
TD	**1.** Le fonctionnement du marché du travail selon les néoclassiques	374
TD	**2.** Un plan de licenciement au *Monde*	375
Synthèse		376
Schéma Bilan		378
Autoévaluation		379
Vers le Bac		380

Notions au programme

- Taux de salaire réel
- Coût salarial unitaire
- Salaire d'efficience
- Salaire minimum
- Contrat de travail
- Conventions collectives
- Partenaires sociaux
- Segmentation du marché du travail
- Normes d'emploi

Acquis de 1re

- Asymétrie d'information
- Coopération
- Hiérarchie
- Marché
- Preneur de prix
- Prix et quantité d'équilibre
- Rationnement

Fiche Notion 6 (voir p. 420)

- Emploi, activité, chômage

2 La Déclaration de Philadelphie, 1944

Le directeur du BIT (Bureau international du travail) Edward J. Phelan signe la Déclaration de Philadelphie, à la Maison-Blanche, le 17 mai 1944.
Assis, de gauche à droite : le président américain Franklin Delano Roosevelt, Walter Nash, Edward J. Phelan. Debout, de gauche à droite : le ministre américain des Affaires étrangères Cordell Hull, la ministre américaine du Travail Frances Perkins, le directeur assistant du BIT Lindsay Rodgers.

La Conférence internationale du travail, réunie à Philadelphie, aux États-Unis, a adopté le 17 mai 1944 une déclaration qui redéfinit les buts et objectifs de l'Organisation internationale du travail (OIT) en énonçant notamment les principes suivants :

– le travail n'est pas une marchandise ;

– la liberté d'expression et d'association est une condition indispensable d'un progrès continu ;

– la pauvreté, où qu'elle existe, constitue un danger pour la prospérité de tous ;

– tous les êtres humains, quels que soient leur race, leur croyance ou leur sexe, ont le droit de poursuivre leur progrès matériel et leur développement spirituel dans la liberté et la dignité, dans la sécurité économique et avec des chances égales.

1. Comment le travail est-il considéré dans le dessin ? (Doc. 1)

2. Le travail est-il, selon la Déclaration de Philadelphie, un instrument ou une fin en soi ? (Doc. 2)

3. À quoi sert le Code du travail ? Qu'y trouve-t-on ? (Doc. 3)

I. Le marché du travail est-il un marché de concurrence pure et parfaite ?

A L'approche des économistes néoclassiques

1. Du côté des ménages : travailler ou ne pas travailler ?

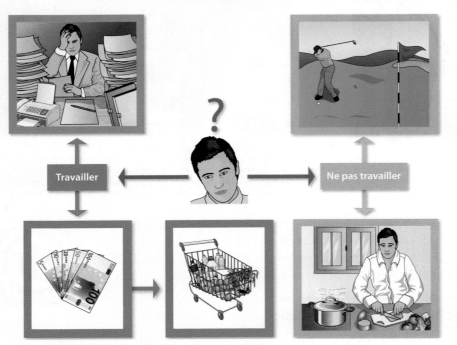

1. EXPLIQUER. Travailler paraît-il agréable ou pénible au personnage situé au centre du schéma ?

2. EXPLIQUER. Que permet le travail en compensation de la peine engendrée ?

3. EXPLIQUER. Si le personnage souhaite consommer, choisit-il de travailler ou ne pas travailler ? Justifiez votre réponse.

4. DÉFINIR. Quel est le motif qui pousse le personnage à augmenter son offre de travail ?

NE PAS CONFONDRE Il y a loisir et loisir

Chez les néoclassiques, le loisir a un sens différent du sens courant. Le loisir correspond pour eux au non-travail. On parle alors d'arbitrage entre le travail et le loisir.

2. La courbe d'offre de travail des ménages

La figure A représente une situation normale, avec une courbe d'offre de travail croissante [...]. Les individus choisissent de travailler plus quand le taux de salaire augmente, sacrifiant du loisir pour bénéficier d'un revenu plus élevé.

La figure A représente la courbe d'offre de travail d'un individu, c'est-à-dire le nombre d'heures qu'il est disposé à fournir à chaque niveau de salaire. Le salaire minimum Wr auquel un individu est disposé à travailler est appelé son salaire de réserve.

Note : W/P est le salaire réel, W désigne le salaire nominal et P, le niveau des prix. Dans la formule W/P du salaire réel, W est le salaire nominal, et P, le niveau des prix.

Joseph E. Stiglitz et Carl E. Walsh,
Principes d'économie moderne, De Boeck, 2004.

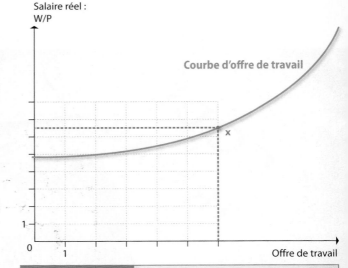

1. CONSTATER. Que signifie le point X ?

2. EXPLIQUER. Pourquoi existe-t-il un salaire de réserve Wr ? Où se situe-t-il sur le graphique ?

3. EXPLIQUER. D'après cette théorie, le ménage cherche-t-il toujours à travailler plus pour obtenir un niveau de salaire supplémentaire ?

4. RÉCAPITULER. Quelle est la conséquence d'une baisse de salaire réel sur l'offre de travail ?

POUR APPROFONDIR Salaire réel et nominal

Les économistes néoclassiques raisonnent en termes de **salaire réel**, à savoir le **salaire nominal** auquel on a retiré l'effet-prix. Ils partent de l'idée selon laquelle les agents économiques savent distinguer une hausse nominale d'une hausse réelle du pouvoir d'achat. On dit qu'ils ne sont pas victimes de l'illusion monétaire.

3. L'égalisation entre le salaire réel et la productivité marginale du travail

Embaucher une personne en plus ?

Chef d'entreprise

Cette personne supplémentaire me permet d'accroître ma production et mes ventes de 1 100 euros. C'est le produit ou productivité marginale du travail (PmL).

Mais elle accroît mes coûts de production de 1 500 euros par mois ! C'est le coût marginal de production (CmL) qui est égal au coût salarial d'une personne supplémentaire.

Règle de décision
- PmL > CmL : j'embauche et je peux continuer à produire davantage.
- PmL < CmL : je n'embauche pas car ce que me coûte cette personne en plus excéderait ce qu'elle me rapporterait. Je baisse ma production.
- PmL = CmL : c'est l'équilibre ! Je maximise mon profit. Cette personne me coûterait donc plus qu'elle me rapporterait (1 500 > 1 100), donc je ne l'embauche pas.

1. DÉFINIR. Pourquoi la productivité marginale du travail équivaut-elle au coût salarial unitaire ?

2. EXPLIQUER. Pourquoi, si PmL > CmL, l'entrepreneur embaucherait-il la personne ? Expliquez-le à partir d'un schéma de causalité faisant intervenir le profit.

4. EXPLIQUER. Dans quel cas de figure l'entrepreneur maximise-t-il son profit ?

5. RÉCAPITULER. Déduisez-en que PmL = CmL = W / P.

POUR APPROFONDIR La productivité moyenne et marginale

La **productivité moyenne** d'un facteur de production est la production divisée par la quantité de facteur utilisée, alors que la **productivité marginale** est le supplément de production occasionné par une unité de facteur en plus. Concernant le coût moyen de production, il s'agit du coût par unité produite et le coût marginal est le coût supplémentaire dû à une unité de production en plus.

4. La détermination de la demande de travail

Hausse des salaires réels → **Hausse du coût du travail** → **Baisse des profits des entreprises** → **Baisse de la demande de travail**

1. EXPLIQUER. Pourquoi le profit baisse-t-il suite à la hausse des salaires ?

2. EXPLIQUER. Pourquoi une entreprise peut-elle renoncer à embaucher suite à une baisse du profit ?

3. RÉCAPITULER. Comment la demande de travail évolue-t-elle lorsque le salaire augmente ?

5. L'équilibre sur le marché du travail selon les néoclassiques

Pour chaque niveau de salaire, les ménages décident du montant de travail qu'ils vont offrir sur le marché. [...] De même, les entreprises décident d'un montant de travail qu'elles vont demander pour chaque niveau de salaire. Lorsque le salaire réel est plus élevé, les entreprises diminuent leur demande de travail. Le marché du travail est en équilibre quand le salaire s'ajuste de telle sorte que la demande et l'offre de travail sont égales. Aucun travailleur souhaitant travailler au niveau de salaire du marché ne reste inemployé. Aucune entreprise souhaitant embaucher un employé au niveau de salaire du marché ne restera sans trouver une personne possédant la qualification requise. Les ajustements de salaire feront le nécessaire pour qu'il en soit ainsi.

Si la demande et l'offre de travail ne sont pas égales, le salaire s'ajuste en conséquence. Si, pour le niveau de salaire existant, le nombre d'heures de travail offertes par les ménages est supérieur au nombre des heures demandées par les entreprises, les employés qui ne trouvent pas de travail pour le salaire constaté vont accepter de travailler pour un salaire moindre. Le processus de concurrence conduira à des salaires plus faibles, jusqu'à ce que la demande se trouve au niveau de l'offre[1].

1. Pour des graphiques associés à ce modèle, voir TD1, p. 374.

Joseph E. Stiglitz et Carl E. Walsh,
Principes d'économie moderne, De Boeck, 2004.

1. CONSTATER. Retrouvez dans le texte les deux phrases qui définissent l'offre et la demande de travail.

2. EXPLIQUER. Que se passe-t-il lorsque le salaire réel est supérieur au salaire d'équilibre ? Comment le marché retrouve-t-il son équilibre ?

3. ILLUSTRER. À quel mécanisme, célèbre en économie, se réfère-t-on ici pour rendre compte du retour à l'équilibre ?

4. RÉCAPITULER. Le chômage de longue durée est-il, d'après cette théorie, envisageable ?

ENTRAÎNEMENT

QUESTION DE COURS. Comment l'offre de travail des ménages se détermine-t-elle ?

SYNTHÈSE. Montrez que le marché du travail est, selon les néoclassiques, un marché de concurrence pure et parfaite. (Doc. 3, 4 et 5)

documents

B Marché du travail et concurrence imparfaite

1. Deux profils de travailleurs, deux marchés du travail

Philippe, 48 ans, Île-de-France : une carrière à l'intérieur du secteur de l'électronique grand public.

À l'issue de ses études d'économie (maîtrise), Philippe fait un stage chez Citroën, où il découvre par hasard l'activité de commercial […]. Se sentant attiré par ce métier dynamique où ça bouge, il recherche et trouve par petites annonces un emploi de VRP chez Schneider-Laden. Par promotion interne, il devient chef de produits. Puis, à la suite de la fusion des marques Schneider-Laden-Radiola et Philips, survient une restructuration qui se traduit par une compression de personnel. Par contacts, il trouve alors un emploi de chef de ventes chez Philips. Plus tard, son ex-patron de chez Philips, parti chez Grundig, lui propose de le rejoindre et le nomme directeur région, puis directeur des ventes pour la France. Grundig-France – filiale de l'entreprise allemande – est finalement cédée en juillet 2004 à un investisseur qui reprend la marque, mais pas les hommes ni les femmes. L'ensemble du personnel est donc licencié et Philippe se retrouve au chômage pour la première fois de sa carrière à 48 ans.

1. CONSTATER. Complétez le tableau.

	Philippe	Jacques
Niveau de diplôme		
Type de contrat de travail (CDI, intérim, CDD)		
Type d'entreprise (PME, TPE, FMN)		
Mode de recrutement		

2. EXPLIQUER. Comparez les caractéristiques des emplois occupés par Jacques et Philippe.

Jacques, 49 ans, Morbihan : emploi instable et glissement vers le chômage de longue durée.

Après un apprentissage en boucherie-charcuterie, Jacques trouve du travail dans une usine de fonderie où a travaillé son père. Au bout d'un an, il part à l'armée, et à son retour, comme il n'y a plus d'embauches dans l'usine de fonderie, il entre dans une entreprise de poteaux électriques, comme manutentionnaire. À la fin du CDD d'un an, il travaille à l'entretien pour la ville du Mans (2 contrats de 6 mois), puis comme concierge d'école pendant deux ans. Il divorce et déménage du Mans à Tours, où il travaille un mois au noir, dans un restaurant. Ensuite, il travaille à droite à gauche en intérim, puis il revient dans le Morbihan où il se fait embaucher, toujours par intérim, dans une usine agroalimentaire pour faire de la découpe de viande. Au bout d'un an, l'usine est délocalisée, il travaille alors dans le ravalement de maisons […] jusqu'à ce que le patron n'ait plus besoin de lui. Depuis cette période, sa situation vis-à-vis de l'emploi s'est fortement dégradée : il mentionne qu'il a aidé un temps un de ses copains à la ferme, qu'il a fait un remplacement de 15 jours dans l'agroalimentaire à l'accrochage des poulets, et qu'aujourd'hui, la seule chose qu'il trouve, ce sont quelques travaux de jardinage pour des particuliers.

Emmanuelle Marchal et Delphine Rémillon, « À chaque marché du travail, ses propres modes de recherche d'emploi », Centre d'études de l'emploi, juillet 2007.

3. EXPLIQUER. Comment ces deux personnes trouvent-elles leurs emplois ?

4. RÉCAPITULER. Peut-on dire qu'il existe un marché du travail avec une offre de travail homogène ?

2. Entrées et sorties en CDD et CDI

Chiffres du 3e trimestre 2010, en %	Établissements de 10 à 49 salariés	Établissements de 50 salariés ou plus	Établissements de 10 salariés ou plus
Taux d'entrée[1]	**11,5**	**11,1**	**11,3**
Industrie	5,4	3,2	3,8
Tertiaire	13,2	14,9	14,6
Taux de sortie[1]	**11,1**	**10,8**	**10,9**
Industrie	5,5	3,3	3,9
Tertiaire	15,2	14,3	13,9
Taux d'entrée en CDD[1]	**8,4**	**8,9**	**8,7**
Industrie	3,7	2,2	2,6
Tertiaire	10,2	12,2	11,4
Taux d'entrée en CDI	**3,1**	**2,2**	**2,6**
Industrie	1,7	1	1,1
Tertiaire	3,6	2,7	3,1
Part des CDD dans les embauches[1]	**72,8**	**80,2**	**77,2**
Industrie	60,7	38,1	52,9
Tertiaire	73,8	81,8	78,8

1. Ensemble : secteurs de l'industrie, de la construction et du tertiaire.

Source : Dares, février 2011.

1. DÉFINIR. Que signifient taux d'entrée et taux de sortie ?

2. EXPLIQUER. Comparez les entrées (CDD et CDI) dans l'industrie et le tertiaire. Ce résultat est-il logique ?

3. EXPLIQUER. Pourquoi les salariés sont-ils plus mobiles dans le secteur tertiaire que dans l'industrie ?

4. RÉCAPITULER. Montrez que les créations d'emploi concernent essentiellement les CDD et non les CDI. Que peut-on en conclure quant à l'évolution de la stabilité des emplois en France ?

3. Normes d'emploi des Trente Glorieuses à nos jours en France

À partir des années 1970, on assiste plus généralement à un recours croissant à des formes d'emploi cherchant à contourner la norme du CDI. Outre le CDD, […] il s'agit du recours aux services des sociétés de travail temporaire. Le développement de la sous-traitance peut aussi s'interpréter comme un mode de mobilisation de main-d'œuvre indirecte permettant de contourner les contraintes du droit du travail. Ces pratiques réduisent les protections des salariés soit parce qu'elles renforcent l'instabilité, c'est le cas de l'intérim où les embauches sont en CDD, soit parce qu'elles offrent des conditions de travail plus défavorables.

Damien Sauze, « Stabilité de l'emploi : conquête sociale ou politique patronale », *Travail et emploi*, n° 103, 2005.

1. ILLUSTRER. De quelle période l'auteur parle-t-il concernant « la norme du CDI » ?

2. DÉFINIR. Quelles sont les formes d'emploi développées à partir des années 1970 ?

3. EXPLIQUER. Montrez que ces nouvelles normes d'emploi s'opposent à celle d'avant les années 1970.

4. La segmentation du marché du travail

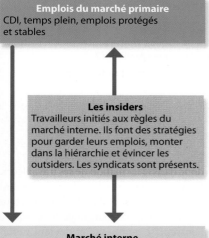

Emplois du marché primaire
CDI, temps plein, emplois protégés et stables

Emplois du marché secondaire
CDD, temps partiels, intérim, emplois atypiques, pas de protection juridique

Les insiders
Travailleurs initiés aux règles du marché interne. Ils font des stratégies pour garder leurs emplois, monter dans la hiérarchie et évincer les outsiders. Les syndicats sont présents.

Les outsiders
Travailleurs ignorant les règles du marché interne, peu qualifiés et vulnérables. Ils sont peu syndiqués.

Marché interne
Unité institutionnelle où les salaires sont déterminés par des règles administratives ou de manière interindividuelle employeur/ employé. Ils sont rigides à la baisse et souvent plus hauts que ceux du marché.

Marché externe
Les salaires y sont déterminés par des ajustements marchands concurrentiels, d'où une forte variation. Les règles sont souples. Les emplois offerts dépendent de la conjoncture économique.

1. DÉFINIR. Que signifient ici marché primaire et secteur secondaire ?

2. ILLUSTRER. Dressez le portrait robot d'un insider en utilisant toutes les données du tableau.

3. EXPLIQUER. Les individus qui ont un emploi sur le marché secondaire peuvent-ils facilement passer à un emploi du secteur primaire ? Pourquoi ?

4. RÉCAPITULER. Pourquoi parle-t-on d'un marché du travail « dual » ?

DÉFINITION

La segmentation du marché du travail
La notion de segment, par analogie avec un segment de droite, peut s'appliquer au marché du travail. Un segment représente une unité institutionnelle caractérisée par des règles formelles et informelles. Selon la théorie de la segmentation du marché du travail, on distingue deux segments, d'où l'expression de dualisation du marché du travail. De plus, la frontière entre les deux segments est relativement étanche.

5. Le salaire d'efficience : l'approche économique

Quand la production peut être mesurée de façon simple, il est logique de rémunérer au moins en partie en fonction de la performance – utilisation de la carotte. Lorsque l'effort est facilement contrôlable, il est logique de brandir la menace de renvoi en cas d'échec pour inciter le salarié à fournir des efforts appropriés – utilisation du bâton. Mais il est souvent coûteux de contrôler en permanence le travail effectué par un employé. Une autre possibilité consiste à contrôler moins souvent et à infliger une forte sanction, si l'employé est surpris en train de bâcler son travail. Pour mettre en œuvre ce principe, on peut verser des salaires supérieurs à ceux du marché. Par conséquent, si un salarié est renvoyé, il subira une perte de revenu considérable. Plus le salaire est élevé, plus la sanction du licenciement sera importante. De la même façon, récompenser par des salaires élevés ceux dont chaque contrôle prouve qu'ils fournissent un travail de qualité incite l'ensemble des employés à faire de même. Dans ces exemples, un salaire élevé motive les employés et entraîne une hausse de la productivité. Il existe d'autres raisons pour lesquelles une entreprise peut avoir intérêt à verser des salaires élevés. Ceux-ci réduisent la rotation du personnel, incitent à une plus grande loyauté et à une meilleure qualité de travail. Ils permettent à l'entreprise d'attirer plus d'employés productifs. […] La théorie selon laquelle les salaires élevés augmentent la productivité nette des employés, soit en réduisant la rotation du personnel, soit en permettant à l'entreprise de recruter une main-d'œuvre de meilleure qualité, est appelée théorie du salaire d'efficience. Alors que la théorie traditionnelle estime qu'une hausse de la productivité entraîne une hausse des salaires, la théorie du salaire d'efficience affirme, à l'inverse, que ce sont des salaires élevés qui entraînent une hausse de la productivité.

Joseph E. Stiglitz et Carl E. Walsh, *Principes d'économie moderne*, De Boeck, 2004.

1. ILLUSTRER. Montrez qu'il existe une situation d'asymétrie d'information défavorable aux employeurs.

2. EXPLIQUER. Pourquoi les employeurs ont-ils intérêt à verser un salaire supérieur au marché ?

3. DÉFINIR. Qu'appelle-t-on salaire d'efficience ?

4. RÉCAPITULER. Faites deux schémas reliant la productivité du travail et le niveau de salaire, l'un selon la théorie néoclassique du marché du travail, et l'autre selon la théorie du salaire d'efficience.

documents

6. Le salaire d'efficience : l'approche sociologique

Beaucoup d'auteurs insistent sur les dimensions symboliques du rapport à l'emploi, notamment sur l'importance du sentiment d'équité. Ainsi, un salaire faible pourra être refusé, s'il semble injuste ou s'il semble méconnaître la valeur sociale d'un individu. De même, certains auteurs expliquent le fait que les rémunérations des dirigeants d'entreprise américains sont trois fois plus élevées que celles de leurs homologues britanniques par des normes sociales différentes, l'acceptation des inégalités étant plus grande aux États-Unis. Mais une norme de justice est bien difficile à établir, note John Hicks. En conséquence, il estime que les salaires relatifs trouvent leur source dans la coutume : ils sont acceptés lorsqu'ils ont été solidement établis, parce qu'ils correspondent à ce à quoi les agents s'attendent. Loin de varier en fonction de l'offre et de la demande, ils seraient donc assez rigides.

Arnaud Parienty, « Le travail est-il une marchandise comme les autres ? », *Alternatives économiques*, hors-série n° 77, avril 2008.

1. DÉFINIR. Qu'est-ce que l'équité ?

2. EXPLIQUER. Pourquoi un fort écart de salaires au sein d'une entreprise est-il plus facilement accepté aux États-Unis qu'en France ?

3. EXPLIQUER. Quels sont les risques, concernant la productivité des travailleurs, d'un écart de salaires prohibitif ?

4. RÉCAPITULER. Le salaire ne dépend-il que de variables économiques ?

7. Une offre de travail hétérogène

[La théorie du capital humain] remet en cause l'hypothèse néoclassique d'homogénéité du facteur travail. Pour l'employeur, le travail est rendu hétérogène par les qualifications, l'expérience, l'effort, la qualité des relations, l'honnêteté, en un mot l'ensemble des caractéristiques propres à chaque individu. Deux travailleurs occupés à un poste identique ne sont donc pas équivalents pour l'employeur. Par ailleurs, la productivité des salariés est en partie spécifique à l'entreprise, et résulte d'une accoutumance à des équipements, des méthodes de production, des équipes de travail, une clientèle, etc., qui lui sont propres ; en conséquence, la productivité des individus est plus forte dans leur entreprise que dans une autre, même pour un poste équivalent. La prise en compte de ces nouvelles hypothèses conduit à montrer que, contrairement à la conclusion classique, le salaire d'équilibre devrait, le plus souvent, s'éloigner de la productivité marginale.

En effet, les salariés récemment embauchés n'ont pas encore acquis les qualifications spécifiques à l'entreprise, et leur productivité initiale est généralement très faible ; cependant, pour attirer et retenir les meilleurs candidats, l'entreprise est obligée de leur payer le salaire d'équilibre sur le marché, et celui-ci est probablement supérieur à leur productivité marginale. L'entreprise investit donc dans la formation de ses travailleurs. En revanche, plus les travailleurs ont acquis d'expérience dans l'entreprise, plus leur productivité marginale spécifique à l'entreprise augmente et devient nettement supérieure à leur productivité sur le marché (dans les autres entreprises) ; mais l'employeur peut continuer de leur verser un salaire équivalent à leur productivité sur le marché (ce qu'ils obtiendraient en quittant l'entreprise). Dans cette seconde phase, le salaire réel devient inférieur à la productivité marginale dans l'entreprise ; celle-ci récupère le rendement de son investissement en capital humain.

Jacques Généreux, *Économie politique, Macroéconomie*, Hachette supérieur, 2005.

1. DÉFINIR. Qu'est-ce qu'une offre de travail « hétérogène » ?

2. EXPLIQUER. Selon cette théorie, le salaire est-il déterminé par le marché du travail ?

8. La théorie des contrats implicites

Les entreprises peuvent aussi stabiliser le contrat de travail si les salariés, en échange d'une plus grande sécurité, sont disposés à accepter un salaire moyen inférieur. C'est l'hypothèse de la théorie des contrats implicites. Les individus se protègent plus difficilement que les entreprises contre les risques économiques parce qu'ils ont moins la possibilité de diversifier leurs activités. Il y a là une opportunité d'échange : les employeurs peuvent offrir un service d'assurance en offrant une rémunération relativement indépendante de la conjoncture ; en contrepartie, les travailleurs acceptent un salaire moyen inférieur à celui qu'ils exigeraient d'une entreprise qui ajuste systématiquement les salaires en fonction de la productivité. En période de forte activité, la productivité marginale augmente plus vite que les salaires : les travailleurs payent, en quelque sorte, leur prime d'assurance. En période de faible activité, la productivité marginale diminue et passe en dessous du salaire qui n'est pas remis en cause : les salariés touchent leur indemnité d'assurance.

Ce contrat d'assurance est implicite, en ce sens qu'il n'est pas écrit dans les contrats de travail. Mais la préoccupation des entreprises et des individus quant à leur réputation sur le marché du travail suffit à rendre cet engagement implicite contraignant : la possibilité de conclure à l'avenir des contrats avantageux dépend de la fiabilité dont ils ont fait preuve dans l'exécution de leurs contrats passés.

Jacques Généreux, *Économie politique, Macroéconomie*, Hachette supérieur, 2005.

1. EXPLIQUER. Pourquoi les salariés souhaitent-ils stabiliser leurs salaires ?

2. EXPLIQUER. Quelle hypothèse de la théorie néoclassique du marché du travail est remise en cause par cette approche ?

3. RÉCAPITULER. À partir des documents 7 et 8, comment peut-on expliquer la persistance du chômage ?

9 ■ Le salaire n'est pas un prix de marché : la critique keynésienne

Selon Keynes et à sa suite les keynésiens, le chômage n'est pas dû à un mauvais fonctionnement du marché du travail. Ils réfutent l'idée de l'existence d'un marché du travail au sens néoclassique. Les salariés ne peuvent pas offrir un travail en fonction d'un salaire réel, puisqu'ils ne maîtrisent pas les prix des biens et des services. Ils négocient seulement un salaire nominal. Ce sont les entrepreneurs qui fixent les prix des biens et des services. Le niveau d'emploi dépend des décisions des entrepreneurs qui cherchent à maximiser leur taux de profit en fonction d'un univers incertain, où ils anticipent l'offre et la demande globale. En conséquence, le niveau d'emploi peut ne pas correspondre au niveau du plein-emploi. Si la demande effective (au sens anticipée) est faible, les entrepreneurs fixeront un niveau de production faible et toute la population active ne trouvera pas forcément d'emploi.

ladocumentationfrancaise.fr, 2011.

1. EXPLIQUER. Pourquoi le marché du travail n'existe-t-il pas chez Keynes ?

2. EXPLIQUER. Comment la production est-elle, selon Keynes, déterminée ?

3. EXPLIQUER. Que signifie la phrase soulignée ?

4. RÉCAPITULER. Faites un schéma expliquant la détermination du niveau de l'emploi et de la demande effective chez Keynes.

> **POUR APPROFONDIR** Salaire réel et salaire nominal
> À l'inverse des classiques, Keynes considère que les agents économiques raisonnent en termes de salaire nominal et non réel. Si on augmente leurs salaires, ils négligent la hausse des prix qui peut survenir ; ils ne s'aperçoivent pas que leur pouvoir d'achat n'augmente pas.

10 ■ Marché du travail : un marché imparfait ou autre chose qu'un marché ?

Selon le modèle économique standard, la demande de travail des entreprises et l'offre de travail des salariés sont équilibrées par la variation du salaire réel. S'il existe du chômage, il est volontaire ou résulte d'imperfections du marché. Ces conclusions reposent sur des hypothèses hautement irréalistes [...]. Comme ces hypothèses ne sont pas vérifiées, le marché du travail n'est pas un marché parfaitement concurrentiel. Une conclusion d'un intérêt assez limité car, après tout, les marchés de biens ou de services ne le sont pas non plus. Mais ce sont néanmoins des marchés, car les variations de l'offre et de la demande font varier les prix. Ce qui n'est pas toujours vrai sur le marché du travail. De plus, les prix équilibrent les marchés, en ce sens qu'il y a autant d'offres que de demandes pour le prix en vigueur. Mais le marché du travail n'est pas équilibré, puisqu'il y a en permanence du chômage involontaire.

Les auteurs qui s'appuient sur la tradition néoclassique, c'est-à-dire la grande majorité des économistes, en déduisent que le marché du travail est un marché imparfait. Des approches moins orthodoxes concluent que le marché du travail n'en est pas vraiment un.

Arnaud Parienty, « Le travail est-il une marchandise comme les autres ? », *Alternatives économiques*, hors-série n° 77, avril 2008.

1. DÉFINIR. Quelles sont les hypothèses du modèle économique standard auquel l'auteur fait allusion ?

2. EXPLIQUER. Pourquoi peut-on hésiter à utiliser la notion de « marché » pour le travail ?

3. RÉCAPITULER. Pour les documents de 1 à 8, trouvez la ou les hypothèses du modèle standard qui sont remises en question.

ENTRAÎNEMENT

QUESTION DE COURS. En quoi la théorie du salaire d'efficience remet-elle en cause la théorie néoclassique du marché du travail ?

SYNTHÈSE. À partir des documents 2, 3 et 4, définissez ce que l'on entend par marché du travail dual, pour ensuite rendre compte des conséquences économiques et sociales de cette dualité.

documents

II. Le marché du travail est-il une construction sociale ?

A La gestion de l'emploi encadrée par les lois

1. Qu'est-ce qu'un contrat de travail ?

VOX MÉDIA

CONTRAT DE TRAVAIL À DURÉE INDÉTERMINÉE

ENTRE LES SOUSSIGNÉS :

La société **VOX MÉDIA**, SARL au capital de 30 000 €, dont le siège social est au 12, RUE VARENNE 75018 PARIS (SIREN) 418 407 862, représentée par Mr FRÉDÉRIC GAULTIER, représentant légal actuellement en fonction, domicilié en cette qualité audit siège
et Mlle **JEANNE PILLEY** domiciliée au 56, BOULEVARD AUGUSTE RODIN 75005 PARIS.

ARTICLE 1 — NATURE ET DURÉE DU CONTRAT

Le présent contrat est un contrat de direction artistique et management au titre non exclusif, conformément aux articles L. 122-1-1 et suivants du Code du travail.
Le présent contrat de direction artistique est conclu pour une durée indéterminée.

ARTICLE 3 — ENGAGEMENT

Sous réserve des résultats de la visite médicale d'embauche, la société **VOX MÉDIA** confie à Mademoiselle **JEANNE PILLEY,** qui accepte sa direction artistique à dater du 02/10/2012, sous l'autorité de FRÉDÉRIC GAULTIER auquel elle rendra régulièrement compte de son activité, selon les conditions générales du Statut Professionnel des DA.

ARTICLE 4 — RÉMUNÉRATION

La rémunération est calculée sur une base mensuelle de 2 900 Euros bruts.

VOX MÉDIA par le biais de Mr FRÉDÉRIC GAULTIER s'engage à effectuer un virement à 30 jours pour le règlement de la direction de service qu'effectuera Mlle Jeanne Pilley.

Signature employeur
Mr FRÉDÉRIC GAULTIER
VOX MÉDIA
TEL : 01.43.66.32.54/FAX : 01 7518 0086
12, RUE VARENNE 75018 PARIS

Signature employée
MLLE JEANNE PILLEY
J. Pilley

1. DÉFINIR. Quelle est l'origine des articles du contrat ?

2. EXPLIQUER. Quels sont les droits et les devoirs des signataires du contrat ?

3. EXPLIQUER. Pourquoi le montant de la rémunération est-elle indiquée sur le contrat de travail ?

2. Chronologie des procédures de licenciement en France

Avant 1958 : le droit de rupture d'un contrat de travail est unilatéral du côté de l'employeur ; aucune indemnité n'est due.

19 février 1958 : établissement d'un régime distinct pour le préavis de licenciement, régi par la loi, et le préavis de démission, fonction des usages (obligation du préavis).

1967 : obligation de versement d'indemnités légales de licenciement par l'employeur.

13 juillet 1973 : encadrement de la liberté de résiliation unilatérale de l'employeur. Le licenciement doit désormais être justifié par des circonstances objectives, qu'il s'agisse d'une cause réelle et sérieuse dans le licenciement d'une personne, ou d'un motif économique.

3 janvier 1975 : les licenciements économiques, individuels ou collectifs sont soumis à une autorisation administrative préalable.

30 décembre 1986 : suppression de l'autorisation administrative de licenciement ; organisation des procédures de licenciement.

2 août 1989 : définition du motif économique ; gestion prévisionnelle de l'emploi : instauration de plan social pour les entreprises en difficulté, afin d'éviter les licenciements, ou plan d'aide à la reconversion du personnel.

17 janvier 2002 : loi de modernisation sociale. Le rôle de l'administration du travail et des représentants du personnel a été renforcé, un congé de reclassement a été institué, et la loi a substitué au plan social un plan de sauvegarde de l'emploi. On oblige les entreprises en difficulté à effectuer des plans sociaux.

18 janvier 2005 : instauration d'un droit au reclassement personnalisé, dans le cadre d'un programme pour une meilleure cohésion sociale.

28 juillet 2011 : création par l'État d'un nouveau dispositif, le « contrat de sécurisation professionnelle », à savoir l'organisation et le déroulement d'un parcours de retour à l'emploi, le cas échéant au moyen d'une reconversion, ou d'une création ou reprise d'entreprise. Avant d'en arriver au licenciement, l'employeur doit proposer un reclassement interne.

1. DÉFINIR. Quelles sont les grandes étapes de l'histoire des procédures de licenciement en France ?

2. EXPLIQUER. Quelle inflexion, encore présente aujourd'hui, annonce la loi du 30 décembre 1986 ?

3. EXPLIQUER. Pourquoi le « reclassement » et la « sécurisation » semblent si importantes en France depuis les années 2000 ?

4. EXPLIQUER. L'employeur peut-il licencier son personnel comme bon lui semble ?

3. Réglementation et sentiment d'insécurité professionnelle

Rigueur de la LPE[1] et sentiment de sécurité dans l'emploi

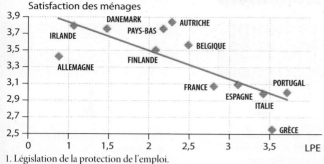

1. Législation de la protection de l'emploi.

Source : Fabien Postel-Vinay et Anne Saint-Martin, « Comment les salariés perçoivent-ils la protection de l'emploi ? », *Économie et statistique*, n° 372, 2004.

1. EXPLIQUER. Faites une phrase avec les données du Danemark.

2. ILLUSTRER. À l'aide d'exemples, montrez qu'il existe une relation négative entre le sentiment moyen de sécurité dans l'emploi et la rigueur de la LPE.

3. EXPLIQUER. Comment expliquer la faiblesse du sentiment moyen de sécurité dans l'emploi en France, alors même que la LPE est élevée ?

Lecture : en ordonnée, on mesure la satisfaction des ménages européens. On leur a demandé s'ils étaient satisfaits de la sécurité de leurs emplois sur une échelle de 1 (pas satisfait du tout) à 6 (très satisfait).
En abscisse, l'indicateur LPE (législation de la protection de l'emploi) correspond à l'ensemble des dispositions régissant les processus de recrutement et de licenciement. La protection des travailleurs réguliers contre les licenciements individuels ; les procédures particulières concernant les licenciements collectifs ; et la réglementation de l'emploi temporaire.

4. Carrefour attaqué aux prud'hommes

Les salariés d'une filiale de Carrefour réclament aux prud'hommes le paiement de leurs temps de pause, pour 4,5 millions d'euros, la direction démentant de son côté avoir violé le droit du travail. Soutenus par la CFDT-Services Côte d'Opale, les employés de Carrefour Market ont déposé 688 dossiers devant vingt tribunaux des prud'hommes des départements du Nord (190 dossiers), Pas-de-Calais (391), Aisne (20) et Oise (87). Ils réclament le paiement des temps de pause depuis juillet 2005. Soit près de 1,9 million d'euros. Le syndicat s'appuie pour cela sur une décision prud'homale de Creil « où Carrefour Market a remboursé 129 040 euros à quarante-huit salariés de Lamorlaye ».

Carrefour Market (ex-Champion, racheté en 2000) ne paie plus les temps de pause de ses 33 000 salariés depuis 2005, en violation de la convention collective, s'indigne Aline Levron, secrétaire nationale de la Fédération des services CFDT.
Le syndicat se dit encouragé par les prud'hommes de Creil. Carrefour Market a cependant fait appel et affirme avoir gagné de son côté aux prud'hommes de Grenoble le 19 janvier. En octobre 2008, le groupe de distribution, qui emploie 75 000 salariés en France, avait été condamné aussi au pénal, à une amende cumulée de 1,287 million d'euros pour avoir payé en dessous du Smic horaire 429 salariés de ses magasins d'Écully et de Givors, dans le Rhône.

La maison mère Carrefour est aussi confrontée à une multiplication des procédures, le verdict des prud'hommes étant attendu dans les semaines qui viennent au Pays basque, en Isère, dans l'Hérault et en Normandie.

La Voix du Nord, 2 avril 2010.

1. DÉFINIR. D'après ce texte, à quoi le conseil des prud'hommes sert-il ?

2. EXPLIQUER. Pourquoi les salariés de Carrefour ont-ils recours à cette instance ? Quels arguments avancent-ils pour se défendre ?

3. EXPLIQUER. Pourquoi peut-on dire que le conflit et les syndicats jouent un rôle dans l'évolution des lois du travail ?

4. RÉCAPITULER. Montrez que la loi encadre les pratiques salariales des dirigeants d'entreprise.

5. La rupture à l'amiable du contrat de travail

Avec la crise, de nombreux salariés ont été mis à la porte de leur entreprise. Mais pas toujours avec pertes et fracas. Au contraire, une partie significative d'entre eux était consentante, au moins sur le papier. Le nombre de séparation à l'amiable a en effet explosé depuis la création, en juin 2008, d'un nouveau mode du contrat de travail, la rupture dite « conventionnelle » : en trois ans, plus de 590 000 contrats à durée indéterminé (CDI) ont ainsi été interrompus d'un commun accord entre employeur et salarié. Ce chiffre est spectaculaire comparé aux 650 000 démissions et aux 630 000 licenciements économiques enregistrés sur la même période.

Côté patronat, la rupture conventionnelle répond à une vieille revendication : simplifier le droit du licenciement. Les règles qui l'encadrent sont en effet perçues par les employeurs comme autant de freins à l'embauche. Côté salarié, le dispositif comporte également quelques avantages : comme un licenciement économique, les ruptures conventionnelles ouvrent le droit à l'assurance chômage et à des indemnités au moins équivalentes aux indemnités légales de licenciement.

Ceci dit, il est probable que les séparations vraiment consensuelles ne concernent qu'une partie des ruptures conventionnelles : la relation de travail reste une relation de subordination au détriment de l'employé.

Laurent Jeanneau, « Petits licenciements entre amis », *Alternatives économiques*, hors-série n° 298, janvier 2011.

1. CALCULER. Calculez la part des ruptures conventionnelles de contrat de travail par rapport aux licenciements économiques et aux démissions.

2. EXPLIQUER. En quoi cette rupture conventionnelle permet-elle un assouplissement du droit au licenciement ?

3. EXPLIQUER. Peut-il exister des dérives dans l'application d'une telle loi ?

ENTRAÎNEMENT

QUESTION DE COURS. En quoi le contrat de travail implique-t-il un lien de subordination de l'employé vis-à-vis de son employeur ?

SYNTHÈSE. À l'aide des documents 2, 3 et 5, analysez les effets de l'évolution des procédures de licenciement sur l'emploi.

documents

B Relations professionnelles et négociations collectives

1. Typologie des relations professionnelles

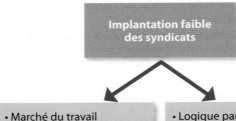

Implantation faible des syndicats	Implantation faible à intermédiaire des syndicats	Implantation forte des syndicats

Implantation faible des syndicats
- Marché du travail déréglementé
- Coordination marchande (pays anglo-saxons)

- Logique participative
- Fort dialogue social au sein de l'entreprise (Japon)

Implantation faible à intermédiaire des syndicats
- Régulation étatique
- Conflit et donnant-donnant (France)

Implantation forte des syndicats
- Coopération syndicats et employeurs
- Fort dialogue social (Allemange, pays scandinaves)

1. DÉFINIR. Quelles sont les différences de relations professionnelles entre les pays anglo-saxons et le Japon ?

2. EXPLIQUER. Comment expliquer le caractère coopératif des relations professionnelles en Allemagne et leur caractère conflictuel en France ?

3. EXPLIQUER. Comment peut-on expliquer le bon dialogue social en Allemagne et au Japon, alors même que l'implantation des syndicats y est différente ?

POUR APPROFONDIR

Institutionnalisation des relations professionnelles
On parle d'institutionnalisation des relations professionnelles lorsqu'il existe un système établi dans lequel les employeurs, les travailleurs et leurs représentants, ainsi que le gouvernement par voie directe ou indirecte, échangent leurs points de vue et conjuguent leurs efforts pour fixer les règles de base de la conduite des relations de travail. Ce système fonctionne à la fois sur des règles formelles — lois sur le travail — et informelles — les valeurs, par exemple.

2. Dialogue social en crise : la grève de l'usine Nutella

a. Le début de la grève et les revendications

Depuis mardi [12 avril 2011], l'usine française de Ferrero à Villers-Écalles (Seine-Maritime) est à l'arrêt. Plus aucun produit chocolaté ne sort de l'établissement, qui produit normalement 800 000 pots de Nutella et 1,2 million de barres Kinder Bueno. […]

Bloquer les lignes de production n'est pas anodin. D'autant plus qu'il s'agit là de la première grève depuis trente-sept ans chez Ferrero, de mémoire de syndicaliste. « Au départ, nous n'avions pas prévu un mouvement dans la durée. Mais la plupart des salariés nous ont soutenus, parce qu'ils ont vraiment besoin d'une augmentation, alors on poursuit le mouvement », concède Fabien Lacabanne, délégué syndical de Force ouvrière.

Les salariés demandent principalement une augmentation de 90 euros par mois et par personne, ce que l'entreprise a, pour l'instant, refusé.

Après avoir proposé une augmentation de 1,2 %, elle a avancé une hausse de 2 % pour ceux qui gagnent plus de 22 500 euros par an, et une hausse de 50 euros brut pour ceux qui gagnent moins.

Mais les syndicats tiennent à voir les salaires augmenter plus que les prix à la consommation, qui croissent de 2 % en France à cause notamment de la flambée du prix du pétrole. Ils poursuivent donc ce mouvement, radical, de blocage de la production, pour obtenir gain de cause.

20minutes.fr, 14 avril 2011.

b. La sortie du conflit et l'accord salarial

Les grévistes de l'usine Ferrero de Villers-Écalles (Seine-Maritime), qui fabrique du Nutella, ont approuvé ce vendredi soir [15 avril 2011] un protocole d'accord sur les salaires, négocié entre FO et la direction, qui met fin au conflit commencé mardi, a-t-on appris auprès de la direction.

Selon le directeur des relations extérieures, Christophe Bordin, le protocole prévoit une augmentation des salaires de 60 euros assortie d'une prime de 30 euros. FO réclamait une augmentation de 90 euros et la direction se limitait initialement à 1,2 % pour les salaires supérieurs à 22 500 euros annuels et 50 euros pour les autres.

lefigaro.fr, 15 avril 2011.

L'USINE NUTELLA EN GRÈVE

ON M'A TROP PRIS POUR UNE BONNE PÂTE

1. ILLUSTRER. Quels sont les acteurs de cette action collective ? Quelles sont leurs revendications ? (Doc. a)

2. EXPLIQUER. Pourquoi les syndicats de Nutella veulent-ils maintenir le mouvement, le 14 avril ? (Doc. a)

3. EXPLIQUER. Les syndicats ont-ils obtenu gain de cause ? (Doc. b)

4. RÉCAPITULER. Le dialogue social entre les partenaires sociaux et le patronat vous semble-t-il conflictuel ou coopératif ? (Doc. a et b)

3. Dialogue social et coopération : le cas d'EDF Energy

*Y*a-t-il eu des cas dans lesquels les syndicats se sont opposés à la mise en place ou la refonte de système d'évaluation comme cela a pu exister en France ?
Nous sommes persuadés qu'il n'y a pas de climat sain dans une entreprise sans un dialogue transparent, constructif et patient avec des représentants syndicaux et aussi non syndiqués. À la différence d'EDF en France, il existe à EDF Energy plusieurs statuts (accords collectifs) pour notre personnel syndiqué (« unionized ») et une large population d'employés non affiliés (les « personal contract holders », détenteurs d'un CDI individuel).

On engage le dialogue à la fois directement avec nos employés et avec leurs représentants syndicaux et les représentants du personnel non syndiqué. Tous les éléments d'appréciation ont été discutés. Régulièrement nos syndicats nous rappellent à la nécessité de ce dialogue entre les managers et leurs équipes, centré sur la performance et la formation pour éviter tout malaise.
Il n'existe pas de sujet de tension potentielle, de contentieux. C'est « win-win » comme on dit. C'est un patrimoine de l'entreprise. Nous sommes tous responsables de cela. Il n'y a pas de hiérarchie ou autre. Nous encourageons nos managers

à bien faire comprendre le lien entre les objectifs fixés et l'ambition de notre entreprise. C'est l'essence de notre pacte collectif d'entreprise juste, responsable et durable.

Entretien de Philippe Huet d'EDF Energy par Clotilde de Gastines, « EDF Energy : des principes gagnant-gagnant ? », metiseurope.eu, 4 octobre 2011.

1. EXPLIQUER. Le dialogue social s'effectue-t-il, dans cette entreprise, uniquement avec les syndicats ?

2. EXPLIQUER. Pourquoi les syndicats coopèrent-ils avec la direction ?

3. RÉCAPITULER. En quoi le principe « win-win » renforce-t-il l'esprit de coopération et le dialogue social dans cette entreprise ?

4. Les relations professionnelles par branche, en %

Branches professionnelles	Proportions de salariés dans les entreprises de 10 salariés ou plus	Proportions d'entreprises ayant engagées une négociation en 2008		Proportions d'entreprises ayant connu une grève en 2008	
		Ensemble	Présence de délégués syndicaux	Ensemble	Entreprises de 200 salariés ou plus
Métallurgie et sidérurgie	94	26,9	87	5,2	39,2
Habillement, cuir, textile	62	20,9	84	2,6	12
Agroalimentaire	69	14,6	86,1	1,7	21,9
Commerce alimentaire	93	17,7	79,8	2,3	19,1
Hôtellerie, restauration et tourisme	58	7,3	93,7	< 0,5	10,5
Banques et assurances	80	51,1	95	7,3	35,2
Ensemble	76	16,8	80,7	2,4	24,1

Source : Dares, juin 2010.

1. CONSTATER. Faites une phrase avec les données de la métallurgie.

2. EXPLIQUER. Quelle est l'importance des négociations collectives dans les entreprises de 10 salariés ou plus, où la part des salariés est inférieure à 60 % ? Pourquoi ?

3. EXPLIQUER. Quel est le lien entre la présence de délégués syndicaux et la proportion d'entreprises ayant effectué des négociations ? Donnez des exemples.

4. RÉCAPITULER. Faites un schéma avec les notions suivantes : « syndicats forts », « négociations collectives » et « grèves ».

5. « La glocalisation » des relations professionnelles

*D*ans ce cadre, s'impose très vite l'idée que, pour satisfaire au mieux aux impératifs d'une gestion flexible du travail et de l'emploi, la décentralisation des relations professionnelles est une stratégie opportune. De fait, au cours des années 1980 et 1990, la montée en puissance des régulations locales est une réalité commune à de nombreux espaces nationaux.
Ce dernier constat peut paraître paradoxal de prime abord. Pendant que les acteurs des relations professionnelles tentent de promouvoir des régulations en prise directe avec des réalités microéconomiques hétérogènes, n'assiste-t-on pas aussi à un glissement « vers le haut » des sources de la régulation ? L'Europe sociale progresse, certes à pas mesurés, mais l'une de ces avancées consiste à œuvrer aussi en faveur d'une normalisation de la flexibilité, celle de l'emploi au premier chef. La transformation des régulations du travail et de l'emploi s'accompagne, on le

voit, d'un double mouvement qui affecte les systèmes de relations professionnelles : d'un côté, une recomposition en faveur de régulations locales confiées aux acteurs de l'entreprise, du territoire…, de l'autre, une délégation normative au profit des organisations européennes.

Michel Lallement et Arnaud Mias, « Flexibilité du travail et "glocalisation" des relations professionnelles », *La société flexible*, Érès, 2005.

1. ILLUSTRER. Trouvez des exemples correspondant à la phrase soulignée.

2. EXPLIQUER. Quel va être l'impact des directives sociales européennes sur les relations professionnelles nationales ? Comment ces dernières risquent-elles d'évoluer ?

3. EXPLIQUER. Pourquoi les auteurs évoquent-ils un paradoxe au sujet de l'évolution des relations professionnelles ? Expliquez le néologisme « glocalisation » appliqué aux relations professionnelles.

ENTRAÎNEMENT

QUESTION DE COURS. Quels sont les différents types de relations professionnelles dans les sociétés occidentales ?

SYNTHÈSE. À l'aide des documents 1, 2 et 4, analysez les effets des relations professionnelles conflictuelles.

documents

C Formation des salaires, et processus sociaux et institutionnels

1. Une nouvelle grille de salaires dans la grande distribution

a. Message de la CFDT (nov. 2010)

Le 20 octobre dernier 2010 devait se dérouler la négociation salariale dans la grande distribution.

L'organisation patronale FCD[1] (Medef), dont Auchan fait partie, a annulé cette négociation qui sert de tremplin obligatoire à nos négociations d'entreprise. Alors même qu'il n'y a pas eu d'accord en 2010, les employeurs de la grande distribution pensent sans doute que le niveau des rémunérations de la branche, avec 5 minima de la grille inférieurs au Smic, les exonèrent de tout effort salarial ! Nous interprétons ce blocage[2] comme un chantage révoltant qui va pénaliser tous les salariés des enseignes de la branche.

1. Fédération des entreprises du commerce et de la distribution.
2. Après quelques péripéties, la négociation a finalement abouti quelques mois plus tars. La CFDT est signataire de la nouvelle grille de salaire à la branche, qui sera applicable au 1er mars 2011.

Source : CFDT.

b. Barème des salaires minima[1]

Niveaux	Taux horaire en €	Mensuel (151 h 67) en €	Pause (5% de 151h67 soit 7h58) en €	SMMG en €
Niveau 1				
A (6 premiers mois)	9	1 365,03	68,22	1 433,25
B (après 6 mois)	9,03	1 369,58	68,45	1 438,03
Niveau 2				
A (6 premiers mois)	9,02	1 368,06	68,37	1 436,44
B (après 6 mois)	9,09	1 378,68	68,90	1 447,58
Niveau 3				
A (12 premiers mois)	9,10	1 380,20	68,98	1 449,18
B (après 12 mois)	9,23	1 399,91	69,96	1 469,88
Niveau 4				
A (24 premiers mois)	9,27	1 405,98	70,27	1 476,25
B (après 24 mois)	9,81	1 487,88	74,36	1 562,24
Niveau 5	10,44	1 583,43	79,14	1 662,57
Niveau 6	11,04	1 674,44	83,68	1 758,12
Niveau 7	14,39	2 182,53	109,08	2 291,61
Niveau 8	19,35	2 934,81	146,67	3 081,49
Niveau 9	Cadres dirigeants			

1. Salaires mensuels bruts garantis pour un temps de travail effectif de 151 h 67 (soit 35 h par semaine) et un temps de pause de 7 h 58.

Source : CFDT.

1. ILLUSTRER. À quelle CSP semblent appartenir les salaires niveaux 1 et 2 ?

2. CALCULER. Calculer le taux de croissance du salaire horaire entre le niveau 1 et 4. Commentez.

3. DÉFINIR. Qui intervient dans la détermination des salaires chez Auchan ?

4. EXPLIQUER. Pourquoi certains salariés peuvent-ils se retrouver avec un salaire inférieur au Smic ?

> **POUR APPROFONDIR** Les négociations collectives
>
> Au niveau des branches professionnelles, est fixée une obligation annuelle de négocier (article L.132-12 du Code du travail). Ces négociations ont trois fonctions : elles fixent l'ordre hiérarchique global (écart entre le salaire minimum du plus haut coefficient d'une catégorie et le salaire minimum du coefficient le plus bas) ; elles établissent une structure hiérarchique interne (écart de salaires entre les coefficients successifs) ; et enfin elles donnent la valeur du salaire minimum affecté à chaque coefficient.

2. Négociations collectives et variation des salaires

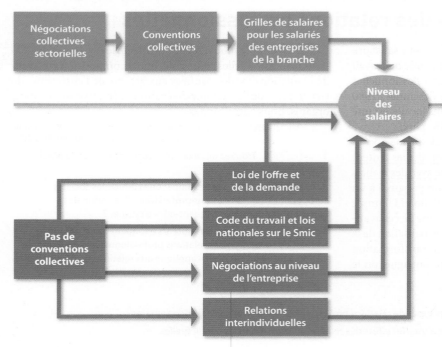

1. EXPLIQUER. Quel type de salarié risque d'avoir un salaire déterminé par la loi de l'offre et de la demande ? par une relation interindividuelle ? Pourquoi ?

2. EXPLIQUER. Les employeurs soumis à une convention collective sont-ils forcés de la suivre ?

3. EXPLIQUER. Que se passe-t-il pour le salarié, en particulier pour les smicards, en termes de salaire, si les conventions collectives n'ont pas lieu régulièrement ? (Voir aussi doc. 1)

> **POUR APPROFONDIR**
>
> **La convention collective**
> Une convention collective est un accord signé entre les partenaires sociaux et les organisations patronales au niveau d'une branche, en vue d'améliorer les conditions de travail et les salaires des entreprises de cette branche. Elle vient compléter les lois du Code du travail.

3. Les négociations au niveau de l'entreprise progressent

Les négociations collectives se déroulent au niveau national, sectoriel et de l'entreprise. [...] Les négociations sectorielles constituent le niveau de négociation le plus important en termes de couverture, bien que les salaires fixés par ce biais soient parfois inférieurs au salaire minimum national. [...]

Au niveau de l'entreprise, l'employeur est également tenu de mener des négociations annuelles sur les salaires, le temps de travail et d'autres questions quand il y a un délégué syndical – ce qui concerne essentiellement les entreprises de plus de 50 travailleurs. La loi n'impose cependant pas d'obligation d'accord et, parfois, l'employeur se contente d'écouter les revendications des syndicats, puis fixe unilatéralement les rémunérations et les conditions. La législation adoptée en 2004 permet aux accords d'entreprise de déroger à la convention sectorielle dans les domaines où celle-ci ne l'interdit pas expressément, comme les salaires minima. Par ailleurs, la loi de 2008 donne la primauté aux accords d'entreprise sur les accords sectoriels s'agissant du temps de travail.

fr.worker-participation.eu, 2011.

1. DÉFINIR. Quels sont les trois niveaux des négociations collectives ?

2. EXPLIQUER. Les négociations collectives traitent-elles uniquement des salaires ?

3. EXPLIQUER. Les lois de 2004 et 2008 tendent-elles à renforcer ou non le niveau entreprise ou le niveau sectoriel ?

4. RÉCAPITULER. Peut-on parler d'une décentralisation des négociations salariales ? Quelle en est la conséquence en termes d'inégalités salariales ?

4. Salaire minimum légal et taux de syndicalisation

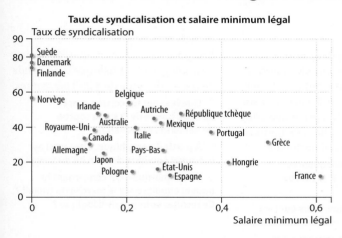

Taux de syndicalisation et salaire minimum légal

1. ILLUSTRER. Comment la France et le Danemark se situent-ils concernant la contrainte imposée par le salaire minimum légal et le taux de syndicalisation ?

2. EXPLIQUER. Pourquoi le taux de syndicalisation est-il fort dans les pays où le salaire minimum légal est faible ou inexistant ?

3. EXPLIQUER. Peut-on dire que, dans les pays sans salaire minimum légal, le sentiment de sécurité des travailleurs est faible ? (Voir aussi doc. 3, p. 369)

Note : en abscisse, degré de contrainte induit par le salaire minimum légal mesuré par un indice qui est compris entre 0 et 1. Plus l'indice est proche de 1, plus la contrainte imposée par le salaire minimum est forte ; un indice proche de 0 concerne les pays sans salaire minimum légal.

Source : Pierre Cahuc, Gilbert Cette et André Zylberberg, « Salaire minimum et bas revenus : comment concilier justice sociale et efficacité économique ? », rapport du CAE, 2008.

5. Le Smic, instrument de lutte contre le chômage ?

Le salaire minimum, qui existe en France depuis 1950, a un caractère structurant pour le marché du travail et les relations sociales. En termes d'économie politique des réformes, toucher au Smic est très symbolique. Il faut donc de solides arguments économiques et sociaux pour suggérer à un gouvernement de refondre le dispositif existant.

1. Le Smic induirait du chômage. [...] Les travaux empiriques sur la question en France suggèrent que le Smic aurait un effet négatif sur l'emploi des moins de 30 ans. Il demeure que la France détient un des plus faibles taux d'emploi des moins de 25 ans. Attribuer cette particularité uniquement au salaire minimum serait cependant un raccourci. En effet, la faiblesse du taux d'emploi des jeunes

Français est essentiellement due à un très faible taux de cumul emploi-études : environ 10 % des 15-24 cumulent études et travail, contre 55 % à 60 % aux Pays-Bas ou au Danemark, par exemple.

2. Le Smic coûterait très cher à l'État. Cet argument repose sur l'idée que les entreprises ne supporteraient un Smic élevé que parce qu'elles bénéficient d'importants allégements de cotisations au niveau du salaire minimum [...]. Sans la prise en charge par l'État d'une partie des cotisations sociales des employeurs, le coût du travail au Smic serait effectivement plus important que dans les autres pays à salaire minimum « élevé ». Et il est exact que le poids budgétaire est lourd : autour de 20 milliards d'euros annuels. Les allégements de cotisations étant calculés en

référence au Smic, si celui-ci décline en termes réels, la facture pour l'État pourrait diminuer rapidement. [Mais], outre des difficultés considérables pour les plus bas salaires, une consommation en berne, et donc des rentrées fiscales qui baissent pour les finances publiques.

Philippe Askenazy,
« Est-il urgent de réformer le Smic ? »,
Alternatives économiques, n° 269, mai 2008.

1. EXPLIQUER. Dans quelle mesure le Smic est-il une cause du chômage des jeunes ?

2. EXPLIQUER. Pourquoi le Smic coûte-t-il cher à l'État ?

3. RÉCAPITULER. À partir d'un schéma, montrez qu'une baisse du Smic peut nuire à l'emploi et aux finances publiques.

ENTRAÎNEMENT

QUESTION DE COURS. En quoi les négociations collectives influent-elles sur le niveau des salaires ?

SYNTHÈSE. À l'aide des documents 4 et 5, dites quelles sont les conséquences d'un salaire minimum légal sur le chômage.

documents

1. Le fonctionnement du marché du travail selon les néoclassiques

Soit une économie fictive dans laquelle le marché du travail fonctionne selon la loi de l'offre et de la demande en concurrence pure et parfaite. L'office statistique de cette économie donne les informations suivantes :
O désigne l'offre de travail ; D, la demande de travail ; et Ω, le salaire réel.

Les chiffres sont donnés en milliers.

Ω	1	2	3	4	5
O	2	4	6	8	10
D	8	7	6	5	4

1. Analyse de court terme

Exercice 1

1. Dans un repère où les quantités (O et D) sont en abscisse et le prix du travail (W) en ordonnée, représentez les courbes d'offre et de demande de travail.

2. Quel est l'équilibre de plein-emploi ? Situez ce point d'équilibre sur le graphique.

3. Soit le point de coordonnées (8,4). Caractérisez la situation d'emploi. L'économie subit-elle du chômage à ce niveau de salaire ?

Exercice 2

Imaginons qu'un baby-boum se soit produit dans cette économie, une vingtaine d'années auparavant : 4 000 personnes en âge de travailler arrivent sur le marché du travail. Ces personnes vont alors chercher à travailler et s'ajoutent alors à l'offre de travail nationale.

1. Quelles sont les conséquences de cette hausse de O sur la courbe d'offre de travail ?

2. À partir du graphique, dites quel est le nouvel équilibre de marché du travail.

3. Que remarque-t-on concernant le nouvel équilibre sur le marché du travail ? Ce résultat vous paraît-il logique ?

Exercice 3

Imaginons maintenant que l'évolution technologique soit telle que la demande de travail diminue de 4 000 personnes.

1. Quelles sont les conséquences de cette baisse de D sur la courbe de demande de travail ?

2. À partir du graphique, dites quel est le nouvel équilibre de marché du travail.

3. Que remarque-t-on concernant le nouvel équilibre sur le marché du travail ? Ce résultat vous paraît-il logique ?

2. Analyse de long terme

Exercice 4

Imaginons maintenant que le marché du travail ci-dessus soit celui de la main-d'œuvre non qualifiée, avec les conditions de l'exercice 3. L'évolution technologique dont il est question touche donc cette partie de la main-d'œuvre. Voyant que leurs salaires diminuent, les travailleurs non qualifiés vont se former pour améliorer leurs niveaux de qualification. Ainsi, le nombre de travailleurs non qualifiés diminue à long terme de 2 000 personnes.

1. Quelle est, d'un point de vue graphique, la conséquence de cette variation sur la courbe d'offre de travail ?

2. À partir du graphique, dites quel est le nouvel équilibre.

3. Que remarque-t-on ?

4. Si cette main-d'œuvre devient qualifiée, que se passe-t-il sur le marché du travail de main-d'œuvre qualifiée ? Raisonnez de façon littéraire.

3. Synthèse

En admettant la libre concurrence des travailleurs et la parfaite mobilité du travail, [...] les taux de salaires ont toujours tendance à s'adapter à la demande de telle façon que tout le monde soit employé. Par conséquent, en condition de stabilité, chacun trouve normalement un emploi.

Arthur Cecil Pigou, *La théorie du chômage*, 1933.

À partir des exercices 1 et 2 et de la citation, dites à quelles conditions le plein-emploi est réalisé, dans la théorie néoclassique du chômage.

2. Un plan de licenciement au *Monde*

Ce TD est construit à partir d'un article de Camille Dupuy, « L'entreprise de presse en conflit. *Libération* et *Le Monde* en restructuration », publié dans la revue *Travail et Emploi*, n° 124, avril 2010. L'auteur veut montrer que les plans de licenciement collectif ont été modifiés grâce à l'action des salariés et des syndicats.

1 ▪ L'enquête de terrain

Conduite de 19 entretiens semi-directifs, au cours desquels il a été demandé aux enquêtés de raconter le processus de restructuration. Les enquêtés sont des journalistes (délégués syndicaux, membres du comité d'entreprise, délégués du personnel, des journalistes qui ont choisi de partir au moment du plan social), des « non-journalistes » (cadres, employés et ouvriers, membres de la direction). Tous les enquêtés ont plus de 40 ans et de l'ancienneté dans les entreprises étudiées. La répartition en termes de genre est égale. Les plans de licenciement étudiés sont ceux de 2006.

2 ▪ Histoire et évolution du cadre institutionnel et social du *Monde*

1951	Création de la société des rédacteurs du *Monde* (SRM), actionnaire majoritaire du groupe, société coopérative.
Années 1980	Les difficultés commencent ; obligation d'ouverture du capital ; l'arrivée d'actionnaires extérieurs est mal perçue.
2001	Création d'un groupe de presse (*La Vie-Le Monde*) ; le quotidien reste le rouage central.
Janvier 2007	La SRM est déficitaire depuis plusieurs années ; résultat du groupe en dégradation depuis 2001.
Mars 2008	Annonce d'un plan de départs contraints au *Monde*.

3 ▪ Le rôle des salariés actionnaires et des syndicats

Les sociétés de personnels actionnaires jouent un rôle important en amont de la négociation du contenu du plan de sauvegarde de l'emploi. Elles interviennent au moment même de l'élaboration et de la définition des termes du plan en conseil d'administration. Au *Monde*, les justifications économiques et marchandes avancées par la direction ne sont pas remises en cause. Salariés et dirigeants partagent l'idée que l'entreprise doit s'adapter à son environnement.
Mais, le plan prévoit que les départs soient contraints. Or les salariés du *Monde* ont l'habitude de plans de départs volontaires. Ils considèrent que la rupture du contrat de travail doit être le résultat du choix du salarié. Cependant, un plan de départs contraints coûte moins cher à l'entreprise qu'un plan de départs volontaires.
« Culturellement, c'était très difficile de faire autre chose qu'un plan de départs volontaires, rationnellement, il fallait un plan de départs contraints », résume un membre de la SRM dans un entretien.
Le fait que les salariés actionnaires acceptent la tenue d'un plan de départs constitue un préambule à l'acceptation par les autres instances de représentation du personnel de la nécessité économique d'une restructuration. C'est sur les conséquences et les modalités pratiques de ces restructurations que les salariés vont s'opposer à la direction dans le cadre de la négociation collective, mais pas sur son principe même. Les syndicats sont l'autre acteur central dans les négociations collectives. L'outil le plus remarquable et le plus efficace dont disposent les syndicats est le droit de grève. Au *Monde*, la grève est largement acceptée. Cependant, les syndicats agissent aussi par le dialogue.

4 ▪ Syndicats et négociations

Ces négociations ont permis de réelles avancées sur le contenu des plans sociaux. Au *Monde*, après négociations, le nombre de postes supprimés passe de 129, initialement prévus, à 105, effectifs. Mais plus que ces gains en termes de postes, les négociations ont permis le passage d'un plan de départs contraints à un plan de départs volontaires. Les indemnités de départ sont avantageuses (et donc supérieures à celles garanties par les conventions collectives qui sont appliquées en cas de départs contraints) afin d'inciter les gens à partir.

1. Pourquoi l'enquête effectue-t-elle une répartition égale en termes de genre parmi les enquêtés ? (Doc. 1)

2. Qu'est-ce qu'une société coopérative ? (Doc. 2)

3. Comment expliquer le déficit de la SRM ? (Doc. 2)

4. Expliquez la phrase soulignée. (Doc. 3)

5. Peut-on dire que les syndicats acceptent de coopérer avec les dirigeants ? et les salariés actionnaires avec les dirigeants ?

6. Pourquoi les syndicats ont-ils recours à la grève ? Pourquoi cette grève a-t-elle été si bien suivie ? (Doc. 4)

7. Le dialogue social a-t-il permis d'infléchir le plan de licenciement dans un sens plus favorable aux salariés ? (Doc. 4)

Comment fonctionne le marché du travail ?

Le travail est-il une marchandise échangeable sur un marché concurrentiel ? La présence de l'hétérogénéité du facteur travail et de l'asymétrie d'information nous montre le contraire. Mieux encore, le marché du travail apparaît comme une construction sociale, encadrée par des institutions publiques et les partenaires sociaux.

ACQUIS DE PREMIÈRE

→ Voir **Réviser les acquis de 1ʳᵉ**, p. 358 et Lexique

- Asymétrie d'information
- Coopération
- Hiérarchie
- Marché
- Preneur de prix
- Prix et quantité d'équilibre
- Rationnement

I. Le marché du travail est-il un marché de concurrence pure et parfaite ?

A. L'approche des économistes néoclassiques

Les économistes néoclassiques considèrent que le marché du travail est un marché parfait. Si les conditions de concurrence pure et parfaite sont remplies, les offreurs de travail – les ménages – et les demandeurs de travail – les entreprises – sont preneurs de prix, et le taux de salaire réel est un prix de marché qui dépend de la tension entre l'offre et la demande.

Les offreurs de travail acceptent d'offrir plus de travail, lorsque le salaire réel augmente. Ainsi, l'offre de travail est une fonction croissante du salaire réel. De leur côté, les demandeurs de travail, s'ils embauchent, pourront produire davantage, donc vendre plus et espérer un meilleur chiffre d'affaires. Néanmoins, un travailleur supplémentaire pèse sur les coûts de production ; l'embauche se fait jusqu'à ce que le coût salarial unitaire égalise la productivité marginale du travail. En fin de compte, la demande de travail diminue quand le taux de salaire réel augmente. On en déduit une courbe de demande de travail décroissante par rapport au salaire réel.

Au point d'équilibre, le taux de chômage est nul. Si, l'offre de travail excède la demande de travail, la loi de l'offre et de la demande s'applique : le taux de salaire réel baisse, ce qui entraîne une baisse de l'offre de travail et l'on revient progressivement à l'équilibre général de plein-emploi. Le chômage, s'il existe, ne peut être que temporaire ou volontaire.

B. Marché du travail et concurrence imparfaite

Empiriquement, on constate que l'offre de travail ne croît pas forcément quand le salaire réel augmente. Si les agents ont un niveau de patrimoine conséquent, ils ne cherchent pas à travailler plus, même si on leur offre un salaire plus élevé. En revanche, la relation croissante est valable pour les catégories sociales modestes.

En outre, le salaire n'est pas un vrai prix de marché. Il est illusoire de croire qu'il est déterminé par la confrontation entre les offreurs et demandeurs de travail. Keynes insistait déjà sur le fait qu'il y avait une asymétrie de pouvoir entre les deux, aux dépens des offreurs de travail. Ces derniers n'ont aucune prise sur le niveau de salaire qu'ils vont obtenir. Keynes montrait que l'emploi dépendait de la demande anticipée par les entreprises. Lorsque celle-ci augmente, les entrepreneurs augmentent leur demande de travail, et ils fixent alors le salaire d'embauche. Ce dernier est donc déterminé sur le marché des biens et services.

L'idée selon laquelle les entrepreneurs doivent baisser les salaires pour faciliter les embauches s'avère elle aussi caduque. En effet, augmenter le salaire peut être une stratégie visant à augmenter la motivation des salariés, et donc leur productivité. C'est le salaire d'efficience, à savoir celui qui maximise la productivité des travailleurs. Cette approche est d'autant plus vraie que le marché du travail est dominé par des asymétries d'information et, plus exactement, le problème de la sélection adverse et de l'aléa moral. Le salaire plus élevé permet de remédier à ces asymétries en sélectionnant les meilleurs travailleurs. L'approche en termes de salaire d'efficience est aussi développée par les sociologues : les salariés sont motivés pour offrir une quantité de travail supérieure au salaire qui égalise leur productivité marginale du travail, car ils espèrent « un don » de la part de leurs employeurs.

■ Enfin, on constate une segmentation du marché du travail en deux compartiments. Sur le premier, qualifié de marché primaire, se trouve de la main-d'œuvre protégée par un contrat de travail stable – type CDI –, plutôt diplômée, le salaire est déterminé de manière individuelle et diffère du salaire concurrentiel. Sur le marché secondaire, on rencontre de la main-d'œuvre soumise à la précarité de l'emploi – des contrats instables –, peu qualifiée et les salaires sont ceux du marché ; cette catégorie de main-d'œuvre a peu de marge de manœuvre quant à la détermination de son salaire. Alors que les CDI constituaient l'essentiel des créations d'emplois durant les Trente Glorieuses, les normes d'emploi se diversifient après les années 1970.

II. Le marché du travail est-il une construction sociale ?

■ Aujourd'hui, les thèmes de la gestion de l'emploi et du marché du travail ont été investis par les sociologues : ils montrent que le fonctionnement de ce marché repose aussi sur des processus sociaux, politiques et institutionnels, lesquels peuvent avoir des conséquences économiques.

A. La gestion de l'emploi encadrée par les lois

■ Malgré une plus forte flexibilité, le marché du travail reste soumis à des contraintes institutionnelles. Le contrat de travail demeure un document légal qui fixe les devoirs et les droits des salariés et de l'employeur. La possibilité de licencier, bien que plus facile aujourd'hui, n'est pas unilatérale : il existe des possibilités de recours à des instances légales pour le salarié qui verrait ses droits bafoués.

B. Relations professionnelles et négociations collectives

■ Les acteurs du marché du travail ne sont pas anonymes. Salariés, syndicats – qui constituent les partenaires sociaux – et dirigeants employeurs sont en interaction permanente. Ainsi, les relations professionnelles se sont-elles institutionnalisées. Selon les pays, ces dernières sont tantôt conflictuelles – cas de la France –, tantôt coopératives – Allemagne, pays nordiques. Dans ces derniers pays, le dialogue entre partenaires sociaux, salariés, qu'ils soient ou non syndiqués, et patrons est régulier. Les décisions qui viennent d'en haut sont alors plus facilement acceptées. En France, les conflits nuisent au dialogue social. Néanmoins, les mouvements de décentralisation à partir des années 1980 et la mondialisation des firmes ont bouleversé les typologies nationales de relations professionnelles : elles sont à la fois locales – au niveau de l'entreprise – mais aussi plus globales – supranationalité des comités d'entreprise, par exemple.

C. Formation des salaires, et processus sociaux et institutionnels

■ L'État est un acteur social important qui intervient lors des négociations collectives salariales. La plupart des pays privilégient les négociations par branche, lesquelles fixent, via des conventions collectives, les grilles salariales applicables à tous les salariés de la branche. Cependant, depuis les années 1980, les négociations au niveau de l'entreprise sont encouragées. Ces négociations salariales peuvent aller à l'encontre de celles votées par branche. Elles influent sur le niveau des salaires dans les entreprises. À côté de ces négociations collectives, les salaires dépendent aussi de la place de l'État dans l'économie. Dans certains pays comme la France, il impose un salaire minimum légal élevé. On montre que les avantages positifs au niveau du soutien de la demande sont indéniables, mais ce minimum aurait aussi des effets néfastes sur les relations professionnelles entre les syndicats et les employeurs.

synthèse

Synthèse (suite)

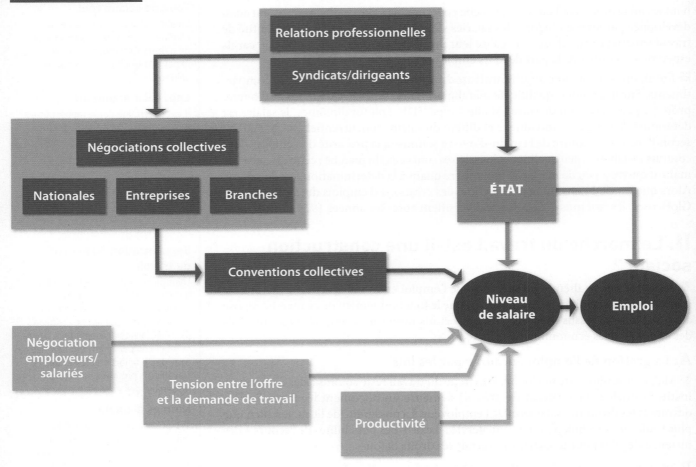

À la fin du chapitre, assurez-vous que :

➔ Vous connaissez les facteurs qui déterminent l'emploi et le salaire (économiques, sociaux et institutionnels).	➔ Vous savez expliquer le fonctionnement du marché du travail selon la théorie néoclassique.	➔ Vous êtes en mesure d'identifier les imperfections du marché du travail et d'analyser leurs conséquences sur l'emploi.	➔ Vous êtes capable de montrer l'influence des négociations collectives sur la formation des salaires et d'en tirer des conséquences économiques et sociales.	➔ Vous connaissez le rôle de l'État dans la formation des salaires et la gestion de l'emploi (détermination d'un salaire minimum légal et des lois encadrant la relation employeur/employé).

POUR ALLER PLUS LOIN

Livres
- Centre d'études de l'emploi, *Le contrat de travail*, La Découverte, coll. « Repères », 2008.
- Michèle Bonnachère, *Le droit du travail*, La Découverte, coll. « Repères », 2008.

Sites
- www.insee.fr
- www.travail-emploi-sante.gouv.fr (ministère du Travail, de l'Emploi et de la Santé)
- www.eurofound.europa.eu/eiro/2005/03/study/tn0503110s. html (une étude sur l'évolution des systèmes nationaux de négociation collective depuis 1990)
- http://fr.worker-participation.eu/Systemes-nationaux/ En-Europe/Negociations-collectives (une étude sur les systèmes de négociation collective européens)

Documentaire
- *La mise à mort du travail*, un documentaire de Jean-Robert Viallet, France 3, 2009. La série documentaire est disponible en DVD.

autoévaluation

1 Vrai ou faux ?

Justifier les réponses.

1. Lorsque le salaire réel augmente, la demande de travail des entrepreneurs augmente.

2. Selon Keynes, l'emploi est déterminé par la production, laquelle dépend de la demande anticipée par les entreprises.

3. Les négociations collectives par branche sont les moins courantes en Europe.

4. De mauvaises relations professionnelles sont favorables aux salariés.

3 Compléter un texte

Compléter le texte à l'aide des termes et expressions ci-dessous.

Le dialogue social • Conventions collectives
• Syndicalisme • L'État • Salaire minimum légal
• Les relations professionnelles • Salaire réel
• Les négociations collectives par branche
• Coût de la vie • Smic • Demande
• Les partenaires sociaux

Le ... est une variable économique, dont l'évolution dépend aussi du rôle de ... . En effet, dans certains pays, il fixe un ..., en deçà duquel les entreprises ne peuvent descendre. Ce salaire minimum est établi en fonction du ... . Il permet de soutenir la ... et contribue alors positivement à l'emploi et à la croissance, d'après une logique keynésienne.
Néanmoins, en France, il arrive que les salaires de la main-d'œuvre non qualifiée soient inférieurs : les ... déterminent des ... qui fixent des grilles d'évolution des salaires ; certains salaires peuvent commencer en deçà du ... . On montre aussi qu'un salaire minimum légal élevé détourne les salariés du ..., l'État remplace alors en quelque sorte ... .
Il existe alors un risque pour que le ... soit plus tendu entre les employeurs et les syndicats, peu puissants. ... sont alors conflictuelles.

2 QCM

1. Selon les néoclassiques, l'offre de travail dépend positivement :
a. ☐ du revenu disponible.
b. ☐ du salaire nominal.
c. ☐ du salaire réel.

2. L'entrepreneur maximise son profit lorsque :
a. ☐ le salaire réel est égal au profit.
b. ☐ le salaire réel est égal à la productivité marginale du travail.
c. ☐ l'investissement augmente.

3. Lors de l'entretien d'embauche, la sélection adverse a pour conséquence que :
a. ☐ l'employeur sait tout sur le candidat.
b. ☐ l'employeur ne peut pas vérifier si le candidat dit la vérité sur ses compétences.
c. ☐ l'employeur peut voler le candidat.

4. Selon l'approche du salaire d'efficience, afin de motiver les travailleurs, le salaire :
a. ☐ a tout intérêt à être supérieur au salaire réel d'équilibre.
b. ☐ a tout intérêt à être identique au salaire réel d'équilibre.
c. ☐ a tout intérêt à être inférieur au salaire réel d'équilibre, afin de réduire encore plus les coûts de production.

5. Un marché du travail dual signifie que :
a. ☐ il existe deux segments étanches : interne (main-d'œuvre précaire) et externe (main-d'œuvre protégée).
b. ☐ il existe deux segments fluides.
c. ☐ il existe deux segments étanches : interne (main-d'œuvre protégée) et externe (main-d'œuvre en situation précaire).

4 Construire des phrases

Retrouver les cinq phrases en reliant les éléments des trois colonnes ci-dessous.

• Des procédures de licenciement lourdes et complexes	• a été instaurée	• à mettre son activité à la disposition d'une autre personne, moyennant une rémunération.
• Un employeur	• s'engage	• de nuire à l'emploi.
• La rupture conventionnelle du contrat de travail	• ne peut pas licencier	• afin d'aider les demandeurs d'emploi à retrouver plus facilement un emploi, en cas de licenciement économique.
• Le droit au reclassement	• sont accusées	• pour rendre le marché du travail plus souple.
• Le contrat de travail est une convention par laquelle une personne	• a été créé	• une personne au motif d'un critère religieux.

Dissertation

SUJET Vous montrerez que le salaire n'a pas qu'une dimension économique.

DOCUMENT 1

Le salaire mensuel net moyen des hommes est de 2 221 euros pour un équivalent temps plein, celui des femmes de 1 777 euros (données 2009). Les hommes perçoivent donc, en moyenne, un salaire supérieur de 25 % (en équivalent temps plein) à celui des femmes. Ou, ce qui revient au même, les femmes touchent un salaire équivalent à 80 % de celui des hommes, donc inférieur de 20 % [...]. L'écart mensuel moyen est de 445 euros, soit presque un demi-Smic.

Plus on progresse dans l'échelle des salaires, plus l'écart entre les femmes et les hommes est important, les premières étant beaucoup moins nombreuses dans le haut de l'échelle. Toujours en équivalent temps plein, le niveau de salaire maximal des 10 % des femmes les moins bien rémunérées représente 91 % du salaire maximal des 10 % des hommes les moins bien rémunérés (1 081 euros pour les femmes contre 1 182 euros pour les hommes). Le salaire minimum des 10 % des femmes les mieux rémunérées équivaut à 77 % du salaire minimum des 10 % des hommes les mieux rémunérés (soit 2 751 euros pour les femmes contre 3 596 euros pour les hommes). Si l'on prend en compte les 1 % les mieux rémunérés, c'est encore pire : les femmes touchent au mieux un salaire équivalent à 63 % de celui des hommes (les femmes gagnent au mieux 5 472 euros contre 8 624 euros pour les hommes).

Source : inegalites.fr, 22 décembre 2011.

DOCUMENT 2 **Le risque d'être sujet à un « bas salaire » en 2005**

		Part des travailleurs à bas salaire	Risque d'être à bas salaire (% de variation par rapport à la catégorie de référence)
Sexe	Homme	34,3	Réf.
	Femme	65,7	+ 44,8
Âge	< 26 ans	23,1	+ 98,8
	26-35 ans	21,6	+ 17
	36-45 ans	24,7	Ns[1]
	46-55 ans	22	Réf.
	56 ans et +	8,6	+ 29,1
Niveau d'étude	Enseignement supérieur	12,4	− 28,7
	Baccalauréat	17,4	Réf.
	Diplôme 1er cycle secondaire	34,7	+ 31,3
	Aucun diplôme ou CEP	35,5	+ 112
Nombre d'heures travaillées	Temps plein	63,1	Réf.
	Temps partiel > 30 h/semaine	9,6	+ 72,6
	Temps partiel < 15 h/semaine	7,3	+ 90,9
PCS	Cadres, prof. intel. sup.	2,7	Réf.
	Professions intermédiaires	11,2	+ 65,4
	Employés	59	+ 205
	Ouvriers qualifiés	10,9	+ 131
	Ouvriers non qualifiés	16,2	+ 190
Type de contrat de travail	CDI	68	Réf.
	CDD	20,1	+ 216
	Stages et contrats aidés	7,4	+ 206

1. Non significatif.
Philippe Askenazy, Ève Caroli et Jérôme Gautié, « Panorama des bas salaires et de la qualité de l'emploi peu qualifié en France », in *Bas salaires et qualité de l'emploi : l'exception françaises ?*, Éditions Rue d'Ulm/Presses de l'École normale supérieure, 2009.

DOCUMENT 3 **Montant brut du Smic en France**

	Smic horaire (en euros)	Smic mensuel (en euros) pour 151,67 heures de travail	Hausse (en %)
2005 (au 1er juillet)	8,03	1 217,9	5,5
2006 (au 1er juillet)	8,27	1 254,3	3
2007 (au 1er juillet)	8,44	1 280,1	2,1
2008 (au 1er mai)	8,63	1 308,9	2,3
2008 (au 1er juillet)	8,71	1 321	0,9
2009 (au 1er juillet)	8,82	1 337,7	1,3
2010 (au 1er janvier)	8,86	1 343,8	0,5
2011 (au 1er janvier)	9	1 365	1,5
2012 (au 1er janvier)	9,22	1 398,37	0,3

Source : ministère du Travail, de l'Emploi et de la Santé, 2012.

Thèmes des accords négociés et conclus dans l'année dans les entreprises dotées d'un délégué syndical

Réponse à la question : « Sur quel(s) thème(s) portai(en)t le ou les accords signé(s) au niveau central de l'entreprise ? »	En % d'entreprises ayant un délégué syndical[1]			
	2005[2]	2006	2007	2008
Salaires et primes	49,2	42,3	46,8	47,8
Épargne salariale (intéressement, participation, PEE, etc.)	20,1	16,6	21,9	21,4
Temps de travail (durée, aménagement)	19,7	18,4	16,7	20
Protection sociale complémentaire (prévoyance, santé, ...)	7,1	6,3	8	9,1
Classifications, qualifications	6,2	6	6,4	6,4
Conditions de travail	6,5	4,6	5	4,7
Emploi (y compris restructuration, PSE)	4,7	3,7	5,1	5,3
Formation professionnelle	6,4	4,7	4,1	5,8
Égalité professionnelle, non discrimination	3,8	5,2	7,2	7,8
Droit syndical, représentation du personnel	5,9	5,8	5,4	4,5
Autres	5	3,5	3,7	4

Champ : entreprises de 10 salariés ou plus (secteur marchand non agricole).
Lecture : en 2005, parmi les entreprises de 10 salariés ou plus où un délégué syndical est présent, 49,2 % ont conclu un accord ou un avenant (au niveau central de l'entreprise stricto sensu) portant sur le thème « salaires et primes ».

1. Plusieurs thèmes peuvent être abordés dans un ou plusieurs accords. Le total des pourcentages est de ce fait supérieur à 100 %.
2. Les résultats de 2005 ne sont pas parfaitement comparables aux années ultérieures : s'agissant en effet de la première édition de l'enquête, les questions sur l'existence de négociation et d'accords signés, préalables à l'évocation des thèmes des accords, n'ont pas été posées de façon strictement identique aux éditions suivantes. Les évolutions d'une année sur l'autre ne sont pas toutes significatives statistiquement.

Source : Ministère du Travail, de l'Emploi et de la Santé, Dares, 2010.

> **POUR VOUS AIDER** Construire un plan
>
> Il convient, ici, de se demander tout d'abord pourquoi l'approche économique du salaire est insuffisante, pour ensuite s'intéresser aux déterminants sociaux et institutionnels du salaire.
>
> Conseil : pour construire un plan, pensez aux différentes dimensions d'un phénomène : économique, social, politique.

Épreuve composée (entraînement Chapitre 14)

PARTIE 1 Mobilisation des connaissances

QUESTION 1 (3 points) : En quoi le marché du travail est-il un marché de concurrence pure et parfaite ?

QUESTION 2 (3 points) : Quelles sont les conséquences des asymétries d'information sur le fonctionnement du marché du travail ?

> **POUR VOUS AIDER** Interpréter la consigne
>
> « En quoi » est synonyme de « comment, de quelle manière, jusqu'à quel point ». Il convient ici de rappeler les conditions de la concurrence pure et parfaite, et de les comparer à un marché précis : le marché du travail.
>
> Conseil : bien interpréter la consigne est aussi important que maîtriser les notions à traiter.

PARTIE 2 Étude d'un document

QUESTION (4 points) : Vous présenterez ce document puis montrerez que le marché du travail est segmenté.

Salaires horaires moyens et répartition des effectifs[1]

	Salaires bruts			Salaires nets de tous prélèvements			Répartition des effectifs (%)	
	En euros courants		En euros constants	En euros courants		En euros constants	2008	2009
	2008	2009	Évolution (en %)	2008	2009	Évolution (en %)		
Salariés à temps complet								
Hommes	18,97	19,13	0,8	14,29	14,45	1	65,2	64,9
Femmes	15,83	16,10	1,6	11,83	12,07	1,9	34,8	35,1
Ensemble	**17,87**	**18,07**	**1**	**13,43**	**13,62**	**1,3**	**100**	**100**
Cadres[2]	34,15	33,63	– 1,6	25,38	24,97	– 1,7	17,7	18,1
Prof. interm.	18,38	18,35	– 0,3	13,76	13,79	0,2	19,9	21,2
Employés	12,93	13,05	0,8	9,81	9,94	1,2	26,4	26
Ouvriers	13,21	13,49	2	10,04	10,31	2,6	36	34,7
Salariés à temps non complet								
Hommes	16,91	17,02	0,6	12,88	13	0,8	30,1	29,7
Femmes	13,80	13,98	1,2	10,33	10,52	1,8	69,9	70,3
Ensemble	**14,74**	**14,88**	**0,9**	**11,1**	**11,26**	**1,3**	**100**	**100**
Cadres[2]	29,45	29,84	1,2	21,81	22,15	1,5	12	12,6
Prof. interm.	17,46	17,24	– 1,4	13,14	13	– 1,2	15	16,1
Employés	11,64	11,7	0,5	8,81	8,9	0,9	51	50,1
Ouvriers	11,83	11,87	0,2	9,09	9,16	0,7	22,1	21,3
Smic	8,61	8,77	1,8	6,76	6,88	1,7	–	–

1. Effectifs en nombre d'heures travaillées. 2. Y compris chefs d'entreprise salariés.
Champ : salariés du secteur privé et semi-public, France.

Source : Insee, Dads.

PARTIE 3 Raisonnement s'appuyant sur un dossier documentaire

SUJET (10 POINTS) : Montrez que les négociations collectives agissent sur la gestion de l'emploi.

DOCUMENT 1 Part des entreprises ayant déclaré au moins une grève selon le nombre de thèmes abordés dans les accords collectifs signés en 2007

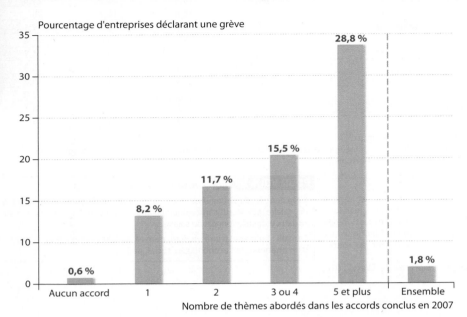

Pourcentage d'entreprises déclarant une grève

Nombre de thèmes abordés dans les accords conclus en 2007

Lecture : parmi les entreprises qui ont abordé 3 ou 4 thèmes dans le ou les accords qu'elles ont signés en 2007, 15,5 % déclarent par ailleurs avoir connu une grève en 2007.
Champ : entreprises de 10 salariés ou plus (secteur marchand non agricole).

Source : enquête Acemo, « Négociation et représentation des salariés », Dares.

DOCUMENT 2

Le mouvement de grève à Ikea France a été « suspendu » vendredi dans l'attente d'une réunion de conciliation lundi. Syndicats et direction se retrouvent lundi [9 février 2010], alors qu'« il y a eu une ouverture et de la discussion » jeudi [5 février] à la Direction départementale du travail et de l'emploi, a indiqué vendredi [6 février] Salvatore Rinoldo, de la CFDT. Le conflit, qui porte sur les salaires, a débuté le 6 février avec une grève sans précédent le 13, avec 23 enseignes d'Ikea France touchées.

Après plus d'une semaine de conflit sur les salaires, le personnel d'Ikea France a obtenu quelques avancées, sans toutefois faire plier le géant suédois de l'ameublement.

Du côté de FO, Sébastien Heim, délégué syndical central, avait indiqué jeudi que chaque syndicat allait « consulter ses bases » vendredi sur les nouvelles propositions de la direction, estimant que la prochaine réunion lundi avec l'inspection du travail serait « déterminante ».

L'intersyndicale CGT-FO-CFDT, qui demandait initialement une hausse générale de 4 % des salaires, avait finalement proposé une augmentation de 50 euros pour tous les salariés. De son côté, la direction avait réitéré son offre d'une augmentation collective des salaires de 1 % et une hausse au mérite de 1 %. Elle proposait initialement une augmentation individuelle en fonction des performances de 1,2 %, sans augmentation générale.

Ce mouvement de grève « historique » chez Ikea a écorné l'image du groupe suédois qui assure défendre des valeurs comme la « hiérarchie courte », « la recherche du consensus » ou encore « le recrutement basé sur les compétences ».

Un mécontentement historique

Au plus fort du mouvement, la direction a recensé quelque 500 grévistes parmi les 5 500 salariés devant travailler, essentiellement en région parisienne et notamment à Franconville (Val-d'Oise), où le magasin a gardé portes closes. La CGT, qui évoque « un mouvement massif », a, elle, dénombré plus de 50 % de grévistes.

C'est la première fois qu'Ikea est confronté à un mouvement social « d'une telle ampleur », a reconnu la direction. Depuis huit jours, le mouvement vise à faire plier le géant suédois de l'ameublement sur les salaires du personnel qui compte 8 800 employés en France.

23 magasins sur 26 en France ont été touchés samedi 13 février par le mouvement de protestation des salariés. Mardi 9 février, déjà, trois magasins n'avaient pas pu ouvrir leurs portes.

Source : info.france2.fr, 2010.

Sujet d'oral

Questions de connaissance

QUESTION 1 (3 points) : Quel est l'impact des relations professionnelles sur l'emploi ?

QUESTION 2 (3 points) : Qu'appelle-t-on marché du travail « dual » ?

Outils et savoir-faire

QUESTION 3 (4 points) : Quelle relation peut-on établir entre le taux de chômage et le degré de protection de l'emploi ? (Doc. 2)

Question principale (10 points)

Quelles sont les conséquences des réglementations sur le marché du travail sur l'emploi et le chômage dans les pays développés ?

DOCUMENT 1

En situation de concurrence « pure et parfaite », les employeurs sont amenés à fixer des salaires égaux (ou faiblement supérieurs) à la productivité des travailleurs, et les emplois ne perdurent que si le salaire versé par l'employeur est inférieur ou égal à la productivité des travailleurs concernés. Si un salaire minimum est fixé à un niveau supérieur à la productivité, certains travailleurs coûteront plus à leurs entreprises qu'ils ne leur rapportent. Dans cette situation, le salaire minimum, en réduisant la demande de travail par les entreprises, a un effet négatif sur l'emploi.

Mais cette situation de concurrence parfaite ne décrit que très approximativement la réalité, où l'ajustement entre l'offre et la demande de travail s'effectue avec une certaine viscosité. Dans ce contexte, si l'État décide de fixer le salaire minimum légèrement au-dessus du salaire choisi par l'employeur, cette hausse du salaire minimum peut inciter des personnes sans emploi à chercher plus intensément du travail et à s'intéresser à des propositions qu'elles délaissaient auparavant. En conséquence, une hausse du salaire minimum attire de nouveaux travailleurs que les entreprises ont intérêt à embaucher.

« Salaire minimum interprofessionnel de croissance », rapport du CAE, 2009.

DOCUMENT 2 Protection de l'emploi et taux de chômage

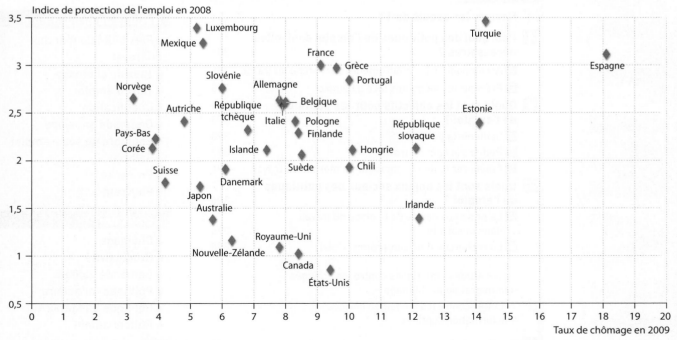

Note : l'indice de protection de l'emploi est un indice complexe qui mesure le degré de protection de l'emploi : plus l'indice est élevé (proche de 4) plus la législation protège l'emploi.

Source : D'après OCDE Stat Extracts, Taux de chômage 2009 et LPE 2008.

15

Quelles politiques pour l'emploi ?

L'étude des flux de main-d'œuvre et d'emplois qui composent le marché du travail conclut à un recours croissant aux emplois temporaires et à un déséquilibre entre créations et destructions d'emplois. Le chômage et le sous-emploi, qui en découlent, touchent particulièrement les femmes, les jeunes et les moins qualifiés, qui dès lors sont plus exposés à la pauvreté. Le marché du travail est donc facteur d'inégalités, ce qui est contraire au projet démocratique de nos sociétés.

▶ Le fonctionnement du marché du travail justifie-t-il la mise en place de politiques de l'emploi ?

Pour élaborer les politiques de l'emploi, les décideurs politiques font appel aux conseils des économistes. Leur rôle est de construire un modèle d'analyse du marché du travail permettant d'identifier les sources de déséquilibre et de proposer des solutions. Leurs conclusions font l'objet de débats, et leur efficacité dépend du contexte et de la nature conjoncturelle ou structurelle du chômage.

▶ Comment les politiques de l'emploi sont-elles construites à partir des analyses théoriques du marché du travail ?

Le travail n'est pas seulement un facteur de production, il est aussi une activité humaine au centre de l'organisation de la société. L'essentiel des prélèvements obligatoires se fait sur les actifs occupés. Le taux d'emploi est donc un enjeu majeur pour la collectivité. Pour l'individu, le travail reste un élément central de son intégration sociale. Chacun doit pouvoir accéder à l'emploi. Les évolutions récentes du marché du travail sont facteurs de précarité et d'exclusion que les politiques doivent s'employer à combattre.

▶ Quels sont les enjeux sociaux des politiques de l'emploi ?

SOMMAIRE

Réviser les acquis de 1re		358
I	**Pourquoi des politiques de l'emploi sont-elles nécessaires ?**	386
	A Accompagner les mouvements du marché du travail	386
	B Prévenir les inégalités face à l'emploi	388
II	**Quels sont les objectifs pour les politiques de l'emploi ?**	390
	A Soutenir la demande	390
	B Réduire le coût du travail	392
	C Améliorer le fonctionnement du marché du travail	394
III	**Quels sont les enjeux sociaux des politiques de l'emploi ?**	396
	A La prise en compte de la place du travail dans la société	396
	B La recherche d'un compromis social	398
TD	**1.** Les études empiriques contre les préjugés : « immigration et chômage »	400
TD	**2.** Lutter contre les inégalités d'accès à la formation continue	401
	Synthèse	402
	Schéma Bilan	404
	Autoévaluation	405
	Vers le Bac	406

Notions au programme

- Flexibilité du marché du travail
- Taux de chômage
- Taux d'emploi
- Qualification
- Demande anticipée
- Équilibre de sous-emploi
- Salariat
- Précarité
- Pauvreté

Acquis de 1re

- Chômage
- Productivité
- Demande globale
- Politique monétaire
- Politique budgétaire
- Rationnement

Fiche Notion 7 (voir p. 422)

- Emploi, activité, chômage

1 Art. 23

1. Toute personne a droit au travail, au libre choix de son travail, à des conditions équitables et satisfaisantes de travail et à la protection contre le chômage.

2. Tous ont droit, sans aucune discrimination, à un salaire égal pour un travail égal.

3. Quiconque travaille a droit à une rémunération équitable et satisfaisante lui assurant ainsi qu'à sa famille une existence conforme à la dignité humaine et complétée, s'il y a lieu, par tous autres moyens de protection sociale.

4. Toute personne a le droit de fonder avec d'autres des syndicats et de s'affilier à des syndicats pour la défense de ses intérêts.

Déclaration universelle des droits de l'homme, 1948.

2

Le hall d'une agence de Pôle emploi.

1. Les principes énoncés par l'article de loi sont-ils respectés aujourd'hui en France ? (Doc. 1)

2. À quoi sert Pôle emploi sur le marché du travail ? (Doc. 2)

3. Comment peut-on expliquer les difficultés de recrutement en période de fort chômage ? (Doc. 3)

3

Les dix métiers où sont signalées les plus fortes difficultés de recrutement		
	Effectifs à recruter	% de cas difficiles à recruter
Infirmiers, cadres infirmiers et puéricultrices	23 931	63
Aides à domicile, aides ménagères, travailleuses familiales	50 675	59,2
Ingénieurs et cadres d'études, R&D en informatique, chefs de projets informatiques	23 173	56,9
Cuisiniers	33 024	55,5
Agents de sécurité et de surveillance, enquêteurs privés et métiers assimilés	21 921	54,7
Maçons	17 366	52,1
Aides-soignants (aides médico-psychologues, auxiliaires de puériculture, assistants médicaux)	41 703	51,8
Employés de maison et personnels de ménage	26 084	50,7
Commerciaux (techniciens commerciaux en entreprise)	41 235	49,7
Sportifs et animateurs sportifs	22 332	47,2

Champ : sont uniquement retenus les métiers représentant plus de 1 % du nombre total de projets de recrutement en 2010, soit 1 693 300.

Source : Crédoc, enquête Besoins en main-d'œuvre 2010.

I. Pourquoi des politiques de l'emploi sont-elles nécessaires ?

A Accompagner les mouvements du marché du travail

1. La fermeture d'un site de production

Banderoles sur les grillages du siège social français du fabricant de prêt-à-porter Pepper Moncler, dénonçant la fermeture du site d'Échirolles (Isère) en septembre 2009.

1. CONSTATER. Qui a installé cette banderole ? À qui s'adresse-t-elle ?

2. EXPLIQUER. Quelle conséquence de la fermeture de l'entreprise Moncler cette banderole dénonce-t-elle ?

2. Les mouvements de main-d'œuvre sur le marché du travail

Même lorsque l'emploi global et le chômage sont stables, le marché du travail est le lieu de mouvements de main-d'œuvre et de créations/destructions d'emplois de grande ampleur. Un nombre très important de personnes entrent et sortent chaque mois du chômage. La variation du nombre de chômeurs est la résultante de ces mouvements croisés, positive ou négative selon les périodes. De la même manière, on observe chaque mois un nombre très élevé de créations et de destructions d'emplois, quel que soit leur solde final.

Pourquoi s'intéresser à ces flux bruts ? Une première raison est qu'il s'agit d'une réalité socio-économique au moins aussi pertinente que le sont les flux nets. Une destruction d'emplois est un événement vécu négativement par les intéressés, qu'elle soit compensée ou non par des créations d'emplois dans d'autres entreprises ou dans d'autres secteurs. Comptabiliser l'ensemble de ces destructions a donc un intérêt en soi.

Une seconde raison est que la connaissance de ces flux et de leur rôle peut conduire à modifier les priorités des politiques économiques. S'agissant du chômage, il est important de savoir si le taux de chômage observé est la résultante de mouvements d'entrées-sorties élevés ou faibles : selon le cas, on assistera à un chômage fréquent mais de courte durée, ou à un chômage moins fréquent mais de longue durée, et les deux types de chômage n'appellent pas le même traitement. S'agissant de l'emploi, on peut se demander si la priorité de la politique économique doit être de limiter les destructions ou de favoriser les créations.

1. ILLUSTRER. Donnez un exemple concret de flux de main-d'œuvre.

2. CONSTATER. Quelles sont les deux grandes catégories de flux observés sur le marché du travail ?

3. EXPLIQUER. À quoi l'analyse des flux de main-d'œuvre et d'emplois sert-elle ?

4. EXPLIQUER. Quelle est la justification sociale des politiques de l'emploi ?

Flux de rotation
(succession d'individus différents sur les mêmes postes) : 33 par an pour 100 emplois

+

Créations/destructions d'emplois : 7 par an pour 100 emplois

=

Mobilités :
40 entrées/sorties d'emploi par an pour 100 emplois

Note : données 2006.

Source : d'après « Les flux de main-d'œuvre et les flux d'emplois dans un contexte d'internationalisation », L'économie française, comptes et dossiers 2007, Insee.

NE PAS CONFONDRE Flux bruts et flux nets d'emplois

Les **flux bruts** correspondent à la somme des créations et des destructions d'emplois pendant une période donnée. Les **flux nets** représentent, eux, le solde des créations et destructions d'emploi (création – destructions) : un résultat positif indique une création nette d'emplois, un résultat négatif traduit une destruction nette d'emplois.

3. Flux de main-d'œuvre au premier trimestre 2010

En % de l'effectif[1]

Flux d'entrées selon le statut d'emploi		Flux de sorties selon le motif de sortie	
Taux d'entrées	10,9	Taux de sorties	10,8
dont		dont	
CDD	8,5	Fin CDD	7,5
CDI	2,4	Démission	1,4
Taux d'entrée en intérim	2,5	Licenciement économique	0,2
		Autres licenciements	0,6
		Fin période d'essai	0,5
		Départ en retraite	0,3

1. À partir des données des déclarations mensuelles de main-d'œuvre pour les établissements d'au moins 50 salariés, complétées par l'enquête trimestrielle auprès des établissements de moins de 50 salariés.

Lecture : au premier trimestre 2010, les entrées en emploi (pour création de poste ou changement de titulaire du poste) représentaient 10,9 % de l'effectif total, pendant que les sorties d'emploi (pour disparition du poste ou départ du titulaire du poste) concernaient 10,8 % des effectifs.

Source : Henri Rouilleault, « L'emploi au sortir de la récession… Renforcer l'accompagnement des transitions professionnelles », rapport du ministère du Travail, de l'Emploi et de la Santé, novembre 2010.

1. CALCULER. Mesurez la part des licenciements économiques dans les flux de sorties.

2. CONSTATER. Montrez que le travail temporaire (CDD et intérim) constitue l'essentiel des mouvements de main-d'œuvre.

3. CALCULER. Quel a été le solde des flux de main-d'œuvre en 2009 ?

4. Des créations d'emplois insuffisantes ?

De l'ordre de 800 000 emplois, soit 5 % des effectifs, sont créés ou détruits d'une fin de trimestre à la précédente par les entreprises pérennes ou non. Les destructions et créations d'entreprises entraînent des mouvements d'emplois d'environ 1 %, qui se compensent approximativement. Le taux de créations d'emplois dans les entreprises pérennes baisse de 5,5 % au second trimestre 2001 à 3,5 % au troisième trimestre 2009, tandis que celui de destructions d'emplois dans les entreprises pérennes baisse de 4,5 % à 3,8 % au second semestre 2007 puis remonte à 4,1 %.

L'amélioration de l'emploi entre 2004 et 2007 résulte ainsi davantage d'une baisse du rythme de destructions d'emplois

que d'une hausse de celui des créations d'emplois. De la même façon, pendant la récession, la chute de l'emploi s'explique par le ralentissement des créations d'emplois et non, sauf dans l'industrie, par la hausse des destructions d'emplois.

Henri Rouilleault, « L'emploi au sortir de la récession… Renforcer l'accompagnement des transitions professionnelles », rapport du ministère du Travail, de l'Emploi et de la Santé, novembre 2010.

1. CONSTATER. La destruction d'emplois se fait-elle majoritairement par la disparition d'entreprises ?

2. EXPLIQUER. Montrez que même si aucun emploi n'est détruit, la situation de l'emploi peut se dégrader.

5. Créations, destructions d'emplois et taux de chômage aux États-Unis, de 2000 à 2010

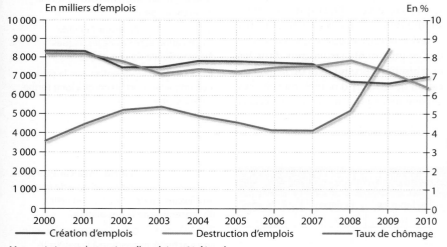

Note : créations et destructions d'emplois au 31 décembre.

Source : Bureau of Labor Statistics, organisme du département américain du Travail.

1. CONSTATER. Faites un bilan de la situation en 2007.

2. EXPLIQUER. À quelles périodes y a-t-il eu des flux nets d'emplois positifs aux États-Unis ?

3. RÉCAPITULER. Dégagez trois périodes et complétez le tableau ci-dessous.

	Période 1	Période 2	Période 3
Signe du flux net d'emplois			
Évolution du taux de chômage			

4. RÉCAPITULER. Faites un schéma représentant les liens entre créations d'emplois, destructions d'emplois et chômage.

ENTRAÎNEMENT

QUESTION DE COURS. Distinguez les flux nets et les flux bruts d'emplois.

SYNTHÈSE. À l'aide des documents 2, 4 et 5, récapitulez les causes du chômage, qu'ils mettent en évidence.

documents

B Prévenir les inégalités face à l'emploi

1. Les plus fragiles davantage touchés

En %	Taux de chômage	Taux de sous-emploi
Ensemble	(9,2)	4,8
Hommes	8,6	2,2
Femmes	9,9	7,5
15-24 ans	22,8	*10,1
25-49 ans	8,3	*5,3
50 ans et plus	6,3	*4,8
Catégories socioprofessionnelles		
Cadres et prof. intel. sup.	*3,7	*2
Prof. interm.	*5,3	*3,5
Employés	*8,7	(*10,3)
Ouvriers	*13,2	*5,2
Niveau de diplôme		
Sans diplôme ou CEP	*14,3	*8,7
Brevet des collèges, CAP, BEP	*8,9	*6,1
Baccalauréat	*8,6	*5,9
Bac +2	*5,4	*3,5
Diplôme supérieur au bac +2	*5,7	*3,1

Note : les données précédées par un astérisque (*) sont extraites des enquêtes Emploi du 1er trimestre 2008 au 4e trimestre 2009, pour les taux de chômage, et de l'enquête Emploi en continu 2009, pour taux de sous-emploi.

Source : Insee, Enquêtes Emploi 2008, 2009 et 2011.

1. CONSTATER. Faites une phrase avec les données entourées.

2. CONSTATER. Comment peut-on caractériser la situation du marché du travail en France en 2011 ?

3. CALCULER. Mesurez l'écart de taux de chômage entre les actifs de 15 à 24 ans et l'ensemble de la population. (Voir fiche Outil 3, p. 427)

4. RÉCAPITULER. Montrez que les inégalités face à l'emploi se concentrent sur certaines populations.

POUR APPROFONDIR Le sous-emploi

Il s'agit de la situation d'une personne qui travaille, mais qui a la volonté et la capacité d'accéder à un emploi plus adapté. Au sens du BIT (Bureau international du travail), c'est une personne en emploi à temps partiel, souhaitant travailler plus d'heures, disponible pour le faire, qu'elle recherche ou non activement un autre emploi, ou une personne en emploi à temps plein ou temps partiel (autre que les deux cas ci-dessus), dont le temps de travail a été provisoirement réduit (chômage technique ou partiel).

2. Une dégradation irréversible de la situation de l'emploi ?

Il est à craindre que les personnes qui se retrouvent au chômage pendant la période de crise économique soient durablement exclues du marché du travail, en raison du risque d'obsolescence de leurs compétences. Ce risque est particulièrement fort pour les jeunes sans qualification qui n'auraient pas acquis d'expérience suffisante sur le marché du travail ; les études sur les trajectoires révèlent un impact durable et non réversible d'une période longue de chômage sur leur situation et leur progression future sur le marché du travail. L'enquête du Céreq sur l'insertion professionnelle des jeunes sortis de scolarité en 2004 notamment souligne un taux de chômage durablement plus élevé en raison d'une conjoncture dégradée lors de l'entrée sur le marché du travail. Les ministres de l'Emploi des pays de l'OCDE, réunis à Paris en septembre 2009, ont identifié explicitement ce risque d'une « génération sacrifiée ». Le risque d'irréversibilité du chômage sera d'autant plus grand si la crise économique engendre des changements structurels dans les organisations productives ou la qualification de la main-d'œuvre, puisque ces changements pourraient creuser l'écart entre les qualifications requises sur le marché du travail et celles offertes par les demandeurs d'emploi.

Onpes (Observatoire national de la pauvreté et de l'exclusion sociale), « Rapport 2009-2010 ».

1. CONSTATER. Quelle est la conséquence de la dégradation du marché du travail sur le chômage ?

2. EXPLIQUER. Pourquoi la faible qualification accroît-elle les risques d'irréversibilité du chômage ?

3. RÉCAPITULER. Montrez que la crise a un impact à court terme et à long terme sur les jeunes.

3. Travail et pauvreté

Personnes en risque de pauvreté ou d'exclusion sociale selon le statut d'emploi le plus fréquent, en 2010, en %				
	Ensemble	Hommes	Femmes	18-24 ans
Population 18 ans et plus	18	16,7	19,1	29,8
Actifs occupés	9,2	9,3	9,1	14,8
Personnes inoccupées dont :	27,5	26,4	28,3	37
Chômeurs	56,6	58,6	54,2	51,1
Retraités	12,9	12,7	13,1	–
Autres inactifs	43,6	44,3	43,2	34,4

Note : le taux de risque de pauvreté est le degré maximal de risque auquel une personne a été exposée au cours de l'année.

Source : Eurostat.

1. CALCULER. À l'aide d'un calcul approprié, comparez l'exposition au risque de pauvreté ou d'exclusion des 18-24 ans et celle de l'ensemble de la population.

2. CONSTATER. Quel lien peut-on établir entre activité, exposition à la pauvreté et exclusion sociale ?

3. CONSTATER. Peut-on dire que les femmes sont plus exposées que les hommes à la pauvreté et à l'exclusion ?

4. Les relations sociales en crise

Journée de mobilisation générale contre la réforme des retraites en juin 2010.

1. CONSTATER. **Par quels acteurs sociaux cette manifestation est-elle organisée ? Qui représentent-ils ?**

2. CONSTATER. **Que réclament ces manifestants ?**

3. EXPLIQUER. **À qui s'adressent-ils ?**

5. Emploi, inégalités et démocratie

Les inégalités entre les individus qui composent les sociétés peuvent, dans certains cas, éroder le socle de valeurs et de représentations communes et, du même coup, les fondements de leur cohésion. C'est vrai en particulier des sociétés qui se sont construites sur une promesse d'égalité et qui en voient l'horizon s'éloigner. La distance qui se creuse alors entre les discours et la réalité vécue discrédite peu à peu les principes et les institutions censées les incarner et les garantir.

Telle est, à gros traits, la situation actuelle de la société française. Celle-ci s'est en effet rassemblée autour d'une aspiration démocratique fondée sur l'égalité en droit, sur la promotion du mérite et la citoyenneté sociale (l'ensemble des droits sociaux qui viennent compléter la citoyenneté civile et politique). Un tel pacte ne revient pas à bannir toutes les formes d'inégalités, mais à les limiter et, idéalement, à n'accepter que celles qui peuvent être jugées justes et légitimes. [...]

De ce point de vue, si la société française se caractérise par un niveau de protection sociale élevé dans le concert des nations, les évolutions récentes sont de nature à entretenir l'inquiétude. La persistance du chômage de masse fragilise en particulier cet édifice fondé en grande partie sur les revenus du travail.

[...] Les déceptions et les frustrations qu'elle alimente sont en effet de nature à entretenir différentes formes de ressentiment qui affectent profondément le pacte républicain. La nouvelle remontée de l'extrême droite en France, sur fond de populisme et de xénophobie, trouve l'essentiel de ses soutiens chez les perdants de la compétition sociale et dans les territoires les plus meurtris par la crise et les inégalités qu'elle aiguise. Il n'est pas certain non plus que les classes moyennes, traversées par la peur du déclassement, ne succombent pas aux tentations jumelles du repli sur soi et du refus de contribuer aux exigences de la solidarité. Bref, non seulement les inégalités soulignent une certaine hypocrisie française, mais elles nourrissent de puissantes forces de désunion.

Thierry Pech, « Les inégalités menacent la cohésion sociale »,
Alternatives économiques, hors-série n° 89, avril 2011.

1. DÉFINIR. **Qu'est-ce que la cohésion sociale ?**

2. EXPLIQUER. **Expliquez la phrase soulignée.**

3. EXPLIQUER. **Pourquoi le chômage affaiblit-il la cohésion sociale ?**

4. RÉCAPITULER. **Montrez que le travail est un des piliers de la cohésion sociale.**

ENTRAÎNEMENT

QUESTION DE COURS. **Quel est le lien entre l'augmentation du taux de chômage et l'augmentation du taux de pauvreté ?**

SYNTHÈSE. **À l'aide des documents 2, 3 et 4, montrez que l'évolution du marché du travail est facteur d'inégalités.**

II. Quels sont les objectifs pour les politiques de l'emploi ?

A Soutenir la demande

1. L'analyse keynésienne : une demande globale insuffisante

a. Anticiper la demande future

Toute production est destinée en dernière analyse à satisfaire un consommateur. Or il s'écoule habituellement du temps – parfois beaucoup de temps – entre la prise en charge des coûts par le producteur (pour le compte du consommateur) et l'achat de la production par le dernier consommateur. Dans l'intervalle, l'entrepreneur (cette appellation s'appliquant à la fois à la personne qui produit et à celle qui investit) est obligé de prévoir aussi parfaitement que possible la somme que les consommateurs seront disposés à payer lorsque, après un laps de temps qui peut être considérable, il sera en mesure de les satisfaire directement ou indirectement. Il n'a pas d'autre ressource que de se laisser guider par ces prévisions, tout au moins lorsqu'il emploie des procédés de production qui exigent du temps. […] Ce sont ces diverses prévisions qui déterminent le volume de l'emploi offert par chaque entreprise.

John Maynard Keynes, *Théorie générale de l'emploi, de l'intérêt et de la monnaie* (1936), Payot, 1998.

b. Le plein-emploi n'est pas la règle

Rien dans la détermination du niveau de Y^1 ne garantit qu'il correspond au revenu (ou à la production) permettant d'atteindre le plein-emploi. Ce serait même le résultat d'un hasard qu'il en soit ainsi. En effet, Y dépend de la propension à consommer (qui est indépendante de l'emploi) et de l'investissement qui est fonction de décisions qui ne font à aucun moment intervenir la préoccupation de l'emploi.

Le chômage n'est donc pas une exception mais la norme dans une économie laissée à elle-même, dès lors que l'incitation à investir est insuffisante. Une telle économie est pourtant en situation d'équilibre (de sous-emploi), c'est-à-dire dans un état qui risque de se perpétuer parce que les agents économiques n'ont aucune raison de modifier les comportements ou les décisions qui y ont conduit. En d'autres termes, contrairement à la logique néoclassique du marché du travail, il n'existe ici aucune force de rappel qui écarterait du sous-emploi. La régulation par les prix est inopérante.

1. Production.

John Maynard Keynes, *Théorie générale de l'emploi, de l'intérêt et de la monnaie* (1936), Payot, 1998.

REPÈRE **John Maynard Keynes**
(Économiste britannique, 1883-1946)

Dans *Théorie générale de l'emploi, de l'intérêt et de la monnaie* (1936), il justifie l'intervention publique pour faire face au chômage de masse et à l'insuffisance de la demande. Il s'oppose ainsi à la thèse néoclassique du retour automatique à l'équilibre de plein-emploi en cas de crise économique. Ses thèses ont influencé l'orientation de la politique économique jusqu'à la crise des années 1970.

1. EXPLIQUER. Expliquez la phrase soulignée. (Doc. a)

2. EXPLIQUER. Qu'est-ce qui détermine le niveau de l'emploi que les entreprises désirent offrir ? (Doc. a)

3. CONSTATER. Quelle est, pour Keynes, la cause du chômage ? (Doc. a et b)

4. RÉCAPITULER. À l'aide des deux textes et de vos connaissances, retracez sous forme d'un schéma la détermination de l'emploi dans l'analyse keynésienne.

2. Les politiques conjoncturelles : une réponse aux chocs macroéconomiques

Face à une telle crise quelle doit être la bonne réponse pour les politiques économiques ? Il importe de pouvoir mobiliser des instruments à la fois massifs pour amortir un choc puissant, et rapide pour le faire dans des délais très courts, de l'ordre de quelques mois. C'est là toute la difficulté. Si de nombreuses actions publiques peuvent être de grande ampleur et si plusieurs autres sont rapides, seules les politiques conjoncturelles cumulent ces deux caractéristiques. Il s'agit d'une part des politiques budgétaires : les gouvernements établissent des plans de relance qui creusent le déficit public mais peuvent amortir la récession. Il s'agit d'autre part de la politique monétaire : les banques centrales baissent leurs taux d'intérêt directeurs pour soutenir le crédit et l'activité ; enfin une politique de change peut être menée afin de déprécier la valeur externe de la monnaie pour soutenir la croissance en améliorant le solde de la balance commerciale. Aujourd'hui en Europe comme aux États-Unis, ce troisième levier n'est plus disponible.

Yannick L'Horty, « Les politiques de lutte contre le chômage à l'épreuve de la crise de l'emploi », *Cahiers français*, n° 353, novembre-décembre 2009.

1. CONSTATER. Quelles sont les caractéristiques des politiques conjoncturelles ?

2. EXPLIQUER. Pourquoi, en Europe, la politique de change n'est-elle plus possible ?

3. RÉCAPITULER. À l'aide d'un schéma, décrivez les canaux d'action de chacune des trois modalités des politiques conjoncturelles.

3. Les différents plans de relance nationaux

En milliards d'euros et en %	France		Espagne		Allemagne		Italie		Royaume-Uni	
	Mds	% PIB	Mds	% PIB	Mds	% PIB	Mds	% PIB	Mds	% PIB
Total investissement public	8	0,4	8	0,7	7,2	0,3	1,4	0,1	2,3	0,15
Soutien à la trésorerie des entreprises	13,9	0,7	7,7	0,7	15	0,6	0,2	0		
Aides aux secteurs	2	0,1	3	0,3	nc	nc	nc	nc	0,7	0,05
Politiques de l'emploi et aides aux ménages	2	0,1	5,9	0,5	23	0,9	3,3	0,2	4,4	0,29
Suppression impôt sur le patrimoine			1,8	0,2						
Baisse de la TVA	–	–	–	–	–	–	–	–	11,5	0,8
Autres					4,8	0,2	1,5	0,1		
Total	26	⟨1,3⟩	24,7	2,2	50	2	6,5	0,4	18,8	1,3

Source : *Lettre de l'OFCE*, n° 305, 23 décembre 2008. Sources nationales, calculs des auteurs.

1. CONSTATER. Faites une phrase avec la donnée entourée.

2. CONSTATER. Montrez que l'effort de relance de l'Allemagne et celui de l'Espagne sont de même ampleur.

3. RÉCAPITULER. Comparez les choix politiques de la France, de l'Allemagne et du Royaume-Uni.

4. Quelle efficacité des politiques de relance ?

La baisse de la demande globale s'est essentiellement transmise par la baisse des exportations et des niveaux d'investissement. Il semble bien que la consommation ait protégé la demande globale, en particulier dans la région des économies développées et de l'Union européenne, grâce au fonctionnement des stabilisateurs automatiques, tels que les systèmes de protection sociale et les plans de relance sans précédent qui ont été adoptés. L'OIT[1] estime que les plans de relance mis en œuvre dans les pays du G20 ont permis de sauver ou de créer quelque 21 millions d'emplois. Des estimations portant sur certains des plus importants plans de relance adoptés dans certains pays ne faisant pas partie du G20 font apparaître que 5 autres millions d'emplois ont été créés ou sauvés. Pourtant, le présent rapport a montré que, en dépit de mesures correctives massives prises pour riposter à la crise, celle-ci a eu de graves répercussions sur le marché du travail mondial.

1. L'Organisation internationale du travail.

BIT (Bureau international du travail),
« Tendances mondiales de l'emploi 2011 ».

1. EXPLIQUER. Comment les systèmes de protection sociale soutiennent-ils le niveau de la demande ?

2. CONSTATER. Quelle a été, selon l'OIT, l'efficacité des plans de relance ?

3. CONSTATER. Cette politique de soutien de l'activité a-t-elle été suffisante ?

Exercice

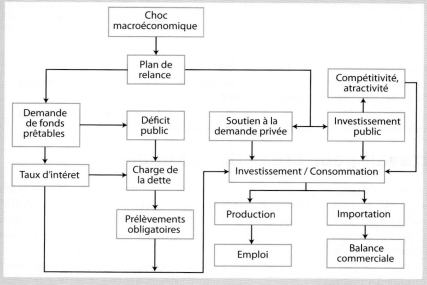

1. Après avoir reproduit le schéma, indiquez sur chaque flèche, par un signe +, si les deux variables évoluent dans le même sens et, par un signe –, si elles évoluent en sens contraire.

2. Retrouvez les effets attendus d'un plan de relance keynésien sur l'emploi.

3. Quels sont les éléments qui peuvent réduire les effets attendus d'un plan de relance ?

ENTRAÎNEMENT

QUESTION DE COURS. Expliquez le rôle de la demande anticipée dans l'analyse keynésienne.

SYNTHÈSE. À l'aide des documents 1, 3 et 5, rappelez quels peuvent être les effets négatifs d'une politique de relance keynésienne.

B Réduire le coût du travail

1. Analyse classique du marché du travail

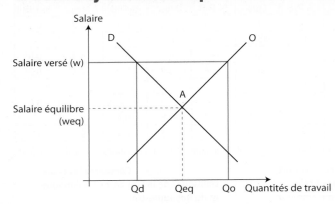

1. EXPLIQUER. À partir des connaissances acquises au chapitre précédent, expliquez la forme des courbes d'offre et de demande de travail.

2. CONSTATER. Décrivez la situation représentée par le point A.

3. EXPLIQUER. Que se passe-t-il si le salaire versé est « w » ?

4. RÉCAPITULER. Quelle est, selon l'analyse classique, la cause du chômage ?

Note : Qd et Qo représentent les quantités de travail offertes et demandées pour le salaire versé.

2. Qu'est-ce que le coût salarial ?

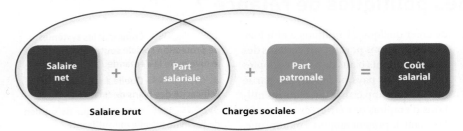

1. EXPLIQUER. Comment peut-on réduire le coût du travail sans que le salarié ne subisse une baisse de revenu ?

2. CONSTATER. Comment l'État intervient-il sur le coût du travail ?

3. EXPLIQUER. Que servent à financer les cotisations sociales ?

3. Coût du travail et emploi

Pour offrir des biens ou des services à ses clients, une entreprise utilise en règle générale de nombreux « facteurs » de production. Les plus importants sont ses employés et ses équipements. Le choix des proportions respectives de chaque facteur dépend des possibilités techniques et des coûts associés à l'utilisation de chacun des facteurs. […]

Du point de vue des politiques économiques, il est important de pouvoir chiffrer cette diminution de la demande de travail due à une hausse du coût de la main-d'œuvre. Pour cela, on fait appel à la notion d'élasticité. […]

[…] Lorsque l'on considère différentes catégories d'employés, les études montrent que l'élasticité diminue avec le niveau de qualification. En d'autres termes, l'emploi de personnels non qualifiés est plus sensible au coût du travail que l'emploi de personnels qualifiés. De même, il apparaît que le travail non qualifié est plus facilement substituable au capital que le travail qualifié. Il en résulte que l'impact des allégements de charges sociales devrait être d'autant plus grand qu'elles sont ciblées sur les plus faibles qualifications. C'est pourquoi, en pratique, les allégements les plus importants se trouvent concentrés au niveau du Smic.

Pierre Cahuc et André Zylberberg,
« L'impact des réductions de cotisations sociales »,
Cahiers français, n° 327, juillet-août 2005.

1. EXPLIQUER. Expliquez la phrase soulignée.

2. CALCULER. Comment calcule-t-on l'élasticité de la demande de travail au coût du travail ?

3. EXPLIQUER. Pourquoi la politique d'exonération de charges porte-t-elle sur les plus bas salaires ?

4. Baisser le coût du travail pour créer des emplois ?

Les dispositifs d'allégement de charges ont permis de nombreuses créations d'emplois entre 1994 et 1997. Le taux de croissance des effectifs qui leur est imputable est de 2,6 % dans l'industrie et de 3,4 % dans le tertiaire. 460 000 emplois auraient été ainsi créés ou sauvegardés dans l'économie, entre 1994 et 1997, grâce à ces mesures. La moitié de ces emplois seraient des emplois non qualifiés. Ces créations d'emplois s'expliquent par d'importantes substitutions de salariés non qualifiés à des salariés qualifiés, et, dans une moindre mesure, du travail au capital. Cela conforte ainsi l'idée, souvent avancée, que l'enrichissement du contenu en emplois de la croissance observé sur cette période est lié aux allégements de charges sur les bas salaires. Des effets de volume, liés aux baisses de prix, elles-mêmes induites par la réduction des coûts de production, contribuent aussi à ces créations d'emplois. Ainsi, si la croissance est plus riche en emplois, et en particulier non qualifiés, elle est elle-même plus forte.

Bruno Crépon et Rozenn Desplatz, « Une nouvelle évaluation des effets des allégements de charges sociales sur les bas salaires »,
Économie et statistique, n° 348, août 2001.

1. DÉFINIR. Qu'est-ce que l'effet de volume ?

2. CONSTATER. Montrez que les allégements de cotisations sur les bas salaires provoquent une substitution entre deux catégories de travail.

5. Évolution et projection de la part de l'emploi peu qualifié dans l'emploi total

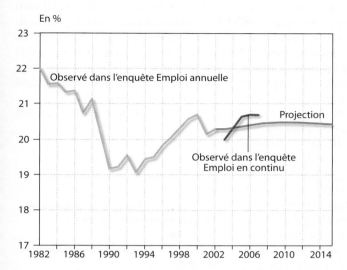

En %

Observé dans l'enquête Emploi annuelle

Projection

Observé dans l'enquête Emploi en continu

Note : à partir des projections issues du modèle Flip-Fap (Chardon et Estrade, 2007), on prolonge les évolutions des parts d'emploi peu qualifié dans chaque famille professionnelle.

Sources : Insee, enquêtes Emploi 1983-2007 ; CAS-Dares, projections.

1. CONSTATER. Comment la part des emplois peu qualifiés dans l'emploi total a-t-elle évolué à partir de 1993 ?

2. EXPLIQUER. Quelles sont les raisons de l'évolution constatée ? (Voir aussi doc. 4)

3. CONSTATER. Comparez les projections et la réalité observée pour la période 2003-2007.

4. EXPLIQUER. En vous aidant de la note, proposez votre propre projection pour 2008-2014.

6. Les effets d'aubaine

Dans une enquête récente réalisée par la Dares[1] et l'Acoss[2] sur la base d'un échantillon de 3 000 employeurs en contrat nouvelles embauches (CNE), 70 % des chefs d'entreprise interrogés déclarent que, si le CNE n'avait pas existé, ils auraient embauché à la même date sur une autre forme de contrat. Nonobstant la nécessité de les réduire au maximum, il convient de souligner l'existence d'un niveau incompressible d'effets d'aubaine. En effet, vouloir éliminer totalement les effets d'aubaine rendrait nécessaire le déploiement de mécanismes de contrôle sans doute très coûteux et contraignants pour les employeurs. Certaines réformes des aides à l'emploi répondent à une politique de gestion de la file d'attente face au chômage. La modification d'un dispositif pour favoriser un public jugé prioritaire à un moment donné peut s'opérer au détriment d'un autre public. Cette modification de la structure du chômage peut constituer un objectif en soi mais ne réduit pas le chômage lui-même.

1. Direction de l'animation de la recherche, des études et des statistiques.
2. Agence centrale des organismes de sécurité sociale.

« Quelle efficacité des contrats aidés de la politique de l'emploi ? », rapport d'information au Sénat, 21 février 2007.

1. ILLUSTRER. Quel effet de substitution risque-t-on d'observer lors d'une réduction des charges pour les bas salaires ?

2. EXPLIQUER. Quelles sont les conséquences financières de l'effet d'aubaine ?

> **DÉFINITION**
>
> **Un effet d'aubaine**
> On parle d'effet d'aubaine lorsqu'une mesure d'aide profite à un bénéficiaire qui, sans aide, aurait pris la même décision (ici l'embauche d'un demandeur d'emploi).

7. Une politique adaptée au type de choc macroéconomique ?

L'économie peut être soumise à des « chocs macroéconomiques » de différentes natures. Les chocs d'offre affectent négativement la rentabilité des entreprises et entraînent un chômage « classique ». Les chocs de demande affectent négativement la demande adressée aux entreprises et génèrent un chômage « keynésien ». Chocs d'offre et de demande peuvent s'articuler : ainsi, un choc pétrolier dégrade la rentabilité des entreprises en renchérissant les coûts de production (à moins que les salaires ne baissent pour compenser), mais il affecte aussi négativement la demande des ménages, du fait de l'amputation de leur pouvoir d'achat. Cette approche, dite « théorie du déséquilibre[1] », met bien en lumière l'interdépendance des marchés.

1. Théorie élaborée au cours des années 1970 par l'économiste français Edmond Malinvaud. Elle admet qu'il puisse y avoir un chômage involontaire et durable du fait de la rigidité des prix à court terme.

Jérôme Gautié, « Les analyses macroéconomiques du chômage », *Cahiers français*, n° 353, novembre-décembre 2009.

1. EXPLIQUER. Pourquoi le choc pétrolier de la fin des années 1970 provoque-t-il un chômage de type classique ?

2. CONSTATER. À l'aide d'un schéma, représentez l'articulation entre les chocs d'offre et les chocs de demande.

3. EXPLIQUER. Quelles conséquences l'articulation des chocs d'offre et de demande entraîne-t-elle sur la politique de l'emploi ?

> **NE PAS CONFONDRE**
>
> **Chômage classique et chômage keynésien**
> La distinction entre chômage classique et chômage keynésien renvoie à des analyses différentes du chômage. Le chômage keynésien existe quand les débouchés sont insuffisants. Pour le résorber, il convient de relancer la demande et de soutenir l'activité. On parle, en revanche, de chômage classique quand les entreprises, malgré la demande potentiellement soutenue, n'embauchent pas car elles jugent le coût du travail trop élevé, ou les rigidités sur le marché du travail trop importantes, et donc les perspectives de profit insuffisantes.

> **ENTRAÎNEMENT**
>
> **QUESTION DE COURS.** Comment peut-on baisser le coût du travail pour les entreprises ?
>
> **SYNTHÈSE.** À l'aide des documents 2, 3 et 6, dites à quelles conditions une politique de réduction du coût du travail sera la plus efficace.

documents

C Améliorer le fonctionnement du marché du travail

1. Les causes structurelles du chômage

En 1973, le premier choc pétrolier entraîne une récession dans la plupart des pays développés. Le chômage commence alors son ascension fulgurante : il passe, en France, de 3,5 % en 1975 à 9 % dix ans plus tard. Depuis, même en période de croissance forte, il n'est jamais redescendu sous la barre des 7 %. Soit beaucoup plus que l'inévitable chômage « frictionnel » lié aux transitions entre deux emplois, estimé à 4 % ou 5 %. Après les « Trente Glorieuses », sont venues les « Trente Piteuses ».

Alors qu'on croyait le chômage conjoncturel, le chômage est donc devenu structurel. Pour le combattre, de nombreuses mesures ont été prises par les gouvernements successifs. On a d'abord procédé à des préretraites massives, on s'est lancé aussi dans de multiples formes d'emplois aidés, on a soutenu, à partir du début des années 1990, le développement du travail à temps partiel et des « petits boulots », en multipliant les allégements de cotisations sociales à proximité du Smic […]. L'absence d'emplois s'est concentrée surtout sur les moins qualifiés ; en 2008, près de 13 % des sans-diplômes étaient au chômage contre 4,3 % des bac +2. D'abord, parce que nombre d'emplois non qualifiés ont disparu. Ensuite parce qu'une partie des travailleurs qualifiés s'est mise à accepter des emplois peu qualifiés, ce qui a progressivement relégué les non-diplômés au bout de la files d'attente des demandeurs d'emploi. D'où l'ampleur du chômage de longue durée pour ces catégories de travailleurs. […] La lutte conte le chômage implique d'investir massivement dans la formation initiale et continue. Certains estiment qu'elle nécessite aussi davantage de flexibilité dans le processus d'embauche et de licenciement. En réalité, beaucoup a déjà été fait dans ce sens depuis trente ans. Sans que, en contrepartie, on ait sécurisé les parcours professionnels.

Alternatives économiques, n° 295, octobre 2010.

1. DÉFINIR. Qu'est-ce que le chômage frictionnel ?

2. EXPLIQUER. Pourquoi des préretraites massives pourraient-elles réduire le chômage ?

3. EXPLIQUER. Expliquez le passage souligné.

4. RÉCAPITULER. Distinguez le chômage conjoncturel et le chômage structurel.

2. Flexibilité et sécurité de l'emploi

Sécurité / Flexibilité	Sécurité de l'emploi	Sécurité du revenu	Sécurité combinée
Flexibilité externe numérique	– Types de contrat de travail – Législation protectrice de l'emploi – Formation continue – Politiques actives de l'emploi	– Indemnisation du chômage – Salaire minimum	Protection contre le licenciement durant divers dispositifs de congés
Flexibilité interne numérique	Chômage partiel/temps partiels	– Allocations supplémentaires compensant un temps partiel – Allocations maladies – Bourses d'études	Retraite à temps partiel
Flexibilité fonctionnelle	– Enrichissement des tâches – Polyvalence – Mobilité des salariés dans l'entreprise – Sous-traitance – Externalisation	Rémunération au mérite	Modulation volontaire du temps de travail
Flexibilité du coût du travail/ du salaire	– Ajustements locaux des coûts du travail – Modulation/réduction des paiements de sécurité sociale – Primes pour l'emploi	– Allocations compensatoires pour horaires réduits – Accords collectifs sur les salaires	Modulation volontaire du temps de travail

D'après Bernard Gazier, « Flexicurité et marchés transitionnels du travail : esquisse d'une réflexion normative », *Travail et emploi*, n° 113, janvier-avril 2008.

1. DÉFINIR. Que sont la flexibilité interne, la flexibilité externe et la flexibilité fonctionnelle ?

2. ILLUSTRER. Donnez des exemples de contrats de travail permettant de faire face aux fluctuations du marché du travail.

3. CONSTATER. Distinguez les mesures résultant d'accords dans l'entreprise et les mesures prises par les pouvoirs publics.

4. EXPLIQUER. Comment la recherche de la flexibilité peut-elle améliorer le fonctionnement du marché du travail ?

NE PAS CONFONDRE

Flexibilité et flexisécurité

La flexibilité est l'ensemble des mesures qui ont pour objectif de lutter contre les rigidités du marché du travail, afin de permettre aux entreprises de s'adapter rapidement aux évolutions de la demande. Elles visent en particulier à adapter le volume de l'emploi (flexibilité quantitative) ou la qualité des emplois (flexibilité fonctionnelle), ou encore les salaires (flexibilité salariale). **La flexisécurité** est un système social qui combine à la fois une grande facilité de licenciement pour les entreprises et une protection des salariés contre les risques du chômage (indemnisations, formations...).

3. Faire évoluer le contrat de travail

Dans un souci de faciliter pour les entreprises et les salariés les ruptures du contrat de travail, l'accord national interprofessionnel, transcrit par la loi du 25 juin 2008 de modernisation du marché du travail, a instauré la possibilité de rompre le contrat de travail par convention. Avec cette nouvelle disposition, l'employeur et le salarié peuvent désormais convenir d'un commun accord de mettre fin au contrat de travail qui les lie. Cette rupture, dite rupture conventionnelle, résulte d'une convention signée par les deux parties à l'issue d'un ou plusieurs entretiens. Ce mode de rupture ouvre droit aux allocations chômage.

Enfin l'accord, transcrit par cette même loi, institue, à titre expérimental (pour une durée de 5 ans à l'issue de laquelle un bilan sera effectué), un contrat à objet défini visant à permettre la réalisation, par des ingénieurs et des cadres, de certains projets dont la durée est incertaine. Il s'agit d'un contrat de travail à durée déterminée, de 18 à 36 mois, non renouvelable, qui prend fin avec la réalisation de l'objet pour lequel il a été conclu.

Stratégie de Lisbonne pour la croissance et l'emploi, « Programme national de réformes français 2008-2010 », octobre 2008.

1. CONSTATER. Quelles sont les deux évolutions majeures du contrat de travail instauré par la loi du 25 juin 2008 ?

2. EXPLIQUER. Quelles conséquences du contrat de travail par « objet » peut-on redouter pour les cadres ?

3. RÉCAPITULER. Retrouvez les éléments de flexibilité et les éléments de sécurité prévus par cette loi.

4. L'activation des chômeurs en France : le Pare

Depuis le 1er juillet 2001, l'assurance chômage donne la possibilité de bénéficier d'un « plan d'aide au retour à l'emploi » (Pare) censé fournir des aides et un soutien personnalisé en contrepartie d'un engagement à rechercher « activement » un emploi. Les aides et soutien sont consignés dans un document appelé « projet d'action personnalisé » (PAP) établi à la suite d'un entretien entre le demandeur d'emploi et un agent de l'ANPE[1] dans le mois qui suit l'inscription à cet organisme. En substance, le PAP précise les types d'emploi et les salaires que le chômeur est susceptible d'accepter.

Il précise aussi les formations éventuellement nécessaires. […] Les principales obligations d'un demandeur d'emploi ayant signé un PAP consistent à se présenter aux entretiens, à ne pas faire de déclarations mensongères et à ne pas refuser, sans motif légitime, d'occuper un emploi ou de suivre une formation. Le non-respect de ces obligations peut entraîner l'interruption du versement des allocations.

1. Devenue Pôle emploi en 2008, date de fusion avec l'Unédic (ensemble des services de recouvrement et de gestion des fonds de cotisations chômage).

Pierre Cahuc et André Zylberberg, *Le chômage, fatalité ou nécessité ?*, Flammarion, 2009.

1. EXPLIQUER. Qu'est-ce que le volet « obligations » du Pare suggère implicitement à propos des demandeurs d'emploi ?

2. RÉCAPITULER. Quel est le but du Pare ?

3. EXPLIQUER. À quel pôle de la flexicurité le Pare appartient-il ? (Voir aussi doc. 2)

> **DÉFINITION**
> **L'activation des chômeurs**
> Le principe de ces stratégies est d'encourager les demandeurs d'emploi à accroître leurs efforts pour trouver du travail et/ou améliorer leur aptitude à l'emploi.

5. Le rôle essentiel de la formation

Le développement de l'employabilité et de la formation professionnelle constitue tout d'abord un enjeu personnel pour les salariés qui connaissent des parcours de plus en plus discontinus et dont l'intégration ou le retour sur le marché du travail peut se trouver facilité par un renouvellement de leurs compétences. […]

Il s'agit aussi d'un enjeu de taille pour les entreprises, leur permettant, grâce à l'amélioration constante de la qualification de leurs salariés, de rester compétitives dans une économie de marché mondialisée. Les outils actifs de formation professionnelle, de maintien des savoir-faire et de requalification des salariés ont en effet un impact positif sur la création d'emplois et la dynamique économique, selon M. Laurent Wauquiez, secrétaire d'État chargé de l'emploi. […]

L'obligation de négocier sur la gestion prévisionnelle des emplois et des compétences (GPEC) a été créée par l'article 72 de la loi n° 2005-32 du 18 janvier 2005 de programmation pour la cohésion sociale, afin d'accroître l'anticipation des mutations économiques et de mieux prévenir leurs conséquences. Pour les salariés dans les entreprises, les territoires et les branches professionnelles confrontés à des mutations économiques, la gestion prévisionnelle des emplois et des compétences doit prévenir et accompagner les risques de ruptures de l'emploi, pour précisément les éviter. À cet effet, ancré sur le dialogue social, le principe consiste à développer, en amont et sans attendre le licenciement, des actions de mobilité, d'ajustement des compétences, d'activités nouvelles… qui permettront une continuité dans l'emploi des salariés.

Rapport d'information à l'Assemblée nationale sur la flexisécurité à la française, 28 avril 2010.

1. CONSTATER. Quels sont les enjeux de la formation pour le salarié et pour l'entreprise ?

2. CONSTATER. Quels sont les objectifs de la gestion prévisionnelle des emplois et des compétences ?

3. EXPLIQUER. Comment ces mesures peuvent-elles réduire le chômage ?

> **ENTRAÎNEMENT**
>
> **QUESTION DE COURS.** Quel est le rôle des institutions dans le fonctionnement du marché du travail ?
>
> **SYNTHÈSE.** À partir des documents 2 à 4, expliquez comment la modification du fonctionnement du marché du travail peut réduire le chômage structurel.

documents

III. Quels sont les enjeux sociaux des politiques de l'emploi ?

documents

A La prise en compte de la place du travail dans la société

1. De l'intérêt privé à l'intérêt collectif

Un travailleur est engagé par une entreprise pour produire des biens ou des services. Cette production représente la valeur privée de l'emploi. Elle se répartit en salaire pour le travailleur et en profit pour l'entreprise. Mais l'entreprise et ses salariés ne sont pas isolés du reste du monde, et les décisions qu'ils prennent affectent le bien-être d'autres personnes totalement étrangères à l'entreprise. Or, la décision de détruire un emploi peut avoir des répercussions qui vont bien au-delà des seuls intérêts de l'entreprise et du salarié concernés. Dans ce cas, la valeur d'un emploi pour la collectivité – sa valeur sociale – est différente de sa valeur privée. Une cause importante de l'écart entre la valeur sociale et la valeur privée d'un emploi réside dans la conception d'ensemble du système fiscal. La très grande majorité des recettes fiscales proviennent des personnes ayant un emploi. Les chômeurs et les inactifs contribuent très peu au financement de l'ensemble des biens collectifs et des transferts. Il en résulte un écart entre la valeur sociale et la valeur privée d'un emploi mesuré par la perte des prélèvements obligatoires et le surcoût sous forme de transferts sociaux induits par le passage du statut de salarié à celui de chômeur ou d'inactif. Dans la plupart des pays de l'OCDE, cette différence est considérable et justifie une forme de protection de l'emploi.

Pierre Cahuc et Francis Kramarz,
« De la précarité à la mobilité : vers une Sécurité sociale professionnelle »,
rapport au ministre de l'Économie, des Finances et de l'Industrie
et au ministre de l'Emploi, du Travail et de la Cohésion sociale, février 2005.

1. CONSTATER. **Quelle est la valeur privée de l'emploi ?**

2. EXPLIQUER. **Pourquoi la structure des prélèvements obligatoires augmente-t-elle la valeur sociale du travail ?**

3. EXPLIQUER. **Quel est le coût, pour la société, du passage de l'emploi au chômage ?**

2. Les taux d'emploi en France depuis 1975

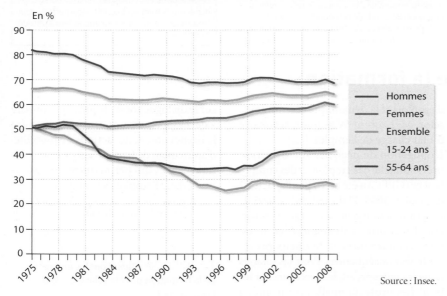

Source : Insee.

1. DÉFINIR. **Qu'est-ce que le taux d'emploi ?**

2. EXPLIQUER. **Pour chaque catégorie d'actifs, trouvez une explication à l'évolution du taux d'emploi.**

3. EXPLIQUER. **Quel problème la baisse du taux d'emploi d'une population pose-t-elle ?**

3. Un plan pour l'emploi des seniors

Le gouvernement a présenté, début juin, son « Plan national d'action concerté pour l'emploi des seniors ». Il vise à faire remonter le taux d'emploi des 55-64 ans de 37,3 % aujourd'hui £à 50 % en 2010, et reprend les principales dispositions de l'accord interprofessionnel signé en mars entre le patronat et trois organisations syndicales (CFDT, CFTC et CFE-CGC). Parmi les mesures les plus controversées est prévue la suppression progressive, d'ici à 2010, de la « contribution Delalande », qui taxait les entreprises licenciant des salariés de plus de 45 ans. Le plan instaure également la création d'un contrat à durée déterminée (CDD) réservé aux plus de 57 ans, en recherche d'emploi depuis plus de trois mois ou licenciés économiques. [...] Le gouvernement souhaite également étendre les possibilités de cumul emploi-retraite, ce qui, pour la CFTC, revient à

« accepter que les seniors, à l'avenir, soient obligés de travailler pour compenser le faible niveau de leur retraite ». Autres mesures moins décriées : un accompagnement renforcé des chômeurs âgés par le service public de l'emploi et des incitations au développement du tutorat en entreprise et de la gestion prévisionnelle des compétences.

Alternatives économiques,
n° 249, juillet 2006.

1. CONSTATER. À l'aide du document 2, évaluez la réalisation des objectifs du plan emploi pour les seniors.

2. EXPLIQUER. Montrez que les mesures du plan emploi pour les seniors cherchent à réduire la destruction de l'emploi et à encourager la création de l'emploi.

3. RÉCAPITULER. À l'aide de la dernière phrase, dites quelle caractéristique des séniors est intéressante pour les entreprises, et quel rôle ils peuvent y jouer.

4. La valeur « Travail »

Une entreprise ferme, et tout est soudainement remis en cause pour ses salariés. Tout, c'est-à-dire les moyens d'existence évidemment : on n'est jamais sûr de retrouver du travail, de gagner le même salaire et de pouvoir continuer le même train de vie, de pouvoir assurer la continuité pour sa famille ; plus le marché est déprimé et plus l'angoisse est présente. Mais il n'y a pas que cela, il y a tout ce que le travail apporte au-delà du seul salaire : un lieu où se partage un même destin professionnel avec les collègues de travail, un lieu où se tissent des rapports sociaux importants autour d'un ensemble de valeurs, de règles élaborées à distance des organigrammes officiels, des normes et des règlements, des prescriptions. Ces valeurs, cette culture produites par des salariés dans leur expérience commune d'un même travail, d'un même sort salarial s'expriment à travers des formes diverses de solidarité, de sociabilité et de convivialité. Elles sont relayées individuellement par le sens que chacun apporte à ce qu'il fait, le sentiment d'utilité sociale qu'il en retire. [...] Chaque licenciement fait brutalement voler en éclats toute une économie personnelle, élaborée progressivement à travers l'expérience ; chaque licenciement piétine un apprivoisement de toutes les difficultés liées au travail, aux horaires, à la fatigue physique et mentale, et met un terme à une vie collective [...], remet en cause une identité et hypothèque un équilibre, extrêmement précieux, entre vie hors travail et vie au travail [...].

Danièle Linhart, Barbara Rist et Estelle Durand,
Perte d'emploi, perte de soi, Érès,
coll. « Sociologique clinique », 2003.

1. CONSTATER. En quoi l'entreprise est-elle un agent de socialisation ?

2. ILLUSTRER. À quoi fait référence la phrase soulignée ?

3. EXPLIQUER. Des allocations chômage généreuses compensent-elle la perte d'un emploi ?

4. RÉCAPITULER. Classez, dans un tableau, les conséquences sociales, individuelles et collectives des restructurations.

5. L'accès à l'emploi des personnes handicapées

Favoriser l'accès des personnes handicapées au monde du travail est une condition essentielle de leur insertion sociale et de leur autonomie financière. Plusieurs textes législatifs organisent et rappellent l'importance de cette insertion.
La loi du 23 novembre 1957 introduit la notion de travailleur handicapé, tandis que la loi d'orientation du 30 juin 1975 confie à la Cotorep (Commission technique d'orientation et de reclassement professionnel) la reconnaissance du handicap et l'aide au reclassement professionnel. Enfin, la loi du 10 juillet 1987 impose à l'ensemble des employeurs, parmi lesquels les administrations de l'État, ainsi que les établissements publics à caractère scientifique, technologique ou culturel, une obligation d'emploi égale à 6 % de l'effectif salarié au bénéfice des travailleurs handicapés. [...]
La reconnaissance de la qualité de travailleur handicapé permet de bénéficier de mesures spécifiques pour compenser le handicap, que ce soit en matière de formation professionnelle, de placement en milieu de travail protégé, d'emploi en milieu ordinaire de travail, dans le cadre notamment de l'obligation d'emploi des entreprises de plus de 20 salariés, et de compensation d'une partie du salaire grâce à la garantie de ressources des travailleurs handicapés (GRTH).

vie-publique.fr, un site de la Direction de l'information légale et administrative
(service du Premier ministre, 2011).

1. CONSTATER. Sur quels arguments se fonde la politique de l'emploi des personnes handicapées ?

2. CONSTATER. Montrez que les lois pour l'emploi des handicapés sont composées de mesures incitatives et obligatoires pour les entreprises.

ENTRAÎNEMENT

QUESTION DE COURS. Qu'est-ce que l'intégration sociale ?

SYNTHÈSE. À l'aide des documents 1, 2 et 3, dites, sous forme d'un plan détaillé, quels sont les enjeux du retour à l'emploi des seniors.

documents

B La recherche d'un compromis social

1. Les travailleurs pauvres

Les familles d'ouvriers ou d'employés (41 % des ménages pauvres), faiblement diplômés : elles perçoivent un seul salaire correspondant généralement à un CDI à temps plein. Leur rémunération est insuffisante pour assurer un niveau de vie décent au ménage, qui compte couramment plus de deux enfants.

Homme de 46 ans, en France depuis 15 ans, gardien de parking en région parisienne, au Smic, en CDI depuis 9 ans. Sa femme élève les 5 enfants du couple. Ils vivent dans un deux-pièces déclaré insalubre. « Pour moi, être pauvre, c'est ne pas avoir le minimum pour se loger et manger. C'est notre cas, non ? » Depuis que leur logement a été interdit à la location, il ne paie plus de loyer. Ils vont régulièrement à la banque alimentaire. Il est très pessimiste pour l'avenir, mais estime avoir des droits du fait qu'il travaille : « Je serais à la charge de la société, encore,

je veux bien. On ne peut pas traiter comme ça des gens qui travaillent. J'ai honte devant mes enfants. Je voudrais leur dire qu'il faut travailler pour avoir ce qu'on veut, mais ce serait un mensonge. Alors, je ne leur parle jamais d'avenir. »

Marie-Odile Simon, Christine Olm et Élodie Alberola,
« Avoir un emploi rend la pauvreté plus difficile à vivre »,
Consommation et modes de vie, n° 202, avril 2007.

1. CONSTATER. La précarisation de l'emploi est-elle le seul facteur de fragilisation de la population ?

2. EXPLIQUER. Quel lien peut-on établir entre le poids des familles d'ouvriers ou d'employés parmi les familles pauvres, et les politiques de l'emploi ?

3. EXPLIQUER. En quoi l'exemple de cet homme met-il en avant la perte de sens du travail ?

2. Emploi et isolement[1]

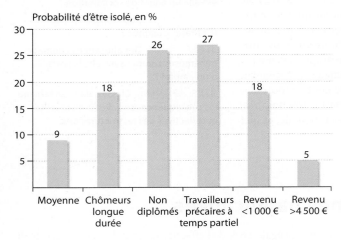

Probabilité d'être isolé, en %

Moyenne	Chômeurs longue durée	Non diplômés	Travailleurs précaires à temps partiel	Revenu <1 000 €	Revenu >4 500 €
9	18	26	27	18	5

1. CONSTATER. Comparez le risque d'isolement de l'ensemble de la population et celui des chômeurs de longue durée.

2. CONSTATER. L'emploi est-il suffisant pour protéger de l'isolement ?

3. RÉCAPITULER. Montrez que l'évolution du marché du travail fragilise le lien social.

1. Situation d'une personne déclarant avoir des relations personnelles (cadres familial, amical, professionnel, associatif, et réseau de voisinage inclus) moins de deux ou trois fois par an, ou jamais.

Champ : enquête effectuée par téléphone auprès de 4 006 Français âgés de 18 ans et plus, entre le 5 et le 22 janvier 2010.

Source : Fondation de France, « Les solitudes en France en 2010 », juillet 2010.

3. Les effets cumulatifs de la perte d'emploi

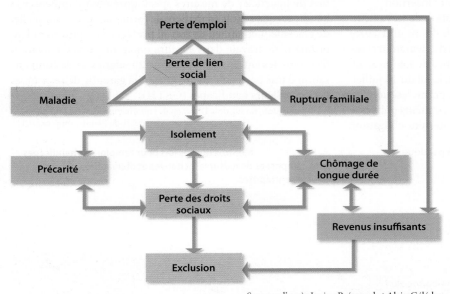

1. ILLUSTRER. Donnez un exemple de « perte des droits sociaux ».

2. DÉFINIR. Qu'est-ce que la précarité ?

3. RÉCAPITULER. Montrez que les conséquences du chômage sont cumulatives et peuvent conduire à l'exclusion.

Source : d'après Janine Brémond et Alain Gélédan,
Dictionnaire des sciences économiques et sociales, Belin, 2002.

4. Une société plus incertaine ?

Deux lignes de transformation se conjuguent. La première pourrait être caractérisée par la fragmentation. Nous vivions dans une société qui articulait les mondes du travail, les familles politiques et les styles de vie dans une même représentation. Le travail salarié, qui en était le pivot, assurait une continuité du social au politique et du public au privé, dans l'expression des conflits sociaux, la construction des identités collectives et des modèles sexués. L'État-nation en était la clef de voûte, en embrassant un type d'organisation politique, une identité sexuelle et un espace de souveraineté. Or c'est cet agencement qui se défait aujourd'hui. Les représentations d'un espace social structuré autour de classes, aux intérêts et aux styles de vie opposés, se sont érodées. Le travail a perdu son rôle de « grand intégrateur et sa capacité à donner du sens aux identités collectives. Les sociétés nationales ont perdu, menacées par la globalisation d'un côté, la territorialisation de l'autre. [...] Un processus de fragmentation est aussi à l'œuvre dans les différents domaines de la vie sociale : à la multiplication des formes particulières d'emploi vient répondre la diversification des univers

Le mouvement des indignés devant le ministère du Travail à Madrid, le 10 juin 2011.

familiaux ; au pluralisme familial s'ajoute la multiplication des « marchés » scolaires. Il en va de même des grandes villes en proie à des processus de ségrégation et des logiques de séparation. [...] Pour autant, ces processus ne doivent pas masquer les recompositions à l'œuvre. [...] Loin d'avoir disparu de la scène sociale, l'action collective et la contestation se manifestent autour de nouveaux enjeux et de nouveaux acteurs, qu'il s'agisse

de la mobilisation des chômeurs, des sans-papiers et des sans-logis [...]. Face à l'annonce de la « fin du travail », on constate l'émergence de nouvelles formes de salariat et de relations d'emploi qui s'appuient toujours plus sur l'initiative et le sens des responsabilités individuelles.

Michel Kokoreff et Jacques Rodriguez, « La société de l'incertitude », *Sciences humaines*, hors-série n° 50, septembre-octobre 2005.

1. ILLUSTRER. Donnez un exemple précis pour illustrer la phrase soulignée.

2. EXPLIQUER. Pourquoi le travail n'est-il plus aujourd'hui le « grand intégrateur » ?

3. CONSTATER. Quelles sont les nouvelles formes de salariat évoquées dans le texte ?

4. RÉCAPITULER. Quelles sont les conséquences sociales des transformations du salariat ?

5. Le bilan de la flexisécurité

Les évolutions de ces dernières années montrent qu'en France notamment la flexisécurité[1] a surtout conduit à une augmentation des emplois temporaires aux dépens des emplois permanents. Lors de la crise actuelle, l'ajustement du marché du travail s'est donc concentré sur les catégories de travailleurs précaires. La flexibilité a augmenté plus vite que la sécurité des travailleurs.

Une telle évolution nécessite de faire émerger un autre comportement individuel des dirigeants des entreprises mais aussi des salariés. Les premiers doivent participer plus activement au développement des compétences générales, alors que les seconds doivent pouvoir décider de leur évolution professionnelle. C'est

pourquoi, la Stratégie de Lisbonne avait complété l'objectif quantitatif de création d'emplois de la Stratégie européenne pour l'emploi de 1997 par un objectif qualitatif qui se mesurerait par une plus grande mobilité choisie. Celle-ci serait le reflet d'un développement des compétences générales des travailleurs et non des compétences spécifiques, c'est-à-dire attachées à l'entreprise. Les travailleurs pourraient ainsi plus facilement être maîtres de leurs évolutions professionnelles et salariales.

1. On parle indifféremment de « flexisécurité » ou de « flexicurité ».

Mathilde Lemoine et Étienne Wasmer, « Les mobilités des salariés », rapport du Conseil d'analyse économique (CAE), n° 90, 30 juin 2010.

1. CONSTATER. Quel bilan les auteurs font-ils de la flexisécurité ?

2. EXPLIQUER. Pourquoi la flexibilité peut-elle porter atteinte à la cohésion sociale ?

3. EXPLIQUER. À quelle condition la flexibilité ne sera-t-elle plus vécue par les salariés comme une précarité ?

4. RÉCAPITULER. Quel doit être l'outil essentiel des politiques de flexisécurité ?

ENTRAÎNEMENT

QUESTION DE COURS. En quoi la cohésion sociale repose-t-elle sur des composantes économiques, sociales et politiques ?

SYNTHÈSE. À l'aide des documents 1 et 4, montrez que l'évolution de l'emploi et le chômage portent atteinte à la cohésion sociale dans une société démocratique.

documents

TD MÉTHODE

NOTIONS • Population active • Flux de main-d'œuvre et d'emploi • Taux de chômage

SAVOIR-FAIRE • Utiliser la méthode empirique • Étudier et exploiter un texte • Comparer et analyser l'évolution des taux de chômage

1. Les études empiriques contre les préjugés : « immigration et chômage »

À la suite d'une crise politique, le 20 avril 1980, Fidel Castro annonce l'ouverture du port de Mariel, pour que les Cubains qui le souhaitaient puissent quitter Cuba.

On estime à plus de 125 000 le nombre de Cubains ayant émigré lorsque le port de Mariel fut de nouveau fermé, en septembre de la même année. La moitié de cette population s'était installée à Miami, y entraînant une hausse de 7 % de la population active.

Entre avril et juillet 1980, soit en l'espace de trois mois, le taux de chômage explose à Miami, passant de 5 % à 7,1 %. Cette flambée du chômage suscita les réactions que l'on imagine. Certains milieux accusèrent, pêle-mêle, les réfugiés cubains de prendre le travail des Américains les moins qualifiés et de favoriser la montée de l'insécurité. À première vue, ces chiffres semblent donner raison à ceux qui pensent que le nombre des emplois est fixé par de (mystérieuses) limites qui, en tout état de cause, ne dépendent pas de la taille de la population active. Dans ces conditions, augmenter cette dernière ne peut qu'augmenter le volume du chômage. Une manière d'invalider ou de valider cette thèse – c'est même la seule manière – est de répondre à la question : que se serait-il passé à Miami si l'exode de Mariel n'avait pas eu lieu ? Un économiste américain, David Card, s'est attaqué à ce problème. Mais il n'est pas devin, il est seulement professeur à l'université de Berkeley. Comme n'importe qui d'autre, il est incapable de savoir ce qui se serait passé à Miami, si l'exode de Mariel n'avait pas eu lieu, puisque dans la réalité cet exode a bel et bien eu lieu. Les économistes sont très souvent confrontés à des problèmes de ce genre. Ils essayent de les résoudre en comparant le contexte réel à une situation « témoin » – reproduisant le plus possible le contexte réel sans l'élément « perturbateur » dont on cherche à évaluer les effets. Dans le cas d'espèce, c'est l'exode de Mariel qui constitue l'élément perturbateur. David Card a eu l'idée de prendre comme témoins des villes des États-Unis dont les caractéristiques économiques et démographiques sont semblables à celles de Miami, mais qui ne furent pas touchées par la grande vague d'immigration cubaine de 1980. Il choisit Atlanta, Los Angeles, Houston et Tampa-Saint Petersburg. Ces quatre villes abritaient, comme Miami, d'importantes communautés noires et hispaniques et connurent des évolutions de l'emploi et du chômage similaires dans les années qui précédèrent l'exode de Mariel. Plus précisément, David Card a comparé les évolutions moyennes des salaires et du chômage des populations noire, hispanique et blanche dans ces cinq villes en tenant compte de leurs différences liées à l'éducation, l'expérience, le statut marital, le secteur d'activité et l'ampleur du travail à temps partiel. Ses principaux résultats concernant la progression du chômage sont reproduits dans le tableau ci-dessous. [...]

La majorité des études portant sur les États-Unis et sur bien d'autres pays aboutissent à des conclusions analogues. Ces résultats peuvent surprendre, ils sont néanmoins incontournables.

Source : Pierre Cahuc et André Zylberberg, *Le chômage, fatalité ou nécessité ?*, Flammarion, 2005 pour la première édition, 2009.

Les taux de chômage avant et après l'exode de Mariel		Avant Mariel (1979)	Après Mariel (1981)	Différence après-avant
Blancs	Miami	5,1	3,9	– 1,2
	Villes témoins	4,4	4,3	– 0,1
Noirs	Miami	8,3	9,6	1,3
	Villes témoins	10,3	12,6	2,3

Source : David Card, « The Impact of The Mariel Boatlift on The Miami Labor Market », National Bureau of Economic Research, août 1989.

1. Quel est le discours courant sur la relation entre immigration et chômage ?

2. Sur quelle hypothèse la thèse citée à la question précédente repose-t-elle ?

3. Que font les scientifiques pour valider ou invalider une thèse en physique ?

4. Pourquoi les économistes ne peuvent-ils pas faire de même ?

5. Décrivez les étapes du protocole suivi par David Card.

6. Quelles précautions l'économiste doit-il prendre dans le choix des villes « témoins » pour que ses résultats aient une valeur scientifique ?

7. Comparez les taux de chômage de Miami et des villes « témoins » avant et après l'exode de Mariel.

8. Selon le travail de David Card et d'autres économistes, quelle conséquence l'immigration a-t-elle sur le chômage ?

9. Une fois cette relation établie, quelle est l'étape suivante du travail de l'économiste ?

2. Lutter contre les inégalités d'accès à la formation continue

A ▪ Établir un bilan des inégalités d'accès à la formation continue

1. Taille de l'entreprise et formation continue en 2006

En %	Ensemble des entreprises	10 à 19 salariés	20 à 49 salariés	50 à 249 salariés	250 à 499 salariés	500 à 999 salariés	1 000 salariés et plus
Taux accès à la formation							
Femmes	43	26	34	36	40	55	55
Hommes	47	21	30	40	51	58	63
Cadres	57	32	34	52	56	67	73
Techniciens	62	38	45	55	59	68	73
Employés	39	22	30	37	41	58	47
Ouvriers	37	15	25	31	42	45	55
Part d'entreprises déclarant diffuser de l'information sur la formation continue	82	81		89	94	99	
Part d'entreprises ne conduisant pas d'entretiens de carrière	46	57	41	25	19	8	4

Champ : entreprises de 10 salariés et plus.

Source : d'après Marion Lambert, Isabelle Marion-Vernoux et Jean-Claude Sigot (dir.), « Quand la formation continue, repères sur les pratiques de formation des employeurs et des salariés », Céreq, 2009.

1. Quelle proportion de femmes accède à la formation continue ?

2. Comparez l'accès à la formation des hommes et des femmes en fonction de la taille de l'entreprise.

3. Quel lien peut-on établir entre PCS et accès à la formation continue ?

4. Montrez que l'offre de formation continue dépend de la taille de l'entreprise. Comment peut-on l'expliquer ?

2. Taux d'accès à la formation continue en 2006

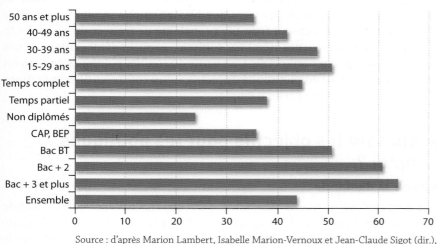

Source : d'après Marion Lambert, Isabelle Marion-Vernoux et Jean-Claude Sigot (dir.), *op. cit.*, Céreq, 2009.

1. Quel lien peut-on établir entre l'âge d'un salarié et son accès à la formation continue ?

2. Comparez l'accès à la formation continue des « non-diplômés » et des « bac +3 et plus ».

3. À l'aide des documents 1 et 2, montrez que les inégalités d'accès à la formation sont cumulatives.

B ▪ Quelles politiques pour la formation continue ?

1. Rappelez les enjeux de la formation continue pour le salarié et pour l'entreprise.

2. À partir du bilan que vous avez établi précédemment, identifiez les objectifs prioritaires que doit cibler une politique de l'emploi pour réduire les inégalités d'accès à la formation.

3. Rendez-vous sur **www.calameo.com/read/0000086725590aa5e7acb**, puis à la page 6 de « Formation professionnelle, annexe au projet de loi de finance pour 2010 », et confrontez les objectifs que vous avez définis à la question précédente et ceux de la politique française en matière de formation continue.

Quelles politiques pour l'emploi ?

L'emploi joue un rôle économique et social majeur dans nos sociétés.
Le travail subit les conséquences des variations de l'activité économique
dans le cadre d'une concurrence mondialisée. De nouvelles formes d'emploi
et la persistance du chômage affectent le rôle intégrateur du travail.
Quelles politiques pour l'emploi, avec quels objectifs face à ces enjeux ?

ACQUIS DE PREMIÈRE

➡ Voir **Réviser les acquis de 1re**, p. 358
et **Lexique**

- Chômage
- Productivité
- Demande globale
- Politique monétaire
- Politique budgétaire
- Rationnement

NOTIONS AU PROGRAMME

**Flexibilité du marché
du travail**
Ensemble des mesures qui ont
pour objectif de lutter contre les
rigidités du marché du travail, afin
de permettre aux entreprises de
s'adapter rapidement aux évolutions
de la demande. Elles visent en
particulier à adapter le volume de
l'emploi (flexibilité quantitative) ou
la qualité des emplois (flexibilité
fonctionnelle), ou encore les salaires
(flexibilité salariale).

Salariat
Mode d'organisation du travail fondé
sur le contrat entre le salarié qui loue
sa force de travail, et l'employeur qui
verse un salaire et finance des droits
sociaux. Utilisé aussi pour désigner
l'ensemble des salariés.

Taux de chômage
Pourcentage de chômeurs dans la
population active (actifs occupés +
chômeurs).

I. Pourquoi des politiques de l'emploi sont-elles nécessaires ?

A. Accompagner les mouvements du marché du travail

■ Au troisième trimestre 2011, la France affiche un taux de chômage à 9,7 % et compte 2 814 900 demandeurs d'emploi. Ces chiffres résument une situation qui résulte de mouvements contradictoires : chaque trimestre en France, 800 000 emplois sont créés ou détruits. Analyser ces flux permet de cibler les objectifs des politiques de l'emploi pour les rendre plus efficaces. Faut-il davantage soutenir la création d'emplois ou empêcher leur destruction ?

B. Prévenir les inégalités face à l'emploi

■ Le besoin de flexibilité du marché du travail a fait évoluer les normes du salariat. La population active est touchée dans son ensemble par ces « formes particulières d'emploi » et par le chômage. Mais leur impact se concentre sur les jeunes, les non-qualifiés et les femmes. La persistance d'un taux de chômage élevé augmente la difficulté à retrouver un emploi. Les uns se voient contraints d'accepter un emploi faiblement qualifié ou à temps partiel dont le revenu insuffisant les entraîne dans la pauvreté. Pour les autres, un éloignement durable de l'emploi signifie à terme une diminution du capital humain qui réduit la probabilité de trouver un emploi. On observe ainsi un renforcement des inégalités, contraire au projet démocratique de nos sociétés, qui menace la cohésion sociale. Une partie du rôle des politiques de l'emploi consiste donc à améliorer l'employabilité des actifs, lutter contre les discriminations et accompagner ceux qui sont privés d'emploi.

II. Quels sont les objectifs pour les politiques de l'emploi ?

A. Soutenir la demande

■ L'analyse macroéconomique keynésienne conclut que l'insuffisance de la demande anticipée crée un équilibre de sous-emploi. Elle prône un soutien à l'activité économique. Cette relance peut se faire par des investissements publics ou par le soutien à la demande privée. En réponse à la crise de 2008, tous les pays de l'OCDE ont mis en place des plans de relance. La principale difficulté de ces politiques réside dans leur financement. En période de ralentissement ou de récession, les recettes de l'État se contractent en même temps que ses dépenses augmentent : le déficit s'aggrave donc mécaniquement. Son niveau initial ne laisse pas toujours une capacité d'endettement suffisante pour mener les politiques jugées nécessaires. La demande de capitaux induite par ces politiques risque de faire augmenter les taux d'intérêt, ce qui se traduit par une hausse des charges de la dette pour l'État, mais aussi pour les acteurs privés.

B. Réduire le coût du travail

■ L'analyse microéconomique néoclassique détermine le niveau de la demande de travail en fonction du niveau du salaire, donc en fonction de son coût. La persistance du chômage est interprétée comme la conséquence d'un coût du travail trop élevé. Les politiques de l'emploi préconisées consistent alors en une baisse du coût du travail. En France, le coût du travail est composé principalement du salaire net et des charges sociales salariales et patronales, qui financent le système de protection sociale. La baisse du niveau des charges sociales permet de réduire le coût du travail pour l'entreprise, sans diminuer le revenu des salariés. Ces mesures sont le plus souvent ciblées sur les emplois les moins qualifiés, pour lesquels une productivité trop faible rend les coûts du travail prohibitif pour l'entreprise. L'État assumant les charges sociales à la place des entreprises, le coût très élevé de ces mesures pose à nouveau le problème de leur financement.

C. Améliorer le fonctionnement du marché du travail

■ En période de croissance, l'expérience a montré que les politiques de relance semblaient atteindre leurs limites, favorisant davantage la hausse des prix que l'activité et l'emploi. Les économistes attribuent ce chômage résiduel au fonctionnement imparfait du marché du travail. Ce chômage est dit « structurel », car largement déterminé par les institutions du marché. Sa rigidité, à travers le contrat de travail, la législation sur le licenciement, les modes d'attribution et le niveau des allocations chômage, ou encore le manque d'efficacité des services d'aide au retour à l'emploi, sont pointés du doigt. La qualification absente ou inadaptée est mise en cause. Les politiques structurelles de l'emploi se fixent alors comme objectifs de répondre au besoin de flexibilité des entreprises, en rendant le marché plus fluide, tout en garantissant un accompagnement et une sécurité aux actifs touchés par les restructurations. Les sociétés industrielles sont donc à la recherche d'un compromis entre flexibilité et sécurité qui a donné le nom de « flexisécurité » à ces politiques.

III. Quels sont les enjeux sociaux des politiques de l'emploi ?

A. La prise en compte de la place du travail dans la société

■ Le financement de la vie collective repose essentiellement sur les actifs occupés, la diminution du taux d'emploi représente donc un coût pour la collectivité. C'est cette dernière qui compense la perte de revenu de l'individu, que ce soit par le système d'assurance ou d'assistance. Les restructurations de secteur détruisent parfois durablement le tissu économique et social de régions entières. Les politiques de l'emploi sont déterminantes pour en amortir les conséquences sociales et surtout les anticiper, notamment par une politique d'investissement dans des secteurs innovants.

■ Pour l'individu, la perte de l'emploi ne se résume pas à la perte de son principal revenu. Le travail est à la source de l'identité sociale et constitue un vecteur essentiel de l'intégration. Il est source de dignité et d'estime de soi. Les politiques de l'emploi doivent donc veiller à ce que personne ne soit exclu du marché du travail.

B. La recherche d'un compromis social

■ Les évolutions récentes du marché du travail sont facteur de précarité. Les allers-retours fréquents entre emploi et chômage se traduisent par des revenus irréguliers qui empêchent les individus de faire des projets. Cela fragilise leur affiliation au régime de protection sociale et peut les faire basculer dans l'assistance, comme les chômeurs en fin de droits. La perte de l'emploi altère aussi les relations sociales de l'individu, provoquant son isolement. L'accumulation de ces handicaps peut amener à la rupture du lien social et à l'exclusion. Face à cet enjeu d'avenir pour la société, les politiques de l'emploi incluent des mesures pour renforcer la cohésion sociale. Les politiques ciblent tout particulièrement les publics les plus fragiles pour favoriser leur retour à l'emploi.

NOTIONS AU PROGRAMME

Pauvreté
Une première définition de la pauvreté est celle de la pauvreté monétaire. Elle conduit, selon le seuil européen, à considérer comme pauvres les ménages dont le niveau de vie est inférieur à 60 % du revenu médian. Une deuxième définition de la pauvreté est la pauvreté par conditions de vie. Elle concerne les ménages dont les ressources contraignent l'accès à certains biens.

Demande anticipée
Demande à laquelle les entrepreneurs pensent devoir faire face. Elle est composée de la demande pour consommation et pour investissement. Elle sert de base à la détermination de la production mise en œuvre. Dans son analyse, J. M. Keynes l'appelle la demande effective.

Équilibre de sous-emploi
Concept de l'analyse keynésienne du chômage, qui décrit la situation dans laquelle les entreprises réalisent une production qui assure l'équilibre sur le marché des biens et services, sans pour autant permettre l'utilisation de toute la population active.

Qualification
Compétences acquises par la formation et l'expérience lorsqu'elles se rapportent au travailleur. Ensemble des savoir-faire nécessaires pour occuper le poste lorsqu'il s'agit d'un emploi.

Taux d'emploi
Le taux d'emploi d'une classe d'individus est calculé en rapportant le nombre d'individus de la classe ayant un emploi au nombre total d'individus dans la classe. Il peut être calculé sur l'ensemble de la population d'un pays, mais on se limite le plus souvent à la population en âge de travailler (personnes âgées de 15 à 64 ans), ou à une sous-catégorie de la population en âge de travailler (femmes âgées de 25 à 29 ans par exemple).

Précarité
Situation de forte incertitude qui empêche un individu, une famille ou un groupe d'assumer pleinement ses responsabilités et de bénéficier de ses droits fondamentaux. Rapporté à l'emploi, la précarité fait référence à l'augmentation du chômage et des emplois temporaires qui rend le parcours des actifs plus incertain et leur revenu irrégulier.

synthèse

Synthèse (suite)

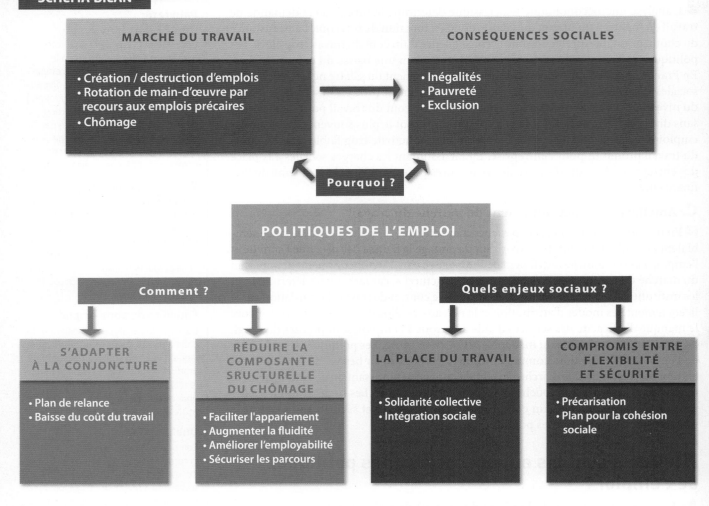

À la fin du chapitre, assurez-vous que :

➜ Vous êtes capable d'illustrer les flux bruts d'emploi et de main-d'œuvre.	➜ Vous êtes capable de calculer et d'utiliser le taux de chômage et le taux d'emploi.	➜ Vous êtes capable de décrire les mécanismes qui peuvent conduire du chômage à l'exclusion.	➜ Vous êtes capable de relier une mesure concrète de politique de l'emploi à la théorie qui l'a inspirée.	➜ Vous êtes capable de repérer les objectifs sociaux des politiques de l'emploi.

POUR ALLER PLUS LOIN

Livre
- Pierre Cahuc et André Zylberberg, *Le chômage, fatalité ou nécessité ?*, Flammarion, 2005 pour la première édition, 2009.

Revue
- « Travail, emploi, chômage », *Cahiers français*, n° 353, novembre-décembre 2009.

Émissions de télévision
Consultables sur lesite.tv
- « Les relations sociales, l'insécurité sociale » et « Les relations sociales, citoyenneté sociale », entretiens avec le sociologue Robert Castel.
- « Projet d'OPA sur Arcelor », *C dans l'air*, France 5.

Sites
- www.insee.fr
- www.epp.eurostat.ec.europa.eu (statistiques européenne)
- www.europa.eu (Union européenne)
- www.inégalités.org (Observatoire des inégalités)
- www.travail-emploi-sante.gouv.fr (ministère du Travail, de l'Emploi et de la Santé)

1 Caractériser des mouvements sur le marché du travail

1. Flux d'emplois
2. Flux de main-d'œuvre

a. L'ouverture d'une nouvelle PME.

b. Un salarié donne sa démission.

c. Une entreprise réalise une compression de personnel.

d. Une entreprise embauche une secrétaire en CDD pour remplacer la titulaire du poste en congé parental.

e. Une fin de mission intérim.

f. Une entreprise fait faillite.

2 Relier chaque mesure à sa politique

1. Politique structurelle
2. Politique conjoncturelle

a. Investissement dans les infrastructures

b. Activation des chômeurs

c. Formation

d. Baisse des impôts

e. Création d'un CDD de mission pour les cadres

f. Réduction des charges sociales patronales

g. Augmentation du budget de la recherche

h. Incitation à l'emploi des seniors

3 QCM

Plusieurs réponses sont possibles.

1. La formule du taux de chômage est :

- **a** ☐ (Nombre de chômeurs / Population totale) × 100
- **b** ☐ (Nombre de chômeurs / Population d'âge actif) × 100
- **c** ☐ (Nombre de chômeurs / Population active) × 100

2. La formule du taux d'emploi est :

- **a** ☐ (Nombre d'actifs occupés / Population active) × 100
- **b** ☐ (Nombre d'actifs / Population totale) × 100
- **c** ☐ (Nombre d'actifs occupés / Population totale) × 100

3. Un taux de chômage à 9 % signifie que :

- **a** ☐ 9 % de la population en âge de travailler est au chômage.
- **b** ☐ 9 % des actifs n'occupent pas d'emploi.
- **c** ☐ 9 % de la population est au chômage.

4. Le taux d'emploi des 15-24 ans est de 31,4 %, signifie que :

- **a** ☐ 31,4 % des 15-24 ans ont un emploi.
- **b** ☐ 31,4 % des actifs de 15-24 ans ont un emploi.
- **c** ☐ les jeunes représentent 31,4 % des actifs ayant un emploi.

5. Une politique de relance keynésienne peut inclure des mesures pour :

- **a** ☐ moderniser les services publics d'aide au retour à l'emploi.
- **b** ☐ moderniser les infrastructures routières.
- **c** ☐ moderniser le financement du système de sécurité sociale.

6. Une politique pour lutter contre la composante structurelle du chômage va chercher :

- **a** ☐ à réduire le coût du travail.
- **b** ☐ à améliorer l'employabilité des actifs.
- **c** ☐ à augmenter le montant des aides sociales.

4 Indiquer les impacts économiques et sociaux de mesures de politiques de l'emploi

Compléter le tableau ci-dessous, en précisant le caractère positif ou négatif des impacts.

Impact économique	Mesure	Impact social
	Baisser les charges des entreprises	
	Investir massivement dans les infrastructures de santé et de transports	
	Prolonger et élargir les droits aux allocations chômage	
	Activation des chômeurs	
	Augmenter la flexibilité du travail (contrat de travail, temps de travail)	
	Faire de la formation continue une priorité	

➡ Voir les réponses p. 445.

Dissertation

SUJET Comment les politiques de l'emploi favorisent-elles l'intégration par le travail ?

DOCUMENT 1 Schéma simplifié du RSA pour un célibataire

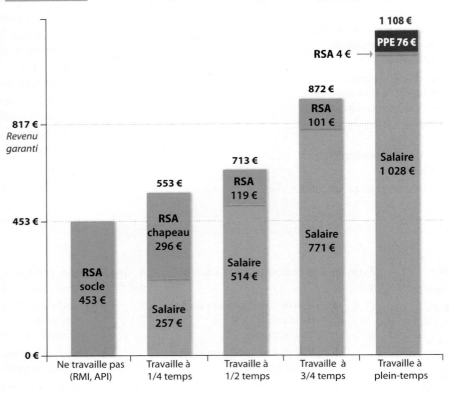

Note : RSA : le revenu de solidarité active est un dispositif de revenu garanti comme le revenu minimum d'insertion (RMI) auquel il se substitue ; RSA socle : montant forfaitaire calculé en fonction de la composition du ménage ; RSA chapeau : complément de revenu pour les travailleurs pauvres ; PPE : la prime pour l'emploi est attribuée aux foyers fiscaux dont l'un au moins des membres exerce une activité professionnelle et dont les revenus ne dépassent pas certaines limites.

Source : conseil général du Lot, 2009.

DOCUMENT 2 Répartition des dépenses en faveur de l'emploi et du marché du travail en 2008

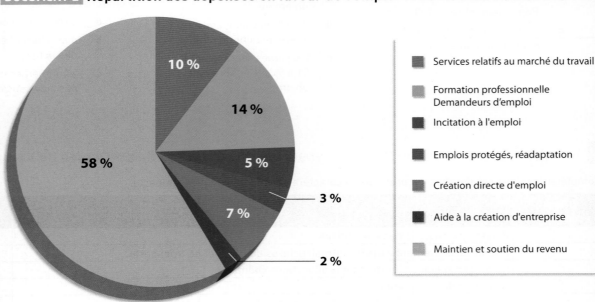

- Services relatifs au marché du travail
- Formation professionnelle Demandeurs d'emploi
- Incitation à l'emploi
- Emplois protégés, réadaptation
- Création directe d'emploi
- Aide à la création d'entreprise
- Maintien et soutien du revenu

Source : Analyses Dares, janvier 2011.

1907. Les femmes obtiennent le droit de bénéficier librement de leurs salaires.

1919. Création du baccalauréat féminin.

1920. Les femmes peuvent adhérer à un syndicat sans l'autorisation de leur mari.

1938. Les femmes peuvent s'inscrire à l'université sans autorisation de leur mari.

1942. Les femmes mariées sont autorisées à travailler même si leur mari travaillent.

1946. Le principe de l'égalité des droits entre hommes et femmes dans tous les domaines est posé en préambule de la Constitution.

1965. Les femmes sont autorisées à travailler sans le consentement de leurs maris.

1972. Polytechnique devient mixte, huit femmes sont reçues et le major de promotion est une femme.

1992. La loi reconnaît et pénalise le harcèlement sexuel au travail.

D'après Émergences (2000) repris dans « Discriminations fondées sur le genre en France », Émergences (2004).

POUR VOUS AIDER | Utiliser les plans de cours pour construire un raisonnement global

Pour construire un raisonnement global répondant au sujet, qui guidera la construction du plan, il faut choisir l'angle d'attaque. Pour ce sujet, deux logiques sont possibles : partir des politiques de l'emploi (ex. : politique active, politique passive) et se demander sur quel facteur d'intégration agit une mesure, ou partir de l'intégration sociale (ex. : les différents facteurs d'intégration) et se demander quelle mesure pour l'emploi peut renforcer un facteur d'intégration.

Les solutions qui conduisent à des répétitions systématiques doivent être écartées. Plusieurs sont possibles, choisissez celle pour laquelle les liens logiques vous semblent les plus faciles à établir.

Conseil : utilisez le plan du cours portant sur chaque notion du sujet pour élaborer un raisonnement logique global qui vous guidera pour construire le plan.

Épreuve composée (entraînement Chapitre 15)

PARTIE 1 Mobilisation des connaissances

QUESTION 1 (3 points) : Qu'est-ce que le chômage classique ?

QUESTION 2 (3 points) : Quel est le rôle du travail dans l'intégration sociale ?

PARTIE 2 Étude d'un document

QUESTION (4 points) : Vous présenterez ce document puis comparerez l'évolution des taux d'emploi au cours de la vie active en France et en Allemagne.

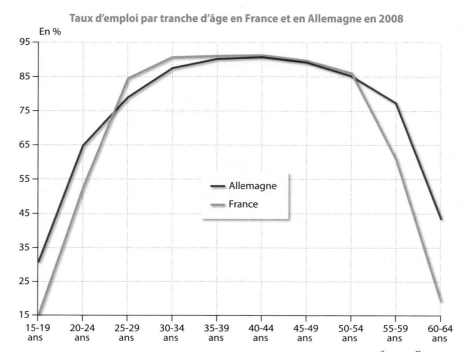

Taux d'emploi par tranche d'âge en France et en Allemagne en 2008

Source : Eurostat.

PARTIE 3 Raisonnement s'appuyant sur un dossier documentaire

SUJET (10 POINTS) : Quels sont les objectifs d'une politique de flexicurité ?

DOCUMENT 1 Taux d'emploi et législation en matière de protection de l'emploi

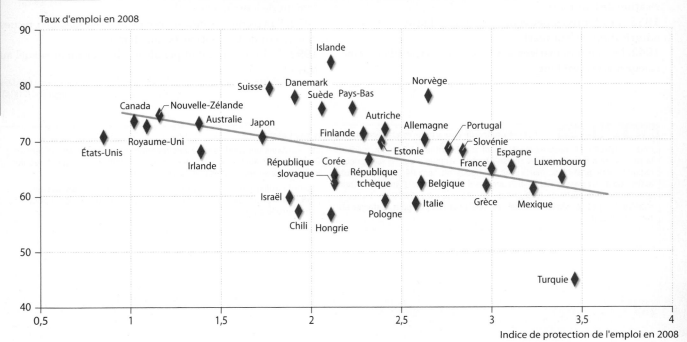

Note : l'indice de protection de l'emploi est un indice complexe qui mesure le degré de protection de l'emploi : plus l'indice est élevé (proche de 4) plus la législation protège l'emploi.

Source : OCDE, 2010.

DOCUMENT 2 Trois modèles de flexicurité

Modalités de gestion du risque d'emploi et de revenu	Danemark	France	États-Unis
Politique macroéconomique	=	–	+ +
Politique « active » de l'emploi[1]	+ +	+	– –
Politique « passive » de l'emploi[2]	+ +	+ +	– –
Protection de l'emploi	–	+	– –
Flexibilité/Sécurité	+/+	–/=	+ +/–

Lecture : le poids de cette politique dans l'ensemble des mesures est + + très forte, + forte, = moyenne, – faible, – – très faible. Ex. : au Danemark, les politiques actives de l'emploi ont un poids élevé dans la gestion du risque d'emploi et de revenu, alors qu'elles ne sont pas ou très peu utilisées aux États-Unis.
1. La politique « active » recouvre les mesures d'aide à l'embauche, à la formation, à la recherche d'emploi, etc.
2. La politique « passive » recouvre les mesures d'indemnisation du chômage et des préretraites.

Source : Jérôme Gautié, « Les économistes face à la protection de l'emploi : de la dérégulation à la flexicurité »,
Droit social, n° 1, janvier 2005.

POUR VOUS AIDER Construire un tableau pour structurer un raisonnement

Une politique de flexicurité, comme son nom l'indique, comporte deux volets : améliorer, d'une part, la flexibilité du marché du travail et, d'autre part, la sécurisation du parcours des actifs. Le document 2 permet de retrouver les grandes catégories de mesures de ces politiques. Construire un tableau à double entrée permet d'organiser la réflexion.

Politiques	Flexibilité	Sécurité
Politiques actives de l'emploi	• La formation est un facteur de polyvalence pour l'entreprise • Aide à la recherche d'emploi = Amélioration la fluidité du marché du travail	La formation favorise le maintien en emploi et facilite le retour à emploi

Conseil : pour bien organiser vos connaissances et bâtir votre raisonnement, construisez un tableau à partir des notions du sujet.

Sujet d'oral

Questions de connaissance

QUESTION 1 (3 points) : **Qu'est-ce que la flexibilité du travail ?**
QUESTION 2 (3 points) : **Qu'est-ce que la demande anticipée ?**

Outils et savoir-faire

QUESTION 3 (4 points) : **Quels sont les principaux facteurs de la pauvreté des travailleurs ? (Doc. 1)**

Question principale (10 points)

Comment l'évolution du marché du travail fragilise-t-elle l'intégration sociale ?

DOCUMENT 1 **Travailleurs dont le revenu d'activité est inférieur au seuil de pauvreté**

Situation d'activité des travailleurs pauvres Seuil à 60 % du revenu médian	Effectif (en milliers)	Part dans la population des travailleurs pauvres (en %)
Ensemble	3 745	100
Emploi salarié toute l'année	1 800	48
à temps complet	525	14
à temps partiel	1 275	34
Emploi non salarié toute l'année	739	19,7
Alternances emploi/chômage	741	19,8
emploi majoritaire	299	8
chômage majoritaire	442	11,8
Alternances avec inactivité	467	12,5

Note : pauvreté mesurée sans tenir compte des revenus du ménage, des prestations sociales et des impôts. Il s'agit uniquement des revenus d'activité.

Source : Observatoire national de la pauvreté et de l'exclusion sociale, données 2006.

DOCUMENT 2

Mademoiselle F. a 27 ans, elle a quitté le système scolaire en fin de troisième et est actuellement en contrat aidé pour 6 mois comme agent de service hospitalier. C'est son premier emploi et elle ne sait pas du tout ce qu'elle pourra faire ensuite. Elle touche 900 euros par mois, vit chez ses parents avec ses deux frères et sa sœur. Elle est à la fois consciente que sa famille lui évite de vivre « une catastrophe » et se sent honteuse de vivre encore chez ses parents. Afin de se rendre utile, elle paie quelques factures, fait parfois les courses et aide sa mère pour le ménage. La privation la plus difficile à supporter est l'absence d'indépendance. Puis, viennent le manque de sorties et de vie sociale.

Consommation et modes de vie, n° 202, avril 2007, Crédoc.

Depuis la révolution industrielle, les économistes essaient de comprendre la croissance économique, de prévoir son évolution et éventuellement de provoquer son apparition. Cette étude de la croissance a conduit les différents courants de pensée à s'opposer sur certaines questions qui ne sont pas encore totalement résolues : la croissance est-elle condamnée à disparaître ? Pourquoi la croissance obéit-elle à des fluctuations cycliques ? Quel rôle l'État doit-il jouer ?

1. Les théories classiques : les rendements décroissants conduisent à l'état stationnaire

Les économistes classiques, c'est-à-dire les économistes de la fin du XVIIIᵉ siècle et du début du XIXᵉ siècle, tels qu'Adam Smith, David Ricardo, Jean-Baptiste Say, Thomas Malthus ou même Karl Marx, ont accordé une grande importance à la loi des rendements décroissants.

D'après cette loi, les facteurs de production sont de moins en moins efficaces à mesure qu'on les accumule. Cette loi paraissait une évidence à l'époque où la production était essentiellement agricole. En effet, on cultivait d'abord les meilleures terres. L'augmentation de la population à nourrir obligeait à installer de nouveaux agriculteurs sur des terres moins fertiles dont les rendements étaient moins bons. Cet argument conduisait à envisager un moment où la production ne pourrait plus augmenter. Les économistes classiques prévoyaient donc un état stationnaire de l'économie.

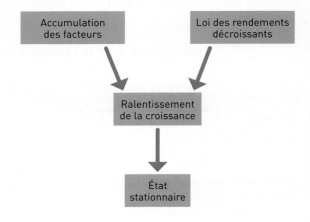

2. Les théories néoclassiques : une croissance tirée par un progrès technique exogène

L'école néoclassique est apparue au milieu du XIXᵉ siècle. Elle rejette la loi des rendements décroissants et lui préfère celle de la productivité marginale décroissante. La nuance est importante. D'après ces économistes, c'est seulement l'augmentation isolée d'un des deux facteurs de production qui conduit à une baisse de l'efficacité. Par exemple, si l'on accumule des machines sans augmenter le nombre de travailleurs, vient un moment où ceux-ci ont trop d'outils, dont certains leur sont inutiles et ne font pas augmenter la production. Ainsi, la secrétaire ne produit pas plus lorsqu'elle est équipée d'un second ordinateur que lorsqu'elle en n'avait qu'un. Il faut donc que les deux facteurs progressent en même temps pour voir la production continuer à croître proportionnellement. Cette théorie connaît son apogée en 1958 lorsque Robert Solow explique que grâce au progrès technique, dont on ne connaît pas l'origine, les facteurs de production deviennent plus efficaces et permettent une croissance supérieure au rythme d'accumulation.

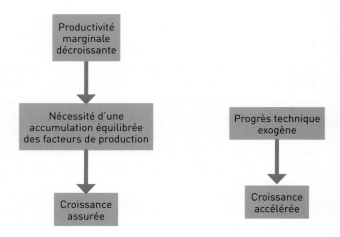

3. La théorie keynésienne : l'État garant de la croissance

Les keynésiens sont les disciples de John Maynard Keynes (1883-1946). Ils écrivent après la Seconde Guerre mondiale et critiquent l'oubli des crises économiques par les économistes néoclassiques. En effet, la crise de 1929 a montré que la croissance pouvait être stoppée durablement. D'après les keynésiens, la croissance ne peut se maintenir que si certaines conditions sont respectées, et en particulier une condition concernant le taux d'épargne. Si ce taux d'épargne est trop élevé, cela signifie que les ménages ne consomment pas suffisamment pour absorber ce qui a été produit par les entreprises. Une surproduction apparaît et provoque la panique des entrepreneurs. Ceux-ci licencient des travailleurs pour réduire leurs productions. Mais ils réduisent ainsi en même temps le pouvoir d'achat des ménages, qui consomment alors encore moins et aggravent encore la surproduction. Un cercle vicieux de la surproduction apparaît et aboutit à la crise. Les keynésiens expliquent qu'aucun mécanisme économique ne permet d'atteindre automatiquement le bon taux d'épargne et que la croissance est donc très aléatoire, sauf si l'État, garant de l'intérêt général, oriente les comportements et l'économie tout entière vers le bon taux d'épargne. C'est donc l'État qui assure le maintien de la croissance en réglant correctement les grands agrégats de l'économie.

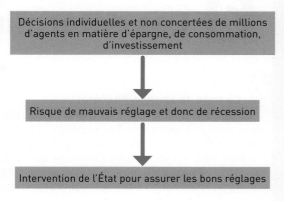

4. La théorie de Schumpeter : la croissance fluctue au rythme des grappes d'innovation

Joseph Schumpeter (1883-1950) est d'accord avec les keynésiens sur un point : le modèle néoclassique est incapable d'envisager et encore moins d'expliquer les crises. Cependant, il est en désaccord complet sur les solutions proposées. D'après lui, c'est bien le progrès technique qui détermine la croissance économique. Cependant celui-ci est très variable. Il prend la forme d'innovations qui apparaissent en grappe sous l'impulsion des entrepreneurs, qui sont motivés par les fruits, notamment financiers, que permettent de générer les innovations qui réussissent. Ces innovations stimulent la croissance pendant un temps relativement long parce qu'elles se diffusent lentement dans l'économie, et parce qu'elles font naître de nouvelles idées à mesure qu'elles apparaissent. Cependant, il arrive un moment où les innovations n'en sont plus. Elles se sont diffusées dans la société et ont produit tous leurs effets. La croissance n'est alors plus soutenue et l'économie entre dans une phase de dépression qui ne s'achèvera que lorsqu'une nouvelle grappe d'innovations surviendra (voir cycles Kondratief, chapitre 2, p. 41).

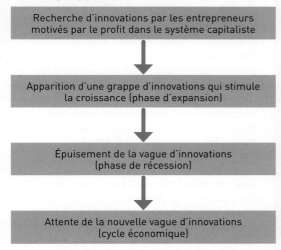

5. Les théories de la croissance endogène

Ces théories sont apparues dans les années 1980. Elles font en quelque sorte la synthèse et la critique de la théorie néo-classique, de la théorie schumpétérienne et même de la théorie keynésienne. En effet, les néoclassiques considéraient que la croissance tombait du ciel parce que le progrès technique était exogène, c'est-à-dire en dehors du système économique. Les théoriciens de la croissance endogène vont chercher à « endogénéiser » ce progrès technique en montrant qu'il dépend des choix des agents économiques (notamment des dépenses en recherche et développement). Schumpeter avait bien vu que les choix d'investissements des agents, en particulier des entrepreneurs, jouaient un rôle essentiel dans l'apparition du progrès technique, mais il n'envisageait pas que l'État puisse intervenir pour le stimuler et accélérer ainsi le rythme de croissance. La plupart des théories de la croissance endogène insistent sur le rôle central que peuvent jouer les pouvoirs publics pour stimuler la croissance. Ainsi, elles reprennent les idées keynésiennes en montrant que le fonctionnement normal de l'économie ne pousse pas toujours les agents privés (les ménages et les entreprises, notamment) à prendre les bonnes décisions, ce qui justifie l'intervention de l'État. Cependant, d'après elles, les politiques keynésiennes traditionnelles sont inefficaces parce qu'elles négligent le véritable moteur de la croissance qu'est le progrès technique.

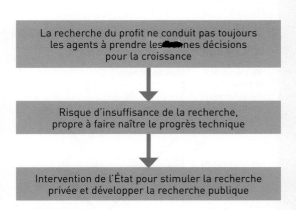

1. Qu'est-ce qu'un taux de change ?

A. Le taux de change bilatéral

Le taux de change bilatéral est la valeur d'une monnaie par rapport à une autre. Par exemple, si le taux de change USD/EUR est de 0,7007, cela signifie qu'un dollar vaut 0,7007 euro, ou qu'un euro s'échange contre 1,4271 dollar. Donc, si le taux de change USD/EUR passe à 0,8 €, cela traduit une appréciation du dollar ou une dépréciation de l'euro.

B. Taux de change nominal (TCN) et taux de change réel (TCR)

Le taux de change nominal (TCN) est le taux de change du marché, il est exprimé en devise. Quant au taux de change réel (TCR), c'est le pouvoir d'achat extérieur d'une monnaie, c'est-à-dire calculé avec les prix étrangers. Il est exprimé en unité de panier de biens.

$$TCR = \frac{\text{Prix national du panier de biens} \times \text{Taux de change nominal}}{\text{Prix à l'étranger du panier de biens}}$$

Si le TCR est supérieur à 1, la monnaie nationale est surévaluée, cela signifie que, converti au taux de change nominal, un panier national permet d'acheter plus d'un panier à l'étranger. Il y a donc intérêt à acheter des paniers de biens à l'étranger (vente de monnaie nationale) qui seront revendus dans le pays. Dans un système de change flexible, ce mécanisme doit ramener le TCR vers 1.

Par exemple :
Supposons que un hamburger vaut 3,73 dollars aux USA et 3,60 euros en France, et que 1 euro vaut 1,44 dollar.
Avec 3,60 euros, je peux obtenir 5,184 dollars (3,60 × 1,44), ce qui signifie qu'avec la valeur de 1 hamburger en France, je pourrais acheter 1,39 hamburger aux États-Unis (5,184 / 3,73 = 1,19). Le dollar est donc sous-évalué (il a un pouvoir d'achat inférieur à sa contrepartie en euro en France), ou l'euro est surévalué.

2. De quoi dépendent les taux de change ?

A. Change fixe et change flottant

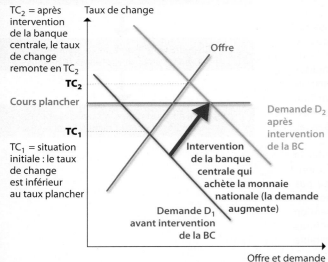

TC$_2$ = après intervention de la banque centrale, le taux de change remonte en TC$_2$

Taux de change

TC$_2$

Cours plancher

TC$_1$

TC$_1$ = situation initiale : le taux de change est inférieur au taux plancher

Offre

Demande D$_2$ après intervention de la BC

Intervention de la banque centrale qui achète la monnaie nationale (la demande augmente)

Demande D$_1$ avant intervention de la BC

Offre et demande

Dans un système de changes fixes, les devises ont un cours officiel appelé « parité », qui ne peut varier que dans des limites étroites. Par exemple, dans le système monétaire international mis en place à Brettons Wood en 1944, ces marges étaient de +/– 1 % par rapport au dollar. Si une devise atteignait son plafond ou son plancher, les banques centrales devaient intervenir, soit en la vendant, soit en l'achetant, d'où la nécessité de détenir des réserves de changes (or, devises). En cas d'échec de ces interventions, la solution consistait à définir une nouvelle parité, soit en réévaluant, soit en dévaluant (voir graphique).

Dans un système de changes flottants ou flexibles, les taux de change fluctuent selon l'offre et la demande sur le marché des changes. On parle alors de dépréciation/appréciation (et non de dévaluation/réévaluation).

Compte tenu du volume des mouvements de capitaux depuis les années 1980, les régimes de changes fixes ne sont plus tenables. Par ailleurs, l'aggravation des déséquilibres commerciaux et financiers mondiaux a montré les limites des changes flexibles. Dans la réalité, de nombreuses devises dans le monde sont régies par des systèmes intermédiaires dits « de flottement administré ». Les banques centrales se fixent dans ce cas un objectif de parité qui n'est pas connu des marchés.

B. Les déterminants fondamentaux sur le long terme

Le taux de change dépend du solde des transactions courantes

Quand un pays a un excédent de sa balance des transactions courantes, cela se traduit par une demande plus forte de sa monnaie par les pays étrangers, ce qui entraîne son appréciation. Selon cette théorie, le taux de change doit refléter la situation des échanges extérieurs.

Le taux de change dépend des différentiels d'inflation

Lorsque l'inflation est forte dans un pays donné, le pouvoir d'achat de la monnaie de ce pays diminue. Dans un système de libre-échange, il sera donc moins intéressant d'acheter les produits de ce pays. La demande de monnaie de ce pays va donc diminuer, ce qui contribuera à sa dépréciation, jusqu'à ce que cette dépréciation compense l'augmentation des prix. Selon cette approche, dite « de parité de pouvoir d'achat (PPA) », la variation relative du taux de change doit être égale au différentiel d'inflation. Ainsi, si l'inflation aux États-Unis est supérieure de 2 % à celle de la zone euro, le taux de change euro contre dollar doit s'apprécier de 2 % pour maintenir son pouvoir d'achat.

Le taux de change dépend de l'évolution des taux d'intérêt

Un taux d'intérêt fort attire les capitaux à la recherche des rendements les plus élevés. On assiste donc à des mouvements de capitaux des pays à taux d'intérêt faible vers les pays à taux d'intérêt élevé. La demande de monnaie des premiers diminue (ce qui contribue à la dépréciation de cette monnaie), tandis que la demande de monnaie des seconds augmente (ce qui contribue à l'appréciation de cette monnaie). Ce mouvement se poursuit jusqu'à ce que l'appréciation de la monnaie « forte » réduise le rendement des placements.

C. Les déterminants sur le moyen et court terme

Le taux de change dépend des risques encourus

Lorsqu'un investisseur souhaite effectuer un placement dans une monnaie donnée, non seulement il souhaite recevoir un intérêt le plus élevé possible, mais il cherche également à conserver intact son capital. Si un pays présente une sécurité élevée, il attirera davantage les capitaux qu'un pays présentant un risque de perte en capital élevé, même si le taux d'intérêt de ce dernier est plus élevé. C'est pourquoi les États-Unis ont représenté un « habitat préféré » pour les placements dans la seconde moitié du XXe siècle, en raison de la faiblesse du risque de défaut de paiement. De ce fait, le cours d'une monnaie de réserve (c'est-à-dire la monnaie que l'on souhaite conserver parce qu'elle permet de régler les échanges extérieurs) est davantage déconnecté des « fondamentaux » (inflation, taux d'intérêt, solde extérieur) qu'une monnaie présentant un risque plus élevé.

Le taux de change dépend des comportements des opérateurs

Le taux de change quotidien d'une monnaie dépend des échanges monétaires au jour le jour. Sur le marché des changes, les opérateurs agissent à la fois pour leurs clients (qui ont besoin d'acheter ou de vendre une devise pour leurs opérations commerciales ou de placement), mais aussi pour leur propre compte : ils vont acheter une devise lorsqu'ils anticipent son appréciation (ainsi, ils pourront la revendre plus tard avec une plus-value) et vendre lorsqu'ils anticipent une baisse. Leurs anticipations se fondent sur l'analyse qu'ils font de la situation économique, mais aussi sur ce qu'ils pensent que les autres opérateurs feront. Si un opérateur pense que les autres anticipent une hausse, il a intérêt à acheter, indépendamment d'une analyse de fond. Comme tous les opérateurs sont dans la même situation, tous vont acheter, ce qui va entraîner la hausse anticipée. On dit alors que les anticipations sont autoréalisatrices. Ce comportement moutonnier (parfaitement rationnel du point de vue de l'opérateur individuel) conduit à amplifier les mouvements des monnaies, à la hausse ou à la baisse, sans lien direct avec les « fondamentaux ».

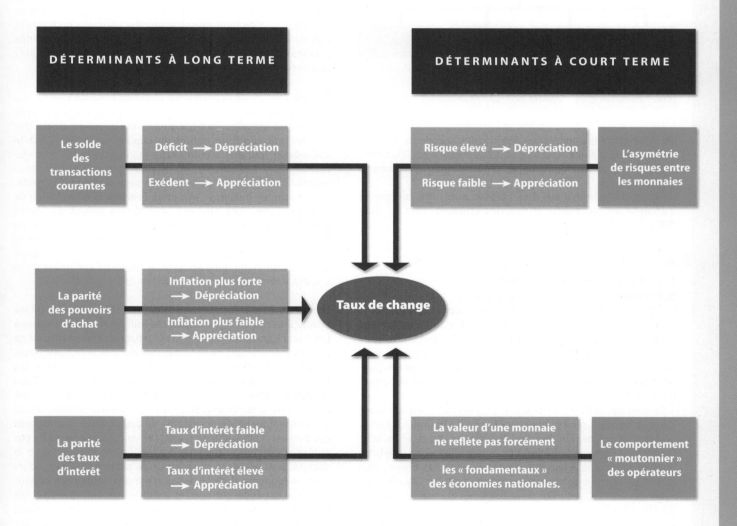

Fiche Notion

3 Strates et classes

1. Qu'est-ce que la stratification sociale ?

La stratification au sens large désigne la division de la société en groupes sociaux présentant une homogénéité en fonction de certains critères (fortune, pouvoir, prestige...) et groupes le plus souvent hiérarchisés entre eux. Ainsi, selon les sociétés, distingue-t-on des castes (en Inde, elles étaient officielles jusqu'en 1947), des ordres (sous l'Ancien Régime, en France), des classes, des groupes de statut, des catégories socioprofessionnelles...

Au sens strict, la stratification désigne le découpage de la société en strates, et elle s'oppose à une représentation en termes de classes.

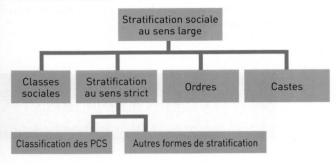

On distingue deux approches des classes sociales :
– l'approche réaliste. Dans ce cas, les classes sociales sont considérées comme des groupes réels en situation de conflit (cf. Karl Marx) ;
– l'approche nominaliste. Les classes sont des catégories d'analyse du sociologue et non des groupes réels (cf. Max Weber).

2. Comment définir les classes sociales ?

A. Les classes selon Karl Marx

Quels sont les fondements des classes ?

Les classes sociales se fondent sur les éléments suivants :
– La place dans le mode de production. Il s'agit d'un facteur objectif, car les classes sociales ont un fondement économique. Il y a ceux qui possèdent les moyens de production et donc appartiennent à la bourgeoisie, et ceux qui ne les possèdent pas et doivent vendre leur force de travail et appartiennent au prolétariat ;
– Ce sont des classes antagonistes. Si les relations entre les classes sociales sont complémentaires (la bourgeoisie et le prolétariat ont besoin l'un de l'autre pour vivre), elles sont fondamentalement conflictuelles. Entre elles, il y a une lutte pour le pouvoir. L'originalité de Marx n'est pas d'avoir raisonné en termes de classes sociales, d'autres l'avaient fait avant lui, mais d'avoir fait de la lutte des classes le pivot du développement historique ;
– Si les classes sociales reposent sur des fondements objectifs, elles relèvent aussi d'un facteur subjectif : la conscience de classe. Les conflits d'intérêts entre les classes provoquent une mobilisation collective (par exemple les salariés vont chercher à défendre leurs salaires). Voilà une approche de « la classe en soi ». Si les intérêts communs définissent une « classe en soi », le sentiment d'appartenir à une même classe sociale et d'avoir un destin commun définit une « classe pour soi ». C'est alors que les individus qui forment une coalition peuvent avoir le projet de changer la société.

Combien y a-t-il de classes sociales ?

Si dans *Le manifeste du parti communiste* (1848), texte politique, Karl Marx et Friedrich Engels ne retiennent que deux grandes classes sociales (les bourgeois et les prolétaires), dans d'autres ouvrages de Karl Marx, on trouve sept ou huit classes répertoriées. Ainsi, en analysant la révolution de 1848 en France, Karl Marx distingue : le prolétariat (« Lumpenproletariat » et prolétariat industriel), la bourgeoisie (aristocratie financière, bourgeoisie industrielle et petite bourgeoisie), les propriétaires fonciers, les paysans. Si le nombre de classes se réduit, c'est parce que dans la lutte qu'elles se livrent, les classes intermédiaires sont conduites à se rattacher à l'un ou l'autre des « camps » (parce qu'elles n'ont pas su s'adapter aux changements sociaux ou n'en ont pas eu les moyens...). On dira qu'il y a une polarisation des classes (c'est-à-dire regroupement autour des deux pôles que constituent la bourgeoisie et le prolétariat).

B. Les autres approches de classes sociales

Il serait trop long ici de développer l'ensemble des analyses de classes sociales. Retenons toutefois qu'au XXᵉ siècle des auteurs ont repris la notion de classes sociales. C'est le cas d'Alain Touraine (né en 1925), qui insiste sur la force de mobilisation des classes, en étudiant notamment le mouvement ouvrier dans le cadre de la société postindustrielle. La conscience de classe est, chez Touraine, l'articulation de trois principes. Les ouvriers sont certes définis par leurs conditions de travail, qui créent une communauté (principe d'identité), mais aussi par la lutte qu'ils livrent contre la classe dirigeante (principe d'opposition), lutte qui s'engage dans l'usine, mais qui a aussi pour objectif l'ensemble de la société industrielle (principe de totalité).

Dans le même temps, Pierre Bourdieu (1930-2002) analyse l'espace social en répartissant les individus selon le volume (plus ou moins important) et la structure du capital (la part de capital économique, social, culturel) dont ils disposent. Trois ensembles se distinguent alors : les classes dominantes, les classes moyennes et les classes populaires, chacun d'eux se décomposant en fractions de classe. Les membres d'une même classe partagent des caractéristiques communes, et notamment un habitus, système de dispositions incorporées qui permet à l'individu de s'adapter aux situations qu'il rencontre. L'habitus enregistre des expériences qu'impose la société, tout en étant générateur de pratiques. Chez Bourdieu, le fondement des classes n'est pas seulement économique, il est aussi culturel, et les luttes qu'entretiennent les classes sont symboliques et reposent, entre autres, sur une course à la distinction : chaque classe essaie de rattraper la classe qui la précède, en imitant ses comportements, et cherchant à se distinguer de la classe qui la suit.

3. Quel lien y a-t-il entre PCS et classes sociales ?

La classification des PCS élaborées par l'Insee classe la population selon une synthèse de la profession, de la position hiérarchique et du statut (salarié ou non). Elle comporte trois niveaux d'agrégation emboîtés : les groupes socioprofessionnels (huit postes : six postes d'actifs et deux d'inactifs), les CSP (24 et 42 postes selon le niveau observé) et les professions (486 postes). Il est toléré de parler de PCS ou de CSP. Les CSP (catégories socioprofessionnelles) sont le nom de la nomenclature de l'Insee avant 1982, date à laquelle elle a été modifiée pour tenir compte de nouveaux emplois (par exemple les informaticiens) et pour modifier des catégories qui n'étaient plus aussi pertinentes (par exemple celle des marins-pêcheurs, devenue une CSP parmi les ouvriers).

Six groupes socioprofessionnels d'actifs	
Indépendants	1. Agriculteurs
	2. Artisans, commerçants et chefs d'entreprise (ACCE)
Salariés	3. Cadres et professions intellectuelles supérieures (CPIS)
	4. Professions intermédiaires (PI)
	5 Employés
	6. Ouvriers

N.B. : Les chômeurs sont classés dans leur ancien groupe d'appartenance.
Bien qu'indépendants, les membres des professions libérales (avocats, médecins...) sont classés dans les CPIS.

Il ne faut pas confondre PCS et classes sociales. Ce sont deux formes de stratification sociale qui, sous certaines conditions, peuvent se recouper (on regroupe certaines PCS pour former les classes, par exemple ouvriers et employés peuvent constituer les classes populaires), mais qui reposent sur des visions différentes de la société. De façon simplifiée, on peut dresser le tableau suivant :

	PCS	Classes sociales
Nature de la stratification	Notion **empirique**, visant au classement des individus dans des catégories homogènes construites par l'Insee.	Notion **théorique** utilisée notamment au XIXe siècle par Marx et au XXe par Bourdieu. Catégorie d'analyse qui repose sur des déterminations économiques.
Critère de distinction	Différence de **degré** entre les PCS : on peut passer d'une PCS à une autre, c'est le domaine d'étude de la mobilité sociale.	Différence de **nature** entre les classes sociales. Le passage d'une classe à l'autre est difficile. Il y a une forte hérédité sociale.
Représentation sous-jacente de la société	Analyse **consensuelle** de la société : la société peut être assimilée à une échelle avec des barreaux que chacun cherche à grimper.	Analyse **conflictuelle** de la société : les classes sociales n'existent qu'en lutte les unes contre les autres.

■ 4. Débats contemporains

A. Usages savant et courant du terme « classe sociale »

On distinguera l'usage savant des classes sociales de l'usage courant. L'usage savant est connoté théoriquement et fait des classes des catégories en lutte (réelle ou symbolique) les unes contre les autres. Elle se réfère plus ou moins directement à une analyse marxiste. L'usage courant utilise le terme pour désigner des groupes sociaux, par exemple un regroupement de PCS, sans présupposer une totale unité du groupe ou un fort sentiment d'appartenance de ses membres. C'est juste une manière d'agréger les catégories. L'expression de « classes moyennes » reflète cet usage banalisé du terme.

B. Structure ou dynamique sociales

Deux enjeux se mêlent parfois. Discute-t-on de l'existence ou non de classes sociales, ou de la dynamique de la société ? Si les deux débats sont complémentaires, ils sont en même temps distincts.

Le débat sur les catégories d'analyse de la structure sociale
La question est alors « faut-il raisonner... : – ...en classes (groupes distincts avec mobilité sociale réduite) ? » – ...en strates (continuum de situations sociales permettant la mobilité sociale) ? »

Le débat sur le mouvement de la société
La question est alors de savoir lequel des deux mouvements l'emporte : – la bipolarisation (la société se scinde petit à petit en 2 groupes distincts et opposés) – la moyennisation (la société réduit l'écart ente les groupes extrêmes au point qu'elle n'est plus formée que d'une vaste classe moyenne)

C. Individus et collectifs

L'individualisation des sociétés remet en cause la lecture en termes de classes sociales. Les sociétés de classes auraient été remplacées par des sociétés d'individus. Ainsi le malaise au travail, autrefois attribué à l'exploitation exercée par un groupe sur un autre, avait une dimension collective et sociale. Aujourd'hui, parce que l'individu s'est pour partie émancipé des groupes auxquels il appartient, son malaise au travail est interprété comme un phénomène individuel que la psychologie va expliquer. Les rapports sociaux sont réduits à des rapports interindividuels, là où autrefois ils étaient vus comme des rapports de domination dans des organisations hiérarchisées.

Fiche Notion

4 Les grandes transformations sociales

1. Les quatre grandes périodes depuis la Révolution française

Périodes	Traits stylisés
1789-1880	Passage d'une société d'ordres à une société libérale, encore rurale et artisanale, marquée par la 1re révolution industrielle et la pluriactivité généralisée dans les classes populaires.
1880-1945	Avènement de la société salariale industrielle accompagnée d'une première montée des services, des premiers jalons de la Sécurité sociale encore à venir et de mutations décisives au sein des classes dirigeantes.
1945-1975	Apogée d'une société industrielle et tertiaire, l'agriculture productiviste n'employant qu'une faible fraction de la population active, et construction du « modèle français » piloté par l'État providence.
Depuis 1975	Essor d'une société dite « postindustrielle », retour en force de l'insécurité sociale et d'inégalités spectaculaires.

D'après Gérard Vindt, *Alternatives économiques*, hors-série n° 89, avril 2011.

2. Des instances de socialisation transformées depuis le XXe siècle

Constaté dès le XIXe siècle, le processus de développement de l'individualisme s'est diffusé au XXe siècle : les individus ont tendance à s'émanciper de leurs groupes d'appartenance d'origine. Si cette évolution est perçue le plus souvent comme positive (elle offre une plus grande liberté de choix de vie), elle a aussi ses revers : l'individualisation est rendue responsable de la montée des égoïsmes, du repli sur soi, et ainsi que d'une perte de lien social et de solidarité. L'individualisation concerne toutes les instances de socialisation et notamment la famille, l'école et l'emploi.

> **NE PAS CONFONDRE**
>
> **Les deux sens de l'individualisme**
> Au **sens courant** : égoïsme, repli sur soi. Au **sens sociologique** : prise d'autonomie de l'individu par rapport au groupe et à la société.

La famille

La famille a connu un certain nombre de transformations au cours du XXe siècle. On observe d'abord un mouvement d'égalisation des conditions entre les hommes et les femmes.
Au modèle « unique » de famille (le couple marié élevant ses enfants), s'est substituée une pluralité de normes familiales. La montée des divorces, l'allongement de la durée de vie, la croissance de l'activité féminine, la banalisation relative de l'homosexualité aboutissent à diversifier les expériences familiales : vie en famille monoparentale, en famille recomposée, en famille homoparentale. Plurielle, la famille est aussi plus fragile : non seulement le lien conjugal se rompt plus facilement, mais le lien parental est lui aussi bouleversé : un certain nombre de pères divorcés voient peu ou plus leurs enfants. Pourtant, il serait hasardeux de parler de crise de la famille, tout au plus, comme institution dynamique, subit-elle des mutations qui engagent l'action des pouvoirs publics (l'État doit-il aider les familles ou avoir une action ciblée sur les individus ?) et de la famille élargie (les solidarités familiales sont-elles complémentaires ou substituables à celle des pouvoirs publics ?).

Dates	Quelques repères concernant la famille depuis le XXe siècle
1960	320 000 mariages, 30 200 divorces prononcés.
1966	Le mari n'a plus à donner son autorisation pour l'activité professionnelle de sa femme.
1967	Loi qui autorise la contraception orale (la pilule).
1970	L'autorité paternelle est remplacée par l'autorité parentale.
1972	Le principe de l'égalité de rémunération pour des travaux de valeur égale est admis. 412 000 mariages célébrés.
1973	Loi qui légalise l'interruption volontaire de grossesse.
1975	Loi qui autorise le divorce par consentement mutuel.
1980	20 % des naissances ont lieu hors mariage.
1993	Loi sur l'autorité parentale conjointe, quel que soit le statut matrimonial des parents.
1999	Loi sur le Pacs (pacte civil de solidarité) : les couples formés de deux hommes ou deux femmes obtiennent une reconnaissance officielle.
2000	45 % des naissances ont lieu hors mariage, 298 000 mariages célébrés, 22 100 Pacs contractés, 114 000 divorces prononcés.
2002	Instauration du congé de paternité.
2005	Réforme des procédures de divorce (le divorce est simplifié dans certains cas).
2009	53 % des naissances ont lieu hors mariage.
2010	203 000 Pacs contractés (95 % des Pacs ont lieu entre personnes hétérosexuelles), 245 000 mariages célébrés, 130 000 divorces prononcés.

L'école

Le XXe siècle est l'histoire d'une progressive démocratisation de l'enseignement : le baby-boom, l'aspiration des familles à une promotion sociale par le diplôme, le besoin d'une main-d'œuvre qualifiée concourent à l'explosion des effectifs scolaires jusque dans l'enseignement supérieur. Ce mouvement de démocratisation appelle deux remarques. S'il y a une indéniable démocratisation quantitative, la démocratisation qualitative est à la peine : l'école, aujourd'hui encore, contribue à la reproduction des inégalités sociales. Par ailleurs, la multiplication des diplômes se heurte à l'évolution plus mesurée des emplois censés leur correspondre : l'ajustement entre l'emploi et la formation n'est pas toujours assurée et peut être à l'origine d'un sentiment personnel de frustration, et d'une expérience personnelle ou collective de déclassement.

Dates	Quelques repères concernant l'école depuis le XXe siècle
1924	Les programmes d'études dans le secondaire deviennent identiques pour les filles et les garçons.
1950	5 % d'une classe d'âge obtient le baccalauréat.
1956	L'Éducation nationale décide que tout nouveau lycée construit sera mixte.
1959	Scolarité obligatoire portée à 16 ans.
1968	Création du baccalauréat technologique.
1970	20 % d'une classe d'âge obtient le baccalauréat.
1975	Mise en place de la réforme Haby qui institue, entre autres, le collège unique et la gratuité des livres scolaires dans les collèges.
1985	Création du baccalauréat professionnel.
2011	67 % d'une classe d'âge obtient le baccalauréat.

L'emploi

D'une société industrielle au XIXᵉ siècle et au début du XXᵉ siècle, la France est devenue une société tertiairisée. Le développement de la salarisation et de la féminisation de l'emploi s'est accompagné d'une intervention plus grande de l'État pour assurer la protection des travailleurs, en leur accordant des droits et des prestations sociales. À la fin du XXᵉ siècle, la mondialisation des économies et la flexibilité du travail ont des effets sur la condition salariale : une part croissante de salariés fait l'expérience de la précarisation, voire de l'exclusion, le travail n'est plus la garantie d'échapper à la pauvreté. La solidarité collective mise en place à partir de 1945 est alors remise en cause. Assistance ou assurance ? Lequel des deux systèmes est-il le plus à même d'assurer la cohésion sociale, dans une société où la part des plus de 65 ans augmente et la part des actifs diminue ?

Date	Quelques repères concernant l'emploi depuis le XXᵉ siècle
1906	Droit au repos hebdomadaire.
1919	Droit à la journée de 8 heures.
1936	Accords de Matignon (semaine de 40 heures, 2 semaines de congé payés).
1945	Création de la Sécurité sociale, 5 syndicats représentatifs au niveau national.
1946	Retraite à 65 ans.
1956	3ᵉ semaine de congés payés.
1958	Création de l'assurance-chômage.
1968	Accords de Grenelle (réduction du temps de travail à 40 heures hebdomadaires, abaissement de l'âge de la retraite).
1970	Mise en place du Smic (salaire minimum interprofessionnel de croissance) qui remplace de Smig de 1950.
1975	23 % des salariés sont syndiqués.
1982	Semaine de 39 heures. 5ᵉ semaine de congés payés. Loi sur la retraite à taux plein à 60 ans.
1988	Création du RMI (revenu minimum d'insertion).
1998	Loi sur la réduction du temps de travail à 35 heures.
2003	– Loi sur la réforme des retraites (allongement de la durée de cotisation). – Assouplissement de la loi sur les 35 heures (abandon de la référence aux 35 heures au profit de l'annualisation du temps de travail).
2009	Création du RSA (revenu de solidarité active).
2010	– Loi sur la réforme des retraites (âge légal de départ à la retraite : 62 ans). – Sur 100 actifs, 11,5 sont indépendants et 88,5 sont salariés (77 % des actifs sont en CDI), 6 % des salariés sont syndiqués.

3. Des débats contemporains pour le XXIᵉ siècle

Les transformations sociales ont été nombreuses depuis un siècle, et en faire un bilan exhaustif relève d'un défi redoutable, puisqu'il faudrait aussi traiter du rapport à la religion, à la cité/citoyenneté, à la délinquance, à la vie politique , puisque les transformations affectent les différents acteurs selon leur sexe ou leur âge. Parmi les thèmes contemporains qui constituent des enjeux à venir, nous pourrions retenir :
– la question du rapport entre les générations. Si depuis le XIXᵉ siècle, la société française a été sensible à la lutte des classes, si au cours du XXᵉ siècle, il a été beaucoup question des inégalités entre les sexes, le vieillissement de la population pose, aujourd'hui, la question de la lutte des places entre les générations, du moins la question du rapport entre les classes d'âge, décisive pour la société à venir ;
– les transformations provoquées par le développement d'Internet et de la massification de ses usages. Avec Internet, l'élargissement de l'espace public, l'immédiateté des échanges et la transformation des rapports entre sphère publique et sphère privée bouleversent le lien social et donnent de nouvelles dimensions à la communication interpersonnelle.

Les théories de la justice considèrent dans leur ensemble que les êtres humains doivent être traités comme des égaux. Il s'agira alors de définir les institutions, les règles qui permettront de mettre en place une société juste et/ou les mesures concrètes qui assureraient une plus grande justice sociale. Mais la notion d'égalité est multidimensionnelle. On peut notamment distinguer l'égalité des droits, des chances et des situations. Quelle dimension privilégier ? Les théories de la justice diffèrent par l'accent mis sur l'une des dimensions de l'égalité.

l'État va devoir s'y substituer en définissant l'allocation des ressources et en imposant aux individus un emploi particulier, la liberté de choix est alors supprimée. On doit donc choisir entre égalité et liberté.

> « Aussi longtemps que la croyance en la "justice sociale" régira l'action politique, le processus doit se rapprocher de plus en plus d'un système totalitaire. »
>
> Friedrich Hayek, *Droit, législation et liberté*, 1973-1979.

1. Les libertariens : une société juste est, d'abord et avant tout, une société libre

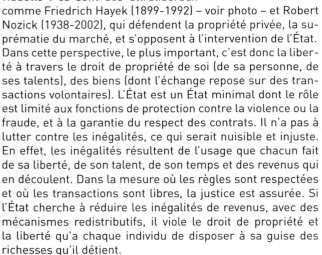

Un certain nombre de penseurs libéraux, voire ultralibéraux, vont mettre l'accent sur l'égalité des droits pour définir une société juste, les droits n'étant rien d'autre que l'expression légale de certaines libertés.
Le courant libertarien s'inscrit dans cette perspective : il rassemble ceux qui fondent leur conception de la justice sur la primauté de la liberté individuelle : ce sont des ultralibéraux comme Friedrich Hayek (1899-1992) – voir photo – et Robert Nozick (1938-2002), qui défendent la propriété privée, la suprématie du marché, et s'opposent à l'intervention de l'État. Dans cette perspective, le plus important, c'est donc la liberté à travers le droit de propriété de soi (de sa personne, de ses talents), des biens (dont l'échange repose sur des transactions volontaires). L'État est un État minimal dont le rôle est limité aux fonctions de protection contre la violence ou la fraude, et à la garantie du respect des contrats. Il n'a pas à lutter contre les inégalités, ce qui serait nuisible et injuste. En effet, les inégalités résultent de l'usage que chacun fait de sa liberté, de son talent, de son temps et des revenus qui en découlent. Dans la mesure où les règles sont respectées et où les transactions sont libres, la justice est assurée. Si l'État cherche à réduire les inégalités de revenus, avec des mécanismes redistributifs, il viole le droit de propriété et la liberté qu'a chaque individu de disposer à sa guise des richesses qu'il détient.

Selon Friedrich Hayek, dans un système régi par les mécanismes de marché, le concept de justice est inopérant, car il n'y a aucun responsable dans la répartition des ressources, c'est l'affaire du marché. L'idée de justice revient à personnifier la société, alors qu'elle n'est qu'un ordre spontané d'hommes libres.

Pour les libertariens, la question de la justice sociale est par ailleurs liée à celle de l'efficacité économique. Si l'État intervient pour protéger les individus à travers la redistribution, la rémunération qu'ils vont obtenir n'a plus de lien avec l'utilité, ce qui est injuste et n'encourage pas à l'innovation et à l'effort. En supprimant tout lien entre l'utilité et la rémunération, on supprime aussi l'action régulatrice du marché :

2. Le marxisme : la justice, une vertu correctrice destinée à être dépassée

Il n'y a pas chez Karl Marx (1818-1883) de théorie de la justice en tant que telle, mais une critique de la société capitaliste. En effet, l'idée de justice n'est pertinente que si l'on se trouve dans des circonstances d'injustice liées aux conflits d'intérêt et à la rareté des ressources. De telles circonstances sont caractéristiques de la société capitaliste. Aux yeux de Marx, l'égalité défendue par les libéraux reste une égalité formelle. Elle néglige les inégalités réelles auxquelles les travailleurs sont confrontés. Ces inégalités résultent en large part de la propriété privée des moyens de production. Celle-ci est, en effet, une source d'exploitation et d'aliénation des salariés.

L'exploitation
Sur le marché du travail, le capitaliste va acheter la force de travail de l'ouvrier contre un salaire qui permet juste la reproduction de cette force de travail (minimum de subsistance).
Cette force de travail est utilisée par le capitaliste pour produire des biens dont la valeur lui revient. Or, le travailleur va sacrifier plus d'heures pour son employeur qu'il n'en faut pour produire les biens nécessaires à sa subsistance, il travaille donc en partie gratuitement : il y a un surtravail accaparé par le capitaliste qui donne lieu à la plus-value. L'exploitation est donc l'extorsion de la plus-value par le capitaliste.

La disparition de la société capitaliste et l'avènement du socialisme, puis du communisme, permettront la mise en place de deux principes successifs de justice. Le premier, « à chacun selon sa contribution », s'appuie sur la critique de la plus-value et permettra à chaque travailleur de s'approprier le fruit de son travail, dans un contexte de disparition de la propriété privée des moyens de production. Le second principe, « à chacun selon ses besoins », résultera de l'avènement de la société communiste, dans laquelle l'homme sera libéré du besoin, et pourra se consacrer à des activités créatrices. Dans une société d'abondance, le second principe de justice pourra être réalisé.

3. La thèse de John Rawls : la justice comme conciliation entre égalité, liberté et efficacité économique

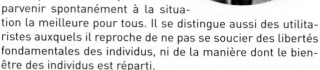

John Rawls (1921-2002), philosophe américain, va renouveler la réflexion libérale sur la justice au cours du dernier quart du XXe siècle. S'il reste attaché au respect des libertés individuelles, il récuse l'idée que le marché permet de parvenir spontanément à la situation la meilleure pour tous. Il se distingue aussi des utilitaristes auxquels il reproche de ne pas se soucier des libertés fondamentales des individus, ni de la manière dont le bien-être des individus est réparti.

> **L'utilitarisme ou le plus grand bonheur du plus grand nombre**
>
> L'utilitarisme est souvent associé à l'individu rationnel et maximisateur cherchant à accroître sa satisfaction en minimisant ses efforts. L'utilitarisme est aussi une doctrine politique qui cherche à assurer « le plus grand bonheur au plus grand nombre ». Ainsi, une société juste est une société qui cherche à rendre maximal le bien-être collectif (l'utilité collective) mesuré par la somme des utilités individuelles.
> Outre les problèmes de mesure et de comparaison des utilités individuelles, l'utilitarisme pose des problèmes moraux : peut-on par exemple sacrifier des individus, si cela sert l'intérêt du plus grand nombre ?
> Représenté par Jeremy Bentham (1748-1832) et John Stuart Mill (1806-1873), penseurs libéraux anglais, l'utilitarisme renvoie aussi, au XIXe siècle, à un programme politique réformateur, critiquant les privilèges et défendant la redistribution, dans la société britannique.

Il va alors chercher à définir les principes qui permettraient à la société d'être juste.

Selon John Rawls, une société juste est une société qui offre aux individus un maximum de libertés, **tout en permettant d'améliorer le sort des plus défavorisés**. Elle doit pour cela satisfaire à plusieurs principes, et repose sur la coopération des individus. Ces principes sont censés résulter d'un accord entre les individus placés sous « un voile d'ignorance » (au moment où les individus réfléchissent ensemble aux principes à mettre en œuvre pour assurer la justice sociale, aucun d'eux ne sait quelle sera sa position sociale, son sexe, son état de santé dans la société future). Dans ces conditions les individus s'accorderaient selon Rawls sur les principes suivants :

– **un principe de liberté**. Il s'agit de garantir à tous un large accès aux libertés de base (liberté politique, d'expression et de réunion, de pensée et de conscience, droit de propriété de sa personne, etc.) ;

– **Les inégalités sociales et économiques qui résultent du principe de liberté sont justes et donc acceptables si :**

a. *elles sont attachées à des positions et à des fonctions ouvertes à tous.* Le principe de juste égalité des chances suppose que ceux qui ont des capacités et des talents semblables aient des chances identiques dans la vie, ou, ce qui revient au même, que l'origine sociale n'influence pas les chances d'accès aux diverses fonctions et positions.

b. *elles permettent d'améliorer le sort des plus démunis* (il s'agit de maximiser le minimum reçu par les plus défavorisés, soit le maximin) : Rawls ne rejette pas le principe d'efficacité. Ainsi, le maintien des inégalités peut profiter aux plus démunis. Si, via l'épargne ou l'investissement, les inégalités génèrent de la croissance, elles pourront améliorer le sort des plus pauvres. On peut aussi accepter la redistribution des richesses, tant que cela n'a pas d'effets désincitatifs sur les plus favorisés, effets qui pourraient pénaliser les plus pauvres. Par contre, on ne doit pas réduire les libertés de base en contrepartie d'avantages sociaux ou économiques plus grands (Rawls n'est pas favorable au communisme).

La théorie de Rawls justifie l'intervention de l'État. Ce sont les principes de juste égalité des chances et de différence qui justifient, à ses yeux, des institutions visant à atténuer le poids du hasard. Il préconise, d'une part, des mesures en faveur de l'éducation, de la formation et de la réduction des inégalités des fortunes (impôts sur les successions) et, d'autre part, la garantie d'un « minimum social ».

4. Amartya Sen : la justice comme égalisation des potentialités

La conception de la justice sociale d'Amartya Sen (né en 1933), économiste et philosophe indien, prend place dans son approche du développement, au cœur de laquelle il cherche à mettre l'homme. Selon Sen, le but de la justice est de permettre à chaque être humain de disposer d'un choix équivalent dans sa conduite de vie. Cela suppose des libertés politiques et civiles (Sen insiste sur l'importance de la démocratie et des libertés dans le processus de développement) mais aussi un revenu décent qui concourent à la capabilité.

> **La capabilité**
>
> La notion de capabilité mesure les possibilités réelles qu'ont les individus de profiter des libertés et des ressources offertes pour accéder à l'existence qu'ils désirent. S'il ne s'agit pas d'égaliser les capabilités, ces dernières représentent un outil plus efficace pour évaluer le bien être et les injustices que des comparaisons de revenus.

Si Rawls énonce une série de biens premiers nécessaires pour maîtriser sa vie (libertés civiles et politiques, mais aussi accès aux ressources économiques et à l'estime de soi), Sen souligne qu'une égale distribution des biens premiers ne permet pas d'égaliser les capabilités. Il faut en effet tenir compte des différences entre les individus : « Ainsi, avec les mêmes revenus, une personne handicapée n'aura pas les mêmes possibilités qu'une personne valide. Et il existe 600 millions de handicapés dans le monde, dont les deux tiers dans les pays pauvres ! »

Par ailleurs, là où Rawls cherche les principes qui permettront de définir la justice sociale, Sen est plus pragmatique. Il s'efforce de trouver des critères permettant de dire si une mesure politique ou une société est moins injuste qu'une autre, afin de progresser sur la voie de la justice sociale.

Fiche Notion
6 Chômage, activité et emploi

1. Activité et emploi : définitions

La population active se compose de la population active occupée et des demandeurs d'emploi au sens du BIT. La population active occupée (PAO) représente, selon le BIT, les personnes âgées d'au moins 15 ans et qui ont effectué au moins une heure de travail rémunérée au cours de la semaine de référence, et les personnes âgées de moins de 75 ans et qui déclarent occuper un emploi actuellement.

Ces variables permettent de calculer deux indicateurs utiles aux économistes, aux sociologues et aux démographes :
– le taux d'activité, soit : Population active / Population totale de 15 à 64 ans ;
– le taux d'emploi, soit : Population active occupée / Population totale de 15 à 64 ans.

2. Les évolutions récentes

En hausse depuis 1975 (68,6 % cette année-là), le taux d'activité oscille en France, selon le BIT, entre 69 et 70 % depuis 2003. Il se situe à 70,6 % en 2010. Néanmoins, on constate des inégalités selon le genre et l'âge. Toujours en 2010, il est plus élevé chez les hommes (75 %) que chez les femmes (66,3 %). Pour ces dernières néanmoins, le taux a fortement augmenté, puisqu'il était de 40 % en 1975 et 64,5 % en 2003. Ces chiffres confirment la présence accrue des femmes sur le marché du travail depuis les Trente Glorieuses.

Concernant le taux d'activité selon l'âge, il atteint son maximum (88,9 %) pour les 25-54 ans, mais il est en baisse depuis 1975 (97 % cette année-là) ; pour les 15-24 ans, il est en forte baisse depuis 1975 : il atteignait 60,6 % cette année-là, alors qu'il est de 52,9 % en 2010. Ces chiffres montrent que les jeunes font des études de plus en plus longues et entrent plus tardivement dans la vie active. Enfin, l'activité des 55-64 ans a progressé entre 2003 et 2010 : de 38,9 % en 2003 à 42,4 % en 2010.

Depuis cinquante ans, il y aurait eu 6 millions d'emplois créés, mais la hausse de la population active a été plus forte, si bien que le taux d'emploi a baissé. En France, en 2010, l'Insee l'évalue à 63,8 %. Par rapport à 1975, il a baissé de 2,4 points. Cette baisse est imputable à la montée du chômage de masse au cours de ces dernières décennies. Comme pour le taux d'activité, il existe des inégalités selon le sexe et l'âge. Le taux d'emploi est plus élevé chez les hommes (68,1 % en 2010) que chez les femmes (59,7 % en 2010). En effet, les femmes sont davantage touchées par le chômage que les hommes. Néanmoins, alors que pour les hommes ce taux a eu tendance à diminuer, il a augmenté pour les femmes (en 1975, il était respectivement de 81,7 % et 50,7 %). Pour ce qui est de la variable âge, il atteint son maximum entre 25-49 ans, soit 81,9 %. Pour les seniors (55-64 ans), il est de 39,7 %. Après avoir diminué à la fin des années 1980, en raison de l'augmentation des préretraites, il va continuellement augmenter par la suite. Les gouvernements vont stopper les mises en préretraites trop coûteuses et inciter les seniors à continuer de travailler.

3. Le chômage : une histoire récente

L'indicateur-clé pour mesurer l'ampleur du phénomène qu'est le chômage est le taux de chômage. On le calcule grâce à la formule suivante : Nombre de demandeurs d'emploi / Population active.

En France, on peut faire remonter la naissance du chômage à la fin du XIXe siècle, au moment où l'économie s'industrialise. Dans les recensements de l'époque, le chômeur est alors désigné comme étant « sans emploi », il a moins de 65 ans et a perdu son emploi depuis moins d'un an. À l'époque, le chômage est donc considéré comme un phénomène éphémère. Avec la crise de 1929, les économies occidentales découvrent, d'une part, le chômage de masse, qui touche plus de 20 % de la population active aux États-Unis, et, d'autre part, un phénomène qui peut perdurer sur une longue période. Moins d'un siècle plus tard, le chômage fait toujours partie du paysage économique et social des pays développés, en particulier en France. Au cours des Trente Glorieuses, il tourne autour des 3 % de la population active hexagonale, puis augmente à partir des années 1970. C'est dans les années 1980 et 1990 que s'opère un véritable tournant : le taux de chômage atteint 12 % en 1993, année de récession économique. Oscillant entre 9 % et 10 % entre 1994 et 2005, il va connaître une baisse non négligeable entre 2005 et 2007, pour atteindre le taux de 7 %. Depuis le retour de la crise économique en 2008, le chômage augmente. Il atteint, au deuxième trimestre de 2011, le taux de 9,6 % selon le BIT.

4. Deux définitions du chômage...

Le BIT est un des organismes qui mesure ce phénomène. L'Insee utilise sa définition pour élaborer l'« enquête emploi », dans laquelle il fait un état des lieux du marché du travail français. Est désigné comme chômeur, la personne répondant à quatre caractéristiques :
– être en âge de travailler (15 ans ou plus) ;
– être dépourvue d'emploi, même une heure au cours de la semaine de l'enquête ;
– être disponible dans les 15 jours ;
– rechercher activement un emploi rémunéré. Par recherche d'emploi, le BIT recense plusieurs types d'actions : rechercher des locaux pour ouvrir une entreprise, faire des études de marché, être en contact avec une agence d'intérim, ou autre organisme privé ou public de recrutement, passer des concours, répondre et passer une offre d'emploi.

En France, les économistes utilisent aussi les chiffres du chômage de Pôle emploi. Cet organisme distingue cinq catégories de demandeurs d'emploi :
– la catégorie A, catégorie de référence, recense les « demandeurs d'emploi en fin de mois ». Il s'agit des personnes sans emploi ou qui ont travaillé moins de 78 heures pendant le mois de référence, et qui recherchent activement un emploi ;
– la catégorie B regroupe les demandeurs d'emploi tenus de faire des actes positifs de recherche d'emploi, ayant exercé une activité réduite courte (c'est-à-dire de 78 heures au cours du mois) – anciennes catégories 1, 2, et 3 ayant une activité réduite ;
– la catégorie C regroupe les demandeurs d'emploi tenus de faire des actes positifs de recherche d'emploi, ayant exercé une activité réduite longue (c'est-à-dire de plus de 78 heures au cours du mois) ;
– la catégorie D regroupe les demandeurs d'emploi non tenus de faire des actes positifs de recherche d'emploi (en raison d'un stage, d'une formation, d'une maladie...), sans emploi – ancienne catégorie 4 ;

– la catégorie E regroupe les demandeurs d'emploi non tenus de faire des actes positifs de recherche d'emploi, en emploi (par exemple, bénéficiaires de contrats aidés) – ancienne catégorie 5.

■ 5. ... qui donnent des résultats différents

On remarque que les démarches de recherche prises en compte par le BIT vont au-delà de l'inscription à Pôle emploi. Il ne suffit pas d'être inscrit à Pôle emploi pour être considéré comme chômeur au sens du BIT. En 2006, un écart important est constaté entre les résultats de l'« enquête emploi » de l'Insee et l'évaluation de la DEFM donnée par l'ANPE. La première donne des chiffres plus élevés que la seconde. Le débat est alors mis sur la scène publique, et l'on prend conscience de la difficulté de mesurer le chômage. En réalité, les deux organismes ne mesurent pas exactement la même chose : certains demandeurs d'emploi ne sont pas chômeurs au sens du BIT, et inversement certains chômeurs au sens du BIT ne vont pas être considérés comme demandeurs d'emploi fin de mois au sens de Pôle emploi. Le schéma ci-dessous résume les différents cas de figure.

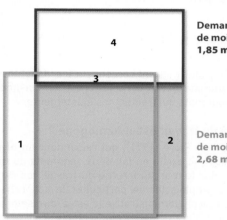

Demandes d'emploi en fin de mois (catégories B à E) 1,85 million

Demandes d'emploi en fin de mois (catégories A) 2,68 millions

Chômeurs BIT 2,65 millions

Données 2010, en moyenne annuelle

On met en évidence quatre catégories intermédiaires :
1. les demandeurs d'emploi selon le BIT mais non inscrits à Pôle emploi. Les personnes sont disponibles pour travailler, elles recherchent activement un emploi. On peut imaginer des personnes au chômage depuis plus de 2 ans et qui n'ont plus le droit de recevoir des indemnités chômage ;
2. les inscrits à Pôle emploi. Ces personnes ont travaillé entre 1 et 78 heures dans le mois ;
3. les personnes appartenant à la catégorie D de Pôle emploi, en fin de stage, formation ou arrêt maladie, et qui recherchent un emploi ;
4. les catégories B à E, hormis le cas précédent.
Ainsi, on remarque qu'il ne suffit pas de se réinscrire chaque mois à Pôle emploi pour être considéré comme demandeur d'emploi au sens du BIT. La définition du BIT peut paraître très restrictive : dès qu'une personne effectue plus d'une heure de travail durant la période de référence, elle est considérée comme étant en emploi. Les personnes subissant le temps partiel ne sont pas considérées comme demandeurs d'emploi au sens du BIT. En fait, ce dernier sous-estime la sous-utilisation des capacités de travail et ne rend pas bien compte du non-respect du droit à l'emploi. Cependant, mesure commune à beaucoup de pays, elle donne la possibilité d'effectuer des comparaisons internationales. Ainsi, en 2007, pour des raisons d'harmonisation de l'outil statistique européen, et à la demande d'Eurostat, l'Insee adopte la définition du BIT.

■ 6. Des situations intermédiaires entre emploi, activité et chômage

Alors qu'au cours des Trente Glorieuses, il n'existait pas d'ambiguïté entre emploi et chômage, l'évolution des types d'emploi, en raison des nouvelles politiques de l'emploi qui favorisent la flexibilité, rend flou la frontière entre les deux. Aujourd'hui, une personne peut avoir un emploi en CDD et être demandeur d'un emploi en CDI. Ainsi, on met en évidence ce que Jacques Freyssinet nomme « le halo du chômage », représenté par le schéma ci-dessous :

Halo du chômage selon Freyssinet

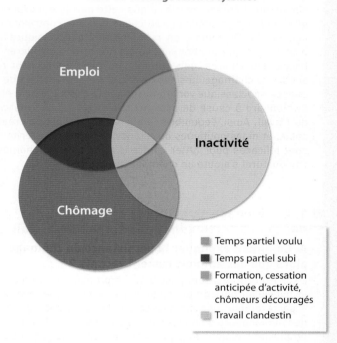

Emploi

Inactivité

Chômage

■ Temps partiel voulu
■ Temps partiel subi
■ Formation, cessation anticipée d'activité, chômeurs découragés
■ Travail clandestin

On peut expliquer les quatre configurations mises en évidence par le schéma.
1. Temps partiel voulu : l'individu ne cherche pas à compléter son temps partiel. On peut prendre l'exemple du retraité qui travaille.
2. Temps partiel subi : l'individu cherche à le compléter, donc il est aussi demandeur d'emploi (catégories B ou C). On parle alors de sous-emploi, phénomène que l'Insee mesure : une personne est en sous-emploi, si elle possède un emploi mais aimerait travailler davantage. Elle travaille à temps partiel, soit en permanence, soit en raison de difficultés financières de l'entreprise. Le taux de sous-emploi est de 5,1 % en France au deuxième trimestre de 2011. Il est largement plus élevé pour les femmes (7,5 %) que pour les hommes (2,2 %) ; les premières subissent plus facilement le temps partiel dans le secteur des services. Après avoir diminué dans les années 1990 et 2000, il remonte depuis le retour de la crise en 2008.
3. Des personnes en formation (catégorie D de Pôle emploi), en cessation d'activité, ou des chômeurs découragés. Ces personnes aimeraient trouver un emploi, mais n'effectuent pas de recherche pour le moment.
4. Travail clandestin. La personne peut soit avoir un emploi « déclaré », soit être inscrite au chômage, soit être inactive et en plus exercer un emploi « non déclaré ».

7 Les explications contemporaines du chômage

Le renouvellement des théories néoclassique et keynésienne

Une des grandes critiques adressées à la théorie keynésienne du chômage tient à ce que cette dernière n'explique que le chômage conjoncturel, causé par une contrainte de débouchés. De même, on reproche aux néoclassiques de n'envisager que le chômage volontaire et de considérer la baisse des salaires réels comme l'unique solution pour résoudre ce chômage. Les néokeynésiens et les héritiers de la pensée néoclassique vont montrer que le chômage peut être involontaire à cause de dysfonctionnements sur le marché du travail. Ainsi, l'équilibre de plein-emploi n'est pas réalisable, et ni les politiques de relance ni celles d'austérité ne sont efficaces pour lutter contre le chômage. Au chômage conjoncturel s'ajoute un chômage structurel.

■ 1. Le chômage structurel s'explique par le comportement des offreurs de travail

A. Comment expliquer la persistance du chômage, alors que des emplois restent vacants ?

Deux explications sont possibles. La première met en avant le fait qu'en période de conjoncture économique favorable – par exemple, une croissance solide supérieure à 3 % – des demandeurs d'emploi qui avaient cessé de chercher un emploi (et n'étaient donc plus comptés parmi les chômeurs) reviennent sur le marché du travail, attirés par les nouvelles opportunités d'embauche. Si ces arrivées sont supérieures aux créations d'emploi, cela se traduit par un accroissement du chômage : c'est ce que l'on appelle l'effet de flexion.

> **REPÈRE** L'effet de flexion
>
> « En 2006 et 2007, les fortes créations d'emploi enregistrées et la baisse marquée du chômage auraient incité un certain nombre d'inactifs à se porter sur le marché du travail : + 12 000 en 2006 et + 21 000 en 2007, selon l'Insee [...]. A contrario, le retournement conjoncturel observé à la mi-2008 se serait ensuite traduit par des effets de flexion négatifs, décourageant quelque 3 000 personnes d'entrer sur le marché du travail au second semestre 2008, puis 8 000 sur l'ensemble de l'année 2009. En 2010, suite à l'amélioration de la situation conjoncturelle sur le marché du travail – des créations d'emploi concomitantes d'une baisse de chômage –, 4 000 individus auraient selon l'Insee basculé en situation d'activité. »
>
> (Dares Analyses, n° 65, août 2011)

La seconde explication repose sur l'absence d'adéquation entre l'offre et la demande de travail. Les demandeurs n'ont pas forcément connaissance de tous les postes vacants, et de plus il n'est pas certain que les caractéristiques des postes proposés correspondent à celles des demandeurs d'emploi.

B. Pourquoi les demandeurs d'emploi n'acceptent-ils pas le salaire de marché ?

Selon la théorie de la recherche d'emploi (théorie du « job search »), les demandeurs d'emploi ont une information imparfaite sur les salaires du marché. Ils se disent : « N'est-il pas possible de trouver le même emploi offrant un meilleur salaire ? » Ainsi, au début de leur période de recherche d'emploi, ils ont tendance à ne pas accepter les offres proposées.

Tout se passe comme s'ils effectuaient un calcul coût/avantage sur le long terme. Certes, rester au chômage est coûteux en termes de revenu, mais ils espèrent, par la suite, trouver un emploi mieux rémunéré et obtenir un meilleur niveau de revenu. Ils calculent un niveau de salaire minimum, en deçà duquel ils refusent de travailler. Néanmoins, plus la durée du chômage augmente, plus les prétentions salariales baissent. La durée de recherche d'emploi dépend également de la probabilité de trouver un emploi mieux rémunéré, mais aussi de la présence d'un système de protection de l'emploi : plus le système offre un salaire minimum élevé, plus la durée de recherche d'emploi augmente, et plus le taux de chômage structurel sera élevé.

■ 2. Le chômage est dû au fonctionnement imparfait du marché du travail

Certaines explications mettent l'accent sur les inégalités qui structurent le marché du travail : celui-ci est compartimenté en plusieurs segments qui freinent les ajustements.

A. Le marché du travail est-il homogène ?

Selon Doeringer et Piore (1971), qui raisonnent au niveau macroéconomique, il existe en fait deux segments du marché du travail. Sur le marché interne du travail, les caractéristiques des emplois (et en particulier le salaire) sont déterminées de façon administrative (c'est-à-dire selon des règles et des procédures établies au préalable). Sur ce marché, on trouve les emplois protégés par un contrat de travail en CDI, par une présence syndicale forte, par une rémunération correcte. En revanche, le marché externe est celui des emplois soumis à la logique de la concurrence, peu protégés et mal rémunérés. Ainsi, les mécanismes du marché (qui, selon la théorie néoclassique, devraient aboutir au plein-emploi) ne fonctionnent que sur ce marché externe, ce qui explique la persistance du chômage structurel.

B. Tous les travailleurs ont-ils le même comportement ?

Lindbeck et Snower (1987) partent de l'étude du comportement stratégique des agents sur le marché du travail. Ils opposent le comportement des « insiders », du marché interne, à celui des « outsiders », du marché externe. Si les premiers sont protégés par leurs contrats de travail en CDI, par un niveau de salaire honorable et des syndicats qui agissent en leur faveur, les seconds sont dans une situation inconfortable : considérés comme une main-d'œuvre d'ajustement, ils ne bénéficient que de contrats à temps partiel et à durée limitée. Par ailleurs, plus les coûts de rotation de la main-d'œuvre (formation des nouveaux embauchés, indemnités des licenciements des salariés en place) sont élevés, plus les « insiders » peuvent exiger un salaire élevé, supérieur au salaire concurrentiel : on dit alors qu'ils bénéficient d'une « rente de situation ». De ce fait, les salaires effectivement payés sont supérieurs au salaire qui assurerait l'équilibre sur le marché du travail, ce qui explique l'existence d'un chômage structurel.

3. Pourquoi les salaires effectivement versés sont-il supérieurs au salaire qui assurerait le plein-emploi ?

A. Pourquoi les salaires ne varient-ils pas en fonction des fluctuations conjoncturelles ?

En principe (selon la théorie néoclassique), les salaires devraient s'ajuster aux fluctuations conjoncturelles. En période de croissance forte, la demande de travail est élevée et les salaires augmentent. À l'inverse, en période de faible croissance, la demande de travail est faible et les salaires devraient baisser. Les salariés en place devraient donc subir de fortes variations de salaires, ce qui constitue un risque qu'ils souhaitent réduire. La théorie des contrats implicites stipule que l'employeur va accepter d'assumer ce risque en promettant, de manière informelle, d'où le terme de contrat « implicite », que leurs salaires resteront stables, malgré les fluctuations conjoncturelles. Ainsi, en période de récession, les salaires sont maintenus au niveau antérieur, donc supérieur à ce que seraient les salaires qui assureraient le plein-emploi, ce qui explique le chômage structurel.

B. La productivité d'un salarié explique-t-elle son salaire ?

Les théories du salaire d'efficience vont aussi tenter d'analyser pourquoi les salaires sont rigides à la baisse, cette rigidité expliquant à son tour la persistance du chômage. Dans cette optique, la productivité est une fonction croissante du salaire. L'entrepreneur a intérêt à rémunérer ses salariés un peu plus que le niveau de salaire moyen, afin de les motiver et d'accroître ainsi les profits de l'entreprise, et indirectement l'emploi. En cas de crise, les salaires, notamment ceux des plus qualifiés, que l'entreprise veut fidéliser, ne baissent pas. L'ajustement va s'opérer par une diminution de l'emploi, et donc une augmentation du chômage.

REPÈRE Joseph E. Stiglitz (économiste américain, né en 1943)

Stiglitz est l'un des théoriciens du salaire d'efficience (1984). Il a reçu le prix Nobel d'économie en 2001 pour ses travaux sur l'asymétrie d'information.

C. Le salaire est-il un prix de marché ?

La détermination des salaires dépend non seulement de l'interaction entre les offreurs et les demandeurs de travail, mais aussi de l'importance des syndicats et des négociations collectives. Du fait de ces négociations, le salaire, instrument économique par excellence, devient aussi une variable sociale dépendant du contexte sociopolitique.

Des économistes comme Nickell et Andrews (1983) et Manning (1987) étudient les conséquences sur l'emploi d'une détermination des salaires qui se fait conjointement par les entrepreneurs et les syndicats, lors de négociations salariales. Si ces négociations portent sur les salaires, elles risquent de nuire à l'emploi, dans la mesure où les syndicats demandent des augmentations de salaire pour les personnes en poste. Ces augmentations salariales se font aux dépens de l'embauche de personnes supplémentaires. Les syndicats agissent ainsi en faveur du marché interne du travail. Le salaire n'est donc pas la variable pouvant assurer, à elle seule, l'équilibre sur le marché du travail.

Fiche Outil

1 Qu'est-ce qu'une proportion ?

1. À savoir

Définition	Une proportion, ou une part, ou un pourcentage de répartition, consiste à calculer combien représente une partie dans un tout, et, par convention, on multiplie le résultat par 100.
Calcul	$\text{Part} = \dfrac{\text{Partie}}{\text{Ensemble}} \times 100$
Commentaires	– Une part est toujours positive. – La somme des parts d'une distribution est égale à 100. – La différence entre deux parts s'exprime en points. – Dans un tableau à double entrée portant sur des parts, il faut se demander où se trouve le 100 (il peut être explicitement indiqué ou bien on peut le retrouver par une simple addition). L'emplacement du 100 (en colonne ou en ligne) permet de donner le sens de lecture des données.
Lecture d'une part	Sur 100 ...... (= individus ou éléments de la grandeur de référence), x (= le nombre calculé) possèdent la caractéristique concernée. La grandeur étudiée représente x % de la grandeur de référence. **Important :** On n'oubliera pas de préciser la date à laquelle se rapporte la part.

2. Application

Étudiants dans l'enseignement supérieur en France		
Type d'études	Effectifs en 2009-2010 (en milliers)	Part des étudiants par filière en 2009-2010 (%)
Université (hors IUT)	1 267,9	(1 267,9 / 2 316,1) × 100 = 54,7
IUT	118,1	(118,1 / 2 316,1) × 100 = 5
STS (préparation d'un BTS)	240,3	(240,3/2 316,1) × 100 = 10,4
École d'ingénieurs	87	(87 / 2 316,1) × 100 = 3,8
École de commerce, gestion, vente et comptabilité	116,3	(116,3 / 2 316,1) × 100 = 5
CPGE	81,1	(81,1 / 2 316,1) × 100 = 3,5
Autres (écoles paramédicales et sociales, écoles supérieures artistiques et culturelles, IUFM)	405,4	(405,4 / 2 316,1) × 100 = 17,5
Total enseignement supérieur	2 316,1	100

Source : Insee, « Tableaux de l'économie française – Édition 2011 ».

Exemple de lecture d'une part : les étudiants en université (hors IUT) représentaient, en 2009-2010, 54,7 % des étudiants de l'enseignement supérieur, ou sur 100 étudiants dans l'enseignement supérieur, 54,7 étaient inscrits à l'université (hors IUT).

Comparaison de deux parts : la part des étudiants préparant un BTS était de 6,9 points (= 10,4 – 3,5) supérieurs à celle des étudiants en classe préparatoire.

Analyse d'un tableau à double entrée : on est attentif aux unités, ainsi y avait-il, en 2009-2010, 2 316 100 étudiants dans l'enseignement supérieur en France (et non 2 316,1 étudiants) ; on analyse la composition du tableau, il porte ici sur la répartition de l'ensemble des étudiants de l'enseignement supérieur, répartition en milliers d'étudiants et en %.

Vérification des totaux : la somme des parts du tableau est égale à 100 (à 0,1 point près).

ACTIVITÉ À vous de jouer !

Table brute de mobilité et table de recrutement des femmes en France en 2003

En milliers et en %

GSP du père \ GSP de la fille	Agricultrice	ACCE[1]	Cadre	Profession intermédiaire	Employée	Ouvrière	Ensemble
Agriculteur	104 63,3	29 11,2	55 ...	179 ...	404 ...	105 ...	876 ...
Artisan, commerçant et chef d'entreprise	(10) (1,2)	57 ...	123 ...	219 ...	363 ...	58 ...	830 ...
Cadre et profession intellectuelle supérieure	(2) ...	16 ...	170 ...	190 ...	136 ...	12 ...	526 ...
Profession intermédiaire	(4) ...	27 ...	140 ...	293 ...	377 ...	60 ...	901 ...
Employé	(6) ...	28 ...	71 ...	214 ...	412 ...	77 ...	808 ...
Ouvrier	38 ...	102 ...	130 ...	462 ...	1 536 ...	552 ...	2 820 ...
Ensemble	165 100	259 100	689 100	1 556 100	3 229 100	863 100	6 761 100

1. Artisan, commerçant et chef d'entreprise.

Champ : femmes françaises à la naissance, actives occupées ou anciennes actives ayant eu un emploi, âgées de 40 à 59 ans, en mai 2003.

Les chiffres entre parenthèses correspondent aux effectifs très réduits et donc peu significatifs.

Source : d'après Dominique Merllié, « La mobilité sociale », Robert Castel et al., *Les mutations de la société française*, La Découverte, coll. « Repères », 2007.

1. Dans ce tableau à double entrée :

a. que trouve-t-on en ligne ? en colonne ?

b. dans quelle(s) unité(s) les données sont-elles exprimées ?

c. où se situent les 100 % ? Quelle indication cela donne-t-il sur la lecture du tableau ?

2. Retrouvez comment le 63,3 de la première ligne a été calculé.

3. Les phrases ci-dessous sont-elles justes ?

a. Sur 100 femmes ACCE, 11,2 étaient filles d'agriculteurs.

b. Sur 100 filles d'agricultrices, 11,2 sont devenues artisans, commerçantes ou chefs d'entreprise.

c. Les femmes ACCE étaient 11,2 % à avoir été recrutées parmi les agriculteurs.

4. Complétez le tableau avec les calculs appropriés.

5. Répondez aux questions ci-dessous.

a. Quelle est la part des femmes ouvrières issues d'un père lui-même ouvrier ?

b. Quel est le nombre de femmes cadres dont le père était profession intermédiaire ?

c. À la génération des pères, combien y avait-il d'ouvriers ?

d. Dans quelle catégorie l'autorecrutement est-il le plus fort ?

6. Dans quelles catégories les femmes qui sont professions intermédiaires ont-elles été principalement recrutées ?

Il est également question de table de mobilité et de recrutement dans le TD Méthode du chapitre 9, p. 242.

Fiche Outil

2 Moyenne, médiane et écart-type

1. À savoir

Calculer une moyenne permet de synthétiser une situation et de connaître la valeur centrale. La moyenne est représentative d'un ensemble, mais de fait, en résumant ainsi une situation (par exemple, le salaire moyen en France), on a aussi tendance à simplifier cette situation. Pour éviter cela, les statisticiens calculent aussi la médiane (par exemple, le salaire médian), c'est-à-dire la valeur qui partage un effectif ou une population en deux groupes de même taille. On peut aussi s'intéresser à la dispersion d'une série statistique en calculant son écart-type.

2. Les moyennes

Les statisticiens utilisent souvent la moyenne arithmétique, qui peut être une moyenne simple ou pondérée, pour résumer une situation. En dehors du calcul, il faut être prudent dans l'interprétation de cette valeur moyenne.

A. La moyenne arithmétique simple

Il s'agit de résumer différentes valeurs en une seule, valable pour l'ensemble du groupe, en moyenne. Elle est égale à la somme des valeurs prises par la variable observée, divisée par le nombre d'observations. L'unité reste la même.

Soit $a_1, a_2, a_3, ..., a_n$, les différentes valeurs prises par la variable observée.

La moyenne arithmétique simple $= \dfrac{a_1 + a_2 + a_3 + ... + a_n}{n}$

Illustration

Une PME emploie 5 salariés, à temps plein, qui reçoivent les salaires mensuels nets suivants :

Salarié 1	Salarié 2	Salarié 3	Salarié 4	Salarié 5
1 110 €	1 350 €	1 940 €	2 295 €	2 810 €

Salaire mensuel net moyen =

$$\dfrac{(1\ 110 + 1\ 350 + 1\ 940 + 2\ 295 + 2\ 810)}{5} = 1\ 901\ €$$

B. La moyenne arithmétique pondérée

C'est une moyenne qui donne un poids différent à chaque valeur. On attribue alors un coefficient, ou une pondération, pour chaque valeur. Le résultat est égal à la somme pondérée des valeurs prises par la variable observée, divisée par le poids total de chaque valeur.

Les valeurs observées sont toujours $a_1, a_2, a_3, ..., a_n$, et le « poids », ou coefficient de pondération, attribué à chaque valeur est égal à $n_1, n_2, n_3, ..., n_n$.

La moyenne arithmétique pondérée =

$$\dfrac{(a_1 \times n_1) + (a_2 \times n_2) + (a_3 \times n_3) + ... + (a_n \times n_n)}{(n_1 + n_2 + n_3 + ... + n_n)}$$

Illustration 1

Les notes obtenues au concours d'entrée dans une école post-bac par Xavier sont les suivantes :

	Épreuve de synthèse	Culture générale	Mathématiques	LV1
Notes	12	13	8	11
Coefficients	4	5	3	3

La barre d'admission dans cette école est fixée à 12/20. Pour savoir si Xavier est admis dans cette école, il faut donc calculer la moyenne pondérée par les coefficients, pour chaque épreuve.
Moyenne générale de Xavier =

$$\frac{(12 \times 4) + (13 \times 5) + (8 \times 3) + (11 \times 3)}{15} = 11,33$$

La moyenne de Xavier est donc inférieure à la barre d'admission.

Illustration 2

Application au calcul du prix moyen de l'eau
Le tableau ci-dessous représente le prix moyen de l'eau dans le département des Hautes-Alpes en 2010. L'organisme chargé de calculer ce prix moyen a utilisé une moyenne pondérée, c'est-à-dire que le prix moyen est pondéré par la population permanente des communes. Il existe, en effet, un écart important entre la population permanente de ces communes et la population de vacanciers, très nombreuse en hiver, par exemple.

Le prix moyen[1] départemental en 2010			
Eau potable	Assainissement	Taxes et redevances	Total TTC
1,11 €/m³	0,78 €/m³	0,43 €/m³	2,32 €/m³

1. Moyenne pondérée par la population communale permanente, sur la base d'une consommation annuelle de 120 m³.

Source : Direction départementale des territoires des Hautes-Alpes, « Enquête prix de l'eau 2010 ».

3. La médiane et l'écart-type

Le calcul de la moyenne, censée représenter l'ensemble du groupe par une seule valeur, ne permet pas toujours de donner une information très précise.
En effet, les moyennes sont influencées soit à la hausse, soit à la baisse par les valeurs extrêmes (par exemple, les très hauts salaires, même s'ils ne sont pas nombreux, vont « tirer » la moyenne vers le haut). Dans la PCS des artisans, commerçants, chefs d'entreprise, les disparités de revenus sont tellement importantes qu'il n'est pas pertinent de calculer le revenu moyen de la catégorie.

A. La médiane

La médiane est la valeur centrale partageant un effectif en deux groupes de même taille, c'est-à-dire la valeur pour laquelle 50 % de l'effectif se situe en dessous de cette valeur, et 50 % au-dessus. Pour connaître la médiane, il faut classer la population étudiée par ordre croissant et diviser l'effectif en deux groupes de taille identique. L'unité reste la même que celle de la variable étudiée.

Illustration

En France, en 2009, d'après l'Insee, le niveau de vie médian était égal à 19 080 €, ce qui signifie que 50 % de la population française avait un niveau de vie supérieur à 19 080 €, et 50 %, un niveau de vie inférieur.
À titre de comparaison, en 2009, le niveau de vie médian des cadres était de 31 670 € et celui des ouvriers non qualifiés de 15 750 €.

À noter : lorsque l'on divise un effectif en quatre groupes de taille égale, on obtient des quartiles et lorsque l'on le divise en dix groupes de taille égale, on obtient des déciles (voir la fiche Outil 6).

B. L'écart-type

C'est une mesure de la dispersion ou de l'étalement d'un ensemble de valeurs autour de leur moyenne. Mesurer la dispersion d'une série statistique permet de connaître l'étendue des écarts entre les valeurs de cette série et sa moyenne.
Plus l'écart-type est faible, plus la série étudiée est homogène, et plus l'écart-type est élevé, moins la série statistique est homogène. Dans ce second cas, la dispersion est importante.

Illustration

Les élèves d'une classe de terminale ES ont obtenu les notes ci-dessous au bac blanc de SES. Leur professeur décide de calculer la moyenne, la médiane, ainsi que l'écart-type pour ce devoir.

Élèves	A	B	C	D	E	F	G	H	I
Notes	14	17	10	13	10	16	9	20	5

Élèves	J	K	L	M	N	O	P	Q	R	S
Notes	18	11	10	12	7	10	9	14	13	8

La note moyenne de la classe = (226/19) = 11,9 / 20

Classement des élèves par ordre croissant de notes

Élèves	I	N	S	G	P	C	E	L	O
Notes	5	7	8	9	9	10	10	10	10

9 élèves

K	M	D	R	A	Q	F	B	J	H
11	12	13	13	14	14	16	17	18	20

Médiane   9 élèves

La note médiane de la classe = 11/20

L'écart-type de la classe = 3,81. Les résultats obtenus ne sont pas répartis de façon homogène autour de la moyenne. La dispersion des résultats est importante.
À noter : l'écart-type se mesure de la façon suivante :
$\sigma = \sqrt{\sum_{i=1}^{n} (x_i - \bar{x})^2 / n}$, avec $\bar{x}$ qui est égal à la moyenne.

ACTIVITÉ **À vous de jouer !**

Âges moyen et médian en France métropolitaine		
Années	Âge moyen	Âge médian
1970	34,8	31,5
1980	35,7	31,2
1990	36,9	33,7
2000	38,7	36,6
2010[1]	40,3	38,9

1. Données provisoires.   Source : Insee.

1. Faites une phrase pour expliquer les données de 1970 et de 2010.

2. Comment expliquez-vous l'écart entre l'âge médian et l'âge moyen ?

3. Comment cet écart a-t-il évolué ? Pourquoi ?

1. À savoir

Les économistes et les sociologues étudient les phénomènes économiques et sociaux d'un point de vue empirique, ils ont donc recours très souvent aux séries statistiques. La comparaison d'une même variable, dans le temps par exemple, va les inciter à mesurer des variations aussi bien en valeur absolue qu'en valeur relative, des variations en volume et en valeur... Pour cela, ils disposent de nombreux outils de calculs.

2. Les variations absolues et relatives

Soit V_a = la valeur d'arrivée et V_d = la valeur de départ.

A. La variation absolue'

Il s'agit de calculer un accroissement absolu entre deux grandeurs. On fait donc la différence entre deux valeurs absolues. L'unité reste la même que celle de départ (par exemple, en milliers d'individus, en euros, en kilos).

$$\text{Accroissement absolu} = V_a - V_d$$

Si la variation absolue est positive, il s'agit d'une hausse du phénomène ; si elle est négative, il s'agit d'une baisse.

À noter : lorsque l'on mesure une **variation absolue** entre **deux données exprimées en pourcentage**, le résultat est en **points** de pourcentage, et non en pourcentage.
Par exemple, lorsque le taux de chômage passe de 7,5 % à 10 % en 3 ans, on dit qu'il y a eu une hausse de 2,5 points de pourcentage sur la période.

B. Les différentes formes de variations relatives

Il s'agit de mesurer une variation, une évolution dans le temps, en valeur relative cette fois-ci. Pour cela, on peut utiliser trois outils statistiques différents.

Le taux de variation

Le taux de variation permet de comparer la variation par rapport à la valeur de départ. Il s'exprime en pourcentage. Il mesure une variation relative ou un accroissement relatif.

$$\text{Taux de variation} = \frac{V_a - V_d}{V_d} \times 100$$

Interprétation des résultats

Taux de variation > 0	→ hausse
Taux de variation < 0	→ baisse
Taux de variation = 0	→ stagnation
Taux de variation = 100 %	→ doublement

Illustration
Selon l'Insee, en France, les dépenses courantes de santé ont augmenté de 4 % entre 2008 et 2009.

Le coefficient multiplicateur

Le coefficient multiplicateur permet d'exprimer, par un simple nombre, l'importance d'une évolution. Il mesure l'accroissement en indiquant par combien il faut multiplier la grandeur de départ pour obtenir la grandeur d'arrivée.
Il n'a pas d'unité. Il est intéressant de l'utiliser pour les variations importantes.

$$\text{Coefficient multiplicateur} = \frac{V_a}{V_d}$$

Interprétation des résultats

Coefficient multiplicateur > 1	→ hausse
Coefficient multiplicateur < 1	→ baisse
Coefficient multiplicateur = 1	→ stagnation

Illustration
Selon l'Insee, en France, la part des divorces a été multipliée par 3,4 entre 1975 et 2011.

Les indices

– **Les indices simples**. Ce sont des instruments statistiques définis par un rapport entre deux grandeurs. Ils n'ont pas d'unité.
Pour les calculer, on prend une année de référence (ou année de base) et on compare la grandeur d'arrivée à cette grandeur de référence.
En SES, on choisit souvent de prendre comme base, ou comme valeur de référence, la valeur 100 pour faciliter ensuite l'interprétation (en %). On parle alors d'indice base 100 pour l'année de référence ($V_{réf}$).

$$I_{a/réf} = \frac{V_a}{V_{réf}} \times 100$$

Interprétation des résultats

Indice > 100	→ hausse
Indice < 100	→ baisse
Indice = 100	→ stagnation

Illustration
Selon l'Insee, en France, l'indice du salaire net moyen en euros constants est passé d'un indice 100 en 1951 à un indice de 358 en 2009, ce qui signifie qu'il a été multiplié par 3,58 ou encore qu'il a augmenté de 258 % en 58 ans.

– **Les indices pondérés**. Comme pour les moyennes, on peut pondérer l'indice, c'est-à-dire que l'on va affecter une pondération (un poids) à chacune des composantes de l'indice.

Illustration

Poids de l'alimentation, des produits manufacturés et des services dans le budget des ménages			
	Alimentation	Produits manufacturés	Services
Pondération	20 %	50 %	30 %

Indice de consommation			
Base 100 pour la période 0	Alimentation	Produits manufacturés	Services
Période 1	110	115	120
Période 2	117	121	130

Calcul de l'indice pondéré
Période 1 : (110 × 0,2) + (115 × 0,5) + (120 × 0,3) = 115,5
La consommation a augmenté de 15,5 % entre la période 0 et la période 1.

Période 2 : (117 × 0,2) + (121 × 0,5) + (130 × 0,3) = 122,9
La consommation a augmenté de 22,9 % entre la période 0 et la période 2.

À noter : quel que soit l'outil utilisé, le résultat de la variation est bien sûr le même. On peut donc mettre en évidence des relations mathématiques permettant de passer d'un outil à l'autre.

Taux de variation = (Coefficient multiplicateur − 1) × 100

$$\text{Coefficient multiplicateur} = \frac{\text{Taux de variation}}{100} + 1$$

Taux de variation = $I_{a/\text{réf}}$ − 100

$I_{a/\text{réf}}$ = Taux de variation + 100

$I_{a/\text{réf}}$ = Coefficient multiplicateur × 100

$$\text{Coefficient multiplicateur} = \frac{I_{a/\text{réf}}}{100}$$

ACTIVITÉ À vous de jouer !

La population française								
En milliers	1984	1988	1992	1996	2000	2004	2008	2012 p
Population	56 166	57 325	58 571	59 487	60 508	62 251	63 962	65 350

p : provisoire.
Champ : France. Source : Insee.

1. Complétez le tableau ci-dessous pour connaître les variations de la population française.

	1984-1996	2000-2012	1984-2012
Variation absolue			
Taux de variation			
Coefficient multiplicateur			
Indice en fin de période (base 100 en 1984)			

2. Faites une phrase avec chaque outil pour la période 1984-2012.

3. La lecture des taux de croissance

L'interprétation des taux de croissance peut poser problème. En particulier, lorsque le taux de croissance diminue d'une période sur l'autre. S'il reste positif, la diminution du taux de croissance correspond à un ralentissement de la hausse, et non à une baisse ! Il convient donc d'être très prudent lors de la lecture et l'analyse des données statistiques.

ACTIVITÉ À vous de jouer !

Évolution des principales consommations des ménages en volume			
En variation annuelle, en %	2007	2008	2009
Alimentation et boissons non alcoolisées	1,6	0,2	0,5
Boissons alcoolisées et tabac	− 0,4	− 2,4	− 0,3
Habillement et chaussures	2,4	− 1,6	− 3,1
Logement et chauffage	1,2	1,9	1
Santé	4,9	5,8	4,4
Transport	2,5	− 2,3	− 0,3
Loisirs et culture	6,6	2,5	2,9

Source : Insee, TEF 2011.

1. Trouvez deux exemples de consommation qui ont progressé d'une année sur l'autre.

2. Trouvez deux exemples de consommation dont la progression ralentit d'une année sur l'autre (mais sans baisser).

3. Trouvez deux exemples de consommation qui ont baissé d'une année sur l'autre.

Il faut être également prudent, car certaines variations sont en volume et d'autres en valeur. Lorsque le document statistique précise « volume » ou « valeur », on attend que l'élève y fasse référence de façon explicite.
Une variable en valeur est une variable exprimée en prix courants (ou prix « du moment »). Une mesure en valeur n'est donc pas déflatée, contrairement à une mesure en volume qui, elle, est exprimée en prix constants. Dans ce dernier cas, les effets de l'inflation ont été supprimés.
Les différences entre les deux évolutions peuvent alors être importantes.

4. Le taux de croissance annuel moyen

Le taux de croissance annuel moyen (TCAM) permet de synthétiser en un seul chiffre une évolution annuelle pour une période plus ou moins longue.
Par exemple, si le taux de croissance annuel moyen du PIB est égal à 5 % sur la période étudiée, cela signifie qu'en moyenne, tous les ans, le PIB a connu une augmentation de 5 %.
Il s'agit donc d'une hausse annuelle moyenne en pourcentage, mais rien ne nous permet, par exemple, de savoir si cette hausse a vraiment été régulière année après année.
Attention à la lecture des TCAM, il faut éviter les phrases du type « le taux de croissance annuel moyen est égal à … ».
La formule suivante peut être utilisée à chaque fois : « Sur la période … , on constate que … a augmenté en moyenne de … % par an. »

ACTIVITÉ À vous de jouer !

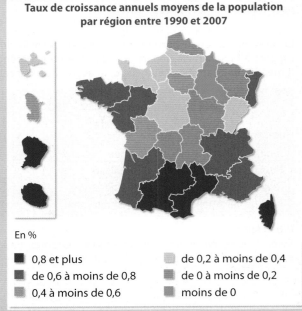

Taux de croissance annuels moyens de la population par région entre 1990 et 2007

En %

- 0,8 et plus
- de 0,6 à moins de 0,8
- 0,4 à moins de 0,6
- de 0,2 à moins de 0,4
- de 0 à moins de 0,2
- moins de 0

Source : Insee, Omphale 2010.

1. Faites une phrase pour votre région.

2. Quelles sont les régions françaises qui ont connu la plus forte croissance démographique ? la plus faible ?

4 Mesurer une propension

1. À savoir

Le revenu (R) se partage entre consommation (C) et épargne (S).
On appelle ΔR la variation de revenu, ΔC la variation de la consommation et ΔS la variation de l'épargne entre deux dates.

	Propension moyenne		Propension marginale	
	Propension moyenne à consommer	Propension moyenne à épargner	Propension marginale à consommer (pmc)	Propension marginale à épargner (pms)
Calcul	C / R	S / R	$\Delta C / \Delta R$	$\Delta S / \Delta R$
Interprétation	Part du revenu qui est consommée	Part du revenu qui est épargnée	Part du revenu supplémentaire consacrée à la consommation	Part du revenu supplémentaire consacrée à l'épargne
À noter	C / R + S / R = 1		$\Delta C / \Delta R + \Delta S / \Delta R = 1$	
Commentaires	– Propension moyenne et marginale peuvent s'exprimer en pourcentage. – On peut calculer une propension pour un ménage ou pour l'ensemble des ménages.			

2. Application

Structure du revenu disponible par habitant en France				
En euros courants par habitant	2008	2010	Évolution entre 2008 et 2010	Propension marginale
Revenu disponible brut des ménages	19 632	19 926	$\Delta R = 19\,926 - 19\,632 = 294$ €	Pmc = 146 / 294 = 0,496 ou 49,6 %
Dépense de consommation finale	16 583	16 729	$\Delta C = 16\,729 - 16\,583 = 146$ €	
Épargne brute	3 049	3 197	$\Delta S = 3\,197 - 3\,049 = 148$ €	Pms = 148 / 294 = 0,503 ou 50,3 %
Propension moyenne à consommer (en %)	(16 583 / 19 632) × 100 = 84,5	(16 729 / 19 926) × 100 = 84		
Propension moyenne à épargner (en %)	(3 049 / 19 632) × 100 = 15,5	(3 197/19 926) × 100 = 16		

Source : Insee, « Comptes nationaux – Base 2005 ».

Lecture des propensions moyennes	Lecture des propensions marginales
– En 2010, en moyenne et par habitant, 84 % du revenu disponible des ménages étaient consommés, et l'épargne des ménages, en moyenne et par habitant, représentait 16 % de leur revenu disponible à cette même date. – Sur 100 € de revenu en moyenne, un habitant en France consacrait 84 € à la consommation et 16 € à l'épargne en 2010.	– De 2008 à 2010, 49,6 % de l'augmentation du revenu des ménages ont été consacrés à l'augmentation de leur consommation et 50,3 % à celle de leur épargne. – De 2008 à 2010, quand le revenu en moyenne d'un habitant augmentait de 100 €, 49,6 € étaient consacrés à la consommation, et son épargne augmentait de 50,3 €.

ACTIVITÉ À vous de jouer !

Le partage du revenu des ménages en France		
À prix courants en milliards d'euros	2007	2010
Revenu disponible brut ajusté	1 536,7	1 642,5
Consommation effective des ménages	1 348,4	1 435,2
Épargne brute	188,3	207,3

Source : Insee, « Comptes nationaux – Base 2005 ».

1. Calculez les propensions moyennes des ménages à consommer et à épargner en 2010.

2. Vérifiez que la somme des propensions marginales est égale à 1.

3. Faites une phrase avec vos résultats.

4. Calculez les propensions marginales à consommer et à épargner entre 2007 et 2010.

5. Vérifiez que la somme des propensions marginales est égale à 1.

6. Faites une phrase avec vos résultats.

Fiche Outil
5 Les élasticités

1. À savoir

Les économistes ont besoin de mesurer les effets de la variation d'une variable sur une autre variable. Pour cela, ils calculent des élasticités. Par exemple, ils veulent connaître les variations de la demande de carburant des consommateurs suite à une forte hausse du prix de l'essence.
L'élasticité permet donc de mesurer la sensibilité de l'offre ou de la demande suite à une variation de prix. Elle permet aussi de connaître la sensibilité de la demande suite à une variation de revenu, par exemple.

Calculer une élasticité

L'élasticité se calcule grâce à des variations relatives (Voir fiche Outil 3). Il s'agit d'un rapport entre deux accroissements relatifs ou entre deux taux de variation (en %).

$$e = \frac{\text{Taux de variation de la 2}^{e}\text{ variable (= conséquence) en \%}}{\text{Taux de variation de la 1}^{re}\text{ variable (= cause) en \%}}$$

Lire une élasticité

– Les élasticités n'ont pas d'unité ;
– Le signe indique le sens de variation : s'il est positif, les deux variables évoluent dans le même sens ; s'il est négatif, les variables évoluent en sens inverse ;
– C'est la valeur absolue de l'élasticité qui importe. Plus elle est élevée, plus la variable est dite sensible (ou élastique) par rapport aux variations de l'autre variable.

2. Les élasticités-prix

Une élasticité-prix permet de connaître la variation de l'offre ou de la demande d'un bien ou service suite à une variation du prix de ce bien ou de ce service.

A. Élasticité-prix de la demande

Pour calculer l'élasticité-prix de la demande, il faut connaître le taux de variation de la demande et le taux de variation du prix.
En règle générale, lorsque le prix baisse, la demande augmente. Il s'agit donc, ici, de variations de sens inverse. L'élasticité sera donc négative.

$$e_{p/d} = \frac{\text{Taux de variation de la demande (en \%)}}{\text{Taux de variation du prix (en \%)}}$$

Le résultat se lit de la façon suivante : « Lorsque le prix augmente de 1 %, la demande diminue de x %. »

Interprétation des résultats

Valeur de l'élasticité	Signification	Demande est dite...
e = 0	La variation du prix n'engendre aucune variation de la demande.	Inélastique
– 1 < e < 0	La demande varie faiblement suite à une hausse de prix.	Relativement inélastique
e = – 1	La demande varie proportionnellement au prix.	Élastique
– ∞ < e < – 1	La demande varie plus que proportionnellement au prix.	Fortement élastique

Illustration

Le gel et la neige, cet hiver, ont eu pour effet de faire flamber le prix des fruits et des légumes frais ; la hausse moyenne des prix de 17 % a entraîné une baisse de la consommation des ménages de 25 %.

B. Élasticité-prix de l'offre

Pour calculer l'élasticité-prix de l'offre, il faut connaître le taux de variation de l'offre et le taux de variation du prix.
En règle générale, lorsque le prix augmente, l'offre augmente également. L'élasticité sera donc positive.

$$e_{p/o} = \frac{\text{Taux de variation de l'offre (en \%)}}{\text{Taux de variation du prix (en \%)}}$$

Le résultat se lit de la façon suivante : « Lorsque le prix augmente de 1 %, l'offre augmente de x %. »

Interprétation des résultats

Valeur de l'élasticité	Signification	L'offre est dite...
e = 0	La variation du prix n'engendre aucune variation de l'offre.	Inélastique
0 < e < 1	L'offre varie faiblement suite à une hausse de prix.	Relativement inélastique
e = 1	L'offre varie proportionnellement au prix.	Élastique
e > 1	La hausse du prix engendre une augmentation de l'offre plus que proportionnelle.	Fortement élastique

Illustration

La fabrication de yaourts, par l'industrie agroalimentaire, nécessite d'acheter du lait. Même si les prix de vente des yaourts augmentent sensiblement, les industriels ne pourront, à court terme, augmenter leurs productions de yaourts, car ils peuvent avoir du mal à s'approvisionner en lait, ou ne pas avoir les outils de production suffisants. Dans ce cas, l'offre est dite inélastique.

3. Les élasticités-revenu

Une élasticité-revenu permet, par exemple, de connaître la variation de la demande de bien ou service suite à une variation du revenu du ménage.
Certains biens verront leurs demandes augmenter suite à une augmentation du revenu ; ils seront dits élastiques. D'autres, au contraire, seront assez peu sensibles à la hausse du revenu ; ils seront dits inélastiques. Il faut alors prendre en compte le type de bien.

A. Élasticité-revenu de la demande

Comme pour les élasticités-prix, il convient, pour calculer l'élasticité-revenu, de connaître le taux de variation de la demande et le taux de variation du revenu.

$$e_{r/d} = \frac{\text{Taux de variation de la demande (en \%)}}{\text{Taux de variation revenu (en \%)}}$$

Le résultat se lit de la façon suivante : « Lorsque le revenu augmente de 1 %, la demande varie de x %. »

On distingue différents types de biens, en fonction de leurs plus ou moins fortes sensibilités aux variations de revenu des ménages.

Biens	Élasticité-revenu	Signification	Exemple
Biens inférieurs	< 0	La consommation diminue quand le revenu augmente.	Pain, pommes de terre, eau
Biens normaux	0 < e < 1	La consommation varie dans le même sens que le revenu.	Vêtements, voiture
Biens supérieurs ou de luxe	e > 1	La consommation augmente plus vite que le revenu.	Voyages, parfums, bijoux

◼ 4. Les élasticités à court terme et long terme

Il faut distinguer le court terme et le long terme, car les sensibilités ne sont pas les mêmes.

A. Élasticité-prix

Le cas de la demande

On peut considérer, dans un premier temps, qu'il existe des biens substituables. Dans ce cas, les ménages peuvent se tourner vers d'autres types de biens semblables (ou substituables) lorsque le prix d'un bien augmente (par exemple, ils remplacent le café par le thé).

Il faut aussi distinguer les biens de première nécessité et les biens de luxe. La réaction ne sera pas la même suite à une hausse du prix. En effet, les ménages continueront à acheter les biens de première nécessité (nourriture) malgré une hausse des prix, alors qu'ils se détourneront des biens de luxe (voyages lointains).

Enfin, à long terme, les ménages peuvent modifier durablement leurs comportements. Dans le cas d'une hausse durable et importante du prix de l'essence, les ménages finiront par modifier leurs modes de vie. Ils changeront de mode de transport (transports en commun, covoiturage ou vélo) ; certains peuvent même déménager pour habiter à proximité de leur lieu de travail, afin de ne plus utiliser leur voiture. Mais cela se fait à moyen ou long terme.

Le cas de l'offre

À très court terme, l'offre est inélastique. En effet, une entreprise ne peut pas brutalement augmenter les quantités produites lorsque la demande ou les prix augmentent. Elle devient élastique à plus long terme. En effet, il faut du temps à l'entreprise pour ajuster ses quantités produites et son outil de production (achat de machines, embauches de salariés supplémentaires...).

B. Élasticité-revenu

À court terme, une hausse de revenu peut se traduire par une hausse de l'épargne. Les ménages prudents ne préfèrent pas modifier leurs modes de vie. Si la hausse des revenus est durable dans le temps, ils augmenteront alors leurs consommations et changeront de mode de vie.

ACTIVITÉ À vous de jouer !

Quelques hausses et baisses de prix en France			
Hausses	Variation 2009/2010	Baisses	Variation 2009/2010
Combustibles liquides	+ 26,5 %	Équipements photo et cinéma, instruments d'optique	– 15,4 %
Carburants	+ 15 %	Équipements audiovisuels	– 12,6 %
Horlogerie, bijouterie, joaillerie	+ 13,9 %	Équipements de téléphonie et de télécopie	– 12,2 %
Assurance santé complémentaire	+ 4,1 %	Appareil de lavage	– 3,5 %
Fruits frais	+ 3,9 %	Huiles et margarines	– 3,3 %
Voyages touristiques tout compris	+ 2 %	Produits pharmaceutiques	– 2,4 %
Entretien véhicules personnels	+ 1,9 %	Céréales	– 2,3 %

Source : Insee, indices des prix à la consommation.

1. Suite à la variation du prix des carburants, on a constaté une baisse de la demande de 8 %. Calculez l'élasticité-prix de la demande, et faites une phrase avec le résultat obtenu.

2. Suite à la variation du prix des voyages touristiques, on a constaté que la demande de voyages touristiques tout compris avait chuté de 10 %. Calculez l'élasticité-prix de la demande, et faites une phrase avec le résultat obtenu.

3. Si l'on considère que la demande pour les équipements de téléphonie est très élastique aux prix, dans quel sens varie la demande pour ces équipements ? Donnez une valeur possible de l'élasticité-prix de la demande de ces équipements.

4. La hausse du prix des bijoux a encouragé les artisans à augmenter leur offre de bijoux. Ils sont toutefois confrontés à un manque de main-d'œuvre qualifiée et ne trouvent personne à embaucher. Peuvent-ils augmenter leur offre ? Caractérisez alors l'élasticité-prix de l'offre.

1. La mesure des inégalités par les quantiles

Les quantiles ou fractiles				
Caractéristiques	Les quantiles partagent une distribution entre « n » groupes d'effectifs égaux qui ont été classés par ordre croissant de la valeur que l'on veut étudier (ex. : les salaires, les revenus, les patrimoines, les chiffres d'affaire…). Les quantiles ne désignent pas les groupes, mais correspondent à la valeur de la variable qui sépare deux groupes d'effectifs égaux. La médiane correspond à la valeur de la variable qui partage un effectif en deux parties égales.			
Quatre quantiles	Centile	Décile	Quintile	Quartile
Nombres de groupes	100 groupes de 1 %	10 groupes de 10 %	5 groupes de 20 %	4 groupes de 25 %
Nombres de quantiles	99	9	4	3
Quantiles auxquels correspondent la médiane	C50	D5	ns	Q2

ns : non significatif.

La mesure des écarts		
Deux indicateurs	La mesure de la disparité	La mesure de la dispersion
Définitions	Elle mesure l'écart entre des moyennes. On calcule des coefficients multiplicateurs entre des moyennes.	Elle mesure l'écart entre des valeurs extrêmes. – Écart interdécile = D9 – D1 – Rapport interdécile = D9 / D1 Le rapport interdécile D9/D1 mesure l'écart entre le revenu plancher des 10 % de ménages les plus aisés et le revenu plafond des 10 % de ménages les plus modestes.

Illustration

Les déciles de niveaux de vie en France en 2009

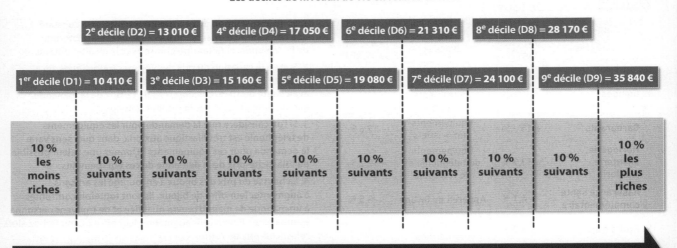

Source : d'après Insee, DGI, « Enquêtes revenus fiscaux et sociaux 2009 ».

À noter. Il y a 10 groupes, et donc les déciles qui marquent la frontière entre les groupes sont au nombre de 9 (on écarte en effet les déciles D0 et D10 qui correspondent aux bornes de la distribution, c'est-à-dire respectivement à 0 % et 100 % de la population).

DÉFINITION

Niveau de vie
Le niveau de vie correspond au revenu disponible des ménages divisé par le nombre d'unités de consommation (UC). Les UC sont fixées de la façon suivante : on attribue 1 UC au premier adulte, 0,5 aux autres personnes de 14 ans ou plus, et 0,3 aux enfants de moins de 14 ans.

NE PAS CONFONDRE

Niveau moyen de revenu par décile et décile du niveau de revenu
On fera attention à ne pas confondre le niveau moyen de revenu par décile qui correspond à la moyenne arithmétique des revenus appartenant au décile et le décile du niveau de revenu lui-même, qui est un revenu limite entre deux groupes.
Ainsi, en France en 2009, le 3e décile du niveau de vie était de 15 160 €, mais le niveau de vie moyen des ménages, compris entre le 2e et le 3e décile était de 14 100 €.

A. Lire un décile

Chaque décile peut se lire de deux façons (voir l'exemple ci-dessous), puisqu'il marque soit un seuil, soit une borne entre deux groupes.

En 2009, 30 % des ménages avaient un niveau de vie par UC inférieur ou égal à 15 160 €.

◄ Ex. : pour le 3ᵉ décile (D3) du niveau de vie en 2009 : 15 160 €. ►

En 2009, 70 % des ménages avaient un niveau de vie par UC supérieur ou égal à 15 160 €.

B. Calculer des écarts

Écart interdécile	D9 – D1 = 35 840 – 10 410 = 25 430 €	En 2009, le revenu plancher des 10 % de ménages les plus riches était supérieur de 25 430 € au revenu plafond des ménages les plus modestes en France.
Rapport interdécile	D9/D1 = 35 840 / 10 410 = 3,44	En 2009, le revenu plancher des 10 % de ménages les plus riches était 3,44 fois supérieur au revenu plafond des 10 % de ménages les plus pauvres en France.

2. La concentration des inégalités

	La courbe de Lorenz	Le coefficient (ou indice) de Gini
Définitions	La courbe de Lorenz représente graphiquement la distribution d'une variable au sein d'une population. Elle compare cette distribution avec une droite d'équirépartition, qui désigne une répartition égalitaire telle que 10 % de la population aurait 10 % de la grandeur étudiée, 50 % de la population auraient 50 % de la grandeur, etc. En abscisse, on indique les pourcentages cumulés de la population étudiée (individus, ménages...) ; en ordonnée, les pourcentages cumulés de la variable étudiée (patrimoine, revenu...).	Le coefficient de Gini mesure la concentration des inégalités à partir d'une courbe de Lorenz (voir la courbe ci-dessous). $$\text{Coef. de Gini} = \frac{\text{Surface entre la courbe et la bissectrice}}{\text{Surface du triangle OAB}}$$ Le coefficient de Gini est un nombre sans unité, compris entre 0 et 1.
Interprétations	– Plus la courbe s'éloigne de la droite d'équirépartition, plus la distribution observée est inégalitaire. – Plus la courbe se rapproche de la diagonale, plus la variable étudiée est distribuée de façon égalitaire.	– Plus le cœfficient est proche de 1, plus les inégalités sont fortes. – Plus le coefficient est proche de 0, plus les inégalités sont faibles.

Illustration

La distribution des niveaux de vie et des patrimoines en France (2009-2010)		
	Patrimoine cumulé 2010	Niveau de vie cumulé 2009
D0	0	0
D1	0	3,6
D2	0	8,9
D3	1	15,3
D4	2	22,5
D5	7	30,7
D6	14	39,8
D7	23	50
D8	35	61,8
D9	52	76
D10	100	100
Coefficient de Gini	0,65	0,29

Champ : France métropolitaine, population des ménages.

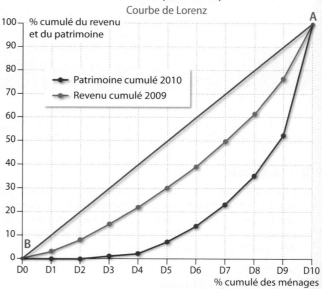

La distribution des niveaux de vie et des patrimoines en France (2009-2010)
Courbe de Lorenz

Source : d'après Insee, « Enquête patrimoine 2010 » et « Enquêtes revenus fiscaux 2009 ».

ACTIVITÉ 1 À vous de jouer !

Évolution des niveaux de vie depuis 1996 en France			
Montants annuels en euros constants 2009	1996	2002	2009
Niveau de vie médian	16 070	17 880	19 080
Niveau de vie moyen	18 260	20 730	22 140
D1	8 540	9 970	10 410
D9	30 000	33 830	35 840
Rapport interdécile	3,5	3,4	3,4
S20[1]	9	9,3	8,9
S50	31	31,1	30,7
S80	63	62,3	61,8
Indice de Gini	0,279	0,281	0,29

1. S20 désigne ici le % cumulé du niveau de vie à la disposition des 20 % des ménages les plus modestes.
Champ : France métropolitaine, personne vivant dans un ménage dont le revenu déclaré au fisc est positif ou nul, et dont la personne de référence n'est pas étudiante.

Source : Insee, « France, portrait social », édition 2011.

1. Comment les niveaux de vie moyen et médian ont-ils évolué depuis 1996 ?

2. Pourquoi le niveau de vie moyen n'est-il pas égal au niveau de vie médian ? Quelle information cela nous donne-t-il sur les inégalités en France ?

3. Retrouvez comment a été calculé le rapport interdécile de 2009. Quel commentaire peut-on faire de son évolution depuis 1996 ?

4. Calculez l'écart interdécile (D9 - D1) en 1996 et 2009. Comment l'écart interdécile a-t-il évolué en France entre 1996 et 2009 ?

5. Que déduire de l'évolution du coefficient de Gini depuis 1996 ?

6. Quelle est la part du niveau de vie à disposition des 80 % de ménages les plus modestes ? Déduisez-en de combien disposent les 20 % les plus aisés de la population en 2009.

ACTIVITÉ 2 À vous de jouer !

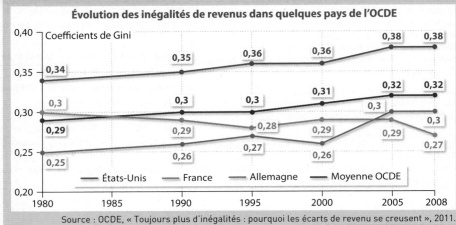

Source : OCDE, « Toujours plus d'inégalités : pourquoi les écarts de revenu se creusent », 2011.

1. Faites une phrase avec la donnée des États-Unis en 2008.

2. Quel pays connaît les plus fortes inégalités en 1980 et en 2008 ?

3. Comment les inégalités aux États-Unis ont-elles évolué depuis 1980 ?

4. Comparez l'évolution des inégalités en France et celle de la moyenne des pays de l'OCDE.

5. Quelles informations retenir de ce graphique ?

Fiche Outil
7 Lire les graphiques

1. À savoir

Les graphiques permettent de visualiser rapidement et facilement les tendances révélées par les tableaux statistiques. Qu'il s'agisse d'une répartition, de l'évolution d'une valeur…, il convient d'être prudent dans la lecture et l'interprétation des graphiques proposés.

2. Lire un graphique

A. Quel type de graphique ?

Les représentations n'ont pas la même signification. Il faut donc être très attentif au type de représentation, avant de proposer une interprétation. Par exemple, une évolution peut être représentée par une courbe, une répartition, par un diagramme en cercle…

B. Quel type de variables ?

On distingue les variables quantitatives qui portent sur une quantité (ex. : le revenu mensuel brut) et celles qui portent sur la qualité d'un phénomène, on parle alors de variables qualitatives (ex. : l'origine ethnique). On ne peut pas dénombrer ce dernier type de variable.
On distingue également les variables continues, qui peuvent prendre toutes les valeurs possibles (ex. : l'âge des individus, 15 ans et 3 mois), et les variables discontinues, qui ne peuvent prendre que des valeurs entières (ex. : le nombre d'ordinateurs par foyer).

C. Quelles informations ?

Le titre du graphique requiert une attention particulière. L'objet d'étude y est indiqué clairement. Il aide donc à la compréhension et à l'interprétation du graphique. Il faut donc vérifier, avant d'étudier le graphique, que les notions principales indiquées dans le titre sont maîtrisées.

Il faut bien noter l'unité dans laquelle est représentée la variable (pourcentages, millions, euros courants/constants, tonnes, indices...) pour éviter des erreurs de lecture et d'interprétation.

D. Quelle source ?

Il est nécessaire de repérer clairement la source des données, ainsi que la date de parution des statistiques. Par exemple, Pôle emploi et le BIT n'utilisent pas les mêmes définitions du chômage, leurs statistiques sont donc différentes.

E. Quelle relation entre les variables ?

Il arrive que plusieurs variables soient représentées sur le même graphique, afin de mettre en évidence des relations. On distingue, par exemple, des relations de corrélation et des relations de causalité. On parle de corrélation lorsque deux variables évoluent en même temps, soit dans le même sens (corrélation positive), soit dans un sens opposé (corrélation négative).

Mais toutes les corrélations ne sont pas forcément des causalités. En effet, une relation de causalité permet de déterminer un lien de cause à effet entre deux variables. Il faut donc déterminer quelle variable est la cause et quelle variable est la conséquence. Par exemple, la baisse des prix (cause) permet une hausse de la consommation (conséquence).

3. Les représentations graphiques les plus courantes

A. Les séries chronologiques

Lorsqu'il s'agit de représenter l'évolution d'une variable dans le temps, la figure la plus appropriée est la courbe. Traditionnellement, le temps est représenté sur l'axe des abscisses, et les valeurs possibles de la variable, sur l'axe des ordonnées.

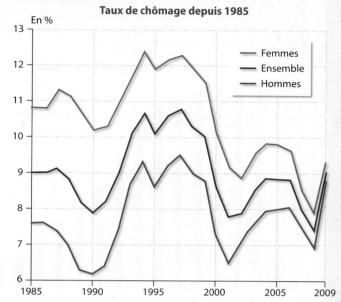

Champ : France métropolitaine, population des ménages, personnes de 15 ans ou plus (âge au 31 décembre). Source : Insee, TEF 2011.

Un graphique avec une échelle arithmétique, comme celui qui précède (Taux de chômage depuis 1985), peut toutefois comporter des limites. C'est le cas lorsque la valeur étudiée connaît une évolution de très grande amplitude. Il devient alors difficile de représenter cette évolution, sauf si on utilise une échelle semi-log, et non plus arithmétique.

Dans ce cas, l'échelle des abscisses est une échelle arithmétique (le temps est représenté avec des intervalles réguliers), et l'échelle des ordonnées est une échelle logarithmique (voir p. 54) qui suit une progression géométrique (par exemple, 10, 100, 1 000...). Pour cela, il suffit de calculer le logarithme décimal des différentes valeurs prises par la variable.

Dans un graphique semi-log, plus la pente de la droite est importante, plus le taux de croissance est élevé.

L'évolution du PIB par habitant en Europe de l'Ouest et dans le monde

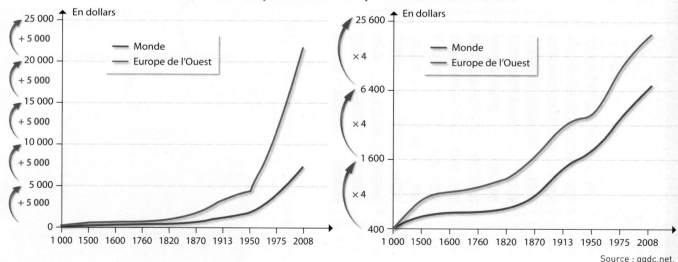

Source : ggdc.net.

Illustration

Sur le schéma de gauche (échelle arithmétique), on a du mal à distinguer l'évolution du PIB entre les années 1000 et 1870, aussi bien pour l'Europe de l'Ouest que pour le monde. L'évolution sur une très longue période ne peut pas être mise en évidence de façon pertinente. Sur le schéma de droite, en revanche, l'utilisation d'une échelle logarithmique permet une meilleure lecture des données sur toute la période étudiée. On y constate également que les PIB en Europe de l'Ouest et dans le monde ont augmenté à des rythmes proches depuis 1870 (les courbes sont quasiment parallèles).

B. Les diagrammes en bâtons

Les diagrammes en bâtons permettent de représenter des variables qualitatives ou discontinues. La taille des bâtons est proportionnelle aux effectifs. Les bâtons peuvent être représentés de façon verticale ou horizontale.

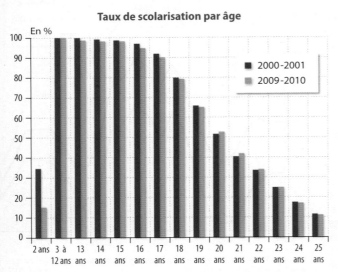

Taux de scolarisation par âge

Champ : France, public + privé.

Source : Insee, TEF 2011.

C. Les diagrammes de répartition

Plusieurs graphiques peuvent être utilisés pour représenter une répartition. Ils cherchent tous à mettre en évidence le poids de chaque sous-ensemble dans un ensemble total. La somme des sous-ensembles (parts) est, bien sûr, égale à l'ensemble (total).

Les représentations les plus courantes sont le diagramme en bande et le diagramme circulaire (ou semi-circulaire).

Le diagramme en bande

– La bande représente l'ensemble et est formée par la juxtaposition des sous-ensembles ;
– La taille de chaque sous-ensemble est proportionnelle aux effectifs ;
– La bande peut être représentée de façon verticale ou horizontale.

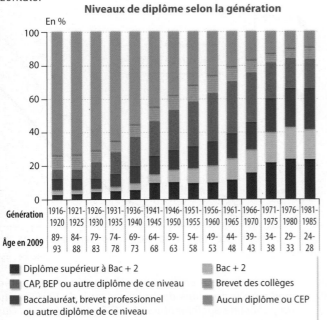

Niveaux de diplôme selon la génération

Source : Insee, « L'économie française », édition 2011.

Le diagramme circulaire (ou semi-circulaire)

– Le cercle (ou demi-cercle) représente l'ensemble. Son angle est de 360° (ou 180°) ;
– Chaque sous-ensemble représente une sous-partie en valeur absolue ou relative ;
– On utilise le diagramme semi-circulaire quand les sous-ensembles sont peu nombreux.

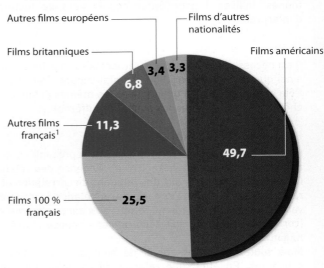

Parts de marché selon la nationalité des films en 2009 (p)

p : données provisoires. Champ : films distribués en France.
1. Films majoritaires ou minoritaires français.

Source : Insee, TEF 2011. Chiffres Centre national du cinéma et de l'image animée (CNC).

D. Les histogrammes

Dans certaines répartitions, la variable est continue et est présentée sous forme de classes. On la représente grâce à un histogramme (par exemple, la pyramide des âges).

Particularités

– Chaque donnée est représentée par un rectangle ;
– La surface de chaque rectangle est proportionnelle aux effectifs ;
– L'histogramme est régulier quand les classes sont de taille équivalente ; il est irrégulier dans le cas contraire ;
– Les effectifs sont en ordonnée, et le caractère en abscisse ;
– Les effectifs sont rectifiés quand les classes sont de tailles différentes.

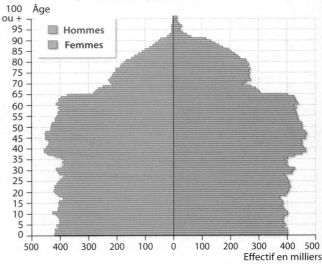

Pyramide des âges au 1er janvier 2011

Champ : France.

Source : Insee, TEF 2011.

4. La représentation de fonctions simples

Les économistes ont l'habitude de représenter graphiquement certaines situations pour mieux les appréhender. C'est le cas, par exemple, lorsque l'on représente graphiquement l'équilibre sur un marché. Un marché est un lieu (réel ou fictif) où se rencontrent une offre (les vendeurs) et une demande (les acheteurs). Lorsque les quantités offertes sont égales aux quantités demandées, le marché est en équilibre. Se fixe alors un prix d'équilibre qui permet l'échange. Par convention, les économistes placent les quantités en abscisse et les prix en ordonnée.

A. Fonction d'offre d'un bien

La fonction d'offre est une fonction croissante du prix. Elle représente les quantités offertes par les entreprises, pour un prix donné. Plus le prix est élevé, plus les quantités offertes le sont également.
En cas de variation des quantités offertes, on assiste à un déplacement de la courbe d'offre.

ACTIVITÉ 1 — **À vous de jouer !**

L'entreprise Lait&fruits vend des yaourts. Le lait est le principal composant des boissons. Comment l'offre de yaourts se déplace-t-elle lorsque :

1. une pénurie se crée à cause d'une bactérie qui rend le lait impropre à la consommation ?

2. un système de subventions est mis en place et qu'il incite à la surproduction ?

D'un point de vue graphique, une diminution de l'offre se visualise par un déplacement de la courbe vers le « haut » (O'), entraînant une hausse du prix d'équilibre. Une augmentation des quantités offertes se traduit par un déplacement vers le « bas » (O''), entraînant une baisse du prix d'équilibre.

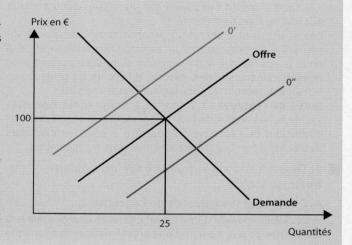

B. Fonction de demande d'un bien

La fonction de demande est une fonction décroissante du prix ; elle représente les quantités demandées par les consommateurs pour un prix donné. Plus le prix est élevé, moins les quantités demandées sont importantes. En cas de variation des quantités demandées, on assiste à un déplacement de la courbe de demande.

ACTIVITÉ 2 — **À vous de jouer !**

1. La stratégie marketing de l'entreprise Lait&fruits a eu les résultats escomptés. Les consommateurs apprécient l'emballage design et sont sensibles à l'aspect nutritionnel. Le yaourt est très demandé. Comment la courbe de demande se déplace-t-elle ?

2. La rumeur se répand. L'entreprise Lait&fruits n'a pas respecté des règles élémentaires d'hygiène pour la fabrication de son produit. Les consommateurs n'achètent plus de yaourts. Comment la courbe de demande se déplace-t-elle ?

D'un point de vue graphique, une diminution de la demande se visualise par un déplacement de la courbe vers le « bas » (D'), entraînant une baisse du prix d'équilibre. Une augmentation des quantités demandées se traduit par un déplacement vers le « haut » (D''), entraînant une hausse du prix d'équilibre.

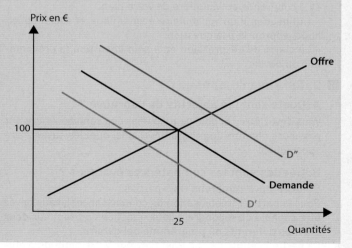

Fiche Bac
1 Les épreuves et le choix du sujet

BO spécial n° 7, 6 octobre 2011

À l'écrit, vous avez deux épreuves au choix :
- **Une dissertation** s'appuyant sur un dossier documentaire (trois ou quatre documents de nature strictement factuelle).
- **Une épreuve composée** de trois parties distinctes :
  – 2 questions de cours (mobilisation des connaissances) ;
  – l'étude d'un document ;
  – le raisonnement s'appuyant sur un dossier documentaire de deux ou trois documents.

Les sujets sont élaborés de façon à couvrir plusieurs dimensions du programme. Le sujet de dissertation et celui de la troisième partie de l'épreuve composée portent ainsi obligatoirement sur des champs différents du programme (science économique, sociologie, regards croisés).

Durée de l'épreuve : 4 h (portée à 5 h pour les candidats ayant choisi l'un des deux enseignements de spécialité).

Coefficient de l'épreuve : 7 (porté à 9 pour les candidats ayant choisi l'un des deux enseignements de spécialité).

1. Dissertation s'appuyant sur un dossier documentaire

A. Quels sont les objectifs de l'épreuve ?
Vous devez répondre d'une façon organisée et argumentée à la question posée, à partir d'une problématique économique ou sociologique qu'il vous faut élaborer.

B. Quelles sont les compétences évaluées ?
– Votre aptitude à répondre à la question posée par le sujet.
– Votre capacité à mobiliser vos connaissances personnelles et les informations pertinentes tirées des documents.
– Votre maîtrise des savoir-faire nécessaires à l'exploitation des documents : analyse de graphiques et de tableaux, calculs simples (sans calculatrice), analyse de chronologie ou d'exemples factuels.
– La cohérence et l'équilibre de votre plan.
– L'utilisation d'un vocabulaire économique et social spécifique, approprié à la question.
– La clarté de l'expression et le soin apporté à la présentation du devoir.

2. Épreuve composée

A. Quels sont les objectifs de l'épreuve ?
Vous devez être capable de mobiliser des connaissances sur plusieurs champs du programme, ainsi que des savoir-faire spécifiques.

B. Quelles sont les compétences évaluées ?
Cette épreuve comprend trois parties.
Pour la **partie 1** (mobilisation de connaissances), vous devez être capable de répondre à deux questions portant sur deux champs différents du programme obligatoire.
La **partie 2** (étude de document) évalue votre aptitude à étudier un document avec une méthode rigoureuse.
Pour la **partie 3** (raisonnement s'appuyant sur un dossier documentaire), vous devez traiter le sujet :
– en développant un raisonnement ;
– en exploitant les documents du dossier ;
– en faisant appel à vos connaissances personnelles ;
– en rédigeant une introduction, un développement et une conclusion ;

– en étant attentif à la clarté de l'expression et au soin apporté à la présentation.

3. Épreuve orale de contrôle
Si vous avez entre 8 et 10 de moyenne générale à l'écrit, vous devez passer l'oral de contrôle.
Vous ne pourrez passer l'épreuve orale que dans deux matières parmi celles que vous aurez passées à l'écrit.

A. Comment choisir les matières à repasser ?
Deux critères doivent vous guider : le poids des coefficients et les matières dans lesquelles vous avez eu de mauvaises notes.

B. Quelles sont les conditions de l'épreuve ?
Temps de préparation : 30 minutes.
Durée de l'épreuve : 20 minutes réparties en un exposé et un temps de discussion avec l'examinateur, de plus ou moins 10 minutes chacun.
Coefficient : 7 (porté à 9 si vous avez choisi l'un des deux enseignements de spécialité).

C. Quelle est la forme de l'épreuve ?
Vous avez le choix entre deux sujets dont les questions principales portent sur des champs différents du programme (science économique, sociologie, regards croisés).
La question principale, notée sur 10 points, prend appui sur deux documents courts, simples et de natures différentes, par exemple un texte et un tableau statistique.
Chaque sujet comporte également trois questions simples, notées sur 10 points, dont l'une, en lien avec l'un des deux documents, porte sur la maîtrise des outils et savoir-faire nécessaires, et dont les deux autres permettent de vérifier la connaissance par le candidat des notions de base figurant dans d'autres thèmes du programme. Si vous avez choisi l'un des deux enseignements de spécialité, ces deux questions portent obligatoirement sur le programme de l'EDS choisi.

4. Choix du sujet
Avant de choisir, prenez le temps de bien lire les deux sujets.
Dissertation s'appuyant sur un dossier documentaire
Pour : – Vous maîtrisez bien le chapitre concerné par le sujet.
– Vous maîtrisez l'écriture, la construction du plan, l'élaboration de la problématique.
– Les documents proposés vous sont familiers ou vous semblent accessibles.
Contre : Raisons inverses.

Épreuve composée
Pour : – Si une question porte sur un thème que vous maîtrisez mal, vous pouvez vous rattraper sur une autre question.
– Vous maîtrisez correctement les principales notions du programme.
– Vous maîtrisez correctement les savoir-faire nécessaires à l'étude de document.
Contre : – Il faut être capable de passer d'un thème à l'autre pendant l'épreuve.
– Vous ne maîtrisez pas bien les thèmes abordés.

Fiche Bac
2 La dissertation

1. Comment analyser le sujet ?

Posez-vous les questions suivantes : de quoi traite le sujet ? Que m'est-il demandé de faire ? Où et quand ?
Soulignez les termes du sujet qui :
– indiquent l'objet d'étude (quoi ?), c'est-à-dire le thème sur lequel portera votre développement. Vous devrez les définir précisément. Soyez donc attentif à bien souligner les divers sens possibles et, si nécessaire, limitez l'étendue et la signification du concept, au regard du sujet posé.
– permettent d'identifier le sujet (Que ?). Ces termes (« dans quelle mesure », « analysez », « caractérisez », « en quoi », « quel rôle », etc.) vous fournissent une indication sur la nature du questionnement induit par le sujet, ils vous précisent ce que l'on vous demande de faire, ils vont déterminer en grande partie la façon dont vous allez construire votre argumentation.
– délimitent le cadre spatio-temporel (où et quand ?). Ils indiquent le cadre géographique (les sujets peuvent porter sur un pays ou sur un ensemble de pays) et la période concernée. Si aucune indication n'est donnée, vous devrez le faire vous-même. La lecture rapide des documents peut vous y aider. Cette délimitation est essentielle, car elle guide le contenu de votre dissertation.

Comprenez bien la consigne
Partez de la question posée, pour ne pas vous tromper de sujet. La consigne « comment » invite à bien mettre en évidence la relation entre deux phénomènes, et non à la remettre en cause. « En quoi » signifie « comment, de quelle manière ». « Analyser » vous invite à décrire le phénomène étudié, à en expliquer les causes et à en voir éventuellement les conséquences. Soyez attentif au libellé qui peut vous préciser si vous devez vous contenter d'étudier uniquement les causes. « Caractériser » vous demande de décrire en identifiant les spécificités du phénomène étudié.

2. Qu'est-ce que problématiser ?

Pour vous guider dans votre analyse et construire votre argumentation, il vous faut élaborer la problématique du sujet, c'est-à-dire dégager l'ensemble des questions qu'il soulève. Pour cela, il faut considérer le sujet comme une énigme. Interrogez-vous : pourquoi me pose-t-on cette question ? En quoi cet objet d'étude est-il important ? Pourquoi la réponse ne va-t-elle pas de soi (auquel cas il suffirait de réciter un cours) et quels sont les enjeux de la réponse à cette question ?
Vous pouvez ensuite chercher des éléments de réponse qui vont constituer le conducteur de votre devoir. À ce stade, vous disposez déjà d'un plan provisoire, c'est-à-dire des deux ou trois grandes parties structurant votre argumentation.

Bâtissez un plan provisoire
Pour vous aider à organiser votre réflexion, rédigez tout de suite le titre de chaque partie par une phrase complète (sujet-verbe-complément). Cette phrase exprimera l'idée principale du développement et donnera le sens de votre démonstration.

3. Comment exploiter le dossier documentaire ?

Les documents représentent, en complément de vos connaissances personnelles, une source d'informations que vous pouvez utiliser à l'appui de votre démonstration. Dans les sujets de dissertation, les documents proposés sont strictement factuels. Il vous faut donc en extraire toutes les informations pertinentes, mais uniquement celles-là ! Ne vous perdez pas dans la recherche de détails qui n'apporteraient rien à votre exposé. En revanche, pour chaque document, posez-vous les questions suivantes :
– Quel élément de réponse apporte-t-il à la question posée par le sujet ?
– Dans quelle partie du plan, ces données pourraient-elles être utilisées ? (Un même document peut être exploité dans plusieurs parties.)
– À quelles notions du programme fait-il référence ?
– A-t-il un lien avec un autre document du dossier ?
– Quelles questions soulève-t-il ?
Pensez également à valoriser votre analyse du document en utilisant des calculs simples.
Rappelez-vous que les consignes de la dissertation stipulent que vous devez mobiliser les informations pertinentes, « notamment celles figurant dans le dossier documentaire » : ne négligez donc aucun document.

Établissez des liens entre les documents
Quel que soit le sujet, ne traitez pas les documents indépendamment les uns des autres. Au contraire essayez d'établir, quand c'est possible, des relations entre eux : complément, illustration, contradiction...

4. Comment construire un plan ?

Le plan est la manière dont vous allez aboutir à la réponse à la question posée par le sujet. N'oubliez pas que votre dissertation doit convaincre le lecteur-correcteur ! On peut alors comparer un plan à un itinéraire (c'est-à-dire une argumentation). Il faut d'abord déterminer les principales étapes du parcours : deux ou trois parties maximum. Puis, descendez progressivement au niveau des détails les plus fins : d'abord les sous-parties, puis les paragraphes.
Votre plan doit être équilibré. Pas seulement en volume consacré à chacune des parties, mais également dans la structure : si vous avez deux sous-parties dans la première partie, il conviendra d'en distinguer également deux dans la seconde.
À l'issue de ce travail, vous disposez d'un plan détaillé (tous les niveaux de la structure sont présents : parties, sous-parties, paragraphes) et précis – vous devez connaître avec précision le contenu de chaque élément ; ne vous contentez donc pas d'intitulés vagues ou imprécis : n'oubliez pas que ce plan servira de base à votre rédaction.

> **Construisez le plan grâce à un tableau**
> Pour vous aider à construire un plan, réalisez au brouillon un tableau en deux colonnes (si vous optez pour deux parties) reprenant les thèmes de chacune des parties. Puis, reportez les informations pertinentes dans le tableau au fur et à mesure de la lecture des documents. Vous pourrez ensuite regrouper vos arguments en sous-parties thématiques.

▌ 5. Comment organiser son temps ?

La répartition qui suit n'est évidemment qu'un ordre de grandeur. Adaptez-la à votre rythme et aussi à la nature du sujet.

– Vous avez consacré 10 minutes au choix du sujet.

– 15 minutes vous seront nécessaires à l'analyse du sujet (avant l'analyse des documents). Notez sur un brouillon les définitions des termes essentiels, les questions que ce sujet pose, les notions du programme auxquelles il fait référence... N'hésitez pas à tout noter, même ce qui vous semble a priori sans rapport avec le sujet, vous ferez le tri après. À l'issue de ce travail, vous disposez provisoirement des deux ou trois parties de votre dissertation.

– Vous consacrerez ensuite 45 minutes à l'analyse du dossier documentaire. Pensez à bien organiser cette analyse. Vous pouvez par exemple utiliser un tableau comme celui-ci :

Numéro du document	Infor-mation principale	Données essen-tielles	Calculs éventuels	Utilisation possible (où ?)
Document 1				

– L'heure suivante vous permettra de construire un plan détaillé. Soyez le plus précis possible : pour chaque niveau du plan (partie, sous-partie, paragraphe), notez l'idée que vous souhaitez développer, et les données que vous allez utiliser.

– La rédaction vous occupera 90 minutes. Pensez à rédiger en premier l'introduction puis la conclusion (elle est trop souvent bâclée, parce que le candidat manque de temps en fin d'épreuve). Soyez méthodique. Si nécessaire, testez vos formules au brouillon, mais en général rédigez directement sur la copie.

– Il vous reste une vingtaine de minutes pour relire attentivement votre copie. Soyez attentif à l'orthographe !

> **Entraînez-vous à travailler en temps limité**
> Apprenez à travailler en temps limité lors des épreuves organisées au cours de l'année : seul l'entraînement peut vous aider à maîtriser le temps que vous devrez consacrer aux différentes étapes du devoir.

▌ 6. Comment rédiger ?

A. L'introduction

Rédigez avec soin cette présentation de votre devoir, qui est lue en premier par le correcteur.

Trois paragraphes doivent structurer l'introduction :

– Une entrée en matière qui montre l'intérêt du sujet, son actualité. Vous pouvez utiliser un chiffre significatif (éventuellement extrait d'un document), un fait d'actualité en relation avec la question posée ou bien souligner une contradiction entre des intentions et des réalisations.

– Une présentation du sujet qui comprend une exposition de l'objet d'étude en définissant les mots-clés, la dimension spatiale et temporelle du sujet, ainsi qu'un énoncé de la problématique qui pose les questions à résoudre et dégage l'idée directrice de votre argumentation.

– L'annonce du plan qui présente les deux ou trois grandes parties que vous allez traiter dans votre devoir. Elles ressortent logiquement de votre problématique. Veillez donc à ne pas répéter les formulations des idées. De même, lorsque vous allez présenter le thème de votre première grande partie, reformulez bien de manière à ne pas accumuler les redites en début de devoir.

B. Le développement

Lors de votre rédaction, faites apparaître la structure de votre argumentation à partir du plan détaillé que vous avez élaboré.

Annoncez le thème de chaque partie et de chaque sous-partie par une phrase spécifique. Ces phrases sont peut-être les plus importantes de tout le devoir, donc soignez-les bien : ce sont elles qui permettent au lecteur de comprendre instantanément la construction de votre raisonnement.

Faites apparaître physiquement le plan par des sauts de lignes : deux ou trois entre chaque partie, une entre chaque sous-partie, ce qui permet de les découper en paragraphes bien distincts. Allez à la ligne quand vous changez de paragraphe et écrivez la première ligne avec un retrait.

Rédigez vos paragraphes d'une façon cohérente en respectant cette règle d'or : « 1 idée = 1 paragraphe ». Pour chaque paragraphe, vous devez veiller à :

– relier le paragraphe au précédent par un mot de transition correctement choisi (néanmoins, cependant..., s'il s'agit d'introduire une contradiction ; d'une part, d'autre part, par ailleurs..., s'il s'agit d'aborder des arguments qui se suivent logiquement) ;

– présenter l'argument général ;

– illustrer par un exemple (chiffres, faits...) ;

– conclure sur l'apport de cet argument pour le traitement du sujet.

Faites le point sur l'état d'avancement de votre démonstration, en rédigeant des conclusions partielles à la fin de chaque sous-partie.

C. La conclusion

Elle ne doit pas être négligée, car c'est la dernière partie de votre devoir lue par le correcteur, en outre, elle fait apparaître si vous avez compris et traité le sujet.

Elle comprend deux parties :

– La première partie apporte une réponse au sujet. Elle reprend les grandes étapes de votre démonstration. Elle ne doit pas proposer de nouveaux arguments.

– La seconde partie est une ouverture du sujet. Elle suggère une autre problématique prolongeant la réflexion : problématique possible au départ mais que vous avez éliminée, parce qu'elle ne vous paraissait pas centrale, ou bien question qui a émergé au cours de votre développement et qui permettrait de compléter l'analyse du sujet.

Fiche Bac

3 L'épreuve composée

Comment organiser son temps ?

Consacrez 1 h 30 aux deux premières parties (entre la partie 1 et la partie 2, tout dépend de la difficulté de l'analyse du document) et 2 h 30 à la troisième.

■ 1. Partie 1 (mobilisation de connaissances)

Comment construire une réponse à une question de connaissances ?

Dans ces questions, on vous demandera le plus souvent de mettre en relation deux notions du programme. Commencez par définir les notions concernées, mais surtout ne vous limitez pas à ces définitions ! Il vous faut bien analyser la question posée, repérer la problématique qu'elle soulève, éventuellement les limites de la relation.

Comme à chaque fois qu'il vous faut rédiger un texte, pensez à une introduction et à une conclusion. Ici, il faut être simple et concis. Dans l'introduction (une ou deux phrases suffisent), mettez les notions en relation avec le contexte dans lequel vous les avez étudiées. En conclusion, vous pouvez vous contenter de reprendre l'énoncé de la question.

Mobilisez vos connaissances et ne récitez pas

Mobiliser ses connaissances ne signifie pas réciter son cours sans réfléchir à l'ordre des idées à présenter. Préparez votre trame avant de rédiger, sans faire un brouillon complet qui vous prendrait trop de temps.

■ 2. Partie 2 (étude d'un document)

A. Comment présenter le document ?

Cette présentation est très formelle. On vous demande de préciser le titre, la source, la date, l'échelle, l'unité. Soyez le plus simple et le plus complet possible.

B. Comment analyser un document factuel ?

Il faut bien analyser la question posée : le document ne doit pas être étudié pour lui-même, mais dans le but de répondre à cette question.

Vous veillerez particulièrement :

– à bien repérer le champ de la question (quelles variables sont concernées ? Sur quelle période vous interroge-t-on ? Sur quelle zone géographique ?) ;

– à bien analyser ce qui vous est demandé (s'agit-il de mettre en évidence une relation entre deux variables ? une corrélation ? une relation causale ? S'agit-il d'exprimer une tendance générale ? une rupture de tendance ? une période atypique ?) ;

– à mettre en œuvre les savoir-faire nécessaires à la mise en évidence des informations pertinentes.

Attention à la paraphrase !

Étudiez précisément le document, ne le paraphrasez pas. S'il s'agit d'un exemple, ne vous contentez pas de le résumer. Même si vous ne devez pas réciter votre cours, faites le lien avec les notions vues dans le cours pour construire votre réponse.

■ 3. Partie 3 (raisonnement s'appuyant sur un dossier documentaire)

A. Comment exploiter le dossier documentaire ?

Le dossier documentaire est composé de trois ou quatre documents, factuels ou non. Cela signifie que vous pouvez trouver dans les documents, non seulement les données factuelles (statistiques, chronologies, extraits d'entretiens...) permettant d'étayer votre argumentation, mais également des pistes de réflexion nécessaires à l'analyse. Ne les négligez pas ! Il faut donc bien analyser les documents avant de vous lancer dans la réponse à la question.

Dans votre devoir, n'oubliez pas d'insérer des références explicites aux documents utilisés (par exemple, en utilisant l'expression « cf. doc. n°... »).

B. Comment structurer le raisonnement ?

Un raisonnement est un enchaînement d'arguments menant à une démonstration. Dans votre devoir, il faut donc autant de paragraphes qu'il y a d'arguments. Votre premier travail consiste donc à lister les arguments, puis à les ordonner de la façon la plus logique possible (c'est-à-dire convaincante !).

Ensuite, il vous faudra structurer chaque paragraphe comme tout paragraphe argumentatif : l'idée principale (l'argument à proprement parler), les éléments qui soutiennent cet argument (faits, théories...) et ce qui permet de l'illustrer (chiffres, données précises...).

Pensez enfin aux transitions entre ces différents paragraphes : les arguments peuvent s'enchaîner de façon logique (donc, par conséquent) ou séquentielle (d'une part... d'autre part..., premièrement... deuxièmement... troisièmement..., d'un côté, par ailleurs) ; ils peuvent s'articuler par opposition (pourtant, cependant, d'un autre côté) ou par nature (économique/social, interne/externe, court terme/long terme).

Bien sûr, votre devoir devra comporter une introduction et une conclusion.

L'introduction doit servir à situer la question dans son contexte, à définir les termes utilisés et à annoncer la structure du raisonnement. Il ne s'agit pas d'une introduction formalisée comme pour la dissertation : en fonction de la question posée, elle pourra avoir des formes différentes.

La conclusion, simple, doit permettre de synthétiser la réponse à la question posée.

Structurez votre raisonnement

Pour structurer votre raisonnement, il faut éviter de suivre l'ordre des documents, et de se contenter d'en reprendre les éléments, ce qui serait de la paraphrase. Il faut au contraire construire un plan qui respecte une progression rigoureuse.

Il faut avoir en tête ce que vous cherchez à démontrer, en prenant bien soin de préciser toutes les étapes du raisonnement. Dans cette démarche, vous devez avoir recours aux connecteurs logiques qui permettront de relier rigoureusement les termes-clés du raisonnement.

Chapitre 1, p. 33

Autoévaluation 1

Récent • XIXe • Variable • Croissance du PIB • Négatif • L'espace • Émergents • Forte • Niveau de vie • Pays en développement.

Autoévaluation 2

1V ; 2V ; 3F ; 4F ; 5F

Autoévaluation 3

1. Investissement ;
2. Modèle de croissance traditionnel ;
3. Résidu ;
4. Modèle de Solow ;
5. Croissance endogène.

Autoévaluation 4

1.c ; 2.b, d ; 3.a, c ; 4.a, c, d.

Chapitre 2, p. 59

Autoévaluation 1

1.c ; 2.b ; 3.b ; 4.b ; 5.b ; 6.a.

Autoévaluation 2

1. La croissance ralentit (2006-2008) ; la croissance accélère (2009) ; récession (2008 T2 – 2009 T1) ; crise (2007 T4).
2. a. La croissance reste négative, mais la récession est moins forte.
b. Le PIB en volume reste inférieur à son pic de 2007.
c. Le PIB continu de baisser (– 1,5 %).
d. La croissance est quasi nulle.
3. – 0,8 % ;
Entre le T4 2007 et le T1 2011, le PIB en volume a diminué de 0,8 % ; $454\,078 \times 1,005^{12} = 482\,084$ soit une croissance de 6,2 %.

Autoévaluation 3

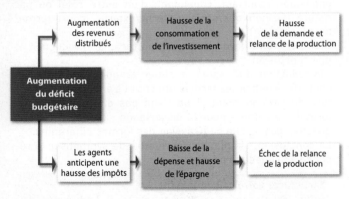

Autoévaluation 4

1. Déflation ; 2. Politique conjoncturelle ; 3. Expansion ; 4. Crise ; 5. Demande globale.

Chapitre 3, p. 91

Autoévaluation 1

1.b ; 2.c ; 3.a, b, c.

Autoévaluation 2

Avantages tirés des échanges internationaux pour les PED	Les inconvénients tirés des échanges internationaux pour les PED
– Création d'emplois – Transferts de technologie en provenance des pays développés – Nécessité d'élaborer des normes sociales et environnementales – Exportations comme sources de revenus – Croissance et développement	– Spécialisation qui mène à une dégradation des termes de l'échange – Spécialisation qui ne permet pas la croissance et le développement – Pollution – Dépendance vis-à-vis des pays développés – Pas de possibilité de protéger les industries naissantes ou fragiles

Autoévaluation 3

Vertical : A. Comparatif ; B. DIT ; C. Commerce ; E. Spécialisation ; G. Balance ; O. Biens, FMN ; Q. Services.
Horizontal : 1. OMC, Sous-traitant ; 3. Compétitivité ; 5. Intra ; 7. Libre-échange ; 10. Barrière ; 11. IDE ; 13. Délocalisation ; 16. Exportation.

Chapitre 4, p. 117

Autoévaluation 1

1. augmenter ; 2. hausse ; 3. baisse ; 4. faux ; 5. dépréciation ; 6. échanges ; 7. par an.

Autoévaluation 2

Transactions courantes • Capitaux • Revenus • Investissements de portefeuille • 10 % • Étranger • Étranger • Profit • Revenus • Équilibre • Long terme.

Autoévaluation 3

1. AA ; 2. Bon ; 3. Créance ; 4. Action ; 5. Hedge ; 6. IAA ; 7. Parité ; 8. Changes.

Autoévaluation 4

1F ; 2F ; 3V ; 4F ; 5V ; 6V ; 7V ; 8F.

Chapitre 5, p. 143.

Autoévaluation 1

1.c ; 2.b ; 3.c ; 4.a.

Autoévaluation 2

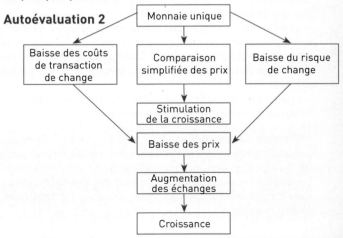

Autoévaluation 3

1951, Paris, CECA ; 1957, Rome, CEE, Marché unique ; 1986, La Haye, Acte unique européen ; 1992, Maastricht, Monnaie unique, Union européenne ; 1997, Amsterdam, Pacte de stabilité et de croissance ; 2000, Nice, Préparation de l'élargissement ; 2007, Lisbonne, Europe politique.

Autoévaluation 4

Politiques • 1957 • L'Union européenne • 1999 • 3 % du PIB • Endettement public • Pacte de stabilité et de croissance • 17 • Hétérogénéité • Dumping • Coordination.

Chapitre 6, p. 171

Autoévaluation 1

1. Capital naturel ; 2. Capital social ; 3. Capital humain ; 4. Capital physique ; 5. Capital institutionnel.

Autoévaluation 2

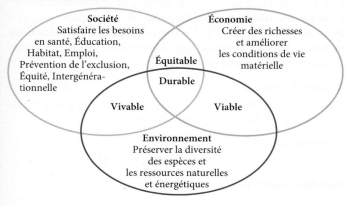

Autoévaluation 3

Faible • Économistes néo-classiques • Parfaitement • Naturel • Technique • Tenants de l'approche du développement durable • Forte • Imparfaitement • Complémentaires.

Autoévaluation 4

1.a ; 2.b ; 3.b ; 4.c.

Chapitre 7, p. 197

Autoévaluation 1

1.a : V, b : F, c : F, d : V ; 2V ; 3V ; 4F ; 5F ; 6V.

Autoévaluation 2

1. Effet de serre ; 2. Politiques climatiques ; 3. Marché de quotas d'émission ; 4. Capture et séquestration de carbone ; 5. Réglementation ; 6. Énergies renouvelables.

Autoévaluation 3

Externalités • Prix • Allocation • Privés • Internes • Externes • Sociaux • Externalités négatives • Internalise • Externalités • Taxe environnementale • Prix.

Autoévaluation 4

1. Les pouvoirs publics.
2. L'installation 1 émet une quantité de polluants supérieure aux quotas qui lui ont été alloués. L'installation 2 émet une quantité de polluants inférieure aux quotas alloués.
3. L'installation 1 peut opter pour deux stratégies : soit elle achète sur le marché les quotas qui lui manquent, soit elle réalise des investissements pour réduire ses émissions polluantes.

4. Le critère du choix va dépendre du coût respectif de ces deux options. Quel est le prix du quota sur le marché ? Quel est le montant de l'investissement à réaliser ?

Chapitre 8, p. 223

Autoévaluation 1

1F ; 2F ; 3F ; 4F ; 5F ; 6V ; 7V (Weber avait 20 ans quand Marx est mort) ; 8V.

Autoévaluation 2

1.a, b, d ; 2.b ; 3.a, c, e ; 4.a, b, c ; 5.a ; 6.c.

Autoévaluation 3

1.a et c ; 2.d ; 3.b.

Autoévaluation 4

1. Moyennisation, développement de l'État providence, mutations de l'emploi.
2. Bourgeoise ou classes dominantes, classes moyennes et classes populaires.
3. Ouvriers et employés.
4. Âge, sexe, origine ethnique, religion.
5. Chauvel et Dubet.
6. Classes sociales, groupe de statut, pouvoir.

Chapitre 9, p. 247

Autoévaluation 1

1V ; 2F ; 3F ; 4V ; 5V ; 6V ; 7F (ce sont les diplômes mais aussi les savoirs et les biens culturels dont il dispose).

Autoévaluation 2

Mobilité intergénérationelle ≠ Mobilité intragénérationnelle ; Mobilité observée ≠ Fluidité sociale ; Table de recrutement ≠ Tables de destinée ; Mobilité professionnelle ≠ Mobilité géographique.

Autoévaluation 3

(80 / 20) / (25 / 75) = 12. La probabilité qu'un cadre devienne cadre plutôt qu'ouvrier est 12 fois supérieure à celle qu'un ouvrier devienne cadre plutôt qu'ouvrier.

Autoévaluation 4

1.b ; 2.a, b, c ; 3.b, c, d ; 4.d et f (tout dépend du type d'agriculteur, petite ou grosse exploitation ?) et du type d'ouvrier. Cela soulève la question de la hiérarchie entre CSP.

Autoévaluation 5

1V ; 2F (c'est 26,4 % des filles de Prof. Inter.) ; 3F (51 – 17 = 34 points et non 34 %. L'écart en pourcentage est de [(51/17) – 1] = 200 %) ; 5F (la destinée).

Chapitre 10, p. 275

Autoévaluation 1

1F ; 2V ; 3F ; 4F ; 5F.

Autoévaluation 2

1. Intégration sociale ; 2. Changement social ; 3. Solidarité mécanique.

Autoévaluation 3

La famille est une instance d'intégration essentielle ; elle connaît des transformations démographiques importantes comme la baisse du nombre de naissances ou la fragilité des unions. Ces changements s'expliquent en partie par le développement de l'individualisme : les membres de la famille veulent plus de liberté dans leur couple,

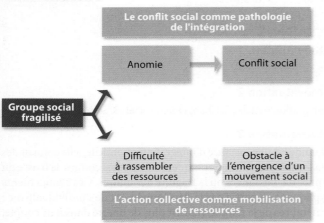

dans le choix de leur reproduction, etc. Mais cela ne signifie pas que les liens familiaux disparaissent ; les solidarités familiales restent très intenses, et particulièrement importantes pour protéger les membres.

Autoévaluation 4

1.a, b, d ; 2.b, c ; 3.a, c ; 4.b, d.

Autoévaluation 5

De haut en bas : Développement ; De plus en plus ; Développement ; De plus en plus ; Affaiblissement de la conscience collective ; Déclin des croyances religieuses/ Développement des libertés ; Développement des liens électifs.

Chapitre 11, p. 299

Autoévaluation 1

1F Un conflit social oppose des collectifs (groupes, institutions).
2F Il y a d'autres formes de conflits du travail que la grève : débrayage, manifestation, pétition, refus d'heures supplémentaires, contentieux prud'hommal, bris de machine, séquestration, etc.
3F Voir définitions. Un mouvement social est une mobilisation collective, qu'il produise ou pas des changements. Tous les mouvements sociaux ne visent pas le changement.
4F Le recours à la grève a fortement diminué depuis 1975 (voir TD), toutes les autres formes de conflit du travail ont augmenté dans la dernière décennie.
5F Ils s'y sont ajoutés, mais ne les supplantent pas : le travail reste le premier motif de manifestation en France.
6V Le conflit social transforme l'identité sociale des individus qui s'y engage ; il peut leur offrir une opportunité d'intégration.
7F Se mobiliser, cela suppose des ressources collectives. Les groupes marginalisés sont ceux qui en sont le plus dépourvus. Il est vrai en revanche que quand les groupes marginalisés se mobilisent, c'est contre leur marginalisation.
8V C'est la raison explicite pour laquelle les syndicats ont été légalisés à la fin du xixe siècle en France.
9F S'il est vrai que l'attitude protestataire est maximale parmi les sympathisants de gauche, les sympathisants de droite se mobilisent aussi : ligues des années 30, manifestation pour la défense de l'école privée, manifestations anti-Pacs, etc.
10V Il révèle des intérêts et des adversaires communs, il produit une identité collective (un « nous »), il engendre des organisations.

Autoévaluation 2

1.a, b, c, d ; 2.b ; 3.a, b, c, d ; 4.b, c ; 5.b, c, d.

Autoévaluation 3

Autoévaluation 4

Revendications • Répression • Pacification • Légitime • Réguler • Reconnaissance.

Chapitre 12, p. 327

Autoévaluation 1

1. Niveaux de vie < Revenus salariaux < Revenus d'activité < Revenus du patrimoine.
2. **Éléments qui sont à l'origine d'inégalités :** lieu d'habitation, embonpoint, résultats scolaires, sexe, taille, détention d'un portefeuille d'actions ; **Éléments qui sont la conséquence d'inégalités antérieures :** lieu d'habitation, goûts musicaux, embonpoint, résultats scolaires, espérance de vie, détention d'un portefeuille d'actions ; **Éléments qui n'ont aucun rapport avec les inégalités :** Taille des pieds couleur des cheveux, gentillesse.
3. Lieu d'habitation, goûts musicaux, résultats scolaires, revenus, espérance de vie, détention d'un portefeuille d'actions.
4. **Inégalités associées à des inégalités économiques :** revenus, détention d'un portefeuille d'actions ; **Inégalités associées à des inégalités socioculturelles :** lieu d'habitation, goûts musicaux, résultats scolaires, espérance de vie.

Autoévaluation 2

Patrimoine, Revenu • Maison, Loyer • Compte épargne, Intérêts • Assurance vie, Rente • Actions, Dividendes.

Autoévaluation 3

1F ; 2F ; 3F ; 4V ; 5V ; 6F ; 7F ; 8V ; 9F ; 10V ; 11V ; 12V ; 13V.

Autoévaluation 4

1.c ; 2.a ; 3.c.

Chapitre 13, p. 353

Autoévaluation 1

1. A (3, 6, 9, 12) ; B (1, 4, 8) ; C (2, 5, 7, 10, 11) ; 2. (2, 5, 8).

Autoévaluation 2

a. Soutien à la demande ; b. Allocation chômage ; c. CSG ; d. Contribution sociale généralisée.

Autoévaluation 3

1. Justice ; 2. Progressifs ; 3. Méritocratie ; 4. Droits ; 5. Trappes ; 6. Équité ; 7. Discriminations ; 8. Tocqueville ; 9. CMU ; 10. RSA ; 11. Redistribution ; 12. Égalité ; 13. Assistance ; 14. Cotisations ; 15. Services.

Chapitre 14, p. 379

Autoévaluation 1

1F La demande de travail baisse, car la hausse du salaire réel est un coût de production en plus.
2V Les entrepreneurs sont contraints par les débouchés. Ils produisent en fonction de la demande anticipée et déterminent l'emploi par rapport à la production.
3F Certes, les négociations au niveau entreprise augmentent, mais celles par branche restent les plus importantes.
4F Bien au contraire, elles détériorent le dialogue social.

Autoévaluation 2

1.c ; 2.b ; 3.b ; 4.a ; 5.c.

Autoévaluation 3

Salaire réel • L'État • Salaire minimum légal • Coût de la vie • Demande • Les négociations collectives par branche • Conventions collectives • Smic • Syndicalisme • Les partenaires sociaux • Le dialogue social • Les relations professionnelles.

Autoévaluation 4

• Des procédures de licenciement lourdes et complexes sont accusées de nuire à l'emploi.
• Un employeur ne peut pas licencier une personne au motif d'un critère religieux.
• La rupture conventionnelle du contrat de travail a été instaurée pour rendre le marché du travail plus souple.
• Le droit au reclassement a été crée afin d'aider les demandeurs d'emploi à retrouver plus facilement un emploi, en cas de licenciement économique.

• Le contrat de travail est une convention par laquelle une personne s'engage à mettre son activité à la disposition d'une autre personne, moyennant une rémunération.

Chapitre 15, p. 405

Autoévaluation 1

1.a, c, e, f ; 2. b, d.

Autoévaluation 2

1.b, c, e ; 2.a, d, f, g, h.

Autoévaluation 3

1.c ; 2.c ; 3.b ; 4.a ; 5.b ; 6.b.

Autoévaluation 4

Impact économique	Mesure	Impact social
+ Améliore la rentabilité des entreprises + crée des emplois − Augmente le déficit public si compensation État	Baisser les charges des entreprises	− Risque baisse des prestations sociales
+ Augmente la production et crée des emplois + Augmente compétitivité et attractivité territoire − Augmente l'endettement public − Augmente les taux d'intérêt	Investir massivement dans les infrastructures de santé et de transports	+ Améliore la qualité des services publics. + Améliore qualité vie population
− Coût pour société (augmentation charges sociales ou impôts) + Soutien à la consommation	Prolonger et élargir les droits aux allocations chômage	+ Améliore les conditions de vie de la population touchée par le chômage. − Risque de trappe à inactivité
+ Réduction coût du chômage	Activation des chômeurs	− Pression sur les chômeurs − Risque de déclassement professionnel + Aide au retour à l'emploi
+ Augmente la productivité + Favorise la création d'emplois	Augmenter la flexibilité du travail (contrat de travail, temps de travail)	− Précarisation des actifs
+ Améliore la qualification de la population active + Favorise la compétitivité	Faire de la formation continue une priorité	+ Acquisition de compétences, valorisation de soi, augmentation de salaire + Favorise l'employabilité + Mobilité positive, gestion carrière

THÈME 1 • Croissance, fluctuations et crises

Révision 1. La production : un cadre socialement organisé

1. Les droits de propriété garantissent à l'apporteur du capital un revenu sur la production créée. Sans droit de propriété, le producteur n'a aucune garantie de pouvoir vendre son produit.

2. Tribunal de commerce, tribunal des prud'hommes, lois réglementant le travail, la concurrence…

3. Externalité : action d'un individu ou d'une entreprise qui affecte directement d'autres individus ou entreprises pour laquelle il ou elle ne paie ni ne reçoit aucune indemnisation.

Révision 2. La combinaison productive vise l'efficacité

1. La valeur ajoutée mesure la valeur de la richesse réellement créée par l'entreprise ; en effet les consommations intermédiaires sont des valeurs créées par d'autres entreprises et utilisées par cette dernière pour produire un bien nouveau.

2. Production marchande : pain, automobile, coupe de cheveux. Production non marchande : un cours dans un lycée public, le service de l'état civil de la mairie.

Révision 3. Les indicateurs macroéconomiques

1. En 2010, la demande mondiale adressée à la France a augmenté de 11,6 %. Le PIB s'est accru de 1,4 %. Toujours en 2010, la demande intérieure a contribué pour 1,3 point à la croissance économique. Le chômage au sens du BIT représente 9,3 % de la population active.

2. L'évolution de l'indice des prix mesure l'inflation, c'est-à-dire la hausse généralisée et cumulative des prix au cours d'une année.

3. Demande globale.

4. Le PIB a diminué de 2,6 % en 2009 ; la demande extérieure a baissé de 12 %, l'investissement de 8,8 % ; la consommation des ménages a stagné (0,1 %) et les dépenses des APU n'ont augmenté que de 2,4 %, ce qui est insuffisant pour soutenir la demande globale.

Révision 4. Des politiques conjoncturelles pour stabiliser l'activité économique

1. Politique budgétaire expansive : hausse des dépenses publiques (éducation, santé, travaux publics) pour soutenir la croissance et l'emploi. La politique monétaire doit accompagner ces mesures en baissant les taux d'intérêt de façon à permettre le financement de l'emprunt public et à diminuer le coût du financement privé (investissement des entreprises).

2. Dans le cadre de l'UE, c'est la BCE qui dirige la politique monétaire ; un État national ne peut donc pas décider de baisser les taux d'intérêt.

3. Une politique budgétaire expansive peut atteindre ses objectifs, à condition d'être bien ciblée et de ne pas conduire à un endettement excessif.

THÈME 2 • Mondialisation, finance internationale et intégration européenne

Révision 1. Relier les points

Une nouvelle carte d'identité retirée à la mairie (service non marchand)

Un repas offert par les Restos du cœur (service non marchand)

Un repas au restaurant (service marchand)

Un pull acheté dans une boutique (service marchand)

Une opération chirurgicale à l'hôpital (service non marchand)

Des pommes récoltées dans votre verger (bien non marchand)

Un forfait de téléphonie mobile (service marchand)

Un vélo (service marchand)

Un cours de SES au lycée (service non marchand)

Révision 2. Dix ans après l'entrée de la Chine dans l'OMC

1. La Chine exporte essentiellement des biens manufacturés dans les domaines de l'électronique, des biens d'équipements (ordinateurs et postes de radio sur le dessin), des jouets, du textile… La Chine, après s'être spécialisée dans des produits manufacturés simples, produit et vend de plus en plus de biens complexes et innovants disposant des dernières technologies de pointe (exemple : matériel militaire).

2. La Chine échange avec le reste du monde, principalement les États-Unis, l'Union européenne, le Japon, ainsi que les premiers NPI d'Asie (Hong Kong, Taïwan, Corée du Sud). La Chine est devenue le 1er exportateur mondial en 2010.

3. L'OMC correspond à l'Organisation mondiale du commerce. Elle existe depuis le 1er janvier 1995 et est une organisation internationale qui s'occupe des règles régissant le commerce entre les pays. Son but est de favoriser les échanges entre les nations, grâce au libre-échange. Elle œuvre donc pour faciliter les importations et les exportations de biens et services entre les nations.

4. Le capitalisme s'est développé en Chine, pays communiste, en même temps que son insertion dans l'économie mondiale et son ouverture aux échanges internationaux. On a assisté alors à une libéralisation progressive des activités économiques. En 2001, la Chine adhère à l'OMC confirmant ainsi sa volonté d'ouverture sur l'étranger. Le régime en place n'en reste pas moins un régime communiste, où le parti unique contrôle la population grâce à la censure, la répression, le contrôle de l'information… Les droits de l'homme ne sont pas respectés et les principes démocratiques loin d'être une priorité pour le parti.

Révision 3. Les gains à l'échange

1. L'intérêt d'abandonner certaines productions est de se concentrer et de se spécialiser dans les productions pour lesquelles les pays possèdent un avantage soit naturel (exemple : climat), soit acquis (exemple : une main-d'œuvre formée et qualifiée). En se spécialisant, les entreprises et la main-d'œuvre de ces pays vont être beaucoup plus efficaces, ce qui va avoir pour effet d'augmenter la productivité et les richesses produites. Ainsi les pays connaîtront la croissance économique et pourront accroître leurs échanges.

2. La Chine s'est d'abord spécialisée dans les activités d'assemblage qui sont intensives en travail (main-d'œuvre nombreuse), dans la production de produits manufacturés simples puis complexes. La Chine, en effet, est aujourd'hui sur le chemin du rattrapage scientifique et technologique des pays avancés.

3. Les effets bénéfiques de la spécialisation est l'augmentation des richesses produites (= croissance économique) et le développement des échanges.

Révision 4. Les fonctions de la monnaie : l'exemple du chiemgauer

1. On attribue en général trois fonctions économiques à la monnaie : unité de compte (permet de comparer les biens entre eux), instrument d'échange (une monnaie qui a cours légal doit être acceptée par tous), instrument d'épargne ou de réserve de valeur.

Le chiemgauer remplit les deux premières fonctions, mais qu'imparfaitement la troisième car c'est une monnaie fondante qui est frappée d'un taux d'intérêt négatif (2 % par trimestre). Elle conserve donc mal la valeur.

2. Une banque centrale a le monopole de l'émission et de la gestion de la monnaie fiduciaire, elle conduit la politique monétaire à travers les taux directeurs, elle est la banque des banques en exerçant le rôle de prêteur en dernier ressort. Cette association ne remplit que la première fonction d'une banque centrale, et encore imparfaitement puisque la création de chiemgauer dépend strictement de ses réserves en euros. Elle n'a donc pas de politique monétaire autonome et ne peut servir de prêteur en dernier ressort puisqu'elle ne peut créer de chiemgauer scriptural. Elle s'apparente plus à un agent de change qui fabriquerait sa propre monnaie.

4. L'offre dépend des euros que possède l'association qui gère le système. Ces euros jouent le rôle de réserves de change. La demande dépend du nombre d'acteurs économiques (particuliers, commerçants, producteurs) qui veulent utiliser le chiemgauer pour leurs échanges.

5. Les utilisateurs ont intérêt à se servir de cette monnaie le plus rapidement possible puisqu'elle perd de sa valeur (loi de Gresham). Elle stimule donc l'économie locale (les monnaies fondantes étaient plutôt vues d'un bon œil par Keynes).

6. Elle renforce le lien social et la solidarité au niveau d'une région car elle repose sur la confiance et un engagement militant. Elle a ensuite une forte dimension écologique en favorisant les circuits courts, sans pour autant constituer un repli sur soi (c'est une monnaie complémentaire et non de substitution ce qui serait interdit par la BCE, le chiemgauer n'a pas de cours légal).

THÈME 3 • Économie du développement durable

Révision 1. Les principales défaillances du marché
1. Le marché est un lieu où se rencontrent une offre et une demande de biens ou services. La confrontation de ces deux éléments permet de déterminer un prix d'équilibre ou prix de marché. Si l'offre est supérieure à la demande, le prix doit baisser pour revenir à une situation d'équilibre. Si au contraire la demande est supérieure à l'offre, le prix doit augmenter pour que l'offre soit égale à la demande. L'échange ne peut avoir lieu en dehors de la situation d'équilibre.
2. Les principales limites du marché sont :
– les situations d'asymétrie d'information, lorsque l'un des intervenants sur le marché dissimule sciemment une information aux autres intervenants ;
– les biens collectifs, qui sont indivisibles et qui peuvent être utilisés par plusieurs personnes à la fois ;
– les externalités, lorsque qu'un individu ou une entreprise entreprend une action qui affecte directement d'autres individus ou entreprises, mais pour laquelle il ne paie ni ne reçoit aucune indemnisation.
3. L'intervention de l'État est nécessaire pour prendre en charge la production des biens et services collectifs, pour mettre en place des institutions chargées d'encadrer le marché, pour favoriser les productions à l'origine d'externalités positives, ou au contraire limiter et contrôler les productions sources d'effets externes négatifs.

Révision 2. Une classification des biens
1. Il y a exclusion, lorsqu'il y a la possibilité d'exclure les mauvais payeurs, les passagers clandestins de la consommation d'un bien ou d'un service. Il y a rivalité, lorsque la consommation d'un bien ou d'un service par un agent économique diminue la quantité à la disposition des autres agents.

2. La production des biens collectifs doit être pris en charge par les pouvoirs publics et financés par les prélèvements obligatoires.
3. Baguette de pain : bien privé ; autoroute à péage : bien de club ; éclairage public : bien collectif ; poissons : bien commun ; bibliothèque municipale : bien collectif ; eau du robinet : bien de club ; chaîne cryptée : bien de club ; électricité : bien de club ; défense nationale : bien collectif ; eau d'une source : bien collectif ; bois d'une forêt : bien commun ; émission de radio : bien collectif ; route : bien collectif.

Révision 3. Les institutions marchandes
1. Par la publication d'un ouvrage de référence sur les vins auxquels il attribue une note de 50 à 100. Cet ouvrage critique, référence au niveau mondial, est devenu une référence, au niveau mondial, pour les producteurs et les acheteurs.
2. L'Organisation mondiale du commerce. La Direction générale de la concurrence, de la consommation et de la répression des fraudes. Les autorités de régulation (de la téléphonie, de l'électricité…). Le Guide Michelin : le plus célèbre des guides gastronomiques.
3. Le marché doit être encadré par des règles et des institutions qui garantissent son bon fonctionnement.

Révision 4. Biens publics et externalités
1. Une externalité, ou effet externe, apparaît lorsqu'un individu ou une entreprise entreprend une action qui affecte directement d'autres individus ou entreprises, mais pour laquelle il ne paie ni ne reçoit aucune indemnisation.
2. La pollution de l'eau, de l'air, du sol… a des répercussions négatives pour de nombreux agents économiques (maladies, algues vertes…), or ceux-ci ne sont pas indemnisés pour ces méfaits par les agents à l'origine de cette pollution.
3. Les pouvoirs publics doivent faire en sorte que les agents pollueurs internalisent ces effets externes, les prennent en compte dans leurs coûts de production, par exemple par l'instauration d'une taxation environnementale.

Révision 5. Externalités et allocations de ressources
1. L'allocation des ressources correspond à la manière d'utiliser les ressources rares et notamment les facteurs de production (travail, capital fixe et circulant) pour satisfaire la demande de biens et services.
2. Le marché en situation de concurrence pure et parfaite permet la détermination d'un prix d'équilibre.
3. En présence d'externalités ou coûts externes qui ont des répercussions sur le prix de marché.
4. Par l'internalisation des coûts externes par les agents économiques, qui peut se faire au moyen d'une taxe environnementale.

THÈME 4 • Classes, stratification et mobilités sociales

Révision 1. Qu'est-ce qu'un groupe social ?
1. Une simple file d'attente n'est pas un groupe social au sens sociologique du terme, une équipe de sport est un groupe social.
2. Tous les regroupements d'individus ne constituent pas un groupe social. Pour cela, il faut que :
– les individus soient en interaction les uns avec les autres (relations interpersonnelles, directes ou indirectes) ;
– ils aient conscience d'appartenir à un groupe.
3. Une classe dans un lycée, les membres d'un parti politique ou d'une association, une classe sociale. On pourra discuter des conditions qui font qu'un simple agrégat d'individus peut devenir un groupe social.

Révision 2. Qu'est-ce que le capital social ?

1. Le capital social est assimilé au « carnet d'adresses » d'un individu, il désigne l'ensemble des relations d'un individu.

2. Analyser les contacts, c'est être amené à s'interroger sur :
– la nature de contacts (directs ou indirects) ;
– leur volume (contacts fréquents, denses ou pas) ;
– leur qualité (contacts positifs ou négatifs).

3. Ils font certes partie du capital social d'un individu, mais ils renvoient aux problèmes précédents : certains contacts sont très superficiels (tous les amis sur Facebook sont-ils réellement des amis ?), ils peuvent être totalement virtuels et ne jamais donner lieu à un contact réel (mais après tout est-ce une limite ?).

Révision 3. Une mesure de l'absence de capital social des individus en France

1. 96 % (100 – 4 = 96) des individus interrogés ont des contacts avec leur famille.

2. L'absence de contacts ou de rencontres est plus fréquente avec les amis qu'avec la famille (sauf pour la tranche 16-29 ans : ils déclarent plus de contact avec les amis qu'avec la famille).

3. Parce que le revenu détermine les modalités de la sociabilité (lieux fréquentés, types d'activité…), parce qu'il informe aussi sur les activités professionnelles de la personne (qui la mettent plus ou moins en contact avec d'autres individus). Sans tomber dans les clichés, on remarquera toutefois que les personnes les plus pauvres peuvent quelquefois être aussi isolées socialement, l'exclusion s'accompagnant d'une perte du réseau amical et/ou familial.

4. Si chacun peut avoir une famille ou des amis, avoir accès à Internet, être amené à fréquenter d'autres individus, en bref avoir des occasions de sociabilité, cette sociabilité est corrélée à certaines variables. Elle varie en fonction :
– de l'âge (le vieillissement est corrélé à une moindre sociabilité) ;
– de la configuration du ménage (plus le ménage est composé d'individus nombreux, plus est forte la sociabilité) ;
– du niveau de revenu (la faiblesse des revenus est corrélée à une moindre sociabilité).

Révision 4. La socialisation

1. La socialisation désigne le processus d'apprentissage des normes et valeurs propres à une société.

2. La socialisation anticipatrice désigne le fait que, face à un changement de position sociale ou de statut social, les individus se préparent en abandonnant certaines caractéristiques de leurs groupes d'appartenance et en adoptant les caractéristiques de leurs groupes de référence.

Ainsi Chloé change-t-elle de manière d'être (elle se maquille pour faire plus âgée ou moins petite fille), de s'équiper (le changement de sac, le téléphone portable), de se comporter (elle commence à fumer), tandis M. Dupond projette de nouvelles activités (le bénévolat, les activités associatives) et s'équipe pour occuper le temps libre que lui laissera sa retraite (voyage, pêche, vélo).

3.

	Chloé Martin	Michel Dupond
Groupe d'appartenance	Collégienne, préadolescente	Employé
Groupe de référence	Lycéenne, adolescente	Retraité

THÈME 5 • Intégration, conflit, changement social

Révision 1. Les instances de socialisation

1. Instances de socialisation primaire : Famille, École.
Instances de socialisation secondaire : Religion, Entreprise, Pairs, Médias.

2. Dans la famille, l'enfant réalise des apprentissages fondamentaux comme marcher, parler, être propre. Il apprend quelle est son identité sociale (quelle est sa lignée, quel est son genre, etc.). Il forme aussi son goût : pour certains aliments, pour certaines musiques, etc.

3. La socialisation ne s'achève pas à la fin de l'enfance ; la socialisation secondaire fait évoluer les individus en fonction des groupes auxquels ils vont être confrontés. Par exemple, en étant embauché dans une entreprise, l'individu va apprendre un métier, mais aussi des formes nouvelles de relations avec ses collègues, ou encore une culture d'entreprise.

Révision 2. Les mécanismes de la socialisation

La socialisation consiste dans l'apprentissage de règles de conduite et de valeurs qui vont orienter l'action des individus. Ces règles étant intégrées par les individus, leurs comportements s'y conforment la plupart du temps. Mais quand le contrôle social se relâche et ne devient plus suffisant pour imposer le respect des normes sociales, la société peut connaître une situation d'anomie.

La socialisation se fait souvent au sein des groupes sociaux dans lesquels chaque individu est inscrit. Mais les relations d'un individu ne se limitent pas aux groupes dont il fait partie. L'ensemble des relations d'un individu constitue ainsi un réseau social. Celui-ci constitue la base de la sociabilité de l'individu. Celle-ci prend des formes très diverses : fréquentation d'autres individus dans des lieux spécifiques (comme les cafés ou les salles de cinéma), au sein d'institutions dont l'individu et ses relations font partie (l'école, l'entreprise, une association, etc.).

Révision 3. Les mécanismes de l'exclusion sociale

1. Exemple 1. Disqualification sociale : ce jeune homme doit « vivre une relation d'assistance » en demandant à percevoir un minimum social, alors même qu'il est actif. Son lien avec le marché de l'emploi est fragile.

Exemple 2. Désaffiliation sociale : cet homme a non seulement perdu son emploi, mais les autres liens sociaux et familiaux sont très fragiles, voire rompus (il a divorcé). Il entre dans un processus de désaffiliation.

Exemple 3. Disqualification sociale : cette femme vit des prestations sociales, et a été « refoulée hors du marché de l'emploi », ses tentatives de retrouver du travail ont été vaines et elle est découragée.

2. La disqualification est symbolique : la société porte un regard accusateur sur les individus qui perçoivent des prestations sociales. Ces derniers sont soupçonnés d'être responsables de leur situation, de ne pas faire les efforts nécessaires pour trouver un emploi, voire de se complaire dans l'aide sociale. Ce soupçon est très difficile à vivre pour les bénéficiaires de prestation ; certains vont même jusqu'à ne pas demander les aides auxquelles ils ont droit pour éviter cette stigmatisation.

Révision 4. Les groupes d'intérêt et l'État, entre coopération et conflit

1. Un groupe d'intérêt est un ensemble d'individus organisés qui agissent collectivement pour faire entendre une revendication, le plus souvent adressée aux pouvoirs publics. Le mot « intérêt » doit être entendu au sens large : les groupes d'intérêts peuvent défendre des intérêts matériels (salaires, profits, etc.), mais aussi des droits et des valeurs (respect des droits de l'homme, légalisation de l'avortement, etc.).

2.

	Conflit	Coopération
A	Des buralistes manifestent contre la hausse du prix du tabac.	Le gouvernement réduit les cotisations sociales patronales sur les bas salaires.
B	Les syndicats de salariés appellent à manifester contre la réforme du système de retraite.	Le gouvernement réunit les syndicats pour un « sommet social ».
C	L'association Jeudi noir occupe des immeubles vides pour dénoncer l'insuffisance des politiques en matière de logement.	Les associations de lutte contre le sida organisent des journées d'information dans les écoles.
D	Dans une usine, un syndicat organise une grève pour s'opposer à un plan de licenciement.	L'assurance chômage est gérée par les syndicats de salariés et les représentants des chefs d'entreprise.
E	Les associations d'aide aux chômeurs reprochent aux syndicats de mal représenter les salariés privés d'emploi.	Les collectifs de sans-papiers, les associations d'aide aux étrangers et les syndicats de salariés réclament la régularisation des travailleurs sans-papiers.
F	L'Unicef appelle au boycott des entreprises qui font travailler des enfants.	Les entreprises font des dons aux associations humanitaires.

3. Les groupes d'intérêt emploient des moyens d'action très divers : ils peuvent instaurer un rapport de force (c'est le principe d'une grève ou d'un boycott, qui visent délibérément à perturber la production), et/ou faire appel à l'opinion publique (c'est le principe des manifestations et des pétitions), et/ou produire une expertise à même de convaincre les gouvernants (c'est ce qu'on appelle le lobbying). Au-delà de cette diversité, une spécificité des groupes d'intérêt apparaît clairement lorsqu'on les compare aux partis politiques : les uns comme les autres réclament des politiques conformes à leurs idées, mais les partis le font par la voie électorale, en cherchant à accéder au gouvernement, alors que les groupes d'intérêt le font par d'autres moyens que l'élection, sans chercher à gouverner.

THÈME 6 • Justice sociale et inégalités
Révision 1. Du revenu primaire au revenu disponible

Révision 2. Le partage de la valeur ajoutée
1. Les profits représentent 32,1 % de la valeur ajoutée en 2007.
2. Les 67,9 % restants servent principalement à rémunérer le travail (salaires, cotisations sociales) et sont aussi, pour une part modeste (environ 4 % de la valeur ajoutée), versés à l'État sous forme d'impôts sur la production.
3. La part des profits dans la valeur ajoutée est stable depuis les années 2000 et inférieure à celle de nombreux pays de l'Union européenne. Cette faiblesse signifie que, a contrario, la part des salaires est élevée, ce qui permet de soutenir le pouvoir d'achat et donc la consommation des ménages. Or la consommation constitue la composante principale de la demande et permet donc de stimuler la production.
Cependant cette faiblesse des profits peut être problématique. Elle limite les capacités d'épargne des entreprises et donc leurs investissements. Par ailleurs, l'activité apparaît faiblement rentable sur le territoire, ce qui encourage les délocalisations et favorise la désindustrialisation française. Celle-ci s'accompagne alors d'une baisse de l'emploi industriel et plus largement d'une augmentation du chômage.

Révision 3. Les prélèvements obligatoires
1. Le taux de prélèvements obligatoires mesure le rapport entre les prélèvements obligatoires (ensemble des impôts, taxes et cotisations sociales) et le PIB. En d'autres termes : taux de prélèvements obligatoires = (prélèvements obligatoires / PIB) × 100
2. On constate que le taux de prélèvements obligatoires de l'État central a eu tendance à baisser depuis le début des années 1980. Ainsi, entre 1980 et 2008, il est passé de 19 % à 14,5 % du PIB, soit une baisse de 4,5 points.
3. Le taux de prélèvements de sécurité sociale a, lui, augmenté de près de 6 points entre 1978 et 2008. Cette hausse des recettes est rendue nécessaire par la hausse des dépenses de sécurité sociale.

Révision 4. Qu'est-ce que l'État providence ?
La naissance de l'État providence marque la rupture avec la conception libérale de l'État comme État gendarme […]. L'État gendarme […] accorde un rôle minimal à l'État ; en revanche, l'État providence donne à l'État un rôle important dans la vie sociale et économique au nom d'impératifs sociaux. Aujourd'hui, le terme peut être pris dans deux sens. Au sens large, adopté par ceux qui critiquent la place trop importante prise par l'État, la notion désigne l'État interventionniste qui s'institutionnalise après la Seconde Guerre mondiale. Au sens restreint […], l'État providence est celui qui intervient pour assurer la prise en charge collective des fonctions de solidarité.

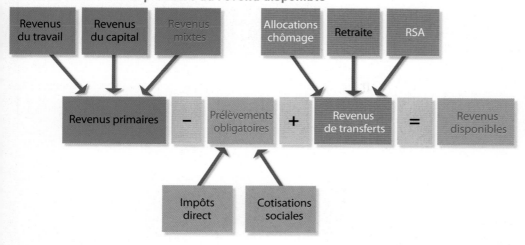

La notion d'État providence évoque clairement l'une des nouvelles fonctions de l'État moderne : s'occuper du bien-être des citoyens, et non plus seulement de la police, de battre monnaie, de gérer ses relations internationales ou de faire la guerre.

THÈME 7 • Travail, emploi, chômage

Révision 1. Rationnement de beurre et œufs

1. Cette photo pourrait représenter le marché des produits laitiers et des œufs durant une période de forte pénurie ; le beurre et les œufs sont les biens échangés ; les commerçants offrent ces biens ; les individus qui font la queue sont les demandeurs de biens. Visiblement, la demande excède l'offre de biens mis sur le marché. Tous les demandeurs ne pourront être satisfaits.

2. Si le vendeur peut faire varier les prix, il va les augmenter, ce qui entraînera la baisse de la demande.

3. Toutes ces personnes ne seront pas satisfaites : si le prix augmente, elles n'auront pas forcément d'argent pour se procurer les biens. Si le prix n'augmente pas, les dernières personnes de la queue ne seront pas satisfaites.

Révision 2. Le marché des cornets de glace

1. La situation d'équilibre est telle que la demande de cornets de glace est égale à l'offre de cornets de glace ; la quantité échangée sera de 7 cornets de glace, au prix de 2 euros chacun.

2. La demande est forte, mais on ne nous dit pas qu'elle augmente par rapport à la question précédente. Si on est en concurrence pure et parfaite, il y a homogénéité du produit, donc le nouveau glacier vend les mêmes glaces ; son prix est supérieur au marché, donc les acheteurs resteront auprès des vendeurs à 2 euros. En revanche, si la demande a augmenté, les glaces à 2 euros ne seront pas suffisants ; ce nouveau glacier pourra alors vendre ses glaces.

3. La demande de glaces va chuter ; l'offre devient supérieure à la demande, donc le prix du cornet va baisser.

Révision 3. Organigramme d'une entreprise de travaux publics

1. Chaque couleur correspond à une fonction dans l'entreprise (ex. : rouge = direction générale de l'entreprise, jaune = activité productive de l'entreprise).

2. Les liens fonctionnels ne sont pas forcément des liens hiérarchiques. Les liens hiérarchiques représentent les relations d'autorité entre deux personnes. Les liens fonctionnels relient deux personnes qui doivent travailler ensemble (l'assistant du bureau d'études transmet le projet au contremaître) sans que l'un des deux ait autorité sur l'autre.

3. Les liens hiérarchiques ne reflètent pas l'ensemble des relations que le fonctionnement de l'entreprise nécessite. Les liens entre services à des niveaux de responsabilité équivalent (assistant bureau d'études-assistant administratif et financier) présentés sur l'organigramme sont prévus par les procédures de fonctionnement de l'entreprise.

4. Cet organigramme met en évidence les relations qui organisent la participation de tous les membres de l'entreprise à la réalisation de l'activité de celle-ci, chacun apporte son concours au projet commun.

Révision 4. Qu'est-ce qu'une asymétrie d'information ?

1. Le diplôme indique à l'employeur le niveau et le contenu de la formation initiale reçue par la candidate. Ses expériences permettront de savoir dans quels domaines ses compétences ont été exercées et à quel niveau de responsabilité. Les indications du candidat sur sa propre personnalité et ses compétences complètent les informations dont dispose l'employeur.

2. L'employeur peut demander au candidat de produire ses diplômes. Il n'hésitera pas à vérifier le contenu du curriculum vitae auprès des anciens employeurs mentionnés. Pour la maîtrise des langues étrangères, il peut soumettre le candidat à un test. Seule une période d'essai permettra de vérifier les qualités personnelles (dynamisme, motivation) dont le candidat se prévaut.

3. Le salarié connaît ses propres compétences, ainsi que la réalité de sa motivation et l'investissement qu'il est prêt à fournir. L'entreprise est obligée de se forger un jugement à partir du curriculum vitae, de tests éventuels et de ce que le ou les entretiens ont laissé percevoir de la personnalité du candidat. Elle prend sa décision d'embauche avec un certain degré d'incertitude, un candidat peut se montrer très motivé pour obtenir un poste et ne pas s'investir suffisamment par la suite.

Lexique

A

Allocation de ressources : Manière d'utiliser les ressources rares et notamment les facteurs de production (travail, capital fixe et circulant) pour satisfaire la demande de biens et services. Façon dont ces ressources sont réparties entre les agents économiques (entreprises, ménages…). En théorie, le marché permet une allocation optimale. Lorsque ce n'est pas le cas (biens collectifs, externalités), l'État est amené à assurer cette fonction.

Anomie : Situation où l'individu n'est plus contraint par les normes du groupe. Autrement dit, situation de relâchement du contrôle social. Adjectif correspondant : « anomique ».

Assistance : Principe de solidarité qui garantit à tous un minimum de ressources, afin d'assurer la satisfaction des besoins fondamentaux. Ce principe repose sur des prestations non contributives versées sous condition de ressources.

Assurance : Principe qui consiste à se prémunir contre certains risques. Il repose sur des cotisations volontaires ou obligatoires en contrepartie de prestations monétaires ou en nature.

Asymétrie d'information : Il y a asymétrie d'information, lorsque l'un des deux partenaires dissimule sciemment une information, avant ou après la signature d'un contrat (d'assurance, de travail…).

Avantage comparatif : Un pays a intérêt à se spécialiser dans les productions de biens pour lesquels il possède le plus grand avantage (là où il est relativement le meilleur) ou le plus petit désavantage (là où il est relativement le moins mauvais). On dit alors qu'il se spécialise en fonction d'un avantage comparatif.

Avantages absolus : Selon Adam Smith un pays a intérêt à se spécialiser dans un produit qu'il fabrique moins cher que ses concurrents, et à acheter à ces derniers les productions qu'ils produisent à meilleurs prix.

B

Balance commerciale : Document comptable qui enregistre les échanges de marchandises (biens matériels) entre un pays et le reste du monde ; le solde commercial représente la différence entre le montant des exportations et le montant des importations.

Balance des paiements : Document comptable qui enregistre l'ensemble des flux réels, financiers et monétaires entre les résidents et le reste du monde. Elle est toujours équilibrée d'un point de vue comptable, même si, pour les besoins de l'analyse, on peut faire apparaître un solde positif ou négatif.

Balance des transactions courantes (ou balance courante) : Il s'agit d'un document statistique qui retrace l'ensemble des échanges de biens et services entre un pays donné et l'étranger. Lorsque le solde est positif, les exportations de biens et services sont supérieures aux importations, et inversement quand le solde est négatif. Les échanges mesurés ici sont matériels et immatériels, alors que la balance commerciale est un document statistique qui ne retrace que les échanges matériels.

Banque centrale : Institut d'émission de la monnaie. Elle est aussi la « banque des banques » auprès des banques commerciales : elle organise les règlements par compensation entre banques. Dans la zone euro, la Banque centrale européenne (BCE) est chargée de la politique monétaire.

Bien collectif : Bien indivisible pouvant être utilisé par plusieurs personnes à la fois et dont le financement est collectif (par exemple, l'éclairage public).

Biens communs : Un bien commun est une ressource qui est non excluable, mais dont la consommation est rivale. Il est impossible d'empêcher un agent de consommer ce bien, mais sa consommation diminue les quantités disponibles pour les autres.

C

Capital : Facteur de production constitué des éléments matériels mobilisés par les unités de production pour produire.

Capital culturel : Il s'agit de l'ensemble des connaissances, des savoirs, des pratiques culturelles, des qualifications (mesurées par les diplômes) et des biens culturels (livres, tableaux…) d'un individu ou d'une société.

Capital économique : Il s'agit de l'ensemble des biens, revenus et patrimoines d'un individu ou d'un ménage.

Capital humain : Ensemble des connaissances, compétences et données d'expérience que possèdent les individus et qui les rendent économiquement productifs. Les dépenses d'éducation, de formation sont alors considérées comme des investissements en capital humain.

Capital institutionnel : Ensemble des institutions politiques, institutionnelles et juridiques ayant pour fonction la protection (de la propriété, des contrats, des ressources…), la surveillance (de la concurrence), la régulation (le respect des équilibres économiques), la couverture (assurance, protection sociale) et l'arbitrage (des conflits sociaux).

Capital naturel : Ensemble des ressources naturelles utilisées dans le cadre du processus de production, comme l'eau, la terre, les hydrocarbures, etc. Ces ressources naturelles peuvent être renouvelables ou non renouvelables.

Capital physique : Ensemble des biens de production durables utilisés dans le cadre du processus de production, comme les bâtiments, les machines, auxquels s'ajoutent les stocks de matières premières, de produits finis et semi-finis.

Capital social : Ensemble des relations sociales et des réseaux de connaissances d'un individu ou d'un groupe. Les groupes sociaux sont inégalement dotés en capital social.

Catégories socioprofessionnelles : Un des niveaux de la nomenclature des professions et catégories socioprofessionnelles, dite PCS, qui a remplacé, en 1982, la nomenclature des CSP. Cette nomenclature classe la population selon une synthèse de la profession (ou de l'ancienne profession), de la position hiérarchique et du statut (salarié ou non). Elle comporte trois niveaux d'agrégation emboîtés : les groupes socioprofessionnels (8 postes) ; les catégories socioprofessionnelles (24 et 42 postes) ; et les professions (486 postes).

Changement social : Ensemble des transformations à long terme des structures et de la culture d'une société.

Chômage : Ensemble des personnes en âge de travailler, sans emploi et recherchant un emploi. D'un point de vue macroéconomique, le chômage représente la différence entre la population active et l'emploi.

Chômage classique et chômage keynésien : La distinction entre chômage classique et chômage keynésien renvoie à des analyses différentes du chômage. Le chômage keynésien existe quand les débouchés sont insuffisants. Pour le résorber, il convient de relancer la demande et de soutenir l'activité. On parle, en revanche, de chômage classique quand les entreprises, malgré la demande potentiellement soutenue, n'embauchent pas car elles jugent le coût du travail trop élevé, ou les rigidités sur le marché du travail trop importantes, et donc les perspectives de profit insuffisantes.

Chômage frictionnel : Chômage d'adaptation correspondant à une phase intermédiaire entre deux emplois.

Chômage structurel : Chômage dû à une inadéquation entre les qualifications offertes et demandées, au déclin de certaines activités traditionnelles, à des déséquilibres régionaux… Il s'oppose au **chômage conjoncturel** qui résulte d'un ralentissement de l'activité économique.

Classes sociales : Groupes sociaux regroupant des individus avec des caractéristiques économiques, sociales et culturelles qui leur donnent une identité propre. Les classes sociales sont souvent dans des rapports d'opposition réels ou symboliques les unes par rapport aux autres. On a l'habitude de distinguer trois grandes classes sociales : les classes populaires, les classes moyennes et les classes supérieures.

Cohésion sociale : État d'une société dans laquelle les membres sont intégrés, c'est-à-dire qu'ils partagent des normes et des valeurs, et sont unis par des relations fortes.

Commerce intrabranche : Correspond à un échange de produits appartenant à une même branche (ou industrie).

Commerce intrafirme (ou commerce captif) : Correspond aux échanges entre les filiales, ou entre les filiales et la maison mère d'une même firme multinationale.

Compétitivité : Au sens large, la compétitivité désigne la capacité d'une entreprise ou d'une économie à résister à la concurrence.

Compétitivité-hors-prix : C'est la capacité d'une entreprise à offrir des produits différenciés de ceux de ses concurrents (qualité, innovation, services proposés, marque, design…).

Compétitivité-prix : C'est la capacité d'une entreprise à offrir un bien ou un service à un prix inférieur à celui des concurrents, avec une qualité identique.

Concurrence pure et parfaite : Structure d'un marché sur lequel il existe une confrontation entre un grand nombre d'offreurs et de demandeurs. La concurrence est pure et parfaite, si les conditions suivantes sont respectées : atomicité des marchés, information parfaite sur les prix, mobilité des hommes et des capitaux, homogénéité des produits, libre entrée sur un marché.

Conflit : Désaccords entre employeurs et employés au sein de la sphère de production, qui portent principalement sur les salaires, les conditions de travail et qui peuvent se traduire par des grèves.

Conflit de classes : Il s'agit d'un conflit social opposant des classes sociales définies par leur position dans la production, et structurant l'ensemble des rapports sociaux. Dans la théorie de Marx : « bourgeois » (propriétaires des moyens de production) contre « prolétaires » (individus sans autre ressource que la vente de leur travail).

Conflits sociaux : Situations dans lesquelles des individus affrontent collectivement une institution ou d'autres groupes sociaux qu'ils tiennent pour responsables d'un tort.

Contrat de travail : Convention fondée sur un lien de subordination de l'employé vis-à-vis de l'employeur, dans laquelle sont stipulées les tâches de l'employé, sa rémunération et la durée de sa mission – déterminée ou indéterminée. Ce contrat a un caractère légal et vise à fixer les droits et les devoirs des deux parties.

Contribution sociale généralisée (CSG) : La CSG est un prélèvement obligatoire à la source sur les revenus d'activité, de remplacement (hors minima sociaux) et de placement. Ses recettes sont affectées au financement de la protection sociale.

Conventions collectives : Accords signés entre les partenaires sociaux d'une branche d'activité, concernant essentiellement l'évolution des salaires et les conditions de travail.

Convergence économique : Appelée aussi rapprochement des économies, elle peut être nominale – et alors concerner l'inflation et l'évolution des soldes publics – ou réelle (structurelle) – et ainsi concerner les écarts de productivité, de production, de niveau de vie ou de taux de chômage.

Coopération : Collaboration, volontaire ou non, entre plusieurs individus ou groupes, au sein des organisations de production dans le but de réaliser des objectifs communs.

Coordination : Il s'agit d'une forme de coopération entre États, qui les incite à élaborer leurs politiques économiques et sociales dans un cadre national, tout en tenant compte des interdépendances entre pays.

Cotisations sociales : Prélèvements obligatoires affectés à la protection sociale, qui ouvrent droit à des prestations sociales.

Coût salarial unitaire : Il est déterminé par le rapport entre le salaire et la quantité de facteur travail utilisé – soit le nombre de travailleurs, soit le nombre d'heures travaillées.

Couverture maladie universelle (CMU) : Ce dispositif permet l'accès, sous conditions de ressources, à l'assurance maladie (remboursement des soins, des médicaments…). Elle assure aussi les missions d'une complémentaire santé (CMU complémentaire) en complément ou non de la CMU de base.

Création de trafic : Dans le cadre d'une union douanière, les accords entre les pays stimulent les activités et contribuent à accroître le volume des échanges au-delà de la situation antérieure aux accords.

Crise économique : Peut être soit le point de retournement d'un cycle (passage d'une phase d'expansion à une phase de ralentissement), soit une perturbation affectant l'évolution de la croissance de long terme.

Croissance endogène : Théories visant à montrer que le progrès technique est le moteur principal de la croissance et qu'il peut être stimulé par des décisions publiques appropriées.

Croissance extensive : Correspond à l'augmentation de la production obtenue par l'accumulation des facteurs. Les fonctions de production traditionnelles illustrent bien ce type de croissance. Si le doublement de la quantité de facteurs permet, au mieux, de doubler la production, alors on parle de croissance extensive, car on ne peut augmenter la richesse produite que par l'augmentation (l'extension) de la masse de facteurs de production. Par contre, la croissance est **intensive**, si l'augmentation de la quantité produite s'explique par la plus grande productivité des facteurs et non par une augmentation de leurs quantités. L'expression « croissance intensive » prend tout son sens, lorsque des machines plus performantes permettent de produire davantage tout en réduisant les dépenses en travail et en capital.

Croissance intensive : voir **croissance extensive**.

Croissance potentielle : Croissance du potentiel de production, déterminé par les facteurs structurels de l'économie : travail et capital disponible, productivité globale des facteurs. La croissance potentielle est la croissance maximale pouvant être atteinte sans risque inflationniste. Elle détermine la croissance de long terme, tendance autour de laquelle s'observent les fluctuations conjoncturelles.

Culture : Ensemble des normes, des valeurs et des pratiques sociales partagées par des individus dans une société.

D

Déclassement : Le déclassement recouvre au moins trois phénomènes : les situations de mobilité sociale descendante (intergénérationnelle ou intragénérationnelle) et les situations de surqualification, c'est-à-dire où le niveau de diplôme est supérieur à celui qu'exige l'emploi occupé.

Décomposition internationale des processus de production (DIPP) : Il s'agit, pour les firmes multinationales, de diviser le processus de production en plusieurs étapes, localisées dans différents pays (ou d'en confier une partie à des sous-traitants étrangers), afin de bénéficier des différents avantages propres aux pays (législation avantageuse, coût du travail faible, proximité des matières premières, savoir-faire d'une main-d'œuvre qualifiée…).

Défaillances du marché : Situation dans laquelle le marché échoue dans l'allocation optimale des ressources économiques et des biens et services.

Déflation : Réduction simultanée et cumulative du niveau de production, des revenus et des prix.

Délocalisation : Pratique qui consiste à fermer une unité de production sur le territoire national pour en ouvrir une autre à l'étranger, où les conditions de production sont jugées meilleures.

Demande : Quantité d'un bien ou d'un service qu'un agent désire acheter sur un marché pour un prix donné.

Demande anticipée : demande prévue par les chefs d'entreprise ; elle détermine leurs niveaux d'investissement et d'embauche ; concept forgé par Keynes, synonyme de demande effective.

Demande globale : Somme des utilisations de tout ce qui est produit ou importé dans une économie nationale. Elle est égale à : Consommations intermédiaires + Consommation finale + Formation brute de capital fixe + Variation des stocks + Exportations.

Dépression : Phase de réduction de l'activité économique se traduisant par une diminution du PIB (le taux de variation du PIB est négatif). Lorsque le taux de croissance ralentit mais reste positif, on parle plutôt de récession, même si ces deux termes ont tendance à être utilisés comme des synonymes.

Désaffiliation : Processus de fragilisation progressive des liens qui unit une personne aux autres membres de la société. Cette notion conduit à analyser différentes étapes qui peuvent mener à l'exclusion et à restituer leur logique.

Désinflation : Période de ralentissement de la hausse des prix.

Destruction créatrice : Processus au cours duquel les éléments périmés sont détruits sous l'effet des innovations.

Détournement de trafic : Dans le cadre d'une union douanière, les échanges se développent entre les pays membres au détriment des échanges avec le reste du monde. Il y a donc substitution des échanges et non création de nouveaux échanges.

Dette publique : Ensemble des emprunts contractés par les administrations publiques pour financer leurs dépenses.

Dévaluation : Dans le cadre d'un système de changes fixes entre les monnaies, décision d'un gouvernement d'abaisser la valeur de sa monnaie par rapport aux autres monnaies.

Développement durable (ou soutenable) : Développement qui répond aux besoins du présent sans compromettre la capacité des générations futures à répondre à leurs propres besoins.

Développement humain : Ensemble des changements économiques sociaux et politiques qui permettent de satisfaire les besoins jugés essentiels de la population : éducation, santé, niveau de vie. Il est mesuré par l'IDH.

Devises : Pour un pays, ce terme désigne les monnaies officielles du reste du monde.

Différenciation des produits : Les firmes pratiquent la différenciation des produits quand elles essaient de convaincre les acheteurs que leur produit est différent des produits des autres firmes du secteur (ajouter des extras, choisir un design différent, pub, campagne marketing).

Discrimination : La discrimination consiste à traiter différemment les individus en fonction, de leur sexe, origine, handicap, orientation sexuelle… Bien qu'interdites au nom de l'égalité des droits, ces discriminations persistent. Pour les compenser, des actions correctrices peuvent être mises en place. Il s'agit alors de **discriminations positives**, qui tentent d'inverser les effets des discriminations négatives antérieures « en donnant plus à ceux qui ont le moins ».

Disqualification sociale : Processus qui conduit les individus à un statut social spécifique, inférieur et dévalorisé. Il marque profondément la manière dont ceux qui en font l'expérience se perçoivent.

Division du travail social : Répartition des tâches et des fonctions qui progresse dans les sociétés modernes. Selon Durkheim, elle est source de solidarité sociale parce qu'elle renforce la complémentarité entre des individus et les groupes sociaux.

Division internationale du travail (DIT) : Il s'agit de la répartition des activités de production entre différents pays, qui débouche sur une spécialisation dans la production de certains biens ou services, ou dans certaines étapes du processus de production.

Dotation factorielle : Il s'agit de la quantité de facteurs de production (travail, capital, terre) présents dans un pays donné, ainsi que leurs poids respectifs.

Droits de propriété : Droits, garantis par la société, d'un propriétaire d'un bien, d'utiliser celui-ci (*usus*), d'en retirer un revenu (*fructus*), d'en disposer (*abusus*) dans les conditions fixées par la loi.

Droits sociaux : Ensemble de mesures légales concernant les contrats de travail, les dispositifs d'assurance sociale.

Dumping environnemental : Réduction des normes et des réglementations concernant la protection de l'environnement, pour attirer des entreprises sur le territoire national.

Dumping social : Pratique qui consiste à réduire les normes et les réglementations concernant le travail, la protection sociale afin d'attirer les investissements au détriment des pays voisins et de produire moins cher pour concurrencer les produits étrangers.

E

Échange marchand : Il y a échange marchand lorsque la vente d'un produit par un agent économique doit couvrir la totalité des coûts de production, l'objectif étant de réaliser un bénéfice.

Économies d'échelle : Baisse du coût unitaire de production en raison de l'augmentation des quantités produites.

Effet d'aubaine : On parle d'effet d'aubaine lorsqu'une mesure d'aide profite à un bénéficiaire qui, sans aide, aurait pris la même décision (par exemple, l'embauche d'un demandeur d'emploi).

Égalité : Principe selon lequel tous les individus doivent être traités de façon identique et bénéficier de l'universalité des droits.

Élasticité : En général, évolution d'une variable déterminée par rapport à une variable déterminante. L'**élasticité-prix de la demande** mesure la variation de la demande (variable déterminée) par rapport à une variation du prix du bien (variable déterminante). L'**élasticité-revenu de la demande** mesure la variation de la demande (variable déterminée) par rapport à la variation du revenu des consommateurs (variable déterminante).

Endogamie : Pratique qui consiste à se marier avec un individu appartenant au même groupe.

Équilibre de sous-emploi : Concept de l'analyse keynésienne du chômage, qui décrit la situation dans laquelle les entreprises réalisent une production qui assure l'équilibre sur le marché des biens et services, sans pour autant permettre l'utilisation de toute la population active.

Équité : Recherche de l'égalité des chances dans un souci de justice sociale qui peut conduire à traiter différemment les individus de façon à compenser des inégalités de positions initiales.

État providence : État prenant en charge le bien-être matériel de la population. Au sens restreint, il renvoie à la protection sociale, au sens large, il englobe les interventions économiques et sociales de l'État.

Euro : Monnaie unique européenne mise en place à partir de 1999 au terme d'un processus d'intégration marqué notamment par les critères de convergence du traité de Maastricht (1992). Cette monnaie commune rassemble aujourd'hui dix-sept pays de l'Union européenne.

Exclusion : Processus qui conduit les individus cumulant plusieurs handicaps (sociaux, économiques, culturels) à une marginalisation sociale qui les coupe progressivement des relations avec les autres membres de la société.

Exploitation : Selon Marx, dans le mode de production capitaliste fondé sur la propriété privée des moyens de production, le capitaliste s'approprie une partie du travail de l'ouvrier, la plus-value, du fait que l'ouvrier n'est plus maître de son travail. La plus-value représente la différence entre la valeur créée par l'ouvrier qui revient au capitaliste (quand il vend le produit) et le salaire que l'ouvrier perçoit.

Externalisation : Processus par lequel une entreprise confie à des sous-traitants (nationaux ou étrangers) la réalisation d'une partie de la production qui était, jusque-là, assurée par ses propres salariés.

Externalités : On parle d'externalité chaque fois qu'un individu ou une entreprise entreprend une action qui affecte directement d'autres individus ou entreprises, mais pour laquelle il ne paie ni ne reçoit aucune indemnisation. La présence d'externalités fait que les entreprises et les individus ne supportent pas toutes les conséquences de leurs dépenses.

F

Facteurs de production : Ensemble des éléments (« inputs ») nécessaires à la production d'un bien ou d'un service (« output »), à savoir le travail et le capital fixe et circulant.

Filiale : Une filiale est une société dont le capital est détenu majoritairement par une autre société.

Firme multinationale (FMN) : Il s'agit d'une grande entreprise nationale qui possède ou contrôle une ou plusieurs filiales de production à l'étranger. Une FMN est composée d'une société mère, qui se situe la plupart du temps dans le pays d'origine, et de l'ensemble des entreprises contrôlées ou détenues dans des pays étrangers et que l'on nomme des filiales. IBM, Boeing, Danone, Renault, Zara sont des FMN.

Fiscalité : Ensemble des règles relatives à la définition des prélèvements obligatoires (types de prélèvements, taux, assiette…).

Flexibilité du marché du travail : Ensemble des mesures ayant pour objectif de lutter contre les rigidités du marché du travail, afin de permettre aux entreprises de s'adapter rapidement aux évolutions de la demande. Elles visent en particulier à adapter le volume de l'emploi (flexibilité quantitative) ou la qualité des emplois (flexibilité fonctionnelle), ou encore les salaires (flexibilité salariale).

Flexicurité ou flexisécurité : Ensemble de mesures permettant de concilier la flexibilité du travail et la sécurité des travailleurs.

Fluctuations économiques : Elles correspondent aux variations que subit le taux de croissance de l'économie autour d'une tendance de long terme. Lorsque ces fluctuations présentent un caractère régulier, on parle de cycles.

Fluidité sociale : Force du lien entre origine et position sociale indépendamment de l'évolution de la structure socioprofessionnelle. Elle s'approche en calculant les avantages comparatifs d'une catégorie élevée (par rapport à une catégorie qui l'est moins) pour accéder aux meilleures positions sociales plutôt qu'aux moins bonnes.

Flux internationaux de capitaux : Selon la définition du FMI, ils recouvrent les investissements directs à l'étranger (IDE), les investissements de portefeuilles et de produits dérivés, et les autres flux nets d'investissement, hormis les flux d'investissement vers les administrations publiques et les autorités monétaires.

Formation : Consiste à acquérir des connaissances en général ou dans un domaine particulier (par exemple, professionnel). On distingue ainsi la formation initiale, acquise dans les lycées ou les institutions de formation supérieure, de la formation continue qui peut être dispensée dans le cadre de l'entreprise.

G

Gains à l'échange : Bénéfice tiré de l'échange entre des individus ou des pays spécialisés. La spécialisation permet à l'unité de production de réaliser des gains de productivité, donc de produire et d'échanger en plus grande quantité.

Gouvernance : Correspond au mode de contrôle, d'organisation, de coordination et de régulation s'exerçant au sein d'entités économiques ou géopolitiques.

Groupe d'appartenance : Groupe social dans lequel s'intègre un individu.

Groupe d'intérêt (ou lobby) : Ensemble de personnes physiques ou morales formant une structure organisée et défendant, au sein d'un système politique donné, un intérêt ou une cause spécifique auprès du pouvoir politique, sur lequel le groupe peut chercher à exercer de l'influence.

Groupe de référence : Groupe social auquel un individu se réfère : il en adopte les normes et valeurs au cours du processus de socialisation anticipatrice.

Groupe social : Ensemble d'individus entretenant des relations directes ou indirectes, et ayant conscience d'appartenir au même groupe.

Groupes de statut : Groupes sociaux constituant une des formes de la stratification sociale et reposant sur des différences de prestige.

H

Hiérarchie : Classement qui établit des positions de supériorité et d'infériorité entraînant des rapports de commandement et de subordination entre les différents acteurs au sein des entreprises.

Homogamie : Tendance dans une société à ce que les conjoints appartiennent au même milieu social.

I

IDH (indicateur de développement humain) : Indicateur compris entre 0 et 1, mesurant le niveau de développement d'un pays à partir de trois critères (niveau de vie, état de santé, niveau d'instruction).

Incitations : Mesures (fiscales, financières, réglementaires) qui orientent le comportement des agents en faisant en sorte que leurs intérêts personnels s'alignent sur l'objectif recherché.

Indice (ou coefficient) de Gini : C'est un indicateur synthétique d'inégalités de salaires (de revenus, de niveaux de vie…). Il varie entre 0 et 1. Il est égal à 0 dans une situation d'égalité parfaite, où tous les salaires, les revenus, les niveaux de vie… seraient égaux. À l'autre extrême, il est égal à 1 dans une situation la plus inégalitaire possible, celle où tous les salaires (les revenus, les niveaux de vie…) sauf un seraient nuls. Entre 0 et 1, l'inégalité est d'autant plus forte que l'indice de Gini est élevé. (D'après Insee)

Individualisation : Processus d'affirmation de l'individu par rapport au groupe ; il induit une prise de distance et à une autonomisation par rapport au groupe d'appartenance.

Inégalités économiques : Elles désignent la répartition non uniforme dans la population des richesses disponibles (revenu et patrimoine).

Inégalités sociales : Différences socialement structurées qui se traduisent par des avantages ou des désavantages dans l'accès aux ressources valorisées.

Inflation : Diminution du pouvoir d'achat de la monnaie, se traduisant par une hausse du niveau général des prix.

Institutionnalisation des conflits : Processus selon lequel les conflits sont encadrés par des règles et procédures qui envisagent leur organisation et les rendent prévisibles.

Institutions marchandes : Ensemble des organes et des règles qui influent sur le fonctionnement du marché.

Institutions : Au sens sociologique, ensemble des normes, de valeurs et de pratiques sociales partagées par un grand nombre d'individus et correspondant à ce qui est légitime pour la société.

Intégration économique : Il s'agit du processus par lequel plusieurs économies nationales constituent un même espace économique au sein duquel les obstacles aux échanges tendent à être abolis.

Intégration européenne : Processus engagé en Europe après la Seconde Guerre mondiale et visant à la constitution progressive d'un même espace économique au sein duquel les obstacles à l'échange tendent à être abolis.

Intégration sociale : Processus par lequel les individus deviennent des membres d'un groupe ou d'une société, en établissant des relations avec les autres membres, et en adoptant les normes et valeurs du groupe.

Intensité capitalistique : Elle mesure le rapport entre les capitaux fixes et le nombre de salariés d'une entreprise. Les entreprises à forte intensité capitalistique appartiennent à l'industrie lourde.

Internalisation : Intégration dans les charges de l'entreprise du coût des effets externes de ses activités.

Invention : Elle correspond à la conception d'un nouveau produit (le DVD) ou d'un nouveau processus de production (le convoyeur) issue de la recherche appliquée. À ne pas confondre avec l'innovation, qui est l'exploitation à des fins productives et commerciales de cette invention.

Investissement : Achat de biens d'équipement durables destinés à être utilisés pendant au moins un an dans le processus de production.

Investissement de portefeuille : Voir **investissement direct à l'étranger**

Investissement direct à l'étranger (IDE) et **investissement de portefeuille :** Un IDE correspond à l'ensemble des capitaux engagés en vue d'acquérir un intérêt durable, voire une prise de contrôle, dans une entreprise exerçant ses activités à l'étranger. Cela peut se traduire par la création ou le rachat d'une entreprise étrangère, par l'acquisition d'au moins 10 % du capital d'une entreprise déjà existante. Lorsque le capital acquis à l'étranger est inférieur à 10 % du capital total, on parle d'un **investissement de portefeuille**, qui est un investissement effectué à court terme, dans un but de rentabilité immédiate.

J

Justice sociale : Elle renvoie au choix d'un des principes concurrents d'attribution des droits et des ressources entre les différents membres de la société. La justice sociale cherche à réaliser au moins l'une des dimensions de l'égalité (égalité des droits, des chances, des situations).

L

Libre-échange : Système économique dans lequel est assurée la libre circulation des marchandises entre les pays, ce qui suppose donc la suppression des obstacles aux échanges. C'est également la doctrine qui préconise la mise en place de ce système pour favoriser la croissance économique des pays.

Lien social : Relation, directe ou indirecte, réelle ou virtuelle, entre les membres d'une même société.

Liens électifs : Dans les sociétés caractérisées par un processus d'individuation, les liens sont de moins en moins contraints et reposent de plus en plus sur le choix des individus. On parle alors de liens électifs.

M

Marché : Lieu réel ou fictif sur lequel s'échange des biens et des services, permettant la rencontre d'une offre et d'une demande, et la détermination des prix et des quantités échangées.

Marché de quotas d'émission : Marché d'émission et d'échange de droits d'émission de gaz à effet de serre. Le terme de « Bourse du carbone » est également utilisé.

Marché des changes : Nommé Forex en anglais (pour Foreign Exchange), ce marché est le lieu virtuel ou les devises s'échangent les unes contre les autres. Cette confrontation permet de déterminer leur taux de change. Malgré la dimension mondialisée du Forex, une grande partie des échanges se déroule à Londres.

Massification (de l'école) : Allongement de la durée des études qui contribue à une augmentation du nombre des élèves au-delà de la période de scolarité obligatoire.

Ménage : Ensemble des occupants d'un même logement (définition Insee), qu'ils aient ou non des liens de parenté. Le ménage constitue ainsi une unité d'analyse de la consommation.

Méritocratie : Principe de répartition des positions et des ressources, qui consiste à rétribuer les individus en fonction de leurs talents et de leurs efforts. Pour être effective, la méritocratie suppose que l'égalité des chances soit réalisée.

Minimum social : Allocation minimum garantie à certaines personnes ne disposant pas de ressources suffisantes pour vivre décemment (RSA, minimum vieillesse, allocation logement…).

Mobilité horizontale : Changement de position sociale, mais pour des positions équivalentes socialement.

Mobilité intergénérationnelle : Changement de position sociale d'un individu ou d'un groupe entre deux générations.

Mobilité intragénérationnelle : Changement de position sociale d'un individu ou d'un groupe au cours de sa vie active. Cette mobilité est souvent associée à la mobilité professionnelle. Si le changement de position sociale est toujours lié à un changement de profession, l'inverse n'est pas toujours vrai : on peut changer de profession sans changer de position sociale.

Mobilité observée : Mobilité telle qu'elle est affectée par l'évolution de la distribution socioprofessionnelle des fils par rapport à celle des pères.

Mobilité structurelle : Elle résulte de la transformation de la répartition des emplois au cours du temps.

Mobilité verticale : Changement de position sociale d'un individu ou d'un groupe entraînant soit une promotion sociale (mobilité ascendante), soit un déclassement ou une chute sociale (mobilité descendante).

Mondialisation : Au sens économique, la mondialisation est définie comme une internationalisation des échanges et des systèmes de production, ayant pour effet une interpénétration et une interdépendance croissantes des économies. La phase actuelle de mondialisation se caractérise par une ouverture croissante des marchés des biens et des services, du système financier, des entreprises, et par un accroissement de la concurrence. Mais la mondialisation est un phénomène multidimensionnel, qui touche non seulement la sphère économique, mais aussi sociale, culturelle, politique…

Monnaie (fonctions de la monnaie) : La monnaie remplit trois fonctions essentielles : intermédiaire des échanges, unité de compte et réserve de valeur. Elle a aussi des fonctions sociales et politiques, ainsi qu'une fonction de cohésion sociale. Elle est enfin considérée comme l'expression d'un pouvoir tant économique que politique.

Mouvements sociaux : Actions collectives, de durée et d'ampleur variable, visant à défendre une cause, par d'autres moyens que le vote. Synonyme : mobilisations.

N

Niveau de vie : Le niveau de vie est égal au revenu disponible du ménage divisé par le nombre d'unités de consommation (uc). Le niveau de vie est donc le même pour tous les individus d'un même ménage. Les unités de consommation sont généralement calculées selon l'échelle d'équivalence dite « de l'OCDE modifiée », qui attribue 1 uc au premier adulte du ménage, 0,5 uc aux autres personnes de 14 ans ou plus, et 0,3 uc aux enfants de moins de 14 ans. Cela permet de tenir compte de la taille des ménages et des économies d'échelle en leur sein.

Normes : Règles qui déterminent les comportements. Certaines normes sont officielles et institutionnelles, on parle de normes juridiques, d'autres sont plus informelles et relèvent des mœurs (on parle de normes sociales).

Norme d'emploi : Type d'emploi qui domine dans une société durant une période. Si le CDI était la norme durant les Trente Glorieuses, ce n'est plus vrai aujourd'hui : les embauches en CDD dominent en France.

O

Offre : Quantité d'un bien ou d'un service qu'un agent désire vendre sur un marché pour un prix donné.

P

Pacte de stabilité et de croissance (PSC) : Cet accord entre les pays de l'UE, établi au sommet de Dublin de décembre 1996, fixe des règles limitant les déficits publics des pays ayant adopté l'euro et ceux qui veulent en faire autant.

Paradoxe d'Anderson : Résultat d'une enquête selon laquelle l'acquisition d'un diplôme supérieur à celui du père ne garantit pas à l'individu une position sociale supérieure. De même, l'acquisition d'un diplôme inférieur au père ne signifie pas forcément une position sociale inférieure.

Partenaires sociaux : Ils représentent l'ensemble des syndicats, employeurs et salariés.

Passager clandestin : Comportement d'un individu qui tire partie d'une action collective sans avoir à en supporter les coûts.

Pauvreté : Une première définition de la pauvreté est celle de la pauvreté monétaire. Elle conduit, selon le seuil européen, à considérer comme pauvres les ménages dont le niveau de vie est inférieur à 60 % du revenu médian. Une deuxième définition de la pauvreté est la pauvreté par conditions de vie. Elle concerne les ménages dont les ressources contraignent l'accès à certains biens.

PCS : Nomenclature établie par l'Insee, qui regroupe l'ensemble de la population en un nombre restreint de grandes catégories ayant une certaine homogénéité sociale.

PIB (produit intérieur brut) : Valeur de la richesse créée par l'activité économique d'un pays. Il se mesure en faisant la somme des valeurs ajoutées réalisées par l'ensemble des unités productives résidentes. Il sert à la mesure de la croissance économique.

Politique budgétaire : Instrument de la politique conjoncturelle, utilisant le budget de l'État comme levier économique, en jouant soit sur les masses en jeu, soit sur la structure des recettes et des dépenses.

Politique climatique : Mesures adoptées pour limiter le réchauffement climatique et faire face à ses effets.

Politique conjoncturelle : Elle veille au maintien, à court terme, des grands équilibres (inflation, croissance du PIB, échanges extérieurs, emploi).

Politique monétaire : Instrument de la politique conjoncturelle utilisant le volume de la masse monétaire et le niveau des taux d'intérêt pour influer sur l'activité économique.

Pouvoir d'achat : Quantité de biens et de services qu'un revenu permet d'acquérir.

Pouvoir de marché : Capacité d'une firme à augmenter son prix sans pour autant perdre ses clients.

Précarité : Situation de forte incertitude qui empêche un individu, une famille ou un groupe d'assumer pleinement ses responsabilités et de bénéficier de ses droits fondamentaux. Rapportée à l'emploi, la précarité fait référence à l'augmentation du chômage et des emplois temporaires qui rend le parcours des actifs plus incertain et leur revenu irrégulier.

Prélèvements obligatoires : Versements effectifs opérés par tous les agents économiques au secteur des administrations publiques. Ils sont composés des impôts (incluant les taxes) et des cotisations sociales.

Preneur de prix (« price-taker ») : Les agents économiques (vendeurs et acheteurs) sont preneurs de prix lorsque le prix leur est imposé par le marché.

Prestation sociale : Compensation fournie par les organismes de protection sociale en contrepartie de la réalisation d'un risque social ; elle peut être versée en espèces (allocation familiale, indemnité chômage, pension de retraite…), ou en nature (remboursement des consultations médicales, hospitalisation…).

Principe de subsidiarité : Partage des compétences entre les États et l'Union européenne. L'UE intervient en complément de l'action des États nationaux, quand ces derniers ne peuvent agir seuls de façon efficace dans le domaine concerné.

Prix d'équilibre : Prix qui égalise les quantités offertes et demandées sur un marché.

Productivité : Quantité produite par unité de facteurs de production. La productivité du travail mesure ainsi la quantité produite par salarié (Productivité par tête = Production / Nombre de travailleurs) ou la quantité produite par heure de travail (Productivité horaire = Production / Nombre d'heures travaillées). On mesure aussi la productivité du capital (Production / Valeur du capital installé) et la productivité globale (Production / Valeur de l'ensemble des facteurs de production).

Production marchande : Il s'agit de la fabrication de biens et services marchands, dans un but lucratif. Le prix de vente couvre au moins 50 % des coûts de production.

Production non marchande : Production de services destinés à la consommation collective et fournis gratuitement ou à un prix inférieur à 50 % de leur coût de production.

Productivité globale des facteurs : Efficacité des facteurs de production pris dans leur ensemble. Elle se mesure par la quantité produite grâce à une unité de facteurs composée à la fois de travail et de capital.

Produit dérivé : contrat financier portant sur la valeur anticipée d'une action, d'une devise, d'un taux d'intérêt.

Profit : Il s'agit du revenu de l'entreprise. Il se calcule en retirant les coûts totaux de production aux recettes de l'entreprise.

Progrès technique : Ensemble des découvertes techniques et scientifiques qui permettent d'améliorer les moyens de production et d'accroître leur efficacité.

Protectionnisme : Politique commerciale visant à protéger les produits nationaux de la concurrence étrangère en établissant des barrières tarifaires (droits de douane) et non tarifaires (contingentements, normes de fabrication, réglementation).

Q

Qualification : Ensemble des connaissances et savoir-faire acquis par formation ou par expérience par un individu (qualification individuelle) ; ensemble des compétences requises pour occuper un emploi, définies par l'employeur (qualification de l'emploi).

Quantité d'équilibre : Situation de marché où l'offre est égale à la demande.

R

Rationnement : Situation de marché où l'offre est inférieure à la demande en raison d'un prix insuffisant.

Récession : Situation économique marquée par un ralentissement de la croissance économique. Lorsque le taux de croissance est négatif, on parle alors de dépression.

Recherche-développement : Ensemble des activités ayant pour but d'accroître les connaissances et leurs applications dans le domaine productif : on distingue la recherche fondamentale (découverte de lois générales) de la recherche appliquée (application des découvertes à l'industrie), et de la recherche-développement qui aboutit à l'innovation. La recherche-développement est donc la principale source du progrès technique.

Redistribution : Ensemble des prélèvements et des réaffectations de ressources opérés par les administrations publiques sur les revenus des ménages, afin de les protéger contre certains risques et de réduire les inégalités.

Régime de change : Système monétaire qui définit les modalités de l'échange des monnaies et la façon dont ces dernières peuvent varier. Le système de change peut établir des parités fixes entre les monnaies (Bretton Woods 1945) ou des taux de change flottants : les cours se déterminent en fonction de l'offre et de la demande sur le marché des changes.

Réglementation : Ensemble de lois ou de mesures juridiques prises par les autorités compétentes pour régir une activité économique ou sociale.

Régulation des conflits : Mise en place de normes, d'organisations, de procédures et d'institutions ayant pour double fonction de permettre l'expression des mouvements sociaux et d'encadrer leurs formes.

Reproduction sociale : Similarité de la position sociale occupée par les enfants, dans une structure sociale donnée, à celle des parents. Il y a alors immobilité sociale.

Réseau social : Ensemble des relations qu'un individu noue avec son environnement social.

Réserves de change : Elles comprennent les devises, l'or, mais aussi la monnaie du FMI (les droits de tirage spéciaux) détenues par les banques centrales. Ces réserves leur permettent d'intervenir sur le marché des changes pour stabiliser le cours de leurs monnaies et de financer les échanges internationaux.

Résident : Unité économique (entreprise, individu) qui réalise des opérations économiques (achat de services, investissement, production) pendant une durée supérieure à un an sur le territoire national.

Revenu de solidarité active (RSA) : Ce dispositif remplace, depuis le 1er juin 2009, le RMI et l'API. C'est un revenu minimum qui se compose du RSA socle, qui est versé aux ménages dont les revenus sont inférieurs à un certain seuil. Le RSA activité est un complément de revenu versé aux actifs occupés dont les revenus du travail sont faibles. Les RSA socle et activité peuvent être cumulés, mais seul le RSA socle est considéré comme un minimum social.

Revenu : Part de la production qui revient à un individu en contrepartie du travail fourni et/ou du capital engagé. Les grandes catégories de revenu sont le salaire, le profit, l'intérêt le bénéfice industriel ou commercial.

Revenus de transfert : Revenus qui résultent de la redistribution des revenus primaires par les administrations publiques.

Revenus primaires : Revenus qui sont directement perçus en rémunération des facteurs de production (travail, capital).

Risque social : Événement plus ou moins prévisible, entraînant des conséquences pour les personnes qui le subissent : soit une baisse de ressources, soit une augmentation des dépenses. Les risques sociaux sont partiellement couverts par les assurances sociales.

S

Salaire : Rémunération reçue par un salarié en contrepartie de son travail. Son montant est prévu par le contrat de travail liant le salarié et l'employeur.

Salaire d'efficience : Niveau de salaire nécessaire pour motiver un travailleur à fournir sa productivité du travail maximale.

Salaire minimum légal : Niveau de salaire en deçà duquel un employeur ne peut pas rémunérer un salarié. Il est fixé par l'État, d'où l'utilisation de l'expression salaire minimum légal.

Salariat : Mode d'organisation du travail fondé sur le contrat entre le salarié qui loue sa force de travail, et l'employeur qui verse un salaire et finance des droits sociaux. Utilisé aussi pour désigner l'ensemble des salariés.

Segmentation du marché du travail : Hypothèse selon laquelle le marché du travail est compartimenté en plusieurs parties – généralement, deux, on parle de marché du travail dual – étanches et inégalitaires. Si le premier compartiment est favorisé avec des emplois stables et des travailleurs protégés, le second rassemble des emplois précaires.

Services collectifs : Activités économiques d'intérêt général exécutées par l'État ou sous son contrôle (transports collectifs, cantines, écoles…).

Services publics : Les services publics renvoient à des missions d'intérêt général dont l'objectif est de rendre accessibles à tous des services jugés essentiels, d'assurer la cohésion sociale et la meilleure utilisation possible des ressources sur le territoire.

Sociabilité : Relations sociales effectives, vécues, qui relient un individu à d'autres individus par des liens interpersonnels et/ou de groupe.

Socialisation : Processus au cours duquel les individus apprennent et intègrent les normes et les valeurs propres à une société.

Socialisation anticipatrice : Processus d'apprentissage, et d'intériorisation des normes et valeurs du groupe auquel on souhaite appartenir. Elle amène à rompre avec le comportement du groupe d'appartenance (groupe dont l'individu fait partie) pour adopter celui du groupe de référence (celui que l'individu prend comme modèle de conduite).

Société : Ensemble de personnes qui entretiennent des relations sociales, politiques, économiques culturelles…

Solidarité mécanique : Type de relation sociale caractéristique des sociétés traditionnelles. La relation repose sur les similitudes entre les membres. La conscience collective est forte et les croyances sont semblables dans le groupe.

Solidarité organique : Type de relation sociale caractéristique des sociétés contemporaines. La relation repose sur la division du travail social, qui attribue à chacun une place spécifique. Les individus sont interdépendants et se différencient. La conscience collective y est plus faible.

Sous-emploi : Il s'agit de la situation d'une personne qui travaille, mais qui a la volonté et la capacité d'accéder à un emploi plus adapté. Au sens du BIT (Bureau international du travail), c'est une personne en emploi à temps partiel, souhaitant travailler plus d'heures, disponible pour le faire, qu'elle recherche ou non activement un autre emploi, ou une personne en emploi à temps plein ou temps partiel (autre que les deux cas ci-dessus), dont le temps de travail a été provisoirement réduit (chômage technique ou partiel).

Soutenabilité : Notion équivalente au développement durable (ou soutenable).

Spécialisation : Processus par lequel les individus ou les pays développent une activité pour laquelle ils disposent d'une compétence ou d'un avantage particulier. Elle s'accompagne du développement de la division du travail.

Spéculation : Pour l'économiste Nicholas Kaldor, elle désigne tout achat ou vente motivé par une anticipation sur les prix.

Statut social : Position occupée par un individu dans la hiérarchie sociale ou dans un groupe en fonction de critères sociaux (âge, profession, etc.).

Stigmatisation : Réduction de l'identité sociale d'un individu à une caractéristique dévalorisée (un handicap physique, sa couleur de peau, sa sexualité, sa religion, etc.).

Structure sociale : Le terme désigne la manière dont la société répartit la population en différents groupes sociaux. Dans un sens plus large, il désigne la société en général.

Style de vie : Il s'agit de la manière de vivre propre à un groupe social. Cela englobe les comportements, la sociabilité et les valeurs du groupe.

Syndicat : Organisation chargée de défendre les intérêts du groupe professionnel qu'elle représente : travailleurs pour les syndicats de salariés, chefs d'entreprise pour les syndicats patronaux.

T

Table de destinée : Tableau de mobilité à double entrée qui, en croisant CSP du père et du fils/de la fille, décrit ce que deviennent les fils/filles issus d'une catégorie donnée.

Taux de change : Valeur de la monnaie nationale exprimée en monnaie étrangère. Le taux de change, qui correspond au prix de la monnaie nationale par rapport à une autre monnaie, se fixe sur le marché des changes où les devises sont offertes et demandées contre de la monnaie nationale.

Taux de chômage : Pourcentage de chômeurs dans la population active (actifs occupés + chômeurs). Il est calculé en faisant le rapport entre le nombre de chômeurs et le nombre d'actifs.

Taux de pauvreté : Ce taux correspond à la proportion d'individus (ou de ménages) dont le niveau de vie est inférieur au seuil de pauvreté (exprimé en euros). Le seuil de pauvreté est, en Europe, fixé à 60 % du niveau de vie médian, soit pour la France environ 950 euros en 2011.

Taux de salaire réel : Salaire nominal divisé par le taux d'inflation. Taux de salaire auquel on a retiré l'inflation, il mesure le pouvoir d'achat des ménages salariés.

Taux d'emploi : Le taux d'emploi d'une classe d'individus est calculé en rapportant le nombre d'individus de la classe ayant un emploi, au nombre total d'individus dans la classe. Il peut être calculé sur l'ensemble de la population d'un pays, mais on se limite le plus souvent à la population en âge de travailler (généralement définie, en comparaison internationale, comme les personnes âgées de 15 à 64 ans), ou à une sous-catégorie de la population en âge de travailler (femmes âgées de 25 à 29 ans, par exemple).

Taux d'intérêt : C'est la rémunération (exprimée en %) des agents économiques qui prêtent des capitaux. C'est aussi le prix à payer par les emprunteurs de capitaux. Les taux d'intérêt se fixent sur un marché à partir de la rencontre entre une offre et une demande de capitaux, c'est donc le prix du loyer de l'argent.

Taux d'intérêt directeur : Taux pratiqué par la banque centrale pour intervenir sur le marché monétaire ou prêter aux banques commerciales.

Taux d'ouverture : Ce taux permet d'évaluer l'ouverture d'un pays sur l'extérieur en matière économique. L'ouverture dépend de la taille du pays, de sa spécialisation, de son appartenance ou non à une zone régionale intégrée. Il est nécessaire de prendre en compte les exportations et les importations du pays concerné. Il se calcule de la façon suivante : [(Exportations + Importations) / 2] / PIB × 100. Il arrive que le taux d'ouverture soit assimilé au taux d'exportation, que l'on calcule de la façon suivante : (Exportations / PIB) × 100.

Taxation : Mesure prise par les pouvoirs publics qui consiste à fixer une redevance affectant le prix de certains produits ou services.

Transfert de technologie : Il s'agit de l'acquisition, par les pays en développement, de biens d'équipement, de licences, de brevets ou d'usines « clés en main » venant des pays développés, dans le but d'acquérir plus rapidement des technologies modernes et d'accélérer ainsi le processus de développement.

Travail : Facteur de production constitué des ressources en main-d'œuvre mobilisées par les unités de production pour transformer les consommations intermédiaires en biens ou services.

U

Union économique et monétaire (UEM) : Espace économique constitué par les membres d'une union économique qui instaurent une coopération monétaire renforcée.

Union européenne (UE) : L'Union européenne est une zone d'intégration régionale, parvenue à la dernière étape de l'intégration définie par Béla Balassa : l'union économique et monétaire (UEM).

Unité de consommation : Voir **niveau de vie**

V

Valeur ajoutée : Ensemble des richesses nouvellement créées par une organisation de production. Elle est égale à la valeur de la production (souvent mesurée par le chiffre d'affaire) moins les consommations intermédiaires.

Valeurs : Idéaux auxquels les membres d'une société adhèrent et qui guident leurs façons de penser, se comporter.

Z

Zone de libre-échange : Espace à l'intérieur duquel les barrières tarifaires et non tarifaires sont abolies et où les marchandises circulent librement.

Crédits

Couverture : Réouverture du LAM de Lille, musée d'art moderne, d'art contemporain et d'art brut. : Tom/Andia.fr ; 10 : Jorg Greuel/Getty Images ; 13 : Georges Gobet/ImageForum/AFP ; 19 : Mark Edwards Smith/ImageForum/AFP ; 24hg DR ; 24hmg : Amazon ; 24hm : Intel ; 24hmd : Tomtom ; 24hd : Apple ; 24b : Kodak ; 25 : Sony ; 26 : Martial Trezzini/epa/Corbis ; 32 : Films4 ; 39 : Ariel Skelley/Stockbyte/Getty Images ; 46 : Joe Raedle/AFP ; 51 : Time & Life Pictures/Getty Images ; 52 : Time & Life Pictures/Getty Images ; 58g : Chrales H. Ferguson, Audrey Marrs, Jeffrey Lurie ; 58m : Twentieth Century Foc et Amercent Films ; 58d : Arlette Zylberberg, Valérie d'Auteuil, Pierre-François Piet ; 64 : E.G.Pors/Shutterstock ; 65 : Chappatte dans Le Temps, Genève – www.globecartoon.com ; 67h : Langer/cartoons@courrierinternational.com ; 67b : Romain Degoul/Réa ; 70 : WTO/Jay Louvion ; 72 : Marie Evans/Keystone France ; 77h : Chappatte dans Le Temps, Genève – www.globecartoon.com ; 77b : Oronoz/Photo12.com ; 78h : OMC ; 78b DR ; 90g : Mécanos Productions/La Vaka (co-production) ; 90m : Ladybirds film/Arte France (co-production) ; 90d : Allegro Film ; 100 : Denis Allard/Réa ; 102 : Philippe Tastet ; 111g : Franck Fife/AFP ; 116 : La Mare aux canards, TINA Films ; 111m : Chrales H. Ferguson, Audrey Marrs, Jeffrey Lurie ; 111g : Twentieth Century Fox et Amercent Films ; 123 : Plantu ; 128 : Julien Warnand/epa/Corbis ; 136 : Philippe Tastet/Iconovox ; 148 : Laurent dambies/Shutterstock ; 151 : Loïc Venance/AFP ; 152 : James Leynse/Réa ; 160 : Ralph Orlowski/AFP· ; 162 : Scanpix Sweden/AFP ; 170g : Josh Fox ; 170d : Arte France Développement ; 177 : Eugene Suslo/Shutterstock ; 179 : Fredrik Naumann/Panos-Réa ; 190 : Hamilton/Réa ; 196 g : Davis Guggenheim ; 196mg : Luc Besson, Denis Carot et François-Henri Pinault ; 196md : Éric Altmayer et Nocilas Altmayer ; 196d : Jacques Perrin et Christophe Barratier ; 202h : Plantu ; 202bg : Alexander Chaikin/Shutterstock ; 202bd : AJP/Shutterstock.com ; 205h : Laurent Lalo ; 205m : Envision/Corbis ; 205b : Slow Images/Getty Images ; 206 : Bridgeman/Collection privée ; 207h : Coll. Viollet ; 207m : Musée des Beaux-Arts de Tours/Roger-Viollet ; 207b : AKG-images ; 209 : Emmanuelle Toussaint/Gamma ; 215 : Gaumont Distribution ; 216 : Laurent Lalo ; 222g : Arnon Milchan et Steven Reuther ; 222m : Claude Berri ; 222d : Telema Les Films A4 et France 2 Cinéma ; 229h : Gérard Mathieu ; 229m Prod DB : Walt Disney/DR ; 229d : DreamWorks SKG ; 232h : Nicolas Tavernier Réa ; 232m : Benoit Decout/Réa ; 232d : Gilles Rolle/Réa ; 235 : Laurent Lalo ; 235 : Laurent Lalo ; 246g : La Sept Arte, Haut et Court ; 246d Gilles Legrand et Frédéric Brillion ; 252 : Mark L Stephenson/Corbis ; 255h : Nicolas Tucat/Réa ; 255b : Andrea Kuenig/Laif/Réa ; 256hg : Franck Perry/AFP ; 256hd : Source/Zuma/Réa ; 256b :The Palm Beach Post/Zuma/Réa ; 257 : Bettmann/Corbis ; 258 : Romain Champalaune/Sipa ; 263 : Le Figaro Magazine, 2011 ; 264 : Patrick Mac Sean/ès/Corbis ; 267 : Castelli/Andia.fr ; 270 : Richard Baker/In Pictures/Corbis ; 274g : Les films Grains de sable ; 274m : Haut et Court/France 2 Cinéma ; 274d : Seuil ; 281 : Rue des archives/AGIP ; 282g : Musée du Petit Palais/Josse/Leemage ; 282hd : Roger-Viollet ; 282bd : Rue des archives/AGIP ; 288 : The Granger Collection NYC/Rue des archives ; 292hg : Rue des archives/AGIP ; 292bg : Pascal Guyot/AFP ; 292d : Pool Manif école libre 84/Gamma ; 298g : Tamara Asseyev et Alex Rose ; 298d : Les Films d'ici et Robert Copans ; 304 : Confédération des Syndicats Chrétiens (Belgique), Campagne « Faut-il aller jusque-là pour gagner autant qu'un homme ? » ; 307h : Laboratoire de l'égalité ; 307b : Université de Lorraine ; 312 : Gérard Mathieu/Alternatives économiques ; 319 : Sébastien Ortola/Réa ; 322 : Christel Vermaut/Zylo ; 326g : Telema Les Films A4 et France 2 Cinéma ; 326m : Philippe Dupuis-Mendel ; 326d : Christel Vermaut/Zylo ; 333h : Mel Yates/Taxi/Getty Images ; 333m : FIB ; 334b : Fabrice Montignier ; 335h : Ronan Merot/Fondation Abbé Pierre ; 335b : Maiman Rick/Corbis Sygma ; 341 : Deligne ; 352g : Haut et Court/France 2 Cinéma ; 352m : Elizabeth Karlsen et Stephen Woolley ; 352d : Fidélité Films ; 358h : Michel Gaillard/Réa ; 358b : Albert Harlingue/Roger-Viollet ; 361 hg : Laurent Lalo ; 361hd : Organisation internationale du Travail ; 361b : Gilles Rolle/Réa ; 366 : Billett Porter/Camerapress-Gamma ; 370 : Delucq ; 378 : Yami 2 ; 385 : Richard Damoret/Réa ; 386 : Francois Henry/Réa ; 389 : Laurent Cerino/Réa ; Time & Life Pictures/Getty Images ; 399 : Andrea Comas/Reuters ; 418g : Hulton Archive/Getty Images ; 418d : Coll. Viollet ; 419g : Frédéric Reglain/Gamma ; 419d : Maiman Rick/Corbis Sygma ; 423 : James Leynse/Réa

Achevé d'imprimer en Italie par STIGE - Dépôt légal : Août 2012 - Collection n° 20 - Édition 02 - 13/5559/3

FOIRE AUX QUESTIONS

QUELLE EST LA DIFFÉRENCE ENTRE UN BTS ET UN DUT ?

• Les BTS sont ouverts en priorité aux Bac technologiques, alors que les deux tiers des étudiants en DUT sont titulaires d'un Bac général (mais cela dépend également de la spécialité choisie).
• Les DUT se préparent au sein d'un Institut universitaire de technologie, c'est-à-dire à l'université. Les promotions comptent en moyenne 250 étudiants. Les BTS se préparent dans les lycées.
• Les DUT sont plus polyvalents, quand les BTS sont très spécialisés.
• Les poursuites d'études sont plus fréquentes après un DUT (80 %) qu'après un BTS.

POURRAIS-JE RETROUVER UN CYCLE LONG APRÈS DES ÉTUDES COURTES ?

• **OUI.** L'accès aux licences professionnelles peut se faire après un BTS ou un DUT.
• Après une licence professionnelle, il est possible de poursuivre soit en master, soit en choisissant une autre licence pro, voire une autre licence. **Attention toutefois :** cette poursuite d'étude est rare.

QU'EST-CE QUE LE LMD ?

• Le LMD correspond à l'organisation des études universitaires : la licence (Bac + 3), le master (Bac + 5) et le doctorat (Bac + 8) sont à la fois des grades et des diplômes nationaux, reconnus dans toutes les universités de l'espace européen. Ce sont aussi des paliers d'insertion professionnelle.
• Sont également intégrés dans le LMD : les licences professionnelles, les diplômes universitaires de technologie (DUT), les brevets de technicien supérieur (BTS), les classes préparatoires aux grandes écoles, les études de santé à l'université et les études d'infirmières.

L'UNIVERSITÉ ME FAIT PEUR...

Beaucoup de lycéens partagent votre crainte : peur de ne pas être assez autonome, de ne pas savoir s'organiser, de ne pas savoir fournir un travail personnel suffisant. Cette crainte n'est qu'en partie justifiée :
• Toutes les études supérieures demandent ces qualités.
• Vous allez les acquérir progressivement en même temps que votre maturité personnelle.
• Les universités font de gros efforts pour faciliter l'intégration et l'apprentissage rapides des méthodes spécifiques au travail universitaire.

COMMENT PRÉPARER UN CONCOURS ?

• Pour certaines grandes écoles (grandes écoles de commerce, École normale supérieure...), la question ne se pose pas : il faut passer par les CPGE.
• Pour les autres concours, certains lycées proposent des classes préparatoires spécifiques à certains concours. N'hésitez pas à les rechercher et à les comparer (certaines sont payantes).
• Pour les écoles spécialisées (soins infirmiers, éducateurs, assistant social...), une bonne façon de préparer un concours est... d'en passer ! C'est ainsi que vous saurez ce qui vous attend et ce dont vous avez besoin pour réussir. N'hésitez donc pas à passer des concours dès votre année de Terminale (attention cependant aux frais d'inscription aux concours qui peuvent rapidement devenir conséquents, sans compter les déplacements).

JE N'AI PAS LE BAC CORRESPONDANT AUX ÉTUDES QUE JE VEUX FAIRE...

• Il existe des classes de mise à niveau, dans les domaines scientifique, artistique, dans l'hôtellerie-restauration...
• Rien ne vous interdit non plus de reprendre un autre Bac (par exemple un Bac pro, si vous visez un métier spécifique).
• Renseignez-vous auprès d'un conseiller d'orientation.